COLLECTION TEXTE ET

FLAUBERT
MADAME BOVARY

Gérard GENGEMBRE
E.N.S. FONTENAY-SAINT-CLOUD

MAGNARD

Avertissement

Un texte intégral et ses enjeux

Face à la continuité d'un texte soigneusement annoté, des contextes toujours encadrés dans la mise en page, véritables ouvertures, conduisent dans les replis du texte pour faire apparaître ce qui s'y trouve voilé, implicite ou allusif. Tableaux, textes critiques, articles journalistiques ou jugements de la postérité sont là pour rendre à l'œuvre initiale sa vie et ses enjeux.

Des exemples d'explications et de commentaires pour les candidats au baccalauréat, des bibliographies pour ceux qui veulent aller plus loin dans leur lecture complètent ces premiers éclairages.

Enfin, des index (auteurs cités, thèmes, etc.) proposent des lectures transversales.

Christian Biet, Jean-Paul Brighelli,
Jean-Luc Rispail
Directeurs de collection

Sommaire

« *L'illustration est antilittéraire (...)*
Vous voulez que le premier imbécile venu
dessine ce que je me suis tué à ne pas montrer ? »

Gustave Flaubert

Indications bibliographiques

La bibliographie flaubertienne est considérable, non seulement parce que l'œuvre a suscité de très nombreux commentaires, mais aussi, et peut-être surtout, parce que le texte flaubertien a permis à la critique de définir ses enjeux et ses concepts dans les décennies post-1960. Champ de bataille(s) et espace de conquêtes théoriques, le roman flaubertien ne cesse d'être interrogé et de nous interroger. C'est sans doute avec lui que la mise en question(s) de l'écriture peut commencer.

Nous limitons ces orientations aux ouvrages disponibles ou accessibles en librairie. Il va de soi que tous ceux que nous avons utilisés pour ce livre rentrent de plein droit dans la longue liste qu'il conviendrait d'établir et que nous n'avons pas épuisé, il s'en faut, le champ des possibles.

SUR FLAUBERT

- Brombert Victor, *Flaubert par lui-même,* Seuil, 1971.
- Girard René, *Mensonge romantique et vérité romanesque,* Grasset, 1961, réédition Livre de Poche, collection Pluriel, 1978.
- Lukacs Georg, *La Théorie du roman,* 1920, réédition Gonthier, collection Médiations, 1963.
- Mouchard Claude et Neefs Jacques, *Flaubert,* Balland, 1986.
- Nadeau Maurice, *Gustave Flaubert écrivain,* Lettres nouvelles, 1969, réédition, 1980.

- Robert Marthe, *En haine du roman, essai sur Flaubert*, Balland, 1979, réédition, Livre de poche, collection Biblio/essais, 1986.
- Sartre Jean-Paul, *L'Idiot de la famille*, Gallimard, 1971-1972, 3 volumes, réédition collection Tel, 1983, 3 volumes.
- Starkie Enid, *Flaubert, jeunesse et maturité*, Mercure de France, 1970.
- Suffel Jacques, *Gustave Flaubert*, Nizet, réédition 1979.
- Thibaudet Albert, *Gustave Flaubert*, Gallimard, 1935, réédition collection Tel.
- *La production du sens chez Flaubert*, colloque de Cerisy, 1974, U.G.E., collection 10/18, 1975.
- *Langages de Flaubert*, actes du colloque de London (Canada), Minard, collection Lettres modernes, 1977.
- *Flaubert à l'œuvre*, Flammarion, 1980.
- *Travail de Flaubert*, Seuil, collection Points, 1983 (reprend des articles difficilement accessibles de Claude Duchet, Jean Starobinski, Jean Rousset, Michel Raimond, Michel Foucault, Jacques Neefs, Raymonde Debray-Genette, Claude Mouchard, Jean-Pierre Richard, Claudine Gothot-Mersch, présentation de Gérard Genette).

SUR MADAME BOVARY

- Auerbach Erich, *Mimésis*, traduction Gallimard, 1968.
- Baudelaire Charles, « Madame Bovary » in *Œuvres complètes*, Pléiade ou collection Bouquins, Laffont.
- Gothot-Mersch Claudine, *La Genèse de Madame Bovary*, Corti, 1966, reprint Slatkine, 1980.
- De Lattre Alain, *La Bêtise d'Emma Bovary*, Corti, 1980.
- Nabokov Vladimir, *Madame Bovary*, in *Littératures 1*, Fayard, 1983, réédition Livre de poche, collection Biblio/essais, 1987.
- Neefs Jacques, *Madame Bovary*, collection Poche critique, Hachette, 1972.
- Vargas-Llosa Mario, *L'Orgie perpétuelle*, traduction Gallimard, 1978.
- Vial André, *Le Destin de Flaubert ou le Rire d'Emma Bovary*, Nizet, 1974

Il existe de nombreux autres ouvrages de grande valeur en langue étrangère qui n'ont, à notre connaissance, malheureusement pas bénéficié d'une traduction, et que nous n'avons ainsi pu utiliser. En voici une liste très limitée, à titre indicatif et pour bien montrer que l'intérêt pour Flaubert dépasse de très loin l'espace francophone :

* H. Friedrich, *Die Klassiker des französischen Romans*, Leipzig, 1939.
* H. Levin, *Flaubert*, Oxford University Press, New York, 1963.
* P. Lubbock, *The Craft of fiction*, New York, Cape and Smith, 1921, réédition 1957.
* J. Middleton Murry, *Countries of the mind*, Oxford University Press, New York, London, 1931.
* S. Ullmann, « Reported speech and internal monologue in Flaubert », *Style in french novel*, Cambridge University Press, 1957.

* Sur *Madame Bovary* spécifiquement :

* S. Cigada, « Genesi e struttura tematica di Emma Bovary » in *Contributi del Seminario di Filologia moderna*, Universita Cattolica del Sacro Cuore, serie francese, I, Milano, Vita e Pensiero, 1959.
* A. Fairlie, *Flaubert, Madame Bovary*, London, Arnold, 1962.

E. L. Lipharts del
1880

Louis Monziès sculp.

Flaubert : quelques repères biographiques

1821 : Naissance le 12 décembre à l'Hôtel-Dieu de Rouen, où son père, Achille-Cléophas, est médecin-chirurgien, de Gustave Flaubert, deuxième enfant viable du couple, après l'aîné Achille, qui succédera à son père.

1824 : Naissance, le 15 juillet, de sa sœur Caroline.

1830 : Il commence à s'enthousiasmer pour la littérature, et rêve de composer des pièces et des romans.

1831 : Il entre en classe de huitième au lycée de Rouen, alors collège royal. Il y sera interne à partir de 1832, puis externe à partir de 1838. Il se lie d'amitié avec Ernest Chevalier.

1833 : Premier voyage à Paris.

1834 : Gustave a déjà à son actif plusieurs petites pièces, et surtout des récits et drames historiques. Il rédige un hebdomadaire : *Art et Progrès*. Rencontre de Louis Bouilhet, né en 1821.

1835 : Lecture de Shakespeare et de Walter Scott.

1836 : Il écrit plusieurs contes : *La Peste à Florence, Rage et impuissance...* Pendant les vacances d'été, il se lie avec deux jeunes Anglaises, Gertrude et Harriet Collier, et rencontre la femme de l'éditeur de musique Maurice Schlésinger (Elisa Foucault), qui restera désormais l'image de la femme aimée et inaccessible : « Je baissai les yeux et rougis. Quel regard, en effet ! Comme elle était belle cette femme ! Je vois encore cette prunelle ardente sous un sourcil noir se fixer sur moi comme un soleil... » *(Mémoires d'un fou)*.

1837 : Début de l'amitié pour Alfred Le Poittevin, né en 1816, et rédaction de *Rêve d'enfer, Quidquid volueris, Passion et vertu*, publication d'*Une leçon d'histoire naturelle, genre commis* et de *Bibliomanie* dans *Le Colibri*, petit journal littéraire rouennais. Il crée également avec ses amis le personnage du *Garçon*.

1838 : Écriture de contes et de drames : *La Danse des morts, Ivre et mort, Agonies, Loys XI*, et surtout d'un texte à forte charge autobiographique : *Mémoires d'un fou*.

1839 : Rédaction d'une première esquisse de *la Tentation de saint Antoine : Smarh*, d'un essai sur *Rabelais* et des *Funérailles du docteur Mathurin*. Il se fait expulser pour indiscipline du collège et prépare son baccalauréat à domicile. Son frère se marie.

1840 : Reçu bachelier en août, il se voit offrir par son père un voyage dans les Pyrénées et en Corse en compagnie du docteur Jules Cloquet. Il rencontre Eulalie Foucaud à Marseille. Elle a trente-cinq ans, et c'est une liaison intense : « Ce furent une fouterie de délices, puis de larmes, puis de lettres, puis plus rien » d'après les frères Goncourt, rapportant l'épisode dans leur *Journal*.

1841 : Inscription en novembre à la Faculté de Droit de Paris. Il ne s'y rend qu'en janvier 1842, et prépare son examen à Rouen.

1842 : Vacances estivales à Trouville où les familles Flaubert et Collier se lient. Rédaction finale de *Novembre*. Installation à Paris, rue de l'Est. Il mène alors une vie d'étudiant, fréquente les Collier, les Pradier et les Schlésinger, sans négliger les prostituées. Il est reçu à son examen de première année en décembre.

1843 : Tout en poursuivant ses études, il se lie d'amitié avec Maxime Du Camp et commence la première *Education sentimentale*. Il rencontre Victor Hugo chez Pradier, échoue à l'examen de deuxième année, et, malgré le découragement et après des vacances à Nogent, il reprend les cours en novembre. En décembre, il est à Vernon, ville natale de madame Schlésinger.

1844 : En janvier a lieu la célèbre crise nerveuse (ou d'épilepsie ?) au cours d'un voyage à Pont-l'Evêque avec son frère. Ramené à Rouen, il doit suivre un régime draconien, et il renonce aux études. Son père achète une maison à Croisset, près de Rouen, face à la Seine. C'est là qu'il se cloîtrera pour écrire, ce que Barthes appellera la « séquestration flaubertienne ».

1845 : Il achève la première *Education sentimentale*, qui ne sera publiée qu'à titre posthume. Sa sœur Caroline épouse Emile Hamard, et toute la famille accompagne les époux dans leur voyage en Italie. A Gênes, il découvre le tableau de Brueghel : *La Tentation de saint Antoine*. De retour à Croisset, il se plonge dans Shakespeare et Voltaire. Il étudie le grec. Son père tombe malade (phlegmon).

1846 : Le docteur Flaubert meurt le 15 janvier, le 21 février naît Désirée-Caroline Hamard, mais sa mère contracte une fièvre puerpérale et meurt le 23 mars. On l'enterre dans sa robe de mariée. Gustave s'installe définitivement à Croisset avec sa mère, sa nièce et la servante Julie. Il écrit une pièce en collaboration avec Bouilhet et Du Camp, *Jenner ou le Triomphe de la médecine*. Le Poittevin se marie en juillet avec Louise de Maupassant, et Laure Le Poittevin avec Gustave de Maupassant. En juin il rencontre chez Pradier « la Muse », Louise Colet et, le 29 juillet, commencent à la fois leur liaison et leur correspondance. Le premier rendez-vous à Mantes, à l'hôtel du Grand-Cerf, a lieu le 9 septembre. Gustave redoute qu'elle ne soit enceinte.

1847 : Voyage en Touraine et en Bretagne en compagnie de Maxime Du Camp, les notes constitueront *Par les champs et par les grèves,* Du Camp écrivant les chapitres pairs et Flaubert les impairs, mais ils renonceront à leur publication. Nouvelle crise nerveuse en septembre.

1848 : Flaubert et Bouilhet se rendent à Paris en février pour assister à la révolution. Le 3 avril, Alfred Le Poittevin meurt.

■ Le 24 mai, Gustave entreprend *La Tentation de saint Antoine*, interrompt sa liaison avec Louise Colet en août (il la reprendra en 1851).

1849 : Le 12 septembre, il achève *La Tentation*. Du Camp et Bouilhet la déclarent manquée et lui conseillent un sujet plus prosaïque. Le docteur Cloquet lui ayant conseillé un voyage dans les pays chauds, il s'embarque à Marseille avec Du Camp pour un voyage en Orient : Égypte, Palestine, Syrie, Liban, Rhodes, Constantinople, Grèce, Italie.

1850 : Le 22 mars, devant la deuxième cataracte du Nil, il s'écrie : « J'ai trouvé. Eurêka, eurêka ! Je l'appellerai madame Bovary. » (Maxime Du Camp, *Souvenirs littéraires*.) Le 6, il avait passé la nuit chez la courtisane Kutchiuk-Hânem.

1851 : Après dix-neuf mois d'absence, il rentre à Croisset. D'Orient, il a rapporté un univers de souvenirs, la syphilis et la résolution d'écrire *Madame Bovary* ; il s'y attelle le 19 septembre, après avoir revu Louise. En septembre, il visite l'Exposition universelle de Londres avec sa mère.

1852 : Année entièrement consacrée à *Madame Bovary*, avec quelques escapades avec Louise Colet, tantôt à Paris, tantôt à Mantes. Il se querelle par correspondance avec Maxime Du Camp.

1853 : Également une année placée sous le joug de la *Bovary*, et toujours les rencontres trimestrielles avec Louise.

1854 : Toujours la *Bovary*, plusieurs séjours à Paris, liaison avec Beatrix Person

et santé chancelante en raison des progrès de la syphilis. Rupture en octobre avec Louise Colet. Il s'installe en novembre à Paris.

1855 : Encore la *Bovary*. Après avoir passé l'hiver 1854-55 à Paris, il fait de même pour celui de 1855-56.

1856 : Achèvement de *Madame Bovary*. Louise Colet publie *Une histoire de soldats* où elle ridiculise Flaubert. Du Camp ayant acheté 2 000 francs l'œuvre de cinq années d'un labeur acharné, il la publie en six livraisons dans *la Revue de Paris* d'octobre à décembre, non sans avoir demandé des coupures que Flaubert a refusées, estimant avoir déjà beaucoup sacrifié. La *Revue* s'arroge le droit de censurer le texte, au grand dam de son auteur. En juin, il remanie *la Tentation*, dont *l'Artiste* publie des fragments en octobre. Ce même mois, il cède les droits de *Madame Bovary* à Michel Lévy.

1857 : Poursuites contre Flaubert pour offenses à la morale, procès le 29 janvier, acquittement le 7 février. Parution en avril de *Madame Bovary*, son premier roman publié. Flaubert décide d'écrire un roman sur Carthage. En juin, deuxième tirage de la *Bovary*, les 15 000 exemplaires du premier s'étant arrachés. C'est également l'année de la parution et du procès des *Fleurs du Mal*. Flaubert refuse de laisser adapter *Madame Bovary* au théâtre.

1858 : Pendant l'hiver, Flaubert fréquente Sainte-Beuve, Baudelaire, Gautier, les Goncourt, etc. Il se rend en Tunisie au printemps pour visiter les ruines de Carthage, et à partir de septembre, il rédige les chapitres 2 et 3 de *Salammbô*, commencé l'année précédente.

1859 : Il travaille à *Salammbô*. Louise Colet publie un roman à clé peu flatteur pour Flaubert : *Lui*.

1860 : Toujours *Salammbô*. Il renoue avec Maxime Du Camp.

1861 : *Salammbô...* L'enfermement se fait plus systématique, et Flaubert ne séjourne plus à Paris qu'en mai...

1862 : Il achève *Salammbô* qui paraît en novembre chez Lévy. Flaubert répond aux critiques de Sainte-Beuve.

1863 : Après l'ascèse, c'est la vie mondaine chez la princesse Mathilde. Il commence sa correspondance avec George Sand. En février, il rencontre Tourguéniev au dîner Magny. Il écrit avec Bouilhet et d'Osmoy une féerie, *Le Château des cœurs*, qui ne sera jamais représentée.

1864 : Sa nièce Caroline se fiance avec Ernest-Octave-Philippe, dit Commanville, né en 1834, qu'elle épouse en avril. De janvier à mars, Gustave séjourne à Paris, fréquente le prince Napoléon et la princesse Mathilde. En août, il entreprend des voyages documentaires pour *l'Éducation sentimentale*, qu'il commence en septembre : « Me voilà maintenant attelé (...) à un roman de mœurs modernes qui se passera à Paris (...). C'est un livre d'amour, de passion ; mais de passion telle qu'elle peut exister maintenant, c'est-à-dire inactive. »

1865 : C'est à nouveau le labeur forcené de l'écriture. D'après les Goncourt, « ce n'est plus du travail, c'est la Trappe. » Il participe cependant au dîner Magny en l'honneur de Sainte-Beuve nommé sénateur, et se rend à Londres, puis à Bade.

1866 : Il interrompt ses travaux forcés pour se rendre à nouveau à Londres et pour séjourner chez la princesse Mathilde, à Saint-Gratien. Il reçoit la Légion d'honneur le 15 août. Il proposait aux Goncourt de « s'enfonc(er) réciproquement les rayons de l'étoile dans le cul, en manière de réjouissance ». George Sand lui rend visite à Croisset.

1867 : Il séjourne plus à Paris. Il revoit madame Schlésinger. A l'occasion de l'Exposition universelle, qu'il visite, il est invité au bal des Tuileries.

1868 : Écriture de *l'Éducation*, scandée par les visites qu'il rend, ou qu'il reçoit, comme celle de Tourguéniev à Croisset.

1869 : *L'Éducation sentimentale* est publiée en novembre. Louis Bouilhet était mort en juillet, et en juin, Flaubert avait entamé la troisième version de la *Tentation*.

1870 : Sa santé se détériore. Il remanie *Le Sexe faible*, comédie de Bouilhet, et travaille à *la Tentation*, dans le découragement et l'inquiétude. En novembre, les Prussiens logent à Croisset, Flaubert et sa mère se réfugient à Rouen.

1871 : Il se rend à Dieppe, chez Caroline, puis à Bruxelles et à Londres. C'est en avril qu'il rentre à Croisset. En juin, il se rend dans un Paris dévasté par la Commune. Mme Schlésinger lui rend visite, et il s'installe à Paris à la fin de l'année.

1872 : Sa mère meurt en avril, Caroline reçoit la maison de Croisset. Après avoir fait publier les *Dernières chansons* de Louis Bouilhet en février, il achève la *Tentation* en juillet et la cède à l'éditeur Charpentier.

1873 : Il se lie avec Maupassant, rend visite à George Sand à Nohant, récrit *Le Sexe faible,* songe à *Bouvard et Pécuchet* et écrit une comédie, *Le Candidat,* reçue au Vaudeville. Ses lectures boulimiques n'améliorent guère une santé devenue franchement mauvaise.

1874 : *Le Candidat* fait un four. Charpentier publie la *Tentation* en avril, et Flaubert entreprend *Bouvard et Pécuchet.* Les soucis d'argent contribuent à assombrir un moral déjà très bas.

1875 : Il doit vendre ses biens pour sauver les Commanville de la faillite. Négligeant *Bouvard,* il commence à Concarneau chez son ami Pouchet La Légende de *Saint Julien l'Hospitalier.*

1876 : Installé à Paris, rue du Faubourg-Saint-Honoré, il achève *Saint Julien.* Louise Colet meurt en mars. Il écrit *Un cœur simple* pour George Sand, qui meurt en juin. Il songe à un troisième conte, *Hérodias,* et retrouve la foi en la littérature.

1877 : Il termine *Hérodias,* et les *Trois contes* sont publiés en avril. Il fréquente Maupassant et Victor Hugo. De retour à Croisset, il reprend *Bouvard...* Il voyage en Normandie pour se documenter.

1878 : Solitaire, malade, il continue *Bouvard...* L'argent manque, et *Le Moniteur* lui refuse *Le Château des coeurs.*

1879 : En dépit d'une fracture du péroné, c'est une année un peu moins noire : ses amis lui obtiennent un poste hors cadre à la Bibliothèque Mazarine. Il accepte que *Salammbô* soit adapté en livret d'opéra. De nouvelles éditions de l'*Éducation* et de *Salammbô* paraissent.

1880 : Il commence le dernier chapitre de *Bouvard et Pécuchet,* qui restera inachevé. Il réunit Zola, Daudet, Maupassant, Goncourt et Charpentier à Pâques. Il succombe à une hémorragie cérébrale le 8 mai.

1881 : Publication posthume de *Bouvard et Pécuchet.*

1884 : Publication des *Lettres de Flaubert à George Sand.*

1886 : Publication de *Par les Champs et par les grèves.*

1887 : Publication du premier tome de la *Correspondance.*

1906 : Création à Rouen de *Madame Bovary,* drame de William Busnach.

Achille Flaubert meurt en 1882, la servante Julie en 1883, ainsi que madame Achille Flaubert, Louise Pradier en 1885, Elisa Schlésinger en 1888, Ernest Commanville en 1890, Maupassant en 1893, Maxime Du Camp en 1894, Caroline (devenue Franklin-Grout en 1900) en 1931.

Les premières *Œuvres complètes* paraissent chez Conard de 1910 à 1954.

En guise d'ouverture

« Ce qui me semble beau, ce que je voudrais faire, c'est un livre sur rien, un livre sans attache extérieure, qui se tiendrait de lui-même par la force interne de son style, comme la terre sans être soutenue se tient en l'air, un livre qui n'aurait presque pas de sujet ou du moins où le sujet serait presque invisible, si cela se peut. Les œuvres les plus belles sont celles où il y a le moins de matière ; plus l'expression se rapproche de la pensée, plus le mot colle dessus et disparaît, plus c'est beau. Je crois que l'avenir de l'Art est dans ces voies. Je le vois, à mesure qu'il grandit, s'éthérisant tant qu'il peut, depuis les pylônes égyptiens jusqu'aux lancettes gothiques, et depuis les poèmes de vingt mille vers des Indiens jusqu'aux jets de Byron. La forme, en devenant habile, s'atténue ; elle quitte toute liturgie, toute règle, toute mesure ; elle abandonne l'épique pour le roman, le vers pour la prose ; elle ne se connaît plus d'orthodoxie et est libre comme chaque volonté qui la produit. Cet affranchissement de la matière se retrouve en tout et les gouvernements l'ont suivi, depuis les despotismes orientaux jusqu'aux socialismes futurs.
C'est pour cela qu'il n'y a ni beaux ni vilains sujets et qu'on pourrait presque établir comme axiome, en se posant au point de vue de l'Art pur, qu'il n'y en a aucun, le style étant à lui tout seul une manière absolue de voir les choses. »

A Louise Colet, 16 janvier 1852[1]

[1] Sauf indication contraire, tous les extraits de la correspondance de Flaubert seront cités d'après la fort commode anthologie établie par Geneviève Bollème : Préface à la vie d'écrivain, Seuil, 1963 (ici pp. 62-63).

MADAME BOVARY

MŒURS DE PROVINCE ①

Sur le titre

« Interroger un roman à partir de son titre (c'est) l'atteindre dans l'une de ses dimensions sociales, puisque le titre résulte de la rencontre de deux langages, de la conjonction d'un énoncé romanesque et d'un énoncé publicitaire. Il est pour la société ce qui reste du livre, une fois lu, et donc le transforme en objet parlé. Pris en charge par le commerce, le commentaire culturel, "les vagues conversations" où le hasard des phrases peut l'inscrire, le titre se transforme sémantiquement et même parfois s'altère. Le roman de Flaubert y a perdu son second titre, comme on disait à l'époque dans les catalogues de librairie ou de cabinets de lecture. *Mœurs de province* est la plupart du temps ignoré par les éditeurs et très souvent négligé par la critique. (...)

Pour ce premier roman publié il choisit le code balzacien ou para-balzacien : un intitulé quasi archétypal avec cependant quelques différences, nous allons le voir, dans la présentation du nom éponyme. Le sous-titre remplit sa fonction d'usage, qui est de classer dans un sous-genre, donc d'éclairer et de compléter le titre proprement dit, d'ajouter au noyau fictionnel ramassé dans le syntagme du titre la suggestion d'un contenu, l'orientation d'une lecture et d'un parcours. A noter seulement l'absence d'indicateurs rhétoriques : "roman" ou "étude", par exemple, devant le mot "mœurs", ce qui introduit une sorte d'équivalence entre les deux éléments du titre et fait du second comme la traduction du premier ou plutôt son autre texte. Inscrite dans le double champ des mœurs et de la province, "Madame Bovary", femme ou roman, en reçoit non seulement une part de son sens, mais ses conditions de possibilité mêmes. Le roman se définit ainsi comme la confrontation entre une donnée romanesque et l'évidence massive d'une socialité. La voix des mœurs, partie intégrante du roman, le constitue à la fois en texte et en société.

D'autre part, le sous-titre explique et situe l'audace relative du titre qui, dans le cadre d'un modèle éprouvé, présente néanmoins comme point de départ romanesque un nom de femme sans particule, dans son statut d'épouse bourgeoise, et sans héroïsation par l'emploi du prénom seul. "Emma" eût été le titre romanesque, à l'instar d'*Indiana* ou de *Lélia* ; "Emma Bovary", comme *Eugénie Grandet*, eût commencé à introduire la dimension sociale du patronyme, puisque ce dernier suppose a *priori* un entour familial, une histoire. Le nom propre a comme référence un état civil. Mais l'énoncé de ce type (on peut songer aussi à *Thérèse Raquin* ou *Germinie Lacerteux*) met l'accent sur l'aventure d'une vie, sur un singulier. "Madame", substituée au prénom, socialise entièrement l'inscription titulaire, la met au pluriel. "*Madame Bovary !... Eh ! tout le monde vous appelle comme cela !... Ce n'est pas votre nom, d'ailleurs ; c'est le nom d'un autre !*" : le mensonge romantique de Rodolphe énonce une vérité romanesque. Rien dans ce titre n'appartient à Emma, et le roman sera précisément le roman de ce titre, le roman de la Socialité d'Emma, non pas "roman de mœurs", mais "roman *des* mœurs", précisément. En ce sens l'on peut dire que le sous-titre engendre le titre, et que "Madame Bovary" est issue d'un discours social. Et par là se désigne aussi l'autre sujet du roman, *l'autre* du roman. »

CLAUDE DUCHET, 1973
« Discours social, texte italique »,
in *Langages de Flaubert*, Minard, 1976, pp.143-144.

SÉNARD

Président de l'Assemblée Nationale pendant l'insurrection de Juin - Ministre de l'Intérieur

Représentant de la Seine Inférieure

Nouvelle édition par Emile Martin Charpentier &c   Photo. GOUPIL VIBERT & C.ᵉ éditeurs

Défenseur de Flaubert lors du Procès Bovary

(Paris - 31 Janvier - 7 Février 1857)

A

MARIE-ANTOINE-JULES SÉNARD

MEMBRE DU BARREAU DE PARIS
EX-PRÉSIDENT DE L'ASSEMBLÉE NATIONALE
ET ANCIEN MINISTRE DE L'INTÉRIEUR[1]

Cher et illustre ami,

Permettez-moi d'inscrire votre nom en tête de ce livre et au-dessus de sa dédicace ; car c'est à vous, surtout, que j'en dois la publication. En passant par votre magnifique plaidoirie, mon œuvre a acquis pour moi-même, comme une autorité imprévue. Acceptez donc ici l'hommage de ma gratitude, qui, si grande qu'elle puisse être, ne sera jamais à la hauteur de votre éloquence et de votre dévouement.

Gustave Flaubert
Paris, le 12 avril 1857.

1. *Cette dédicace fut ajoutée dans l'édition originale de 1857, après le procès intenté à Flaubert devant le tribunal correctionnel de Paris (voir les différents contextes consacrés à cette affaire). Prévenu d'avoir « commis les délits d'outrage à la morale publique et religieuse et aux bonnes mœurs », Flaubert avait choisi pour le défendre Maître Sénard, ancien bâtonnier du barreau de Rouen et ancien président de l'Assemblée nationale, qui se signala comme « homme d'ordre » au poste de ministre de l'Intérieur en 1848.*

A

LOUIS BOUILHET[1]

Et CARJAT.

POTHEY

LOUIS BOUILHET

PREMIÈRE PARTIE

I ⟨1⟩

Nous étions à l'Étude[1], quand le Proviseur entra, suivi d'un *nouveau* habillé en bourgeois et d'un garçon de classe qui portait un grand pupitre. Ceux qui dormaient se réveillèrent, et chacun se leva comme surpris dans son travail ⟨2⟩.

5   Le Proviseur nous fit signe de nous rasseoir ; puis, se tournant vers le maître d'études :

— Monsieur Roger, lui dit-il à demi voix, voici un élève que je vous recommande, il entre en cinquième. Si son travail et sa conduite sont méritoires, il passera *dans les grands*, 10 où l'appelle son âge.

Resté dans l'angle, derrière la porte, si bien qu'on l'apercevait à peine, le *nouveau* était un gars de la campagne, d'une quinzaine d'années environ, et plus haut de taille qu'aucun de nous tous. Il avait les cheveux coupés droit sur 15 le front, comme un chantre de village, l'air raisonnable et fort embarrassé. Quoiqu'il ne fût pas large des épaules, son habit-veste[2] de drap vert à boutons noirs devait le gêner aux entournures et laissait voir, par la fente des parements[3], des poignets rouges habitués à être nus. Ses jambes, en bas 20 bleus, sortaient d'un pantalon jaunâtre très tiré par les bretelles. Il était chaussé de souliers forts, mal cirés, garnis de clous.

On commença la récitation des leçons. Il les écouta de toutes ses oreilles, attentif comme au sermon, n'osant même 25 croiser les cuisses, ni s'appuyer sur le coude, et, à deux heu-

1. *Depuis l'article d'Auriant paru dans* le Mercure de France *le 15 décembre 1934 («* Une source de Madame Bovary *»), on souligne la similitude entre cette scène d'ouverture et un passage du* Livre posthume de Maxime Du Camp *paru en 1853 (voir le contexte, p. 299).*
Claudine Gothot-Mersch fait justement observer que le premier chapitre de Madame Bovary *était achevé depuis longtemps lorsque parut le* Livre posthume. *Qui s'est donc inspiré de l'autre ? (édition Garnier, 1971, p. 452.)*
2. *Signe d'une condition sociale très modeste, l'habit-veste était un vêtement à basques courtes. Nous le retrouverons porté par plusieurs invités au mariage de Charles et d'Emma (p. 98).*
3. *Parements : parties retroussées et ornées d'un vêtement, en particulier au bout des manches.*

Le petit journal de Madame Bovary

Ainsi intitulerons-nous désormais les extraits de la correspondance de Flaubert que nous reproduisons, car ils permettent de suivre la difficile élaboration du roman. La place nous manque, hélas, pour tous les citer.

« J'ai commencé hier au soir mon roman. J'entrevois maintenant des difficultés de style qui m'épouvantent. Ce n'est pas une petite affaire que d'être simple. J'ai peur (...) de faire du Balzac chateaubrianisé. »

A Louise Colet, 20/09 (?)1851

 # Au commencement était le nous

Avec « C'était à Mégara, faubourg de Carthage, dans les jardins d'Hamilcar » *et* « Longtemps je me suis couché de bonne heure », *cet incipit (première phrase d'un livre) compte parmi les plus célèbres de la littérature française. Objet de multiples commentaires, parfois étouffé sous la glose, il a donné notamment lieu à un article fondateur, à partir duquel la sociocritique a commencé de véritablement exister en France :*

« L'incipit de *Madame Bovary* s'installe dans la massive évidence d'un être-là. L'écriture réaliste énonce l'innommable, donne forme de nécessité à l'arbitraire, fait coïncider le sujet linguistique et le sujet textuel, fonde le vraisemblable sur la mise en scène du procès d'énonciation : ici le *nous* initial, figure rhétorique du "point de vue". En fait, il s'agit d'un leurre : ce *nous* médiatise le référent et le transforme en espace-temps piégé, puisque déjà vécu par un être textuel. De plus, et surtout, si la mimésis du réel tend à évider le langage, qui serait pur transit du sens, l'écriture rétablit l'écran des mots et s'inscrit dans un schéma narratif préformé. Ici, l'énoncé se trouve réglé par une structure métonymique ([élèves] → étude → proviseur → nouveau → garçon de classe → pupitre) qui repose sur une "archive", le sujet scolaire : décrivez l'arrivée d'un nouveau dans votre classe. L'effet de réel est aussi, indissolublement, effet de texte et proposition idéologique. C'est-à-dire qu'au lieu d'un reflet du réel nous avons le réel d'un reflet, non point la "réalité", mais une image mentale de la réalité, surdéterminée par un code socio-culturel, saturée de lieux communs, de stéréotypes, de connotations inertes. Le texte donne à lire des "objets" dans sa fausse transparence, et désigne en même temps son lecteur — l'évident sujet de sa lecture, intégré au roman par le *nous* et par le caractère appliqué de l'énoncé, mimésis du style "à l'encre rouge" du jeune Charles. Nous sommes moins au collège de Rouen que dans un espace de communication et de connivence où le collège fonctionne comme une institution, comme le lieu rituel de la reproduction d'un savoir, moyen et moment du devenir bourgeois. Le moderne roman d'éducation demande aux livres et à l'assimilation d'un héritage ce qui naguère relevait d'une expérience du monde, du voyage ou de l'aventure. Nul hasard ici, et les noms sont donnés, dans l'anonymat du social et dans l'ordre d'une hiérarchie, Proviseur au sommet, coiffé de la

majuscule. Au rebours, Diderot, qui théorise en quelque sorte, dans l'incipit de *Jacques*, la pratique et la problématique du roman des lumières (ce que Beckett fait d'une autre façon pour le roman moderne) :

« Comment s'étaient-ils rencontrés ? Par hasard, comme tout le monde. Comment s'appelaient-ils ? Que vous importe ? d'où venaient-ils ? du lieu le plus prochain. Où allaient-ils ? est-ce que l'on sait où l'on va ? »

L'imparfait flaubertien, lui, est prélèvement sur une durée familière, bientôt segmentée en moments égaux, ponctuation d'un temps aliéné, socialisé, voué à l'utile. Et l'incipit met en place un hors-texte dont la perception suppose un passé (ou un passif) culturel. Ainsi les idiolectes être-à-l'étude, un *nouveau*, habillé-en-bourgeois, la majuscule du Pouvoir, le terme technique garçon-de-classe, l'objet pupitre, choix paradigmatique dans une réserve "scolaire" latente. La zone référentielle n'est pas seulement l'espace ouvert par l'entrée du Proviseur (le verbe entrer — vs sortir — est un stéréotype de mise en texte, un cliché de l'ouverture), mais l'entour de cette salle, d'où émergent les personnages, l'ailleurs "bourgeois" d'où vient le nouveau, précisé par l'écart "habillé en" (vs vêtu), qui, à la fois, con-

note la province (mimésis d'un parler), l'indice socio-hiérarchique (la petite-bourgeoisie) et inscrit dans le vêtement suggéré l'aspiration sociale. Dans cette zone, cinq "personnages" au moins sont situés, à divers niveaux de présence : si trois d'entre eux reçoivent un statut textuel, l'être global de la classe s'esquisse seulement dans ce *nous* qui va s'effacer, sans disparaître pourtant de l'écriture : il y subsiste, soit relayé par d'autres embrayeurs (certains démonstratifs par exemple), soit comme sujet implicite de l'énonciation, soit transféré à d'autres groupes porteurs d'un regard collectif ; le maître d'études attendra une phrase, sa mise en texte, mais l'énoncé le dessine en creux. Au-delà, les bruits de la coulisse, du corridor, le silence des espaces administratifs, les rumeurs de la ville et celles de la vie, l'écho des campagnes et des familles. Tout cela peut se fixer sur la figure suivante, faite de cercles concentriques, où l'on voudra bien imaginer la représentation d'un espace-temps textuel.

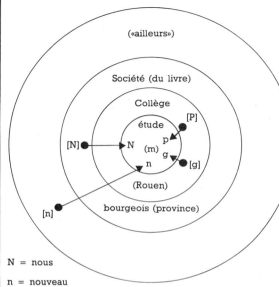

(«ailleurs»)

Société (du livre)

Collège

étude [P]

[N]● ➔ N (m) p
n g
●[g]

(Rouen)

[n]● bourgeois (province)

N = nous

n = nouveau

P = Proviseur

(m) = maitre d'études

g = garçon de classe

● = point d'origine

( ) = implicite

«» = imaginaire espace sans frontières

Comme on le voit, le *nouveau* est enfoui dans une épaisseur sociale, ne reçoit existence que par plusieurs médiations, et cependant transcende ces limites par son point d'origine textuel. Dans une chronologie "réelle", le "nous" (N) est antérieur au *nouveau* (n), qu'il engendre peut-être, textuellement ; dans l'espace-temps du roman, pour le "nous" enfermé dans l'ennui et le moment de l'*étions* et de l'*étude*, le *nouveau* est venu d'ailleurs (cf. l'incipit du *Grand Meaulnes* : "Il arriva chez nous un dimanche de novembre 189.."). L'encadrement textuel de *nouveau* par Proviseur et bourgeois est du reste l'indice d'une certaine distinction par rapport au "nous" [n = N + P (b)], car le Proviseur ici cautionne le bourgeois. Le personnage naît de cette aura sémique qui entoure dans la phrase le mot référentiel. Mais la séquence complète est de valeur plus ambiguë. La position du *nouveau* y est ironiquement précisée. La pyramide sociale se renverse le long d'un axe nar-

ratif, d'après un schéma dont le roman offre d'autres exemples : société-autorité-individu-utilité ("espèce"). Le participe "suivi", la contiguïté syntagmatique avec *un* garçon de classe, réduit à la fonction-objet de porte-pupitre, infériorisent maintenant celui que sa situation textuelle tendait à promouvoir. Le profil et péril d'un destin s'esquissent et le malheur de toute transgression, soulignés par ce fâcheux écho en bout de phrase, où *pitre* prépare le *ridiculus sum* et en fonde la valeur textuelle. Bien plus, la phrase est minée par la connotation burlesque d'un énoncé épique, ce qui produit un effet de parodie ; l'image d'un rituel épique de présentation du héros s'y forme et s'y défait d'un même et prosaïque mouvement : le Proviseur-hérault précède le guerrier suivi de son valet d'armes. Le mot "grand", point de suture du récit (la taille de Charles, son histoire), effet de matière (il donne matérialité au pupitre), ressortit aussi à l'épique (comme plus loin la coiffure-casque), en même temps qu'il introduit, première épithète du texte, une sournoise dissonance : le sème de l'inadaptation, déjà contenu dans le participe *habillé* (qui se lit *déguisé*), est une dysfonction dans l'énoncé "réaliste", lequel suppose la

cohérence de ce qu'il décrit, et la transitivité de son discours, autrement dit la stabilité du monde qu'il énonce. Le statut de l'incipit est particulier, puisque la première phrase a aussi pour rôle de permettre le récit et ne peut donc se constituer en énoncé clos. Mais la façon dont le sens va se frayer passage engage l'idéologie du texte. Ici l'énonciation se fait dénonciation. Le texte grince, dévoile son montage, laisse entendre les voix de l'arrière-fable qui recouvrent ou même annulent non les mots mais la substance du récit, qui devient du rien visible. Le hors-texte "gnomique" est lui-même entraîné dans ce naufrage : l'institution se donne à lire comme une comédie de gestes sans paroles, le savoir est ce qui s'étudie sur la dérision d'un pupitre, la promotion sociale est rendue à la vanité d'un déguisement. D'où la fonction idéologique du style flaubertien qui pense la France bourgeoise dans le travail de son écriture, la déconstruit et la reconstruit, en gris, dans un langage en trompe-l'œil, faussement unificateur, créant l'effet d'une "unité qui ne vaut pas la peine". Mais la critique de l'idéologie se fait dans l'idéologie d'un style, lui-même surdéterminé par l'idéologie qu'il conteste. »

CLAUDE DUCHET, 1971
« Pour une socio-critique ou variations sur un incipit »,
Littérature, n°1, pp. 11-14

Pierre Barbéris, de son côté, met en rapport le « nous » et l'histoire :

« (...) Ce *nous*, semble-t-il, *éternel*, ayant toujours existé, devant durer toujours, ce *nous* que surprend, excite, illumine l'arrivée du nouveau peut être, par exemple, le *nous* de *Louis Lambert* (que Flaubert, même s'il ne l'a eu qu'*après*, défait et déconstruit en ces pages sur le collège de Rouen), ou celui du *Grand Meaulnes*. Dans le premier cas, au sein de *nous* se détache vite un autre individu d'élite et d'exception que le nouveau lui-même, être fabuleux remarqué et sauvé par Mme de Staël : le narrateur Balzac qui, seul, à n'en pas douter, va comprendre le nouveau, s'en transformer, constituer avec lui le couple du Poète-et-Pythagore, couple paria, couple incompris, couple idéologiquement signifiant pour les deux grands pôles du siècle, puisque Lambert est néo-spiritualiste et le narrateur matérialiste, controverse dont se moquent bien les autres élèves, consommateurs déjà bovins pour la plupart. Le poète-et-Pythagore, donc, se séparent de la masse bourgeoise ou retournent à la bourgeoisie, de la masse non consciente, et constituent à eux deux une avant-garde. Le

nous retombe alors à sa pâte molle, et s'en détache, nettement, le narrateur qui a été élève à Vendôme et qui, lui, écrira *La Comédie humaine*. Quant au nouveau, il est porteur de message, porteur de vie, positif, et il aura une histoire hautement significative ; il sera écrivain, membre du Cénacle, aux côtés de d'Arthez, et Michel Chrestien, et Bianchon, tous annonciateurs d'une modernité qui pourrait ne pas être honteuse ; il lui suffirait de n'être pas, *de n'être plus* bourgeoise. Chez Alain-Fournier, c'est un peu la même chose, seul Seurel se révélant capable de comprendre le merveilleux arrivant, partageant ses aventures après avoir été ébloui par la quête au grenier et le tir multicolore des fusées qu'on y trouve quand on les cherche. Moins intellectuel, plus exclusivement poétique que Lambert, moins "fou", Meaulnes vient quand même, lui aussi, d'un *ailleurs*, d'une réserve et sinon d'un en-avant, d'un autre chose possible, et il apporte quelque chose. Et il y a quelqu'un pour le recevoir, pour le comprendre, pour, à la limite, en écrire l'histoire.
Rien de tel chez Flaubert, à part l'histoire *écrite* dont nous allons reparler. Le nouveau n'a rien à apporter ; il ne dispose d'aucune de ces *scienze*

nuove qui font les archanges, les héros ; ce n'est qu'un tâcheron médiocre et silencieux, un bon exécutant, un fils du peuple alors que le peuple n'a plus (ni pas encore) de message à délivrer au monde et à faire comprendre aux êtres d'élite qui seuls savent s'arracher à l'univers de l'utile et des routines. Et *nous* n'est qu'un agrégat de petits cons dont ne se détache nul être d'exception capable, justement, de comprendre, de lire le *nouveau*. Comment ce *nous* aurait-il une suite normale dans un roman ? Pour avoir une suite, pour continuer, il y faut une aptitude, des capacités développables, un potentiel de signification, un avenir avouable et proclamable. Et si ce *nous* de Flaubert

est sans suite comme sans origine (il aurait pu être un *nous* clairement autobiographique, mais jamais le texte ne justifie cette lecture et fait tout, même, au contraire, pour l'empêcher), n'est-ce pas, il faut y revenir, qu'il est honteux, inassumable ? On sait assez que Flaubert, abandonnant la *Tentation*, abandonnait aussi ses vastes projets de littérature autobiographique dans le genre romantique. Comment croire que ce *nous* pourrait en être une trace, ou alors destructive ? Ce *nous* atrophié ne saurait être qu'un rappel dérisoire des projets autobiographiques étranglés. »

PIERRE BARBÉRIS, 1980
Le Prince et le marchand,
Fayard,
pp. 406-407.

LA GAZETTE DES CONTEXTES

Alors que Marthe Robert n'y voit qu'inadvertance :

« Le "nous" qui commence à relater *Madame Bovary* — c'est un ancien condisciple de Charles, un personnage de second plan, certes, mais non négligeable puisqu'il peut faire état de souvenirs personnels : il évoque notamment la fameuse casquette et le "Charbovari" sans lesquels le mari d'Emma est bel et bien inconcevable — , ce "nous" parlant au nom d'une petite communauté disparaît au bout de quelques pages et l'on n'entend plus parler de lui, une fois de plus sans qu'on sache si Flaubert l'a tout simplement oublié, ou s'il l'a écarté à demi consciemment parce qu'il ne cadrait pas avec son principe d'impersonnalité. On dira que produits à un pareil niveau, ces petits grincements de l'appareil romanesque ne peuvent pas causer à l'œuvre un tort bien considérable, ils n'entraînent guère qu'une légère discordance sur quoi le lecteur, fasciné comme il l'est par l'histoire, se donne volontiers le luxe de passer. Et pourtant même ici l'étourderie ou l'inconscience n'est pas dénuée de signification, elle dénote pour le moins un débraillement fâcheux de la tenue littéraire, là où précisément le roman tend le plus à se relâcher. Elle est l'indice du gros risque de trivialité que court le genre tout entier, en raison même de sa liberté.

(...) Flaubert eût été positivement désespéré de sa bévue s'il avait dû s'en aviser après coup ou que quelqu'un la lui eût signalée. »

MARTHE ROBERT, 1981
La Vérité littéraire, réédition Livre de poche, 1983, pp. 118-119.

Mario Vargas-Llosa en fait un « narrateur-personnage pluriel » :

« Cet habitant du monde raconté ne parle pas de lui-même mais d'un autre, d'autres, de tous les autres sauf de lui. Il est là et nous ne le voyons pas, il est seulement un point de référence, une vision et une mémoire qui transmet ce qu'elle a vu et su à un certain moment, sans se mettre en évidence. Son identité est mystérieuse non seulement à cause de sa réserve au sujet de sa personne, mais parce qu'il parle au pluriel, ce qui indique peut-être qu'il n'est pas un mais plusieurs personnages. Il pourrait s'agir d'un narrateur collectif (...) mais il peut être aussi un de ces élèves qui utilise le pluriel par modestie et volonté d'anonymat. Cette incertitude est essentielle au narrateur-personnage qui ouvre l'histoire (...). Le brouillard qui enveloppe le narrateur-personnage pluriel facilite sa substitution : il s'évanouit et cela ne se remarque pas parce qu'il était déjà presque invisible. »

MARIO VARGAS-LLOSA, 1975
L'Orgie perpétuelle, traduction française Gallimard, 1978, pp. 181-182.

Philippe Bonnefis, quant à lui, le place dans la dialectique du Récit et de l'Histoire :

« Loin de s'unir (...) ; Histoire et Récit (en d'autres termes = ensemble des faits romanesques et manière dont ceux-ci sont rapportés) s'affrontent en un chassé-croisé qui revient à poser, en un équivalent diachronique au niveau de la rédaction, l'antithèse Réalité-Fiction. L'Histoire est du côté de la Réalité, le Récit, du côté de la Fiction. L'Histoire se veut mime expressif des choses telles qu'elles sont ; le Récit, comme fonction, affirme ses droits à l'arbitraire. De cette opposition dynamique naît le roman (...).
Cette essentielle distinction est établie dès la première

page, sinon la première ligne. Tout commence, on le sait, par un **nous** irritant, qui se résorbe par la suite en une absence de personne. Il n'est pas sûr qu'il faille mettre ce pronom au compte d'une quelconque maladresse d'auteur. Vraisemblablement, le **nous** initial du livre relève de ce que E. Benvéniste appelle une "forme exclusive". En fait, **nous,** à cet endroit, équivaut à l'affirmation d'un triple privilège : **nous,** par rapport à **lui** ; **je,** par rapport à **eux** ; **je,** par rapport à **lui** et à **eux** et donc à **tous.** Des élèves sont à l'étude, entre **un nouveau** (l'expression a son importance), que, par naturelle xénophobie, ils épient. Charles devient un

spectacle. Le déploiement des procédés caricaturaux insiste sur l'isolement de celui qui n'est plus qu'objet du regard d'autrui. Ainsi, le premier personnage du roman — et qui joindra à cet emploi, comme l'a remarqué J.Rousset, le rôle d'introducteur — se présente d'emblée au lecteur comme fondamentalement **différent.** En marge de cette micro-société qu'est une classe, il se détache également du **je** inclus en **nous** et dont **je** se distingue par excellence dans cette mesure où l'indécise généralité du pluriel personnel se fondra dans la narration, au profit d'un discours dans le procès duquel **je** est le **destinateur** innommé

mais nécessaire. **Nous,** en définitive, consacre et démontre la prééminence du narrateur sur ce qui est sans réalité romanesque (les autres, que le Récit occulte rapidement), et sur l'Histoire dont Charles est le médiateur.

J'ajoute que ce chapitre liminaire du roman révèle son fonctionnement même : à la limite, le Récit préexiste à l'Histoire ; ce que symboliserait l'antériorité de la situation : "nous étions à l'étude", sur l'événement déclencheur de l'Histoire : "le proviseur entra suivi d'un **nouveau.**". L'arrivée de Charles correspond à l'intrusion de l'Histoire dans un Récit qui, de prime abord, garde ses distances à son égard, et qui les maintiendra d'autant plus aisément que le travail créateur, par une excessive spécialisation, s'est effectué en deux temps—deux temps qui, à quelques degrés près, recouvrent la double catégorie, inventée par L. Hjelmslev, de la **substance du contenu** et de la **forme du contenu.** »

PHILIPPE BONNEFIS,
1968
« Récit et Histoire dans
Madame Bovary »,
La Nouvelle Critique, numéro
spécial
« Linguistique et Littérature »,
1969, p. 158

res, quand la cloche sonna, le maître d'études fut obligé de l'avertir, pour qu'il se mît avec nous dans les rangs.

Nous avions l'habitude, en entrant en classe, de jeter nos casquettes par terre, afin d'avoir ensuite nos mains plus
5 libres ; il fallait, dès le seuil de la porte, les lancer sous le banc, de façon à frapper contre la muraille, en faisant beaucoup de poussière ; c'était là le *genre*.

Mais, soit qu'il n'eût pas remarqué cette manœuvre ou qu'il n'eût osé s'y soumettre, la prière était finie que le *nou-*
10 *veau* tenait encore sa casquette sur ses deux genoux. C'était une de ces coiffures d'ordre composite, où l'on retrouve les éléments du bonnet à poil, du chapska[1], du chapeau rond, de la casquette de loutre et du bonnet de coton, une de ces pauvres choses, enfin, dont la laideur muette a des profon-
15 deurs d'expression comme le visage d'un imbécile. Ovoïde et renflée de baleines, elle commençait par trois boudins circulaires ; puis s'alternaient, séparés par une bande rouge, des losanges de velours et de poils de lapin ; venait ensuite une façon de sac qui se terminait par un polygone cartonné,
20 couvert d'une broderie en soutache[2] compliquée, et d'où pendait, au bout d'un long cordon trop mince, un petit croisillon de fils d'or, en manière de gland. Elle était neuve ; la visière brillait[3] ①.

— Levez-vous, dit le professeur.
25 Il se leva ; sa casquette tomba. Toute la classe se mit à rire.

Il se baissa pour la reprendre. Un voisin la fit tomber d'un coup de coude, il la ramassa encore une fois.

— Débarrassez-vous donc de votre casque, dit le profes-
30 seur, qui était un homme d'esprit ②.

Il y eut un rire éclatant des écoliers qui décontenança le pauvre garçon, si bien qu'il ne savait s'il fallait garder sa casquette à la main, la laisser par terre ou la mettre sur sa tête. Il se rassit et la posa sur ses genoux.
35 — Levez-vous, reprit le professeur, et dites-moi votre nom.

Le *nouveau* articula, d'une voix bredouillante, un nom inintelligible.

— Répétez !
40 Le même bredouillement de syllabes se fit entendre, couvert par les huées de la classe.

— Plus haut ! cria le maître, plus haut !

Le *nouveau*, prenant alors une résolution extrême, ouvrit

1. Chapska (ou schapska) : coiffure militaire d'origine polonaise, caractéristique des lanciers.
2. Soutache : galon, ganse servant d'ornement distinctif sur les uniformes, ou lacet cousu formant garniture sur des vêtements féminins.
3. On donne traditionnellement pour modèle de cette improbable casquette un dessin publié dans le Charivari du 21 juin 1833.

① L'as-tu vue, l'as-tu entendue, la casquette ? ou représentation et anagrammatisation.

La casquette de Charles, un des plus célèbres objets littéraires avec la madeleine de Proust, avait inspiré à Jean Ricardou une communication qui donna lieu au colloque de Cerisy de 1974 à une discussion animée. Nous en reproduisons ici un court extrait :

« De la casquette, la description déclare qu'"elle commençait". Or, nous ne l'ignorons guère : une casquette ne commence pas. Poser la question du début d'une casquette à diverses personnes, c'est s'exposer au moins aux trois réponses suivantes : elle commence par le devant, elle commence par la base, elle commence par le haut. Le verbe "commencer" ne renvoie nullement à la casquette : il n'a pas de fonction représentative. Ce à quoi il renvoie, c'est à la description qui, elle, présente bien un commencement : il a une fonction autoreprésentative. La même remarque concerne "venait" dont la valeur descriptive est ici faible et la valeur autodescriptive violente.

Quant aux adverbes, *puis* et *ensuite* de la description de la casquette, *d'abord, puis* et *enfin* de la description du gâteau *(voir le contexte p. 000)*, aucun ne s'applique aux objets décrits dont les parties sont simultanées dans la dimension référentielle. Ce à quoi ils renvoient, c'est aux moments successifs de la description.

C'est avec l'une des armes dirigées doublement contre elle-même que la description agresse (...) le récit, proposant (...), scandale majeur, ce qu'il faut bien nommer une description de la description.

A cette dernière attaque peut-être n'y a-t-il guère de réponse. De surcroît, cette opération introscopique, le texte s'observant en quelque façon lui-même, nous conduit, s'agissant de Flaubert, vers des belligérances un peu plus clandestines. (...) Récit et description (...) peuvent faire alliance au cours d'un conflit de tout autre envergure, encore que souvent secret : la guerre des mots et du roman. Vis-à-vis des mots, le récit pour se dérouler, la description, pour se construire, manifestent une activité pareillement dominatrice : ils les choisissent, ils les disposent. Mais supposons l'inverse : que ce soit les mots qui choisissent, voire disposent, les descriptions et les récits (...)

Un groupe de mots, soumis à diverses manipulations de ses sons et lettres, peut induire à de nouvelles occurrences langagières. L'ensemble ainsi obtenu forme dès lors un groupe de passages obligés pour les récits et descriptions à venir (...). C'est (...) sous une variante phonétique qu'il se signale d'emblée : charbovari. Une directive concerne ses lettres : faire en sorte que tel paragraphe s'édifie sous le signe d'un pangrammatisme tendanciel, celui du B et du C, les initiales de Bovary. Observons à cet égard la description de la casquette, substitut de Charles en ce qu'elle est assimilée au visage d'un imbécile. Comme par hasard, les deux groupes s'y distribuent chacun au début et à la fin : d'une part baleine, boudins, bande et broderie, bout, brillait ; d'autre part commençait, circulaire et cartonné, couvert, compliquée, cordon, croisillon. Davantage : il suffit d'associer la première sonorité du premier mot, OVoïde à la première sonorité du dernier, BRIllait, pour obtenir un

BOVRI nullement plus éloigné que la prononciation du héros lui-même.

Une seconde directive concerne un à peu près : le passage de Charles Bovary à charbovari suppose le passage de charbovari à charivari, qui est, on le sait, synonyme de vacarme (...).

Une troisième directive concerne un découpage en deux parties : la syllabe terminale *ry*, et l'ensemble *charbova*.

La première indique clairement d'où vient le "Toute la classe se mit à rire". La seconde qu'il est facile de lire "char à boeufs" éclaire d'une part que Charles soit un gars de la campagne et d'autre part que le lieu du repas de noces, là où il donne son nom à Emma, soit une charretterie. Mais surtout, ceci dût-il déplaire, Bovary le boeuf est jeune encore, dans la scène initiale ou, si l'on préfère, c'est un *veau*, ou encore un *nouveau*, à la casquette neuve. Ainsi se laisse entendre par quel relais phonique s'est établie la scène initiale : *Bovary*, jeune *veau*, fraîchement issu de sa campagne, est accueilli par un personnage collectif moins énigmatique, si l'on constate qu'avec lui advient, au premier mot du livre, une très oportune syllabe : *nous*. »

JEAN RICARDOU, 1974
« Belligérance du texte » in
La Production du sens chez Flaubert, colloque de
Cerisy, 10/18,
1975, pp. 99-102.

 ## 2 La parodie de l'épique

Avec ce mot « casque » se met en place un réseau de références épiques qui fonctionnent sur le mode parodique. Il serait trop long de les relever toutes, et nous renvoyons à l'article de Michel Crouzet dont nous citons ici une partie de la conclusion :

« L'on sait depuis l'étude de J.-P. Richard combien Flaubert a besoin de moule préétabli, de conformisme pétrifié : en ce sens l'épique relève du formulaire, c'est un réservoir de sentiments, d'attitudes, d'expressions qu'une tradition et une rhétorique ont pérennisés. *Le Dictionnaire des Idées reçues* devait rattacher le public "à la tradition, l'ordre, et à la convention générale" ; par là aussi se vérifie la parenté de l'épique et du déjà dit. C'est le domaine du "classique" au sens large : le domaine de la règle, nécessaire et nécessairement ridi-cule. Sans cesse Flaubert se souvient de la poétique traditionnelle, par exemple de son étude juvénile de Marmontel et du théâtre de Voltaire (il lui en reste une belle périphrase pour le bonnet grec !), ou de Boileau, pour les fameux cheminots ; plus tard il prend contre Taine la défense des images raciniennes, dont il voit bien qu'elles ne sont pas des images, car sa poétique "prend le style à rebours" : pour *Salammbô* il redoute de retomber dans l'esthétique du "brimborion" et d'en revenir à Delille. De fait il intégrait à la "poétique interne" que tout livre contient, cette "poétique qu'il faut trouver", une poétique toute faite. Flaubert cherchait sans doute comme Baudelaire une "rhétorique profonde" et nouvelle : l'ancienne ne peut être qu'un moment provisoire, et parodique, elle se place à l'envers de la création romanesque. L'épopée dont Flaubert sait bien qu'elle "est insuffisante à nos besoins", qu'elle est par rapport au roman "une liturgie", dont l'art en son évolution s'écarte de plus en plus, abandonnant "l'épique pour le roman, le vers pour la prose", l'épopée sera justement l'expression du liturgie dans l'homme, du rituel, la pensée et l'idéal du "on", la poésie de la foule, qui par son existence seule *développe* des "formes de bêtise" aux effets incalculables ; c'est le degré inférieur du style et de l'homme : l'homme tout fait requiert le style tout fait pour "le chanter". Dans *Madame Bovary*, Auerbach a sans doute tort de penser que Flaubert a supprimé les niveaux de style et donné à tout être ses chances de sérieux : il les a en fait inversées, et mis la *sublimitas* à la place de l'*humilitas*. Ce premier roman clôt peut-être sa période *épique,* et l'on chercherait presque en vain les traces de ce style dans l'*Éducation* : le dilemme de la forme réglée et de l'invention est sans doute résolu.

Mais il y a plus dans cette réversion du sublime en grotesque, et dans cette impossible identification héroïque ; l'homme chez Flaubert est une parodie de lui-même, l'effort, l'envol, la consistance sont contemporains d'une retombée fatale. Seul le Docteur Larivière (personnage paternel !) semble soustrait à ce poids de l'échec, qui attire vers le bas toute entreprise verticale, et tout déploiement d'énergie. C'est bien là que le problème de l'épique nous ramène à cette relation au corps dont nous sommes partis. Flaubert, ce "faux géant... tout pourri de faiblesse à l'intérieur". Tout a été dit par J.-P. Richard sur cette carence

existentielle de Flaubert, menacé en son intégrité personnelle par le sentiment de l'indifférenciation, la chute dans l'indistinct, le glissement, l'apathie, l'informe ; l'"idéal de dureté", le désir "de poser le pied sur un sol solide et de se ressaisir comme un individu stable et séparé" l'ont conduit à se combattre sinon à se nier. A défaut d'une image du corps axé et structuré Flaubert recourt à ces substituts externes de l'endiguement de la masse, le moule, le corset, "cuirs inattaquables" qui enferment les "robustes existences", la "fontaine pétrifiante", la *croûte* du style ; "l'effort de recherche de cette expression parfaite est donc en même temps un effort de construction de l'être". Aussi l'image épique de la force est-elle un idéal impossible, ou en tout cas externe. Le gigantisme flaubertien n'est pas de type épique : les fantasmes de Flaubert vont du corps gargantuesque qui tente vainement de s'approprier l'énergie en l'absorbant, au corps diffus et émietté dans les choses ; du rêve orgiaque à la crainte de devenir laid, de se gâter, de sombrer dans l'inertie monstrueuse, "je deviens colossal, monumental, je suis boeuf, sphinx, butor, éléphant, baleine, tout ce qu'il y a

de plus énorme, de plus empâté, et de plus lourd... une machine à chyle, appareil qui fait du sang,..." "qui n'a senti la fatigue de son corps ! combien la chair lui pèse !", dit-il ailleurs. Il aime la rechute des œuvres de l'homme dans l'informe boue naturelle, les ruines mangées par la végétation, ou noyées de fientes d'oiseaux ; lui-même se sent un futur guano "supérieur". Cette apologie de la "nature tranquille et brute", de sa revanche, dans la fameuse évocation du potager ravagé, sur les "petits arrangements factices de l'homme" participe de ce malaise d'un être qui semble incertain de sa forme de ses limites, qui ne se sent pas "d'un seul morceau", ou qui croit manquer de l'"innéité", du "principe intrinsèque", il n'a ni âme ni morphologie. C'est le "Barbare", apathique et sans nerf, ce grand corps bâclé et mal défini, à la fois inerte et irascible, qui résume le héros flaubertien ; c'est une chair mal humanisée, encore plus mal virilisée, et encore proche d'une mollesse originelle et indifférenciée.»

MICHEL CROUZET, 1969
« Le style épique dans Madame Bovary »,
Europe, n° 485-87, pp. 168-169.

une bouche démesurée et lança à pleins poumons, comme pour appeler quelqu'un, ce mot : *Charbovari*.

Ce fut un vacarme qui s'élança d'un bond, monta en *crescendo*, avec des éclats de voix aigus (on hurlait, on aboyait, on trépignait, on répétait : *Charbovari ! Charbovari !*), puis qui roula en notes isolées, se calmant à grand-peine, et parfois qui reprenait tout à coup sur la ligne d'un banc où saillissait encore çà et là, comme un pétard mal éteint, quelque rire étouffé.

Cependant, sous la pluie des pensums[1], l'ordre peu à peu se rétablit dans la classe, et le professeur, parvenu à saisir le nom de Charles Bovary, se l'étant fait dicter, épeler et relire, commanda tout de suite au pauvre diable d'aller s'asseoir sur le banc de paresse, au pied de la chaire. Il se mit en mouvement, mais avant de partir, hésita.

— Que cherchez-vous ? demanda le professeur.

— Ma cas..., fit timidement le *nouveau*, promenant autour de lui des regards inquiets.

— Cinq cents vers à toute la classe ! exclamé d'une voix furieuse, arrêta, comme le *Quos ego*[2], une bourrasque nouvelle. — Restez donc tranquilles ! continuait le professeur indigné, et s'essuyant le front avec son mouchoir qu'il venait de prendre dans sa toque : Quant à vous, le *nouveau*, vous me copierez vingt fois le verbe *ridiculus sum*[3].

Puis, d'une voix plus douce :

— Eh ! vous la retrouverez, votre casquette ; on ne vous l'a pas volée !

Tout reprit son calme. Les têtes se courbèrent sur les cartons, et le *nouveau* resta pendant deux heures dans une tenue exemplaire, quoiqu'il y eût bien, de temps à autre, quelque boulette de papier lancée d'un bec de plume qui vînt s'éclabousser sur sa figure. Mais il s'essuyait avec la main, et demeurait immobile, les yeux baissés ①.

Le soir, à l'étude, il tira ses bouts de manches[4] de son pupitre, mit en ordre ses petites affaires, régla[5] soigneusement son papier. Nous le vîmes qui travaillait en conscience, cherchant tous les mots dans le dictionnaire et se donnant beaucoup de mal. Grâce, sans doute, à cette bonne volonté dont il fit preuve, il dut de ne pas descendre dans la classe inférieure ; car, s'il savait passablement ses règles, il n'avait guère d'élégance dans les tournures. C'était le curé de son village qui lui avait commencé le latin, ses parents, par éco-

1. *Ce mot latin signifiant « tâche » ou « travail » dans la langue des collèges désigne les travaux supplémentaires imposés à un élève par punition. On cite souvent ces lignes de Balzac : « Le pensum, punition dont le genre varie selon les coutumes de chaque collège, consistait à Vendôme en un certain nombre de lignes copiées pendant les heures de récréation » (Louis Lambert, 1832-1835).*
2. *Quos ego : ainsi débute la menace de Neptune irrité contre les vents dans l'Énéide de Virgile (I, 135). Le sens équivaut à « je devrais... ».*
3. *Ridiculus sum : « je suis ridicule » en latin.*
4. *On enfilait les bouts de manche — pièces de tissu cousues en forme de manche — sur les manches des vêtements pour les protéger.*
5. *C'est-à-dire qu'il traça les lignes à l'aide d'une règle.*

① Le thème de l'arrivée du nouveau : son traitement balzacien

« Quiconque voudra se représenter l'isolement de ce grand collège avec ses bâtiments monastiques, au milieu d'une petite ville, et les quatre parcs dans lesquels nous étions hiérarchiquement casés, aura certes une idée de l'intérêt que devait nous offrir l'arrivée d'un *nouveau*, véritable passager survenu dans un navire. Jamais jeune duchesse présentée à la cour n'y fut aussi malicieusement critiquée que l'était le nouveau débarqué par tous les écoliers de la Division. Ordinairement, pendant la récréation du soir, avant la prière, les flatteurs habitués à causer avec celui des deux Pères chargés de nous garder une semaine chacun à leur tour, qui se trouvait alors en fonctions, entendaient les premiers ces paroles authentiques : "Vous aurez demain un Nouveau !" Tout à coup ce cri : "Un Nouveau ! un Nouveau !" retentissait dans les cours. Nous accourions tous pour nous grouper autour du Régent, qui bientôt était rudement interrogé : "D'où venait-il ? Comment se nommait-il ? En quelle classe serait-il ?", etc.
L'arrivée de Louis Lambert fut

le texte d'un conte digne des *Mille et Une Nuits*. J'étais alors en quatrième chez les Petits. (...)

Le lendemain si attendu vint enfin. Un moment avant le déjeuner, nous entendîmes dans la cour silencieuse le

double pas de monsieur Mareschal et du Nouveau. Toutes les têtes se tournèrent aussitôt vers la porte de la classe. Le père Haugoult, qui partageait les tortures de notre curiosité, ne nous fit pas entendre le sifflement par lequel il imposait silence à nos murmures et nous rappelait au travail. Nous vîmes alors ce fameux Nouveau, que monsieur Mareschal tenait par la main. Le Régent descendit de sa chaire, et le Directeur lui dit solennellement, suivant l'étiquette : — Monsieur, je vous amène monsieur Louis Lambert, vous le mettrez avec les Quatrièmes, il entrera demain en classe.

Puis, après avoir causé à voix basse avec le Régent, il dit tout haut : — Où allez-vous le placer ?

Il eût été injuste de déranger l'un de nous pour le Nouveau ; et comme il n'y avait plus qu'un seul pupitre de libre Louis Lambert vint l'occuper, près de moi qui étais entré le dernier dans la classe.

Malgré le temps que nous avions encore à rester en étude, nous nous levâmes tous pour examiner Lambert. Monsieur Mareschal entendit nos colloques, nous vit en insurrection, et dit avec cette bonté qui nous le rendait particulièrement cher : — Au moins,

soyez sages, ne dérangez pas les autres classes.

Ces paroles nous mirent en récréation quelque temps avant l'heure du déjeuner, et nous vînmes tous environner Lambert pendant que monsieur Mareschal se promenait dans la cour avec le père Haugoult. Nous étions environ quatre-vingts diables, hardis comme des oiseaux de proie. Quoique nous eussions tous passé par ce cruel noviciat, nous ne faisions jamais grâce à un Nouveau des rires

moqueurs, des interrogations, des impertinences qui se succédaient en semblable occurrence, à la grande honte du néophyte de qui l'on essayait ainsi les mœurs, la force et le caractère. Lambert, ou calme ou abasourdi, ne répondit à aucune de nos questions. L'un de nous dit alors qu'il sortait sans doute de l'école de Pythagore. Un rire général éclata. Le Nouveau fut surnommé *Pythagore* pour toute sa vie de collège. Cependant le regard perçant de Lambert, le dédain peint sur sa figure pour nos enfantillages en désaccord avec la nature de son esprit, l'attitude aisée dans laquelle il restait, sa force apparente en harmonie avec son âge, imprimèrent un certain respect aux plus mauvais sujets d'entre nous. Quant à moi, j'étais près de lui, occupé à l'examiner silencieusement. Louis était un enfant maigre et fluet, haut de quatre pieds et demi, sa figure hâlée, ses mains brunies par le soleil paraissaient accuser une vigueur musculaire que néanmoins il n'avait pas à l'état normal. Aussi, deux mois après son entrée au collège, quand le séjour de la classe lui eut fait perdre sa coloration presque végétale, le vîmes-nous devenir pâle et blanc comme une femme. Sa tête était d'une grosseur remarquable. Ses cheveux, d'un beau noir et bouclés par masses, prêtaient une grâce indicible à son front, dont les dimensions avaient quelque chose d'extraordinaire, même pour nous, insouciants, comme on peut le croire, des pronostics de la phrénologie, science alors au berceau. La beauté de son front prophétique provenait surtout de la coupe extrêmement pure des deux arcades sous lesquelles brillait son œil noir, qui semblaient taillées dans l'albâtre, et dont les lignes, par un attrait assez rare, se trouvaient d'un parallélisme parfait en se rejoignant à la naissance du nez. Mais il était difficile de songer à sa figure, d'ailleurs fort irrégulière, en voyant ses yeux, dont le regard possédait une magnifique variété d'expression et qui paraissaient doublés d'une âme. Tantôt clair et pénétrant à étonner, tantôt d'une douceur céleste, ce regard devenait terne, sans couleur pour ainsi dire, dans les moments où il se livrait à ses contemplations. Son œil ressemblait alors à une vitre d'où le soleil se serait retiré soudain après l'avoir illuminée. Il en était de sa force et de son organe comme de son regard : même mobilité, mêmes caprices. »

BALZAC, 1832
Louis Lambert.

nomie, ne l'ayant envoyé au collège que le plus tard possible.

Son père, M. Charles-Denis-Bartholomé Bovary, ancien aide-chirurgien-major, compromis, vers 1812, dans des
5 affaires de conscription[1], et forcé, vers cette époque, de quitter le service, avait alors profité de ses avantages personnels pour saisir au passage une dot de soixante mille francs qui s'offrait en la fille d'un marchand bonnetier, devenue amoureuse de sa tournure. Bel homme, hâbleur, faisant
10 sonner haut ses éperons, portant des favoris rejoints aux moustaches, les doigts toujours garnis de bagues et habillé de couleurs voyantes, il avait l'aspect d'un brave, avec l'entrain facile d'un commis voyageur ⟨1⟩. Une fois marié, il vécut deux ou trois ans sur la fortune de sa femme, dînant
15 bien, se levant tard, fumant dans de grandes pipes en porcelaine, ne rentrant le soir qu'après le spectacle et fréquentant les cafés. Le beau-père mourut et laissa peu de chose ; il en fut indigné, se lança dans *la fabrique*[2], y perdit quelque argent, puis se retira dans la campagne, où il voulut *faire*
20 *valoir*[3]. Mais, comme il ne s'entendait guère plus en culture qu'en indienne[4], qu'il montait ses chevaux au lieu de les envoyer au labour, buvait son cidre en bouteilles au lieu de le vendre en barriques, mangeait les plus belles volailles de sa cour et graissait ses souliers de chasse avec le lard de ses
25 cochons, il ne tarda point à s'apercevoir qu'il valait mieux planter là toute spéculation.

Moyennant deux cents francs par an, il trouva donc à louer dans un village, sur les confins du pays de Caux et de la Picardie, une sorte de logis moitié ferme, moitié maison
30 de maître ; et, chagrin, rongé de regrets, accusant le ciel, jaloux contre tout le monde, il s'enferma, dès l'âge de quarante-cinq ans, dégoûté des hommes, disait-il, et décidé à vivre en paix ⟨2⟩.

Sa femme avait été folle de lui autrefois ; elle l'avait aimé
35 avec mille servilités qui l'avaient détaché d'elle encore davantage. Enjouée jadis, expansive et tout aimante, elle était, en vieillissant, devenue (à la façon du vin éventé qui se tourne en vinaigre) d'humeur difficile, piaillarde, nerveuse. Elle avait tant souffert, sans se plaindre, d'abord, quand elle
40 le voyait courir après toutes les gotons[5] de village et que vingt mauvais lieux le lui renvoyaient le soir, blasé et puant l'ivresse ! Puis l'orgueil s'était révolté. Alors elle s'était tue, avalant sa rage dans un stoïcisme muet, qu'elle garda

1. On peut donc penser qu'il avait déclaré inaptes des conscrits en échange de pots-de-vin. Rappelons que la défaite de Russie en 1812 avait contraint Napoléon à des levées massives.
2. Fabrique : ainsi désignait-on toute opération de transformation d'une matière première en objet(s). A la différence de la manufacture, la fabrique — au sens d'établissement où l'on fabrique — était de petite ou de moyenne importance et généralement peu mécanisée. La fabrique se situe donc entre les productions artisanale et industrielle.
3. Faire valoir : exploiter soi-même sa terre.
4. Indienne : étoffe de coton peinte ou imprimée qui se fabriquait primitivement aux Indes.
5. Goton : à l'origine diminutif de Margoton, tiré de Margot, hypocoristique de Marguerite (l'hypocoristique exprime une intention affectueuse), ce mot désignait une fille de campagne, une servante ou une femme de mœurs dissolues. C'est ce dernier sens que nous avons ici.

Le portrait d'un autre « avantageux »

*Bien des similitudes rapprochent M. Bovary père de M. Arnoux dans l'*Éducation sentimentale :

« Il vit un monsieur qui contait des galanteries à une paysanne, tout en lui maniant la croix d'or qu'elle portait sur la poitrine. C'était un gaillard d'une quarantaine d'années, à cheveux crépus. Sa taille robuste emplissait une jaquette de velours noir, deux émeraudes brillaient à sa chemise de batiste, et son large pantalon blanc tombait sur d'étranges bottes rouges, en cuir de Russie, rehaussées de dessins bleus.

La présence de Frédéric ne le dérangea pas. Il se tourna vers lui plusieurs fois, en l'interpellant par des clins d'œil ; ensuite il offrit des cigares à tous ceux qui l'entouraient. Mais, ennuyé de cette compagnie, sans doute, il alla se mettre plus loin. Frédéric le suivit. La conversation roula d'abord sur les différentes espèces de tabacs, puis, tout naturellement, sur les femmes. Le monsieur en bottes rouges donna des conseils au jeune homme ; il exposait des théories, narrait des anecdotes, se citait lui-même en exemple, débitant tout cela d'un ton paterne, avec une ingénuité de corruption divertissante.

Il était républicain ; il avait voyagé, il connaissait l'intérieur des théâtres, des restaurants, des journaux, et tous les artistes célèbres, qu'il appelait familièrement par leurs prénoms ; Frédéric lui confia bientôt ses projets ; il les encouragea. »

GUSTAVE FLAUBERT,
1869
L'Éducation sentimentale.

② Charles-Denis-Bartholomé Bovary le survivant

Personnage plus intéressant qu'il n'y paraît que cet« ancien aide-chirurgien-major » et d'abord parce qu'il est d'une autre époque, lui aussi à sa façon « débris de nos immortelles phalanges » (cf. p.388). C'est peut-être également parce qu'il a vécu, lui. Ce noceur, ce coureur étonne à la noce et ne déplaît pas à Emma :

« celle-ci ne se déplaisait point dans sa compagnie. Il avait couru le monde : il parlait de Berlin, de Vienne, de Strasbourg, de son temps d'officier, des maîtresses qu'il avait eues, des grands déjeuners qu'il avait faits... » (p. 252)

S'il n'a pas « couché dans le lit des reines », il a du moins tenté quelque chose, même si toutes ses tentatives se sont soldées par des échecs. Il passe sa vie à consommer et il sait ou a su faire tourner les têtes. Surtout c'est un gaspilleur, comme l'autre père du roman, M. Rouault, et le gaspillage est le dernier luxe des survivants d'une époque glorieuse. Témoin d'une autre génération, exubérant, hâbleur, il meurt à cinquante-huit ans au bout d'une vie ratée mais remplie, même si ce n'est que de cigares et de grogs au kirsch, au terme non d'une plénitude mais d'un trop-plein. Les excès l'ont tué, mais c'est le vide qui tue son fils, chez qui l'on ne trouvera rien quand on l'ouvrira (cf. p. 756). Pour reprendre un jeu de mots entendu lors d'un séminaire sur Madame Bovary, l'officier de santé n'est que le pauvre fils d'un officier plein de santé.

jusqu'à sa mort. Elle était sans cesse en courses, en affaires. Elle allait chez les avoués, chez le président[1], se rappelait l'échéance des billets, obtenait des retards ; et, à la maison, repassait, cousait, blanchissait, surveillait les ouvriers, soldait
5 les mémoires, tandis que, sans s'inquiéter de rien, Monsieur, continuellement engourdi dans une somnolence boudeuse dont il ne se réveillait que pour lui dire des choses désobligeantes, restait à fumer au coin du feu, en crachant dans les cendres.

10   Quand elle eut un enfant, il le fallut mettre en nourrice. Rentré chez eux, le marmot fut gâté comme un prince. Sa mère le nourrissait de confitures ; son père le laissait courir sans souliers, et, pour faire le philosophe, disait même qu'il pouvait bien aller tout nu, comme les enfants des bêtes. A
15 l'encontre des tendances maternelles, il avait en tête un certain idéal viril de l'enfance, d'après lequel il tâchait de former son fils, voulant qu'on l'élevât durement, à la spartiate, pour lui faire une bonne constitution. Il l'envoyait se coucher sans feu, lui apprenait à boire de grands coups de rhum et à insul-
20 ter les processions. Mais, naturellement paisible, le petit répondait mal à ses efforts. Sa mère le traînait toujours après elle ; elle lui découpait des cartons, lui racontait des histoires, s'entretenait avec lui dans des monologues sans fin, pleins de gaietés mélancoliques et de chatteries babillardes.
25 Dans l'isolement de sa vie, elle reporta sur cette tête d'enfant toutes ses vanités éparses, brisées. Elle rêvait de hautes positions, elle le voyait déjà grand, beau, spirituel, établi, dans les ponts et chaussées ou dans la magistrature. Elle lui apprit à lire, et même lui enseigna, sur un vieux piano qu'elle avait,
30 à chanter deux ou trois petites romances. Mais, à tout cela, M. Bovary, peu soucieux des lettres, disait que ce *n'était pas la peine* ! Auraient-ils jamais de quoi l'entretenir dans les écoles du gouvernement, lui acheter une charge ou un fonds de commerce ? D'ailleurs, *avec du toupet, un homme*
35 *réussit toujours dans le monde.* Madame Bovary se mordait les lèvres, et l'enfant vagabondait dans le village.

   Il suivait les laboureurs, et chassait, à coups de motte de terre, les corbeaux qui s'envolaient. Il mangeait des mûres le long des fossés, gardait les dindons avec une gaule, fanait à
40 la moisson, courait dans le bois, jouait à la marelle sous le porche de l'église, les jours de pluie, et, aux grandes fêtes, suppliait le bedeau de lui laisser sonner les cloches, pour se

1. Au sens de magistrat.

pendre de tout son corps à la grande corde et se sentir emporter par elle dans sa volée.

Aussi poussa-t-il comme un chêne. Il acquit de fortes mains, de belles couleurs.

5 A douze ans, sa mère obtint que l'on commençât ses études. On en chargea le curé. Mais les leçons étaient si courtes et si mal suivies, qu'elles ne pouvaient servir à grand-chose. C'était aux moments perdus qu'elles se donnaient, dans la sacristie, debout, à la hâte, entre un baptême et un enterre-
10 ment ; ou bien le curé envoyait chercher son élève après l'*Angelus*[1], quand il n'avait pas à sortir. On montait dans sa chambre, on s'installait : les moucherons et les papillons de nuit tournoyaient autour de la chandelle. Il faisait chaud, l'enfant s'endormait ; et le bonhomme, s'assoupissant les
15 mains sur son ventre, ne tardait pas à ronfler, la bouche ouverte. D'autres fois, quand M. le curé, revenant de porter le viatique[2] à quelque malade des environs, apercevait Charles qui polissonnait dans la campagne, il l'appelait, le sermonnait un quart d'heure et profitait de l'occasion pour
20 lui faire conjuguer son verbe au pied d'un arbre. La pluie venait les interrompre, ou une connaissance qui passait. Du reste, il était toujours content de lui, disait même que le *jeune homme* avait beaucoup de mémoire.

Charles ne pouvait en rester là. Madame fut énergique.
25 Honteux, ou fatigué plutôt, Monsieur céda sans résistance, et l'on attendit encore un an que le gamin eût fait sa première communion.

Six mois se passèrent encore ; et, l'année d'après, Charles fut définitivement envoyé au collège de Rouen, où son
30 père l'amena lui-même, vers la fin d'octobre, à l'époque de la foire Saint-Romain.

Il serait maintenant impossible à aucun de nous de se rien rappeler de lui ⟨1⟩⟨2⟩. C'était un garçon de tempérament modéré, qui jouait aux récréations, travaillait à l'étude,
35 écoutant en classe, dormant bien au dortoir, mangeant bien au réfectoire. Il avait pour correspondant un quincaillier en gros de la rue Ganterie, qui le faisait sortir une fois par mois, le dimanche, après que sa boutique était fermée, l'envoyait se promener sur le port à regarder les bateaux, puis le rame-
40 nait au collège dès sept heures, avant le souper. Le soir de chaque jeudi, il écrivait une longue lettre à sa mère, avec de l'encre rouge et trois pains à cacheter ; puis il repassait ses cahiers d'histoire, ou bien lisait un vieux volume d'*Anachar-*

---

1. *L'Angelus est une prière en l'honneur du mystère de l'Incarnation dont le premier mot est « angelus » — ange en latin — et qui se dit le matin, à midi et le soir. Ce terme désigne aussi le son de la cloche qui l'annonce aux fidèles.*
2. *Viatique : au sens de communion portée à un mourant.*

① De Gustave à Charles

« Je fus au collège dès l'âge de dix ans et j'y contractai de bonne heure une profonde aversion pour les hommes. Cette société d'enfants est aussi cruelle pour ses victimes que l'autre petite société, celle des hommes.

Même injustice de la foule, même tyrannie des préjugés et de la force, même égoïsme, quoi qu'on en ait dit sur le désintéressement et la fidélité de la jeunesse. Jeunesse ! âge de folie et de rêves, de poésie et de bêtise, synonymes dans la bouche des gens qui jugent le monde *sainement*. J'y fus froissé dans tous mes goûts : dans la classe, pour mes idées ; aux récréations, pour mes penchants de sauvagerie solitaire. Dès lors, j'étais un fou.

J'y vécus donc seul et ennuyé, tracassé par mes maîtres et raillé par mes camarades. J'avais l'humeur railleuse et indépendante, et ma mordante et cynique ironie n'épargnait pas plus le caprice d'un seul que le despotisme de tous.

Je me vois encore, assis sur les bancs de la classe, absorbé dans mes rêves d'avenir, pensant à ce que l'imagination d'un enfant peut rêver de plus sublime, tandis que le péda-gogue se moquait de mes vers latins, que mes camarades me regardaient en ricanant. Les imbéciles ! eux, rire de moi ! eux, si faibles, si communs, au cerveau si étroit ; moi, dont l'esprit se noyait sur les limites de la création, qui étais perdu dans tous les mondes de la poésie, qui me sentais plus grand qu'eux tous, qui recevais des jouissances infinies et qui avais des extases célestes devant toutes les révélations de mon âme !

Moi qui me sentais grand comme le monde et qu'une seule de mes pensées, si elle eût été de feu comme la foudre, eût pu réduire en poussière ; pauvre fou !

Je me voyais jeune, à vingt ans, entouré de gloire ; je rêvais de lointains voyages dans les contrées du Sud ; je voyais l'Orient et ses sables immenses, ses palais que fou-

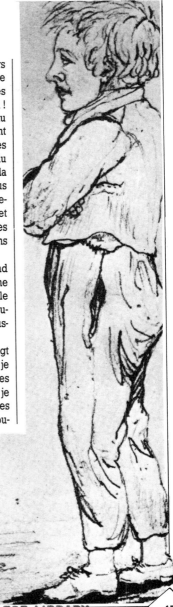

lent les chameaux avec leurs clochettes d'airain ; je voyais les cavales bondir vers l'horizon rougi par le soleil ; je voyais des vagues bleues, un ciel pur, un sable d'argent ; je sentais le parfum de ces océans tièdes du Midi ; et puis, près de moi, sous une tente, à l'ombre d'un aloès aux larges feuilles, quelque femme à la peau brune, au regard ardent, qui m'entourait de ses deux bras et me parlait la langue des houris.

Le soleil s'abaissait dans le sable, les chamelles et les juments dormaient, l'insecte bourdonnait à leurs mamelles, le vent du soir passait près de nous.

Et la nuit venue, quand cette lune d'argent jetait ses regards pâles sur le désert, que les étoiles brillaient sur le ciel d'azur, alors, dans le silence de cette nuit chaude et embaumée, je rêvais des joies infinies, des voluptés qui sont du ciel.

Et c'était encore la gloire, avec ses bruits de mains, ses fanfares vers le ciel, ses lauriers, sa poussière d'or jetée aux vents ; c'était un brillant théâtre avec des femmes parées, des diamants aux lumières, un air lourd, des poitrines haletantes ; puis un recueillement religieux, des paroles dévorantes comme l'incendie, des pleurs, du rire,

des sanglots, l'enivrement de la gloire, des cris d'enthousiasme, le trépignement de la foule, quoi ! de la vanité, du bruit, du néant.

Enfant, j'ai rêvé l'amour ; jeune homme, la gloire ; homme, la tombe, ce dernier amour de ceux qui n'en ont plus. »

GUSTAVE FLAUBERT,
1838
Mémoires d'un fou.

 ## Le statut du narrateur

Selon Gérard Genette, le statut du narrateur peut être défini par :

• **LE NIVEAU NARRATIF :** le narrateur peut être extradiégétique (au premier degré) ou intradiégétique (au second degré) ;

• **SA RELATION A L'HISTOIRE :** il peut être homodiégétique (présent comme personnage dans l'histoire qu'il raconte) ou hétérodiégétique (absent de l'histoire qu'il raconte) ;

• **LA FOCALISATION :**

— focalisation 0 : le narrateur en sait plus que le personnage, en dit plus que n'en sait aucun des personnages ;

— focalisation interne : le narrateur ne dit que ce que sait tel personnage ;

— focalisation externe : le narrateur en dit moins que n'en sait le personnage ;

à noter que le parti de focalisation n'est pas nécessairement constant sur toute la durée d'un récit.

On peut combiner niveau et relation pour obtenir un tableau dans lequel un certain nombre de textes pourraient trouver leur place. Les variations de focalisation ne sauraient y entrer qu'au risque d'une complication extrême, puisqu'elles concernent des segments narratifs :

NIVEAU / RELATION	EXTRADIÉGÉTIQUE	INTRADIÉGÉTIQUE
HÉTÉRODIÉ-GÉTIQUE	un narrateur au premier degré raconte une histoire d'où il est absent	narrateur au second degré raconte une histoire d'où il est absent
HOMODIÉ-GÉTIQUE	un narrateur au premier degré raconte sa propre histoire	un narrateur au second degré raconte sa propre histoire

Madame Bovary présente un certain nombre de complications. Si le niveau narratif ne fait pas problème — le narrateur est extradiégétique, — il n'en va pas de même pour la relation à l'histoire. Le « nous » initial (voir le contexte p. 25) est celui d'un narrateur-témoin (voir le contexte sur les fonctions du narrateur p. 60) et, même s'il disparaît après sa seconde occurrence (p. 44), il contribue à faire « flirter » Madame Bovary avec le type homodiégétique à narrateur-témoin, domme le dit Genette dans Nouveau discours du récit (Seuil, 1983, p. 70). Cependant, la plus grande partie du récit est du type hétérodiégétique, jusqu'à la fin exclusivement, car les dernières phrases au présent constituent un retour implicite du narrateur, introduisant ainsi une dose d'homodiégéticité (op. cit. p. 53) en re-plaçant le narrateur en position de contemporain, le rapprochant de fait de celle de témoin. Se donne à voir là une forme de transition entre l'hétérodiégétique et l'homodiégétique. L'infraction de Flaubert permet donc de relativiser des catégories qu'il convient de ne pas rendre trop rigides. De toute évidence, la dualité du type homodiégétique doit être soulignée : le narrateur peut être le héros de son récit ou un simple témoin ou observateur. Genette propose d'ailleurs de distinguer le premier cas en parlant de récit autodiégétique, comme, par exemple, la Recher-

che du temps perdu. On modifierait donc la case extradiégétique/homodiégétique de la façon suivante :

un narrateur au premier degré raconte sa propre histoire ou celle dont il a été le témoin.

Madame Bovary se situerait pour l'essentiel dans la case extradiégétique/hétérodiégétique et pour une petite part dans celle de l'extradiégétique/homodiégétique.

La focalisation, quant à elle, est souvent de type interne. Mais il faut noter que son origine varie, puisque le personnage focal est d'abord Charles (voir le contexte p. 377), puis Emma, puis de nouveau Charles. De plus, il existe un passage en focalisation externe : la « baisade » en fiacre, racontée du point de vue d'un témoin extérieur et innocent, et l'on peut analyser la description de Yonville, avec certaines réserves (cf. le contexte p. 207), comme non focalisée, soit en focalisation 0. De même, on rattachera à ce type de focalisation toutes les informations qui procèdent de l'omniscience du narrateur (voir le contexte p. 60).

Auteur et narrateur

« Dans un roman l'auteur est différent du narrateur. Quel est le narrateur dans *Mme Bovary* ? D'abord semble-t-il, c'est un adulte qui a été collégien à Rouen. Avec un changement : personne de nous ne se rappellerait etc. qui semble introduire l'impersonnalité du nouveau récit : il raconte ce dont on ne se rappelle pas. Mais en même temps, et paradoxalement, cela introduit le narrateur n° 2 comme une hypostase de n° 1. Un collégien qui, par exemple, aurait eu une connaissance plus intime ou qui aurait lu des documents — circonstances extérieures — de Charles Bovary. De fait il connaît à présent tous les personnages. Dehors et dedans. Tous sujet-objet. De temps en temps il apparaît sadico-ironique. C'est le garçon : le fiacre, les leçons de piano. D'autres fois, il adhère à l'objet. Croit au personnage dont il parle, fût-ce Canivet. En fait, il utilise le Il-Elle de Flaubert pour projeter des expériences de Flaubert soit pour le dehors - autre soit pour le dedans de Mme Bovary. On remarquera en effet que Emma extérieurement (objet) est toujours l'Autre de quelqu'un fût-ce de soi (quand elle s'ennuie, elle se représente s'ennuyant ou plutôt le narrateur se la représente assise à sa fenêtre pour y mettre son expérience de l'ennui — tronquée de ce qu'elle a chez lui en commun avec la créativité). Donc, un narrateur qui paraît se confondre au bout d'un temps avec l'auteur (promesse d'être là non tenue par ce narrateur) mais qui reste implicitement là tout le temps, quoique les personnages prenant chacun sur chacun le point de vue de l'autre (Lestiboudois voyant un voleur en Justin) peuvent paraître supprimer le narrateur. Celui qui combinerait leurs pensées pour créer une interpsychologie d'où naîtrait *l'objectivité* (ce que chaque subjectivité voit au dehors) ce serait l'auteur, sans intermédiaire. En vérité non, car il faut *narrer*, donc le récit est là comme on entendrait un conteur narrer. La médiation entre

LA GAZETTE DES CONTEXTES

l'auteur et le lecteur est le *narrateur.* Tantôt explicite (début, fiacre) tantôt implicite. Ce narrateur est différent suivant les moments : collégien, intime des Bovary, ironiste (dialogue Léon-Emma à l'auberge), garçon (fiacre-Homais). Il crée le sujet-objet, qui est objet (et conséquemment sujet) à différents niveaux : au plus près (baisage de Rodolphe), au plus loin (fiacre). C'est ce qu'il y a de commun à tous les narrateurs de ce roman. Pourquoi l'auteur n'est-il pas narrateur ? Parce que l'auteur *invente* et que le narrateur raconte ce

qui *est arrivé.* Finalement *(saint Julien)* Flaubert narre une histoire sans Dieu et donne au lecteur le point de vue de Dieu qui n'est pas celui de l'auteur, mais celui que Flaubert espère que Dieu prendra sur lui. Auteur-narrateur : *Jacques le Fataliste.* Auteur invente le narrateur capricieux qui narre oralement une histoire. Zola tente de supprimer le narrateur, mais crée un discours de personne qui apparaît comme la réalité exhaustive du monde. C'est ce que deviendra le roman un bon moment au XXᵉ

siècle. Daudet : "Elle n'était pas bien gaie, la petite Madame une telle" ; Conrad reprend le Narrateur *(Lord Jim)* avec une dialectique simple de ce qu'il sait et de ce qu'il ne sait pas. Mais il retrouve une malice de Flaubert qui quelquefois (narrateur) avoue qu'il ne sait pas. Charles n'approuve pas Homais soit que... soit que... Emma ne sait pas elle-même... Mais si elle ne sait pas, est-ce une raison pour que l'auteur ne sache pas ? En somme : Auteur inventant tout (les incertitudes sur soi d'Emma à rapprocher de ce qu'il dit à Louise d'Edmée) et Narrateur limité, ne sachant pas tout. L'auteur invente le narrateur et le style du récit qui est celui du Narrateur. L'auteur a décidé de ne pas aller plus loin (se reportant à des idées qu'il a eues dans sa vie) quand la subjectivité du personnage est l'objet de suppositions (Edmée) ou quand sa propre subjectivité ne peut être *connue,* mais seulement comprise (elle ne se glisse pas dans le Il) et le Narrateur déclare ne pas *savoir.* Le narrateur vampire de l'auteur. Imaginaire. »

JEAN-PAUL SARTRE,
1972
« Notes sur *Madame Bovary* »,
publiées par Michel Sicard,
L'Arc, n° 79, 1980, pp. 41-42.

sis[1] qui traînait dans l'étude. En promenade, il causait avec le domestique, qui était de la campagne comme lui.

A force de s'appliquer, il se maintint toujours vers le milieu de la classe ; une fois même, il gagna un premier accessit[2] d'histoire naturelle. Mais, à la fin de sa troisième, ses parents le retirèrent du collège pour lui faire étudier la médecine, persuadés qu'il pourrait se pousser seul jusqu'au baccalauréat.

Sa mère lui choisit une chambre, au quatrième, sur l'Eau-de-Robec[2], chez un teinturier de sa connaissance. Elle conclut les arrangements pour sa pension, se procura des meubles, une table et deux chaises, fit venir de chez elle un vieux lit en merisier, et acheta de plus un petit poêle en fonte, avec la provision de bois qui devait chauffer son pauvre enfant. Puis elle partit au bout de la semaine, après mille recommandations de se bien conduire, maintenant qu'il allait être abandonné à lui-même ⟨1⟩.

Le programme des cours, qu'il lut sur l'affiche, lui fit un effet d'étourdissement : cours d'anatomie, cours de pathologie, cours de physiologie, cours de pharmacie, cours de chimie, et de botanique, et de clinique, et de thérapeutique, sans compter l'hygiène ni la matière médicale, tous noms dont il ignorait les étymologies et qui étaient comme autant de portes de sanctuaires pleins d'augustes ténèbres.

Il n'y comprit rien ; il avait beau écouter, il ne saisissait pas. Il travaillait pourtant, il avait des cahiers reliés, il suivait tous les cours, il ne perdait pas une seule visite. Il accomplissait sa petite tâche quotidienne à la manière du cheval de manège, qui tourne en place les yeux bandés, ignorant de la besogne qu'il broie.

Pour lui épargner de la dépense, sa mère lui envoyait chaque semaine, par le messager[4], un morceau de veau cuit au four, avec quoi il déjeunait le matin, quand il était rentré de l'hôpital, tout en battant la semelle contre le mur. Ensuite il fallait courir aux leçons, à l'amphithéâtre, à l'hospice, et revenir chez lui, à travers toutes les rues. Le soir, après le maigre dîner de son propriétaire, il remontait à sa chambre et se remettait au travail, dans ses habits mouillés qui fumaient sur son corps, devant le poêle rougi.

Dans les beaux soirs d'été, à l'heure où les rues tièdes sont vides, quand les servantes jouent au volant sur le seuil des portes, il ouvrait sa fenêtre et s'accoudait. La rivière, qui fait de ce quartier de Rouen comme une ignoble petite Venise,

1. *Il s'agit du* Voyage du jeune Anacharsis en Grèce *au IVᵉ siècle de l'ère vulgaire, œuvre de l'abbé Barthélemy (1716-1795) parue en 1788. Ce roman didactique s'appuie sur une solide documentation pour raconter la découverte d'abord émerveillée d'une culture qui se révèle bientôt fragile par un jeune Scythe venu du Nord, représentant l'homme de la nature.*
2. *Accessit : ce mot, qui en latin signifie « il s'est approché », désignait une distinction accordée à ceux qui s'étaient approchés du prix sans l'obtenir.*
3. *Ce ruisseau parcourait à ciel ouvert une rue de Rouen et servait d'égout pour les teintureries. Dans son premier projet (voir le contexte p. 299), Flaubert prévoyait que son héroïne vivrait « au bord d'une rivière grande comme l'Eau-de-Robec ».*
4. *Messager : au sens de « celui qui est établi pour porter ordinairement les paquets, les commissions d'une ville à une autre ». (Littré)*

Variante sur l'apprentissage de Charles

« (...) La première fois qu'il entra dans une salle, Charles se sentit incommodé de l'odeur des lits. mais il se roidit vite contre l'emotion, et d'ailleurs la nouveauté, le mouvement, le bruit des gdes bassines de la pharmacie, les infirmiers allant et venant la foule des elèves autour de l'operateur, la vue de tant d'instrumens en acier si bien affilés, tout cela l'amusa beaucoup, d'abord. il ne se trouva pas trop embarrassé en ces petites fonctions manuelles, dont on charge les commençants. une sorte d'indelicatesse d'organes jointe à un fonds de bonté naturelle fit bientot même, qu'il aima mieux lever des appareils que de tourner des phrases. Quand il pansait un malade, c'etait avec une telle attention, que la sueur lui en ruisselait du front.

Il se sentait petit, cependant. tout ce *monde* lui faisait peur. il regardait les internes avec leurs tabliers blancs, comme des êtres privilégiés. l'agent de surveillance etait pr lui, le directeur d'un departement considérable, une espèce de Ministre, les administrateurs (braves negociants de la ville pr la plupart, droguistes, ou autres) lui parurent des Capitalistes philanthropes, et quant aux professeurs à ces hommes graves dont les paroles tombant dans son oreille — une à une — comme des pierres dans un puits, allaient s'elargissant et disparaissant sur la surface plane de son esprit, il leur trouvait à tous, des têtes d'homme de genie — c'etaient des gens bien autrement posés que les professeurs de son collège, qq uns allaient en cabriolet par la ville et avaient dans leur cabinet des bustes en platre »

cité d'après le manuscrit autographe par Claudine Gothot-Mersch, éd. Garnier, p. 369

(l'orthographe originale est respectée dans toutes les citations de ce type)

coulait en bas, sous lui, jaune, violette ou bleue entre ses ponts et ses grilles. Des ouvriers, accroupis au bord, lavaient leurs bras dans l'eau. Sur des perches partant du haut des greniers, des écheveaux de coton séchaient à l'air. En face, 5 au-delà des toits, le grand ciel pur s'étendait, avec le soleil rouge se couchant. Qu'il devait faire bon là-bas ! Quelle fraîcheur sous la hêtrée ! Et il ouvrait les narines pour aspirer les bonnes odeurs de la campagne, qui ne venaient pas jusqu'à lui.

10 Il maigrit, sa taille s'allongea, et sa figure prit une sorte d'expression dolente qui la rendit presque intéressante.

Naturellement, par nonchalance, il en vint à se délier de toutes les résolutions qu'il s'était faites. Une fois, il manqua la visite, le lendemain son cours, et, savourant la paresse, 15 peu à peu, n'y retourna plus.

Il prit l'habitude du cabaret, avec la passion des dominos. S'enfermer chaque soir dans un sale appartement public, pour y taper sur des tables de marbre de petits os de mouton marqués de points noirs, lui semblait un acte précieux de sa 20 liberté, qui le rehaussait d'estime vis-à-vis de lui-même. C'était comme l'initiation au monde, l'accès des plaisirs défendus ; et, en entrant, il posait la main sur le bouton de la porte avec une joie presque sensuelle. Alors, beaucoup de choses comprimées en lui se dilatèrent ; il apprit par cœur 25 des couplets qu'il chantait aux bienvenues, s'enthousiasma pour Béranger[1], sut faire du punch[2] et connut enfin l'amour ①.

Grâce à ces travaux préparatoires, il échoua complètement à son examen d'officier de santé[3]. On l'attendait le soir 30 même à la maison pour fêter son succès !

Il partit à pied et s'arrêta vers l'entrée du village, où il fit demander sa mère, lui conta tout. Elle l'excusa, rejetant l'échec sur l'injustice des examinateurs, et le raffermit un peu, se chargeant d'arranger les choses. Cinq ans plus tard 35 seulement, M. Bovary connut la vérité ; elle était vieille, il l'accepta, ne pouvant d'ailleurs supposer qu'un homme issu de lui fût un sot.

Charles se remit donc au travail et prépara sans discontinuer les matières de son examen, dont il apprit d'avance 40 toutes les questions par cœur. Il fut reçu avec une assez bonne note. Quel beau jour pour sa mère ! On donna un grand dîner.

1. Pierre-Jean de Béranger (1780-1857) est le plus célèbre chansonnier de la première moitié du XIXᵉ siècle. Si le Roi d'Yvetot (1813) est une chanson anti-impériale, les textes chantés sous la Restauration – extrêmement populaires – construisent la légende napoléonienne et véhiculent les thèmes antibourboniens, antiabsolutistes et libéraux.
2. Punch : mélange d'une liqueur forte, généralement du rhum, avec divers ingrédients (sirops, aromates, etc.). Cette boisson obligée des parties plus ou moins fines se servait chaude, glacée ou flambée. Elle connote souvent l'excès, l'orgie ou la transgression : « Les flammes bleues du punch coloraient d'une teinte infernale les visages de ceux qui pouvaient encore boire.» (Balzac, la Peau de chagrin, 1831)
3. René Dumesnil (édition des Belles Lettres, 1945, II, p. 269) et Claudine Gothot-Mersch (édition Garnier, 1971, p. 453) rappellent que « l'officiat de santé conférait le droit d'exercer la médecine après l'obtention d'un diplôme délivré par les facultés ou écoles de Médecine. Les étudiants n'étaient pas tenus d'être bacheliers ; ils devaient subir un examen à la sortie de la classe de troisième et être âgés de dix-sept ans. Le grade d'officier de santé ne donnait le droit d'exercer la médecine que dans un département déterminé, et sans pratiquer d'interventions chirurgicales importantes en l'absence d'un docteur. Ce grade a été supprimé en 1892.» Tout le mépris des docteurs pour les officiers de santé apparaît dans le discours de Canivet : « Il considérait (son art) comme un sacerdoce, bien que les officiers de santé le déshonorassent.» (p. 451)

moment. Charles cependant avait beau remettre le paiement de sa depense de semaine en semaine, esperant qu'il pourrait se liberer plus tard, par de petits à compte, comme la consommation allait toujours la note s'allongeait sans fin aussi le maître du café perdant patience parla d'écrire à sa famille. Charles le supplia d'attendre encore un mois le mois se passa ; l'argent ne vint pas ; et une note de 75 francs, envoyée par la poste, tomba comme une bombe dans la maison Bovary. Me Bovary fut atterée. le père Bovary s'exaspera. il ecrivit à son fils qu'il deshonorait son nom et voulait, sans doute, mettre ses parents sur la paille, avec des dettes pareilles. il ajoutait qu'il ne les paierait pas, qu'il ne lui donnerait rien, que c'etait un polisson indigne de sa tendresse et menaçait en finissant de le faire embarquer, pr la pêche de la Baleine.

Me Bovary tout exprès vint à Rouen. elle alla trouver le cafetier, s'emporta, lâcha de gros mots, obtint une reduction et s'en retourna chez elle, sans avoir voulu adresser une seule parole à son fils. il pleura — ce fut une leçon. »

 Les débauches de Charles

« (...)et connut enfin l'amour. il buvait du vin chaud dans une tête de mort, se couchait à minuit ne respectait plus rien. il se mit à porter des souspieds, se laissa pousser les cheveux, s'acheta une canne. il allait en parties à Bonsecours à la Bouille, au bal masqué ; il se derangeait tout à fait. Sa mère s'en aperçut bien lorsqu'elle vit qu'il ne renvoyait plus exactement les pots des provisions qu'elle lui expediait, et qu'il salissait plus de linge.

Il s'interessait à l'etablissement d'un cafetier — dont il etait l'ami lui donnait des conseils, et même le remplaçait au comptoir quand celui-ci, par hasard s'absentait un moment.

cité d'après le manuscrit autographe par Claudine Gothot-Mersch, éd. Garnier, p. 370.

Où irait-il exercer son art ? A Tostes. Il n'y avait là qu'un vieux médecin. Depuis longtemps, madame Bovary guettait sa mort, et le bonhomme n'avait point encore plié bagage, que Charles était installé en face, comme son successeur.

5 Mais ce n'était pas tout que d'avoir élevé son fils, de lui avoir fait apprendre la médecine et découvert Tostes pour l'exercer : il lui fallait une femme. Elle lui en trouva une : la veuve d'un huissier de Dieppe, qui avait quarante-cinq ans et douze cents livres de rente.

10 Quoiqu'elle fût laide, sèche comme un cotret[1], et bourgeonnée comme un printemps, certes madame Dubuc ne manquait pas de partis à choisir. Pour arriver à ses fins, la mère Bovary fut obligée de les évincer tous, et elle déjoua même fort habilement les intrigues d'un charcutier qui était

15 soutenu par les prêtres ⟨1⟩.

Charles avait entrevu dans le mariage l'avènement d'une condition meilleure, imaginant qu'il serait plus libre et pourrait disposer de sa personne et de son argent. Mais sa femme fut le maître ; il devait devant le monde dire ceci, ne pas dire

20 cela, faire maigre tous les vendredis, s'habiller comme elle l'entendait, harceler par son ordre les clients qui ne payaient pas. Elle décachetait ses lettres, épiait ses démarches, et l'écoutait, à travers la cloison, donner ses consultations dans son cabinet, quand il y avait des femmes.

25 Il lui fallait son chocolat tous les matins, des égards à n'en plus finir. Elle se plaignait sans cesse de ses nerfs, de sa poitrine, de ses humeurs. Le bruit des pas lui faisait mal ; on s'en allait, la solitude lui devenait odieuse ; revenait-on près d'elle, c'était pour la voir mourir, sans doute. Le soir, quand

30 Charles rentrait, elle sortait de dessous ses draps ses longs bras maigres, les lui passait autour du cou, et, l'ayant fait asseoir au bord du lit, se mettait à lui parler de ses chagrins : il l'oubliait, il en aimait une autre ! On lui avait bien dit qu'elle serait malheureuse ; et elle finissait en lui demandant quel-

35 que sirop pour sa santé et un peu plus d'amour ⟨2⟩.

1. Cotret : fagot de bois court et de médiocre grosseur, et chacun des bâtons qui composent le fagot. Littré signale l'expression « être sec comme un cotret » pour « être fort maigre ».

Un Charles désirable

« Et d'ailleurs, quelle femme à sa place et dans sa position n'eût désiré Charles pour elle-même ? Il avait alors vingt-deux ans. Il était frais comme une jeune fille et portait la barbe en collier, dévote et sensuelle comme elle l'était, la veuve, en le prenant pour mari, y trouvait donc son compte, sans se troubler du tout la conscience.

Il y eut un soir une entrevue chez elle, au crépuscule, l'on n'apporta les lumières que fort tard, elle fut aimable au possible. Elle portait un grand bonnet de satin à longs rubans bleus et s'y prit de façon à se faire embrasser au bout de la visite. Une fois dans la rue, Charles, en humant sur ses lèvres l'odeur de la pommade qu'il avait avec son baiser recueillie sur le front de sa future, se sentit le cœur ému. Sa mère lui persuada qu'il était amoureux. Il le crut, inexpérimenté qu'il était en ces matières et semblable, un peu, d'ailleurs, à tous les paysans pour qui le sexe seul fait la femme, sans souci de rien autre chose. Puis on lui répéta si bien que celle-ci devait être la sienne, que c'était la seule qui pût lui convenir, que n'en pas vouloir serait une folie, qu'il finit par consentir à tout et se maria. Quoique M. Bovary père cependant n'épargnât point les plaisanteries, Madame fit semblant de ne pas comprendre les plus grossières, qui n'étaient pas celles pourtant, dont il y avait le plus à rougir. »

POMMIER-LELEU, p. 149 (*ainsi désignerons-nous l'édition de Madame Bovary, Nouvelle Version précédée des scénarios inédits, textes établis sur les manuscrits de Rouen avec une introduction et des notes par Jean Pommier et Gabrielle Leleu, Corti, 1949, édition qu'on ne trouve malheureusement plus qu'en bibliothèque*).

Le petit journal de Madame Bovary

« Je me tourmente, je me gratte. Mon roman a du mal à se mettre en train. J'ai des abcès de style et la phrase me démange sans aboutir. Quel lourd aviron qu'une plume et combien l'idée, quand il la faut creuser avec, est un dur courant ! (...) J'ai écrit une page, en ai esquissé trois autres. J'espère dans une quinzaine être enrayé ; mais la couleur où je trempe est tellement neuve pour moi que j'en ouvre des yeux ébahis. »
A Louise Colet
fin 10/1851

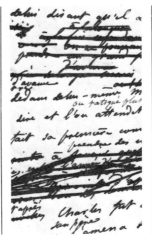

« Au milieu de tout cela j'avance péniblement dans mon livre. Je gâche un papier considérable. Que de ratures ! La phrase est bien lente à venir. Quel diable de style ai-je pris ! Honnis soient les sujets simples ! Si vous saviez combien je m'y torture, vous auriez pitié de moi. M'en voilà bâté pour une grande année au moins. »
A Louise Colet,
début 11/1851

II

Une nuit, vers onze heures, ils furent réveillés par le bruit d'un cheval qui s'arrêta juste à la porte. La bonne ouvrit la lucarne du grenier et parlementa quelque temps avec un homme resté en bas, dans la rue. Il venait chercher le méde-
5 cin ; il avait une lettre. *Nastasie* descendit les marches en grelottant, et alla ouvrir la serrure et les verrous, l'un après l'autre. L'homme laissa son cheval, et, suivant la bonne, entra tout à coup derrière elle. Il tira de dedans son bonnet de laine à houppes grises, une lettre enveloppée dans un
10 chiffon, et la présenta délicatement à Charles, qui s'accouda sur l'oreiller pour la lire. Nastasie, près du lit, tenait la lumière. Madame, par pudeur, restait tournée vers la ruelle[1] et montrait le dos.

Cette lettre, cachetée d'un petit cachet de cire bleue, sup-
15 pliait M. Bovary de se rendre immédiatement à la ferme des Bertaux, pour remettre une jambe cassée. Or il y a, de Tostes aux Bertaux, six bonnes lieues[2] de traverse, en passant par Longueville et Saint-Victor. La nuit était noire. Madame Bovary jeune redoutait les accidents pour son mari. Donc, il
20 fut décidé que le valet d'écurie prendrait les devants. Charles partirait trois heures plus tard, au lever de la lune. On enverrait un gamin à sa rencontre, afin de lui montrer le chemin de la ferme et d'ouvrir les clôtures devant lui.

Vers quatre heures du matin, Charles, bien enveloppé
25 dans son manteau, se mit en route pour les Bertaux. Encore endormi par la chaleur du sommeil, il se laissait bercer au trot pacifique de sa bête. Quand elle s'arrêtait d'elle-même devant ces trous entourés d'épines que l'on creuse au bord des sillons, Charles se réveillant en sursaut, se rappelait vite
30 la jambe cassée, et il tâchait de se remettre en mémoire toutes les fractures qu'il savait. La pluie ne tombait plus ; le jour commençait à venir, et, sur les branches des pommiers sans feuilles, des oiseaux se tenaient immobiles, hérissant leurs petites plumes au vent froid du matin. La plate campagne
35 s'étalait à perte de vue, et les bouquets d'arbres autour des fermes faisaient, à intervalles éloignés, des taches d'un violet

1. *Ruelle : au sens d'espace libre entre un lit et le mur ou entre deux lits.*
2. *La lieue correspondait environ à 4 kilomètres.*

noir sur cette grande surface grise, qui se perdait à l'horizon dans le ton morne du ciel. Charles, de temps à autre, ouvrait les yeux ; puis, son esprit se fatiguant et le sommeil revenant de soi-même, bientôt il entrait dans une sorte d'assoupisse-
5 ment où, ses sensations récentes se confondant avec des souvenirs, lui-même se percevait double, à la fois étudiant et marié, couché dans son lit comme tout à l'heure, traversant une salle d'opérés comme autrefois. L'odeur chaude des
10 cataplasmes se mêlait dans sa tête à la verte odeur de la rosée ; il entendait rouler sur leur tringle les anneaux de fer des lits et sa femme dormir... Comme il passait par Vasson-ville, il aperçut, au bord d'un fossé, un jeune garçon assis sur l'herbe.
15 — Êtes-vous le médecin ? demanda l'enfant.

Et, sur la réponse de Charles, il prit ses sabots à ses mains et se mit à courir devant lui.

L'officier de santé, chemin faisant, comprit aux discours de son guide que M. Rouault devait être un cultivateur des
20 plus aisés. Il s'était cassé la jambe, la veille au soir, en reve-nant de *faire les Rois*[1], chez un voisin. Sa femme était morte depuis deux ans. Il n'avait avec lui que sa *demoiselle*, qui l'aidait à tenir la maison.

Les ornières devinrent plus profondes. On approchait des
25 Bertaux. Le petit gars, se coulant alors par un trou de haie, disparut, puis il revint au bout d'une cour en ouvrir la bar-rière. Le cheval glissait sur l'herbe mouillée ; Charles se bais-sait pour passer sous les branches. Les chiens de garde à la niche aboyaient en tirant sur leur chaîne. Quand il entra
30 dans les Bertaux, son cheval eut peur et fit un grand écart.

C'était une ferme de bonne apparence. On voyait dans les écuries, par le dessus des portes ouvertes[2], de gros chevaux de labour qui mangeaient tranquillement dans des râteliers
35 neufs. Le long des bâtiments s'étendait un large fumier, de la buée s'en élevait, et, parmi les poules et les dindons, pico-raient dessus cinq ou six paons, luxe des basses-cours cau-choises[3]. La bergerie était longue, la grange était haute, à murs lisses comme la main. Il y avait sous le hangar deux
40 grandes charrettes et quatre charrues, avec leurs fouets, leurs colliers, leurs équipages complets, dont les toisons de laine bleue se salissaient à la poussière fine qui tombait des greniers. La cour allait en montant, plantée d'arbres symétri-quement espacés, et le bruit gai d'un troupeau d'oies reten-
45 tissait près de la mare.

1. *Faire les Rois, ou tirer les Rois* : se réunir pour manger la galette des Rois, lors de la fête de l'Épiphanie, le 6 janvier.
2. Il s'agit de portes partagées trans-versalement en deux. Faudrait-il écrire « par le dessus des portes ouvert » ?
3. *Cauchoises* : du pays de Caux, pla-teau crayeux qui constitue l'essentiel de la Seine-Maritime. Les paons conno-tent l'aisance puisqu'on les nourrit pour rien, contrairement à l'autre « ornement de nos basses-cours » dont tire profit la (mauvaise) rhétorique du discours de Lieuvain (p. 373).

Une jeune femme, en robe de mérinos[1] bleu garnie de trois volants, vint sur le seuil de la maison pour recevoir M. Bovary, qu'elle fit entrer dans la cuisine, où flambait un grand feu. Le déjeuner des gens bouillonnait alentour, dans des petits pots de taille inégale. Des vêtements humides 5 séchaient dans l'intérieur de la cheminée. La pelle, les pincettes et le bec du soufflet, tous de proportion colossale, brillaient comme de l'acier poli, tandis que le long des murs s'étendait une abondante batterie de cuisine, où miroitait inégalement la flamme claire du foyer, jointe aux premières 10 lueurs du soleil arrivant par les carreaux.

Charles monta, au premier, voir le malade. Il le trouva dans son lit, suant sous ses couvertures et ayant rejeté bien loin son bonnet de coton. C'était un gros petit homme de cinquante ans, à la peau blanche, à l'œil bleu, chauve sur le 15 devant de la tête, et qui portait des boucles d'oreilles. Il avait à ses côtés, sur une chaise, une grande carafe d'eau-de-vie, dont il se versait de temps à autre pour se donner du cœur au ventre ; mais, dès qu'il vit le médecin, son exaltation tomba, et, au lieu de sacrer comme il faisait depuis douze 20 heures, il se prit à geindre faiblement.

La fracture était simple, sans complication d'aucune espèce. Charles n'eût osé en souhaiter de plus facile. Alors, se rappelant les allures de ses maîtres auprès du lit des blessés, il réconforta le patient avec toutes sortes de bons mots, 25 caresses chirurgicales qui sont comme l'huile dont on graisse les bistouris ◁①▷. Afin d'avoir des attelles, on alla chercher, sous la charretterie, un paquet de lattes. Charles en choisit une, la coupa en morceaux et la polit avec un éclat de vitre, tandis que la servante déchirait des draps pour faire des ban- 30 des, et que mademoiselle Emma tâchait à coudre des coussinets. Comme elle fut longtemps avant de trouver son étui, son père s'impatienta ; elle ne répondit rien ; mais tout en cousant, elle se piquait les doigts, qu'elle portait ensuite à sa bouche pour les sucer.   35

Charles fut surpris de la blancheur de ses ongles. Ils étaient brillants, fins du bout, plus nettoyés que les ivoires de Dieppe, et taillés en amande. Sa main pourtant n'était pas belle, point assez pâle, peut-être, et un peu sèche aux phalanges ; elle était trop longue aussi, et sans molles inflexions 40 de lignes sur les contours. Ce qu'elle avait de beau, c'étaient les yeux ; quoiqu'ils fussent bruns, ils semblaient noirs à

1. *Mérinos : étoffe faite avec de la laine de mérinos, mouton de race espagnole à laine très fine.*

Les fonctions du narrateur

Gérard Genette répertorie ainsi dans Figures III (Seuil, 1972) les différentes fonctions attribuables au narrateur dans le récit :
- **FONCTION NARRATIVE** : *raconter l'histoire, autrement dit l'ensemble des événements racontés ;*

- **FONCTION DE RÉGIE** : *marquer l'organisation interne du texte narratif par un discours métanarratif qui prend le texte comme objet ;*

- **FONCTION DE COMMUNICATION** : *établir la communication avec le narrataire (celui auquel s'adresse la narration dans la situation narrative), combinant en quelque sorte les fonctions phatique (vérifier le contact) et conative (agir sur le destinataire) que Jakobson attribue, entre autres, au langage ;*

- **FONCTION TESTIMONIALE** : *part que le narrateur prend à l'histoire qu'il raconte, selon un rapport affectif, moral ou intellectuel ;*

- **FONCTION IDÉOLOGIQUE** : *commentaire autorisé de l'action, discours explicatif et justificatif.*

Bien entendu, la commodité de cette classification ne doit pas faire oublier qu' « aucune de ces catégories n'est tout à fait pure et sans connivence avec d'autres ». (op. cit. p. 263).
Madame Bovary présente de passionnantes modalités et modulations de ces fonctions : le « nous » initial (voir le contexte p. 25) ressortit à la fonction testimoniale, pour ironiquement la subvertir : « Il serait maintenant impossible à aucun de nous de se rien rappeler de lui » (p. 44) ;

— on pourrait peut-être placer dans la fonction de communication la phrase suivante : « et son regard arrivait franchement à vous avec une hardiesse candide » (cf. le contexte p. 62), et cette apostrophe à la fois de connivence et ironiquement distanciée, qui anime des êtres de papier : « Et vous y étiez aussi, sultans à longues pipes, pâmés sous des tonnelles, aux bras des bayadères, djiaours, sabres turcs, bonnets grecs, et vous surtout, paysages blafards des contrées dithyrambiques, qui souvent nous montrez à la fois des palmiers... » (p. 130). le « nous » final impliquant à la fois le narrateur, l'auteur et le lecteur ;

— en sollicitant un peu la définition, on pourrait interpréter comme fonction de régie la mise en rapport à laquelle invite l'organisation même du récit yonvillais. En effet, la description de la bourgade se conclut par « Depuis les événements que l'on va raconter, rien, en effet, n'a changé à Yonville », ce qui combine une prolepse (voir le contexte p. 279) et un témoignage du narrateur, tout en désignant le présent de l'écriture, inscrit dans la contemporanéité ; mais la fin du roman indique bien des changements, puisque « M. Homais (que) l'autorité (...) ménage et que l'opinion publique (...) protège (...) vient de recevoir la croix d'honneur ». Le temps fictionnel rejoint plus précisément encore celui de l'écriture et le narrateur signale que la permanence du fait Yonville, quasi chosifié dans son être provincial, se confirme par le triomphe de ses éléments les plus terrifiants, puisqu'à la décoration du pharmacien il convient d'ajouter l'ouverture par Lheureux des Favorites du commerce (p. 754). Leur triomphe commun, en ponctuant l'épisode yonvillais, en dit la vérité, réalise son potentiel, clôt le dossier, et le récit.

— c'est la fonction idéologique qui mobilise le plus l'attention du lecteur. Elle s'exerce à deux niveaux : l'ironisation généralisée (voir le contexte p. 547) qui travaille le texte pratiquement en chacun de ses points d'une part, un certain nombre d'interventions directes, que l'on peut regrouper dans la catégorie du discours auctorial, d'autre part. L'épithète « auctorial » présente l'avantage d'indiquer à la fois la présence de l'auteur, réel ou fictif, et l'autorité de cette présence. Un tel discours peut être psychologique, historique, esthétique, métaphysique, politique... On peut multiplier les mentions de ses occurrences dans Madame Bovary, ce qui permet de remettre en cause le fameux parti d'impersonnalité que Flaubert revendiquait si hautement :

— « Il réconforta le patient avec toutes sortes de bons mots, caresses chirurgicales qui sont comme l'huile dont on graisse les bistouris. » (p. 59)
— « (...) il s'amusait à tourner des ronds de serviette dont il encombrait sa maison, avec la jalousie d'un artiste et l'égoïsme d'un bourgeois. » (p. 218)
— « Elle avait cette incohérence de choses communes et recherchées, où le vulgaire, d'habitude, croit entrevoir la révélation d'une existence excentrique, les désordres du sentiment, les tyrannies de l'art, et toujours un certain mépris des conventions sociales, ce qui le séduit ou l'exaspère. » (p. 356)
— « Elle avait cette indéfinissable beauté qui résulte de la joie, de l'enthousiasme, du succès, et qui n'est que l'harmonie du tempérament avec les circonstances. » (p. 474)

Certes, la spécificité de l'écriture flaubertienne rend souvent difficile ou douteuse l'attribution de nombreuses phrases, et donc la détermination de la voix narrative. Les exemples ci-dessus ressortissent le plus souvent à l'affirma-tion de type gnomique à laquelle souscrit (ou semble souscrire) l'auteur-narrateur, mais on y trouve également des mentions explicables biographiquement — ce qui concerne la méde-cine (voir le contexte p. 702), et un commentaire sur le personnage (le dernier). On aurait pu ajouter de nombreuses comparaisons, dont on peut interroger la motivation : maintien de la cohérence interne ? effet poétique ? appel à l'expérience commune ? manifestation de telle association d'idées personnelle ? Ainsi de la suivante :

« On était au commencement d'avril, quand les primevères sont écloses ; un vent tiède se roule sur les plates-bandes labourées, et les jardins, comme des femmes, semblent faire leur toilette pour les fêtes de l'été. » (p. 304) A moins que l'on n'y voie une utilisation ironique d'un cliché retourné ou d'une banalité, générée par le contexte provincial.

Plus délicats encore sont les cas où ce qui peut apparaître comme une vérité gnomique se charge de toute la cohérence idéologique du contexte, s'y insère et vaut comme commen-taire dont la pertinence rejaillit sur le sens de toute la fiction : discours auctorial ou jugement aux multiples résonances ? Un bon exemple semble être fourni par cette phrase :
« Emma fut intérieurement satisfaite de se sentir arrivée du premier coup à ce rare idéal des existences pâles, où ne parviennent jamais les cœurs médiocres. » (p. 130)

En effet, la subordonnée relative est aussi bien attribuable à Emma qui se convainc de n'être pas médiocre, qu'à l'auteur-narrateur qui injecte ici sa propre vie, lui qui eut toujours cette aspiration à l'idéal, et qui désigne aussi — ironiquement ? — cette scission de l'humanité. Le personnage n'est-il pas ici dépassé au profit d'une vision globale, sans que la portée de la phrase quitte pour autant la logique négativi-sante de la fiction ?

cause des cils, et son regard arrivait franchement à vous avec une hardiesse candide.

Une fois le pansement fait, le médecin fut invité, par M. Rouault lui-même, à *prendre un morceau*, avant de partir.

5 Charles descendit dans la salle, au rez-de-chaussée. Deux couverts, avec des timbales d'argent, y étaient mis sur une petite table, au pied d'un grand lit à baldaquin revêtu d'une indienne à personnages représentant des Turcs. On sentait une odeur d'iris et de draps humides qui s'échappait de la 10 haute armoire en bois de chêne, faisant face à la fenêtre. Par terre, dans les angles, étaient rangés, debout, des sacs de blé. C'était le trop-plein du grenier proche, où l'on montait par trois marches de pierre. Il y avait, pour décorer l'appartement, accrochée à un clou, au milieu du mur dont la pein- 15 ture verte s'écaillait sous le salpêtre, une tête de Minerve au crayon noir, encadrée de dorure, et qui portait au bas, écrit en lettres gothiques : « A mon cher papa ».

On parla d'abord du malade, puis du temps qu'il faisait, des grands froids, des loups qui couraient les champs, la 20 nuit. Mademoiselle Rouault ne s'amusait guère à la campagne, maintenant surtout qu'elle était chargée presque à elle seule des soins de la ferme. Comme la salle était fraîche, elle grelottait tout en mangeant, ce qui découvrait un peu ses lèvres charnues, qu'elle avait coutume de mordiller à ses 25 moments de silence.

Son cou sortait d'un col blanc, rabattu. Ses cheveux, dont les deux bandeaux noirs semblaient chacun d'un seul morceau, tant ils étaient lisses, étaient séparés sur le milieu de la tête par une raie fine, qui s'enfonçait légèrement selon la 30 courbe du crâne ; et, laissant voir à peine le bout de l'oreille, ils allaient se confondre par-derrière en un chignon abondant, avec un mouvement ondé vers les tempes, que le médecin de campagne remarqua là pour la première fois de sa vie. Ses pommettes étaient roses ⟨1⟩ . Elle portait, comme 35 un homme, passé entre deux boutons de son corsage, un lorgnon d'écaille[1].

Quand Charles, après être monté dire adieu au père Rouault, rentra dans la salle avant de partir, il la trouva debout, le front contre la fenêtre, et qui regardait dans le jar- 40 din, où les échalas[2] des haricots avaient été renversés par le vent. Elle se retourna.

— Cherchez-vous quelque chose ? demanda-t-elle.

1. Suivant l'exemple de Claudine Gothot-Mersch (édition Garnier, 1971), nous citerons le Dictionnaire des idées reçues *quand il apparaîtra que la comparaison souligne la saveur de tel détail ou de telle expression. Ainsi le lorgnon est-il « insolent et distingué ».* S'inaugure ici également le thème de la virilisation d'Emma (voir le contexte p. 457).
2. Échalas : bâton de longueur variable auquel l'on attache un cep ou un pied grimpant.

Première apparition et portrait idéal

Voici un petit florilège de portraits féminins qui met en évidence la récurrence de thèmes que l'on qualifierait volontiers d'obsédants et qui s'ancrent profondément dans l'expérience personnelle de Flaubert :

« Elle me regarda.
Je baissai les yeux et rougis. Quel regard, en effet ! comme elle était belle, cette femme ! je vois encore cette prunelle ardente sous un sourcil noir se fixer sur moi comme un soleil. Elle était grande, brune avec de magnifiques cheveux noirs qui lui tombaient en tresses sur les épaules ; son nez était grec, ses yeux brûlants, ses sourcils hauts et admirablement arqués, sa peau était ardente et comme veloutée avec de l'or ; elle était mince et fine, on voyait des veines d'azur serpenter sur cette gorge brune et pourprée. Joignez à cela un duvet fin qui brunissait sa lèvre supérieure et donnait à sa figure une expression mâle et énergique à faire pâlir les beautés blondes. On aurait pu lui reprocher trop d'embonpoint ou plutôt un négligé artistique. Aussi les femmes en général la trouvaient-elles de mauvais ton. Elle parlait lentement ; c'était une voix modulée, musicale et douce...
Elle avait une robe fine, de mousseline blanche, qui laissait voir les contours moelleux

de son bras. Quand elle se leva pour partir, elle mit une capote blanche avec un seul nœud rose ; elle la noua d'une main fine et potelée, une de ces mains dont on rêve longtemps et qu'on brûlerait de baisers. »

GUSTAVE FLAUBERT,
1838,
Mémoires d'un fou.

« Elle avait les cils longs et relevés, la prunelle noire, sillonnée de filets jaunes qui faisaient des petits rayons d'or dans cette ébène unie ; toute la peau des yeux était d'une teinte un peu rousse, qui les agrandissait et leur donnait une manière fatiguée et amoureuse. J'aime beaucoup ces grands yeux des femmes de trente ans, ces yeux longs, fermés, à grand sourcil noir, à la peau fauve fortement ombrée sous la paupière inférieure, regards langoureux, andalous, maternels et lascifs, ardents comme des flambeaux, doux comme du velours ; ils s'ouvrent tout à coup, lancent un éclair et se referment dans leur langueur. »

GUSTAVE FLAUBERT,
1845,
L'Éducation sentimentale,
première version.

« Ce fut comme une apparition :

Elle était assise, au milieu du banc, toute seule ; ou du moins il ne distingua personne, dans l'éblouissement que lui envoyèrent ses yeux. En même temps qu'il passait, elle leva la tête ; il fléchit involontairement les épaules ; et, quand il se fut mis plus loin, du même côté, il la regarda.

Elle avait un large chapeau de paille, avec des rubans roses qui palpitaient au vent, derrière elle. Ses bandeaux noirs, contournant la pointe de ses grands sourcils, descendaient très bas et semblaient presser amoureusement l'ovale de sa figure. Sa robe de mousseline claire, tachetée de petits pois, se répandait à plis nombreux. Elle était en train de broder quelque chose ; et son nez droit, son menton, toute sa personne se découpait sur le fond de l'air bleu.

Comme elle gardait la même attitude, il fit plusieurs tours de droite et de gauche pour dissimuler sa manœuvre ; puis il se planta tout près de son ombrelle, posée contre le banc, et il affectait d'observer une chaloupe sur la rivière. Jamais il n'avait vu cette splendeur de sa peau brune, la séduction de sa taille, ni cette finesse des doigts que la lumière traversait. Il considérait son panier à ouvrage avec ébahissement, comme une chose extraordinaire. Quels étaient son nom, sa demeure, sa vie, son passé ? Il souhaitait connaître les meubles de sa chambre, toutes les robes qu'elle avait portées, les gens qu'elle fréquentait ; et le désir de la possession physique même disparaissait sous une envie plus profonde, dans une curiosité douloureuse qui n'avait pas de limites. »

GUSTAVE FLAUBERT,
1869,
l'Éducation sentimentale.

« Il ne parlait guère pendant ces dîners ; il la contemplait. Elle avait à droite, contre la tempe, un petit grain de beauté ; ses bandeaux étaient plus noirs que le reste de sa chevelure et toujours comme un peu humides sur les bords ; elle les flattait de temps à autre, avec deux doigts seulement. Il connaissait la forme de chacun de ses ongles, il se délectait à écouter le sifflement de sa robe de soie quand elle passait auprès des portes, il humait en cha-chette la senteur de son mouchoir ; son peigne, ses gants, ses bagues étaient pour lui des choses particulières, importantes comme des œuvres d'art, presque animées comme des personnes ; toutes lui prenaient le cœur et augmentaient sa passion. »

GUSTAVE FLAUBERT,
1869,
l'Éducation sentimentale.

— Ma cravache, s'il vous plaît, répondit-il.

Et il se mit à fureter sur le lit, derrière les portes, sous les chaises ; elle était tombée à terre, entre les sacs et la muraille. Mademoiselle Emma l'aperçut ; elle se pencha sur
5 les sacs de blé. Charles, par galanterie, se précipita, et, comme il allongeait aussi son bras dans le même mouvement, il sentit sa poitrine effleurer le dos de la jeune fille, courbée sous lui. Elle se redressa toute rouge et le regarda par-dessus l'épaule, en lui tendant son nerf de bœuf ①.
10 Au lieu de revenir aux Bertaux trois jours après, comme il l'avait promis, c'est le lendemain même qu'il y retourna, puis deux fois la semaine régulièrement, sans compter les visites inattendues qu'il faisait de temps à autre, comme par mégarde.

15 Tout, du reste, alla bien ; la guérison s'établit selon les règles, et quand, au bout de quarante-six jours, on vit le père Rouault qui s'essayait à marcher seul dans sa *masure*[1], on commença à considérer M. Bovary comme un homme de grande capacité. Le père Rouault disait qu'il n'aurait pas
20 mieux été guéri par les premiers médecins d'Yvetot ou même de Rouen.

Quant à Charles, il ne chercha point à se demander pourquoi il venait aux Bertaux avec plaisir. Y eût-il songé, qu'il aurait sans doute attribué son zèle à la gravité du cas, ou
25 peut-être au profit qu'il en espérait. Était-ce pour cela, cependant, que ses visites à la ferme faisaient, parmi les pauvres occupations de sa vie, une exception charmante ? Ces jours-là il se levait de bonne heure, partait au galop, poussait sa bête, puis il descendait pour s'essuyer les pieds
30 sur l'herbe, et passait ses gants noirs avant d'entrer. Il aimait à se voir arriver dans la cour, à sentir contre son épaule la barrière qui tournait, et le coq qui chantait sur le mur, les garçons qui venaient à sa rencontre. Il aimait la grange et les écuries ; il aimait le père Rouault, qui lui tapait dans la main
35 en l'appelant son sauveur ; il aimait les petits sabots de mademoiselle Emma sur les dalles lavées de la cuisine ; ses talons hauts la grandissaient un peu, et, quand elle marchait devant lui, les semelles de bois, se relevant vite, claquaient avec un bruit sec contre le cuir de la bottine.
40 Elle le reconduisait toujours jusqu'à la première marche du perron. Lorsqu'on n'avait pas encore amené son cheval, elle restait là. On s'était dit adieu, on ne parlait plus ; le

1. *Masure : un des normandismes du texte, ici souligné par l'italique. Il signifie « basse-cour ».*

66

① Une page flaubertienne au risque de l'explication : la première rencontre de Charles et d'Emma.

Plus peut-être que tout autre roman du XIXᵉ siècle, Madame Bovary semble interdire sa manipulation réductrice et son passage à la moulinette des exercices scolaires comme l'explication de texte. L'extrême complication et intrication de l'écriture, et, plus encore, son principe fondateur de négativité (voir les différents contextes sur ce sujet), concourent à décourager par avance toute entreprise de dissection et à la marquer au coin d'une ironie destructrice. Conscient de cette difficulté, nous énumérons ici une suite de propositions, en rappelant que nous dépendons pour l'essentiel d'un discours critique accumulé au fil de décennies de flaubertologie (voire de flaubertolâtrie), et que l'explication de texte, considérée comme genre, ne saurait viser ni à l'exhaustivité, ni à l'établissement d'une « vérité », se limitant à l'utilisation technique d'un certain nombre d'outils pour rendre compte du texte concerné et indiquer des directions susceptibles de mener au(x) sens.

Nous choisissons le passage qui commence par « Charles fut surpris de la blancheur de ses ongles » et se termine par « en lui tendant son nerf de bœuf », car s'y établit un rapport entre les personnages dont la fiction développera les modalités, mais qu'elle ne remettra pratiquement plus en cause, s'y donne à lire une parfaite maîtrise du point de vue, s'y multiplient — comme partout ailleurs dans le roman — les notations de décor, d'ambiance, de gestes, etc., s'y manifeste, comme en chaque point de Madame Bovary, le travail de style, et s'y déploie un travail parodique.

Quand débute notre texte, nous ne connaissons d'Emma que sa « robe de mérinos bleu garnie de trois volants » — cette couleur lui sera fréquemment associée (voir le contexte p. 531) —, le temps qu'a mis la « demoiselle » pour trouver son nécessaire à couture et cette attitude, déjà érotisée, de jeune femme qui porte à sa bouche des doigts piqués par l'aiguille. Depuis cette entrée initiale dans la fiction, Emma — ainsi pouvons-nous la nommer, puisque dans cet extrait nous passons de « Mlle Rouault » à « Mlle Emma » — évolue dans le champ visuel de Charles. Elle commence ainsi, comme le dit Jean Rousset, « par la condition subalterne de personnage objet et connu du dehors » (« Madame Bovary ou le livre sur rien » in Forme et signification, Corti, 1962, p. 114). Or, du fait du chapitre précédent, nous connaissons la sensibilité de Charles, ses limites et sa simplicité. Le portrait physique d'Emma va donc se constituer par focalisation interne, et surtout du point de vue d'un homme encore jeune, ébloui par une féminité dont Héloïse Dubuc ne pouvait lui avoir donné aucune idée. Il s'agit d'une révélation et d'une illumination, non par une vision d'ensemble, mais comme nous le verrons, par une succession de notations et une décomposition du corps en éléments fortement érotisés, par des « perceptions pointillistes » formant un « portrait fragmentaire et progressif » (Jean Rousset, op. cit. p. 115).

Le premier paragraphe s'attache d'abord aux mains, dont un élément est évidemment isolé par focalisation interne : les ongles. La surprise de Charles doit être référée à sa pauvre expérience sociale : ni sa mère, ni celles avec qui « il connut l'amour » à Rouen (p. 52), ni Héloïse ne peuvent arborer de tels emblèmes. Leur aspect, tout aristocratique, s'oppose à l'environnement rural, dénote des soins attentifs et connote une activité hautement féminisée, une préoccupation corporelle qui auréole déjà Emma de sensualité et la rend séduisante. Les deux premières phrases s'unissent par la récurrence des nasales : « blancheur », « ongles », « brillants », « fins », « amande », l'harmonie des liquides — l, m, n, r, — et des i, et dans la deuxième phrase, on notera le lien phonique entre « brillants », « nettoyés » et « taillés » et l'organisation métrique des attributs. La comparaison normande — « plus nettoyés que les ivoires de Dieppe » — restitue l'émerveillement de Charles dans le cercle étroit de ses références et signale ironiquement un « exotisme » relatif. La phrase suivante, en revanche, contrevient au principe de focalisation interne, et, d'emblée, nous place au cœur de la complexité flaubertienne. En effet, « il est hors de la vraisemblance interne d'attribuer à Charles, dans son étonnement ravi, les réserves du texte, soulignées avec une certaine insistance » comme le dit Claude Duchet (« Corps et société : le réseau des mains dans Madame Bovary » in La lecture sociocritique du texte romanesque, Samuel Stevens..., Toronto, 1975, p. 225). Reste le problème de l'attribution de ce savoir sur les mains, pour lequel il existerait des canons de la beauté « manuelle ». A la « voix blanche du narrateur et du "nous" initial » ? A celle du romancier « arbitre des élégances » ? Claude Duchet propose, et nous le suivrons, de mettre en rapport le « pourtant » et la parole d'un autre du texte, d'y voir la « pression du discours social, défini comme une modalité de la voix narrative » (op. cit. pp. 225-226). Cette voix se fait gnomique, s'appuyant sur une société qui connaît,

parce qu'elle les établit, les critères qui définissent ce que doit être une belle main, en conformité avec les codes et archétypes culturels, et « (avertissant) à la fois Charles (à son insu), Emma (qui ne peut l'ignorer) et le lecteur (subtilement déçu) de l'inscription dans un corps d'"héroïne" d'une boîterie, d'un manque qu'il faudra pallier » (op. cit. p. 226), ce qui motivera par exemple les citrons (p. 330) et tout un ensemble de manœuvres compensatoires. L'analyse de Claude Duchet se fait encore plus passionnante lorsqu'elle montre que « la description, articulée à la fois sur un référent (la main d'Emma), et une référence (l'idéal de la main féminine), amorce le récit qui s'engendre de ce hiatus pour un illusoire trajet » (op. cit. p. 226). Les ongles d'Emma, comme plus loin ceux de Léon (p. 258), s'efforcent d'imposer un paraître aristocratique, d'une aristocratie idéologisée par le regard bourgeois et mythifiée comme essence supérieure. Mais l'être des doigts s'épuise dans des tâches ménagères. S'opposent ainsi la vraie main d'Emma et « la main culturelle du mensonge romantique » (op. cit. p. 226). La blancheur éclatante des ongles vise à compenser le manque. D'où cette série de traits discriminants : manque de pâleur (rappelons à ce sujet que la pâleur, mélioratif de blancheur, renvoie à la beauté et à l'oisiveté mondaine, le teint hâlé étant à l'époque fortement déprécatif), sécheresse, excès de longueur, absence de mollesse dans la ligne, et, stylistiquement, l'effet accumulatif des attributs, renforcé par les adverbes (« pourtant », « point », « assez », « un peu », « trop », « aussi ») et la conjonction « et ». Peut-être pourrait-on repérer aussi un système d'opposition phonique entre les nasales et les « l » d'une part, et les labiales « p » et « b » d'autre part qui contribuerait à la dysharmonie. (Pour complément d'information sur les mains, voir le contexte p. 701.)

La dernière phrase du paragraphe semble suivre le regard remontant de Charles, et substitue à la main « défectueuse » les yeux nettement valorisés. Si leur couleur change dans le roman de façon intrigante (voir le contexte p. 114), elle se donne ici pour noire. Le noir apparaît comme un intensif du brun, plus commun. La réalité des yeux, comme celle des mains, doit être cachée par un élément modificateur : l'ombre. Cette ombre des cils, nécessairement longs et fournis, transfigure des yeux ainsi devenus élément central d'un visage conforme au modèle prestigieux et hautement érotique de la belle Andalouse (voir p. 614). La beauté est ici indice de tempérament, et annule le restrictif « quoique ». Le mode de présentation (« Ce qu'elle... c'étaient... »), l'adverbe « franchement » et le quasi-oxymore « hardiesse candide » concentrent la force d'Emma dans son regard, miroir de l'âme, selon le lieu commun bien connu. Mais, ici encore, se produit une distorsion du mode de focalisation. Si l'on peut admettre à la rigueur que l'observation minutieuse de Charles puisse apprécier le jeu d'ombre et de lumière qui assombrit le brun, le « vous » pose problème. Équivalent d'un « on », il va au-delà de Charles, implique l'expérience générale, et du même coup le lecteur. Il déplace donc Emma hors du seul champ visuel de Charles, et remotive l'illusion romanesque et réaliste.

Le deuxième paragraphe, fort court, revient à l'action que la description avait suspendue, mieux même, qu'elle avait élidée, au point qu'elle s'achève en un simple complément circonstanciel, pure dénotation de fonctionnalité (« Une fois le pansement fait ») et qui, confirmée par la dénomination — « le médecin » — évacue provisoirement la motivation professionnelle. Charles va pouvoir déjà s'installer. L'invitation — signe de déférence — permet l'utilisation de l'italique citationnelle qui caractérise linguistiquement M. Rouault. S'inaugure ainsi la parlure de paysan relativement aisé qui se maintiendra tout au long du roman. De plus, le terme « morceau » renvoie ironiquement à la perception morcelée. Le travail parodique de Flaubert qui déstructure à la fois le genre du portrait, la scène de première rencontre et le coup de foudre s'exhibe par ce clin d'œil. On pourrait même faire jouer ce « morceau » avec celui de Homais, qui ne le déteste pas en matière de femmes (cf. 635) pour comprendre que le père Rouault offre métaphoriquement Emma à Charles. Le paragraphe assure une fonction de transition : l'acte médical terminé, l'on va redescendre vers le rez-de-chaussée, pour permettre à la fois une nouvelle exploration de la maison, dont nous ne connaissons que la cuisine — où l'ustensilité allait de pair avec l'ostentation (« [la] proportion colossale ») — et la chambre de M. Rouault — « désintimisée » du fait des soins, et un tête-à-tête qui va remotiver la fascination de Charles. (Sur la cuisine, voir le contexte p. 89.)

La première phrase du troisième paragraphe isole Charles. Emma a dû préalablement descendre pour dresser ces couverts avec lesquels la description des objets commence. La salle commune présente une apparente contradiction dans son agencement. En effet, cohabitent des meubles cossus — le « grand lit à baldaquin » et « la haute armoire en bois de chêne » — et des sacs de blé. Se dénonce ainsi la ruralité de l'« appartement », au sens d'endroit de la maison où l'on habite. Mais un sème commun relie ces éléments : l'aisance. Les timbales d'argent, le baldaquin, le chêne et le « trop-plein du grenier » entrent en cohérence : les Bertaux ont une histoire d'abondance et la maison ne s'est pas peuplée d'objets de série (on lui opposera la maison de Tostes — p. 110 comme le suggère fort justement Guy Barthélémy dans « l'Anthropologie du bric-à-brac dans Madame Bovary », exposé inédit pour le séminaire de Pierre Barbéris, ENS de Saint-

Cloud, 1979-1981, avec son aimable autorisation). Certes, nous apprendrons par la suite que le père Rouault n'est, comme Charles-Denis-Bartholomé Bovary, qu'un dilapidateur, mais ce qui importe ici, c'est l'effet sur Charles de ces preuves de richesse paysanne, que la grandiloquence des éléments décoratifs dénonce ironiquement : l'« indienne à personnages représentant des Turcs », mais que l'« odeur d'iris » embaume délicatement, délicatesse aussitôt combattue par l'odeur de « draps humides ». Ajoutons que la contiguïté de la table et du lit renvoie au thème de la consommation, ce qui annonce plaisamment le repas et le nuit de noces. L'ordre de la description épouse celui de la découverte par le regard, mais il vise surtout à mettre en valeur la « tête de Minerve » qui nous ramène à Emma, laquelle, implicitement présente comme consciencieuse ménagère qui parfume le linge de maison, se manifeste métonymiquement par ce dessin qui introduit une hétérogénéité dans ce milieu jusqu'alors homogène (Guy Barthélémy, op. cit.).

En effet, on notera l'opposition entre cette « production » artistique et la dégradation du mur par le salpêtre (cf. les draps humides), et surtout celle entre l'intention, ou la prétention, et le cadre. Exercice d'école, d'un néoclassicisme que l'encadrement — la « dorure » — et l'environnement — la ruralité — rendent ironiquement kitsch, et que les « lettres gothiques » de la dédicace admirablement convenue redoublent en renvoyant au style troubadour des années 1820, ce crayon signale un désir qui dépasse le simple souci de « décorer l'appartement ». La suite du roman permettra de repenser cette dénégation de tout ce qui informe l'image par le « clou » où elle est accrochée, et le rapport qu'entretiennent la pulsion désirante et sa représentation. Enfin, cette tête de Minerve, déesse virile, entre en cohérence avec le lorgnon qui clôt le « portrait » à venir, de

même qu'elle annonce la description de la tête d'Emma par un amusant effet métatextuel. La mise à distance du genre descriptif s'affirme en exhibant sa construction, sa démarche, son code en les avertissant. Un tel paragraphe appellerait une multitude de remarques sur ses organisations phoniques et métriques. Contentons-nous de signaler le rythme de la dernière phrase : progression des éléments jusqu'à « salpêtre », puis scansion assez régulière jusqu'à la fin, la clausule s'isolant un peu par les guillemets et les trois « a » qui ponctuent ironiquement le paragraphe.

Les deux premières phrases du suivant se distinguent par le jeu sur les propos rapportés et résumés et le style indirect libre. La narration tend vers l'objectivité : « On parla. » La conversation commence donc par la convention, que le « on » souligne. Le malade et le temps fournissent les sujets obligés. Le narrateur combine l'ironie, en marquant la successivité convenue (« d'abord », « puis »), en réduisant les paroles à leur contenu idéal de lieu commun, et la mention stylistiquement travaillée (rythme, allitération en « ou »...) des « loups qui couraient les champs, la nuit » dont on peut penser qu'elle est plutôt attribuable à Emma (localisation, sensibilité affinée et craintive), ce qui assurerait peut-être la transition avec le style indirect libre de la phrase suivante. Celle-ci accentue le divorce entre Emma et sa condition, divorce que la tête de Minerve annonçait. Cette seule femme de la maison ne s'identifie pas au rôle que les circonstances lui font tenir. Le drame de toute une vie s'inaugure ici, même s'il est relativisé par le verbe « s'amuser ». Signalons que la présence conjointe du vent et des loups évoque irrésistiblement le « Madame, il fait grand vent et j'ai tué six loups » de Ruy Blas. La platitude du contexte dénonce et détruit la référence romantique, ce qui entre dans l'intention parodique générale.

La dernière phrase reprend le point de vue de Charles qui fait probablement face à Emma, et qui en est en tout cas proche, la table étant « petite ». Nous revenons donc au portrait physique, ou plus exactement à un autre élément traditionnellement sensuel : les lèvres. Si le froid et le grelottement les désérotisent en apparence, l'érotisation se marque subtilement par l'épithète « charnues » et le mordillement, que Charles peut contempler, transformant ainsi sa contiguïté en conquête de l'intimité, puisqu'il peut déjà repérer une habitude : « qu'elle avait coutume ».

Le qualificatif « charnues », comme le dit Roger Kempf, « indique le passage du moment à l'habitude et l'essence, de l'appétit capricieux à la faim universelle et insatiable. Emma n'en finit pas de mordre, de se mordre, de dévorer, de se dévorer. Les hommes, pense-t-elle, ont sur les femmes l'avantage de pouvoir "mordre aux bonheurs les plus lointains". Charles, lui, mastique, rumine, assimile, prend son temps. Emma mord et engloutit (« La découverte du corps dans les romans de Flaubert » in Sur le corps romanesque, Seuil, 1968, p. 104.)

Cette phrase a également attiré l'attention de Jean Starobinski : « se trouvent syntaxiquement associés la réponse corporelle à la fraîcheur (grelotter), l'acte de manger, la légère et fréquente morsure des lèvres (mordillonner), surcroît d'oralité qui occupe en position finale le même registre d'autoréférence corporelle que les doigts sucés. Flaubert construit le corps d'Emma en associant étroitement ses "formes" visibles (les lèvres charnues) à ses comportements sensorimoteurs : (...) ils occupent une place considérable : de la réaction globale d'hyperesthésie thermique, d'intolérance à l'égard du "milieu" ambiant (cette fois : la fraîcheur ; dans la rencontre ultérieure : la chaleur) à l'image d'un geste localisé, labial, où le corps s'applique à lui-même, pour apaiser ou aviver sa propre sensation ». (« L'échelle des températures », 1980, repris in Travail de Flaubert, Seuil, collection Points, 1983, p. 49.)

Le rythme de la phrase concourt à souligner cette progression par celle des éléments : 7/9/12/18.

Comme le dit Jean Rousset, « alors qu'un blason traditionnel aurait commencé par là, les cheveux ont droit à une attention tardive mais prolongée » (Leurs yeux se rencontrèrent, Corti, 1981, p. 38). Encore faut-il attendre que le cou ait été mis en valeur, comme s'il prenait la couleur du col d'où il sort. La blancheur du cou, ici quasi métonymique, appartient aux canons de la beauté. L'adjectif « rabattu », détaché par la virgule, contribue à ralentir le regard et ses trois syllabes concluent une phrase particulièrement travaillée sur le plan rythmique : 4 (2 + 2) / 3 / 3, et sur le plan phonique : Son/ sortait, cou/ col, col/blanc, blanc/rabattu.

La longue phrase de description des cheveux s'inscrit dans une thématique récurrente chez Flaubert, ancrée dans la biographie (voir le contexte p. 63). Ici la description se transforme en scène de séduction, et c'est cette séduction de Charles qui organise la phrase (voir le contexte p. 369). Que la coiffure soit typiquement romantique ne change rien à l'affaire : Charles n'a pas suffisamment l'expérience des femmes pour reconnaître l'influence de la mode : c'est « pour la première fois de sa vie » qu'il remarque le « mouvement ondé vers les tempes ». C'est un subtil mélange qui associe plusieurs réseaux : la grâce (« lisses », « fine », « légèrement », « ondé »), l'ordre (« deux bandeaux », « un seul morceau », « séparés », « milieu »,« raie », « mouvement »), la pudeur (« légèrement », « laissant voir à peine »), la sensualité, discrète ou plus apparente (« le bout de l'oreille », « chignon abondant »), le volume et la ligne (« un seul morceau », « raie », « courbe du crâne », « mouvement ondé »)... Une multitude de connotations sont ainsi mises en place, et elles se confondent, comme les cheveux, en un transport de Charles : c'est toute la femme qu'il contemple dans cette chevelure. La question peut encore être posée de sa capacité à tout détailler avec autant de précision, mais peut-être la fascination et l'émerveillement de la découverte suffisent-ils à vraisemblabiliser les notations. L'humour de la voix narratrice est sans doute décelable dans ce « crâne », terme quasi professionnel, qui annonce la tête phrénologique (cf. p. 274).

Le rythme contribue à l'effet : alternance de segments courts et longs, relance par les relatifs et surtout le fameux « et » flaubertien. L'impression d'ensemble est celle d'un balancement, suggérant à la fois l'état quasi hypnotique de Charles et le mouvement ondé des cheveux. Quant aux sonorités, on ne saurait énumérer tous les échos, les rapprochements, les attirances : nasales abondantes, chuintantes et sifflantes, labiales... Tout concourt à rendre prestigieuse cette coiffure qui irradie une campagne que le médecin avait parcourue jusque-là dans l'ignorance de telles félicités. La fascination de Charles se lit également dans l'ellipse du visage, motivant de façon complémentaire la destruction parodique du portrait dont la description du visage aurait dû constituer le niveau de bravoure. Ainsi depuis les ongles jusqu'aux cheveux, nous est livré un blason éclaté, fragmentaire, que seul le désir de Charles pourrait rassembler, ce que la suite va s'employer à nier.

Le portrait se conclut par deux notations contradictoires. La roseur des pommettes souligne à la fois la noirceur des cheveux et la blancheur du cou, et elle s'inscrit dans le réseau obligé de la féminité. Cette ultime couleur rapproche la femme de la fleur et évoque le « délicat incarnat » des blasons. Elle ponctue donc de façon cohérente la vision, ajoute une dernière touche au tableau. En revanche, le lorgnon inaugure une autre série qui scandera tout le roman : celui de la virilité d'Emma (voir le contexte p. 457). Cette incongruité, bien désignée par l'incise « comme un homme », conclut un mouvement descendant du regard : cheveux, pommettes, corsage, mais l'attribution de la remarque est incertaine : est-ce Charles qui la fait, mais sans qu'elle modifie en rien son éblouissement ? est-ce le narrateur qui annonce une rupture fictionnellement féconde ?

Le paragraphe suivant fait fonction de transition et prépare l'échange au style direct — le seul de toute la scène depuis l'arrivée du médecin aux Bertaux, mais surtout, il installe Emma, pour la première fois dans le roman, devant une fenêtre. Cette position la caractérisera tout au long du texte (voir le contexte p. 305). L'ellipse narrative, qui nous a laissé ignorer la fin du repas, presque tout entier occulté par la chevelure, vise à sérier l'action et l'intrigue selon ses temps, sinon forts, du moins les plus significatifs. Dans ce regard d'Emma sur le jardin battu des vents, dans cet écran entre elle et son univers quotidien, se lit de nouveau un divorce et se connote l'ennui. Les verbes au passé simple introduisent le récit d'une scène dans la scène : le premier contact.

Cet épisode vaut à la fois par sa trivialité, apparente dans le court dialogue, la banalité des verbes de l'échange (« demanda-t-elle », « répondit-il »), la nature même du contact, involontaire, maladroit, et par la grande précision de sa relation, qui met d'autant plus en relief cette trivialité et qui laisse presque informulées les sensations qu'éprouvent les protagonistes.

Bien entendu, il est aisé, presque trop, de repérer l'opposition entre la cravache — signe et symbole de virilité — et le nerf de bœuf, retombée comique de la cravache, et qui, dans son appellation même, renvoie explicitement à Bovary. C'est la femme virile qui rend son nerf de bœuf à l'homme, et qui, en le lui tendant, le tend du même coup. La scène de comédie est ainsi riche de bien des implications. On peut aussi remarquer que c'est Emma, au regard plus affûté, qui voit la cravache la première, et que Charles, éternel second, se précipite gauchement, etc... On se reportera à l'excellent développement de Jean-Michel Adam et Jean-Pierre Goldenstein dans Linguistique et discours littéraire, Larousse, 1976, pp 121-123.

L'apparente absence de réaction de Charles confirme tout ce que le texte a mis en place. Selon Jean Rousset (Leurs yeux se rencontrèrent, pp. 38-39) « une vague surprise, une admiration fruste, une impulsion obscure s'éveillent, sans pouvoir s'analyser, dans cette sensibilité endormie (...) un courant a passé, in extremis, très élémentaire : un frôlement furtif, fortuit ». La rougeur d'Emma est plus troublante. Si elle peut s'attribuer à une pudeur toute féminine, elle peut aussi apparaître comme un message, certes involontaire, d'autant qu'elle s'accompagne d'un regard. Mais on ne sait ce qu'il y a dans ce regard : « on reste dans l'épidermique et l'inarticulé » (ibid.) Mais « il est possible cependant de conclure qu'en cet instant, dans ce geste inachevé, quelque chose s'est produit qui tient de l'échange, du franchissement esquissé et aussitôt annulé, et d'un effet de surface dont on nous laisse ignorer le sens » (ibid.) Effectivement, il y a là quelque chose de plus, puisque c'est la première mention d'un effet produit par Charles sur Emma ; elle se contentait de se laisser regarder. Il faudra attendre qu'elle devienne sujet de la narration pour savoir ce que Charles représente pour elle. Cette entrée en matière ne saurait correspondre à ce qu'elle imaginait, à la façon dont elle rêvait l'entrée de la passion dans sa vie : « L'amour, croyait-elle, devait arriver tout à coup, avec de grands éclats et des fulgurations — ouragan des cieux qui tombe sur la vie, la bouleverse, arrache les volontés comme des feuilles et emporte à l'abîme le cœur entier. » (p. 276) Ici, c'est la platitude, et le seul ouragan du texte n'a pu renverser que les échalas des haricots... Faux départ pour un vrai drame. Départ comique qui plus est : le rapport entre l'impuissance suggérée de Charles et les échalas renversés introduit un élément qui frôle le burlesque. Au fond, qui a été culbuté ici ? Pauvre début d'idylle, coup de foudre qui fait long feu, scène anti-romantique et anti-romanesque.

Bien des remarques restent à faire au moment de conclure. Du moins pouvons-nous essayer de rassembler les points essentiels : mise en place d'un rapport entre deux personnages que les développements psychologiques ultérieurs ne feront que confirmer en le disséquant, jeu subtil et complexe du narrateur et présence de l'auteur, raffinement du style, parodie... Chez Flaubert, plus que jamais, l'explication d'un texte s'épuise en délectation, mais aussi elle ne peut que mettre en évidence ce constat presque décourageant que le roman fonctionne comme un système, chaque élément étant lié au thème central (voir le contexte p. 685) et que l'ironie flaubertienne se désigne, mais ne se démonte que difficilement : l'écriture est investie d'un pouvoir de néantisation qui détruit constamment ce qu'elle écrit, et, par conséquent, tout discours tenu sur elle. Pour ne donner qu'un seul exemple, s'il est clair que le portrait d'Emma prend place dans une série ayant pour modèle Élisa Schlésinger, jusqu'à quel point son apparition dans le texte, et a fortiori son exécution du point de vue de Charles, traduisent-elles une ironisation de soi par Flaubert autant qu'une ironisation de Charles et, pourquoi pas, d'Emma ? Jusqu'à quel point dénoncent-elles toute tentative de portrait, en jouant avec son code ?

grand air l'entourait, levant pêle-mêle les petits cheveux follets de sa nuque, ou secouant sur sa hanche les cordons de
son tablier, qui se tortillaient comme des banderoles[1]. Une
fois, par un temps de dégel, l'écorce des arbres suintait dans
5 la cour, la neige sur les couvertures des bâtiments se fondait.
Elle était sur le seuil ; elle alla chercher son ombrelle, elle
l'ouvrit. L'ombrelle, de soie gorge-de-pigeon[2], que traversait
le soleil, éclairait de reflets mobiles la peau blanche de sa
figure. Elle souriait là-dessous à la chaleur tiède ; et on
10 entendait les gouttes d'eau, une à une, tomber sur la moire
tendue ①.

Dans les premiers temps que Charles fréquentait les Bertaux, madame Bovary jeune ne manquait pas de s'informer
du malade, et même sur le livre qu'elle tenait en partie dou-
15 ble[3], elle avait choisi pour M. Rouault une belle page blanche. Mais quand elle sut qu'il avait une fille, elle alla aux
informations ; et elle apprit que mademoiselle Rouault, élevée au couvent, chez les Ursulines, avait reçu, comme on
dit, *une belle éducation,* qu'elle savait, en conséquence, la
20 danse, la géographie, le dessin, faire de la tapisserie et toucher du piano. Ce fut le comble !

— C'est donc pour cela, se disait-elle, qu'il a la figure si
épanouie quand il va la voir, et qu'il met son gilet neuf, au
risque de l'abîmer à la pluie ? Ah ! cette femme ! cette
25 femme !...

Et elle la détesta, d'instinct. D'abord, elle se soulagea par
des allusions. Charles ne les comprit pas ; ensuite, par des
réflexions incidentes qu'il laissait passer de peur de l'orage ;
enfin, par des apostrophes à brûle-pourpoint auxquelles il
30 ne savait que répondre. — D'où vient qu'il retournait aux
Bertaux, puisque M. Rouault était guéri et que ces gens-là
n'avaient pas encore payé ② ? Ah ! c'est qu'il y avait là-bas
une personne, quelqu'un qui savait causer, une brodeuse,
un bel esprit. C'était là ce qu'il aimait : il lui fallait des demoi-
35 selles de ville ! Et elle reprenait :

— La fille au père Rouault, une demoiselle de ville !
Allons donc ! leur grand-père était berger, et ils ont un cousin qui a failli passer par les assises pour un mauvais coup,
dans une dispute. Ce n'est pas la peine de faire tant de fla-
40 fla[4], ni de se montrer le dimanche à l'église avec une robe de
soie, comme une comtesse. Pauvre bonhomme, d'ailleurs,
qui sans les colzas de l'an passé, eût été bien embarrassé de
payer ses arrérages !

1. *Banderoles : flamme longue, large
et fendue pour les navires aux jours de
fête ou de combat et, par extension,
petit étendard déployé comme ornement ou en signe de réjouissance.*
2. *Gorge-de-pigeon : couleur aux
reflets changeants comme la gorge du
pigeon.*
3. *En partie double : en double exemplaire, « visites d'un côté, paiements de
l'autre », précise un état du manuscrit.*
4. *Fla-fla : terme familier qui dénonce
la recherche de l'effet. Il serait apparu
vers 1830, formé à partir de « fla »,
coup de tambour.*

L'ombrelle, indispensable accessoire

« Après le rituel qui se répète chaque fois, voici l'instant d'exception et d'élection où se concentrent toutes les virtualités du bonheur. Le cheminement de l'amour est inscrit dans ce parcours (...) et qui a précisément pour décor le même lieu familier : "sur le seuil". A la place de la jeune femme en robe de mérinos bleu qui reçoit M. Bovary, il y a désormais ce modèle digne du pinceau d'Auguste Renoir : la femme à l'ombrelle, qui prend la pose sous le regard ébloui de Charles.

Le décor ou tout au moins l'atmosphère ambiante semble tout d'abord détruire volontairement le caractère dur et sec des premiers instants. L'eau y est, dans l'ordre de préséance, l'élément primordial, et tandis qu'elle se bornait naguère à une présence en creux, à travers des mots qui la désignent tout en la retenant prisonnière, elle est cette fois physiquement et largement présente. L'univers tout entier se liquéfie, la glace, toute dureté, la neige, toute froideur, deviennent ici liquidité et tiédeur.

L'ombrelle, objet féminin par excellence — elle est posée contre le banc où "apparaît" Mme Arnoux —, remplace désormais le lorgnon d'écaille, qui sied à l'homme et le désigne sans équivoque. Le corps d'Emma a retrouvé son signe féminin, tel du moins qu'on le reconnaît à l'époque : à la main "point assez pâle" d'Emma se substitue "la peau blanche de sa figure". Et surtout nous sommes dans le monde fragile et merveilleux de l'instant : poreux, instable, en échange et en mutation. L'ombrelle est ici d'usage ambigu : à la fois parasol, transparent au soleil, et parapluie, opaque à l'eau. La moire "gorge-de-pigeon", en diffractant la lumière, rend l'image féminine mobile, insaisissable. Le sourire d'Emma est l'ambiguïté même : à qui ? à quoi sourit-elle ? "elle souriait là-dessous à la chaleur tiède". Quant aux gouttes d'eau — mais au fait qui les entend ? — quant aux gouttes d'eau - présentes également dans *Salammbô* "sous la tente" au moment de la scène d'amour —, elles sont l'expression métaphorique de la vie en sa profusion mesurée, en sa douceur eurythmique, en son amollissement et sa tiédeur intime. »

BERNARD MASSON,
1980,
« Le corps d'Emma » in
Flaubert, la femme, la ville,
journée d'études organisée
par l'Institut de Français de
l'Université de Paris-X, PUF,
1983, pp.19-20.

Ce même passage appelle le commentaire de Geneviève Bollême sur la technique de la description :

« Chez Flaubert, la description est une composition entre les arbres, les toits, Emma, son ombrelle, et le fait que Charles Bovary la voit en même temps que nous. Du fait que les objets sont organisés en un tableau, que le temps intervient dans la mesure où il est présent (le moment où Emma apparaît à Charles) une certaine explication est nécessaire. C'est parce que Emma apparaît à Charles et seulement à cause de cela que Flaubert nous la décrit comme elle lui apparaît et nous suggère cette impression de gouttes de pluie qui tombent une à une à travers le soleil sur les toits, sur l'ombrelle, sur la moire tendue ; cette chaleur, cette douceur désordonnée, tempétueuse et douce (elle souriait là-dessous à la chaleur tiède), cette lumière qui irise les choses (ce sourire), ce tournoiement léger et tendre (les petits cheveux follets) et ces pauses entre les recommencements du vent (elle était sur le seuil ; elle alla chercher son ombrelle, elle l'ouvrit), et les apothéoses gorge-de-pigeon, ardoise, irisées (l'ombrelle de soie gorge-de-pigeon, reflets mobiles, moire tendue) tout cela, que nous connaissons pour avoir vécu des jours semblables (...).

Chez Flaubert la description est encore événementielle

dans la mesure où, nous l'avons dit, elle n'est complète que réintégrée dans son contexte : Emma apparaissant à Charles sous une ombrelle. En ce sens la description de Flaubert prépare l'événement, plus encore, *est* l'événement. Elle est l'événement parce qu'elle se situe dans l'histoire de Charles et d'Emma Bovary, un jour où la neige fondait, où Charles attendait qu'on lui apportât son cheval, elle est le moment où Charles commence à être amoureux d'Emma, où elle lui apparaît d'une certaine manière, où elle entreprend de le séduire, le séduit. Mais elle est aussi l'événement parce qu'elle nous émeut, parce que nous voyons Emma apparaître devant nous et qu'en même temps que Charles la voit, nous la voyons. Le regard amoureux de Charles est précisément celui qui nous fait voir Emma.

Flaubert nous raconte son histoire en la situant sur deux dimensions temporelles : il nous raconte au passé, à l'imparfait, mais ce passé est le présent pour Emma qui vit l'histoire tandis qu'il est déjà pour nous celui dont elle se souvient. »

GENEVIÈVE BOLLÊME,
1964,
La leçon de Flaubert,
réédition 10/18, pp. 205-207.

Bien plus tard, un narrateur se remémorera une ombrelle, élément prestigieux d'un ensemble radieux et fascinant, Odette Swann au Bois :

« Tout d'un coup, sur le sable de l'allée, tardive, alentie et luxuriante comme la plus belle fleur et qui ne s'ouvrirait qu'à midi, Mme Swann apparaissait, épanouissant autour d'elle une toilette toujours différente mais que je me rappelle surtout mauve ; puis elle hissait et déployait sur un long pédoncule, au moment de sa plus complète irradiation, le pavillon de soie d'une large ombrelle de la même nuance que l'effeuillaison des pétales de sa robe. Toute une suite l'environnait ; Swann, quatre ou cinq hommes de club qui étaient venus la voir le matin chez elle ou qu'elle avait rencontrés : et leur noire ou grise agglomération obéissante, exécutant les mouvements presque mécaniques d'un cadre inerte autour d'Odette, donnait l'air à cette femme qui seule avait de l'intensité dans les yeux, de regarder devant elle, d'entre tous ces hommes, comme d'une fenêtre dont elle se fût approchée, et la faisait surgir, frêle, sans crainte, dans la nudité de ses tendres couleurs, comme l'apparition d'un être d'une espèce différente, d'une race inconnue, et d'une puissance presque guerrière, grâce à quoi elle compensait à elle seule sa multiple escorte. Souriante, heureuse du beau temps, du soleil qui n'incommodait pas encore, ayant l'air d'assurance et de calme du créateur qui a accompli son œuvre et ne se soucie plus du reste, certaine que sa toilette — dussent des passants vulgaires ne pas l'apprécier — était la plus élégante de toutes, elle la portait pour soi-même et pour ses amis, naturellement, sans attention exagérée, mais aussi sans détachement complet, n'empêchant pas les petits nœuds de son corsage et de sa jupe de flotter légèrement devant elle comme des créatures dont elle n'ignorait pas la présence et à qui elle permettait avec indulgence de se livrer à leurs jeux, selon leur rythme propre, pourvu qu'ils suivissent sa marche, et même, sur son ombrelle mauve que souvent elle tenait encore fermée quand elle arrivait, elle laissait tomber par moment, comme sur un bouquet de violettes de Parme, son regard heureux et si doux que, quand il ne s'attachait plus à ses amis mais à un objet inanimé, il avait l'air de sourire encore. Elle réservait ainsi, elle faisait occuper à sa toilette cet intervalle d'élégance dont les hommes à qui Mme Swann parlait le plus en camarade respectaient l'espace et la nécessité, non sans une certaine déférence de profanes, un aveu de leur propre ignorance, et sur lequel ils reconnaissaient à leur amie, comme à un malade sur les soins spéciaux qu'il doit prendre, ou comme à une mère sur l'éducation de ses enfants, compétence et juridiction. Non moins que par la cour qui l'entourait et ne semblait pas voir les passants, Mme Swann, à cause de l'heure tardive de son apparition, évoquait cet appartement où elle avait passé une matinée si longue et où il faudrait qu'elle rentrât bientôt déjeuner ; elle semblait en indiquer la proximité par la tranquillité flâneuse de sa promenade, pareille à celle qu'on fait à petits pas dans son jardin ; de cet appartement on aurait dit qu'elle portait encore autour d'elle l'ombre intérieure et fraîche. Mais, par tout cela même, sa vue ne me donnait que davantage la sensation du plein air et de la chaleur. D'autant plus que, déjà persuadé qu'en vertu de la liturgie et des rites dans lesquels Mme Swann était profondément versée, sa toilette était unie à la saison et à l'heure par un lien nécessaire, unique, les fleurs de son flexible chapeau de paille, les petits rubans de sa robe me semblaient naître du mois de mai plus naturellement encore que les fleurs des jardins et des bois ; et pour connaître le trouble nouveau de la saison, je ne levais pas les yeux plus haut que son ombrelle, ouverte et tendue comme un autre ciel plus proche, rond, clément, mobile et bleu. Car

ces rites, s'ils étaient souverains, mettaient leur gloire, et par conséquent Mme Swann mettait la sienne, à obéir avec condescendance au matin, au printemps, au soleil, lesquels ne me semblaient pas assez flattés qu'une femme si élégante voulût bien ne pas les ignorer et eût choisi à cause d'eux une robe d'une étoffe plus claire, plus légère, faisant penser, par son évasement au col et aux manches, à la moiteur du cou et des poignets, fît

enfin pour eux tous les frais d'une grande dame qui, s'étant gaîment abaissée à aller voir à la campagne des gens communs et que tout le monde, même le vulgaire, connaît, n'en a pas moins tenu à revêtir spécialement pour ce jour-là une toilette champêtre. »

MARCEL PROUST, 1918, *A l'ombre des jeunes filles en fleurs.*

Un prolongement supprimé

« Pour Charles en effet c'était la première belle jeune femme qu'il eût connue. Il lui parlait à celle-là, il la voyait souvent, il entrait un peu dans sa vie. Elle lui remettait en souvenir, par de vagues ressemblances, les jolies sœurs de ses riches camarades du collège, qui les venaient voir au parloir, gantées, avec des pâtisseries dans leur manchon et des robes claires, l'été. Son cœur délicat se prenait de mollesses à ces élégances de la jeune fille. Son désir nouveau-né s'y dorlotait dessus, les yeux clos, elles l'imbibaient son désir, d'émanations plus profondes, à la manière des sachets de camphre dans les vêtements qu'on porte. Heureux de se découvrir un

sentiment, il s'en trouvait plus fier et reportait sur elle la gratitude. Elle ne lui laissait pas ignorer qu'elle le distinguait des autres. Charles était pour elle le seul être avec qui elle pût échanger un mot, dans le

② Imparfait et dissonance de temps

désert où elle vivait. C'est devant lui qu'elle exhalait, en interjections et en soupirs, l'ennui que lui causait son existence. Comme il devait avoir du goût, elle le consulta une fois sur une garniture à mettre au bas d'une robe et elle lui demandait en déjeunant son avis sur les feuilletons du Journal. Car au milieu de leur société de la campagne, ils étaient tous deux l'un pour l'autre une société plus intime, que liaient encore plus des communautés d'éducation, si ce n'est d'instinct. Ils savaient autre chose enfin que les paysans. Ils pouvaient parler sans qu'on les comprît, s'apprécier, s'estimer plus, se mettre à part et de là s'aimer. »

POMMIER-LELEU,
p. 158

« Le temps ordinaire de Flaubert, c'est l'imparfait, ce que Marcel Proust appelle l'éternel imparfait. Si Flaubert le premier l'emploie, dans la narration, par masse et suivant un courant continu, ce n'est nullement de propos grammatical délibéré. C'est que cet imparfait est consubstantiel à son idée du roman et à la nouveauté qu'y introduisait le ''réalisme'' de *Madame Bovary*, exprime l'étoffe même et la continuité d'une vie. Surtout il est lié à la composition par tableaux, il est le temps propre à ces tableaux en lesquels se distribuent la plus grande partie des romans de Flaubert.

Mais certains emplois de l'imparfait sont assez particuliers à Flaubert. Il en fait une variété du discours indirect, s'en sert pour exprimer les sentiments de ses personnages. ''Comment donc avait-elle fait (elle qui était si intelligente) pour se méprendre encore une fois ?'' ''Un homme au contraire ne devait-il pas tout connaître, exceller en des activités multiples... Mais il n'enseignait rien, celui-là, ne savait rien, ne souhaitait rien. Il la croyait heureuse ; et elle lui en voulait de ce calme si bien assis.'' Le dernier imparfait n'appartient

plus au même ordre, et pourtant on ne s'en aperçoit pas, on passe à lui insensiblement. La force de ces imparfaits de discours indirect consiste à exprimer la liaison entre le dehors et le dedans, à mettre sur le même plan, en usant du même temps, l'extérieur et l'intérieur, la réalité telle qu'elle apparaît dans l'idée et la réalité telle qu'elle se déroule dans les choses. Ils sont une façon de transporter dans le roman impersonnel le style et l'esprit de la première personne, de donner, devant le personnage, à l'auteur et au lecteur le minimum d'existence.

Ce mélange du discours direct et du discours indirect, en partie recréé par Flaubert, se traduit par de curieuses dissonances de temps. ''D'où vient qu'il retournait aux Bertaux puisque M. Rouault était guéri ?'' ''Sénécal continuait : l'ouvrier, vu l'insuffisance des salaires, était plus malheureux que l'ilote, le nègre et le paria, s'il a des enfants surtout.''

ALBERT THIBAUDET,
1935,
Gustave Flaubert, Gallimard,
pp. 228-229.

Par lassitude, Charles cessa de retourner aux Bertaux. Héloïse lui avait fait jurer qu'il n'irait plus, la main sur son livre de messe, après beaucoup de sanglots et de baisers, dans une grande explosion d'amour. Il obéit donc ; mais la
5 hardiesse de son désir protesta contre la servilité de sa conduite, et, par une sorte d'hypocrisie naïve, il estima que cette défense de la voir était pour lui comme un droit de l'aimer. Et puis la veuve était maigre ; elle avait les dents longues ; elle portait en toute saison un petit châle noir dont la pointe
10 lui descendait entre les omoplates ; sa taille dure était engainée dans des robes en façon de fourreau, trop courtes, qui découvraient ses chevilles avec les rubans de ses souliers larges s'entrecroisant sur des bas gris.

La mère de Charles venait les voir de temps à autre ;
15 mais, au bout de quelques jours, la bru semblait l'aiguiser à son fil ; et alors, comme deux couteaux, elles étaient à le scarifier[1] par leurs réflexions et leurs observations. Il avait tort de tant manger ! Pourquoi toujours offrir la goutte au premier venu ? Quel entêtement que de ne pas vouloir por-
20 ter de flanelle ⟨1⟩ !

Il arriva qu'au commencement du printemps, un notaire d'Ingouville, détenteur de fonds à la veuve Dubuc, s'embarqua, par une belle marée[2], emportant avec lui tout l'argent de son étude. Héloïse, il est vrai, possédait encore, outre
25 une part de bateau évaluée six mille francs, sa maison de la rue Saint-François ; et cependant, de toute cette fortune que l'on avait fait sonner si haut, rien, si ce n'est un peu de mobilier et quelques nippes, n'avait paru dans le ménage. Il fallut tirer la chose au clair. La maison de Dieppe se trouva
30 vermoulue d'hypothèques jusque dans ses pilotis ; ce qu'elle avait mis chez le notaire, Dieu seul le savait, et la part de barque n'excéda point mille écus. Elle avait donc menti, la bonne dame ! Dans son exaspération, M. Bovary père, brisant une chaise contre les pavés, accusa sa femme d'avoir
35 fait le malheur de leur fils en l'attelant à une haridelle[3] semblable, dont les harnais ne valaient pas la peau. Ils vinrent à Tostes. On s'expliqua. Il y eut des scènes. Héloïse, en pleurs, se jetant dans les bras de son mari, le conjura de la défendre de ses parents. Charles voulut parler pour elle.
40 Ceux-ci se fâchèrent, et ils partirent.

Mais *le coup était porté*. Huit jours après, comme elle étendait du linge dans sa cour, elle fut prise d'un crachement

1. *Scarifier : inciser superficiellement, à l'aide d'un rasoir, d'un bistouri ou d'un scarificateur.*
2. *« Notaires. Maintenant ne pas s'y fier. »* (Dictionnaire des idées reçues.)
3. *Haridelle : mauvais cheval maigre et efflanqué, et, par image, femme grande, sèche et maigre.*

1 Le style indirect libre

La définition grammaticale du discours indirect libre est très simple : il se situe entre le discours direct et le discours indirect, car il n'effectue que certaines transpositions. Il garde la vie du discours direct et introduit en partie la subordination du discours indirect, le que du discours indirect n'étant jamais exprimé. C'est surtout par l'emploi de l'imparfait que cette transposition s'opère. Un exemple privilégié nous est offert par Flaubert. Soit telle phrase de l'Éducation sentimentale : « La domestique revint : "Madame allait recevoir Monsieur". » L'emploi de Madame et de Monsieur, les guillemets indiquent qu'on reproduit les paroles de la bonne ; par l'imparfait allait, cependant, ces paroles sont subordonnées au contexte.

Une telle transposition impose le respect de la concordance des temps. L'imparfait remplace le présent, le conditionnel présent le futur, le plus-que-parfait le passé antérieur ; par exemple, on remarquera les conditionnels dans le monologue de Charles p. 474.

Proust et Thibaudet ont justement insisté sur l'importance de ce tour chez Flaubert :

« Flaubert semble y avoir été conduit par deux voies. D'abord, il est grammaticalement l'homme de l'imparfait. Naturellement, il devait demander à l'imparfait de déployer pour lui toutes ses ressources, et celle de l'imparfait de style indirect libre, avec le précédent de La Fontaine, s'imposait à lui. Ainsi, La Bruyère, qui est l'homme du présent, comme Flaubert est celui de l'imparfait, est conduit pareillement au présent ou au futur de style indirect libre. "Il entend déjà sonner le beffroi des villes, et crier à l'alarme ; il songe à son bien et à ses terres. Où conduira-t-il son argent, ses meubles, sa famille ? En Suisse ou à Venise ?"

En second lieu, nous sommes ici devant une loi du style souvent méconnue et qu'on pourrait formuler ainsi : Le style écrit n'est pas le style parlé, mais un style écrit ne se renouvelle, n'acquiert vie et perpétuité, que par un contact à la fois étroit et original avec la parole. Brunetière insiste fréquemment et avec raison sur ce fait que le style du dix-septième siècle est avant tout un style parlé. Aujourd'hui encore, avoir un style, c'est avoir fait une coupe originale dans ce complexe qu'est le langage parlé. Un pur style parlé sera celui d'un orateur comme Briand dont il ne reste à peu près rien dans le texte de l'Officiel. Un pur style écrit sera celui de Mallarmé dans sa

prose. Or, le plaisir qu'on éprouvait à écouter Briand et celui qu'on goûte à lire *Divagations* sont en deçà ou au-delà de la littérature. Il y a littérature là où les deux sexes sont présents, où se fait le mariage de la parole et de l'écrit. Et c'est le cas de Flaubert. Son style ne paraîtrait pas vivant s'il n'était animé par un courant de parole qui commence, nous le verrons tout à l'heure, au langage populaire et se termine par le "gueuloir". Or, le style indirect libre, que les grammairiens n'ont pas daigné jusqu'à ces derniers temps incorporer à la langue, telle qu'ils l'amènent à la conscience claire, a certainement son origine dans la langue parlée. Avant de devenir une forme grammaticale, il est une intonation. Si un soldat demande une permission pour la première communion de sa sœur, les mêmes mots variés seulement par l'intonation, exprimeront dans la bouche du sergent-major, soit le style direct, soit le style indirect libre. "Sa sœur fait sa première communion." En cas de style indirect libre, la seule intonation signifiera ce préambule : "Ce carotteur prétend qu'il a droit à une permission parce que..." Ainsi le : *J'ai fait mon testament!* de Géronte. Dans la langue parlée, imitée en cela par la langue

dramatique :

On craint qu'avec Hector Troie un jour ne renaisse.

Son fils peut me ravir le jour que je lui laisse,

le style indirect libre ne dépasse pas cet état de répétition. Mais écrire ne consiste pas seulement, ne consiste pas surtout à reproduire la langue parlée. Écrire consiste à prendre un appui sur la langue parlée, à se charger de son électricité, à suivre son élan dans la direction qu'elle donne. La langue parlée implique un style indirect simple : "Sa sœur fait sa première communion !" Mais jamais un style indirect double : "Dumanet alla au bureau se faire inscrire pour une permission : sa sœur faisait sa première communion." Quand le savetier se précipite à la cave, son voisin pourra dire : "Le chat lui prend son argent !" en style direct simple ; mais il ne dira pas plus tard en parlant de feu Grégoire : "Si quelque chat faisait du bruit, le chat prenait l'argent." Cela c'est La Fontaine qui le dit, un écrivain et un malin. Ou plutôt il ne le dit pas, il l'écrit. Il l'écrit non comme le peuple le dit, mais du fonds dont le peuple le dit. Le style indirect double, c'est le style indirect simple, plus l'écrivain. Ce seront donc seulement des gens très artistes

comme La Fontaine, La Bruyère et Flaubert, qui emploieront ces tournures, issues pourtant de la langue populaire, et qui donneront la sensation de la langue parlée en épousant dans la langue parlée le mouvement qui conduit à une langue qui ne se parle pas. La psychologie du style consiste en partie en des schèmes moteurs de ce genre. Aujourd'hui, le style indirect libre circule partout, et c'est certainement à Flaubert, à l'imitation de Flaubert qu'on le doit. Seul il a permis ces tournures, qui nous semblent si naturelles, et qui sont pourtant des inventions de la seconde moitié du dix-neuvième siècle (...) : "Il était mort. Il avait cessé de râler. Les hommes se regardaient, baissaient les yeux, mal à leur aise. On n'avait pas fini de manger les boules ; il avait mal choisi ce moment, *ce gredin-là !*" (Maupassant,) "Mais le père Legrand se fatigua vite de cette pose à la paternité ; si peu que ça coûtât, il fallait la nourrir, l'habiller, *cette morveuse !*" (A. Daudet). Invention en France, s'entend : ce style était depuis longtemps habituel en allemand, qui, plus intuitif et moins logique que le français, n'a pas eu, comme notre langue, besoin de le retrouver par-delà la logique.

L'avantage du style indirect libre consiste à varier le mouvement du style, et il ajoute à ce mouvement en rompant une continuité logique. La prose, comme le vers, comme la musique, comme la peinture, progresse en s'incorporant de plus en plus des dissonances. Le passage brusque et inattendu d'un temps à un autre se rattache à ce courant. »

ALBERT THIBAUDET,
1935,
Gustave Flaubert, Gallimard,
pp. 230-232.

Les remarques suivantes analysent avec pertinence les effets du style indirect libre :

« Il arrive souvent que, dans un dialogue, le point de vue du narrateur coïncide exactement avec l'un des deux interlocuteurs. Les paroles ne nous parviennent pas alors directement mais à travers la conscience de ce personnage et telles qu'il les perçoit. C'est l'effet que produit le style indirect libre : il ne nous transmet pas un discours mais comme l'écho de ce discours vibrant de l'émotion de celui qui le reçoit. Lorsque Charles monte pour la première fois dans la chambre d'Emma, aux Bertaux, il l'écoute longuement parler, et de tout ce qu'elle dit la forme grammaticale choisie par l'auteur ne semble retenir que la musique, certaines inflexions (une phrase exclamative, par exemple), elle rend la continuité d'une émotion, celle de Charles, à propos d'un discours qui a peut-etre été discontinu, entre-coupé de silences, jusqu'à ce que cette émotion recouvre totalement le contenu des paroles, comme si le son peu à peu s'éloignait pour ne laisser entendre qu'un vague murmure délicieux : "Elle cueillait les fleurs, tous les premiers vendredis de chaque mois, pour les aller mettre sur sa tombe. Mais le jardinier qu'ils avaient n'y entendait rien ; on était si mal servi ! Elle eût bien voulu, ne fût-ce au moins que pendant l'hiver, habiter la ville, quoique la longueur des beaux jours rendît peut-être la campagne plus ennuyeuse encore durant l'été ; — et, selon ce qu'elle disait, sa voix était claire, aiguë, ou, se couvrant de langueur tout à coup, traînait des modulations qui finissaient presque en murmures (...)."

Il arrive même que l'on ne sache plus si le style indirect libre reproduit la perception d'un discours ou sa résonance telle qu'elle se prolonge longtemps après dans l'esprit de l'auditeur, la saveur qu'il en garde et qu'il s'attarde à goûter en lui. Le détail des mots se perd ici plus encore, quelques thèmes seulement continuent de flotter sur de grandes étendues de rêve et de silence. Quand Frédéric se trouve pour la première fois en tête à tête avec Madame

de sang, et le lendemain, tandis que Charles avait le dos tourné pour fermer le rideau de la fenêtre, elle dit : « Ah ! mon Dieu ! », poussa un soupir et s'évanouit. Elle était morte ! Quel étonnement !

5   Quand tout fut fini au cimetière, Charles rentra chez lui. Il ne trouva personne en bas ; il monta au premier, dans la chambre, vit sa robe encore accrochée au pied de l'alcôve ; alors, s'appuyant contre le secrétaire, il resta jusqu'au soir perdu dans une rêverie douloureuse. Elle l'avait aimé, après

10 tout ①.

Arnoux, il savoure leur intimité nouvelle : "C'était la première fois qu'ils ne parlaient pas de choses insignifiantes. Il vint même à savoir ses antipathies et ses goûts : certains parfums lui faisaient mal, les livres d'histoire l'intéressaient, elle croyait aux songes."

Le style indirect libre, en faisant coïncider le point de vue du narrateur avec la conscience d'un personnage, exprime toujours la distance qui s'interpose entre cette conscience et le monde extérieur : elle peut naître de l'émotion, comme nous venons de le voir, mais aussi de la timidité comme lorsque Frédéric écoute, sur le bateau, un monsieur en bottes rouges, qui sera plus tard Monsieur Arnoux. "Il était républicain ; il avait voyagé, il connaissait l'intérieur des théâtres, des restaurants, des journaux, et tous les artistes célèbres.", ou encore de l'indifférence, de la lassitude, lorsqu'Emma, qui a perdu sa levrette pendant le voyage de Tostes à Yonville, écoute dans la diligence les consolations inutiles d'un homme qu'elle ne connaît pas et qui lui raconte des histoires de chiens perdus et retrouvés : "On en citait un, disait-il, qui était revenu de Constantinople à Paris. Un autre avait fait cinquante lieues en ligne droite et passé quatre rivières à la nage ; et son père à lui-même avait possédé un caniche qui, après douze ans d'absence, lui avait tout à coup sauté sur le dos, un soir, dans la rue, comme il allait dîner en ville." Ainsi, la fréquence de cette forme grammaticale montre que les personnages de Flaubert ne sont jamais en contact direct avec la réalité extérieure mais qu'il ne leur en parvient le plus souvent qu'un écho assourdi et déformé par l'incessant bourdonnement intérieur de leurs propres émotions. »

PIERRE DANGER, 1973,
Sensations et objets dans le
roman
de Flaubert, A. Colin, pp.
246-247.
On lira avec
profit la
communication de
C. Perruchot au Colloque de
Cerisy (op. cit.,
pp. 253-285).

① Le petit journal de Madame Bovary

RHM

« Autant je suis débraillé dans mes autres livres, autant dans celui-ci je tâche d'être boutonné et de suivre une ligne droite géométrique. Nul lyrisme, pas de réflexions, personnalité de l'auteur absente. Ce sera triste à lire ; il y aura des choses atroces de misères et de fétidité. »
A Louise Colet, 1/2/1852

« Je suis dans un tout autre monde (...), celui de l'observation attentive des détails les plus plats. J'ai le regard penché sur les mousses de moisissures de l'âme. (...) Je veux qu'il n'y ait pas dans mon livre *un seul* mouvement, ni *une seule* réflexion de l'auteur. »
A Louise Colet, 8/2/1852

III

Un matin, le père Rouault vint apporter à Charles le payement de sa jambe remise : soixante et quinze francs en pièces de quarante sous[1], et une dinde. Il avait appris son malheur, et l'en consola tant qu'il put.

5 — Je sais ce que c'est ! disait-il en lui frappant sur
l'épaule ; j'ai été comme vous, moi aussi ! Quand j'ai eu
perdu ma pauvre défunte, j'allais dans les champs pour être
tout seul : je tombais au pied d'un arbre, je pleurais, j'appe-
lais le bon Dieu, je lui disais des sottises ; j'aurais voulu être
10 comme les taupes, que je voyais aux branches, qui avaient
des vers leur grouillant dans le ventre, crevé, enfin. Et
quand je pensais que d'autres, à ce moment-là, étaient avec
leurs bonnes petites femmes à les tenir embrassées contre
eux, je tapais de grands coups par terre avec mon bâton ;
15 j'étais quasiment fou, que je ne mangeais plus ; l'idée d'aller
seulement au café me dégoûtait, vous ne croiriez pas. Eh
bien, tout doucement, un jour chassant l'autre, un printemps sur un hiver et un automne par-dessus un été, ça a
coulé brin à brin, miette à miette ; ça s'en est allé, c'est des-
20 cendu, je veux dire, car il vous reste toujours quelque chose
au fond, comme qui dirait... un poids, là, sur la poitrine !
Mais puisque c'est notre sort à tous, on ne doit pas non plus
se laisser dépérir, et, parce que d'autres sont morts, vouloir
mourir... Il faut vous secouer, monsieur Bovary ; ça se pas-
25 sera ! Venez nous voir ; ma fille pense à vous de temps à
autre, savez-vous bien, et elle dit comme ça que vous
l'oubliez. Voilà le printemps bientôt ; nous vous ferons tirer
un lapin dans la garenne, pour vous dissiper[2] un peu.

Charles suivit son conseil. Il retourna aux Bertaux ; il
30 retrouva tout comme la veille, comme il y avait cinq mois,
c'est-à-dire. Les poiriers déjà étaient en fleur, et le bonhomme Rouault, debout maintenant, allait et venait, ce qui
rendait la ferme plus animée.

Croyant qu'il était de son devoir de prodiguer au médecin
35 le plus de politesses possible, à cause de sa position douloureuse, il le pria de ne point se découvrir la tête, lui parla à
voix basse, comme s'il eût été malade, et même fit semblant

1. La critique vétilleuse ne manque pas de signaler qu'on ne peut compter soixante-quinze francs en pièces de quarante sous (c'est-à-dire de deux francs, puisqu'un franc vaut vingt sous).
2. Dissiper : normandisme pour « distraire », sans nuance péjorative.

de se mettre en colère de ce que l'on n'avait pas apprêté à son intention quelque chose d'un peu plus léger que tout le reste, tels que des petits pots de crème ou des poires cuites. Il conta des histoires. Charles se surprit à rire ; mais le souvenir de sa femme, lui revenant tout à coup, l'assombrit. On 5 apporta le café ; il n'y pensa plus.

Il y pensa moins, à mesure qu'il s'habituait à vivre seul. L'agrément nouveau de l'indépendance lui rendit bientôt la solitude plus supportable. Il pouvait changer maintenant les heures de ses repas, rentrer ou sortir sans donner de raisons, 10 et, lorsqu'il était bien fatigué, s'étendre de ses quatre membres, tout en large, dans son lit. Donc, il se choya, se dorlota et accepta les consolations qu'on lui donnait. D'autre part, la mort de sa femme ne l'avait pas mal servi dans son métier, car on avait répété durant un mois : « Ce pauvre jeune 15 homme ! quel malheur ! » Son nom s'était répandu, sa clientèle s'était accrue ; et puis il allait aux Bertaux tout à son aise. Il avait un espoir sans but, un bonheur vague ; il se trouvait la figure plus agréable en brossant ses favoris devant son miroir. 20

Il arriva un jour vers trois heures : tout le monde était aux champs ; il entra dans la cuisine, mais n'aperçut point d'abord Emma ; les auvents[1] étaient fermés. Par les fentes du bois, le soleil allongeait sur les pavés de grandes raies minces, qui se brisaient à l'angle des meubles et tremblaient 25 au plafond. Des mouches, sur la table, montaient le long des verres qui avaient servi, et bourdonnaient en se noyant au fond, dans le cidre resté. Le jour qui descendait par la cheminée, veloutant la suie de la plaque, bleuissait un peu les cendres froides. Entre la fenêtre et le foyer, Emma cousait ; 30 elle n'avait point de fichu, on voyait sur ses épaules nues de petites gouttes de sueur.

Selon la mode de la campagne, elle lui proposa de boire quelque chose. Il refusa, elle insista, et enfin lui offrit, en riant, de prendre un verre de liqueur avec elle. Elle alla donc 35 chercher dans l'armoire une bouteille de curaçao, atteignit deux petits verres, emplit l'un jusqu'au bord, versa à peine dans l'autre, et, après avoir trinqué, le porta à sa bouche. Comme il était presque vide, elle se renversait pour boire ; et, la tête en arrière, les lèvres avancées, le cou tendu, elle 40 riait de ne rien sentir, tandis que le bout de sa langue, passant entre ses dents fines, léchait à petits coups le fond du verre.

1. A u v e n t s : a u s e n s d e « persiennes ».

Elle se rassit et elle reprit son ouvrage, qui était un bas de coton blanc où elle faisait des reprises : elle travaillait le front baissé ; elle ne parlait pas, Charles non plus. L'air, passant par le dessous de la porte, poussait un peu de poussière sur
5 les dalles ; il la regardait se traîner, et il entendait seulement le battement intérieur de sa tête, avec le cri d'une poule, au loin, qui pondait dans les cours. Emma, de temps à autre, se rafraîchissait les joues en y appliquant la paume de ses mains, qu'elle refroidissait après cela sur la pomme de fer
10 des grands chenets ①.

Elle se plaignait d'éprouver, depuis le commencement de la saison, des étourdissements ; elle demanda si les bains de mer lui seraient utiles ; elle se mit à causer du couvent, Charles de son collège, les phrases leur vinrent. Ils montè-
15 rent dans sa chambre. Elle lui fit voir ses anciens cahiers de musique, les petits livres qu'on lui avait donnés en prix et les couronnes en feuilles de chêne, abandonnées dans un bas d'armoire. Elle lui parla encore de sa mère, du cimetière, et même lui montra dans le jardin la plate-bande dont elle
20 cueillait les fleurs, tous les premiers vendredis de chaque mois, pour les aller mettre sur sa tombe. Mais le jardinier qu'ils avaient n'y entendait rien ; on était si mal servi ! Elle eût bien voulu, ne fût-ce au moins que pendant l'hiver, habiter la ville, quoique la longueur des beaux jours rendît peut-
25 être la campagne plus ennuyeuse encore durant l'été ; — et, selon ce qu'elle disait, sa voix était claire, aiguë, ou, se couvrant de langueur tout à coup, traînait des modulations qui finissaient presque en murmures, quand elle se parlait à elle-même, — tantôt joyeuse, ouvrant des yeux naïfs, puis les
30 paupières à demi closes, le regard noyé d'ennui, la pensée vagabondant.

Le soir, en s'en retournant, Charles reprit une à une les phrases qu'elle avait dites, tâchant de se les rappeler, d'en compléter le sens, afin de se faire la portion d'existence
35 qu'elle avait vécue dans le temps qu'il ne la connaissait pas encore. Mais jamais il ne put la voir en sa pensée, différemment qu'il ne l'avait vue la première fois, ou telle qu'il venait de la quitter tout à l'heure. Puis il se demanda ce qu'elle deviendrait, si elle se marierait, et à qui ? hélas ! le père
40 Rouault était bien riche, et elle !... si belle ! Mais la figure d'Emma revenait toujours se placer devant ses yeux, et quelque chose de monotone comme le ronflement d'une toupie bourdonnait à ses oreilles : « Si tu te mariais, pour-

La cuisine des objets

« Tentons une lecture des objets dans les deux séquences de la cuisine des Rouault ; lecture arbitraire, puisqu'elle va découper dans le texte des mots privés de leur tissu conjonctif et nourricier, lecture à contresens, puisqu'au rebours de l'écriture. Il s'agit seulement de montrer que le texte ne retient du *discours* des objets que ce qu'il peut intégrer, ce par quoi il peut signifier et se signifier, qu'il se reverse tout entier sur les objets qui le peuplent, leur donne leur plein être et reçoit d'eux leurs vertus.

Pour le premier texte : des petits-pots-de-taille-inégale, des vêtements-humides (on ne peut dépouiller l'objet de sa peau qualificative, sous laquelle il est présenté, et lu, que le déterminant soit écrit ou implicite), une-pelle-des-pincettes-un-soufflet-de-proportion-colossale (syntagme lié), une abondante-batterie-de-cuisine. Pour le second : des meubles-indistincts, une table, des verres-sales, une plaque-de-cheminée-couverte-de-suie, une armoire, une bouteille-de-curaçao, deux petits-verres, un bas-de-coton-blanc-que-l'on-reprise, des grands-chenets-à-pomme-de-fer. De l'un à l'autre l'image du feu s'est distancée, celle de la cuisine aussi (malgré les verres et la table) ; le métal cède un peu devant le bois et du verre sans éclat. La première séquence se rassemble autour du foyer (flamme et nourriture, chaleur et force) ; la seconde se disperse dans la pièce, s'ouvre au romanesque : *deux* verres, *un* bas, dont la blancheur jaillit d'un fond estompé (il est événement). Une disparate met en alerte : la bouteille de curaçao, qui révèle une rupture du quotidien, connote une visite, tandis que les chenets disent la durée calme et massive. Autre signe de ce romanesque diffus : une qualification plus abondante dans la seconde séquence, et l'ordre d'occurrence des objets, qui racontent une histoire trouée de gestes. Poursuivons. Là, les petits pots (où bouillonne le déjeuner), les vêtements humides renvoient à un hors texte au passé mais aussi au futur : on va prendre ces pots, remettre ces vêtements. Ici, les objets ne livrent que du passé : on a bu, on a fait du feu, on a usé ce bas. D'un côté une extériorité de surfaces claires, de l'autre des verticalités et des volumes mats, une certaine intériorité : le lieu a vieilli, s'est creusé au-dedans, est devenu espace.

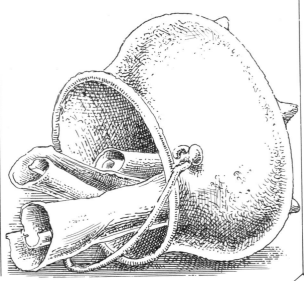

tant ! si tu te mariais ! » La nuit, il ne dormit pas, sa gorge était serrée, il avait soif ; il se leva pour aller boire à son pot à l'eau et il ouvrit sa fenêtre ; le ciel était couvert d'étoiles, un vent chaud passait, au loin des chiens aboyaient. Il tourna la
5 tête du côté des Bertaux.

Pensant qu'après tout l'on ne risquait rien, Charles se promit de faire la demande quand l'occasion s'en offrirait ; mais, chaque fois qu'elle s'offrit, la peur de ne point trouver les mots convenables lui collait les lèvres.

10 Le père Rouault n'eût pas été fâché qu'on le débarrassât de sa fille, qui ne lui servait guère dans sa maison. Il l'excusait intérieurement, trouvant qu'elle avait trop d'esprit pour la culture, métier maudit du ciel, puisqu'on n'y voyait jamais de millionnaires. Loin d'y avoir fait fortune, le bonhomme y
15 perdait tous les ans ; car, s'il excellait dans les marchés, où il se plaisait aux ruses du métier, en revanche la culture proprement dite, avec le gouvernement intérieur de la ferme, lui convenait moins qu'à personne. Il ne retirait pas volontiers ses mains de dedans ses poches, et n'épargnait point la
20 dépense pour tout ce qui regardait sa vie, voulant être bien nourri, bien chauffé, bien couché. Il aimait le gros cidre, les gigots saignants, les glorias[1] longuement battus. Il prenait ses repas dans la cuisine, seul, en face du feu, sur une petite table qu'on lui apportait toute servie, comme au théâtre.

25 Lorsqu'il s'aperçut donc que Charles avait les pommettes rouges près de sa fille, ce qui signifiait qu'un de ces jours on la lui demanderait en mariage, il rumina d'avance toute l'affaire. Il le trouvait bien un peu *gringalet*, et ce n'était pas là un gendre comme il l'eût souhaité ; mais on le disait de
30 bonne conduite, économe, fort instruit, et sans doute qu'il ne chicanerait pas trop sur la dot. Or, comme le père Rouault allait être forcé de vendre vingt-deux acres[2] de *son bien*, qu'il devait beaucoup au maçon, beaucoup au bourrelier, que l'arbre du pressoir était à remettre :

35 — S'il me la demande, se dit-il, je la lui donne.

A l'époque de la Saint-Michel[3], Charles était venu passer trois jours aux Bertaux. La dernière journée s'était écoulée comme les précédentes, à reculer de quart d'heure en quart d'heure. Le père Rouault lui fit la conduite ; ils marchaient
40 dans un chemin creux, ils s'allaient quitter ; c'était le moment. Charles se donna jusqu'au coin de la haie, et enfin, quand on l'eût dépassée :

1. *Gloria : mélange de café et d'eau-de-vie.*
2. *Acre : ancienne mesure de surface variable selon les régions (en moyenne 52 ares).*
3. *La Saint-Michel (29 septembre) était en Normandie la date d'échéance de paiements agricoles.*

Pas d'objets implicites dans le premier passage, sauf peut-etre les crochets où pendent les vêtements et la batterie de cuisine. Dans le second, la chaise d'Emma, son aiguille (le travail d'Emma est ainsi effacé). Objets absents : là, tous les meubles de la pièce (rien ne *peut* donc s'y passer) ; ici, ceux du premier texte et quelques meubles, dont la grande horloge de campagne, présente dans une rédaction antérieure, et remplacée maintenant par un battement dans la tête de Charles.

Notons enfin dans le premier texte une redondance, une luxuriance de la matière verbale : répétition de *p*, phonèmes en écho (*ab*ond*arte ba* *te*rie), succession de *e* ouverts (la pelle, les pincettes et le bec du soufflet : association par contiguïté qui désigne la cheminée par métonymie, et qui connote la gaieté de la flamme et les valeurs rassurantes du foyer). Si nous rendons aux mots-objets leur entour, la fin de la séquence n'est qu'une surface mouvante de lumière où deux groupes d'objets renvoient leurs reflets ; les petits pots de taille *inégale* sont eux-mêmes intégrés, par l'adverbe *inégalement*, dans le syntagme de la brillance et de la danse. Rien ne se passe en effet : tout est trouée de lumière, poussée

de vie, dans la quiétude familière et même familiale.

Dans l'autre séquence au contraire un certain silence des mots-objets, immobiles témoins d'une histoire qui se déroule en dehors d'eux, mais sur laquelle ils pèsent. Ce que confirme une exception remarquable, qui passe notre lecture : Emma refroidissait la paume de ses mains sur la pomme de fer des grands chenets. L'opposition paume et pomme est trouvée au dernier moment : elle n'existe pas dans les premières versions. L'objet aussi se prête à de tels jeux, à de telles rencontres avec l'homme. L'assonance et la dissonance sont ici comme une boiterie du texte et provoquent un malaise. La clé de ce piège verbal est peut-être ailleurs, cruellement : qu'on songe à ces jeunes beaux du théâtre, "en cravate vert-pomme", "appuyant sur des badines à pomme d'or la paume tendue de leurs gants jaunes". Ballet d'objets..., mécanique de la dérision ! "Calcul et ruses de style !" (...) Le récit se ferait ici pléonastique, redoublant et parodiant ironiquement son contenu informatif. Ce qui est vrai ; mais Flaubert cherche moins, dans ce cas précis, la destruction de l'histoire qu'un supplément de sens : l'ironie est *dans* le réel, *dans* les "cho-

ses de l'humanité", et le son est une preuve. On pourrait citer d'autres exemples de syntagmes liés où les objets s'engendrent les uns les autres par une série de transformations de leur substance phonique, sans pour autant s'abolir dans le jeu formel des allitérations et de la paronomase. Quand Emma imagine le monde des ambassadeurs, elle y voit des "tables ovales couvertes d'un tapis de velours à crépines d'or". L'*ova*le de la table (formes-sens, connotation de luxe) entraîne *v* el ours, par le relais de cou*ver*tes ; *ta*pis reprend *ta*ble et annonce cré*pi*nes, qui rejaillit en un dernier ressaut du rêve. Dans le segment "...*do*ssie*r*s, *s*alis par la *ci*re des *ci*erges... " c'est très vraisemblablement la cire des cierges qui par récurrence a doté de dossiers les *siè*ges apportés par Lestiboudois. La succession de couches phoniques similaires épaissit la matérialité de l'objet (de "gros dossiers"), et donne au bois une sorte de viscosité. »

CLAUDE DUCHET, 1969, « Roman et objets : l'exemple de *Madame Bovary* », Europe, n° 485-87, pp. 191-193.

— Maître[1] Rouault, murmura-t-il, je voudrais bien vous dire quelque chose.

Ils s'arrêtèrent. Charles se taisait.

— Mais contez-moi votre histoire ! est-ce que je ne sais
5 pas tout ? dit le père Rouault, en riant doucement.

— Père[2] Rouault..., père Rouault..., balbutia Charles.

— Moi, je ne demande pas mieux, continua le fermier.

Quoique sans doute la petite soit de mon idée[3], il faut pourtant lui demander son avis. Allez-vous-en donc ; je m'en
10 vais retourner chez nous. Si c'est oui, entendez-moi bien, vous n'aurez pas besoin de revenir, à cause du monde, et, d'ailleurs, ça la saisirait trop. Mais pour que vous ne vous mangiez pas le sang, je pousserai tout grand l'auvent de la fenêtre contre le mur : vous pourrez le voir par derrière, en
15 vous penchant sur la haie.

Et il s'éloigna.

Charles attacha son cheval à un arbre. Il courut se mettre dans le sentier ; il attendit. Une demi-heure se passa, puis il compta dix-neuf minutes à sa montre. Tout à coup un bruit
20 se fit contre le mur ; l'auvent s'était rabattu, la cliquette[4] tremblait encore.

Le lendemain, dès neuf heures, il était à la ferme. Emma rougit quand il entra, tout en s'efforçant de rire un peu, par contenance. Le père Rouault embrassa son futur gendre.
25 On remit à causer[5] des arrangements d'intérêt ; on avait, d'ailleurs, du temps devant soi, puisque le mariage ne pouvait décemment avoir lieu avant la fin du deuil de Charles, c'est-à-dire vers le printemps de l'année prochaine.

L'hiver se passa dans cette attente. Mademoiselle Rouault
30 s'occupa de son trousseau. Une partie en fut commandée à Rouen, et elle se confectionna des chemises et des bonnets de nuit, d'après des dessins de modes qu'elle emprunta. Dans les visites que Charles faisait à la ferme, on causait des préparatifs de la noce, on se demandait dans quel apparte-
35 ment[6] se donnerait le dîner ; on rêvait à la quantité de plats qu'il faudrait et quelles seraient les entrées.

Emma eût, au contraire, désiré se marier à minuit, aux flambeaux ; mais le père Rouault ne comprit rien à cette idée. Il y eut donc une noce, où vinrent quarante-trois per-
40 sonnes, où l'on resta seize heures à table, qui recommença le lendemain et quelque peu les jours suivants ①.

1. *Maître : titre encore donné au XIXe siècle aux artisans et aux paysans.*
2. *Père : plus familier que maître, ce terme désigne un homme mûr de condition modeste. Il est ici nettement affectueux.*
3. *Idée : au sens d'avis.*
4. *Cliquette : pièce qui maintient l'auvent.*
5. *Autrement dit on réserva pour plus tard la discussion sur la dot et le contrat de mariage.*
6. *Appartement : au sens de « corps de bâtiment ».*

Flaubert ou la bataille de la phrase

La correspondance, le manuscrit, tout montre à quel point Flaubert souffre les affres de l'écriture. Jamais sans doute le mot travail appliqué à ce sacerdoce n'a retrouvé son sens étymologique de torture. Deux textes de Roland Barthes permettent de resituer ce drame dans un contexte historique et de préciser la nature du labeur flaubertien.

En 1953, Roland Barthes voyait dans les années 1850 une rupture : la conjoncture historique (naissance du capitalisme moderne, sécession de la société française en classes ennemies...) plaçait l'écrivain bourgeois dans une situation ambiguë. Percevant désormais l'idéologie bourgeoise comme une simple idéologie, et non plus comme mesure de l'universel, « sa conscience ne recouvre plus sa condition ». La littérature n'est plus alors ce « mystère prestigieux » donnant à lire une « écriture sacrée », mais la multiplication des écritures, chacune se voulant tragiquement « l'acte initial par lequel l'écrivain assume ou abhorre sa condition bourgeoise ». Pour nombre d'écrivains, l'écriture va acquérir une « valeur-travail » ; s'élabore ainsi une « imagerie de l'écrivain-artisan », dont Flaubert deviendra le type :

«Flaubert, avec le plus d'ordre, a fondé cette écriture artisanale. Avant lui, le fait bourgeois était de l'ordre du pittoresque ou de l'exotique ; l'idéologie bourgeoise donnait la mesure de l'universel et, prétendant à l'existence d'un homme pur, pouvait considérer avec euphorie le bourgeois comme un spectacle incommensurable à elle-même. Pour Flaubert, l'état bourgeois est un mal incurable qui poisse à l'écrivain, et qu'il ne peut traiter qu'en l'assumant dans la lucidité — ce qui est le propre d'un sentiment tragique. Cette Nécessité bourgeoise, qui appar-tient à Frédéric Moreau, à Emma Bovary, à Bouvard et à Pécuchet, exige, du moment

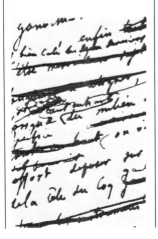

qu'on la subit de face, un art également porteur d'une nécessité, armé d'une Loi. Flaubert a fondé une écriture normative qui contient — paradoxe — les règles techniques d'un pathos. D'une part, il construit son récit par successions d'essences, nullement selon un ordre phénoménologique (comme le fera Proust) ; il fixe les temps verbaux dans un emploi conventionnel, de façon qu'ils agissent comme les *signes* de la Littérature, à l'exemple d'un art qui avertirait de son artificiel ; il élabore un rythme écrit, créateur d'une sorte d'incantation, qui loin des normes de l'éloquence parlée, touche un sixième sens, purement littéraire, intérieur aux producteurs et aux consommateurs de la Littérature. Et d'autre part, ce code du travail littéraire, cette somme d'exercices relatifs au labeur de l'écriture soutiennent une sagesse, si l'on veut, et aussi une tristesse, une franchise, puisque l'art flaubertien s'avance en montrant son masque du doigt. Cette codification grégorienne du langage littéraire visait, sinon à réconcilier l'écrivain avec une condition universelle, du moins à lui donner la responsabilité de sa forme, à faire de l'écriture qui lui était livrée par l'Histoire, un *art*, c'est-à-dire une convention claire, un pacte sincère qui permette à l'homme de prendre une situation familière dans une nature encore disparate. L'écrivain donne à la société un art déclaré, visible à tous dans ses normes, et en échange la société peut accepter l'écrivain. Tel Baude-

laire tenait à rattacher l'admirable prosaïsme de sa poésie à Gautier, comme à une sorte de fétiche de la forme *travaillée*, située sans doute hors du pragmatisme de l'activité bourgeoise, et pourtant insérée dans un ordre de travaux familiers, contrôlée par une société qui reconnaissait en elle, non ses rêves, mais ses méthodes. Puisque la Littérature ne pouvait être vaincue à partir d'elle-même, ne valait-il pas mieux l'accepter ouvertement, et, condamné à ce

bagne littéraire, y accomplir « du bon travail » ? Aussi la flaubertisation de l'écriture est-elle le rachat général des écrivains, soit que les moins exigeants s'y laissent aller sans problème, soit que les plus purs y retournent comme à la reconnaissance d'une condition fatale. »

ROLAND BARTHES,
1953,
Le degré zéro de l'écriture,
réédition collection Points,
Seuil, 1972, pp. 47-48.

La réflexion de Roland Barthes prend alors en charge l'incessant remaniement auquel Flaubert soumet son texte, réécrivant sans relâche, poursuivant avec acharnement la perfection pour parvenir à la phrase intangible :

« Les corrections qu'il a apportées à ses manuscrits sont sans doute variées, mais si l'on s'en tient à ce qu'il a déclaré et commenté lui-même, l'"atroce" du style se concentre en deux points, qui sont les deux croix de l'écrivain. La première croix, ce sont les répétitions de mots ; il s'agit en fait d'une correction substitutive, puisque c'est la forme (phonique) du mot dont il faut éviter le retour trop rapproché, tout en gardant le contenu ; (...) les possibilités de la correction sont ici limitées, ce qui devait alléger d'autant la responsabilité de l'écrivain ;

Flaubert, cependant, parvient à introduire ici le vertige d'une correction infinie : le difficile, pour lui, n'est pas la correction elle-même (effectivement limitée), mais le repérage du lieu où elle est nécessaire : des répétitions apparaissent, que l'on n'avait pas vues la veille, en sorte que rien ne peut garantir que le lendemain de nouvelles "fautes" ne pourront être découvertes ; il se développe ainsi une insécurité anxieuse, car il semble toujours possible d'*entendre* de nouvelles répétitions : le texte, même lorsqu'il a été méticuleuse-

ment travaillé, est en quelque sorte *miné* de risques de répétition : limitée et par conséquent rassurée dans son acte, la substitution redevient libre et par conséquent angoissante par l'infini de ses emplacements possibles : le paradigme est certes fermé, mais comme il joue à chaque unité significative, le voilà ressaisi par l'infini du syntagme. La seconde croix de l'écriture flaubertienne, ce sont les transitions (ou articulations) du discours. Comme on peut s'y attendre d'un écrivain qui a continûment absorbé le contenu dans la forme — ou plus exactement contesté cette antinomie même — l'enchaînement des idées n'est pas ressenti directement comme une contrainte logique mais doit se définir en termes de signifiant ; ce qu'il s'agit d'obtenir, c'est la fluidité, le rythme optimal du cours de la parole, le *"suivi"*, en un mot, ce *flumen orationis* réclamé déjà par les rhétoriciens classiques. Flaubert retrouve ici le problème des corrections syntagmatiques : le bon syntagme est un équilibre entre des forces excessives de constriction et de dilatation : mais alors que l'ellipse est normalement limitée par la structure même de l'unité phrastique, Flaubert y introduit de nouveau une liberté infinie : une fois acquise, il la retourne et l'oriente de nouveau vers une nouvelle expansion : il s'agit sans cesse de "dévisser" ce qui est trop serré : l'ellipse, dans un second temps, retrouve le vertige de l'expansion.

Car il s'agit bien d'un vertige : la correction est infinie, elle n'a pas de sanction sûre. Les protocoles correctifs sont parfaitement systématiques — et en cela ils pourraient être rassurants — mais leurs points d'application étant sans terme, nul apaisement n'est possible : ce sont des ensembles à la fois structurés et flottants. Cependant, ce vertige n'a pas pour motif l'infini du discours, champ traditionnel de la rhétorique ; il est lié à un objet lin-

guistique, certes connu de la rhétorique, du moins à partir du moment où, avec Denys d'Halicarnasse et l'Anonyme du *Traité du Sublime*, elle a découvert le "style", mais auquel Flaubert a donné une existence technique et métaphysique d'une force inégalable, et qui est la phrase.

Pour Flaubert, la phrase est à la fois une unité de style, une unité de travail et une unité de vie, elle attire l'essentiel de ses confidences sur son travail d'écrivain. Si l'on veut bien débarrasser l'expression de toute portée métaphorique, on peut dire que Flaubert a passé sa vie à "faire des phrases" ; la phrase est en quelque sorte le double réfléchi de l'œuvre, c'est au niveau de la fabrication des phrases que l'écrivain a fait l'histoire de cette œuvre : l'odyssée de la phrase est le roman des

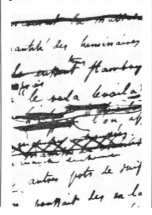

romans de Flaubert. La phrase devient ainsi, dans notre littérature, un objet nouveau : non seulement en droit, par les nombreuses déclarations de Flaubert à ce sujet, mais aussi en fait : une phrase de Flaubert est immédiatement identifiable, non point par son "air", sa "couleur" ou tel tour habituel à l'écrivain — ce que l'on pourrait dire de n'importe quel auteur — mais parce qu'elle se donne toujours comme un objet séparé, fini, l'on pourrait presque dire transportable, bien qu'elle ne rejoigne jamais le modèle aphoristique, car son unité ne tient pas à la clôture de son contenu, mais au projet évident qui l'a fondée comme un objet : la phrase de Flaubert est une *chose* .

(...)

Le drame de Flaubert (ses confidences autorisent à employer un mot aussi romanesque) devant la phrase peut s'énoncer ainsi : la phrase est un objet, en elle une finitude fascine, analogue à celle qui règle la maturation métrique du vers ; mais en même temps par le mécanisme même de l'expansion, toute phrase est insaturable, on ne dispose d'aucune raison structurelle de l'arrêter ici plutôt que là. *Travaillons à finir la phrase* (à la façon d'un vers), dit implicitement Flaubert à chaque moment de son labeur, de sa vie, cependant que contradictoirement il est obligé de s'écrier sans cesse (comme il le note en 1853) : *Ça n'est jamais fini*. La phrase flaubertienne est la trace même de cette contradiction, vécue à vif par l'écrivain tout au long des heures innombrables pendant lesquelles il s'est enfermé avec elle : elle est comme l'arrêt gratuit d'une liberté infinie, en elle s'inscrit une sorte de contradiction métaphysique : parce que la phrase est libre, l'écrivain est condamné non à chercher la meilleure phrase, mais à assumer toute phrase : aucun dieu, fût-ce celui de l'art, ne peut la fonder à sa place. »

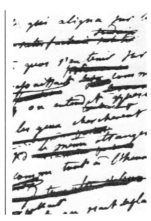

ROLAND BARTHES,
1972,
« Flaubert et la phrase » in
Nouveaux essais critiques,
avec *Le degré zéro de l'écriture*, collection Points,
Seuil, 1972, pp. 140-143.

Maurice Blanchot place cette quête sous le signe de l'angoisse et de la folie et situe Flaubert à l'origine de la problématique moderne du langage littéraire :

« C'est l'angoisse de la forme qui a de l'importance chez Flaubert et non pas la signification qu'ici et là il lui prête, ou, plus exactement, cette anxiété est infinie, à la mesure de l'expérience dans laquelle il se sent engagé, n'ayant que des repères peu sûrs pour en délimiter la direction. L'engagement de l'écrivain Flaubert est engagement — responsabilité — à l'égard d'un langage encore inconnu qu'il s'efforce de maîtriser ou de soumettre à quelque raison (celle d'une valeur, beauté, vérité), afin de mieux éprouver le pouvoir hasardeux auquel l'inconnu de ce langage l'oblige à se heurter. Il ne l'ignore nullement : il dit avec précision que la recherche de la forme est pour lui une méthode (« le souci de la beauté extérieure que vous me reprochez est pour moi une *méthode* ») ; ce qui veut bien dire que la forme a la valeur d'une Loi posée arbitrairement, mais telle qu'elle réponde à l'arbitraire — l'aléa — de toute parole, c'est-à-dire à son trait essentiellement problématique. Plus l'art est somptueux, splendide, éclatant, plus il se manifeste par des prestiges seulement extérieurs, plus aussi, dénonçant par cette apparence trop glorieuse le vide qui s'y dérobe, il cherche à s'unir à son propre effacement — mouvement qu'assurément Flaubert n'accomplit pas volontiers, mais dont son dernier livre indique le sens ruineux (...) Le travail de Flaubert ne ressemble en rien à celui de Boileau : ce n'est pas l'honnête et tranquille labeur de l'artisan qui dispose d'un métier, possède un savoir technique, perfectionne l'ouvrage en accord avec une tradition et selon un modèle. Le travail, à l'époque même où il devient le signe de toute valeur, est ici sans valeur et proprement tragique : il est quelque chose de démesuré : c'est une folie ; c'est la rencontre de l'effrayant, l'affrontement de l'inhumain, la pratique de l'impossibilité, la mise en œuvre d'un supplice. »

MAURICE BLANCHOT,
1963,
« Le problème de Wittgenstein », repris in
L'Entretien infini, Gallimard,
1969, pp. 489-490.

Jusqu'à trois heures cependant, rien d'extraordinaire n'avait eu lieu
lorsque l'on découvrit au premier étage de la mairie un enseignages,
se penchant en dehors des pierres fenêtres de qui aligna par leurs,
dales extérieures six lampions.

on savait bien à quoi s'en tenir par la
quantité des luminaires et l'on se rassurait comme
flambery. Mais on entendait
le vela levila les uns se bousculent les yeux cherchaient
et l'on, aperçut au second étage le même étranges

La faute pt.

six autres pots de suif on s'en réjouit on était déplaisir
on poussait des exclamations,

et dans même, dans leur gaité, se lancèrent des tasses de
poing les enfants de faisaient hisser dans sur les épaules
de les admirer isollants admirant au
porel spectacle ou n'était mutin, car de
mémoire d'homme jamais on n'avait rien vu d'aussi

à gonville l'Abbaye

enfin

longue que du milieu de l'œil de bœuf, fera' dans le tympan
haut on vit un bras sortir; puis s'allongeant
effort depuis sur l'extrémité de la pierre pnte au dessus
de la tête du Coq jaune encore un lampion.

Alors un vis l'échappa le peuple seul

(si formidable, de tel que le peuple seul
fait en produire, et de passion l'agité
Le bras cependant continuait à s'agiter dans l'œil
de bœuf.

IV

Les conviés arrivèrent de bonne heure dans des voitures, carrioles[1] à un cheval, chars à bancs[2] à deux roues, vieux cabriolets[3] sans capote, tapissières[4] à rideaux de cuir, et les jeunes gens des villages les plus voisins dans des charrettes
5 où ils se tenaient debout, en rang, les mains appuyées sur les ridelles[5] pour ne pas tomber, allant au trot et secoués dur. Il en vint de dix lieues loin, de Goderville, de Normanville et de Cany[6]. On avait invité tous les parents des deux familles, on s'était raccommodé avec les amis brouillés, on avait écrit
10 à des connaissances perdues de vue depuis longtemps.

De temps à autre, on entendait des coups de fouet derrière la haie ; bientôt la barrière s'ouvrait : c'était une carriole qui entrait. Galopant jusqu'à la première marche du perron, elle s'y arrêtait court, et vidait son monde, qui sortait par
15 tous les côtés en se frottant les genoux et en s'étirant les bras. Les dames, en bonnet, avaient des robes à la façon de la ville, des chaînes de montre en or, des pèlerines à bouts croisés dans la ceinture, ou de petits fichus de couleur attachés dans le dos avec une épingle, et qui leur découvraient
20 le cou par derrière. Les gamins, vêtus pareillement à leurs papas, semblaient incommodés par leurs habits neufs (beaucoup même étrennèrent ce jour-là la première paire de bottes de leur existence), et l'on voyait à côté d'eux, ne soufflant mot dans la robe blanche de sa première communion
25 rallongée pour la circonstance, quelque grande fillette de quatorze ou seize ans, leur cousine ou leur sœur aînée sans doute, rougeaude, ahurie, les cheveux gras de pommade à la rose, et ayant bien peur de salir ses gants. Comme il n'y avait point assez de valets d'écurie pour dételer toutes les
30 voitures, les messieurs retroussaient leurs manches et s'y mettaient eux-mêmes. Suivant leur position sociale différente, ils avaient des habits, des redingotes[7], des vestes, des habits-vestes ; — bons habits, entourés de toute la considération d'une famille, et qui ne sortaient de l'armoire que
35 pour les solennités ; redingotes à grandes basques[8] flottant au vent, à collet cylindrique[9], à poches larges comme des sacs ; vestes de gros drap, qui accompagnaient ordinaire-

1. Carriole : charrette couverte, à roues très hautes.
2. Char à banc : voiture longue avec des rangées de bancs.
3. Cabriolet : voiture légère à deux roues et à capote mobile. Elle se situe socialement au-dessus des véhicules précédents, mais l'absence de capote est ici dépréciative.
4. Tapissière : voiture utilisée pour le transport des meubles et des marchandises. Elle était couverte et ouverte sur les côtés.
5. Ridelle : châssis latéral, plein ou à claire-voie, qui maintient la charge de la charrette.
6. Ces trois localités existent réellement et « normandisent » le récit. (Sur Cany, voir la note p. 22.)
7. Redingote : longue veste croisée à basques.
8. Basques : parties découpées partant de la taille et tombant plus ou moins bas.
9. Collet cylindrique : collet qui fait le tour du cou sans laisser voir le linge.

ment quelque casquette cerclée de cuivre à sa visière ;
habits-vestes très courts, ayant dans le dos deux boutons
rapprochés comme une paire d'yeux, et dont les pans semblaient avoir été coupés à même un seul bloc, par la hache
du charpentier. Quelques-uns encore (mais ceux-là, bien 5
sûr, devaient dîner au bas bout de la table) portaient des
blouses de cérémonie, c'est-à-dire dont le col était rabattu
sur les épaules, le dos froncé à petits plis et la taille[1] attachée
très bas par une ceinture cousue.

Et les chemises sur les poitrines bombaient comme des 10
cuirasses ! Tout le monde était tondu à neuf, les oreilles
s'écartaient des têtes, on était rasé de près ; quelques-uns
même qui s'étaient levés dès avant l'aube, n'ayant pas vu
clair à se faire la barbe, avaient des balafres en diagonale
sous le nez, ou, le long des mâchoires, des pelures d'épi- 15
derme larges comme des écus de trois francs, et qu'avait
enflammées le grand air pendant la route, ce qui marbrait un
peu de plaques roses toutes ces grosses faces blanches
épanouies.

La mairie se trouvant à une demi-lieue de la ferme, on s'y 20
rendit à pied, et l'on revint de même, une fois la cérémonie
faite à l'église. Le cortège, d'abord uni comme une seule
écharpe de couleur, qui ondulait dans la campagne, le long
de l'étroit sentier serpentant entre les blés verts, s'allongea
bientôt et se coupa en groupes différents, qui s'attardaient à 25
causer. Le ménétrier[2] allait en avant avec son violon empa-
naché de rubans à la coquille[3] ; les mariés venaient ensuite,
les parents, les amis tout au hasard, et les enfants restaient
derrière, s'amusant à arracher les clochettes[4] des brins
d'avoine, ou à se jouer entre eux, sans qu'on les vît. La robe 30
d'Emma, trop longue, traînait un peu par le bas ; de temps à
autre, elle s'arrêtait pour la tirer, et alors délicatement, de ses
doigts gantés, elle enlevait les herbes rudes avec les petits
dards des chardons, pendant que Charles, les mains vides,
attendait qu'elle eût fini. Le père Rouault, un chapeau de 35
soie neuf sur la tête et les parements de son habit noir lui
couvrant les mains jusqu'aux ongles, donnait le bras à
madame Bovary mère. Quant à M. Bovary père, qui,
méprisant au fond tout ce monde-là, était venu simplement
avec une redingote à un rang de boutons d'une coupe mili- 40
taire, il débitait des galanteries d'estaminet à une jeune paysanne blonde. Elle saluait, rougissait, ne savait que répondre. Les autres gens de la noce causaient de leurs affaires ou

1. Taille : au sens de pièce d'étoffe
rapportée avec couture sous la
ceinture.
2. Ménétrier : violoniste de village qui
accompagnait les noces et faisait danser les invités.
3. Coquille : partie recourbée du
manche.
4. Clochettes : grains d'avoine
entrouverts.

se faisaient des niches dans le dos, s'excitant d'avance à la gaieté ; et, en y prêtant l'oreille, on entendait toujours le crin-crin du ménétrier qui continuait à jouer dans la campagne. Quand il s'apercevait qu'on était loin derrière lui, il
5 s'arrêtait à reprendre haleine, cirait longuement de colophane[1] son archet, afin que les cordes grinçassent mieux, et puis il se remettait à marcher, abaissant et levant tour à tour le manche de son violon, pour se bien marquer la mesure à lui-même. Le bruit de l'instrument faisait partir de loin les
10 petits oiseaux ⟨1⟩ ⟨2⟩.

C'était sous le hangar de la charretterie que la table était dressée ⟨3⟩. Il y avait dessus quatre aloyaux, six fricassées de poulets, du veau à la casserole, trois gigots et, au milieu, un joli cochon de lait rôti, flanqué de quatre andouilles à
15 l'oseille. Aux angles, se dressait l'eau-de-vie dans des carafes. Le cidre doux en bouteilles poussait sa mousse épaisse autour des bouchons, et tous les verres, d'avance, avaient été remplis de vin jusqu'au bord. De grands plats de crème jaune, qui flottaient d'eux-mêmes au moindre choc de la
20 table, présentaient, dessinés sur leur surface unie, les chiffres des nouveaux époux en arabesques de nonpareille[2]. On avait été chercher un pâtissier à Yvetot, pour les tourtes et les nougats. Comme il débutait dans le pays, il avait soigné les choses ; et il apporta, lui-même, au dessert, une pièce
25 montée qui fit pousser des cris. A la base, d'abord, c'était un carré de carton bleu figurant un temple avec portiques, colonnades et statuettes de stuc tout autour, dans des niches constellées d'étoiles en papier doré ; puis se tenait au second étage un donjon en gâteau de Savoie, entouré de
30 menues fortifications en angélique[3], amandes, raisins secs, quartiers d'oranges ; et enfin, sur la plate-forme supérieure, qui était une prairie verte où il y avait des rochers avec des lacs de confitures et des bateaux en écales[4] de noisettes, on voyait un petit Amour, se balançant à une escarpolette de
35 chocolat, dont les deux poteaux étaient terminés par deux boutons de rose naturelle, en guise de boules, au sommet ⟨4⟩.

Jusqu'au soir, on mangea. Quand on était trop fatigué d'être assis, on allait se promener dans les cours ou jouer
40 une partie de bouchon[5] dans la grange, puis on revenait à table. Quelques-uns, vers la fin, s'y endormirent et ronflèrent. Mais, au café, tout se ranima ; alors on entama des chansons, on fit des tours de force, on portait des poids, on passait sous son pouce[6], on essayait à soulever les charrettes

1. *Colophane : résine tirée de la distillation de la térébenthine dont on frotte l'archet des violons.*
2. *Nonpareille : petite dragée ou petite boule de sucre.*
3. *Angélique : bonbon fait avec les tiges encore vertes de l'angélique, grande ombellifère aromatique.*
4. *Écale : enveloppe dure recouvrant les noix, noisettes, châtaignes, amandes...*
5. *Jouer au bouchon : ce jeu consiste à renverser avec des palets un bouchon sur lequel sont empilées des pièces de monnaie.*
6. *Passer sous son pouce : on lève son pouce horizontalement et on fait mine de passer dessous.*

① La noce comme ratage

La séquence du cortège a fait l'objet d'un remarquable commentaire de Jean-Luc Mercié, texte qu'il faudrait pouvoir ici reproduire dans son intégralité. Nous en résumons quelques-uns des points essentiels et en donnons quelques extraits.

Régie par le stéréotype de la « noce paysanne », cette séquence le met en texte. S'il existe un réseau laïc (l'écharpe de couleur, les rubans probablement tricolores qui ornent le violon), le cortège « prolonge » l'église. Procession serpentante, il vaut comme thème plastique : plan panoramique initial, grossissement épique des personnages, attention aux détails, jeu sur les couleurs imposées : le blanc virginal, le vert printanier... Son ordonnancement, dicté par l'usage, s'exhibe comme rituel. Après l'inventaire général, une revue personnalisée s'agence, s'attachant aux costumes. La robe trop longue d'Emma renvoie à celle, rallongée, de la grande fillette, en un contrepoint équivoque. La redondance, puisqu'elle traîne « un peu par le bas », inaugure un thème de la robe d'Emma que l'on retrouvera lors de la scène d'amour avec Rodolphe et avec l'adoration fétichiste de Léon.

Si la parade de noce parodie socialement la parade sexuelle, elle est ici dénaturée. La nature se fait obstacle : herbes rudes, petits dards des chardons qui blessent symboliquement Emma en blessant sa robe. Charles attend, les mains vides, dont le ridicule le dénonce et l'oppose à la grâce pudique des mains gantées d'Emma. La dysharmonie est totale :

« Et Charles, alors, dans tout cela ? Eh bien, Charles attend ! Alors qu'il avait été jadis somptueusement déguisé en bourgeois pour son entrée en classe, Charles apparaît plus démuni et plus nu que jamais pour la solennité. Pas un mot sur son habit par exemple. Le narrateur ne lui concède que son nom et ses mains vides. La nomination prend de ce fait une importance particulière. A y regarder de près le procédé, qu'on pourrait qualifier aujourd'hui de *double collage*, est foncièrement original car, à lui seul, le nom vient inscrire sur les figurants stéréotypés du cortège un visage qui est issu de notre mémoire du texte. Quant aux *mains vides*, elles disent moins l'avidité du désir que l'incurable impéritie de l'inénarrable Charles. Comme les mains de Catherine Leroux, elles résument et annoncent un destin. Mains du succès éphémère : les bonnes gens de Yonville vanteront *sa poigne d'enfer*. Mains de l'échec définitif lorsque, trop bien conseillé, il entreprendra de guérir Hippolyte de sa bonne santé. Mains, donc, emblématiques de son ineptie ; mains vides, en définitive, comme sa pauvre tête.

On notera enfin la position qu'occupe Charles dans l'encombrement spatial du texte. Déjà coincé lors de l'ouverture entre la *mairie* et *l'église*, Charles est inséré dans la séquence d'Emma, et tout entier enfermé dans la parenthèse du discours (*La robe d'Emma* (...) *il attendait qu'elle eût fini.*) La phrase

ainsi miniaturise, en l'inversant, la structure générale de l'œuvre, structure dans laquelle l'histoire d'Emma est comprise dans le cycle de Charles.

Dans ce contexte assez hilarant où le mari est tout de go enrobé par son épouse avant d'être par elle phagocyté, l'expression *Charles... attendait qu'elle eût fini*, consécutive aux *petits dards*, mais antérieure aux *deux* cigares prémonitoires des *trois* cercueils, pourrait bien relever de la facétie : jeu de l'auteur sur son texte qu'on ne saurait confondre avec le jeu du texte sur lui-même (le texte *joue* au sens où l'on dit d'une charpente qu'elle *travaille*), jeu qui échappe au sens inscrit et constitue l'inconscient du texte. Ici la chaîne fantasmatique allant du cortège qui *serpente* aux enfants qui s'amusent à se jouer entre eux *sans qu'on les vît* et à Bovary père lequel *débite* des *plaisanteries* de salle de garde. Donc, face à Emma, tout costume, Charles, sous la forme d'un appendice de chair vive. Disjonction de la main et du gant ; résorption de la synecdoque par la métonymie. »

JEAN-LUC MERCIÉ,
1978,
« Le sexe de Charles »,
Nouvelle Revue Française,
n° 309, pp. 54-56.

Derrière ces époux désunis, le père Rouault se réduit à son vêtement de paysan travesti, donnant le bras à la seule femme de la famille mentionnée : madame Bovary mère, réduite à cette seule citation. Bovary père arbore un accoutrement antinomique de celui du père Rouault : costume-contempteur versus costume-hommage. Don Juan du pauvre, il annonce Rodolphe.

La suite des invités défile anonymement. La paysanne à qui Bovary père débite des galanteries ne vaut que comme objet désirable, victime d'un macho provincial. Mais, plus avant dans le texte, les « attentions » de l'ex-militaire se généraliseront et l'on passera à la « gaudriole ». Le retour du ménétrier boucle la séquence et souligne sa cir-

cularité. *Il occupe une place textuelle éminente, il se réduit pour l'essentiel aux outils de sa profession. S'il adhère parfaitement à sa fonction rémunérée, c'est au prix d'une mécanisation qui en fait un automate. Sa présence illustre la déchéance des rêves d'Emma. Quel contraste avec le maître de musique du couvent, ou les prestiges du bal à la Vaubyessard ! Anti-Orphée, il fait fuir les oiseaux.*

On peut ainsi conclure :

« Ironie de l'antinomie et ironie du texte : en donnant « le ton », le ménétrier livre la clé d'une esthétique où la subtile harmonie d'une séquence résulte des discordances accumulées. Arrêts, distanciation, coupures, rien ne marche dans ce cortège de robe et de manches trop longues, de cos-

② La dialectique du récit et de l'histoire

Dans une communication magistrale proposée en 1968 au colloque de Cluny sur Linguistique et Littérature, Philippe Bonnefis a éclairé les rapports entretenus dans Madame Bovary *entre récit et histoire. Après avoir montré que* « l'Histoire, en se racontant, est en perpétuelle fascination devant son propre dénouement », *puisque Flaubert a délibérément choisi d'organiser la biographie d'Emma comme une* « machine psychologique », *il souligne le privilège accordé à la discontinuité dans le Récit. Elle marque par un* « vocabulaire spécifique qui renvoie systématiquement à l'idée de rupture » : *locutions adverbiales de lieu (« çà et là », « à intervalles »...), adjectifs (« espacé », « inégal »...), verbes (« se détacher », « se distinguer »...), par l'utilisation de* « rupteurs grammaticaux » *comme* « mais », *d'accords phonétiques qui contribuent au* « cloisonnement des cellules narratives », *de notations* « qui viennent interrompre, par discordance, tout legato prolongé », *d'inserts explicatifs qui hypertrophient les détails et* « bloquent »*le syntagme narratif, de métaphores qui* « brouillent le récit » *en* « superposant deux images de nature et de qualité différentes », *comme le célèbre passage sur le feu de voyageurs dans une steppe de Russie (p. 331), et surtout par le recours à des motifs descriptifs dont la répétition soumet le Récit à une véritable loi d'organisation, comme ceux de la* « trame », *quand s'intercale entre le regard et l'objet regardé une* « taie constituée d'une matière d'opacité variable » *— on suivra à cet égard le retour de l'expérience visuelle d'Emma dans le pavillon de la Vaubyessard (p. 171) — et de la* « grille », *quand un* « mobile inscrit son trajet à l'intérieur d'un quadrillage » *sur le modèle* « x glissait/circulait/passait/disparaissait/... entre les y », *trame et grille pouvant d'ailleurs se dissoudre, par une sorte de nivellement généralisé.*

Philippe Bonnefis conclut ainsi :

...tumes grotesques et de membres dénudés. Silence des femmes, mutisme concerté et bavardage outrancier, déférence et irrévérence, émoi et cynisme, grosses facéties et occultation de l'équivoque. Bref, tous les tons et toutes les ruptures de ton (...) La fonction du cortège ne cesse pas avec le retour aux Bertaux : elle est itérative. Si, à peine formé, pour la mairie, le cortège se disloque, la suite du roman va se confondre avec l'histoire de sa désagrégation. (...) Veuf à son tour, Charles a tenu à ce que sa femme soit enterrée "dans sa robe de noces". *On se tenait aux fenêtres pour voir passer le cortège,* dit le texte. Seuls Charles, le père Rouault et Mme Bovary mère suivent le convoi funèbre, Bovary père étant mort d'apoplexie à cinquante-huit ans. » *(op. cit. pp. 60-61).*

« les relations Histoire—Récit dans *Madame Bovary* sont incessamment rompues et renouées. Non seulement Histoire et Récit s'organisent en une structure dystaxique, mais encore ils projettent leur désaccord, tout au long du livre, en un mouvement dialectique qui oppose alternativement le continu au discontinu et le discontinu au continu. (...) Le paragraphe consacré à la description du cortège nuptial (offre) le prototype idéal du Récit flaubertien. Toute la portée anecdotique du passage est concentrée en la première phrase. (...) Pour le reste, le Récit procède par amplification de l'accord plaqué, ou mieux par sectionnement d'un segment continu — l'image du cortège — en successives traversées qui illustrent le va-et-vient d'une navette entre deux fils de chaîne. On peut arbitrairement représenter la dialectique de l'Histoire et du Récit, telle qu'elle se pose en cet endroit, par une construction géométrique. Le schéma admettrait, selon un plan horizontal, un axe — celui de l'Histoire — que couperait à intervalles irréguliers une suite de courts axes verticaux dont l'ensemble syntagmatiquement projeté constituerait le Récit proprement dit. Chacun de ces saisies fragmentaires est séparée par un blanc qui témoigne d'une absence d'auteur. A chaque phrase, le Récit est donc remis en question.Ce système alternatif fait d'abandons et de reprises — phénomène d'obturation qui donfère au Récit flaubertien son rythme propre — correspond à une prise de pouvoir du narrateur qui entend assumer son rôle de conteur sans aucune dissimulation. »

PHILIPPE BONNEFIS,
1968.
« Récit et Histoire dans *Madame Bovary* » in *Linguistique et Littérature*, colloque de Cluny, *La Nouvelle Critique*, numéro spécial, pp 161-162.

⟨3⟩ « On mange beaucoup chez Flaubert » (Jean-Pierre Richard)

« D'abord on leur servit des oiseaux à la sauce verte, dans des assiettes d'argile rouge rehaussée de dessins noirs, puis toutes les espèces de coquillages que l'on ramasse sur les côtes puniques, des bouillies de froment, de fève et d'orge, et des escargots au cumin, sur des plats d'ambre jaune.
Ensuite les tables furent couvertes de viandes : antilopes avec leurs cornes, paons avec leurs plumes, moutons entiers cuits au vin doux, gigots de chamelles et de buffles, hérissons au garum, cigales frites et loirs confits. Dans des gamelles en bois de Tamrapanni flottaient, au milieu du safran, de grands morceaux de graisse. Tout débordait de saumure, de truffes et d'assa fœtida. Les pyramides de fruits s'éboulaient sur les gâteaux de miel, et l'on n'avait pas oublié quelques-uns de ces petits chiens à gros ventre et à soies roses que l'on engraissait avec du marc d'olives, mets carthaginois en abomination aux autres peuples. La surprise des nourritures nouvelles excitait la cupidité des estomacs. Les Gaulois, aux longs

cheveux retroussés sur le sommet de la tête, s'arrachaient les pastèques et les limons qu'ils croquaient avec l'écorce. Des nègres n'ayant jamais vu de langoustes se déchiraient le visage à leurs piquants rouges. Mais les Grecs rasés, plus blancs que des marbres, jetaient derrière eux les épluchures de leur assiette, tandis que des pâtres du Brutium, vêtus de peaux de loups, dévoraient silencieusement, le visage dans leur portion.

La nuit tombait. On retira le velarium étalé sur l'avenue de cyprès et l'on apporta des flambeaux.

Les lueurs vacillantes du pétrole qui brûlait dans des vases de porphyre effrayèrent, au haut des cèdres, les singes consacrés à la lune. Ils poussèrent des cris, ce qui mit les soldats en gaieté.

Des flammes oblongues tremblaient sur les cuirasses d'airain. Toutes sortes de scintillements jaillissaient des plats incrustés de pierres précieuses. Les cratères, à bordure de miroirs convexes, multipliaient l'image élargie des choses ; les soldats se pressant autour s'y regardaient avec ébahissement et grimaçaient pour se faire rire. Ils se lançaient, par-dessus les tables, les escabeaux d'ivoire et les spatules d'or. Ils avalaient à pleine gorge tous les vins grecs qui sont dans des outres, les vins de Campanie enfermés dans des amphores, les vins des Cantabres que l'on apporte dans des tonneaux, et les vins de jujubier, de cinnamome et de lotus. Il y en avait des flaques par terre où l'on glissait. La fumée des viandes montait dans les feuillages avec la vapeur des haleines. On entendait à la fois le claquement des mâchoires, le bruit des paroles, des chansons, des coupes, le fracas des vases campaniens qui s'écroulaient en mille morceaux, ou le son limpide d'un grand plat d'argent. »

GUSTAVE FLAUBERT,
1862,
Salammbô.

 # L'ordre du gâteau

En pleine bataille du Nouveau Roman, Jean Ricardou avait proposé une lecture du gâteau, ce morceau d'anthologie, en tentant d'élucider la contradiction entre sa présentation comme tout et sa description dans l'ordre de la successivité :

« Apporté par le pâtissier d'Yvetot, posé sur la table du repas de noces, le gâteau se présente comme l'ensemble *simultané* de ses parties. Or, ce qui frappe, c'est la curieuse insistance des indications *temporelles* : "d'abord", "puis", "enfin". Voilà une irrécusable contradiction. Pour la comprendre, il suffit d'admettre que ces précisions se rapportent, non à l'objet dans la simultanéité de ses parties, mais à la description elle-même. Celle-ci est en effet bien faite d'une *succession* d'éléments, disons la suite des mots sur la page, et il faut un certain temps pour la parcourir. (...) (Il faut) marquer ici (...) l'activité moderne d'une description se désignant elle-même.
(...)
Trois illusions menacent (...) la lecture. Si le lecteur refuse la dimension référentielle, c'est l'*illusion littérale* : une certaine intelligence du texte disparaît, car l'intelligibilité d'une suite de signifiés descriptifs exige que celle-ci se rassemble en une synthèse rétrospective à orientation référentielle. Si le lecteur refuse la dimension littérale, c'est l'*illusion naturaliste* : une permanente confusion s'établit entre la somme hypostasiée des signifiés et le référent ; le livre est pris par la vie

sur ses épaules, on disait des gaudrioles, on embrassait les dames. Le soir, pour partir, les chevaux gorgés d'avoine jusqu'aux naseaux eurent du mal à entrer dans les brancards ; ils ruaient, se cabraient, les harnais se cassaient, leurs
5 maîtres juraient ou riaient ; et toute la nuit, au clair de la lune, par les routes du pays, il y eut des carrioles emportées qui couraient au grand galop, bondissant dans les saignées[1], sautant par-dessus les mètres de cailloux[2], s'accrochant aux talus, avec des femmes qui se penchaient en dehors de la
10 portière pour saisir les guides.

   Ceux qui restèrent aux Bertaux passèrent la nuit à boire dans la cuisine. Les enfants s'étaient endormis sous les bancs.

   La mariée avait supplié son père qu'on lui épargnât les
15 plaisanteries d'usage. Cependant, un mareyeur[3] de leurs cousins (qui même avait apporté, comme présent de noces, une paire de soles) commençait à souffler de l'eau avec sa bouche par le trou de la serrure, quand le père Rouault arriva juste à temps pour l'en empêcher, et lui expliqua que
20 la position grave[4] de son gendre ne permettait pas de telles inconvenances. Le cousin, toutefois, céda difficilement à ces raisons. En dedans de lui-même, il accusa le père Rouault d'être fier, et il alla se joindre dans un coin à quatre ou cinq autres des invités qui, ayant eu, par hasard, plusieurs fois de
25 suite à table les bas morceaux des viandes, trouvaient aussi qu'on les avait mal reçus, chuchotaient sur le compte de leur hôte et souhaitaient sa ruine à mots couverts.

   Madame Bovary mère n'avait pas desserré les dents de la journée. On ne l'avait consultée ni sur la toilette de la bru, ni
30 sur l'ordonnance du festin ; elle se retira de bonne heure. Son époux, au lieu de la suivre, envoya chercher des cigares à Saint-Victor[5] et fuma jusqu'au jour, tout en buvant des grogs[6] au kirsch, mélange inconnu à la compagnie, et qui fut pour lui comme la source d'une considération plus grande
35 encore.

   Charles n'était point de complexion facétieuse, il n'avait pas brillé pendant la noce. Il répondit médiocrement aux pointes, calembours, mots à double entente, compliments et gaillardises que l'on se fit un devoir de lui décocher dès le
40 potage.

   Le lendemain, en revanche, il semblait un autre homme. C'est lui plutôt que l'on eût pris pour la vierge de la veille, tandis que la mariée ne laissait rien découvrir où l'on pût deviner quelque chose. Les plus malins ne savaient que

---

1. *Saignée : rigole creusée perpendiculairement au bas-côté pour drainer l'eau vers le fossé.*
2. *Mètre de caillou : tas de cailloux d'environ 1 mètre cube, à l'usage des cantonniers pour l'entretien des chemins.*
3. *Mareyeur : grossiste qui achète sur place les produits de la pêche et les revend aux poissonniers.*
4. *Grave : au sens d'« importante », de « sérieuse ».*
5. *Saint-Victor : abbaye à 6 km à l'est de Tostes.*
6. *Grog : « Pas comme il faut » (Dictionnaire des idées reçues).*

même. L'on sait que c'est la seconde qui, à chaque instant, nous menace. Pour employer un lexique ordinaire, disons que la première perçoit des mots et pratiquement pas de sens : elle est aveuglée par le langage ; que la seconde perçoit des sens et pratiquement pas de mots : elle est aveugle au langage. La troisième illusion, c'est l'*illusion équilibriste*. Elle frappe tout lecteur éclairé qui croit possible de saisir conjointement, par une manière d'attention divergente, les deux inconciliables dimensions de l'objet fictif. Ou encore, pour dévoyer ici deux formules de Ponge, tout lecteur qui pense obtenir en même temps, dans sa lecture, et *le parti pris des choses* et *le compte tenu des mots*. L'impression d'équilibre provient simplement de la vitesse d'un chatoiement incessant entre l'une et l'autre des illusions précédentes : cette lecture oscille continûment entre des mots cachant des sens et des sens cachant des mots.

(...) Si la phrase de Flaubert est décisive, c'est que la parfaite antinomie qui joue entre la dimension référentielle (simultanéité) et la dimension littérale (successivité) tient le rôle d'un révélateur. C'est pourquoi tout obscurantisme s'efforcera de restreindre ce conflit ressenti comme une

dénaturation. Puisque la successivité littérale est inamovible, c'est la simultanéité des diverses parties de l'objet qui doit être mise en cause. On devine les deux solutions. Premièrement : le mouvement descriptif ascendant représente le regard attentif d'un observateur qui contemple chaque aspect successivement. Mais cette motivation est insuffisante : la pièce montée n'est pas si volumineuse ni l'observateur si proche que le regard soit astreint à un déplacement d'une telle amplitude. Deuxièmement : le mouvement descriptif ascendant obéit aux simples lois de la logique qui demandent qu'on pose d'abord la base avant tout sommet. Or, précisément, inaugurant sa phrase par l'un et la terminant par l'autre, c'est une parfaite distorsion qu'à ce niveau non moins Flaubert

exécute : c'est au sommet du texte que se trouve "la base", c'est à sa base que se trouve "le sommet".

Davantage : comme s'il s'agissait, une fois de plus, de prendre pour thème de la description son fonctionnement même, les caractères de cet objet marquent une dénaturation. Le gâteau, en effet, forme une pyramide d'artifices : le cartonnage figure un temple, le gâteau de Savoie un donjon, la confiture un lac, etc. Si bien que, prises dans ce mouvement, les roses *naturelles* sont contraintes à n'être présentes ici que comme *artifices*, figurations d'autre chose : les boules au sommet des deux poteaux. »

JEAN RICARDOU, 1967, « De natura fictionis » in *Pour une théorie du nouveau roman*, Seuil, pp. 33-37.

répondre, et ils la considéraient, quand elle passait près d'eux, avec des tensions d'esprit démesurées. Mais Charles ne dissimulait rien. Il l'appelait ma femme, la tutoyait, s'informait d'elle à chacun, la cherchait partout, et souvent il
5 l'entraînait dans les cours, où on l'apercevait de loin, entre les arbres, qui lui passait le bras sous la taille et continuait à marcher à demi penché sur elle, en lui chiffonnant avec sa tête la guimpe[1] de son corsage.

Deux jours après la noce, les époux s'en allèrent : Char-
10 les, à cause de ses malades, ne pouvait s'absenter plus long-temps. Le père Rouault les fit reconduire dans sa carriole et les accompagna lui-même jusqu'à Vassonville. Là, il embrassa sa fille une dernière fois, mit pied à terre et reprit sa route. Lorsqu'il eut fait cent pas environ, il s'arrêta, et,
15 comme il vit la carriole s'éloignant, dont les roues tournaient dans la poussière, il poussa un gros soupir. Puis il se rappela ses noces, son temps d'autrefois, la première grossesse de sa femme ; il était bien joyeux, lui aussi, le jour qu'il l'avait emmenée de chez son père dans sa maison, quand il la por-
20 tait en croupe en trottant sur la neige ⟨1⟩ ; car on était aux environs de Noël et la campagne était toute blanche ; elle le tenait par le bras, à l'autre était accroché son panier ; le vent agitait les longues dentelles de sa coiffure cauchoise[2], qui lui passaient quelquefois sur la bouche, et, lorsqu'il tournait la
25 tête, il voyait près de lui, sur son épaule, sa petite mine rosée qui souriait silencieusement, sous la plaque d'or de son bon-net. Pour se réchauffer les doigts, elle les lui mettait, de temps en temps, dans la poitrine. Comme c'était vieux tout cela ! Leur fils, à présent, aurait trente ans ! Alors il regarda
30 derrière lui, il n'aperçut rien sur la route. Il se sentit triste comme une maison démeublée ; et, les souvenirs tendres se mêlant aux pensées noires dans sa cervelle obscurcie par les vapeurs de la bombance, il eut bien envie un moment d'aller faire un tour du côté de l'église. Comme il eut peur, cepen-
35 dant, que cette vue ne le rendît plus triste encore, il s'en revint tout droit chez lui.

M. et Mme Charles arrivèrent à Tostes, vers six heures. Les voisins se mirent aux fenêtres pour voir la nouvelle femme de leur médecin.
40 La vieille bonne se présenta, lui fit ses salutations, s'excusa de ce que le dîner n'était pas prêt, et engagea Madame, en attendant, à prendre connaissance de sa maison.

1. *Guimpe : au sens ici de plastron formant dos, en mousseline ou en tulle et montant jusqu'au cou.*
2. *La coiffure cauchoise est une coiffe haute portée traditionnellement par les femmes du pays de Caux.*

Cavales et cavalcades du roman

Dans un cours professé aux États-Unis en 1948, Vladimir Nabokov parcourt Madame Bovary. *Entre autres remarques, il signale l'importance du thème du cheval dans tout le roman. Freud voyait dans le cheval un symbole de sexualité, mais peut-être suffit-il d'évoquer le rapport métaphorique entre chevauchée, évasion, érotisme et sexe, rapport dégradé en lieu commun et ingrédient obligé de la littérature romanesque :*

Le thème commence par : « Une nuit, [Charles et sa femme] furent réveillés par le bruit d'un cheval qui s'arrêta juste à la porte. » Un messager vient de la part du vieux Rouault, qui s'est cassé la jambe.

Au moment où Charles approche de la ferme où dans une minute il va faire la connaissance d'Emma, son cheval fait un violent écart, comme effrayé par l'ombre de leur destin à tous deux. (...)

Au moment où les invités rentrent éméchés du mariage, au clair de lune, des carrioles emportées courent au grand galop. (...)

Les bonnes religieuses, dans l'un des souvenirs au couvent d'Emma, lui avaient donné tant de bons conseils pour la modestie du corps et le salut de son âme qu'elle « fit comme les chevaux que l'on tire par la bride : elle s'arrêta court et le mors lui sortit des dents ». (...)

Au moment où son mari et elle quittent le château, ils voient le vicomte et d'autres cavaliers passer au galop. (...)

La première conversation d'Emma avec Léon commence sur le thème du cheval : « Si vous étiez comme moi, dit Charles, sans cesse obligé d'être à cheval... » « Mais, reprit Léon s'adressant à Emma, rien n'est plus agréable, il me semble... » Fort agréable, en effet.

Rodolphe suggère à Charles que se promener à cheval ferait beaucoup de bien à Emma. (...)

Plus tard, lorsqu'elle lit la lettre que son père lui envoie de la ferme, elle évoque la ferme, les poulains qui hennissaient et galopaient, galopaient.

Nous pouvons trouver une grotesque distorsion du thème dans le type de pied-bot (un « équin ») du jeune Hyacinthe, que Bovary tente de guérir.

Emma offre à Rodolphe une belle cravache. (...)

Lorsque Emma rêve d'une nouvelle vie avec Rodolphe, sa première pensée est que « au galop de quatre chevaux elle était emportée » vers l'Italie.

C'est dans un tilbury bleu qui passe à grand trot que Rodolphe sort de sa vie.

Autre scène fameuse — Emma et Léon dans le fiacre aux rideaux baissés. Le thème du cheval est devenu considérablement plus vulgaire.

Dans les derniers chapitres, l'« Hirondelle », la diligence entre Yonville et Rouen, commence à jouer un rôle considérable dans sa vie.

A Rouen, elle aperçoit un instant le cheval noir du vicomte, un souvenir.

Durant sa dernière et tragique visite à Rodolphe qui, lorsqu'elle lui demande de l'argent, lui répond qu'il n'en a pas, elle désigne du doigt, avec de sarcastiques commentaires, les coûteux ornements de sa cravache. (...)

Après sa mort, un jour où il est allé vendre son vieux cheval — sa dernière ressource —, Charles rencontre Rodolphe. Il sait maintenant que Rodolphe a été l'amant de sa femme. C'est la fin du thème du cheval.

VLADIMIR NABOKOV, 1948, traduction française 1983, « Madame Bovary » in *Littérature 1*, réédition Livre de poche, 1987.

V

La façade de briques était juste à l'alignement de la rue,
ou de la route plutôt. Derrière la porte se trouvaient accrochés un manteau à petit collet, une bride, une casquette de
cuir noir, et, dans un coin, à terre, une paire de houseaux[1]
5 encore couverts de boue sèche. A droite était la salle, c'est-
à-dire l'appartement où l'on mangeait et où l'on se tenait.
Un papier jaune-serin, relevé dans le haut par une guirlande
de fleurs pâles, tremblait tout entier sur sa toile mal tendue ;
des rideaux de calicot[2] blanc, bordés d'un galon rouge,
10 s'entrecroisaient le long des fenêtres, et sur l'étroit chambranle de la cheminée resplendissait une pendule à tête
d'Hippocrate[3], entre deux flambeaux d'argent plaqué, sous
des globes de forme ovale. De l'autre côté du corridor était le
cabinet de Charles, petite pièce de six pas de large environ,
15 avec une table, trois chaises et un fauteuil de bureau. Les
tomes du *Dictionnaire des sciences médicales*[4], non coupés,
mais dont la brochure avait souffert dans toutes les ventes
successives par où ils avaient passé, garnissaient presque à
eux seuls, les six rayons d'une bibliothèque en bois de sapin.
20 L'odeur des roux[5] pénétrait à travers la muraille, pendant les
consultations, de même que l'on entendait de la cuisine, les
malades tousser dans le cabinet et débiter toute leur histoire.
Venait ensuite, s'ouvrant immédiatement sur la cour, où se
trouvait l'écurie, une grande pièce délabrée qui avait un
25 four, et qui servait maintenant de bûcher, de cellier, de
garde-magasin[6], pleine de vieilles ferrailles, de tonneaux
vides, d'instruments de culture hors de service, avec quantité d'autres choses poussiéreuses dont il était impossible de
deviner l'usage ⟨i⟩ .
30 Le jardin, plus long que large, allait entre deux murs de
bauge[7] couverts d'abricots en espalier, jusqu'à une haie
d'épine qui le séparait des champs. Il y avait, au milieu, un
cadran solaire en ardoise, sur un piédestal de maçonnerie ;
quatre plates-bandes garnies d'églantiers maigres entou-
35 raient symétriquement le carré plus utile des végétations
sérieuses. Tout au fond, sous les sapinettes[8], un curé de plâtre lisait son bréviaire.

1. *Houseau : sorte de jambière, simu-
lant la tige d'une botte.*
2. *Calicot : toile de coton assez grossière, initialement fabriquée à Calicut,
ville des Indes.*
3. *Hippocrate : médecin grec (v.
460-v. 377), considéré traditionnellement comme l'initiateur de la science
médicale. Son Serment fixa la déontolo-
gie de la profession.*
4. *Le Dictionnaire des sciences médicales, par une société de médecins et
de chirurgiens, fut publié par Chauneton
et Mérat de 1812 à 1822. Il comportait
60 volumes.*
5. *Roux : préparation de farine et de
beurre pour lier les sauces.*
6. *Garde-magasin : au sens figuré, un
garde-magasin étant proprement un
employé chargé de garder un magasin,
un entrepôt.*
7. *Bauge : mortier fait de terre et de
paille.*
8. *Sapinette : nom courant du sapin du
Canada et de l'épicéa.*

Le décor comme répétition

Un principe de reduplication semble gouverner les différents lieux où réside Emma, alors même qu'elle tente de les rendre semblables à ses rêves, de les faire se conformer à son idéal chimérique :

« Flaubert décrit un monde caractérisé par l'étroitesse, un monde oblong. De plus ce décor est délabré, rempli d'objets ayant perdu leur beauté, attestant le passage du temps. Cela laisse mal augurer de l'avenir d'Emma. Comment pourrait-il se passer du nouveau dans un décor qui se répète et qui n'est qu'une copie de soi-même : le couvent, les Bertaux, Tostes, Yonville ? (...) Comment les rêves d'Emma pourraient-ils éclore dans un monde où triomphe la matière et où Emma elle-même, victime et bourreau à la fois, aide à ce triomphe par le désir de posséder qui la pousse à acheter chez Lheureux ? (...) et ne peut-on voir un signe dans cette démarche d'Emma qui va chercher la mort dans le capharnaüm d'Homais ? »

CLAUDINE VERCOLLIER, 1978, « Le décor et sa signification dans *Madame Bovary* », Les amis de Flaubert, n° 50, p. 37.

Emma monta dans les chambres. La première n'était point meublée ; mais la seconde, qui était la chambre conjugale, avait un lit d'acajou dans une alcôve à draperie rouge. Une boîte en coquillages décorait la commode ; et, sur le
5 secrétaire, près de la fenêtre, il y avait, dans une carafe, un bouquet de fleurs d'oranger, noué par des rubans de satin blanc. C'était un bouquet de mariée, le bouquet de l'autre ! Elle le regarda. Charles s'en aperçut, il le prit et l'alla porter au grenier, tandis qu'assise dans un fauteuil (on disposait ses
10 affaires autour d'elle), Emma songeait à son bouquet de mariage, qui était emballé dans un carton, et se demandait en rêvant, ce qu'on en ferait, si par hasard elle venait à mourir ①.

Elle s'occupa, les premiers jours, à méditer des change-
15 ments dans sa maison. Elle retira les globes des flambeaux, fit coller des papiers neufs, repeindre l'escalier et faire des bancs dans le jardin, tout autour du cadran solaire ; elle demanda même comment s'y prendre pour avoir un bassin à jet d'eau avec des poissons. Enfin son mari, sachant
20 qu'elle aimait à se promener en voiture, trouva un boc¹ d'occasion, qui, ayant une fois des lanternes neuves et des garde-crotte en cuir piqué, ressembla presque à un tilbury².

Il était donc heureux et sans souci de rien au monde. Un repas en tête-à-tête, une promenade le soir sur la grande
25 route, un geste de sa main sur ses bandeaux, la vue de son chapeau de paille accroché à l'espagnolette d'une fenêtre, et bien d'autres choses encore où Charles n'avait jamais soupçonné de plaisir, composaient maintenant la continuité de son bonheur. Au lit, le matin, et côte à côte sur l'oreiller, il
30 regardait la lumière du soleil passer parmi le duvet de ses joues blondes, que couvraient à demi les pattes escalopées de son bonnet. Vus de si près, ses yeux lui paraissaient agrandis, surtout quand elle ouvrait plusieurs fois de suite ses paupières en s'éveillant ; noirs à l'ombre et bleu foncé au
35 grand jour ②, ils avaient comme des couches de couleurs successives, et qui, plus épaisses dans le fond, allaient en s'éclaircissant vers la surface de l'émail. Son œil, à lui, se perdait dans ces profondeurs, et il s'y voyait en petit jusqu'aux épaules, avec le foulard qui le coiffait et le haut de
40 sa chemise entrouvert. Il se levait. Elle se mettait à la fenêtre pour le voir partir ; et elle restait accoudée sur le bord, entre deux pots de géraniums, vêtue de son peignoir, qui était lâche autour d'elle. Charles, dans la rue, bouclait ses épe-

1. Boc : abréviation de boghei, voiture proche du tilbury, à deux places, ou d'un petit cabriolet découvert.
2. Tilbury : du nom du carrossier anglais qui le mit au point, cette voiture à cheval était un cabriolet à deux places, découvert et léger, utilisé en ville pour les sorties du matin. Elle connotait l'élégance.

Les vitesses narratives

Dans Figures III *(Seuil, 1972), Gérard Genette propose de distinguer quatre vitesses narratives principales, ou mouvements narratifs, selon les rapports entretenus entre le temps de l'histoire (événements racontés) TH, et le temps du récit (le discours qui les raconte) TR :*

— la PAUSE :

$$TR = n \qquad TH = O$$

L'exemple privilégié est la description, qui se présente parfois selon le modèle balzacien, comme le tableau d'Yonville (avec cependant des perturbations, voir le contexte p. 186), mais le plus souvent en fonction de la démarche ou le regard d'un ou plusieurs personnages. Son déroulement épouse la durée du parcours, comme c'est ici le cas, ou de la contemplation immobile, comme la scène dans le jardin de Tostes (p. 186), celle du pavillon de la Vaubyessard (p. 171) ou la vue — itérative — de Rouen (p. 602 et contexte p. 603).

— la SCÈNE :

$$TR = TH$$

exemple : la conversation entre Emma et Bournisien, le curé (p. 000 sq)

— le RÉCIT SOMMAIRE :

$$TR < TH$$

exemple : le résumé des années parisiennes de Léon au début de la troisième partie (p. 545).

— l'ELLIPSE :

$$TR = O \qquad TH = n$$

l'exemple le plus justement célèbre de tout l'œuvre flaubertien se situe dans l'Éducation sentimentale, au début de l'avant-dernier chapitre :

« Il voyagea.
Il connut la mélancolie des paquebots, les froids réveils sous la tente, l'étourdissement des paysages et des ruines, l'amertume des sympathies interrompues.
Il revint. »

Si l'on ne trouve pas dans Madame Bovary *un tel blanc narratif, si admiré de Marcel Proust, l'on peut signaler celui entre les chapitres VII et VIII de la deuxième partie : « voilà les comices bientôt ; elle y sera, je la verrai » / « Ils arrivèrent, en effet, ces fameux Comices ! » (pp. 340-344).*
Ajoutons que, selon Genette, l'on perçoit encore dans Madama Bovary, *« le vrai rythme du canon romanesque (...) alternance de sommaires non dramatiques à fonction d'attente et de liaison, et de scènes dramatiques dont le rôle dans l'action est décisif. » (op. cit. p. 142)*

② **Le bleu dans le noir**

(Victor Hugo, titre du chapitre V du livre II de la deuxième partie de l'Homme qui rit, 1869)

Emma possède à la fois de grands yeux noirs, de longs cheveux noirs, et un teint pâle, et cette combinaison la singularise dans le roman, comme le montre Claudine Gothot-Mersch (« La description des visages dans Madame Bovary », Littérature n° 15, 1974). Le portrait de Charles (cheveux qualifiés de « crinière », « belles couleurs »...) s'oppose à celui de sa femme. Rodolphe, s'il a le teint hâlé, a des cheveux noirs, et Léon, s'il est blond, a de grands yeux, bleus, ce qui le poétise. Dans l'ensemble « le système des portraits recouvre le système des positions respectives des personnages » (op. cit. p. 20). D'ailleurs, agonisante, Emma, de rose qu'elle était dans la séduction, devient blanche, d'une blancheur indice de mort qui tend vers le bleuâtre, et Charles, après la mort d'Emma, aura dans ses yeux l'éclat noir de ceux de la disparue quand il rencontrera Rodolphe, et ses lèvres frémiront comme celles d'Emma dans les moments de vertige sensuel : il devient Emma.

De plus, les portraits, et en particulier celui d'Emma, font appel à toute une mythologie ironiquement distanciée : teint blanc aristocratique et exotique à la fois, force symbolique de la chevelure noire, érotique et maléfique... On peut d'ailleurs se demander quelle est la part de la physiognomonie (correspondance entre les traits du visage et le tempérament) dans le système flaubertien, et même s'il est complètement ironisé. Cependant, un problème demeure : le changement de couleur des yeux d'Emma (voir également p. 341). Claudine Gothot-Mersch pense que Flaubert a voulu faire profiter son héroïne « tantôt des valeurs sombres, tantôt des valeurs claires » et qu'« il sacrifie à ce dessein la réalité physique du personnage » (voir le contexte p. 183). Le portrait ne renverrait plus alors à un référent, mais à un système de valeurs. Loïc Héry propose de systématiser cette perspective :

« Examinant [...] la couleur des yeux, on constate que tout le monde a les yeux bleus (Rouault, Léon, Berthe, Justin, le mendiant), sauf Rodolphe ("elle distinguait dans ses yeux des petits rayons d'or s'irradiant autour des pupilles noires") et Lheureux, qui, comme le réclame son rôle, a de "petits yeux noirs". Charles Bovary, quant à lui, n'a

d'œil que rouge — couleur due aux larmes et n'appartenant pas en propre à l'œil : une fois encore, Charles est incolore.

Les yeux d'Emma, pour leur part, suivent une évolution tout à fait étonnante. Ils sont tout d'abord bruns : "quoiqu'ils fussent bruns, ils semblaient noirs à cause des cils". Ils deviennent bleus un peu plus tard : "noirs à l'ombre et bleu foncé au grand jour". Puis le noir les envahit définitivement : "Ses yeux noirs semblaient plus noirs" ; "ses grands yeux noirs tout ouverts" ; "de belles dents, les yeux noirs, le pied coquet".

[...] Si l'on accepte l'idée [...] que cette couleur serait une sorte de marqueur structurel, un petit signal émis périodiquement à proximité du personnage d'Emma afin d'en souligner la singularité, elle participerait à la construction de cette singularité — ce qui n'implique pas que tout ce qui est bleu soit d'Emma, de la même façon qu'Emma est rêve sans que tout rêve lui appartienne.

Si nous employons le terme de "marqueur structurel", c'est que le bleu reparaît régulièrement dans le cours du roman, s'attachant au personnage principal et lui apportant une certaine épaisseur, sans pour

LA GAZETTE DES CONTEXTES

autant le nourrir de signification : c'est un petit élément, qui participe à la construction du roman, à sa structuration — certes, un simple atome de cette boue à partir de laquelle et sur laquelle se façonnent les personnages et l'action, et, dans le même temps, beaucoup plus qu'un simple atome, puisqu'il ponctue l'avance de "l'héroïne", lui appose comme un signe diacritique, ce qui le distingue des autres composants de l'alphabet romanesque.

Si l'on s'autorise de cette hypothèse, on peut trouver sens à ce que nous avons d'abord cru être une incohérence : l'œil brun est attribué à "Mlle Emma", une jeune fille en attente d'avenir, à la ferme des Bertaux ; cet œil devient bleu au début du chapitre V de la première partie : la noce est alors achevée, Emma vient de s'installer à Tostes. Sa destinée est engagée, elle a perdu son nom original — c'est un autre personnage : non plus Mlle Rouault, mais Madame Bovary.

La modification de la couleur des yeux, en ce sens, ne correspondrait plus à une incohérence, mais à l'affirmation de la mutation du personnage et de l'enclenchement de son destin ; à un autre niveau, cela viserait également à mettre en évidence, par un contraste détonant, le rôle de la couleur bleue, suffisamment peu évident pour qu'il soit nécessaire d'y attirer l'attention du lecteur.

Cette hypothèse pourrait être confirmée par le fait que l'œil d'Emma ne devient bleu qu'en une occasion. Plus tard, le noir, toujours présent à l'arrière-plan et soulignant l'iris, va envahir la couleur de l'œil. Ainsi ce dernier ne devient bleu que le temps de signaler qu'il n'est plus brun, ce qui renforce ce que nous avons appelé sa fonction de signal.

On relèvera pour finir que, quand l'œil d'Emma est pour la première fois noir sans autre indication de teinte ("ses yeux noirs semblaient plus noirs"), la phrase suivante indique le passage d'une lueur bleue sur ses cheveux ("ses bandeaux [...] luisaient d'un éclat bleu"). »

LOÏC HÉRY, 1984, « Les couleurs dans *Madame Bovary* », DEA sous la direction de Pierre Barbéris, Université de Caen, avec son aimable autorisation.

On peut ironiser sur la spéculation herméneutique qui interroge chaque détail de la description, et un certain sourire anglo-saxon se dessine alors :

« Yeux bruns, yeux bleus. Cela est-il important ? Non pas : est-il important que l'auteur se contredise ? Mais leur couleur est-elle importante ? Je suis désolée pour les romanciers quand ils doivent mentionner la couleur des yeux des femmes : il n'y a pas beaucoup de choix et, quelle que soit la couleur décidée, on risque la banalité. Ses yeux sont bleus : innocence et honnêteté. Ses yeux sont noirs : passion et profondeur. Ses yeux sont vers : violence et jalousie. Ses yeux sont bruns : sûreté et sens commun. Ses yeux sont violets : le roman est de Raymond Chandler. Comment éviter tout cela sans la musette d'une parenthèse sur le caractère de la dame ? »

JULIAN BARNES, 1980. *Le Perroquet de Flaubert,* traduction française, 1986, Stock, p. 96, réédition Livre de poche, 1987.

rons sur la borne ; et elle continuait à lui parler d'en haut, tout en arrachant avec sa bouche quelque bribe de fleur ou de verdure qu'elle soufflait vers lui, et qui voltigeant, se soutenant, faisant dans l'air des demi-cercles comme un oiseau,
5 allait, avant de tomber, s'accrocher aux crins mal peignés de la vieille jument blanche, immobile à la porte. Charles, à cheval, lui envoyait un baiser ; elle répondait par un signe, elle refermait la fenêtre, il partait. Et alors, sur la grande route qui étendait sans en finir son long ruban de poussière,
10 par les chemins creux où les arbres se courbaient en berceaux, dans les sentiers dont les blés lui montaient jusqu'aux genoux, avec le soleil sur ses épaules et l'air du matin à ses narines, le cœur plein des félicités de la nuit, l'esprit tranquille, la chair contente, il s'en allait ruminant son bonheur,
15 comme ceux qui mâchent encore, après dîner, le goût des truffes qu'ils digèrent.

Jusqu'à présent, qu'avait-il eu de bon dans l'existence ? Était-ce son temps de collège, où il restait enfermé entre ces hauts murs, seul au milieu de ses camarades plus riches ou
20 plus forts que lui dans leurs classes, qu'il faisait rire par son accent, qui se moquaient de ses habits, et dont les mères venaient au parloir avec des pâtisseries dans leur manchon ? Était-ce plus tard, lorsqu'il étudiait la médecine et n'avait jamais la bourse assez ronde pour payer la contredanse[1] à
25 quelque petite ouvrière qui fût devenue sa maîtresse ? Ensuite il avait vécu pendant quatorze mois avec la veuve, dont les pieds, dans le lit, étaient froids comme des glaçons. Mais, à présent, il possédait pour la vie cette jolie femme qu'il adorait. L'univers, pour lui, n'excédait pas le tour
30 soyeux de son jupon ; et il se reprochait de ne pas l'aimer, il avait envie de la revoir ; il s'en revenait vite, montait l'escalier, le cœur battant. Emma, dans sa chambre, était à faire sa toilette ; il arrivait à pas muets, il la baisait dans le dos, elle poussait un cri.
35 Il ne pouvait se retenir de toucher continuellement à son peigne, à ses bagues, à son fichu ; quelquefois, il lui donnait sur les joues de gros baisers à pleine bouche, ou c'étaient de petits baisers à la file, tout le long de son bras nu, depuis le bout des doigts jusqu'à l'épaule ; et elle le repoussait, à demi
40 souriante et ennuyée, comme on fait à un enfant qui se pend après vous.

Avant qu'elle se mariât, elle avait cru avoir de l'amour ; mais le bonheur qui aurait dû résulter de cet amour n'étant

pas venu, il fallait qu'elle se fût trompée, songeait-elle. Et Emma cherchait à savoir ce que l'on entendait au juste dans la vie par les mots de *félicité*, de *passion* et d'*ivresse*, qui lui avaient paru si beaux dans les livres ⟨1⟩ ⟨2⟩.

Emma Bovary ou Doña Quichotte

Le rapprochement entre Don Quichotte *et* Madame Bovary *a été souvent établi. Comme le dit Mario Vargas Losa « le Manchègue fut inadapté à la vie par la faute de son imagination et de certaines lectures, et, tout comme la jeune Normande, sa tragédie consista à vouloir insérer ses rêves dans la réalité ». (L'Orgie perpétuelle, Gallimard, 1978, p. 118.) Flaubert écrivait d'ailleurs à Louise Colet le 22 novembre 1852 : « Ce qu'il y a de prodigieux dans* Don Quichotte *c'est l'absence d'art et cette perpétuelle fusion de l'illusion et de la réalité qui en fait un livre si comique et si poétique. »*

Certains commentateurs ont voulu systématiser la comparaison. Ainsi à propos des colères d'Emma :

« La psychologie de Don Quichotte est celle d'un sanguin colérique selon la physiologie humorale de son temps (...) C'est une colère stéréotypée qui nous amuse, mais qui ne nous touche pas (...), c'est toujours une rage extrême, mais sans raisons profondes. La colère de Madame Bovary (...) est la colère enracinée d'une orgueilleuse qui désire des amants supérieurs et hait son mari comme partenaire inadéquat et comme médecin incapable (...) Émma lâche ou retient sa colère selon les circonstances. (...) Voici la présentation sans faute du type moderne de la coléreuse. (...) Sancho est un drôle et un hâbleur (...) La stupidité et la simplicité de Charles Bovary ne sont pas si drôles, (c'est) l'homme handicapé et écrasé par le monde moderne. »

HELMUT HATZFELD,
1979,
« Le réalisme moderne dans *Don Quichotte et Madame Bovary* » in *Essais sur Flaubert en l'honneur du professeur Demorest,* Nizet, pp. 273-275.

Peut-on théoriser ce rapport entre les deux romans ? Mikhaïl Bakhtine le pense. Il distingue ce qu'il appelle les romans de la première ligne stylistique, au langage et au style uniques, sans plurilinguisme social, qui sert de fond à son dialogue et auquel sont relatés, de manière polémique et apologétique, le langage et l'univers du roman, et ceux de la seconde ligne où s'introduit dans le corps du roman le plurilinguisme social, utilisé pour orchestrer le sens, aboutissant à une conception du roman comme intégrant toutes les voix socio-idéologiques de l'époque.

Parmi ses caractéristiques, en plus de la plénitude des points de vue, on peut définir sa critique de la littérarité :

« Contrebalançant la catégorie de la littérarité, le roman de la seconde ligne met en avant la critique du discours littéraire en tant que tel, et avant tout du discours romanesque. C'est une *autocritique du discours*, singularité essentielle du genre romanesque. Le discours est critiqué dans son rapport à la réalité : pour sa prétention à la refléter de façon exacte, à la régenter et la remanier (prétentions utopiques), à la remplacer comme son succédané (rêve et invention remplaçant la vie). Déjà dans *Don Quichotte* le discours romanesque littéraire est mis à l'épreuve de la vie, de la réalité. Et au cours de son évolution ultérieure, le roman de la seconde ligne demeure, pour une grande part, celui de l'épreuve du discours littéraire, et en outre l'on peut observer deux types différents de cette épreuve. Le premier type concentre la critique et l'épreuve du discours littéraire autour du héros, de "l'homme littéraire", qui voit la vie par les yeux de la littérature et tente de vivre "selon la littérature". Don Quichotte et Madame Bovary en sont les exemples les plus connus, mais tout grand roman, ou presque, contient un "homme littéraire", et, conjointement, la mise à l'épreuve du discours littéraire : tels sont, à des degrés plus ou moins importants, tous les héros de Balzac, Dostoïevski, Tourguéniev, et autres. Seule diffère la part de cet élément dans l'ensemble du roman.

Le second type ("mise à nu du procédé", selon la terminologie des formalistes) introduit l'auteur qui a écrit le roman, toutefois, pas en qualité de personnage mais comme l'auteur véritable de l'œuvre. Parallèlement au roman lui-même, on trouve des fragments de "roman sur le roman". »

MIKHAIL BAKHTINE, 1975, *Esthétique et théorie du roman*, traduction française 1978, Gallimard p. 222.

Jean-Pierre Richard élargit la réflexion sur le don-quichottisme d'Emma :

« L'attitude de Flaubert vis-à-vis des conformismes reste violemment contradictoire. Il les recherche mais les déteste, les prête à ses héros tout en voulant s'en affranchir lui-même, et sans doute afin de mieux s'en affranchir (...). Il accuse alors la réalité de mentir à son attente, constate avec amertume l'écart qui sépare le sentiment de son "idée", la sensation de son "image" et plus généralement la réalité de son expression. Il accuse les mots de lui avoir menti : est-ce donc là ce que l'on nomme amour, se demande Emma Bovary ? Est-ce là ce qu'on nomme science, demandent Bouvard et Pécuchet ? La plasticité de l'expérience a fait craquer les cadres que l'on avait voulu coller sur elle, et l'on se retrouve dans le désastre, l'innommable.

Emma se sent ainsi perdue au moment où elle aperçoit que le fait ne coïncide plus avec la notion qu'elle s'en était formée. Mais de cette désillusion elle ne devrait en fait accuser qu'elle-même ; car elle ne réalise cet écart que pour s'être un jour demandé s'il y avait vraiment coïncidence. Eût-elle joué jusqu'au bout le jeu romanesque, elle eût vécu ses amours comme de vraies amours livresques : mais elle doute, s'inquiète, elle essaie de se rassurer sur la réalité de son rêve, et elle tâche pour cela de le vérifier dans la vie, dans les choses. Bref elle fait des expériences, et ces expériences finissent mal, tout comme celles de Bouvard et Pécuchet, parce que l'illusion ne peut sans se détruire sortir de son propre domaine. Don Quichotte, héros favori de Flaubert, ne doute pas une

seconde que les moulins ne soient de vrais géants : pourquoi vérifier ce qu'il *sait* être vrai ? (...) On ne peut en effet à la fois ordonner à sa plasticité de se couler dans certains moules, et lui rendre toute sa liberté pour voir si elle s'y coulera vraiment. Bref dans un monde illusoire ou littéraire, c'est le doute seul qui est mortel ; et il faudrait peut-être voir en *Madame Bovary* bien moins le procès de l'illusion romanesque que le procès d'un romanesque incapable de soutenir jusqu'au bout ses illusions. Procès d'un romantisme en qui vingt ans d'excès ont détruit le pouvoir de croire à ses propres fictions, d'une littérature réduite à s'avouer n'être que littérature. »

JEAN-PIERRE RICHARD, 1954, « La création de la forme chez Flaubert » in *Poésie et profondeur*, Seuil, pp. 201-202.

Lectures et don-quichottisme

« Or, il faut savoir que, pendant les moments où notre gentilhomme était oisif (et c'était presque toute l'année), il s'adonnait à la lecture des livres de chevalerie, mais avec tant de passion et de plaisir qu'il en oubliait presque entièrement la chasse et le soin de ses affaires ; il en vint même à un tel point d'extravagance qu'il vendit plusieurs pièces de bonne terre pour acheter des romans de chevalerie, et il emplit ainsi sa maison de tous ceux qu'il put trouver. [...]

En un mot, notre gentilhomme s'acharna tellement à sa lecture qu'il y passait ses nuits blanches et ses journées entières ; et, à force de lire sans presque plus dormir, il se dessécha le cerveau, tant et si bien qu'il en perdit le jugement. Il se remplit l'imagination de tout ce qu'il avait lu : de sorte que son esprit n'était plus qu'un magasin d'enchantements, de querelles, de défis, de batailles, de blessures, d'amours, de passions, de tourments, et de folles invraisemblances. Bientôt toutes ces inventions lui parurent l'histoire la plus véridique. »

CERVANTES, 1605,
Don Quichotte de la Manche,
chapitre un.

 # Variation sur la discordance

« *Elle n'était point comme lui changée. Un tiers, qui les eût observés vis-à-vis l'un de l'autre, n'eût point remarqué dans son regard le tremblement de plaisir continu, qui brillait comme une étoile dans les yeux de Charles, lorsqu'il la considérait. Elle n'avait point ces expansions caressantes, ces joies causeuses, ce dévidoir sans fin de tendresses monotones qu'il lui déroulait à ses genoux ; et si d'elle-même elle allait à lui quelquefois, c'est quand elle s'apercevait qu'il se retenait lui-même, de crainte de la gêner, seule-ment pour lui faire plaisir, par condescendance, par savoir-vivre, plutôt que par penchant naturel.*

Elle ne comprenait rien à ces effusions de sentiment qui lui flattaient néanmoins puisqu'elle s'en savait être la cause. Elle s'étonnait de n'en pas sentir de pareils et naïve-ment prêtait attention en son cœur pour les entendre venir. Calme, au contraire, une fois la curiosité du sexe satisfaite, elle éprouvait seulement dans la société de Charles, le charme paisible d'une bonne camaraderie, en y ajoutant le plaisir d'être débarrassée des paysans, de faire ce qu'elle voulait et de vivre chez elle, dans son ménage.

Avant de se marier, elle avait cru sentir de l'amour, et cet amour ayant eu sa conclusion heureuse par le mariage, et le bonheur étonnant qui en doit résulter n'étant pas venu, elle s'était donc trompée et elle n'avait pas eu d'amour ! et à quoi bon s'être mariée ?»

POMMIER-LELEU, p.
182.

VI

Elle avait lu *Paul et Virginie*[1] et elle avait rêvé la maisonnette de bambous, le nègre Domingo, le chien Fidèle, mais surtout l'amitié douce de quelque bon petit frère, qui va chercher pour vous des fruits rouges dans des grands arbres
5 plus hauts que des clochers, ou qui court pieds nus sur le sable, vous apportant un nid d'oiseau ①.

Lorsqu'elle eut treize ans, son père l'amena lui-même à la ville, pour la mettre au couvent. Ils descendirent dans une auberge du quartier Saint-Gervais[2], où ils eurent à leur sou
10 per des assiettes peintes qui représentaient l'histoire de mademoiselle de la Vallière[3]. Les explications légendaires[4], coupées çà et là par l'égratignure des couteaux, glorifiaient toutes la religion, les délicatesses du cœur et les pompes de la Cour.
15 Loin de s'ennuyer au couvent les premiers temps, elle se plut dans la société des bonnes sœurs, qui, pour l'amuser, la conduisaient dans la chapelle, où l'on pénétrait du réfectoire par un long corridor. Elle jouait fort peu durant les récréations, comprenait bien le catéchisme, et c'est elle qui répon
20 dait toujours à M. le vicaire dans les questions difficiles. Vivant donc sans jamais sortir de la tiède atmosphère des classes et parmi ces femmes au teint blanc portant des chapelets à croix de cuivre, elle s'assoupit doucement à la langueur mystique qui s'exhale des parfums de l'autel, de la
25 fraîcheur des bénitiers et du rayonnement des cierges. Au lieu de suivre la messe, elle regardait dans son livre les vignettes pieuses bordées d'azur, et elle aimait la brebis malade[5], le Sacré-Cœur percé de flèches aiguës[6], ou le pauvre Jésus, qui tombe en marchant sur sa croix[7]. Elle essaya,
30 par mortification, de rester tout un jour sans manger. Elle cherchait dans sa tête quelque vœu à accomplir.

Quand elle allait à confesse, elle inventait de petits péchés, afin de rester là plus longtemps, à genoux dans l'ombre, les mains jointes, le visage à la grille sous le chucho
35 tement du prêtre ①. Les comparaisons de fiancé, d'époux, d'amant céleste et de mariage éternel[8] qui reviennent dans

L'influence des livres, autre mouture

« *Toute petite, elle avait aimé d'abord les marraines des Contes de Fées, habillées comme des soleils, qui descendaient du ciel vers vous dans des nuages roses, changeaient les prairies en pièce de satin, les citrouilles en carrosses, les groseilles en rubis, et qui, touchant de leur baguette les tulipes du parterre, les faisaient aussitôt parler comme des parents, pour gronder les petites filles. Ensuite, son cœur s'était ému aux charités enfantines des choses du second âge (Exemples de la Jeunesse, Veillées du Château, Jeunes Marins célèbres, etc.), tous pleins d'actions vertueuses et de personnages sensibles: domestiques se sacrifiant pour leurs maîtres, demoiselles faisant l'aumône à des invalides à la porte des châteaux, princesses de sang royal qui visitent la chaumière des paysans, chiens qui sauvent des voyageurs, hommes qui pansent la patte des lions, enfants perdus, mères retrouvées, orphelins sur la paille. Elle lisait, debout devant les vitres de la fenêtre, et le livre par la tranche appuyé contre sa poitrine, tournant les pages de son petit doigt poissé de confiture, tout en poussant de temps à autre*

un gros soupir, qui soulevait sa brassière blanche. Peu à peu cependant, ces tendresses-là s'en allèrent et bientôt aussi, elle n'espéra plus de marraine à diadème d'or pour la venir consoler quand elle pleurait. Ainsi désillusionnée des féeries, dont sa raison souriait et tourmentée déjà d'une sympathie vague qui cherchait de tous côtés où s'adresser, c'est alors qu'elle entra par hasard, comme en une serre chaude dans l'églogue des tropiques, où se grisèrent de poésie, s'enivrèrent ensemble ses appétits de sentiment et d'imagination. Elle versa sur le livre ses premières larmes d'amour. Elle s'enlaça tout entière dans les phrases ; elle eût voulu dormir entre les pages. Elle essaya dans le jardin de semer des graines pour voir pousser des arbres, elle enfouit en terre un noyau de pêche mais rien ne sortit l'année suivante et elle ne put même en retrouver la place. Un jour d'été qu'il faisait chaud, elle alla vers l'abreuvoir aux vaches sous la pompe. La pierre usée suintait un peu par les angles ; elle était vieille. On voyait de la mousse au fond et sous le soleil qui la frappait, l'eau

froide immobile semblait d'argent entre ses parois vertes. Alors, comme Virginie durant les nuits, elle voulut s'y baigner : assise sur le bord et les bas déjà retirés, elle entrait ses jambes dans l'eau, quand sa mère arriva tout en courant, lui donna deux soufflets sur les joues et la fit rentrer à la maison. Les jours de fête, elle jouait quelquefois avec le fils du charpentier leur voisin. Il était de six mois plus âgé qu'elle, mais craintif et tout lourdaud. Isidore n'osait pas seulement grimper sur la couverture de la bouillerie, pour cueillir des iris. Ce n'est pas lui qui l'eût portée sur [son] dos à travers les torrents. Et d'ailleurs, jaloux de tout ce qu'elle avait, il se précipitait même comme un vorace sur ses tartines de compote. Alors elle s'enfuyait pour l'éviter, car elle était vive comme un chevreau. »

POMMIER-LELEU, pp. 183-184.

les sermons lui soulevaient au fond de l'âme des douceurs inattendues ①.

Le soir, avant la prière, on faisait dans l'étude une lecture religieuse. C'était, pendant la semaine, quelque résumé 5 d'Histoire sainte ou les *Conférences* de l'abbé Frayssinous[1], et, le dimanche, des passages du *Génie du christianisme*[2], par récréation. Comme elle écouta, les premières fois, la lamentation sonore des mélancolies[3] romantiques se répétant à tous les échos de la terre et de l'éternité ! Si son 10 enfance se fût écoulée dans l'arrière-boutique d'un quartier marchand, elle se serait peut-être ouverte alors aux envahissements lyriques de la nature, qui, d'ordinaire, ne nous arrivent que par la traduction des écrivains. Mais elle connaissait trop la campagne ; elle savait le bêlement des troupeaux, les 15 laitages, les charrues. Habituée aux aspects calmes, elle se tournait, au contraire, vers les accidentés. Elle n'aimait la mer qu'à cause de ses tempêtes, et la verdure seulement lorsqu'elle était clairsemée parmi les ruines[4]. Il fallait qu'elle pût retirer des choses une sorte de profit personnel ; et elle 20 rejetait comme inutile tout ce qui ne contribuait pas à la consommation immédiate de son cœur, — étant de tempérament plus sentimentale qu'artiste, cherchant des émotions et non des paysages ②.

Il y avait au couvent une vieille fille qui venait tous les 25 mois, pendant huit jours, travailler à la lingerie. Protégée par l'archevêché comme appartenant à une ancienne famille de gentilshommes ruinés sous la Révolution, elle mangeait au réfectoire, à la table des bonnes sœurs, et faisait avec elles, après le repas, un petit bout de causette avant de remonter à 30 son ouvrage. Souvent les pensionnaires s'échappaient de l'étude pour l'aller voir. Elle savait par cœur des chansons galantes du siècle passé, qu'elle chantait à demi voix, tout en poussant son aiguille. Elle contait des histoires, vous apprenait des nouvelles, faisait en ville vos commissions, et prêtait 35 aux grandes, en cachette, quelque roman qu'elle avait toujours dans les poches de son tablier, et dont la bonne demoiselle elle-même avalait de longs chapitres, dans les intervalles de sa besogne. Ce n'étaient qu'amours, amants, amantes, dames persécutées s'évanouissant dans des pavillons 40 solitaires, postillons qu'on tue à tous les relais, chevaux qu'on crève à toutes les pages, forêts sombres, troubles du cœur, serments, sanglots, larmes et baisers, nacelles[5] au clair de lune, rossignols dans les bosquets, *messieurs* braves

1. Frayssinous : cet ecclésiastique (1765-1841) fut aumônier du roi en 1821, grand maître de l'Université en 1822 et ministre des Affaires ecclésiastiques de 1824 à 1828. Auteur de la Défense du christianisme – recueil de conférences prononcées sous l'Empire et de la Restauration (il inaugura ainsi un genre qui fleurira avec Lacordaire) – il fut l'apôtre de la réaction religieuse.
2. Œuvre célèbre de Chateaubriand (1768-1848) parue en 1802 qui renouvela l'apologétique catholique en mettant l'accent sur le sentiment.
3. « Mélancolie. Signe de distinction du cœur et d'élévation de l'esprit. » (Dictionnaire des idées reçues.)
4. Ruines : « Font rêver et donnent de la poésie à un paysage. » (Dictionnaire des idées reçues.)
5. Nacelle : au sens vieilli et poétique de petit bateau à rames, sans voile.

② Au procès : pauvres petites filles !

Réquisitoire :

« Est-ce qu'il est naturel qu'une petite fille invente de petits péchés, quand on sait que, pour un enfant, ce sont les plus petits qu'on a le plus de peine à dire ? Et puis, à cet âge-là, quand une petite fille n'est pas formée, la montrer inventant de petits péchés dans l'ombre, sous le chuchotement du prêtre, en se rappelant ces comparaisons de fiancé, d'époux, d'amant céleste et de mariage éternel, qui lui faisaient éprouver comme un frisson de volupté, n'est-ce pas faire ce que j'ai appelé une peinture lascive ? »

Plaidoirie :

« Pour accommoder la religion à toutes les natures, on fait intervenir toutes sortes de petites choses chétives, misérables, mesquines. La pompe des cérémonies, au lieu d'être cette grande pompe qui nous saisit l'âme, cette pompe dégénère en petit commerce de reliques, de médailles, de petits bons dieux, de petites bonnes vierges. A quoi, messieurs, se prend l'esprit des enfants curieux et ardents, tendres, l'esprit des jeunes filles surtout ? A toutes ces images, affaiblies, atténuées, misérables de l'esprit religieux. Elles se font alors de petites religions de pratique, de petites dévotions de tendresse, d'amour, et au lieu d'avoir dans leur âme le sentiment de Dieu, le sentiment du devoir, elles s'abandonnent à des rêvasseries, à de petites pratiques, à de petites dévotions. Et puis vient la poésie, et puis viennent, il faut bien le dire, mille pensées de charité, de tendresse, d'amour mystique, mille formes qui trompent les jeunes filles, qui sensualisent la religion. Ces pauvres enfants, naturellement crédules et faibles, se prennent à tout cela, à la poésie, à la rêvasserie, au lieu de s'attacher à quelque chose de raisonnable et de sévère. D'où il arrive que vous avez beaucoup de femmes fort dévotes, qui ne sont pas religieuses du tout. Et quand le vent les pousse hors du chemin où elles devraient marcher, au lieu de trouver la force, elles ne trouvent que toute espèce de sensualités qui les égarent. »

① Le cœur simple et le cœur de Jésus

Dans Un Cœur simple *(publié dans les* Trois contes *en 1877), Flaubert reprend ce thème de l'appropriation identificatoire du discours religieux, pour en montrer cette fois les effets sur une âme simple, celle de Félicité :*

« Le prêtre fit d'abord un abrégé de l'Histoire sainte. Elle croyait voir le paradis, le déluge, la tour de Babel, des villes en flammes, des peuples qui mouraient, des idoles renversées ; et elle garda de cet éblouissement le respect du Très-Haut et la crainte de sa colère. Puis, elle pleura en écoutant la Passion. Pourquoi l'avaient-ils crucifié, lui qui chérissait les enfants, nourrissait les foules, guérissait les aveugles, et avait voulu, par douceur, naître au milieu des pauvres, sur le fumier d'une étable ? Les semailles, les moissons, les pressoirs, toutes ces choses familières dont parle l'Évangile, se trouvaient dans sa vie ; le passage de

Dieu les avait sanctifiées ; et elle aima plus tendrement les agneaux par amour de l'Agneau, les colombes à cause du Saint-Esprit.

Elle avait peine à imaginer sa personne ; car il n'était pas seulement oiseau, mais encore un feu, et d'autres fois un souffle. C'est peut-être sa lumière qui voltige la nuit aux bords des marécages, son haleine qui pousse les nuées, sa voix qui rend les cloches harmonieuses ; et elle demeurait dans une adoration, jouissant de la fraîcheur des murs et de la tranquillité de l'église. »

réalité externe, seront réglés par cette structure fondamentale de son attitude. Elle continuera à penser, à voir, et même à désirer d'après ce modèle qui est, évidemment, l'image de la consommation au niveau de la perception fondamentale. Flaubert continuera à définir l'attitude artistique comme une négation de cet emploi affectif des personnes et des choses, et le roman racontera la suite de mauvais achats — ou de mauvais placements de fonds — qu'est la vie d'Emma Bovary.

② Emma comme consommatrice

Une telle phrase définit admirablement les rapports qu'Emma entretiendra avec les êtres et les choses :

« Dans cette phrase capitale, Flaubert écarte la sentimentalité du caractère de l'artiste. En outre, il propose une analogie qui est de grande importance pour la compréhension de la psychologie d'Emma, et qui est à la base du parallélisme de la vie affective et des affaires financières de celle-ci. Emma est déjà, dans le couvent, ce qu'elle restera pendant toute sa vie ; elle est consommatrice d'images et d'histoires qui flattent sa concep-

tion d'elle-même. Incapable de travail continu et de réflexion impartiale, Emma cherchera toujours à faire correspondre les événements et les personnages de sa vie avec des images puisées dans ses lectures et ses rêves enfantins. A l'origine de tous ses maux, il y a le besoin de concevoir et d'apprécier les choses de la vie en termes de son moi idéal. Les rapports entre elle et ses idéaux, tout autant que ceux entre elle et la

Étant donné que ce petit exposé de la disposition affective de l'héroïne se place dans le contexte d'une description de son éducation littéraire, il y a la suggestion que cette même littérature vise à produire et à profiter de cette disposition. Aussi est-il à noter que, immédiatement avant et après la crise capitale que sera le bal de La Vaubyessard, Flaubert mentionnera les habitudes de lecture d'Emma. Les efforts de celle-ci pour s'inspirer ou inspirer un autre prendront la forme d'une répétition de certaines formules puisées dans la littérature romantique. Des "méandres lamartiniens" dont elle s'inspirera pour provoquer l'amour dans Charles, jusqu'à la présentation de *Lucie de Lammermoor* à l'opéra de Rouen, qui ouvrira la phase physique de son affaire avec Léon Dupuis, ce sera toujours sous le signe du romantisme qu'Emma se détruira. Sa conduite, surtout en amour, sera un effort pour réaliser dans sa vie les idéaux qu'elle a achetés dans la boutique de sentiments, boutique qui est une partie au moins de la littérature romantique. Le marchand Lheureux ne fera que reconnaître une habitude ou un besoin acquis par Emma longtemps avant sa rencontre avec cet homme qui présidera à sa ruine.

Dans *Madame Bovary* donc la question de l'amour en tant que représentation et conduite se présente sous l'aspect d'une certaine habitude de conception de soi-même et, par conséquent, des autres et du monde. Emma, tout comme les autres personnages, se représente à elle-même d'une certaine façon qui détermine sa vue du monde. C'est-à-dire qu'elle se représente le monde d'une manière qui choisit et rejette l'externe d'après des valeurs qui se fondent sur sa conception d'elle-même. Son imagination, qui domine sa perception, veut tout incorporer dans une sorte de roman dont Emma est elle-même l'héroïne et la beauté principale. Grâce à cette image prestigieuse et obsessionnelle, elle est incapable de distinguer le vrai d'avec le faux. Son achat primordial d'un idéal règle sa vie ; le roman d'aventures amoureuses qu'elle veut réaliser est anéanti par le roman réaliste que Flaubert écrit. Étant foncièrement une consommatrice de sentiments conventionnels, ou plutôt d'expressions convenues de sentiments, Emma ne peut résister à ce qui est enveloppé selon ces mêmes conventions. Elle est "incapable, du reste, de comprendre ce qu'elle n'éprouvait pas, comme de croire à tout ce qui ne se manifestait point par des formes convenues". La façon dont Emma se voit la rend complètement vulnérable ; elle accepte facilement les autres comme ils se présentent à elle. Rodolphe Boulanger saura profiter de ce manque de résistance de la consommatrice lorsque plus tard il voudra lui vendre des phrases toutes faites.

La conscience d'Emma est donc un musée d'idéaux empruntés. L'identité qu'elle veut réaliser est composée de rebuts et ne peut que la rendre incapable de s'orienter dans la vie. »

LARRY RIGGS, 1980,
« La banqueroute des idéaux reçus dans *Madame Bovary* »,
in *Aimer en France,
1760-1860*, Actes du colloque international de Clermont-Ferrand, publication de l'Université de Clermont-Ferrand II, pp. 254-255.

1. *Walter Scott : ce poète et romancier écossais (1771-1832) écrivit notamment de nombreux romans qui furent à l'origine de la vogue du roman historique. Tantôt situés au Moyen Age (Ivanhoé, 1819, Quentin Durward, 1823), tantôt entre la Réforme et les dernières guerres civiles dans l'Angleterre du XVIIIᵉ siècle (Les puritains d'Écosse, La Fiancée de Lammermoor – cf. le contexte p. 539 –, Rob Roy...), ils connurent un immense succès et l'on s'arracha leurs traductions. Ils figurent en bonne place dans la bibliothèque de Homais (cf. p. 236).*
2. *Ménestrel : musicien et chanteur ambulant au Moyen Age.*
3. *Trèfle : ornement à jour en forme de trèfle, typique de l'architecture gothique.*
4. *Marie Stuart : reine d'Écosse (1542-1567) et de France (1559-1560) par mariage avec François II, elle fut exécutée sur l'ordre d'Elisabeth Iʳᵉ, reine d'Angleterre, en 1587.*
5. *Héloïse (1101-1164), célèbre par sa passion pour le philosophe Abélard ; Agnès Sorel (1422-1450), favorite de Charles VII ; la belle Ferronnière, femme de l'avocat Ferron, maîtresse de François Iᵉʳ ; Clémence Isaure, Toulousaine légendaire qui aurait fondé les Jeux floraux au XIVᵉ siècle : ce sont bien la passion, la tragédie et la poésie qui rassemblent ces personnages dans l'imagination d'Emma.*
6. *Imprudences de la note : des notes forcées, trop hautes et de mauvais goût.*
7. *Fantasmagorie : au départ, il s'agit de l'art de faire voir des fantômes par illusions d'optique dans une salle obscure, ce qui fut à la mode dans la première moitié du XIXᵉ siècle. Par extension, c'est le spectacle lui-même. Plus généralement, ce mot désigne un spectacle fantastique, surnaturel, et peut prendre une nuance péjorative, en renvoyant à l'abus des effets fantastiques.*
8. *Keepsakes : ce terme qui, en anglais, signifie littéralement « à garder pour l'amour de moi » – to keep for my sake – désigne une sorte de livre-album, contenant des pièces de vers, des morceaux de prose, et illustré de fines gravures. « Doit se trouver sur la table d'un salon. » (Dictionnaire des idées reçues.)*
9. *Aumônière : bourse que l'on portait à la ceinture.*

comme des lions, doux comme des agneaux, vertueux comme on ne l'est pas, toujours bien mis, et qui pleurent comme des urnes. Pendant six mois, à quinze ans, Emma se graissa donc les mains à cette poussière des vieux cabinets
5 de lecture ⟨1⟩ . Avec Walter Scott[1] ⟨2⟩ , plus tard, elle s'éprit de choses historiques, rêva bahuts, salle des gardes et ménestrels[2]. Elle aurait voulu vivre dans quelque vieux manoir, comme ces châtelaines au long corsage, qui, sous le trèfle[3] des ogives, passaient leurs jours, le coude sur la pierre
10 et le menton dans la main, à regarder venir du fond de la campagne un cavalier à plume blanche qui galope sur un cheval noir. Elle eut dans ce temps-là le culte de Marie Stuart[4], et des vénérations enthousiastes à l'endroit des femmes illustres ou infortunées. Jeanne Darc, Héloïse, Agnès
15 Sorel, la belle Ferronnière et Clémence Isaure[5], pour elle, se détachaient comme des comètes sur l'immensité ténébreuse de l'histoire, où saillissaient encore çà et là, mais plus perdus dans l'ombre et sans aucun rapport entre eux, saint Louis avec son chêne, Bayard mourant, quelques férocités de
20 Louis XI, un peu de Saint-Barthélemy, le panache du Béarnais, et toujours le souvenir des assiettes peintes où Louis XIV était vanté.

   A la classe de musique, dans les romances qu'elle chantait, il n'était question que de petits anges aux ailes d'or, de
25 madones, de lagunes, de gondoliers, pacifiques compositions qui lui laissaient entrevoir, à travers la niaiserie du style et les imprudences[6] de la note, l'attirante fantasmagorie[7] des réalités sentimentales. Quelques-unes de ses camarades apportaient au couvent les keepsakes[8] ⟨3⟩ qu'elles avaient
30 reçus en étrennes. Il les fallait cacher, c'était une affaire ; on les lisait au dortoir. Maniant délicatement leurs belles reliures de satin, Emma fixait ses regards éblouis sur le nom des auteurs inconnus qui avaient signé, le plus souvent, comtes ou vicomtes, au bas de leurs pièces.

35   Elle frémissait, en soulevant de son haleine le papier de soie des gravures, qui se levait à demi plié et retombait doucement contre la page. C'était, derrière la balustrade d'un balcon, un jeune homme en court manteau qui serrait dans ses bras une jeune fille en robe blanche, portant une aumô-
40 nière[9] à sa ceinture ; ou bien les portraits anonymes des ladies anglaises à boucles blondes qui, sous leur chapeau de paille rond, vous regardent avec leurs grands yeux clairs. On en voyait d'étalées dans des voitures, glissant au milieu des parcs, où un lévrier sautait devant l'attelage que condui-

Le petit journal de Madame Bovary

« Je viens de lire pour mon roman plusieurs livres d'enfant. Je suis à moitié fou, ce soir, de tout ce qui a passé aujourd'hui devant mes yeux, depuis de vieux *keepsakes* jusqu'à des récits de naufrages et de flibustiers. (...) Voilà deux jours que je tâche d'entrer dans des *rêves de* *jeunes filles* et que je navigue pour cela dans les océans laiteux de la littérature à castels, troubadours à toques de velours à plumes blanches. »

A Louise Colet, 3/3/1852

« Pour le moment je suis dans les *rêves de jeune fille* jusqu'au cou. (...) Toute la valeur de mon livre, s'il en a une, sera d'avoir su marcher droit sur un cheveu, suspendu entre le double abîme du lyrisme et du vulgaire (que je veux fondre dans une analyse narrative). »

A Louise Colet, 20-21/3/1852

Emma Bo(u)vary

Comme Emma, Bouvard et Pécuchet se prennent au piège de la lecture :

« Ils lurent d'abord Walter Scott.
Ce fut comme la surprise d'un monde nouveau.
Les hommes du passé, qui n'étaient pour eux que des fantômes ou des noms, devinrent des êtres vivants, rois, princes, sorciers, valets, gardes-chasse, moines, bohémiens, marchands et soldats, qui délibèrent, combattent, voyagent, trafiquent, mangent et boivent, chantent et prient, dans la salle d'armes des châteaux, sur le banc noir des auberges, par les rues tortueuses des villes, sous l'auvent des échoppes, dans le cloître des monastères. Des paysages artistement composés entourent les scènes comme un décor de théâtre. On suit des yeux un cavalier qui galope le long des grèves. On aspire au milieu des genêts la fraîcheur du vent, la lune éclaire des lacs où glisse un bateau, le soleil fait reluire les cuirasses, la pluie tombe sur les huttes de feuillages. Sans connaître les modèles, ils trouvaient ces peintures ressemblantes, et l'illusion était complète. L'hiver s'y passa. »

GUSTAVE FLAUBERT,
1881 (posthume), *Bouvard et Pécuchet.*

Les Keepsakes

« Ils jouent en partie de 1823 à 1848 le rôle des florilèges publiés au commencement du XVIIe siècle (1607-1630) par Toussainct du Bray, etc., avec cette différence que la prose y est largement représentée. Ces sont ces *Keepsakes* qui ont apporté au public les productions des jeunes écrivains de l'époque. Ils répondaient d'ailleurs à une mode venue d'Angleterre et qui associait un véritable effort artistique à des textes intéressants. L'opinion qui prévalait alors accordait aux Anglais une supériorité marquée au point de vue de l'illustration et de la gravure et aux Français une supériorité non moins accusée pour le côté littéraire. De là cette fusion de gravures anglaises et de textes français.

saient au trot deux petits postillons en culotte blanche.
D'autres, rêvant sur des sofas près d'un billet décacheté,
contemplaient la lune, par la fenêtre entrouverte, à demi
drapée d'un rideau noir. Les naïves, une larme sur la joue,
5 becquetaient une tourterelle à travers les barreaux d'une
cage gothique, ou, souriant la tête sur l'épaule, effeuillaient
une marguerite de leurs doigts pointus, retroussés comme
des souliers à la poulaine[1]. Et vous y étiez aussi, sultans à
longues pipes, pâmés sous des tonnelles, aux bras des baya-
10 dères[2], djiaours[3], sabres turcs, bonnets grecs, et vous surtout, paysages blafards des contrées dithyrambiques[4], qui
souvent nous montrez à la fois des palmiers, des sapins, des
tigres à droite, un lion à gauche, des minarets tartares à
l'horizon, au premier plan des ruines romaines, puis des
15 chameaux accroupis ; — le tout encadré d'une forêt vierge
bien nettoyée, et avec un grand rayon de soleil perpendicu-
laire tremblotant dans l'eau, où se détachent en écorchures
blanches, sur un fond d'acier gris, de loin en loin, des cygnes
qui nagent.
20   Et l'abat-jour du quinquet[5], accroché dans la muraille au-
dessus de la tête d'Emma, éclairait tous ces tableaux du
monde, qui passaient devant elle les uns après les autres,
dans le silence du dortoir et au bruit lointain de quelque fiacre attardé qui roulait encore sur les boulevards ①.
25   Quand sa mère mourut, elle pleura beaucoup les premiers
jours. Elle se fit faire un tableau funèbre avec les cheveux de
la défunte, et, dans une lettre qu'elle envoyait aux Bertaux,
toute pleine de réflexions tristes sur la vie, elle demandait
qu'on l'ensevelît plus tard dans le même tombeau. Le bon-
30 homme la crut malade et vint la voir. Emma fut intérieurement satisfaite de se sentir arrivée du premier coup à ce rare
idéal des existences pâles, où ne parviennent jamais les
cœurs médiocres. Elle se laissa donc glisser dans les méandres lamartiniens, écouta les harpes sur les lacs, tous les
35 chants de cygnes mourants[6], toutes les chutes de feuilles, les
vierges pures qui montent au ciel, et la voix de l'Éternel discourant dans les vallons ②. Elle s'en ennuya, n'en voulut
point convenir, continua par habitude, ensuite par vanité, et
fut enfin surprise de se sentir apaisée, et sans plus de tris-
40 tesse au cœur que de rides sur son front.
    Les bonnes religieuses, qui avaient si bien présumé de sa
vocation, s'aperçurent avec de grands étonnements que
mademoiselle Rouault semblait échapper à leur soin. Elles

[...]

Le mot anglais *Keepsake*, qui signifie exactement "chose donnée pour être gardée en souvenir", s'applique d'une façon spéciale à ces livres albums, où de fines gravures sur acier illustrent tantôt des morceaux — prose ou poésie — de tons et d'auteurs variés, tantôt des descriptions topographiques entremêlées d'anecdotes et qui furent si à la mode, comme cadeaux de Noël et de jour de l'An, entre 1822 et 1850.

[...]

Le *Keepsake* est un volume dont le format varie de l'in-quarto, de l'in-folio même, au petit in-seize, doré sur tranches, imprimé avec soin en beaux caractères sur un bon papier, rarement atteint de piqûres ou taches de rousseur dont tant de livres de luxe imprimés à cette époque sont lamentablement semés. Il est généralement pourvu, avant le frontispice et le titre gravé, d'un feuillet orné d'une guirlande de fleurs ou d'attributs divers, au milieu duquel un espace est réservé pour que le donateur y inscrive le nom de la personne à qui le souvenir est offert : c'est la *présentation plate*, ou cartouche de dédicace. Enfin, et surtout, il est illustré d'un nombre variable de fines gravures sur acier où malgré le conventionnel et le léché de la facture, malgré le sentimentalisme de l'inspiration, éclate souvent un très vif sentiment d'art, et qui ont encore un singulier charme de fraîcheur et d'élégance pour nos yeux que blasent toutes les sauces de l'eau-forte et les prestigieux effets des procédés photographiques.

Extérieurement, le *Keepsake* est protégé par un cartonnage, qu'habille d'ordinaire une moire ou un satin d'une couleur éclatante, rouge ou verte, plus rarement bleue. La percaline, la basane avec gaufrures et ornements à froid ou dorés, les peaux chagrinées ou maroquinées et le velours estampé partagent, avec la soie, le privilège de recouvrir ces aimables recueils, suivant la fantaisie et le goût de l'éditeur, suivant aussi les habitudes de dépense de la clientèle à laquelle tel ou tel *Keepsake* s'adresse plus particulièrement. Beaucoup se vendaient dans des étuis, quelquefois fort dorés eux-mêmes ; tout comme l'*Almanach de la Cour et de la Ville* ou l'*Almanach dédié aux Dames*. »

FRÉDÉRIC LACHÈVRE,
1929,
« Bibliographie des keepsakes et recueils collectifs de l'époque romantique », Slatkine, 1973, pp. XII-XIV.

 ## Adieu au romantisme

« La fureur de Venise se passa également, ainsi que la rage des lagunes et l'enthousiasme des toques de velours à plumes blanches ; il commença à comprendre que l'on pourrait tout aussi bien placer le sujet d'un drame à Astrakan ou à Pékin, pays dont on use peu en littérature.

La tempête aussi perdit considérablement dans son estime ; le lac, avec son éternelle barque et son perpétuel clair de lune, lui parurent tellement inhérents aux keepsakes qu'il s'interdit d'en parler, même dans la conversation familière. Quant aux ruines, il finit presque par les prendre en haine depuis qu'un jour, dans une vieille forteresse, rêvant tout couché sur les ravenelles sauvages et regardant une magnifique clématite qui entourait un fût de colonne brisée, il avait été dérangé par un marchand de suif de sa connaissance, lequel déclara qu'on aimait à se promener en ces lieux parce que ça rappelait des souvenirs, déclama aussi-

lui avaient, en effet, tant prodigué les offices, les retraites, les neuvaines[1] et les sermons, si bien prêché le respect que l'on doit aux saints et aux martyrs, et donné tant de bons conseils pour la modestie du corps et le salut de son âme, qu'elle fit
5 comme les chevaux que l'on tire par la bride : elle s'arrêta court et le mors lui sortit des dents. Cet esprit, positif au milieu de ses enthousiasmes, qui avait aimé l'église pour ses fleurs, la musique pour les paroles des romances, et la littérature pour ses excitations passionnelles, s'insurgeait devant
10 les mystères de la foi, de même qu'elle s'irritait davantage contre la discipline, qui était quelque chose d'antipathique à sa constitution. Quand son père la retira de pension, on ne fut point fâché de la voir partir. La supérieure trouvait même qu'elle était devenue, dans les derniers temps, peu révéren-
15 cieuse envers la communauté.

Emma, rentrée chez elle, se plut d'abord au commandement des domestiques, prit ensuite la campagne en dégoût et regretta son couvent. Quand Charles vint aux Bertaux pour la première fois, elle se considérait comme fort désillu-
20 sionnée, n'ayant plus rien à apprendre, ne devant plus rien sentir.

Mais l'anxiété d'un état nouveau, ou peut-être l'irritation causée par la présence de cet homme, avait suffi à lui faire croire qu'elle possédait enfin cette passion merveilleuse qui
25 jusqu'alors s'était tenue comme un grand oiseau au plumage rose planant dans la splendeur des ciels poétiques ; — et elle ne pouvait s'imaginer à présent que ce calme où elle vivait fût le bonheur qu'elle avait rêvé.

•

1. Neuvaine : prière que l'on récite neuf jours consécutivement pour obtenir une grâce.

tôt une douzaine de vers de Mme Desbordes-Valmore, écrivit ensuite son nom sur la muraille, et s'en alla enfin, l'âme pleine de poésie, disait-il.

Il dit un adieu sans retour à la jeune fille chargée de son innocence et au vieillard accablé de son air vénérable, l'expérience lui ayant vite appris qu'il ne faut pas toujours reconnaître quelque chose d'angélique dans les premières ou de patriarcal dans les seconds.

Naturellement peu bucolique, la bergère des Alpes, dans son chalet, lui sembla la chose du monde la plus commune ; n'y fait-elle pas ses fromages tout comme une Basse-Normande ? Il se réconcilia cependant avec les bergers, ayant vu, au fond de la Bretagne, un chevrier couvert d'une peau de loup et avec la belle mine du plus affreux gredin qui soit sur la terre.

Il relut ce qu'il pouvait comprendre des bardes et des trouvères, et il s'avoua franchement qu'il fallait être drôlement constitué pour trouver tout cela sublime, en même temps néanmoins que les beautés réelles qu'il y revit le frappèrent davantage.

En somme, il fit bon marché de tous les fragments de chants populaires, traductions de poèmes étrangers, hymnes de barbares, odes de cannibales, chansonnettes d'Esquimaux, et autres fatras inédits dont on nous assomme depuis vingt ans. Petit à petit même, il se défit de ces prédilections niaises que nous avons malgré nous pour des œuvres médiocres, goûts dépravés qui nous viennent de bonne heure et dont l'esthétique n'a pas encore découvert la cause. »

GUSTAVE FLAUBERT,
1845,
L'Éducation sentimentale,
première version.

Jeanne d'Arc (par un réaliste).   14315

⟨2⟩ Les méandres lamartiniens

Les harpes sur les lacs ?

O lac ! l'année à peine a fini sa carrière,
Et près des flots chéris qu'elle devait revoir,
Regarde ! je viens seul m'asseoir sur cette
pierre
Où tu la vis s'asseoir !

Le Lac

*La voix de l'Éternel discourant dans les
vallons ?*

Suis le jour dans le ciel, suis l'ombre sur la
terre :
Dans les plaines de l'air vole avec l'aquilon ;
Avec le doux rayon de l'astre du mystère,
Glisse à travers les bois dans l'ombre du vallon.

Dieu, pour le concevoir, a fait l'intelligence :
Sous la nature enfin découvre son auteur !
Une voix à l'esprit parle dans son silence :
Qui n'a pas entendu cette voix dans son cœur ?

Le Vallon

Toutes les chutes de feuilles ?

Salut, bois couronnés d'un reste de verdure,
Feuillages jaunissants sur les gazons épars !
Salut, derniers beaux jours ! le deuil de la
nature
Convient à la douleur et plaît à mes regards.
L'Automne

Les vierges pures qui montent au ciel ?

Ah ! si dans ces instants où l'âme fugitive
S'élance et veut briser le sein qui la captive,
Ce Dieu, du haut du ciel répondant à nos vœux,
D'un trait libérateur nous eût frappés tous deux,
Nos âmes, d'un seul bond remontant vers leur
source,
Ensemble auraient franchi les mondes dans leur
course ;
A travers l'infini, sur l'aile de l'amour,
Elles auraient monté comme un rayon du jour,
Et, jusqu'à Dieu lui-même arrivant éperdues,
Se seraient dans son sein pour jamais
confondues !
L'Immortalité

Tous les chants de cygnes mourants ?

La lyre en se brisant jette un son plus sublime ;
La lampe qui s'éteint tout à coup se ranime,
Et d'un éclat plus pur brille avant d'expirer ;
Le cygne voit le ciel à son heure dernière ;
L'homme seul, reportant ses regards en arrière,
Compte ses jours pour les pleurer.
Le Poète mourant
LAMARTINE, 1820 et 1823.
*Premières méditations
et Nouvelles Méditations*

*L'ironie dévastatrice de Flaubert convoque ici l'intertexte lamar-
tinien, qui réapparaîtra lors de la promenade en barque sur la
Seine (p. 592). C'est bien l'un des fondateurs du Romantisme qui
symbolise tout ce qui a intoxiqué Emma.*

VII

Elle songeait quelquefois que c'étaient là pourtant les plus beaux jours de sa vie, la lune de miel, comme on disait. Pour en goûter la douceur, il eût fallu, sans doute, s'en aller vers ces pays à noms sonores où les lendemains de mariage
5 ont de plus suaves paresses ! Dans des chaises de poste, sous des stores de soie bleue, on monte au pas des routes escarpées, écoutant la chanson du postillon, qui se répète dans la montagne avec les clochettes des chèvres et le bruit sourd de la cascade. Quand le soleil se couche, on respire
10 au bord des golfes le parfum des citronniers ; puis, le soir, sur la terrasse des villas, seuls et les doigts confondus, on regarde les étoiles en faisant des projets[1] ①. Il lui semblait que certains lieux sur la terre devaient produire du bonheur, comme une plante particulière au sol et qui pousse mal tout
15 autre part. Que ne pouvait-elle s'accouder sur le balcon des chalets suisses ou enfermer sa tristesse dans un cottage écossais, avec un mari vêtu d'un habit de velours noir à longues basques, et qui porte des bottes molles, un chapeau pointu et des manchettes ! ②
20 Peut-être aurait-elle souhaité faire à quelqu'un la confidence de toutes ces choses. Mais comment dire un insaisissable malaise, qui change d'aspect comme les nuées, qui tourbillonne comme le vent ? Les mots lui manquaient, donc, l'occasion, la hardiesse.
25 Si Charles l'avait voulu cependant, s'il s'en fût douté, si son regard, une seule fois, fût venu à la rencontre de sa pensée, il lui semblait qu'une abondance subite se serait détachée de son cœur, comme tombe la récolte d'un espalier, quand on y porte la main. Mais, à mesure que se serrait
30 davantage l'intimité de leur vie, un détachement intérieur se faisait qui la déliait de lui.
La conversation de Charles était plate comme un trottoir de rue, et les idées de tout le monde y défilaient dans leur costume ordinaire, sans exciter d'émotion, de rire ou de
35 rêverie. Il n'avait jamais été curieux, disait-il, pendant qu'il habitait Rouen, d'aller voir au théâtre les acteurs de Paris. Il

1. « *Italie. Doit se voir immédiatement après le mariage.* » (Dictionnaire des idées reçues)

① L'Italie ou la tentation du lointain

Mythe romantique bien éculé dans les années 1850 («poncif, hein?» l'Italie» sera-t-il dit dans l'Éducation sentimentale), l'Italie fonctionne pleinement dans l'imaginaire d'Emma, moins cependant comme lieu précis que comme ensemble de connotations, espace d'investissement fantasmatique :

«Dans une conversation où Emma met son âme à nu, on trouve inévitablement une allusion au mythe obsédant de l'Italie qui est la manifestation de ce que Croce appelle "folie romantique". Emma veut savoir ce que Léon pense de la musique italienne et ce qu'il éprouve en l'écoutant. (...)

L'identité, par conséquent, des "produits d'une même société" se dégage de manière dialectique : ces personnages qui semblent exposer tranquillement les idées propres à leur milieu social, créent le drame avec leurs paroles interchangeables, l'anonymat des thèses soutenues, en nous faisant entrevoir l'immobilisme suffocant d'une situation culturelle et sociale et sentir la solitude de l'individu qui, malgré certains points communs avec les autres, ne réussit pas à se comprendre ni à être compris, sinon dans des moments d'intense exaltation qu'une femme comme Madame Bovary cherche obstinément à rattacher et à intégrer à certains symboles. Avec Flaubert commence à se développer la thématique de l'incommunicabilité. Et à cet égard, nous noterons que Croce découvre chez Flaubert de grandes affinités avec Baudelaire.

L'allusion de Madame Bovary à l'Italie reflète la fidélité de la mémoire envers un symbole ou, probablement, le caractère exemplaire du dialogue sur l'Italie surpris par elle, au château, comme par effraction. En outre, le lexème «Italie» se rattache à la levrette qui s'était enfuie de la voiture le même soir, pendant le voyage vers Yonville. Cette "levrette d'Italie", qui pouvait servir de compagnon de jeu et de confident à une femme fantasque comme Madame Bovary, devait certainement, dans le subconscient de celle-ci, nourrir une aversion spontanée pour lui, pour lui Charles Bovary. Un transfert très intéressant s'opère ici dans l'identification de l'état d'âme du sujet avec le comportement de l'animal.

A l'instar de la levrette, Madame Bovary s'envole le soir par la pensée loin de son mari, de Yonville, de la monotonie quotidienne et, en compagnie de son nouvel ami au cœur sensible, parle de l'Italie, celle qu'on peut connaître et aimer même à Paris, autre puissant symbole pour l'imagination de la Bovary. C'est une fuite vers la beauté rêvée, mais non éprouvée, vers ce qui s'appréhende à travers une autre réalité, vers ce que les romantiques appelaient l'infini mais qu'on pourrait assimiler au vide, au néant. La communion, en effet, entre Emma et Léon se produit à la fin, chacun portant naturellement le poids de ses propres attentes et subissant la fascination d'un "monde qu'ils ne connaissaient pas". Il s'agit d'une expérience faite par Flaubert lui-même dans sa jeunesse quand il était "dévoré par des passions sans limites, plein de la lave ardente qui coulait de mon âme, follement amoureux des choses indicibles...".

La tentation du lointain s'empare d'Emma plus d'une fois. Quand son amitié avec Léon se resserre et qu'elle consent déjà en son âme à un rapport sensuel, qui n'a pas lieu tout de suite seulement par manque d'initiative de sa part à lui, elle projette "de s'enfuir avec Léon, quelque part, bien loin, pour essayer une destinée nouvelle, mais aussitôt il s'ouvrait dans son âme un gouffre vague, plein d'obscurité". Ainsi, le désir du lointain est comme une prémonition, comme la fascination des ténèbres et du néant.

C'est la mort qu'appelle Emma, cette mort vers laquelle elle finira par se précipiter résolument mais qui, en somme, l'attire depuis le début sous la forme de l'exotisme. Dans son ingénuité ou sa sensualité, elle veut saisir concrètement, retrouver dans des images, des noms, des lieux et des êtres, son amour démentiel.

Quand Léon s'en va et qu'elle croit voir s'estomper définitivement la possibilité de quitter Yonville, elle s'attaque du moins aux formes objectives et solides de ce qui lui reste de ses aspirations — l'étude de la langue du pays de ses rêves :

"Elle voulut apprendre l'italien : elle acheta des dictionnaires, une grammaire, une provision de papier blanc."

Toujours excessive et dispersée : il ne lui suffit pas d'un manuel et d'un cahier ; elle fait l'acquisition de dictionnaires et d'une provision de papier blanc. Évidemment, les dictionnaires la portent à croire qu'elle apprendra vite et bien cette langue ; tout ce papier blanc lui offre la possibilité d'écrire des phrases en italien à n'en plus finir. Gaspillage dans lequel se reflète sa nature mais qui est aussi un signe de l'attraction du vide. Il joue le même rôle que le silence et la solitude dans lesquels elle aime s'enfermer pour mieux jouir de certaines sensations, ou lorsqu'elle médite certaines aventures. »

N.B. La citation de Benedetto Croce est tirée de « Poesia e non poesia », Bari, Laterza, 1950.

UGO PISCOPO, 1977, « Le thème de l'Italie dans Madame Bovary », traduction de Luce Claude Maître, *Europe*, n° 577, pp. 165-168.

② De l'universalité du bovarysme

C'est à Jules de Gaultier que l'on doit la généralisation à l'humanité tout entière du rapport qu'Emma instaure avec le monde. La fortune du concept de « bovarysme » sera telle qu'il constituera un référent obligé pour toute analyse du roman :

« La tare dont les personnages de Flaubert sont marqués suppose chez l'être humain et à l'état normal l'existence d'une faculté essentielle. Cette faculté est le *pouvoir départi à l'homme de se concevoir autre qu'il n'est.* C'est elle, que du nom de l'une des principales héroïnes de Flaubert, on a nommé le Bovarysme. (...) Il est aisé de distinguer dans l'œuvre de Flaubert un bovarysme sentimental dont Madame Bovary et Frédéric Moreau sont, avec des différences d'intensité, les prototypes, un bovarysme intellectuel (...), un bovarysme de la volonté (...) Le bovarysme intellectuel admet lui-même des distinctions (...) il devient plus spécialement avec Homais un bovarysme scientifique. »

JULES DE GAULTIER, 1911, *Le Bovarysme*, Mercure de France, p. 13 et p. 25.

Bêtise et bovarysme

Emma est-elle bête ? On ne saurait répondre positivement à cette question qu'en définissant très précisément son rapport au monde :

« Emma ne veut voir dans le monde que la matière de sa rêverie. Une matière brute, malléable, sensible à l'occasion, mais corvéable et disponible à tout ce qu'on voudra et qui n'est pas du monde. Qui est l'étoffe dont on fait les songes. Et, au lieu de nouer la forme de ceux-ci à la résistance des choses, c'est cette résistance qu'elle refuse et dont elle ne consent à voir que ce qui peut lui plaire. Elle regarde et nie. Au lieu de se plier au monde et d'y chercher une figure qui serait la sienne, l'écho de sa voix qui parlerait plus clair, c'est le monde formé, tendu comme des pierres impeccables, qu'elle voudrait plier aux ombres de sa songerie. Au lieu d'aller aux choses et de leur demander des forces, des couleurs pour y trouver une invention de soi, ce sont les choses qu'elle ramène et tire, et pour les épuiser dans un regard absent qui ne regarde pas. À rebours chaque fois (...). À contre-courant de l'intelligence : sans espoir de retour. C'est la définition du bovarysme. Non pas tellement une manière d'affectivité, qui ne paraît que dans la forme et dans la représentation ; une *déviation de la perception*, qui en explique le fond et en découvre le principe (...) une *relation aux choses*, une *manière* d'être, un *choix* (...) de se *porter ailleurs* et d'être à *part du monde.* »

ALAIN DE LATTRE,
1980,
La Bêtise d'Emma Bovary,
Corti, p. 17.

Le bovarysme ou le désir fou

Très intéressante également est l'interprétation que donne Jacques Neefs du bovarysme :

« Des livres aux êtres, des objets aux corps, des hommes à Dieu, du Théâtre au Monde, des uns aux autres, une fabuleuse dérive commence, Emma ou le Désir sont condamnés à mettre en reflet des espaces séparés et irréductibles, comme les voyages et les courses à relier la Vaubyessard (et l'univers de Tostes), Yonville, la Huchette et Rouen, sans jamais pouvoir les réunir ou les unifier. On peut bien tenter de "momifier" le souvenir, il émanera vers d'autres horizons, car il n'y a toujours que passages successifs sur les mêmes traces, jusqu'à la mort. Flaubert fait avec *Madame Bovary* l'expérience moderne des réfractions sans unité et du morcellement sans reconstruction, du rapport blessé de l'ici et de l'ailleurs, que déployait, dans le même temps, la poétique baudelairienne. Le "bovarysme" n'est pas tant, comme on l'a souvent dit, soif de l'impossible, conscience malheureuse d'un au-delà inaccessible, prolongement d'un idéalisme de la transcendance (c'est l'image dont Baudelaire est en grande partie responsable), ni même simple confrontation de la réalité et du rêve (tout un romantisme de Nodier à Gautier l'avait déjà formulée), que l'impossibilité reconnue de désirer ici, que l'histoire d'un désir rendu fou parce que tout sol lui fait défaut, d'un désir qui ne peut s'actualiser, parce que ses objets toujours se dérobent (...) Véritable réalisme de la carence. (...)

Le "bovarysme" se développe (...) en deux illusions corollaires. La première con-

ne savait ni nager, ni faire des armes, ni tirer le pistolet, et il ne put, un jour, lui expliquer un terme d'équitation qu'elle avait rencontré dans un roman.

Un homme, au contraire, ne devait-il pas tout connaître, 5 exceller en des activités multiples, vous initier aux énergies de la passion, aux raffinements de la vie, à tous les mystères ? Mais il n'enseignait rien, celui-là, ne savait rien, ne souhaitait rien. Il la croyait heureuse ; et elle lui en voulait de ce calme si bien assis, de cette pesanteur sereine, du bonheur 10 même qu'elle lui donnait.

Elle dessinait quelquefois ; et c'était pour Charles un grand amusement que de rester là, tout debout, à la regarder penchée sur son carton, clignant des yeux, afin de mieux voir son ouvrage, ou arrondissant, sur son pouce, des 15 boulettes de mie de pain. Quant au piano, plus les doigts y couraient vite, plus il s'émerveillait. Elle frappait sur les touches avec aplomb, et parcourait du haut en bas tout le clavier sans s'interrompre. Ainsi secoué par elle, le vieil instrument, dont les cordes frisaient[1], s'entendait jusqu'au bout du 20 village si la fenêtre était ouverte, et souvent le clerc de l'huissier qui passait sur la grande route, nu-tête et en chaussons, s'arrêtait à l'écouter, sa feuille de papier à la main.

Emma, d'autre part, savait conduire sa maison. Elle envoyait aux malades le compte des visites, dans des lettres 25 bien tournées qui ne sentaient pas la facture. Quand ils avaient, le dimanche, quelque voisin à dîner, elle trouvait moyen d'offrir un plat coquet, s'entendait à poser sur des feuilles de vigne les pyramides de reines-claudes, servait renversés les pots de confitures dans une assiette, et même 30 elle parlait d'acheter des rince-bouche[2] pour le dessert. Il rejaillissait de tout cela beaucoup de considératon sur Bovary.

Charles finissait par s'estimer davantage de ce qu'il possédait une pareille femme. Il montrait avec orgueil, dans la 35 salle, deux petits croquis d'elle, à la mine de plomb, qu'il avait fait encadrer de cadres très larges et suspendus contre le papier de la muraille à de longs cordons verts. Au sortir de la messe, on le voyait sur sa porte avec de belles pantoufles en tapisserie.

40 Il rentrait tard, à dix heures, minuit quelquefois. Alors il demandait à manger, et comme la bonne était couchée, c'était Emma qui le servait. Il retirait sa redingote pour dîner plus à son aise. Il disait les uns après les autres tous les gens

1. « Une corde, dans un instrument de musique, est dite friser quand la vibration en est troublée par un contact avec un corps étranger ou par quelque chose de semblable. » (Littré)
2. « Rince-bouche ». Signe de richesse dans une maison. » (Dictionnaire des idées reçues.)

siste à croire qu'on pourra combler les défaillances ressenties dans le monde et les êtres, en les remplissant de tous les souvenirs, de tous les désirs déjà projetés ailleurs, ou en s'inscrivant soi-même dans la série de ses propres fantasmes (...) Il y a du bonheur en cette confusion — que Proust dénoncera comme idolâtrie — du plaisir à n'être plus que le croisement de l'infinité des désirs (...) Pourtant ces séries aussi sont livrées (...) au processus de dégradation (...) d'où la désespérante monotonie de la passion elle-même puisqu'il s'agit toujours des contenants divers à recevoir des contenus sans commune mesure, qui les font éclater ou s'y dissipent. (...)

On comprend désormais mieux la deuxième illusion du "bovarysme" qui est de croire que l'ailleurs est géographique et qu'il suffira d'aller de Tostes à Yonville ou de Yonville en Italie, de Léon à Rodolphe ou de Rodolphe à Léon pour combler une déhiscence qui n'est pas entre éléments de même nature, c'est-à-dire de rapporter à des objets du monde un désir qui s'en retrouve exilé. »

JACQUES NEEFS, 1972, « Madame Bovary de Flaubert », collection Poche critique, Hachette, pp. 64-68.

Emma est-elle médiocre ?

Henry James conteste au personnage d'Emma la qualité de type :

« La justification d'Emma est celle de toutes les figures qui vivent sous la main du peintre, sans jamais se volatiliser : elles doivent non seulement être individualisées, mais encore typiques de leur espèce, et se montrer solides sur l'un et l'autre plan. C'est sur le plan de l'"espèce" que je mets en cause la responsabilité d'Emma, quand bien même un inquisiteur viendrait me demander pourquoi je ne mets pas en cause celle de Charles Bovary, type si parfait, ou celle de l'inévitable, de l'immortel Homais. Si je considère qu'Emma Bovary échoue à remplir son rôle par indigence de conscience, ce n'est certainement pas, on en conviendra, parce qu'elle est à cet égard dominée par la platitude de son mari, ni par la suffisance de son ami le pharmacien. Pourtant il y a une différence : chacun des deux hommes est *intégralement* exprimé par l'étude de caractère et par l'étude sociale qu'il représente (...) Pour moi (Emma) est conditionnée par un excès de spécificité, et chez elle, le spécifique efface tellement les traits élémentaires de toute existence de femme concevable (dès lors qu'on invite à voir cette existence comme un tumulte de pathétisme et de drame), que nous contestons (...) l'échelle de valeurs du romancier (...) Que le livre dépeigne le médiocre, j'en conviens autant qu'on voudra : mais Emma est-elle seulement à *la hauteur* de ce dessein ? Je pense à l'étroitesse de sa médiocrité, même pour un petit être imaginatif dont la signification "sociale" est fort mince. Car cette signification même est trop ample pour la conscience d'Emma prise comme un tout. Ainsi, en un mot, la sentons-nous moins représentative qu'elle eût pu l'être non seulement si le monde lui avait offert plus de points de contact, mais encore si elle-même avait pu adhérer au monde plus largement. »

HENRY JAMES, 1902, *Flaubert,* traduit par Michel Zéraffa, l'Herne, 1969, pp. 71-75.

qu'il avait rencontrés, les villages où il avait été, les ordonnances qu'il avait écrites, et satisfait de lui-même, il mangeait
le reste du miroton, épluchait son fromage, croquait une
pomme, vidait sa carafe, puis s'allait mettre au lit, se cou-
5 chait sur le dos et ronflait.

Comme il avait eu longtemps l'habitude du bonnet de
coton, son foulard ne lui tenait pas aux oreilles ; aussi ses
cheveux, le matin, étaient rabattus pêle-mêle sur sa figure et
blanchis par le duvet de son oreiller, dont les cordons se
10 dénouaient pendant la nuit. Il portait toujours de fortes bottes, qui avaient au cou-de-pied deux plis épais obliquant
vers les chevilles, tandis que le reste de l'empeigne se continuait en ligne droite, tendu comme par un pied de bois. Il
disait que *c'était bien assez bon pour la campagne* ⟨1⟩.

15 Sa mère l'approuvait en cette économie ; car elle le venait
voir comme autrefois, lorsqu'il y avait eu chez elle quelque
bourrasque un peu violente ; et cependant madame Bovary
mère semblait prévenue contre sa bru. Elle lui trouvait *un
genre trop relevé pour leur position de fortune* : le bois, le
20 sucre et la chandelle *filaient comme dans une grande maison*, et la quantité de braise qui se brûlait à la cuisine aurait
suffi pour vingt-cinq plats ! Elle rangeait son linge dans les
armoires et lui apprenait à surveiller le boucher quand il
apportait la viande. Emma recevait ces leçons ; madame
25 Bovary les prodiguait ; et les mots, *de ma fille* et *de ma mère*
s'échangeaient tout le long du jour, accompagnés d'un petit
frémissement des lèvres, chacune lançant des paroles douces d'une voix tremblante de colère.

Du temps de madame Dubuc, la vieille femme se sentait
30 encore la préférée ; mais, à présent, l'amour de Charles
pour Emma lui semblait une désertion de sa tendresse, un
envahissement sur ce qui lui appartenait ; et elle observait le
bonheur de son fils avec un silence triste comme quelqu'un
de ruiné qui regarde, à travers les carreaux, des gens atta-
35 blés dans son ancienne maison. Elle lui rappelait, en
manière de souvenirs, ses peines et ses sacrifices, et, les
comparant aux négligences d'Emma, concluait qu'il n'était
point raisonnable de l'adorer d'une façon si exclusive.

Charles ne savait que répondre ; il respectait sa mère, et il
40 aimait infiniment sa femme ; il considérait le jugement de
l'une comme infaillible, et cependant il trouvait l'autre irréprochable. Quand madame Bovary était partie, il essayait de
hasarder timidement, et dans les mêmes termes, une ou

① L'italique : fonctions, procédé et signification

On connaît bien les principales fonctions classiques de l'italique. Regroupées dans une même forme typographique, elles diffèrent sensiblement : citation d'un titre, effet citationnel inter ou intratextuel, effet culturel, légitimation d'une onomatopée, soulignement ou mise en relief d'un terme ou d'une expression, mise en évidence d'un néologisme, marque d'une distance ironique, ou plus généralement connotation d'une acception déterminée par le contexte (emphatique, euphémique, antiphrastique...), indication quasi mimétique d'une accentuation, ou d'une prononciation particulière, et plus généralement introduction du corps dans l'écriture...

Il serait aisé de repérer dans Madame Bovary de nombreuses occurrences de ces fonctions, mais il existe un emploi typiquement flaubertien de l'italique qui correspond à la fois au principe de l'ironie généralisée et à la conception qu'a Flaubert du discours des autres, du discours autre, celui que véhicule le social. Voici quelques éléments d'appréciation qui mettent bien cette importante question en perspective :

« Compte non tenu de l'italique d'usage, il y a dans *Madame Bovary* une centaine de mots ou de passages en italique. On n'en trouve plus que 8 dans *Salammbô*, un peu plus de 25 dans *L'Éducation sentimentale*, 6 dans *Bouvard et Pécuchet*. S'il est donc exagéré de dire, comme Thibaudet, que "Flaubert n'est plus revenu dans la suite à ce procédé", il est bien certain qu'il ne lui a plus donné la même place. Je voudrais rappeler d'abord, brièvement, la façon dont l'italique entre en combinaison avec les différentes manières de présenter le discours des personnages. [...]

L'italique peut intervenir, chez Flaubert, dans le texte narratif, pour y désigner une expression reprise au personnage dont on parle : "Une fois le pansement fait, le médecin fut invité, par M. Rouault lui-même, à *prendre un morceau* avant de partir." On voit qu'ici l'italique ne fonctionne pas du tout comme l'indirect libre, mais cerne au contraire avec précision ce qui, dans le texte narratif, est censé répéter les mots mêmes qu'a prononcés le père Rouault.

Dans l'indirect, l'italique peut souligner une seule expression : "il [...] disait même que le *jeune homme* avait beaucoup de mémoire", ou toute la proposition subordonnée : "Elle déclara finalement *que cela peut-être semblerait drôle.*" Dans l'indirect libre également, il peut être limité à un mot : "il n'avait avec lui que sa *demoiselle*" ou plus envahissant : "Elle lui trouvait *un genre trop relevé pour leur*

position de fortune ; le bois, le sucre et la chandelle *filaient comme dans une grande maison.*" Dans le style direct, il dépasse rarement deux ou trois mots : "Il passera *dans les grands*", "Il a *calé* devant Frédéric."

[...]

On sait que (l'indirect libre) est "au plus près" de la narration, l'habileté de Flaubert se manifestant précisément dans l'indifférenciation qu'il arrive à maintenir entre les deux. Or l'italique a pour effet de détacher du narratif la phrase en cause, de marquer — sans plus d'ambiguïté — l'intervention du personnage, de créer un degré de l'indirect libre que l'on pourrait nommer "indirect libre explicité".

Cet indirect libre devient alors, comme l'a bien vu Stephen Ullmann, "très proche du style direct". Avec une différence, cependant, qui vaut la peine qu'on s'y arrête. Ce qui oppose fondamentalement le discours direct et le discours indirect, libre ou subordonné, c'est que celui-ci n'est pas censé reproduire exactement les paroles du personnage. L'italique apparaît dès lors comme un garant de l'authenticité du texte, de la fidélité de la transcription ; grâce à lui, on peut éviter la cassure que produit dans un texte narratif l'introduction d'une réplique en style direct, tout en indiquant avec la plus grande précision "ce qui a été dit". Et cependant... lorsque nous lisons : "Elle déclara finalement *que cela peut-être*

semblerait drôle ", devons-nous en déduire que cet indirect transpose une réplique qui serait : "cela peut-être semblera drôle" ? Non, bien sûr. Mais cela signifie que même l'indirect en italique reste éloigné du direct, non seulement par ses particularités grammaticales, mais parce qu'il ne renvoie pas — ou pas nécessairement — à un direct prononçable et supposé prononcé.

Ma dernière remarque portera sur l'italique dans le discours direct. Dans la perspective où je me place — rechercher les types de "gradations" et de "demi-teintes" que Flaubert utilise entre les deux pôles de la narration et du style direct —, l'italique me paraît établir, entre ces deux pôles, une distance maximale ; il redouble en effet les signes de l'altérité du discours enchâssé par rapport à celui qui l'enchâsse. Quelles que soient les raisons de cette mise en relief particulière (et l'on dirait bien parfois que Flaubert n'utilise l'italique que par précaution, et en manière d'excuse à l'égard de son lecteur), l'italique à l'intérieur d'une réplique peut avoir l'effet — inattendu — de créer une ambiguïté. Quand le curé dit à Emma : "il a fallu que j'aille dans le bas-Diauville pour une vache qui avait *l'enfle* ; ils croyaient que c'était un sort", est-ce Flaubert qui souligne le mot du curé, ou le curé qui souligne celui des paysans ignares ? Et lorsque Arnoux, chez les Dambreuse, murmure à Louise Roque, à propos de Cisy : "Il a *calé* devant Frédéric" *(E.S.)*, qui s'excuse pour le mot familier ? L'auteur ou le personnage ? Ambiguïté inattendue, puisque dans l'indirect libre, l'italique, au contraire, l'empêche de se produire. »

CLAUDINE GOTHOT-MERSCH, 1981, « De *Madame Bovary* à *Bouvard et Pécuchet*. La parole des personnages dans les romans de Flaubert », *Revue d'Histoire littéraire de la France*, n° 415, pp. 554-556.

Le roman comme texte italique

« Il ne faudrait pas s'y méprendre : l'italique est un trompe-l'œil. D'abord parce qu'il frappe d'inanité ce qu'il feint de choisir et de mettre en lumière, et souligne en fait ce qu'il déréalise. ''*On* « *n'entend rien* » *au juste dans la vie par les mots de félicité, de* passion *et d'*ivresse'', précisément parce qu'ils viennent des livres ; partout, c'est-à-dire dans la France bourgeoise (de Louis Philippe et/ou de Napoléon III, il n'importe : l'une vaut pour l'autre), un discours sur les valeurs a remplacé les valeurs ; partout, la parole ne coïncide ni avec ce qu'elle nomme, ni avec qui la profère. L'idéologie dominante se feint, se fait nature et se donne pour la voix des mœurs et de l'Histoire ; idéologie suffisamment cohérente pour accorder l'illusion de sa propre transgression.

Il s'ensuit que l'italique paraît n'affecter que certains détails du langage alors qu'il contamine son contexte et, de proche en proche, le roman tout entier. Il n'est en effet que l'émergence significative, la marque explicite d'un processus d'esthétisation (et d'ironisation) observable à tous les niveaux, la différence qu'il souligne n'est qu'un des aspects de la norme. Il n'y a pas de parole authentique derrière la parole figée, et inversement : rien n'échappe à la socialité. Le roman moderne, pour Flaubert, ne peut être que la mimesis d'un processus idéologique. A y regarder de près, le texte est en fait sans rupture, et parfaitement saturé. Comme Rodolphe, le narrateur *"bouche avec des phrases banales tous les interstices"* qui pourraient laisser apercevoir un espace de valeurs non dégradées, une société sans aliénation, une Histoire créatrice, l'objet qualifiant d'un désir. Entre l'italique et son contexte les transitions sont invisibles. Un seul mot en italique suffit comme reprise d'une isotopie sémantique (celle que nous proposons d'appeler discours social) et produit donc une zone de connotation où le sens se déplace à la recherche de son point d'origine ou de son sujet logique.

(...) A la limite le roman entier se renverse dans le discours cité, entraîné par la rhétorique généralisée de l'italique. Il serait à lire à l'envers, comme un texte italique, ou comme une citation dont l'italique serait l'origine et la référence, par une subversion et perversion des signes.

Autrement dit l'italique est une métaphore du sens et désigne la parole dévaluée du discours social ; le roman s'y installe, en fait sa langue, mais en exhibant le fonctionnement autologique de ce discours, qui se parle lui-même, se ressasse et n'a rien à dire, si ce n'est la façon dont il assure la cohérence d'un texte et la cohésion d'une société. Le roman reproduit en s'écrivant l'archive de son récit. Flaubert en acceptant de parler bourgeois se construit un langage qui ne signifie rien, ce qui est l'unique moyen de parler du sens. »

CLAUDE DUCHET, 1973, « Discours social, texte italique » in *Langages de Flaubert*, Minard, 1976, pp. 158-160.

Mais *le coup était porté.*

elle ne caractérise donc pas seulement des idiotismes particuliers plus ou moins insolites et diffère en cela de l'italique balzacien beaucoup plus "exotique". S'il correspond parfois à des idiolectes provinciaux [1], sociaux [2] ou professionnels [3]

[1] sa *masure*
[2] n'était-ce pas *une femme du monde*
[3] le *ténotome*

Italique et discours social

« Le discours social est d'abord citation, à la fois parole et récit de parole. C'est pourquoi son mode élémentaire d'existence dans le texte est l'italique, qui le signale, typographiquement, comme appartenant à un autre langage que celui du roman, qui l'inscrit comme une différence. Cependant Flaubert n'use pas de cette marque comme par exemple Stendhal. L'italique, dans *Madame Bovary* tout au moins, ne souligne pas une intrusion d'auteur, une exhibition de la voix romancière, entretenant avec le lecteur aux dépens des personnages, une sorte de sous-conversation. Portant sur des mots, des syntagmes nominaux, des phrases ou des segments de phrases de toutes origines lexicales, disséminé tout au long du roman, distribué également entre ces personnages compte tenu de la surface textuelle occupée par chacun d'eux ; présente enfin dans des séquences "purement" narratives

son emploi déborde largement le cadre d'une signalisation pittoresque, ou plutôt ne peut être envisagé de ce point de vue seul, puisque aussi bien nombre de normandismes ou de termes techniques lui échappent. En ce qui concerne son rapport aux personnages, ses modes d'insertion sont très souples : il figure aussi bien dans le style direct [1], que dans le style indirect [2] ou dans le style indirect libre dont il constitue souvent du reste le seul indice [3], ou encore dans le monologue intérieur [4].

[1]Vous allez *faire florès* à Rouen.
[2] [...] encore prétendait-il le plus souvent que *la vieille patraque retardait.*
[3]C'était les ouvrages *qui traitaient de la cathédrale* [...].

[4] [...] son regard *en coulisse* [lui parut] du plus pitoyable effet [...].

Il peut enfin désigner la voix d'un groupe social plus ou moins défini auquel il confère le statut d'instance énonciative :

[...] mademoiselle Rouault [...] avait reçu, comme on dit, *une belle éducation* [...].
[...] pourquoi la femme du médecin faisait-elle au clerc des *générosités* ?

[...] chacun se mit à *profiter* [...].

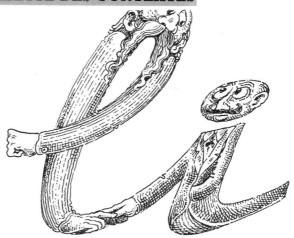

Dans tous les cas l'italique sert doublement l'illusion réaliste, puisqu'il actualise une parole et renforce le caractère objectif de l'énoncé en lui donnant une seconde assise, en désignant un imposé du texte, un matériau langagier originel qui paraît échapper à l'arbitraire du romancier. Il instaure ainsi dans le récit un espace de référence extradiégétique, un hors-texte du texte, le déjà-là, le déjà-parlé de la société du roman. Mais, ce faisant, il transforme la nature de l'énoncé, en introduisant un clivage dans son sujet, une modulation dans l'information narrative, un retrait ou une déviance dans le procès d'énonciation et, dans le cas d'un locuteur particulier, un glissement du plan de la performance à celui de la compétence linguistique. Il place ainsi tel fragment de récit en situation de discours [1], ou met en question le sujet d'un énoncé particulier, surpris, pourrait-on dire, à proférer sa parole comme une citation, à produire son altérité [2]

[1] Nous étions à l'Étude quand le Proviseur entra, suivi d'un *nouveau* [...].
[2] Charles se traînait à la rampe, les genoux *lui rentraient dans le corps.*
Il en coûtait à Charles d'abandonner Tostes [...] au moment *où il commençait à s'y poser* [...].
[Emma] parlait [...] des *voix de la nature* [...].
[elle] protestait *qu'il ne s'était rien passé* [...].
Léon envia [...] *le calme du tombeau* [...].

A la limite le procédé conduit les personnages à se citer eux-mêmes ; à citer leur "personnage" :
[Canivet] n'y allait pas, comme il le disait lui-même, *par quatre chemins* [...].
[Homais] ne reculant pas devant ce qu'il appelait *sa mission* [...] retourna chez Bovary.
En affectant le récit et même les descriptions d'une marque énonciative indépendante du narrateur, en introduisant, avec sa dissonance, une opposition discursive jusqu'à l'intérieur de l'énoncé cité, l'italique socialise le texte en y faisant entendre la voix du discours social. Il produit, au moins en apparence, des effets démarcatifs mais son paradoxe est d'effacer les particularités individuelles qu'il souligne et l'intervention qu'il

signale au profit d'un dire anonyme et multiple. Autrement dit le connotatif recouvre ou déplace le dénotatif. C'est pourquoi toute approche typologique des emplois de l'italique me paraît assez vaine, et les distinctions auxquelles elle conduirait peu pertinentes. (...) Il semble donc légitime de considérer ensemble les italiques de *Madame Bovary* comme un texte dans le texte, comme un réseau qui fait système ou encore comme une isotopie du texte. »

CLAUDE DUCHET, 1973, « Discours social, texte italique », in *Langages de Flaubert*, Minard, 1976, pp. 150-152.

« La vertu critique du réalisme flaubertien (il n'est question ici ni d'école, ni de genre) est sans doute de désigner, pardelà le sens, le vide du sens ou, ce qui revient au même, sa disponibilité. Tout arrive par le langage, et dès lors, toute production de sens dépend, en dernière analyse, de l'énonciation, et des conditions d'existence — de contrôle — de la parole. Le lexique et le langage techniques, ceux des passions, ceux de la politique, sont vulgarisés, dévalorisés, par leur intégration au discours social, qui tend à devenir le langage du romancier, mimétique de son objet. Ce que Flaubert nomme style, cette manière absolue de voir les choses, revient à donner de la représentation, qui suppose neutralisation et transparence, par adéquation au représenté, une représentation qui la fasse sentir comme telle. Il ne s'agit ni de donner un sens plus pur aux mots, mais de pénétrer dans les couches sémiques du lexique, ni de déclarer la guerre à la rhétorique, mais d'en pousser l'effet jusqu'au bord de la

parodie, qui la dénonce, ni de subvertir la syntaxe, mais de dérouler la phrase, de la naturaliser pour en faire le lieu d'apparition et d'observation des phénomènes, le dit stylisé du hors-texte. Il s'agit de parler la parole bourgeoise. Pour *Madame Bovary* Flaubert a encore besoin d'en avertir le lecteur : d'où le voyant de l'italique, qui clignote par intervalles. D'autres voies étaient possibles ; la policière ou conformiste, épousant l'idéologie dominante, reproduisant ses énoncés, mais sans les monter ni les montrer vraiment, la révolutionnaire qui détruit ou inverse les signes. Quant aux raisons du choix que fait Flaubert, je tiens pour décisives les analyses de *l'Idiot de la famille*. Je voudrais terminer en revenant sur un problème (...) : celui de l'Histoire, plus exactement cette absence/présence de l'évolution et des faits historiques qui caractérise le statut de l'Histoire dans les textes flaubertiens. Ici le quotidien ou l'événementiel, là l'archéologie ou la légende, tiennent à distance critique, interdisent toute perspective historique proprement dite et toute philosophie de l'histoire assignable. On a de la durée sans histoire, ni créatrice, ni cumulatrice, sans plus-value de sens. Répétition, symétrie, circularité nient en quelque sorte la dimension historique. Flaubert n'accorde pas plus à l'idéologie bourgeoise du progrès qu'au thème de la lutte des classes, encore que ce dernier ne soit pas totalement absent de L'*Éducation* et de *Salammbô*. On peut se débarrasser de toute question par le recours au pessimisme, au nihilisme. Certes, mais les voies de l'agnosticisme sont pénétrables et instructives. Le monde textuel élaboré par Flaubert — cette société sans histoire — est présenté sous le regard d'une ethnologie froide. Tout au plus pourrait-on parler d'un temps historié, c'est-à-dire pourvu de références à l'Histoire, au discours de l'histoire, aussitôt frappées d'in-signifiance par son insertion dans un espace temps romanesque d'une autre nature, où de *Bovary* à *Bouvard*, s'épaissit en revanche une sorte de socialité. Le roman flaubertien met en situation d'homologie des séries apparemment hétérogènes et force l'Histoire à s'écrire autrement que par ses dates et ses faits mémorables.

D'un côté, des repères publics, frappés d'insignifiance, de l'autre des intrigues privées, chargées de signifiance où s'inscrit, par déplacement et condensation, le non-dit de l'histoire officielle.

D'un côté de grands thèmes devenus lieux communs au service d'une politique précise, de l'autre les réalités économiques, les hiérarchies sociales, la résistance des choses, le poids des institutions et plus subtilement l'inventaire et la prégnance des signes : prestige, réussite, rang, modèles, interdits, travaillés par et travaillant pour l'idéologie dominante. A une Histoire sans histoire — puisque se voulant accomplie — répond dans le roman une histoire sans Histoire. Contestation de l'histoire bourgeoise officielle dont les événements-jalons émergent à peine de la poussière référentielle même si elle récupère à son profit, d'une manière dérisoire, les débris de l'histoire noble, dont gardent trace les por-

traits d'ancêtres ou les tombeaux des cathédrales ; mais surtout déplacement de l'historicité. Ce n'est plus le temps qui travaille, mais l'argent, les livres, les langages. Le texte se clive entre deux "histoires", celle qui se raconte, la fable, l'histoire d'Emma si l'on veut, et une autre, effacée mais présente, qui hante l'arrière-fable (pour reprendre un terme de M. Foucault), qui échappe à toute narration mais se manifeste à chaque instant derrière l'autre, en l'autre. D'autres séries, d'autres temporalités affleurent ainsi, dans la trame plus ou moins lâche du récit. Celle par exemple où les Comices font événement, ou les *chemins de grande vicinalité*. Au lieu des grands mouvements enregistrés et valorisés par les philosophies libérales et romantiques, les tropismes de l'argent et de la politique, au lieu de la phrase historienne, triomphaliste ou catastrophique, la sousconversation des mœurs et des structures, au lieu du romain de l'Histoire, l'italique de la socialité. »

CLAUDE DUCHET, 1974, « Signifiance et in-signifiance : le discours italique dans *Madame Bovary* » in *La production du sens chez Flaubert*, colloque de Cerisy, 10/18, 1975, pp. 376-378.

deux des plus anodines observations qu'il avait entendu faire
à sa maman ; Emma, lui prouvant d'un mot qu'il se trompait, le renvoyait à ses malades.

Cependant, d'après des théories qu'elle croyait bonnes,
5 elle voulut se donner de l'amour. Au clair de lune, dans le
jardin, elle récitait tout ce qu'elle savait par cœur de rimes
passionnées et lui chantait en soupirant des adagios mélancoliques ; mais elle se trouvait ensuite aussi calme qu'auparavant, et Charles n'en paraissait ni plus amoureux ni plus
10 remué.

Quand elle eut ainsi un peu battu le briquet sur son cœur
sans en faire jaillir une étincelle, incapable, du reste, de comprendre ce qu'elle n'éprouvait pas, comme de croire à tout
ce qui ne se manifestait point par des formes convenues, elle
15 se persuada sans peine que la passion de Charles n'avait
plus rien d'exorbitant. Ses expansions étaient devenues
régulières : il l'embrassait à de certaines heures. C'était une
habitude parmi les autres, et comme un dessert prévu
d'avance, après la monotonie du dîner.

20 Un garde-chasse, guéri par Monsieur, d'une fluxion de
poitrine, avait donné à Madame une petite levrette d'Italie ;
elle la prenait pour se promener, car elle sortait quelquefois,
afin d'être seule un instant et de n'avoir plus sous les yeux
l'éternel jardin avec la route poudreuse.

25 Elle allait jusqu'à la hêtrée de Banneville, près du pavillon
abandonné qui fait l'angle du mur, du côté des champs. Il y
a dans le saut-de-loup[1], parmi les herbes, de longs roseaux à
feuilles coupantes.

Elle commençait par regarder tout alentour, pour voir si
30 rien n'avait changé depuis la dernière fois qu'elle était
venue. Elle retrouvait aux mêmes places les digitales et les
ravenelles[2], les bouquets d'orties entourant les gros cailloux,
et les plaques de lichen le long des trois fenêtres, dont les
volets toujours clos s'égrenaient de pourriture, sur leurs bar-
35 res de fer rouillées. Sa pensée, sans but d'abord, vagabondait au hasard, comme sa levrette, qui faisait des cercles
dans la campagne, jappait après les papillons jaunes, donnait la chasse aux musaraignes ou mordillait les coquelicots
sur le bord d'une pièce de blé. Puis ses idées peu à peu se
40 fixaient, et assise sur le gazon, qu'elle fouillait à petits coups
avec le bout de son ombrelle, Emma se répétait :

— Pourquoi, mon Dieu ! me suis-je mariée ? ①

Elle se demandait s'il n'y aurait pas eu moyen, par

1. Saut-de-loup : « Fossé assez large
pour n'être pas franchi par un loup et
qu'on creuse au bout des allées d'un
parc pour les fermer sans ôter la vue de
la campagne. » (Littré)
2. Ravenelles : nom vulgaire du raifort
sauvage et de la giroflée jaune.

1 Cercles de Djali, cercles d'Emma

Une variante de ce passage permet à Georges Poulet de proposer cette analyse :

« ''Elle commençait par regarder machinalement *autour d'elle*, pour voir si rien n'était changé... Elle retrouvait les mêmes ravenelles dans les pierres, sur les dalles du mur les mêmes plaques de lichen desséché, les mêmes cailloux dans les touffes d'orties et les volets des trois fenêtres toujours clos, qui s'en allaient en pourriture... Sa pensée d'abord sans but vagabondait de droite et de gauche, comme la jolie levrette, en liberté, *qui faisait des cercles* en courant, poursuivait quelque rat dans un sillon, ou s'arrêtant tout à coup, allait mordiller les coquelicots... Mais, quand ses regards s'étaient ainsi promenés sur l'horizon, tandis que son attention *diffuse* avait à peine effleuré mille idées se succédant, alors, *comme deux cercles concentriques contractant à la fois leurs deux circonférences*, sa pensée rentrait en elle, ses regards incertains se fixaient et assise par terre, sous les hêtres, tout en fouillant le gazon avec le bout d'ivoire de son ombrelle, elle en revenait toujours à cette question :
— Pourquoi, mon Dieu, me suis-je mariée ?''

Ici, à n'en pas douter, la métaphore du cercle apparaît avec évidence. La pensée d'Emma est d'abord toute périphérique. Elle se promène à l'horizon, vagabonde de droite et de gauche, erre dans des lointains qui sont à la fois ceux du paysage extérieur où se perd le regard, et ceux du paysage interne où s'égare la rêverie. Tout cela fait un double cercle, l'un constitué par les sensations, l'autre par les pensées, où l'être pensant et sentant se diffuse circulairement dans les espaces du dehors comme dans ceux du dedans. Ce double cercle, Flaubert, pour nous en donner une image plus visible, l'a pour ainsi dire préfiguré extérieurement dans l'action de la levrette qui court en cercles à travers champs. Mais ce n'est pas tout. Relisons le début de la longue phrase finale de ce paragraphe : *Mais quand ses regards s'étaient ainsi promenés sur l'horizon, tandis que son attention diffuse avait à peine effleuré mille idées se succédant...* Comment ne pas sentir, en lisant ces longues subordonnées qui s'incurvent en s'élargissant, que Flaubert a voulu nous y donner l'impression matérielle d'une pensée qui se diffuse ? Mais comment ne pas sentir aussi, en lisant la seconde partie de la phrase, qu'à la diffusion a succédé un mouvement inverse ? Le cours des mots est direct, rapide : *Sa pensée rentrait en elle, ses regards incertains se fixaient..., elle en revenait toujours à cette question...* Ici, à coup sûr, le rythme est tout différent. Les cercles se contractent, la pensée rentre en elle-même, les mots courent vers une idée centrale pour s'y arrêter. Et

d'autres combinaisons du hasard, de rencontrer un autre homme ; et elle cherchait à imaginer quels eussent été ces événements non survenus, cette vie différente, ce mari qu'elle ne connaissait pas. Tous, en effet, ne ressemblaient 5 pas à celui-là. Il aurait pu être beau, spirituel, distingué, attirant, tels qu'ils étaient sans doute, ceux qu'avaient épousés ses anciennes camarades du couvent. Que faisaient-elles maintenant ? A la ville, avec le bruit des rues, le bourdonnement des théâtres et les clartés du bal, elles avaient des exis-10 tences où le cœur se dilate, où les sens s'épanouissent. Mais elle, sa vie était froide comme un grenier dont la lucarne est au nord, et l'ennui, araignée silencieuse, filait sa toile dans l'ombre à tous les coins de son cœur. Elle se rappelait les jours de distribution des prix, où elle montait sur l'estrade 15 pour aller chercher ses petites couronnes. Avec ses cheveux en tresse, sa robe blanche et ses souliers de prunelle[1] découverts, elle avait une façon gentille, et les messieurs, quand elle regagnait sa place, se penchaient pour lui faire des compliments ; la cour était pleine de calèches, on lui disait adieu 20 par les portières, le maître de musique passait en saluant, avec sa boîte à violon. Comme c'était loin, tout cela ! comme c'était loin !

Elle appelait Djali[2], la prenait entre ses genoux, passait ses doigts sur sa longue tête fine et lui disait :

25 — Allons, baisez maîtresse, vous qui n'avez pas de chagrins.

Puis, considérant la mine mélancolique du svelte animal qui bâillait avec lenteur, elle s'attendrissait, et, le comparant à elle-même, lui parlait tout haut, comme à quelqu'un 30 d'affligé que l'on console.

Il arrivait parfois des rafales de vent, brises de la mer qui, roulant d'un bond sur tout le plateau du pays de Caux, apportaient, jusqu'au loin dans les champs, une fraîcheur salée. Les joncs sifflaient à ras de terre, et les feuilles des 35 hêtres bruissaient en un frisson rapide, tandis que les cimes, se balançant toujours, continuaient leur grand murmure. Emma serrait son châle contre ses épaules et se levait.

Dans l'avenue[3], un jour vert rabattu par le feuillage éclairait la mousse rase qui craquait doucement sous ses pieds. 40 Le soleil se couchait ; le ciel était rouge entre les branches, et les troncs pareils des arbres plantés en ligne droite semblaient une colonnade brune se détachant sur un fond d'or ; une peur la prenait, elle appelait Djali, s'en retournait vite à

1. *Prunelle : espèce d'étoffe de laine ou de soie, de couleur noire.*
2. *Ainsi s'appelle la chèvre d'Esmeralda dans la* Notre-Dame de Paris *de Victor Hugo (1831).*
3. *Avenue : au sens d'allée droite bordée d'arbres.*

cet arrêt est double, ou même triple. Comme la petite chienne qui courait en cercles, s'arrête pour mordiller les coquelicots, ainsi la pensée d'abord errante d'Emma se contracte et se fixe sur une seule idée. Et, en un sens, cette idée est différente de toutes les autres, puisqu'elle n'est pas diffuse, lointaine et multiple, mais qu'elle est au contraire précise, intime, absolument unique. Elle n'est plus circonférentielle, elle est centrale. Cependant son unicité présente un rapport avec la multiplicité antérieure. C'est de cette multiplicité même qu'elle est issue. C'est cette multiplicité diffuse qui s'est condensée en idée fixe. Le centre contient donc le cercle. Et ce centre est représenté encore une fois, physiquement, par le bout d'ivoire de l'ombrelle enfoncé dans le gazon. Comme la pensée est rentrée au centre, ainsi le paysage s'est réduit à un point sans dimensions.

Enfin cette contraction infinie du lieu intérieur et extérieur ne s'est point opérée par magie ni instantanément. C'est parce qu'Emma a laissé son esprit effleurer mille idées, que l'activité même de ces idées, embrassant tout le champ de son existence, l'a ramenée finalement à se poser la question centrale où l'exis-

tence entière est encore impliquée. Et d'autre part cette activité n'est pas passée d'un coup, sans transition, de l'extrême excentricité à l'extrême concentricité. C'est peu à peu, lentement, par un mouvement répété, que la pensée rétractée est rentrée en elle-même. Entre l'extrême dilatation et l'extrême concen-

tration nous sentons une durée, nous éprouvons le sentiment de l'espace mental traversé. »

GEORGES POULET, 1961,
Les métamorphoses du cercle, réédition collection Champs, Flammarion, pp. 389-390.

Tostes par la grande route, s'affaissait dans un fauteuil, et de toute la soirée ne parlait pas.

Mais, vers la fin de septembre, quelque chose d'extraordinaire tomba dans sa vie : elle fut invitée à la Vaubyessard,
5 chez le marquis d'Andervilliers.

Secrétaire d'État sous la Restauration, le marquis, cherchant à rentrer dans la vie politique, préparait de longue main sa candidature à la Chambre des députés. Il faisait, l'hiver, de nombreuses distributions de fagots, et, au Conseil
10 général, réclamait avec exaltation toujours des routes pour son arrondissement. Il avait eu, lors des grandes chaleurs, un abcès dans la bouche, dont Charles l'avait soulagé comme par miracle, en y donnant à point un coup de lancette. L'homme d'affaires, envoyé à Tostes pour payer
15 l'opération, conta, le soir, qu'il avait vu dans le jardinet du médecin des cerises superbes. Or, les cerisiers poussaient mal à la Vaubyessard, M. le Marquis demanda quelques boutures à Bovary, se fit un devoir de l'en remercier lui-même, aperçut Emma, trouva qu'elle avait une jolie taille et
20 qu'elle ne saluait point en paysanne ; si bien qu'on ne crut pas au château outrepasser les bornes de la condescendance, ni d'autre part commettre une maladresse, en invitant le jeune ménage.

Un mercredi, à trois heures, M. et madame Bovary, mon-
25 tés dans leur *boc*, partirent pour la Vaubyessard, avec une grande malle attachée par-derrière et une boîte à chapeau qui était posée devant le tablier[1]. Charles avait, de plus, un carton entre les jambes.

Ils arrivèrent à la nuit tombante, comme on commençait à
30 allumer des lampions dans le parc, afin d'éclairer les voitures ①.

1. Tablier : « morceau de cuir attaché sur le devant d'un cabriolet ou autre voiture pour garantir de la pluie ou des éclaboussures » (Littré).

Le petit journal de Madame Bovary

« Je suis maintenant arrivé à mon bal que je commence lundi. J'espère que ça ira mieux. J'ai fait, depuis que tu ne m'as vu, 25 pages net (25 pages en six semaines). Elles ont été dures à rouler. »

A Louise Colet, 24/4/1852

Le passé simple, temps privilégié du récit

Il est convenu de voir dans le passé simple (l'aoriste, ce « temps historique par excellence » *qui* « objectivise l'événement en le détachant du présent », *selon Émile Benveniste dans les* Problèmes de linguistique générale - 1966) *le temps fondamental du récit des événements passés. Roland Barthes en propose une explication convaincante :*
« Son rôle est de ramener la réalité à un point, et d'abstraire de la multiplicité des temps vécus et superposés un acte verbal pur, débarrassé des racines existentielles de l'expérience, et orienté vers une liaison logique avec d'autres actions, d'autres procès, un mouvement général du monde : il vise à maintenir une hiérarchie dans l'empire des faits (...). Il suppose un monde construit, élaboré, détaché, réduit à des lignes significatives, et non un monde jeté, étalé, offert. Derrière le passé simple se cache

toujours un démiurge, dieu ou récitant ; le monde n'est pas inexpliqué lorsqu'on le récite,

chacun de ses accidents n'est que circonstanciel, et le passé simple est précisément ce signe opératoire par lequel le narrateur ramène l'éclatement de la réalité à un verbe mince et pur, sans densité, sans volume, sans déploiement, dont la seule fonction est d'unir le plus rapidement possible une cause et une fin. »

Le degré zéro de l'écriture, 1953, éd. du Seuil, pp. 46-47.

On comprend dès lors pourquoi l'aoriste est exclu du discours puisque passé simple et troisième personne du singulier traduisent explicitement l'ordre et le fonctionnement du monde ; la narration des événements hiérarchise les faits, les organise en une séquence explicative : elle dit déjà tout par elle-même. L'intervention du narrateur implique alors le passage à « un autre système temporel : celui du discours » (Benveniste).

VIII

Le château, de construction moderne, à l'italienne[1], avec deux ailes avançant et trois perrons, se déployait au bas d'une immense pelouse où paissaient quelques vaches, entre des bouquets de grands arbres espacés, tandis que des
5 bannettes[2] d'arbustes, rhododendrons, seringas et boules-de-neige[3] bombaient leurs touffes de verdure inégales sur la ligne courbe du chemin sablé. Une rivière passait sous un pont ; à travers la brume, on distinguait des bâtiments à toit de chaume, éparpillés dans la prairie, que bordaient en
10 pente douce deux coteaux couverts de bois, et par-derrière, dans les massifs, se tenaient, sur deux lignes parallèles, les remises et les écuries, restes conservés de l'ancien château démoli.

Le boc de Charles s'arrêta devant le perron du milieu ; les
15 domestiques parurent ; le Marquis s'avança, et, offrant son bras à la femme du médecin, l'introduisit dans le vestibule.

Il était pavé de dalles en marbre, très haut, et le bruit des pas avec celui des voix y retentissait comme dans une église. En face montait un escalier droit, et à gauche une galerie,
20 donnant sur le jardin, conduisait à la salle de billard dont on entendait, dès la porte, caramboler les boules d'ivoire. Comme elle la traversait pour aller au salon, Emma vit autour du jeu des hommes à figure grave, le menton posé sur de hautes cravates, décorés tous, et qui souriaient silen-
25 cieusement, en poussant leur queue. Sur la boiserie sombre du lambris, de grands cadres dorés portaient, au bas de leur bordure, des noms écrits en lettres noires. Elle lut : « Jean-Antoine d'Andervilliers d'Yverbonville, comte de la Vaubyessard et baron de la Fresnaye, tué à la bataille de
30 Coutras[4], le 20 octobre 1587. » Et sur un autre : « Jean-Antoine-Henry-Guy d'Andervilliers de la Vaubyessard, amiral de France et chevalier de l'ordre de Saint-Michel[5], blessé au combat de la Hougue-Saint-Vaast[6], le 29 mai 1692, mort à la Vaubyessard, le 23 janvier 1693. » Puis on distinguait à
35 peine ceux qui suivaient, car la lumière des lampes, rabattue sur le tapis vert du billard, laissait flotter une ombre dans l'appartement. Brunissant les toiles horizontales, elle se bri-

1. La construction à l'italienne fut introduite au XVIᵉ siècle par les architectes italiens de la Renaissance. On imita ce style au XIXᵉ.
2. Bannette : au sens de groupe de fleurs ou d'arbustes. Nous trouverons le sens plus courant de ce mot p. 168.
3. Boules-de-neige : variété de viorne à grosses fleurs blanches, également appelée obier. C'est un arbuste assez courant. Le seringa est un arbrisseau à fleurs blanches et à l'odeur prononcée.
4. Coutras : victoire d'Henri de Navarre (futur Henri IV) sur le duc de Joyeuse (1587).
5. L'ordre de Saint-Michel est un ordre de chevalerie datant de Louis XI.
6. La Hougue-Saint-Vaast : combat naval qui vit la défaite de Tourville contre les flottes anglaise et hollandaise en 1692.

sait contre elles en arêtes fines, selon les craquelures du vernis ; et de tous ces grands carrés noirs bordés d'or sortaient,
çà et là, quelque portion plus claire de la peinture, un front
pâle, deux yeux qui vous regardaient, des perruques se
déroulant sur l'épaule poudrée des habits rouges, ou bien la   5
boucle d'une jarretière au haut d'un mollet rebondi.

Le Marquis ouvrit la porte du salon ; une des dames se
leva (la Marquise elle-même), vint à la rencontre d'Emma et
la fit asseoir près d'elle, sur une causeuse[1], où elle se mit à lui
parler amicalement, comme si elle la connaissait depuis   10
longtemps. C'était une femme de la quarantaine environ, à
belles épaules, à nez busqué, à la voix traînante, et portant,
ce soir-là, sur ses cheveux châtains, un simple fichu de guipure[2] qui retombait par-derrière, en triangle. Une jeune personne blonde se tenait à côté, dans une chaise à dossier   15
long ; et des messieurs, qui avaient une petite fleur à la bou-
tonnière de leur habit, causaient avec les dames, tout autour
de la cheminée.

A sept heures, on servit le dîner. Les hommes, plus nombreux, s'assirent à la première table, dans le vestibule, et les   20
dames à la seconde, dans la salle à manger, avec le Marquis
et la Marquise.

Emma se sentit, en entrant, enveloppée par un air chaud,
mélange du parfum des fleurs et du beau linge, du fumet des
viandes et de l'odeur des truffes. Les bougies des candéla-   25
bres allongeaient des flammes sur les cloches[3] d'argent ; les
cristaux à facettes, couverts d'une buée mate, se renvoyaient des rayons pâles ; des bouquets étaient en ligne sur
toute la longueur de la table, et, dans les assiettes à large
bordure, les serviettes, arrangées en manière de bonnet   30
d'évêque, tenaient entre le bâillement de leurs deux plis chacune un petit pain de forme ovale. Les pattes rouges des
homards dépassaient les plats ; de gros fruits dans des corbeilles à jour s'étageaient sur la mousse ; les cailles avaient
leurs plumes, des fumées montaient ; et, en bas de soie, en   35
culotte courte, en cravate blanche, en jabot, grave comme
un juge, le maître d'hôtel, passant entre les épaules des convives les plats tout découpés, faisait d'un coup de sa cuiller
sauter pour vous le morceau qu'on choisissait. Sur le grand
poêle de porcelaine à baguette de cuivre, une statue de   40
femme drapée jusqu'au menton regardait immobile la salle
pleine de monde.

1. *Causeuse : petit canapé pour deux
personnes.*
2. *Guipure : dentelle à motifs séparés
par de grands vides.*
3. *Les cloches sont ici des couvercles
qui recouvrent les plats pour éviter leur
refroidissement.*

Madame Bovary remarqua que plusieurs dames n'avaient pas mis leurs gants dans leur verre[1].

Cependant, au haut bout[2] de la table, seul parmi toutes ces femmes, courbé sur son assiette remplie, et la serviette
5 nouée dans le dos comme un enfant, un vieillard mangeait, laissant tomber de sa bouche des gouttes de sauce. Il avait les yeux éraillés[3] et portait une petite queue[4] enroulée d'un ruban noir. C'était le beau-père du marquis, le vieux duc de Laverdière, l'ancien favori du comte d'Artois[5], dans le temps
10 des parties de chasse au Vaudreuil, chez le marquis de Conflans, et qui avait été, disait-on, l'amant de la reine Marie-Antoinette, entre MM. de Coigny et de Lauzun. Il avait mené une vie bruyante de débauches, pleine de duels, de paris, de femmes enlevées, avait dévoré sa fortune et effrayé
15 toute sa famille. Un domestique, derrière sa chaise, lui nommait tout haut, dans l'oreille, les plats qu'il désignait du doigt en bégayant ; et sans cesse les yeux d'Emma revenaient d'eux-mêmes sur ce vieil homme à lèvres pendantes, comme sur quelque chose d'extraordinaire et d'auguste. Il
20 avait vécu à la Cour et couché dans le lit des reines ! ①

On versa du vin de Champagne à la glace. Emma frissonna de toute sa peau en sentant ce froid dans sa bouche. Elle n'avait jamais vu de grenades ni mangé d'ananas. Le sucre en poudre même lui parut plus blanc et plus fin
25 qu'ailleurs.

Les dames, ensuite, montèrent dans leurs chambres s'apprêter pour le bal.

Emma fit sa toilette avec la conscience méticuleuse d'une actrice à son début. Elle disposa ses cheveux d'après les
30 recommandations du coiffeur, et elle entra dans sa robe de barège[6], étalée sur le lit. Le pantalon de Charles le serrait au ventre.

— Les sous-pieds[7] vont me gêner pour danser, dit-il.

— Danser ? reprit Emma.

35 — Oui !

— Mais tu as perdu la tête ! on se moquerait de toi, reste à ta place. D'ailleurs, c'est plus convenable pour un médecin, ajouta-t-elle.

Charles se tut. Il marchait de long en large, attendant
40 qu'Emma fût habillée.

Il la voyait par-derrière, dans la glace, entre deux flambeaux. Ses yeux noirs semblaient plus noirs. Ses bandeaux, doucement bombés vers les oreilles, luisaient d'un éclat

1. Les dames signalent ainsi qu'elles ne prendront pas de vin. Cet usage, à la mode vers 1830, est déjà désuet à l'époque du roman. Flaubert pointe donc le provincialisme d'une partie de l'assistance.
2. Le haut bout de la table est celui qui se trouve à l'opposé de la maîtresse de maison. Il s'oppose au bas bout (cf. p. 99).
3. Éraillés : injectés de sang.
4. Queue : « Touffe de cheveux de derrière, qu'on attache avec un cordon, et autour de laquelle on roule un ruban » (Littré).
5. Frère de Louis XVI et futur Charles X, le comte d'Artois (1757-1836) était célèbre à la cour pour ses dépenses et ses débordements.
6. Barège : étoffe de laine légère, non croisée, qui connote un rang social inférieur à celles qui portent de la soie.
7. Sous-pieds : bande de cuir ou d'étoffe qui passe sous le pied et maintient tendu le pantalon.

Au procès : pauvre reine !

RÉQUISITOIRE :

« Ce n'est là qu'une parenthèse historique, dira-t-on ?
Triste et inutile parenthèse !
L'histoire a pu autoriser des
soupçons, mais non le droit de
les ériger en certitude. L'histoire a parlé du collier dans
tous les romans, l'histoire a
parlé de mille choses, mais ce
ne sont là que des soupçons,
et, je le répète, je ne sache pas
qu'elle ait autorisé à transformer ces soupçons en certitude. Et quand Marie-
Antoinette est morte avec la
dignité d'une souveraine et le
calme d'une chrétienne, ce
sang versé pourrait effacer
des fautes, et à plus forte raison des soupçons. Mon Dieu,
M. Flaubert a eu besoin d'une
image frappante pour peindre
son héroïne, et il a pris celle-là
pour exprimer tout à la fois et
les instincts pervers et l'ambition de Mme Bovary ! »

PLAIDOIRIE :

« Défendez la reine,
défendez-la surtout devant
l'échafaud, dites que par son
titre elle avait droit au respect,
mais supprimez vos accusations, quand on se contentera
de dire qu'il avait été, disons-
nous, l'amant de la reine.
Est-ce que c'est sérieusement
que vous nous reprochez
d'avoir insulté à la mémoire de
cette femme infortunée ? »

bleu ; une rose à son chignon tremblait sur une tige mobile, avec des gouttes d'eau factices au bout de ses feuilles. Elle avait une robe de safran pâle, relevée par trois bouquets de roses pompon mêlées de verdure.

5   Charles vint l'embrasser sur l'épaule.

— Laisse-moi ! dit-elle, tu me chiffonnes.

On entendit une ritournelle de violon et les sons d'un cor. Elle descendit l'escalier, se retenant de courir.

Les quadrilles[1] étaient commencés. Il arrivait du monde.
10 On se poussait. Elle se plaça près de la porte, sur une banquette.

Quand la contredanse fut finie, le parquet resta libre pour les groupes d'hommes causant debout et les domestiques en livrée qui apportaient de grands plateaux. Sur la ligne des
15 femmes assises, les éventails peints s'agitaient, les bouquets cachaient à demi le sourire des visages, et les flacons à bouchon d'or[2] tournaient dans des mains entrouvertes dont les gants blancs marquaient la forme des ongles et serraient la chair au poignet. Les garnitures de dentelles, les broches de
20 diamants, les bracelets à médaillon frissonnaient aux corsages, scintillaient aux poitrines, bruissaient sur les bras nus[3]. Les chevelures, bien collées sur les fronts et tordues à la nuque, avaient, en couronnes, en grappes ou en rameaux, des myosotis, du jasmin, des fleurs de grenadier, des épis ou
25 des bluets. Pacifiques à leurs places, des mères à figure renfrognée portaient des turbans rouges[4] ①.

Le cœur d'Emma lui battit un peu lorsque son cavalier la tenant par le bout des doigts, elle vint se mettre en ligne et attendit le coup d'archet pour partir. Mais bientôt l'émotion
30 disparut ; et, se balançant au rythme de l'orchestre, elle glissait en avant, avec des mouvements légers du cou. Un sourire lui montait aux lèvres à certaines délicatesses du violon, qui jouait seul, quelquefois, quand les autres instruments se taisaient ; on entendait le bruit clair des louis d'or qui se ver-
35 saient à côté, sur le tapis des tables ; puis tout reprenait à la fois, le cornet à pistons lançait un éclat sonore, les pieds retombaient en mesure, les jupes se bouffaient et frôlaient, les mains se donnaient, se quittaient ; les mêmes yeux, s'abaissant devant vous, revenaient se fixer sur les vôtres.

40   Quelques hommes (une quinzaine) de vingt-cinq à quarante ans, disséminés parmi les danseurs ou causant à l'entrée des portes, se distinguaient de la foule par un air de

1. *Quadrilles : forme légèrement modifiée de la contredanse, adaptée aux salons, où les danseurs, en nombre pair, exécutent des figures.*

2. *Le manuscrit précise que ces flacons contiennent du vinaigre. Le vinaigre de toilette était utilisé pour ranimer et stimuler.*

3. *Claudine Gothot-Mersch fait remarquer la syntaxe particulière de cette phrase, où les sujets et les verbes sont regroupés, alors qu'à chaque verbe correspond un seul sujet, et invite à la rapprocher de « Et, par le beau temps qu'il faisait, les bonnets empesés, les croix d'or et les fichus de couleur paraissaient plus blancs que neige, miroitaient au soleil clair, et relevaient de leur bigarrure éparpillée la sombre monotonie des redingotes et des bourgerons bleus » (p. 344).*

4. *Le turban, coiffure à l'orientale, était à la mode dans les années 1820-1825. Sont donc connotés à la fois l'âge des mères, restées à la mode de leur jeunesse, et leur provincialisme.*

La chosification des êtres

« Tandis que dans *Madame Bovary* les choses se spiritualisent et s'animent, la matérialité des hommes s'accentue et, à plusieurs moments, la description, en ne cernant que leurs traits extérieurs, fait d'eux une forme physique, une présence tranquille et muette, des choses. Mais la simple apparence charnelle et le voile de l'intimité ne sont pas suffisants ; la chosification résulte surtout d'un procédé complémentaire, qui consiste à démembrer le personnage et à n'en décrire qu'une ou certaines parties en omettant les autres ; ces pièces détachées — en général visages, têtes, mais aussi mains, troncs —, arrachées de l'architecture humaine par la chirurgie descriptive du narrateur et exposées comme unités de valeur physique dominante ou exclusive, cessent de vivre, se transforment en êtres inanimés, frôlent l'inerte. Les invités à la noce d'Emma, par exemple, sont cette galerie d'oreilles et d'épidermes *(cf p. 99)*.

Rognées de troncs et d'extrémités, ces faces ont perdu de plus un autre attribut : l'individualité, elles sont de série et interchangeables comme des articles de consommation. C'est un autre des procédés qu'utilise le narrateur pour que les hommes de la réalité fictive paraissent des choses : les décrire comme des ensembles qui, le particulier et le privatif disparaissant et le général et le commun saillant toujours, prennent un caractère uniforme et identique, une nature indifférenciable, ce qui caractérise les produits de l'industrie, reproduction mécanique d'une matrice archétypique. C'est pourquoi la chosification de l'humain est surtout visible dans les épisodes où l'on décrit des collectivités : la noce, le bal de la Vaubyessard, les comices agricoles, le spectacle de l'Opéra de Rouen, l'enterrement d'Emma. Dans ces occasions, grâce au mot astucieux et égalitaire dont se sert le narrateur pour les décrire,

l'inerte et le vivant se rapprochent jusqu'à presque se confondre. Dans la scène du bal, les objets et les membres mutilés de leurs propriétaires se réunissent en une ronde dans laquelle éventails et visages, mains et gants, fleurs et cheveux défilent comme différentes formes d'une substance indivisible.

(...) Les deux ordres échangent leurs propriétés : tandis que les éventails *s'agitent*, les bouquets de fleurs *cachent* les sourires, les flacons de parfum *tournent* dans les mains, les gants *marquent* la forme des ongles, les bracelets *frissonnent, scintillent et bruissent* — verbes actifs, dynamiques —, les mains, les poitrines, les poignets, les ongles, les chevelures restent immobiles et passifs, se laissant faire tout cela par les choses inquiètes et nerveuses, sous la vigilance de ces statues granitiques, les mères, dont l'unique vérité semble être de porter des turbans rouges. En quelques lignes nous voyons ici cette inversion des termes de la réalité qui est un des constituants clés de l'élément ajouté dans *Madame Bovary*. »

MARIO VARGAS LLOSA, 1975,
L'orgie perpétuelle,
traduction française 1978,
Gallimard, pp. 130-132.

famille, quelles que fussent leurs différences d'âge, de toilette ou de figure.

Leurs habits, mieux faits, semblaient d'un drap plus souple, et leurs cheveux, ramenés en boucle vers les tempes, 5 lustrés par des pommades plus fines. Ils avaient le teint de la richesse, ce teint blanc que rehaussent la pâleur des porcelaines ⟨1⟩, les moires[1] du satin, le vernis des beaux meubles, et qu'entretient dans sa santé un régime discret de nourritures exquises. Leur cou tournait à l'aise sur des cravates bas-10 ses ; leurs favoris longs tombaient sur des cols rabattus[2] ; ils s'essuyaient les lèvres à des mouchoirs brodés d'un large chiffre, d'où sortait une odeur suave. Ceux qui commençaient à vieillir avaient l'air jeune, tandis que quelque chose de mûr s'étendait sur le visage des jeunes. Dans leurs 15 regards indifférents flottait la quiétude de passions journellement assouvies ; et, à travers leurs manières douces, perçait cette brutalité particulière que communique la domination de choses à demi faciles, dans lesquelles la force s'exerce et où la vanité s'amuse, le maniement des chevaux de race et 20 la société des femmes perdues ⟨2⟩.

A trois pas d'Emma, un cavalier en habit bleu causait Italie avec une jeune femme pâle, portant une parure de perles. Ils vantaient la grosseur des piliers de Saint-Pierre, Tivoli, le Vésuve, Castellamare et les Cassines, les roses de Gênes, le 25 Colisée au clair de lune[3]. Emma écoutait de son autre oreille une conversation pleine de mots qu'elle ne comprenait pas. On entourait un tout jeune homme qui avait battu, la semaine d'avant, *Miss Arabelle* et *Romulus*, et gagné deux mille louis à sauter un fossé, en Angleterre[4]. L'un se plai-30 gnait de ses coureurs[5] qui engraissaient ; un autre, des fautes d'impression qui avaient dénaturé le nom de son cheval.

L'air du bal était lourd ; les lampes pâlissaient. On refluait dans la salle de billard. Un domestique monta sur une chaise et cassa deux vitres ; au bruit des éclats de verre, madame 35 Bovary tourna la tête et aperçut dans le jardin, contre les carreaux, des faces de paysans qui regardaient. Alors le souvenir des Bertaux lui arriva. Elle revit la ferme, la mare bourbeuse, son père en blouse sous les pommiers, et elle se revit elle-même, comme autrefois, écrémant avec son doigt les 40 terrines de lait dans la laiterie. Mais, aux fulgurations de l'heure présente, sa vie passée, si nette jusqu'alors, s'évanouissait tout entière, et elle doutait presque de l'avoir vécue. Elle était là ; puis autour du bal, il n'y avait plus que

1. *Moire : d'abord étoffe en poils de chèvre, puis apprêt que reçoivent certains tissus et qui leur donne des reflets changeants, et, par extension, effets de lumière, aspect chatoyant, analogues à ceux d'un tissu moiré.*
2. *Mode parisienne du moment.*
3. *L'italianisme est toujours en vogue à l'époque, et le voyage d'Italie s'inscrit dans le parcours obligé des gens du monde. Les références désignent ici dans l'ordre : la cathédrale Saint-Pierre de Rome, l'ancienne Tibur, lieu de villégiature des riches de la Rome antique, et où fut construite au XVIᵉ siècle la villa d'Este, célèbre par ses jardins et ses fontaines, le volcan proche de Naples, une station thermale de la région napolitaine, une promenade de Florence en bordure de l'Arno, les roses de la capitale de la Riviera ligurienne et les ruines du grand amphithéâtre de l'ancienne Rome. Il s'agit donc d'un tour d'Italie des poncifs : « Poncif, hein, l'Italie ? » affirmera Pellerin dans l'Éducation sentimentale. Signalons que la graphie « Cassines » est fautive et qu'il faudrait écrire « Cascines » (Dumesnil, éd. cit.).*
4. *Un des traits de l'anglomanie : les courses d'obstacles et les steeple-chases se pratiquaient alors beaucoup plus en Angleterre qu'en France.*
5. *Il s'agit bien entendu de chevaux de course.*

La pratique de l'hypallage

Là où l'on aurait attendu « ce teint pâle que rehausse la blancheur des porcelaines », l'on a un hypallage qui opère un transfert d'épithètes. L'effet stylistique s'appuie sur une motivation subtile : le loisir et le luxe permettent d'ignorer les contingences matérielles de la vie, et l'on retrouve ici quelque chose d'équivalent à « ce rare idéal des existences pâles » (p. 130). Le démonstratif, comme le montre Françoise Martin-Berthet, signale qu'on passe du récit au discours cité, celui d'Emma en train de contempler la conformité du « réel » à l'imaginaire construit d'après les lectures. La pâleur devient une qualité intrinsèque, que les êtres et les objets peuvent s'échanger. Elle appartient à un système descriptif romantico-romanesque.

On peut rapprocher de ces cas tel ou tel zeugma : « Elle gémissait du velours qu'elle n'avait pas, du bonheur qui lui manquait » (p. 294), « Il admirait l'exaltation de son âme et les dentelles de sa jupe » (p. 614).

L'emploi particulier du démonstratif se retrouve dans « son grand œil bleu, levé vers les nuages, parut à Emma plus limpide et plus beau que ces lacs de montagne où le ciel se mire ; » (p. 286). Il s'agit d'une crypto-citation lamartinienne, et ces signifie ce genre de, instaurant une connivence avec le lecteur supposé reconnaître l'allusion et partager avec le narrateur le même rapport au monde de la littérature. Cet usage est proche du « un de ces » dont Claude Duchet fait un des « plus constants tics balzaciens » et que l'on retrouve dans la description de la casquette, par exemple.

 # Un passage « balzacien » supprimé

Outre ses hotes du chateau et quelques connaissances des environs le marquis en effet avait invité par politique, des "notabilités" de Rouen. le maire, le general, le president du tribunal de commerce plusieurs magistrats et des hommes d'affaires s'y trouvaient avec leurs epouses. Se promenant de groupe en groupe, le marquis se mêlait aux conversations. il aborda trois messieurs à figures rouges et en gilets de velours

— Ah ! Mr le marquis" dit l'un d'eux, — qui tenait à la main son verre de punch à moitié bu — "que vous nous donnez là, une fete charmante !

— Oh ! oh ! simple soirée de famille ! petite fête de campagne !

— Comment, petite fête de campagne. c'est une fete de la chaussée d'Antin ! un raout de ministres ! un vrai bal des Tuileries !"

Le marquis rougit. l'invité (c'etait un notaire) crut avoir touché juste, et ajouta :

— ''le diner vraiment etait...d'une magnificence...''

le marquis tourna sur ses talons

"— oui un joli diner !" continua l'autre, en s'adressant à son voisin qui repondit avec lenteur :

— ce qui me plait à moi dans un diner c'est le luxe ! ce sont les fortes pièces. quel saumon ?

— moi, j'aime beaucoup cette methode de changer de couverts, à tous les plats" dit le troisième monsieur

— Cela s'appelle le service anglais" fit le notaire

Alors, à propos de l'argenterie :

— "il y en avait bien, n'est-ce pas pr une trentaine de mille francs » dit le premier

— de trente, ...à trente cinq mille" reprit le second

— avec les petites cuillères ça irait à quarante, pour le moins" ajouta le troisième

— plus bas le marquis repasse.

il s'arrêta devant le salon des joueurs

— vous ne faites pas un whist, Mʳ le conseiller," dit-il en s'adressant à un homme chauve, dont le nez camus portait des lunettes d'argent

— vous m'excuserez, Mʳ le Marquis, mais je me degourdis un peu les jambes ; Pour nous autres gens de vie sedentaire, vous savez, c'est un veritable plaisir que de se tenir debout. le spectacle de la fête est ici, d'un charmant coup d'œil. quelle plus ravissante perspective ! On dirait une guirlande de fleurs, Mʳ le marquis.

— toutes ne sont pas en bouton" reprit le marquis, à demi voix

— Ah ! très joli ! très joli ! eh ! eh ! effectivement les femmes ne sont pas perpetuelles.

— Charmant ne sont pas perpetuelles. le mot est parfait. je le retiendrai." Puis cessant de rire, tout d'un coup. "C'est une chose qui m'a toujours surpris que les hommes graves puissent ainsi conserver dans le monde leur liberté d'esprit, et abandonner au seuil du cabinet, les importantes preoccupations qui leur emplissent la tête.

— Au contraire ! Mʳ le marquis, au contraire ! plus l'imagination a été tendue dans la journée, plus elle se detend d'elle même, le soir, comme un arc. et alors il s'opère, en moi du moins, une sorte de revulsion, de reaction nerveuse, si je puis m'exprimer ainsi, qui me delassant tout à fait, ne m'en predispose que mieux au travail du lendemain. à la seconde session de cette année je presidais les assises. je ne rentrais chez moi que fort tard. je dinais. j'allais dans le monde, comme d'habitude, et ma foi j'etais très gai. jamis ma santé ne fut meilleure" puis s'inclinant avec un sourire "votre arrondissement du reste, est un de ceux qui nous ont donné le moins de besogne.

— Oui l'esprit de nos campagnes est generalement assez bon" dit le marquis. "quoique les mœurs de la population agricole, déjà s'y corrompent un peu au voisinage des fabriques. l'exemple de fortunes rapidement acquises descend en effet, du capitaliste au petit bourgeois, frappe l'artisan, gagne l'ouvrier lui même et etablit ainsi, à poste fixe, dans la basse classe, une cause de perturbation morale deplorable ! monsieur le conseiller ! le colportage de la librairie, nous fait aussi bien du mal et les fillettes de paysan au lieu d'aller aux vêpres, passent maintenant leur dimanche à lire un tas de mauvais petits livres qui les gâtent et sur lesquels le gouvernement devrait avoir les yeux ! —"

Après avoir devisé qque temps, des dangers de l'instruction, du frein de la religion, et de la decentralisation le marquis entra dans le boudoir où l'on jouait, et le magistrat alla faire sa cour à la marquise qui causait avec un jeune homme maigre, appuyé du coude sur la cheminée, près d'un magnolia en fleurs, dans un vase de la Chine. Il avait de longs cheveux blonds, une chaine de montre en or passée à son cou comme un collier de chevalerie, un habit noir un peu vieux, ne prenait aucun rafraichissement ne dansait pas et entretenait la marquise d'un gd projet de salles d'asyle, [à] etablir pr les jeunes filles, dans toutes les communes des cinq departemens. C'etait le redacteur en second de la feuille legitimiste du Havre, ancien maitre d'etudes dans un collège, auteur d'un volume d'elegies chretiennes dediées à Monseigneur de Bayeux, un homme d'art et de sentiment qui cachetait ses lettres avec un cachet representant un cœur entr'ouvert, planté d'une plume, et garni de cette inscription "c'est là qu'elle puise"

Cité d'après le manuscrit autographe par Claudine Gothot-Mersch, éd. Garnier, pp. 380-381.

Prestiges du bal balzacien

« Les salons offraient à l'œil un spectacle magique : des fleurs, des diamants, des chevelures brillantes, tous les écrins vidés, toutes les ressources de la toilette mises à contribution. Le salon pouvait se comparer à l'une des serres coquettes où de riches horticulteurs rassemblent les plus magnifiques raretés. Même éclat, même finesse de tissus. L'industrie humaine semblait aussi vouloir lutter avec les créations animées. Partout des gazes blanches ou peintes comme les ailes des plus jolies libellules, des crêpes, des dentelles, des blondes, des tulles variés comme les fantaisies de la nature entomologique, découpés, ondés, dentelés, des fils d'arachnéide en or, en argent, des brouillards de soie, des fleurs brodées par les fées ou fleuries par des génies emprisonnés, des plumes colorées par les feux de tropique, en saule pleureur au-dessus des têtes orgueilleuses, des perles tordues en nattes, des étoffes laminées, côtelées, déchiquetées, comme si le génie des arabesques avait conseillé l'industrie française.

Ce luxe était en harmonie avec les beautés réunies là comme pour réaliser un *keepsake*. L'œil embrassait les plus blanches épaules, les unes de couleur d'ambre, les autres d'un lustré qui faisait croire qu'elles avaient été cylindrées, celles-ci satinées, celles-là mates et grasses comme si Rubens en avait préparé la pâte, enfin toutes les nuances trouvées par l'homme dans le blanc. C'était des yeux étincelants comme des onyx ou des turquoises bordées de velours noir ou de franges blondes ; des coupes de figures variées qui rappelaient les types les plus gracieux des différents pays, des fronts sublimes et majestueux, ou doucement bombés comme si la pensée y abondait, ou plats comme si la résistance y siégeait invaincue ; puis, ce qui donne tant d'attrait à ces fêtes préparées pour le regard, des gorges repliées comme les aimait Georges IV, ou séparées à la mode du dix-huitième siècle, ou tendant à se rapprocher, comme les voulait Louis XV ; mais montrées avec audace, sans voiles, ou sous ces jolies gorgerettes froncées des portraits de Raphaël, le triomphe de ses patients élèves. Les plus jolis pieds tendus pour la danse, les tailles abandonnées dans les bras de la valse, stimulaient l'attention des plus indifférents. Les bruissements des plus douces voix, le frôlement des robes, les murmures de la danse, les chocs de la valse accompagnaient fantastiquement la musique. La baguette d'une fée semblait avoir ordonné cette sorcellerie étouffante, cette mélodie de parfums, ces lumières irisées dans les cristaux où pétillaient les bougies, ces tableaux multipliés par les glaces.

Cette assemblée des plus jolies femmes et des plus jolies toilettes se détachait sur la masse noire des hommes, où se remarquaient les profils élégants, fins, corrects des nobles, les moustaches fauves et les figures graves des Anglais, les visages gracieux de l'aristocratie française. Tous les ordres de l'Europe scintillaient sur les poitrines, pendus au cou, en sautoir, ou tombant à la hanche. En examinant ce monde, il ne présentait pas seulement les brillantes couleurs de la parure, il avait une âme, il vivait, il pensait, il sentait. Des passions cachées lui donnaient une physionomie : vous eussiez surpris des regards malicieux échangés, de blanches jeunes filles étourdies et curieuses trahissant un désir, des femmes jalouses se confiant des méchancetés dites sous

de l'ombre, étalée sur tout le reste. Elle mangeait alors une glace au marasquin[1], qu'elle tenait de la main gauche dans une coquille de vermeil, et fermait à demi les yeux, la cuiller entre les dents.

5 Une dame, près d'elle, laissa tomber son éventail. Un danseur passait.

— Que vous seriez bon, monsieur, dit la dame, de vouloir bien ramasser mon éventail, qui est derrière ce canapé !

Le monsieur s'inclina, et, pendant qu'il faisait le mouve-
10 ment d'étendre son bras, Emma vit la main de la jeune dame qui jetait dans son chapeau quelque chose de blanc, plié en triangle. Le monsieur, ramenant l'éventail, l'offrit à la dame, respectueusement ; elle le remercia d'un signe de tête et se mit à respirer son bouquet.

15 Après le souper, où il y eut beaucoup de vins d'Espagne et de vins du Rhin, des potages à la bisque[2] et au lait d'amandes, des puddings à la Trafalgar et toutes sortes de viandes froides avec des gelées alentour qui tremblaient dans les plats, les voitures, les unes après les autres, com-
20 mencèrent à s'en aller. En écartant du coin le rideau de mousseline, on voyait glisser dans l'ombre la lumière de leurs lanternes. Les banquettes s'éclaircirent ; quelques joueurs restaient encore ; les musiciens rafraîchissaient, sur leur langue, le bout de leurs doigts ; Charles dormait à demi,
25 le dos appuyé contre une porte.

A trois heures du matin, le cotillon[3] commença. Emma ne savait pas valser. Tout le monde valsait, mademoiselle d'Andervilliers elle-même[4] et la marquise ; il n'y avait plus que les hôtes du château, une douzaine de personnes à peu
30 près.

Cependant, un des valseurs, qu'on appelait familièrement vicomte, et dont le gilet très ouvert semblait moulé sur la poitrine, vint une seconde fois encore inviter madame Bovary, l'assurant qu'il la guiderait et qu'elle s'en tirerait bien.

35 Ils commencèrent lentement, puis allèrent plus vite ①. Ils tournaient : tout tournait autour d'eux, les lampes, les meubles, les lambris, et le parquet, comme un disque sur un pivot. En passant auprès des portes, la robe d'Emma, par le bas, s'ériflait[5] au pantalon ; leurs jambes entraient l'une dans
40 l'autre ; il baissait ses regards vers elle, elle levait les siens vers lui ; une torpeur la prenait, elle s'arrêta. Ils repartirent ; et, d'un mouvement plus rapide, le vicomte, l'entraînant, disparut avec elle jusqu'au bout de la galerie, où, haletante,

1. Marasquin : liqueur faite avec des marasques, variété de cerises méditerranéennes.
2. Bisque : potage fait avec un coulis de crustacés (homard, écrevisse...).
3. Cotillon : danse à figures, mêlée de scènes mimiques et chorégraphiques par laquelle se termine souvent un bal.
4. La valse était considérée comme plus audacieuse que les autres danses, puisque le danseur tient sa partenaire par la taille. Elle apparaît donc comme un modernisme qui bouscule les mœurs. Emma « retarde » sur mademoiselle d'Andervilliers, dont l'éducation lui permet de transgresser l'interdit qui marqua celle d'Emma. « Valse. S'indigner contre » (Dictionnaire des idées reçues).
5. S'ériflait : normandisme pour « s'éraflait ».

l'éventail, ou se faisant des compliments exagérés. La Société parée, frisée, musquée se laissait aller à une folie de fête qui portait au cerveau comme une fumée capiteuse. Il semblait que de tous les fronts, comme de tous les cœurs, il s'échappât des sentiments et des idées qui se condensaient et dont la masse réagissait sur les personnes les plus froides pour les exalter. »

BALZAC, 1839,
Une fille d'Ève.

---

① La valse comme métaphore de l'acte sexuel

Crescendo, palpitations, étourdissement... tout concourt à fortement érotiser la valse qui, en ce XIXᵉ siècle volontiers puritain, joue le rôle que tiendra le tango au début du XXᵉ. Flaubert l'avait déjà évoquée :

« Henry la contemplait, dans sa robe jaune à reflets dorés. Elle se tenait calme comme une déesse : son visage, un peu pâle aux bougies, avait ce jour-là quelque chose d'extraordinaire, une majesté inaccoutumée ; son œil brillait, ses bandeaux luisaient, ses dents éclataient sous ses lèvres, la lumière des lampes traversait la blancheur de son bras nu et coulait comme une onde légère sur le duvet de sa peau.

Henry s'approcha d'elle et respira l'odeur qui s'échappait de tout son corps ; et il se baissa pour lui parler en se penchant sur son épaule, et il se redressa, la joue en feu, échauffée comme par une fournaise.

(...)Le cornet à piston souffla de plus belle, le violon racla mieux que jamais, les mains se pressèrent, les regards s'allumèrent, Morel hasarda un pas libre qui eut des imitateurs, et, quand arrivèrent trois heures du matin, les boucles de cheveux étaient défrisées, les bandeaux moins lisses, les dessous de jupe un peu foulés et tous les gants salis.

Ah ! qu'il fait bon valser à cette heure-là, quand les vieilles femmes sont parties, quand on court sur le parquet glissant, entraînant dans ses bras sa danseuse fatiguée, froissant ses dentelles, humant sa chevelure, toujours tournoyant dans les glaces, sous le feu des lustres, jusqu'à ce qu'un doux malaise vous gagne à regarder ces yeux constamment briller sous les vôtres, à sentir ce même mouvement régulier vous faire palpiter d'accord, dans cette atmosphère toute chaude d'émanations féminines et de fleurs fanées ! c'est là souvent que l'amour commence et que le mal de cœur arrive.

— Valsez donc, disait tout bas Mme Émilie à Henry.

— Mais je ne sais pas, lui répondait-il.

— Vous mentez, disait-elle, essayez toujours... Oh ! je vous en prie, avec moi... me refuserez-vous ? »

GUSTAVE FLAUBERT,
1845,
L'Éducation sentimentale,
première version.

elle faillit tomber, et, un instant, s'appuya la tête sur sa poitrine. Et puis, tournant toujours, mais plus doucement, il la reconduisit à sa place ; elle se renversa contre la muraille et mit la main devant ses yeux.

5 Quand elle les rouvrit, au milieu du salon, une dame assise sur un tabouret avait devant elle trois valseurs agenouillés. Elle choisit le Vicomte, et le violon recommença.
On les regardait. Ils passaient et revenaient, elle immobile du corps et le menton baissé, et lui toujours dans sa même
10 pose, la taille cambrée, le coude arrondi, la bouche en avant. Elle savait valser, celle-là ! Ils continuèrent longtemps et fatiguèrent tous les autres.

On causa quelques minutes encore, et, après les adieux ou plutôt le bonjour, les hôtes du château s'allèrent coucher.
15 Charles se traînait à la rampe, les genoux *lui rentraient dans le corps* . Il avait passé cinq heures de suite, tout debout devant les tables, à regarder jouer au whist[1], sans y rien comprendre. Aussi poussa-t-il un soupir de satisfaction lorsqu'il eut retiré ses bottes.

20 Emma mit un châle sur ses épaules, ouvrit la fenêtre et s'accouda.

La nuit était noire. Quelques gouttes de pluie tombaient. Elle aspira le vent humide qui lui rafraîchissait les paupières. La musique du bal bourdonnait encore à ses oreilles, et elle
25 faisait des efforts pour se tenir éveillée, afin de prolonger l'illusion de cette vie luxueuse qu'il lui faudrait tout à l'heure abandonner.

Le petit jour parut. Elle regarda les fenêtres du château, longuement, tâchant de deviner quelles étaient les chambres
30 de tous ceux qu'elle avait remarqués la veille. Elle aurait voulu savoir leurs existences, y pénétrer, s'y confondre.

Mais elle grelottait de froid. Elle se déshabilla et se blottit entre les draps, contre Charles qui dormait ⟨1⟩ ⟨2⟩ .

Il y eut beaucoup de monde au déjeuner. Le repas dura
35 dix minutes ; on ne servit aucune liqueur, ce qui étonna le médecin. Ensuite mademoiselle d'Andervilliers ramassa des morceaux de brioche dans une bannette[2], pour les porter aux cygnes sur la pièce d'eau et on s'alla promener dans la serre chaude, où des plantes bizarres, hérissées de poils[3],
40 s'étageaient en pyramides sous des vases suspendus, qui, pareils à des nids de serpents trop pleins, laissaient retomber, de leurs bords, de longs cordons verts entrelacés. L'orangerie, que l'on trouvait au bout, menait à couvert

1. Whist : ancêtre du bridge, ce jeu de cartes appartenait nécessairement au bagage mondain.
2. Bannette : au sens de petit panier d'osier.
3. Il s'agit de cactus (voir p. 274).

1 L'aristocratie est-elle différente ?

Si l'épisode du bal introduit provisoirement Emma dans l'univers aristocratique, cette brèche dans la répétition délétère de l'identique se révèle vite illusoire. C'est que l'aristocratie n'a d'autre altérité que dans l'imaginaire d'Emma :

« Il semble bien, à première lecture, que le texte sécrète un ailleurs, un élément qui échapperait à la disqualification des oppositions. Cet ailleurs serait celui de l'aristocratie, classe autre, qui servirait à fonder la bourgeoisie comme différence. Qu'en est-il au juste ? Tenons-nous aux occurrences textuelles de l'aristocratie. D'abord la vieille fille au couvent des Ursulines de Rouen — une femme qui vit de charité, qui se perd dans de la littérature de bazar, introduisant Emma dans l'univers des livres trompeurs. Rien de glorieux. Rien de *différent*. Rien d'*autre*. Ensuite, la Vaubyessard. Le lieu magique, le château, le lieu noble, avec des participants qu'Emma interprète comme radicalement autres. En effet, ils ont un air de famille, ils sont plus élégants, ils forment un groupe homogène et mystérieux. Mais qu'en est-il de leur altérité dans le texte ? Ils parlent d'argent. De l'argent gagné dans des paris. De voyages en Italie — comme autant de cartes postales. Dans quoi figurent-ils ? Dans le dou-ble contexte d'une entreprise agricole en expansion (la Vaubyessard, avec son "château de construction moderne") et d'une entreprise politicienne (le marquis de la Vaubyessard cherche des appuis électoraux). Donc dans le cadre d'une intégration parfaite à l'ordre des temps, à celui de la Monarchie de Juillet. Nulle discordance. Plus "aristocratique" que tout le reste, le vieux duc, beau-père du marquis, dont l'évocation suggère un univers de la dépense, de l'ostentation, de la dilapidation (sexuelle, financière) en opposition avec la gestion sage de la Vaubyessard. Mais il n'est là que comme signe de décadence, bavant et aphasique, manifestant la mort de la noblesse imaginaire dont rêve Emma — et que le texte tendrait à postuler. Bourgeoisie et aristocratie se confondent donc dans le texte. L'aristocratie n'est plus qu'un fantasme d'Emma, avec, ici et là, des *traces*. Le meilleur signe n'en est-il pas qu'à la Vaubyessard, en dépit de son attente, personne ne cherche à séduire Emma ? Le vicomte qui danse avec elle la valse en invite aussitôt une autre. Le marquis qui, pour lui faire plaisir, l'emmène-visiter le domaine, ne semble pas y songer. La Vaubyessard, dans le texte, n'est nullement un lieu enchanté. Le domaine ne cesse de fonctionner sur le modèle de la conformité. Les oppositions font donc défaut. Tout apparaît sous le signe de l'identique. »

LAURENCE LEVY-DELPLA, 1981, « Lisibilité, illisibilité : la lecture à l'œuvre dans *Madame Bovary* », exposé inédit pour le séminaire de Pierre Barbéris, ENS Saint-Cloud, 1979-1981, avec son aimable autorisation.

jusqu'aux communs du château. Le Marquis, pour amuser la jeune femme, la mena voir les écuries. Au-dessus des râteliers en forme de corbeille, des plaques de porcelaine portaient en noir le nom des chevaux. Chaque bête s'agitait
5 dans sa stalle, quand on passait près d'elle, en claquant de la langue. Le plancher de la sellerie luisait à l'œil comme le parquet d'un salon. Les harnais de voiture étaient dressés dans le milieu sur deux colonnes tournantes, et les mors, les fouets, les étriers, les gourmettes[1] rangés en ligne tout le
10 long de la muraille.

Charles, cependant, alla prier un domestique d'atteler son *boc*. On l'amena devant le perron, et, tous les paquets y étant fourrés, les époux Bovary firent leurs politesses au Marquis et à la Marquise, et repartirent pour Tostes.
15 Emma, silencieuse, regardait tourner les roues. Charles, posé sur le bord extrême de la banquette, conduisait les deux bras écartés, et le petit cheval trottait l'amble[2] dans les brancards, qui étaient trop larges pour lui. Les guides molles battaient sur sa croupe en s'y trempant d'écume, et la boîte
20 ficelée derrière le *boc* donnait contre la caisse de grands coups réguliers.

Ils étaient sur les hauteurs de Thibourville, lorsque, devant eux, tout à coup, des cavaliers passèrent en riant, avec des cigares à la bouche. Emma crut reconnaître le Vicomte ; elle
25 se détourna, et n'aperçut à l'horizon que le mouvement des têtes s'abaissant et montant, selon la cadence inégale du trot ou du galop.

Un quart de lieue plus loin, il fallut s'arrêter pour raccommoder, avec de la corde, le reculement[3] qui était rompu.
30 Mais Charles, donnant au harnais un dernier coup d'œil, vit quelque chose par terre, entre les jambes de son cheval ; et il ramassa un porte-cigares tout bordé de soie verte et blasonné à son milieu, comme la portière d'un carrosse.

— Il y a même deux cigares dedans, dit-il ; ce sera pour
35 ce soir, après dîner.

— Tu fumes donc ? demanda-t-elle.

— Quelquefois, quand l'occasion se présente.

Il mit sa trouvaille dans sa poche et fouetta le bidet.

Quand ils arrivèrent chez eux, le dîner n'était point prêt.
40 Madame s'emporta. Nastasie répondit insolemment.

— Partez ! dit Emma. C'est se moquer, je vous chasse.

Il y avait pour dîner de la soupe à l'oignon, avec un mor-

1. Gourmette : chaînette qui fixe le mors dans la bouche du cheval en passant sous la ganache, rebord postérieur de la mâchoire inférieure.
2. L'amble : allure intermédiaire entre le trot et le galop dans laquelle le cheval lève en même temps les deux jambes du même côté.
3. Reculement : pièce du harnais qui soutient la voiture quand le cheval recule.

② Le petit journal de Madame Bovary

« Sais-tu à quoi j'ai passé tout mon après-midi avant-hier ? A regarder la campagne par des verres de couleurs ; j'en avais besoin pour une page de ma *Bovary*, qui, je crois, ne sera pas une des plus mauvaises. »

A Louise Colet, 15-16/5/1852

Flaubert avait en effet initialement prévu de faire se lever Emma seule et de la faire se promener jusqu'à une maisonnette basse où une fenêtre avait des verres de couleur. Voici ce passage :

« Des losanges égaux étaient disposés à l'une des deux fenêtres. Elle regarda la campagne par les verres de couleur.

A travers les bleus tout semblait triste. Une buée d'azur immobile répandue dans l'air allongeait la prairie et reculait les collines. Le sommet des verdures était velouté par une poussière marron pâle inégalement floconnée, comme s'il fût tombé de la neige et dans un champ bien loin, un feu d'herbes sèches que l'on brûlait semblait avoir des flammes d'esprit de vin.

Puis par les carrés jaunes les feuilles des arbres étaient plus petites, le gazon plus clair et le paysage en entier comme découpé dans du métal. Les nuages détachés figuraient des édredons d'or prêts à crever ; on eût dit l'atmosphère illuminée. C'était joyeux ; il faisait chaud dans cette grande couleur topaze, délayée d'azur.

Elle mit son œil au carreau vert. Tout fut vert, le sable, l'eau, les fleurs, la terre elle-même se confondant avec les gazons. Les ombres étaient toutes noires, l'onde livide semblait figée sur ses bords. Mais elle resta plus longtemps devant la vitre rouge. Dans un reflet de pourpre étalé partout et qui dévorait tout de sa couleur, la verdure était presque grise, les tons rouges eux-mêmes disparaissaient. La rivière élargie coulait comme un fleuve rose, les plates-bandes de terreau semblaient des mares de sang caillé, le ciel immense entassait des incendies. Elle eut peur.

Elle détourna les yeux et par la fenêtre aux verres blancs, tout à coup, le jour ordinaire reparut tout pâle et avec de petites nuées indécises de la couleur du ciel. »

POMMIER-LELEU,
p. 216.

ceau de veau à l'oseille. Charles, assis devant Emma, dit en
se frottant les mains d'un air heureux :

— Cela fait plaisir de se retrouver chez soi !

On entendait Nastasie qui pleurait. Il aimait un peu cette
5 pauvre fille. Elle lui avait, autrefois, tenu société pendant
bien des soirs, dans les désœuvrements de son veuvage.
C'était sa première pratique[1], sa plus ancienne connaissance
du pays.

— Est-ce que tu l'as renvoyée pour tout de bon ? dit-il
10 enfin.

— Oui. Qui m'en empêche ? répondit-elle.

Puis ils se chauffèrent dans la cuisine, pendant qu'on
apprêtait leur chambre. Charles se mit à fumer. Il fumait en
avançant les lèvres, crachant à toute minute, se reculant à
15 chaque bouffée.

— Tu vas te faire mal, dit-elle dédaigneusement.

Il déposa son cigare, et courut avaler, à la pompe, un
verre d'eau froide. Emma, saisissant le porte-cigares, le jeta
vivement au fond de l'armoire.

20   La journée fut longue, le lendemain ! Elle se promena
dans son jardinet, passant et revenant par les mêmes allées,
s'arrêtant devant les plates-bandes, devant l'espalier, devant
le curé de plâtre, considérant avec ébahissement toutes ces
choses d'autrefois qu'elle connaissait si bien. Comme le bal
25 déjà lui semblait loin ! Qui donc écartait, à tant de distance,
le matin d'avant-hier et le soir d'aujourd'hui ? Son voyage à
la Vaubyessard avait fait un trou dans sa vie, à la manière de
ces grandes crevasses qu'un orage, en une seule nuit, creuse
quelquefois dans les montagnes. Elle se résigna pourtant ;
30 elle serra pieusement dans la commode sa belle toilette et
jusqu'à ses souliers de satin, dont la semelle s'était jaunie à la
cire glissante du parquet. Son cœur était comme eux : au
frottement de la richesse, il s'était placé dessus quelque
chose qui ne s'effacerait pas ①.

35   Ce fut donc une occupation pour Emma que le souvenir
de ce bal. Toutes les fois que revenait le mercredi, elle se
disait en s'éveillant : « Ah ! il y a huit jours… il y a quinze
jours…, il y a trois semaines, j'y étais ! » Et peu à peu, les
physionomies se confondirent dans sa mémoire, elle oublia
40 l'air des contredanses, elle ne vit plus si nettement les livrées
et les appartements ; quelques détails s'en allèrent, mais le
regret lui resta ②.

1. Pratique : cliente.

Emma et l'argent

« Au château de la Vaubyessard, Emma découvre la richesse, le monde de l'argent. Cette expérience a pour elle un caractère décisif et irréversible (...). Mais Emma assimile également ce monde à celui que lui ont fait imaginer les lectures romanesques de son adolescence. La vision qu'elle a de la fête est à cet égard révélatrice (...).

A partir de ce moment-là, Emma associe le désir de l'amour à celui de l'argent (...). Il arrive donc que la dépense d'argent tende à compenser l'insatisfaction du désir amoureux. Ainsi, après le départ du clerc pour Paris (...). En revanche Emma comblée parce qu'elle avait découvert que Léon l'aimait (...) n'achète rien le lendemain à Lheureux qui lui rend visite pour la première fois. Il est intéressant de constater qu'Emma adopte la même "sagesse" vertueuse face à Léon qui lui rend visite un moment après le départ de Lheureux : de même qu'Emma n'a pas cédé aux offres de Lheureux, elle n'en est pas encore au point de vouloir céder à son désir amoureux.

Au contraire, plus Emma s'abandonne à sa passion pour Rodolphe, plus elle dépense l'argent (...).

Mais dans les deux cas, nous constatons l'insatisfaction d'Emma au même moment. Prise d'inquiétude, elle ne cesse de demander à Rodolphe s'il l'aime. De même, bien qu'elle se dise qu'elle "aime" Léon, elle n'est pas "heureuse" (...).

Ainsi la quête d'Emma qui à la fois recherche frénétique du plaisir et dépense d'argent a-t-elle un caractère désespéré :

elle n'arrive pas à combler le sentiment de manque, d'''insuffisance de vie'' qu'éprouve Emma ; Emma aboutit logiquement au dégoût et à l'accumulation de ses dettes (...). »

LUCE CZYBA, 1973.
« Notes sur l'argent dans *Madame Bovary* », in *Journée de travail sur Madame Bovary,* 3 février 1973, Société des études romantiques (ronéotypée).

② Quelques notes pour un commentaire du chapitre du bal

Cet épisode est qualifié préalablement à la fin du chapitre 7 : « quelque chose d'extraordinaire », puis le lendemain : « son voyage à la Vaubyessard avait fait un trou dans sa vie » (p. 172). Il s'agit donc d'un épisode à fonction privative, puisque l'extraordinaire attendu ne remplit pas mais creuse la vie d'Emma.

Ainsi, l'événementiel qui aurait pu être providentiel va priver Emma de toute représentation positive et déterminer par là son destin. Le bal, qui perd ici les vertus intégratrices qu'il assumait dans le roman balzacien, place Emma dans une impossible position : elle ne peut se retrouver ni

dans le monde dit réel, ni dans le monde dit idéal.

A cette double exclusion, que confirme et redouble celle de Charles, repoussé par sa femme, marginalisé par la société du château, s'oppose l'intention du marquis. En essayant de faire sa rentrée politique, d'où le rôle stratégique du bal (ici balzacien) il renvoie à l'époque historique de transition : tout un personnel politique de la Restauration se rallie (on pense au Bal de Sceaux de Balzac). L'invitation des Bovary occupe une petite place dans cet ensemble concerté, mais pour Emma elle vaut comme effectuation possible de l'imaginaire,

IX

Souvent, lorsque Charles était sorti, elle allait prendre dans l'armoire, entre les plis du linge où elle l'avait laissé, le porte-cigares en soie verte.

Elle le regardait, l'ouvrait, et même elle flairait l'odeur de
5 sa doublure, mêlée de verveine et de tabac. A qui appartenait-il ?... Au Vicomte. C'était peut-être un cadeau de sa maîtresse. On avait brodé cela sur quelque métier de palissandre[1], meuble mignon que l'on cachait à tous les yeux, qui avait occupé bien des heures et où s'étaient pen-
10 chées les boucles molles de la travailleuse pensive. Un souffle d'amour avait passé parmi les mailles du canevas ; chaque coup d'aiguille avait fixé là une espérance ou un souvenir, et tous ces fils de soie entrelacés n'étaient que la continuité de la même passion silencieuse ①. Et puis le Vicomte,
15 un matin l'avait emporté avec lui. De quoi avait-on parlé, lorsqu'il restait sur les cheminées à large chambranle[2], entre les vases de fleurs et les pendules Pompadour ? Elle était à Tostes. Lui, il était à Paris, maintenant ; là-bas ! Comment était ce Paris ? Quel nom démesuré ! Elle se le répétait à
20 demi-voix, pour se faire plaisir ; il sonnait à ses oreilles comme un bourdon de cathédrale, il flamboyait à ses yeux jusque sur l'étiquette de ses pots de pommade.

La nuit, quand les mareyeurs, dans leurs charrettes, passaient sous ses fenêtres en chantant *la Marjolaine*[3], elle
25 s'éveillait ; et écoutant le bruit des roues ferrées, qui, à la sortie du pays, s'amortissait vite sur la terre :

— Ils y seront demain ! se disait-elle.

Et elle les suivait dans sa pensée, montant et descendant les côtes, traversant les villages, filant sur la grande route à la
30 clarté des étoiles. Au bout d'une distance indéterminée, il se trouvait toujours une place confuse où expirait son rêve.

Elle s'acheta un plan de Paris, et, du bout de son doigt, sur la carte, elle faisait des courses dans la capitale. Elle remontait les boulevards, s'arrêtant à chaque angle, entre les
35 lignes des rues, devant les carrés blancs qui figurent les maisons. Les yeux fatigués à la fin, elle fermait ses paupières, et elle voyait dans les ténèbres se tordre au vent des becs de

1. *Palissandre : bois exotique précieux.*
2. *Chambranle : encadrement.*
3. *Il s'agit probablement d'une chanson ancienne, les Compagnons de la Marjolaine, la marjolaine (ou origan) étant une plante aromatique traditionnellement liée au jeu et à l'amour.*

d'autant qu'elle s'introduit ainsi dans le milieu aristocratique où ses lectures de jeunesse l'avaient menée fantasmatiquement.

Or la noblesse se dégrade et doublement : le vieux duc cacochyme illustre la décadence, le rapprochement avec la bourgeoisie signifie la perte du pouvoir. Littéralement obscène, la noblesse ne vaut plus que par le sexe : les coucheries du beau-père, la société des femmes perdues dont se repaissent les jeunes et les hommes mûrs, l'attrait exercé par le Vicomte, la petite scène du billet doux...

De tout cela Emma est exclue : simple spectatrice, témoin des échanges, ignorante du code langagier. Elle enregistre ce qu'elle ne comprend pas. Elle jouit cependant, mais cette participation passive la constitue en objet : elle se laisse entraîner dans la valse. Elle croit se réaliser alors qu'elle n'est qu'emportée, manipulée. En fait elle est hallucinée, et c'est ce point de vue fasciné qui organise la vision de la scène.

Emma n'y prend donc part qu'en accumulant les notations d'un univers qu'elle érige en absolu, contre sa réalité même, interposant l'écran des fantasmes qui informent et déforment, et en subissant. Réceptrice, elle ne gardera de

cette entrée ratée dans le monde (aux deux sens du terme) qu'un fétiche ramassé (et non reçu) : le porte-cigares, où se concentreront les souvenirs et les regrets, et d'où naîtront d'autres fantasmes.

A la fin du chapitre, tout ce qui était prospectif se trouve inversé. La fête se fait funèbre. Emma portera le deuil de la Vaubyessard. Un manque fondamental reste ouvert. Si Charles avait trouvé dans la noce l'effectuation de son attente, Emma ne trouve à la Vaubyessard que le vide. L'opposition entre les époux n'en est que confirmée et radicalisée.

Consommée sans être séduite (le Vicomte ne la réinvite pas), Emma a été vampirisée : un modèle se met en place. Au Vicomte succédera Rodolphe. Mais on peut se demander si elle ne reproduit pas là le destin ordinaire des femmes dans leur rapport aux nobles. Se retrouverait un schéma balzacien, ici exacerbé. La grande habileté de Flaubert est de rendre l'exclusion d'Emma proportionnelle à la progressive intimité de la scène, vue, sentie par une femme captivée et aliénée.

① Le porte-cigares comme mise en abyme

Cet objet, un des plus significatifs du roman, concentre toute une série de significations qu'il redéploie dans l'imaginaire d'Emma. Elle construit tout un roman sur ce support privilégié, ce fragment d'aristocratie, ce reste qui n'a pas été perdu pour tout le monde et qui ne pouvait qu'asphyxier le pauvre Charles (sur ce porte-cigares, voir également le contexte p. 357) :

Le tissage de la brodeuse est déjà comparable à un texte où s'organisent et se nouent les fils, chacun porteur d'un rêve ; il y a l'imagination d'Emma qui, à son tour, brode et tisse, invente les épisodes de la passion de cette inconnue ; il y a surtout Flaubert en train de construire ce texte, et le lecteur qui lui aussi entraîné par cette création, peut se mettre à imaginer (...). Emma invente une foule de romans : les siens, ceux qu'elle pourrait vivre, qu'elle aurait pu vivre (...) mais aussi ces romans qu'ont pu vivre, que pourraient vivre tous les êtres qu'elle côtoie.

BÉATRICE DIDIER, 1983.
Introduction à l'édition du Livre de poche, pp. 23-24.

gaz, avec des marchepieds de calèches, qui se déployaient à grand fracas devant le péristyle des théâtres.

Elle s'abonna à *la Corbeille*, journal des femmes, et au *Sylphe des salons*. Elle dévorait, sans en rien passer, tous les
5 comptes rendus de premières représentations, de courses et de soirées, s'intéressait au début d'une chanteuse, à l'ouverture d'un magasin. Elle savait les modes nouvelles, l'adresse des bons tailleurs, les jours de Bois ou d'Opéra. Elle étudia, dans Eugène Sue[1], des descriptions d'ameublements ; elle
10 lut Balzac et George Sand, y cherchant des assouvissements imaginaires pour ses convoitises personnelles. A table même, elle apportait son livre, et elle tournait les feuillets, pendant que Charles mangeait en lui parlant. Le souvenir du Vicomte revenait toujours dans ses lectures. Entre lui et
15 les personnages inventés, elle établissait des rapprochements. Mais le cercle dont il était le centre peu à peu s'élargit autour de lui, et cette auréole qu'il avait, s'écartant de sa figure, s'étala plus au loin, pour illuminer d'autres rêves.

Paris, plus vaste que l'Océan, miroitait donc aux yeux
20 d'Emma dans une atmosphère vermeille ⟨1⟩. La vie nombreuse qui s'agitait en ce tumulte y était cependant divisée par parties, classée en tableaux distincts. Emma n'en apercevait que deux ou trois qui lui cachaient tous les autres, et représentaient à eux seuls l'humanité complète. Le monde
25 des ambassadeurs marchait sur des parquets luisants, dans des salons lambrissés de miroirs, autour de tables ovales couvertes d'un tapis de velours à crépines[2] d'or. Il y avait là des robes à queue, de grands mystères, des angoisses dissimulées sous des sourires. Venait ensuite la société des
30 duchesses ; on y était pâle ; on se levait à quatre heures ; les femmes, pauvres anges ! portaient du point d'Angleterre[3] au bas de leur jupon, et les hommes, capacités méconnues sous des dehors futiles, crevaient leurs chevaux par partie de plaisir, allaient passer à Bade la saison d'été, et, vers la qua-
35 rantaine enfin, épousaient des héritières. Dans les cabinets de restaurant où l'on soupe après minuit, riait, à la clarté des bougies, la foule bigarrée des gens de lettres et des actrices. Ils étaient, ceux-là, prodigues comme des rois, pleins d'ambitions idéales et de délires fantastiques. C'était une
40 existence au-dessus des autres, entre ciel et terre, dans les orages, quelque chose de sublime. Quant au reste du monde, il était perdu, sans place précise, et comme n'existant pas. Plus les choses, d'ailleurs, étaient voisines, plus sa

1. *Eugène Sue : ce romancier (1804-1857) est resté célèbre en particulier grâce à l'un des plus grands romans-feuilletons du XIXe siècle : les Mystères de Paris (1842-1843). Si le prince Rodolphe y évolue dans tous les milieux, du grand monde aux bas-fonds, la chronologie interne du roman (voir le contexte p. 483) permet de penser qu'Emma lit plutôt ses romans mondains : Arthur, le journal d'un inconnu (1837-1839), l'Art de plaire (ou le Marquis de Létorière) (1839), Mathilde, mémoires d'une jeune femme (1841), ou peut-être son grand roman historique, situé au XVIIIe siècle, Latréaumont (1837), dont le titre inspirera Isidore Ducasse, dit le comte de Lautréamont.*
2. *Crépine : frange tissée et ouvragée, dont on garnit des meubles.*
3. *Il s'agit d'une dentelle anglaise ou à la manière anglaise. L'exclamation délicieusement apitoyée — « pauvres anges ! » — attribuable à Emma et à la « voix » stéréotypée des romans, renvoie aussi au Dictionnaire des idées reçues : « Ange : fait bien en Amour, et en Littérature. » Nous retrouverons le mot p. 614.*

Paris, l'ailleurs absolu

A partir d'une analyse du stéréotype comme « fétichisation de la pensée », comme fantasme par intériorisation d'un langage imposé comme extériorité, et « gardien de toute la puissance magique de la pensée » qui « vide en même temps la représentation de son rôle d'identification » et « entraîne la pétrification de la signification : la mort du sens », Françoise Gaillard propose cette étude de la fonction de Paris dans l'imaginaire d'Emma :

« L'Ailleurs est le seul support du rêve, l'ailleurs radicalement autre, l'ailleurs qui est la ville ; la ville des villes : *Paris*. *Paris* c'est ce nom presque abstrait qui constitue "l'essence" à laquelle renvoient tous les "accidents" des convoitises, c'est le lieu où le quantitatif insatisfaisant se transmue en qualitatif gratifiant, *Paris c'est le creuset de l'alchimie du sens*.

Paris, « Quel nom démesuré », pure expansion de tous les signifiants où s'alimente le manque ; c'est aussi le signifiant qui sert d'alibi (d'*ailleurs* et d'*autre*) à tous les signifiés irrepérables, imprononçables. Pour ne pas parler, on parle de *Paris* ; Paris véritable noyau de recentrement du sens, où les représentations partout mensongères, insignifiantes, trouvent un recouvrement réel : une signification ; c'est là que se confirme la vérité qu'elles véhiculent, c'est là qu'elle s'engendre et se régénère. Paris est donc au lexique des représentations fragmen-

taires comme leur loi syntaxique, leur *ratio* ; il est ce qui non seulement les unit en un même lieu mais qui les constitue en système de signification.

Paris c'est l'étalon or qui protège la menue monnaie des signifiants (en lesquels il se fragmente) de la dévaluation ; garant de leur valeur signifiante, Paris assure le sens contre toute déperdition. ''Félicité'', ''passion'', ''ivresse'' n'ont de sens qu'à Paris, que de Paris.

Le système de la représentation menacé par l'impossible référentialité de ces termes est sauvé par ce mot polarisateur qui arrête le jeu infini des substitutions : en se faisant réceptacle de tous les surplus indexables, ce *hors signe* désambiguïse le sens. Paris recentre les énergies flottantes du récit, reproduisant, au niveau du système des sens, le jacobinisme centralisateur de la rationalité des Lumières. En l'absence d'une transcendance divine, il y a toujours un signifié promu à cette place de recentrement théologique, qui assure le fonctionnement du système de la signification classique, en bloquant le jeu du sens.

FRANÇOISE GAILLARD, 1974.
« L'en-signement du réel » in *La production du sens chez Flaubert*, colloque de Cerisy, 10/18, 1975, p. 205.

pensée s'en détournait. Tout ce qui l'entourait immédiatement, campagne ennuyeuse, petits bourgeois imbéciles,
médiocrité de l'existence, lui semblait une exception dans le
monde, un hasard particulier où elle se trouvait prise, tandis
5 qu'au delà s'étendait à perte de vue l'immense pays des félicités et des passions. Elle confondait, dans son désir, les sensualités du luxe avec les joies du cœur, l'élégance des habitudes et les délicatesses du sentiment. Ne fallait-il pas à
l'amour, comme aux plantes indiennes, des terrains prépa-
10 rés, une température particulière ? Les soupirs au clair de
lune, les longues étreintes, les larmes qui coulent sur les
mains qu'on abandonne, toutes les fièvres de la chair et les
langueurs de la tendresse ne se séparaient donc pas du balcon des grands châteaux qui sont pleins de loisirs, d'un bou-
15 doir à stores de soie avec un tapis bien épais, des jardinières
remplies, un lit monté sur une estrade, ni du scintillement
des pierres précieuses et des aiguillettes[1] de la livrée.
  Le garçon de la poste, qui, chaque matin, venait panser la
jument, traversait le corridor avec ses gros sabots ; sa blouse
20 avait des trous, ses pieds étaient nus dans des chaussons.
C'était là le groom[2] en culotte courte dont il fallait se contenter ! Quand son ouvrage était fini, il ne revenait plus de la
journée ; car Charles, en rentrant, mettait lui-même son
cheval à l'écurie, retirait la selle et passait le licou[3], pendant
25 que la bonne apportait une botte de paille et la jetait, comme
elle le pouvait, dans la mangeoire.
  Pour remplacer Nastasie (qui enfin partit de Tostes, en
versant des ruisseaux de larmes), Emma prit à son service
une jeune fille de quatorze ans, orpheline et de physionomie
30 douce. Elle lui interdit les bonnets de coton, lui apprit qu'il
fallait vous parler à la troisième personne, apporter un verre
d'eau dans une assiette, frapper aux portes avant d'entrer, et
à repasser, à empeser, à l'habiller, voulut en faire sa femme
de chambre. La nouvelle bonne obéissait sans murmure
35 pour n'être point renvoyée ; et, comme Madame, d'habitude, laissait la clef au buffet, Félicité ①, chaque soir, prenait une petite provision de sucre qu'elle mangeait toute
seule, dans son lit, après avoir fait sa prière.
  L'après-midi, quelquefois, elle allait causer en face avec
40 les postillons. Madame se tenait en haut dans son
appartement.
  Elle portait une robe de chambre tout ouverte, qui laissait
voir, entre les revers à châle du corsage, une chemisette plis-

1. *Aiguillette : petit cordon ou ruban*
ornemental.
2. *Groom : anglicisme désignant un*
petit laquais.
3. *Licou : harnais de tête pour attacher*
le cheval à la mangeoire ou au poteau.

1. Félicité, un mot piège, un nom ironique

Nom récurrent chez Flaubert, puisqu'il est celui de l'héroïne d'*Un cœur simple*, Félicité joue un rôle symbolique important. Par son nom, la bonne renvoie quotidiennement Emma à sa quête désespérée : « Emma cherchait à savoir ce qu'on entendait au juste dans la vie par les mots de félicité, de passion et d'ivresse, qui lui avaient paru si beaux dans les livres » (p. 118). Ici, et jusqu'à la fin, le mot « félicité » s'incarne, dérisoirement. De même qu'Emma cherche à donner un contenu aux mots qui n'ont de valeur que dans l'univers livresque, elle tente de transformer Félicité en « femme de chambre », à la faire accéder à un statut en accord avec l'idée qu'elle se fait d'elle-même. Il s'agit de rendre Félicité autre qu'elle n'est, pauvre compensation pour une vie qui s'épuise dans la morne répétition de l'identique.

Selon *A concordance to Flaubert's Madame Bovary* (Garland Publishing Inc., deux volumes, New York & London, 1978), on trouve 6 occurrences du substantif « félicité » contre 40 du prénom. Ne pourrait-on faire du prénom l'inflation par écho du substantif ? De plus, il serait possible de déceler une ironie narrative dans la comparaison entre Emma et Félicité. Cette dernière profite de sa maîtresse, et se vêt de ses dépouilles, et, après sa mort, elle apparaît comme son fantôme à un Charles à son tour victime d'illusions. Mieux encore, Félicité réussit ce qu'Emma a raté : son enlèvement, puisqu'elle s'enfuit avec Théodore (dont le nom sonne avec celui de Rodolphe) « en volant tout ce qui restait de la garde-robe » (p. 744). Ainsi, Félicité, modelée par Emma au nom d'un fantasme, fait de sa vie un roman vrai, ironique retournement qui s'intègre bien dans le système fictionnel.

N.-B. Sur « félicité » voir également le contexte p. 733.

sée avec trois boutons d'or. Sa ceinture était une cordelière à gros glands, et ses petites pantoufles de couleur grenat avaient une touffe de rubans larges, qui s'étalait sur le cou-de-pied. Elle s'était acheté un buvard, une papeterie[1], un
5 porte-plume et des enveloppes, quoiqu'elle n'eût personne à qui écrire ; elle époussetait son étagère, se regardait dans la glace, prenait un livre, puis, rêvant entre les lignes, le laissait tomber sur ses genoux. Elle avait envie de faire des voyages 1 ou de retourner vivre à son couvent. Elle souhai-
10 tait à la fois mourir et habiter Paris.

Charles, à la neige, à la pluie, chevauchait par les chemins de traverse. Il mangeait des omelettes sur la table des fermes, entrait son bras dans des lits humides, recevait au visage le jet tiède des saignées, écoutait des râles, examinait
15 des cuvettes, retroussait bien du linge sale ; mais il trouvait, tous les soirs, un feu flambant, la table servie, des meubles souples, et une femme en toilette fine, charmante et sentant frais, à ne savoir même d'où venait cette odeur, ou si ce n'était pas sa peau qui parfumait sa chemise.
20 Elle le charmait par quantité de délicatesses ; c'était tantôt une manière nouvelle de façonner pour les bougies des bobèches[2] de papier, un volant qu'elle changeait à sa robe, ou le nom extraordinaire d'un mets bien simple, et que la bonne avait manqué, mais que Charles, jusqu'au bout, ava-
25 lait avec plaisir. Elle vit à Rouen des dames qui portaient à leur montre un paquet de breloques ; elle acheta des breloques. Elle voulut sur sa cheminée deux grands vases de verre bleu, et, quelque temps après, un nécessaire d'ivoire, avec un dé de vermeil. Moins Charles comprenait ces élé-
30 gances, plus il en subissait la séduction. Elles ajoutaient quelque chose au plaisir de ses sens et à la douceur de son foyer. C'était comme une poussière d'or qui sablait tout du long le petit sentier de sa vie.

Il se portait bien, il avait bonne mine ; sa réputation était
35 établie tout à fait. Les campagnards le chérissaient parce qu'il n'était pas fier. Il caressait les enfants, n'entrait jamais au cabaret, et, d'ailleurs, inspirait de la confiance par sa moralité. Il réussissait particulièrement dans les catarrhes et maladies de poitrine. Craignant beaucoup de tuer son
40 monde, Charles, en effet, n'ordonnait guère que des potions calmantes, de temps à autre de l'émétique[3], un bain de pieds ou des sangsues. Ce n'est pas que la chirurgie lui fît peur ; il vous saignait les gens largement, comme des che-

1. Papeterie : nécessaire contenant ce qu'il faut pour écrire.
2. Bobèche : petite pièce mobile et évasée qu'on adapte aux chandeliers pour recueillir la cire coulant des bougies.
3. Émétique : puissant vomitif composé de tartrate d'antimoine et de potassium.

Le voyage : un système de référence

Selon G. Daniels, le thème du voyage vaut autant pour l'imprégnation pessimiste qu'il infuse au roman que pour sa valeur organisatrice. Les objets associés à ce thème se déploient en un « système de référence » qui dépasse leur simple fonction descriptive. Les noms des auberges sont marqués par une ironie emblématique qui s'oppose à leur aspect réaliste. Ainsi le Lion d'Or et la Croix Rouge ne conviennent guère à Léon, si peu... léonin et piètre chevalier ; les hôtels de Provence et de Boulogne suggèrent les étapes de voyages inaccomplis ; les routes et rues enserrent Emma dans la répétition monotone : réduction du réseau routier de Tostes, Yonville et ses chemins dérobés, Rouen et le parcours du jeudi dans son « dédale » ; l'Hirondelle résume la médiocrité des véhicules et connote l'isolement moral et social d'Emma ; enfin, il est significatif que soient exclus les voyages en train ou en bateau : se signale ainsi une imagination « provinciale et anachronique ».

On peut distinguer, en reprenant les catégories de Tomachevski, les motifs « dynamiques » et les « statiques ». Les

premiers, qui correspondent aux déplacements réels, inscrivent la vision subjective de l'héroïne et son « correctif » : le cortège des noces qui inaugure ironiquement l'association de l'amour et du déplacement, la valse au bal de la Vaubyessard qui annonce celle du vertige et de l'artificiel, deux sorties renforcent les liens avec Léon, la promenade à cheval avec Rodolphe est à la fois voyage vers l'extase et retour au foyer de la femme adultère, circularité qui se répétera. Les rêves d'évasion fonctionnent en contrepoint et composent le motif statique. Valant à la fois comme constat et réponse aux crises sentimentales, ils sont supports d'une « sensibilité spatialisante » et remotivation de clichés exotiques et romanesques. On peut ajouter à

cette bipolarité des « sous-motifs » — « brumes », « hauteurs », « vertiges » — qui croisent les deux motifs principaux et y introduisent une psychologie « somatique ».

La description de Rouen synthétise tous ces motifs. Le dynamique (itératif, scansion départ/retour, distance critique) ; le statique (expansion désirante, surimpression d'éléments kinesthésiques, contraste de notations réalistes et des comparaisons) ; valeur « rétrospective et prospective » des sous-motifs : tout y exemplifie le « système de signes et de situations » qui établit une « métaphorisation implicite ». (G. Daniels, « Le thème du voyage dans Madame Bovary », in Flaubert : la dimension du texte, Manchester University Press, 1982)

vaux, et il avait pour l'extraction des dents une *poigne d'enfer*.

Enfin, *pour se tenir au courant,* il prit un abonnement à la *Ruche médicale* , journal nouveau dont il avait reçu le pros-
5 pectus. Il en lisait un peu après son dîner ; mais la chaleur de l'appartement, jointe à la digestion, faisait qu'au bout de cinq minutes il s'endormait ; et il restait là, le menton sur ses deux mains, et les cheveux étalés comme une crinière jusqu'au pied de la lampe. Emma le regardait en haussant
10 les épaules. Que n'avait-elle, au moins, pour mari un de ces hommes d'ardeurs taciturnes qui travaillent la nuit dans des livres, et portent enfin, à soixante ans, quand vient l'âge des rhumatismes, une brochette de croix, sur leur habit noir, mal fait. Elle aurait voulu que ce nom de Bovary, qui était le
15 sien, fût illustre, le voir étalé chez des libraires, répété dans les journaux, connu par toute la France. Mais Charles n'avait point d'ambition ! Un médecin d'Yvetot, avec qui dernièrement il s'était trouvé en consultation, l'avait humilié quelque peu, au lit même du malade, devant les parents
20 assemblés. Quand Charles lui raconta, le soir, cette anec-dote, Emma s'emporta bien haut contre le confrère. Charles en fut attendri. Il la baisa au front avec une larme. Mais elle était exaspérée de honte, elle avait envie de le battre, elle alla dans le corridor ouvrir la fenêtre et huma l'air frais pour
25 se calmer.

— Quel pauvre homme ! quel pauvre homme ! disait-elle tout bas, en se mordant les lèvres.

Elle se sentait, d'ailleurs, plus irritée de lui. Il prenait, avec l'âge, des allures épaisses ; il coupait, au dessert, le bouchon
30 des bouteilles vides[1] ; il se passait, après manger, la langue sur les dents ; il faisait, en avalant sa soupe, un gloussement à chaque gorgée, et, comme il commençait d'engraisser, ses yeux, déjà petits, semblaient remonter vers les tempes par la bouffissure de ses pommettes ⟨1⟩ .
35 Emma, quelquefois, lui rentrait dans son gilet la bordure rouge de ses tricots, rajustait sa cravate, ou jetait à l'écart les gants déteints qu'il se disposait à passer ; et ce n'était pas, comme il croyait, pour lui ; c'était pour elle-même, par expansion d'égoïsme, agacement nerveux. Quelquefois
40 aussi, elle lui parlait des choses qu'elle avait lues, comme d'un passage de roman, d'une pièce nouvelle, ou de l'anec-dote du *grand monde* que l'on racontait dans le feuilleton ; car, enfin, Charles était quelqu'un, une oreille toujours ouverte, une approbation toujours prête. Elle faisait bien des

La description et le sens

« Un caractère constant de la description chez Flaubert est sa focalisation ; on regarde Emma avec les yeux de Charles ou de Rodolphe, Charles et Léon avec les yeux d'Emma, etc. Aussi la description a-t-elle valeur narrative non seulement lorsqu'il s'agit de signaler une modification du personnage décrit, mais aussi parce qu'elle explique ou fait pressentir une modification du personnage qui décrit. Nous montrer Emma telle que la voit Charles, c'est révéler l'attrait qu'elle exerce sur lui, et qui va déterminer toute l'histoire. Regard d'Emma qui "arrivait franchement à vous avec une hardiesse candide", mouvement ondé de ses bandeaux, "que le médecin de campagne remarqua là pour la première fois de sa vie" : la description se transforme en scène de séduction.

Tout cela est connu depuis longtemps. Mais il ne semble pas qu'on se soit beaucoup occupé jusqu'ici des conséquences qu'entraîne cette technique pour ce qui concerne l'objet décrit. La focalisation, en effet, a pour résultat une destruction de l'objet, qui se dissout dans la subjectivité de ceux qui le contemplent, dans la multiplicité des points de vue. Prenons pour exemple la petite Berthe, telle qu'elle est vue par sa mère, puis par son père. Par sa mère (quand Berthe s'est blessée contre la commode) : "De grosses larmes s'arrêtaient au coin de ses paupières à demi closes, qui laissaient voir entre les cils deux prunelles pâles, enfoncées ; le sparadrap, collé sur sa joue, en tirait obliquement la peau tendue" ; avec pour conclusion : "C'est une chose étrange, pensait Emma, comme cette enfant est laide !" Par son père : "Sa petite tête se penchait si gracieusement en laissant retomber sur ses joues roses sa bonne chevelure blonde, qu'une délectation infinie l'envahissait." Il serait bien difficile de se faire une idée de Berthe en juxtaposant ces deux passages. L'intérêt de la description est en dehors d'elle : dans le sentiment — ou l'absence de sentiment — qu'elle révèle chez les parents de la petite fille.

On voit ainsi le même trait, la même particularité du visage, revêtir des valeurs diamétralement opposées. Par exemple, des yeux bridés par des pommettes saillantes. Chez Emma (vue par Rodolphe), le trait est plein de grâce : "Quoique bien ouverts, ils semblaient un peu bridés par les pommettes, à cause du sang, qui battait doucement sous sa peau fine." L'explication manque de clarté, mais les yeux "bien ouverts", la palpitation du sang sous la peau, donnent à l'ensemble son attrait. Chez Charles (vu par Emma) : "Comme il commençait d'engraisser, ses yeux, déjà petits, semblaient remontés vers les tempes par la bouffissure de ses pommettes." Ici, la cause invoquée est déplaisante, et le tableau ("déjà petits", "bouffissure") assez repoussant.

Flaubert subordonne à ce point la valeur objective de la description à sa valeur subjective, qu'il n'a pas hésité, on l'a vu, à donner à son héroïne, par trois fois, des yeux bleus. Le passage qui la décrit aux premiers jours de son mariage est particulièrement intéressant : "Au lit, le matin, et côte à côte sur l'oreiller, il regardait la lumière du soleil passer parmi le duvet de ses joues blondes [...] ses yeux [...] noirs à l'ombre et bleu foncé au grand jour...", etc. On aura remarqué dans ce portrait une blondeur que Flaubert ne va pas jusqu'à rapporter à la chevelure de la jeune femme mais qu'il introduit par le biais des "joues blondes" : à cette épo-

confidences à sa levrette ! Elle en eût fait aux bûches de la cheminée et au balancier de la pendule.

Au fond de son âme, cependant, elle attendait un événement. Comme les matelots en détresse, elle promenait sur la
5 solitude de sa vie des yeux désespérés, cherchant au loin quelque voile blanche dans les brumes de l'horizon. Elle ne savait pas quel serait ce hasard, le vent qui le pousserait jusqu'à elle, vers quel rivage il la mènerait, s'il était chaloupe ou vaisseau à trois ponts, chargé d'angoisses ou plein de féli-
10 cités jusqu'aux sabords. Mais, chaque matin, à son réveil, elle l'espérait pour la journée, et elle écoutait tous les bruits, se levait en sursaut, s'étonnait qu'il ne vînt pas ; puis, au coucher du soleil, toujours plus triste, désirait être au lendemain.

15 Le printemps reparut. Elle eut des étouffements aux premières chaleurs, quand les poiriers fleurirent ①.

Dès le commencement de juillet, elle compta sur ses doigts combien de semaines lui restaient pour arriver au mois d'octobre, pensant que le marquis d'Andervilliers,
20 peut-être, donnerait encore un bal à la Vaubyessard. Mais tout septembre s'écoula sans lettres, ni visites.

Après l'ennui de cette déception, son cœur, de nouveau, resta vide, et alors la série des mêmes journées recommença.

25 Elles allaient donc maintenant se suivre ainsi à la file toujours pareilles, innombrables et n'apportant rien ! Les autres existences, si plates qu'elles fussent, avaient du moins la chance d'un événement. Une aventure amenait parfois des péripéties à l'infini, et le décor changeait. Mais, pour elle,
30 rien n'arrivait, Dieu l'avait voulu ! L'avenir était un corridor tout noir, et qui avait au fond sa porte bien fermée.

Elle abandonna la musique, pourquoi jouer ? qui l'entendrait ? Puisqu'elle ne pourrait jamais, en robe de velours à manches courtes, sur un piano d'Érard[1], dans un concert,
35 battant de ses doigts légers les touches d'ivoire, sentir, comme une brise, circuler autour d'elle un murmure d'extase, ce n'était pas la peine de s'ennuyer à étudier. Elle laissa dans l'armoire ses cartons à dessin et la tapisserie. A quoi bon ? à quoi bon ? La couture l'irritait.

40 — J'ai tout lu, se disait-elle.

Et elle restait à faire rougir les pincettes, ou regardant la pluie tomber.

Comme elle était triste, le dimanche, quand on sonnait les

1. *Érard : célèbre facteur de pianos (1752-1831) qui perfectionna le piano en 1821 avec la technique du double échappement, et lui donna sa forme moderne.*

que où Emma, encore pleine d'illusions, n'est qu'une jeune épousée candide qui jette à son mari des fleurs par la fenêtre, l'écrivain est donc à deux doigts de nous la présenter comme une blonde aux yeux bleus. C'est dire que, voulant faire profiter son héroïne tantôt des valeurs sombres, tantôt des valeurs claires, il sacrifie à ce dessein la réalité physique du personnage. A la limite, on pourrait dire que le portrait ne renvoie à aucun référent, mais à un pur système de valeurs. Ce n'est pas Flaubert qui aurait, comme Stendhal, inscrit en marge de ses manuscrits : "Il faudrait ici une description." La description, chez lui, n'est pas surajoutée. Elle est l'émanation et le moyen du sens. »

CLAUDINE GOTHOT-MERSCH, 1974. "La description des visages dans Madame Bovary », *Littérature,* n° 15, pp. 24-25.

 L'appel du désir

« Quelquefois, Taanach, il s'exhale du fond de mon être comme de chaudes bouffées, plus lourdes que les vapeurs d'un volcan. Des voix m'appellent, un globe de feu roule et monte dans ma poitrine, il m'étouffe, je vais mourir ; et puis, quelque chose de suave, coulant de mon front jusqu'à mes pieds, passe dans ma chair... c'est une caresse qui m'enveloppe, et je me sens écrasée comme si un dieu s'étendait sur moi. Oh ! je voudrais me perdre dans la brume des nuits, dans le flot des fontaines, dans la sève des arbres, sortir de mon corps, n'être qu'un souffle, qu'un rayon, et glisser, monter jusqu'à toi, ô Mère ! »

GUSTAVE FLAUBERT, 1862. *Salammbô.*

vêpres ! Elle écoutait, dans un hébétement attentif, tinter un à un les coups fêlés de la cloche. Quelque chat sur les toits, marchant lentement, bombait son dos aux rayons pâles du soleil. Le vent, sur la grande route, soufflait des traînées de
5 poussière. Au loin, parfois, un chien hurlait : et la cloche, à temps égaux, continuait sa sonnerie monotone qui se perdait dans la campagne.

Cependant on sortait de l'église. Les femmes en sabots cirés, les paysans en blouse neuve, les petits enfants qui sau-
10 tillaient nu-tête devant eux, tout rentrait chez soi. Et jusqu'à la nuit, cinq ou six hommes, toujours les mêmes, restaient à jouer au bouchon, devant la grande porte de l'auberge.

L'hiver fut froid. Les carreaux, chaque matin, étaient chargés de givre, et la lumière, blanchâtre à travers eux,
15 comme par des verres dépolis, quelquefois ne variait pas de la journée. Dès quatre heures du soir, il fallait allumer la lampe.

Les jours qu'il faisait beau, elle descendait dans le jardin. La rosée avait laissé sur les choux des guipures d'argent avec
20 de longs fils clairs qui s'étendaient de l'un à l'autre. On n'entendait pas d'oiseaux, tout semblait dormir, l'espalier couvert de paille et la vigne comme un grand serpent malade sous le chaperon[1] du mur, où l'on voyait, en s'approchant, se traîner des cloportes à pattes nombreuses.
25 Dans les sapinettes, près de la haie, le curé en tricorne qui lisait son bréviaire avait perdu le pied droit et même le plâtre, s'écaillant à la gelée, avait fait des gales blanches sur sa figure ①.

Puis elle remontait, fermait la porte, étalait les charbons,
30 et, défaillant à la chaleur du foyer, sentait l'ennui plus lourd qui retombait sur elle. Elle serait bien descendue causer avec la bonne, mais une pudeur la retenait ②.

Tous les jours, à la même heure, le maître d'école, en bonnet de soie noire, ouvrait les auvents de sa maison, et le
35 garde champêtre passait, portant son sabre sur sa blouse. Soir et matin, les chevaux de la poste, trois par trois, traversaient la rue pour aller boire à la mare. De temps à autre, la porte d'un cabaret faisait tinter sa sonnette, et, quand il y avait du vent, l'on entendait grincer sur leurs deux tringles
40 les petites cuvettes en cuivre du perruquier, qui servaient d'enseigne à sa boutique. Elle avait pour décoration une vieille gravure de modes collée contre un carreau et un buste de femme en cire, dont les cheveux étaient jaunes. Lui

1. *Chaperon : au sens technique de partie supérieure d'un mur, en dos d'âne, pour l'écoulement des eaux.*

Le destin du curé de plâtre

Parmi tous les objets dont on peut suivre le devenir dans le roman (le bouquet de mariée, le porte-cigares...), le curé de plâtre est l'un des plus symboliques. Selon la judicieuse expression de Claudine Gothot-Mersch il « symbolise la "ligne descendante" du roman ». En effet, il apparaît pour la première fois lors de l'arrivée à Tostes des époux Bovary : « Tout au fond (du jardin), sous les sapinettes, un curé de plâtre lisait son bréviaire » (p. 110). Souvenir du prédécesseur de Charles, il n'a encore aucune valeur autre que d'être là, mais déjà, de même que la plupart des objets de ce premier logis conjugal, il participe à l'ambiance dégradée. N'est-il pas simplement en plâtre, et non en pierre ? Ici, on le voit mutilé, écaillé. Il évolue comme les déceptions d'Emma, qui mesure le contraste entre la vie rêvée et la vie réelle. Plus tard, en arrivant à Yonville, dernière demeure de Madame Bovary, le curé sera cassé, préfigurant ainsi le destin d'Emma (p. 242).

Pour une approche stylistique (1)

Chaque page de Madame Bovary justifierait une étude de détail. Nous reproduisons ici des extraits d'une étude stylistique du passage qui commence avec « Après l'ennui de cette déception » pour se terminer ici :

1) Le style indirect libre

« Dès le début, l'opposition des temps le signale : *recommença* appartient au narrateur ; *allaient* à Emma. Nous aurons alors la transcription de ses pensées : *à la file* aussi bien que *péripéties* ou *décors* appartiennent à la langue et au style de cette jeune femme romanesque plantant pour son existence un décor idéal à la place d'un cadre monotone.

Dans le deuxième paragraphe, la technique est semblable. Après l'intervention de Flaubert (le passé simple *abandonna*), les interrogations reflètent les intonations mêmes d'Emma. Par elles, l'illusion de vie est obtenue et maintenue sans défaillance tout au long de ce monologue intérieur, sans artifice.

Contrastant avec cette présentation des paroles et des pensées, un bref élément de style direct : *J'ai tout lu*, amène un éclairage plus brutal et cru sur la personne d'Emma, révélation aussi d'une conscience épuisée. Après quoi, il y aura place seulement pour les pauvres gestes d'un corps endolori. »

2) L'expression de la sensation

« De quelle façon encore parvenir à exprimer au plus près de la vérité, la réalité intérieure et extérieure de l'univers d'Emma Bovary ? Grâce aux sensations certes, et elles sont suffisamment diverses et multiples, grâce principalement à l'expression figurée.

[...]

Un corridor tout noir... C'est la sombre maison de Tostes qui apparaît dans cette métaphore... *Comme une brise :* symbole de l'air vivifiant pour Emma, tout le contraire de celui qu'elle respire.

La cloche au son fêlé n'apporte que l'écho d'un passé religieux aboli.

Le serpent est allégorique. Dans les *Écrits de jeunesse* déjà, les *Tentations de saint Antoine*, le serpent représente l'amour néfaste ou criminel. Mais ici, l'image est devenue insistante ; la serre chaude de Vaubyessard contient des *plantes bizarres... sous des vases suspendus... pareils à des nids de serpents trop pleins*. Dans son adultère, Emma *se déshabillait brutalement, arrachant le lacet mince de son corset, qui sifflait autour de ses hanches comme une couleuvre qui glisse*. Binet se recule devant elle *comme à la vue d'un serpent...* Le curé de plâtre signifie la vie honnête d'Emma qui commence à s'effriter. Au moment du déménagement, *tombant de la charrette à un cahot trop fort*, il s'écrasera *en mille morceaux*. Les marques de décrépitude que distingue Emma correspondent à sa propre évolution intérieure. Ces images péjoratives aggravent la sensation de la *cloche fêlée*. Mais leur convergence spirituelle est identique.

[...]

Peut-être a-t-il été trop habile ici, car ce curé *qui lisait son bréviaire* s'est évidemment échappé d'une fable de La Fontaine où : *Il prenait bien son temps*. Atroce dérision ! Refuser précisément cette condition, tendre vers l'avenir, pense Emma. *Tout au fond sous les sapinettes, un curé de plâtre lisait son bréviaire* (I, 5) : l'attente avait suffisamment duré.

Le symbolisme de la végétation flétrie est assez explicite. Je relèverai seulement cette déclaration aux Goncourt : *Dans* Madame Bovary, *je n'ai eu que l'idée de rendre un ton, cette couleur de moisissure de l'existence des cloportes* (*Journal*, 17 mars 1861). On voit comment Flaubert a ordonné son récit autour de la notion d'*ennui* : insistance du mot, répété, ainsi que *restaient à* ; choix des détails d'un réalisme affligeant (le chat, le jeu de bouchon — un vulgaire jeu de palet !) ; sensations limitées ou d'une implacable persévérance, sans beauté intrinsèque même *(les coups fêlés de la cloche)*. Les symboles du destin de Mme Bovary sont déjà tous inscrits dans cette page si tragique d'accent.

Aucune évasion n'est possible de cet univers rétréci, fermé à la vie, d'une opacité définitive. »

3) Le rythme

« Traduction du sentiment à l'aide de sensations choisies qui correspondent à cet état d'âme, découverte d'images capables d'exprimer plus vivement encore ces impressions : voilà où tendait l'effort de Flaubert. Ce n'est pas assez. L'adhérence de la phrase à la vérité matérielle et psychologique donne à l'observation ou au regard

intérieur toute sa puissance. Sans peine on remarquera les variations dues à un désir d'euphonie plus parfaite : *elle restait à faire rougir, ou regardant...* La forme verbale en -*ant* modifie la tonalité vocalique de la phrase ; elle permet en outre de mieux souligner un état qui se prolonge.

On sera plus sensible au procédé de la ponctuation devant une coordination qui détache plus nettement la pensée ; la fonction d'ouverture des deux points, *un chien hurlait :* mais c'est à la cloche qui semble lui répondre ! Chien et cloche : écho sacrilège...

M. Proust a bien vu le rôle de la conjonction *et* dans Flaubert : *elle marque une pause dans une mesure rythmique et divise un tableau*, comme dans notre dernier paragraphe : *et, défaillant...*

Et sert aussi à lancer un mouvement nouveau : *et alors la série... ; Et jusqu'à la nuit...* J'appellerais ce *et* : de contraste.

Et peut manquer. Son absence n'en est que plus signifiante. Flaubert a volontiers recours dans ce cas à un participe présent qui détaille mieux chaque aspect de l'action en sauvegardant l'autonomie du verbe principal : *marchant lentement, bombait...*

Une succession de propositions non reliées, simplement

juxtaposées, souligne l'envahissement progressif d'une conscience par des sensations du monde extérieur, qu'elle subit sans contrôle : *la cloche, quelque chat, le vent, un chien, la cloche...*

S'il arrive que la phrase obéisse à un rythme d'harmonie suggestive :
et la cloche, à temps
                    3
égaux, continuait sa
      4   4
sonnerie monotone qui
       4   3
qui se perdait dans la
                    5
campagne,
      4

les organisations métriques sont pourtant évitées ici. Mais Flaubert s'était rendu compte du pouvoir obsessionnel de telles cadences. *Pourquoi,* écrivait-il à George Sand, *arrive-t-on toujours à faire un vers quand on resserre trop sa pensée ? La loi des nombres gouverne donc les sentiments et les images ?...*

En revanche, une constante de son style, c'est bien la formule ternaire : *toujours pareilles, innombrables, et n'apportant rien ; elle remontait, fermait la porte, étalait les charbons...* A ces actes concrets succède un autre aspect, surtout psychologique.

L'énumération peut même suivre une rigoureuse progres-sion dans la masse syllabique de ses éléments : *les femmes en sabots cirés, les paysans en blouse neuve, les petits enfants qui sautillaient nu-tête devant eux..* Trois plans ici. Notre regard distingue d'abord ce qui est à sa portée immédiate (les sabots), puis se déplace progressivement jusqu'au niveau des crânes, accompagnant dans un bel effet de perspective ces personnages. Mais ensuite, une brève proposition, de formule vocalique, conclusive *(soi),* arrête le défilé et la scène.

Perceptions, rendus impressionnistes : les éléments de ces tableaux sont livrés au fur et à mesure de leur saisie. Il en est d'autres exemples. Emma se promène dans son jardin. Les sensations visuelles viennent tout de suite l'assaillir. *Les choux :* légume si commun ! mot prosaïque relevé aussitôt par *guipures,* terme de broderie naturel chez Emma, même si Flaubert le lui a soufflé. Alors le silence de cet univers l'étonne : *tout semblait dormir.* Il ne suffit pas de voir dans l'apparition de cette phrase très brève, au début d'un énoncé complexe, un simple désir de variation par rapport au tableau précédent où *tout* fermait l'énumération. La surprise d'Emma précède sa quête anxieuse, décevante. Mêmes habiletés dans l'analyse de ses sentiments. *Elle abandonna la musique...* Départ vif ; puis mouvement lent, appliqué ; éléments variés qui prolongent l'attente du verbe, pivot de la proposition *(circuler)* ; choix de mots conventionnellement poétiques ou prestigieux : *brise, murmure d'extase* (c'est Emma qui rêve !) ; harmonie vocalique insistante, grâce au e non élidé qui aère cette évocation ; résolution de la phrase sur une sèche principale avec une série d'accords monotones en *é*, platitude de l'énoncé ; l'envolée lyrique a pris fin. Quelle retombée !

Ce paragraphe s'achève sur la reprise symétrique du premier mouvement à l'aide des interrogations : parfaites cadences plagales.

Toutes les combinaisons prosodiques ont été faites, écrivait Flaubert à Louise Colet en 1852, *mais celles de la prose, tant s'en faut !* Notre analyse montre l'éblouissante virtuosité de ces *études.* »

YVES LE HIR, 1965.
« L'ennui de Madame Bovary », *Analyses stylistiques,* Armand Colin, pp. 249-254.

aussi, le perruquier, il se lamentait de sa vocation arrêtée, de son avenir perdu, et, rêvant quelque boutique dans une grande ville comme à Rouen, par exemple, sur le port, près du théâtre, il restait toute la journée à se promener en long,
5 depuis la mairie jusqu'à l'église, sombre, et attendant la clientèle. Lorsque madame Bovary levait les yeux, elle le voyait toujours là, comme une sentinelle en faction, avec son bonnet grec sur l'oreille et sa veste de lasting[1].

Dans l'après-midi, quelquefois, une tête d'homme appa-
10 raissait derrière les vitres de la salle, tête hâlée, à favoris noirs, et qui souriait lentement d'un large sourire doux à dents blanches. Une valse aussitôt commençait, et, sur l'orgue, dans un petit salon, des danseurs hauts comme le doigt, femmes en turban rose, Tyroliens en jaquette, singes
15 en habit noir, messieurs en culotte courte, tournaient, tournaient entre les fauteuils, les canapés, les consoles, se répétant dans les morceaux de miroir que raccordait à leurs angles un filet de papier doré. L'homme faisait aller sa manivelle, regardant à droite, à gauche et vers les fenêtres. De
20 temps à autre, tout en lançant contre la borne un long jet de salive brune, il soulevait du genou son instrument, dont la bretelle dure lui fatiguait l'épaule ; et, tantôt dolente et traînarde, ou joyeuse et précipitée, la musique de la boîte s'échappait en bourdonnant à travers un rideau de taffetas
25 rose, sous une grille de cuivre en arabesque. C'étaient des airs que l'on jouait ailleurs, sur les théâtres, que l'on chantait dans les salons, que l'on dansait le soir sous des lustres éclairés, échos du monde qui arrivaient jusqu'à Emma. Des sarabandes à n'en plus finir se déroulaient dans sa tête, et,
30 comme une bayadère sur les fleurs d'un tapis, sa pensée bondissait avec les notes, se balançait de rêve en rêve, de tristesse en tristesse. Quand l'homme avait reçu l'aumône dans sa casquette, il rabattait une vieille couverture de laine bleue, passait son orgue sur son dos et s'éloignait d'un pas
35 lourd. Elle le regardait partir ①.

Mais c'était surtout aux heures des repas qu'elle n'en pouvait plus, dans cette petite salle au rez-de-chaussée, avec le poêle qui fumait, la porte qui criait, les murs qui suintaient, les pavés humides ; toute l'amertume de l'existence lui sem-
40 blait servie sur son assiette, et, à la fumée du bouilli, il montait du fond de son âme comme d'autres bouffées d'affadissement. Charles était long à manger ; elle grignotait quelques noisettes, ou bien, appuyée du coude, s'amusait, avec

1. Lasting : étoffe de laine rase, brillante « et qui dure très longtemps » (Littré).

 ## Le double et l'autre

Le perruquier offre à Emma sa propre image. Perdu à Tostes, déçu, amer, il est son double, mais un double ironiquement dégradé. Son rêve reste professionnel, boutiquier. A l'insertion fantasmatique d'Emma dans l'univers parisien répond ici l'installation à... Rouen, ce même Rouen dont elle devra se contenter plus tard comme d'une Babylone du pauvre. L'on voit comment Flaubert travaille sur l'identité et la différence.

Le joueur d'orgue de Barbarie n'offre lui que des copies de la musique prestigieuse de la vraie vie, mais de ce simulacre, elle alimente son imaginaire. Ses rêveries tournent et tournent comme les personnages miniatures de l'instrument. C'est un même principe d'identité et de différence qui régit le rapport entre Emma et le musicien, qui annonce en mineur l'aveugle.

Toute la vie d'Emma se concentre ici : répétition, permanence, dégradation, transmutation du trivial et du faux en fantasmes... Condamnée à tourner en rond ou à rester à sa fenêtre, « comme une sentinelle en faction », Emma meurt lentement, victime de ses illusions et du monde étouffant de la province, du froid et de la grisaille, morne couleur, ou plutôt non-couleur, qu'elle arborera comme emblème sur ses bas de coton gris.

la pointe de son couteau, à faire des raies sur la toile
cirée ①.

Elle laissait maintenant tout aller dans son ménage, et
madame Bovary mère, lorsqu'elle vint passer à Tostes une
5 partie du carême, s'étonna fort de ce changement. Elle, en
effet, si soigneuse autrefois et délicate, elle restait à présent
des journées entières sans s'habiller, portait des bas de coton
gris, s'éclairait à la chandelle[1]. Elle répétait qu'il fallait économiser, puisqu'ils n'étaient pas riches, ajoutant qu'elle était
10 très contente, très heureuse, que Tostes lui plaisait beaucoup, et autres discours nouveaux qui fermaient la bouche à
la belle-mère ②. Du reste, Emma ne semblait plus disposée
à suivre ses conseils ; une fois même, madame Bovary
s'étant avisée de prétendre que les maîtres devaient surveil-
15 ler la religion de leurs domestiques[2], elle lui avait répondu
d'un œil si colère et avec un sourire tellement froid, que la
bonne femme ne s'y frotta plus.

Emma devenait difficile, capricieuse. Elle se commandait
des plats pour elle, n'y touchait point, un jour ne buvait que
20 du lait pur, et, le lendemain, des tasses de thé à la douzaine.
Souvent, elle s'obstinait à ne pas sortir, puis elle suffoquait,
ouvrait les fenêtres, s'habillait en robe légère. Lorsqu'elle
avait bien rudoyé sa servante, elle lui faisait des cadeaux ou
l'envoyait se promener chez les voisines, de même qu'elle
25 jetait parfois aux pauvres toutes les pièces blanches de sa
bourse, quoiqu'elle ne fût guère tendre cependant, ni facilement accessible à l'émotion d'autrui, comme la plupart des
gens issus de campagnards, qui gardent toujours à l'âme
quelque chose de la callosité des mains paternelles.
30 Vers la fin de février, le père Rouault, en souvenir de sa
guérison, apporta lui-même à son gendre une dinde
superbe, et il resta trois jours à Tostes. Charles étant à ses
malades, Emma lui tint compagnie. Il fuma dans la chambre, cracha sur les chenets, causa culture, veaux, vaches,
35 volailles et conseil municipal ; si bien qu'elle referma la porte
quand il fut parti, avec un sentiment de satisfaction qui la
surprit elle-même. D'ailleurs, elle ne cachait plus son mépris
pour rien, ni pour personne ; et elle se mettait quelquefois à
exprimer des opinions singulières, blâmant ce que l'on
40 approuvait, et approuvant des choses perverses ou immorales : ce qui faisait ouvrir de grands yeux à son mari.

Est-ce que cette misère durerait toujours ? est-ce qu'elle
n'en sortirait pas ? Elle valait bien cependant toutes celles

1. La chandelle, en suif, est meilleur
marché que la bougie, en cire, et que
l'huile de lampe.
2. « Religion (La). Fait partie des bases
de la Société. Est nécessaire pour les
peuples, cependant pas trop n'en faut.
"La religion de nos pères" doit se dire
avec onction. » (Dictionnaire des idées
reçues.)

Toute une vie dans une assiette

Ce paragraphe a fait l'objet d'une célèbre analyse par laquelle Erich Auerbach a permis de repenser le trop fameux réalisme flaubertien. Après avoir montré comment le lecteur voit la scène à travers les yeux d'Emma et que celle-ci est « vue elle-même en tant qu'elle voit », et signalé que l'écrivain « synthétise la confusion psychologique et l'oriente dans le sens où elle se dirige d'elle-même, dans le sens "aversion de Charles Bovary" », il oppose Flaubert à Balzac et Stendhal : contrairement à ces deux autres romanciers réalistes, il ne s'identifie pas à ses personnages et ne commente pas leurs actions ou leurs pensées ; « son rôle se borne à sélectionner les événements et à les traduire en mots, avec la conviction que, s'il réussit à l'exprimer purement et totalement, tout événement s'interprétera parfaitement de lui-même ainsi que les individus qui y prennent part » et Auerbach y voit la continuation du classicisme français. Puis, il approfondit l'analyse de cette scène :

La scène montre deux conjoints à table, la situation la plus quotidienne qu'on puisse imaginer. Avant Flaubert, elle n'aurait été littéralement concevable qu'en tant qu'élément d'une farce, d'une satire ou d'une idylle. Ici elle constitue le tableau d'un malaise, non pas subit et momentané, mais d'un malaise chronique, qui mine une existence entière, celle d'Emma Bovary. Il est vrai que cette scène est suivie de toutes sortes d'épisodes, où l'amour notamment joue un rôle, mais il n'est pas possible de voir en elle le prélude d'un épisode amoureux, ni même de qualifier *Madame Bovary* de roman d'amour. Le roman est la représentation de toute une existence sans issue, et notre passage en constitue un fragment qui la contient déjà tout entière. Rien de particulier ne se produit dans cette scène, auparavant non plus il ne s'est rien produit de particulier. C'est un instant pris au hasard parmi les moments où, jour après jour, deux conjoints partagent leurs repas. Ils ne se disputent pas, nul conflit saisissable ne les sépare. Emma vit en plein désespoir, mais ce désespoir n'est pas causé par une catastrophe déterminée. Elle n'a perdu ni ne désire rien de tout à fait concret. Elle a certes bien des désirs, mais ils sont très vagues : élégance, amour, vie pleine d'imprévu. Des désespoirs aussi peu concrets ont toujours existé, mais avant Flaubert on ne songeait pas à les prendre au sérieux dans des œuvres littéraires. Un tragique aussi informe, s'il est permis de parler de tragique, qui se dissout dans une situation générale, n'est devenu matière à littérature que par le romantisme. Flaubert est sans doute le premier à l'avoir incarné dans des êtres de faible culture intellectuelle et de rang social inférieur ; il est certainement le premier à avoir représenté le caractère chronique d'une telle situation. Il ne se passe rien, mais ce *rien* est devenu un *quelque chose* qui est lourd, diffus et menaçant. Nous avons déjà vu comment Flaubert crée cette impression ; il ordonne verbalement les confuses sensations de malaise qui naissent en Emma à la vue de la pièce, des aliments, de son mari, et en fait un tableau homogène. Ailleurs aussi, il ne raconte que rarement des événements qui font progresser l'histoire d'un

seul coup. A force de tableaux qui transforment le néant de la vie quotidienne en un état oppressant de dégoût et d'ennui, où se mêlent les espoirs fallacieux, les déceptions paralysantes et les craintes pitoyables, nous voyons une grise et banale destinée humaine s'acheminer lentement vers sa fin.

L'interprétation de la situation est elle aussi contenue dans sa description même. Charles et Emma Bovary sont assis à la même table ; le mari n'a aucun soupçon de ce qui se passe dans l'esprit de sa femme ; ils ont si peu de choses en commun, qu'ils n'en viennent même pas à une dispute, à une discussion, à un conflit déclaré. Chacun est si bien empêtré dans son propre monde, elle dans son désespoir et ses rêves imprécis, lui dans son obtuse satisfaction de philistin, qu'ils vivent tous les deux dans une complète solitude. Car chacun dispose, pour son propre usage, d'un monde stupide et faux qu'il lui est impossible de concilier avec sa situation réelle, de sorte que l'un et l'autre laisse échapper les possibilités que lui offre la vie. On peut en dire autant de presque tous les personnages du roman ; chacun des individus moyens qui s'y meuvent a son propre monde de sottise médiocre et

absurde — monde d'illusions, d'habitudes, d'instincts et de clichés. Chacun est seul, personne ne comprend son prochain ni ne peut l'aider à voir plus clair. Il n'y a pas de communauté humaine, car celle-ci ne pourrait naître que si beaucoup d'entre eux trouvaient le chemin de leur propre réalité, de la réalité qui est donnée à l'individu, et qui deviendrait du même coup l'authentique réalité commune à tous. Sans doute les hommes se rencontrent-ils pour leurs affaires ou leurs plaisirs, mais de telles rencontres n'amorcent pas une communauté ; elles sont ridicules, pénibles, grevées de malentendus, de vanités, de mensonges et de haines stupides. Mais que pourrait être le monde, le monde de la « sagesse » ? Flaubert ne nous le dit jamais ; dans son roman le monde n'est fait que de sottises sans rapport avec la réalité vraie, si bien que celle-ci semble en être absente. Elle y a place néanmoins, elle réside dans la langue de l'écrivain qui démasque la sottise en se bornant à la décrire. La langue sert donc de critère pour dénoncer la sottise, et là elle participe à cette réalité de la « sagesse », qui ne se manifeste d'aucune autre manière dans ce livre. Emma Bovary, la figure principale du roman, est elle aussi

entièrement prisonnière de la fausse réalité, de la *bêtise humaine*, semblable en cela au « héros » de l'autre roman réaliste de Flaubert, Frédéric Moreau. Comment la représentation flaubertienne de telles figures entre-t-elle dans les catégories traditionnelles du tragique et du comique ? L'existence d'Emma est incontestablement saisie dans toute sa profondeur, il est hors de doute aussi que les anciennes catégories intermédiaires, celles du touchant, ou du satirique, ou du didactique, par exemple, ne sont pas applicables, et le lecteur est très souvent pris par le destin d'Emma d'une manière qui ressemble beaucoup à la pitié tragique. Pourtant elle n'est pas une vraie héroïne tragique. La manière dont le roman dénude, dans sa langue, la sottise, l'immaturité, le désordre de la vie d'Emma, la manière dont il révèle la misère de l'existence dont elle reste prisonnière *(toute l'amertume de l'existence lui semblait servie sur son assiette)*, exclut l'idée de vraie tragédie, et jamais l'auteur ni le lecteur ne peuvent s'identifier à elle comme cela doit être le cas quand il s'agit d'un héros tragique. Elle est mise à l'épreuve, jugée et finalement condamnée avec le monde tout entier où elle est plongée. Mais elle n'est pas non plus comique, car elle est bien trop profondément comprise, bien trop montrée dans les impasses de sa destinée, encore que Flaubert ne témoigne d'aucune « compréhension psychologique » à son égard, mais laisse simplement parler les faits. Il a découvert une attitude à l'égard de la réalité contemporaine qui est radicalement différente des attitudes et des niveaux stylistiques antérieurs, y compris, et spécialement, ceux de Stendhal et de Balzac. On pourrait désigner très simplement cette attitude du terme de « sérieux objectif ». Une telle expression rend un son insolite en tant que qualification du style d'une œuvre littéraire. Un sérieux objectif, qui cherche à pénétrer jusque dans l'intimité des passions et des égarements d'une vie humaine, sans s'émouvoir lui-même, ou tout au moins sans trahir d'émotion, voilà une attitude que l'on attend plutôt d'un prêtre, d'un éducateur ou d'un psychologue plutôt que d'un artiste. Mais le prêtre, l'éducateur, le psychologue veulent agir d'une manière immédiatement pratique, ambition qui est étrangère à Flaubert. Par son attitude —*pas de cris, pas de convulsion, rien que la fixité d'un regard pensif* — il veut contraindre la langue à

rendre dans leur vérité les objets de son observation : *le style étant à lui tout seul une manière absolue de voir les choses* (Corr., II, p. 346). Par là son œuvre remplit aussi, en définitive, une fonction critique et didactique — nous ne devons pas craindre de le dire, malgré Flaubert lui-même qui entend être un artiste et rien qu'un artiste.

Plus on pratique Flaubert, plus nettement on voit que son œuvre réaliste comporte une intuition pénétrante de la problématique et de la précarité de la culture bourgeoise du XIXᵉ siècle.

ERICH AUERBACH,
1946, *Mimésis*,
traduction française 1968,
Gallimard, pp. 483-486.

Georges Poulet reprend cette analyse d'Erich Auerbach pour en tirer une conclusion à portée générale — « La méthode flaubertienne consiste donc à présenter comme objet de contemplation un être qui, à son tour, a pour objet de contemplation la réalité environnante » — et pour mettre en évidence ce qu'il appelle « le caractère circulaire de la représentation du réel chez Flaubert » :

« La première phrase commence de la façon suivante : *Mais c'était surtout aux heures des repas...* Ce qui nous est donné d'abord, c'est une durée. Mais cette durée est d'une espèce particulière. Ce n'est pas un temps continu. C'est la durée répétitive de toutes les heures, à la fois semblables et séparées les unes des autres, où Emma se retrouve à table, le soir, avec son mari. C'est un moment qui se répète, mais qui, chaque fois qu'il se répète, est le moment, entre tous les moments, où Emma "n'en peut plus", où elle prend conscience de son désespoir. Ainsi ce qui apparaît d'abord, est purement et intensément

subjectif, conscience de l'heure, conscience du désespoir. Mais à peine cette conscience apparaît-elle, qu'elle est située dans un lieu objectif, la "petite salle", et comme enveloppée d'une série de détails, tous objectifs eux aussi, mais doués d'un pouvoir de détermination affective : le poêle qui fume, la porte qui crie, les murs qui suintent, le pavé humide. A ces détails qui sont ceux du moment et du lieu, mais qui se rapportent à la totalité d'une existence depuis longtemps insupportable, s'ajoutent, sans que le dise l'auteur, tous ceux de même nature qui composent la vie d'Emma. Ainsi ce qui est dit est grandement renforcé par ce qui a été dit. Il y a, en effet, dans l'accumulation du détail une grande force agrégative. C'est la force même du nombre, du nombre nombrant et non pas du nombre nombré. Dès qu'elle apparaît en relation avec un sujet, la multiplicité objective, en elle-même inintelligible, acquiert un sens en raison même de cette relation. Elle devient ce qui se dispose autour d'une existence pour exercer sur celle-ci une action. Cependant cette disposition n'est encore qu'une présence extérieure et périphérique, alors que l'action elle-même est centrale. Entre ce qui détermine et ce qui est déterminé il y a une différence profonde de lieu et de nature, une distance à la fois extérieure et intérieure. Comment la franchir ? C'est alors que Flaubert trouve cette admirable phrase : *Toute l'amertume de l'existence lui semblait servie sur son assiette.* Phrase dont on peut dire d'abord qu'elle est d'une rectitude merveilleuse. On y perçoit le mouvement même par lequel, s'étant amassés périphériquement à l'horizon de la conscience pour faire pression sur elle, l'ensemble des objets et des images converge soudainement vers le centre, c'est-à-dire vers le sujet. Pour produire son effet Flaubert a inter-

verti l'objectif et le subjectif. Il ne s'agit plus de poêle, de murs, de porte ni de pavés. Il s'agit de l'amertume de l'existence. Les objets se sont métamorphosés en leur équivalent subjectif ; de même qu'à l'âme d'Emma s'est symboliquement substitué un équivalent objectif, le cercle étroit de son assiette. Ainsi une confusion voulue s'établit entre le

dehors et le dedans, entre ce qui est chose et ce qui est conscience, comme si en pénétrant sous forme d'images dans l'intériorité d'Emma les choses perdaient leur extériorité foncière, et comme si Emma, en se laissant pénétrer par les choses, devenait elle-même une quasi-chose, une réalité objective.

Mais il y a plus encore dans cette merveilleuse phrase. Sa beauté consiste dans la correspondance parfaite qui existe entre son mouvement physique et le mouvement mental qu'elle dépeint. Ce mouvement, pour ainsi dire, elle le *figure*, elle en fait le tracé dans un espace apparent. Si l'expression *toute l'amertume de l'existence*, ramasse la multiplicité environnante en une totalité psychique dont la périphérie embrasse la vie d'Emma, d'autre part la seconde partie de la phrase, *lui semblait servie sur son assiette,* projette d'un coup cette vaste réalité périphérique sur un point central, l'assiette d'Emma. Nous assistons ici à une poussée concentrique de toutes les forces causales venant à la fois du milieu extérieur et des étendues intérieures de l'existence, pour aboutir à l'âme d'Emma, fixée dans la contemplation amère de l'assiette. Mais à peine Flaubert nous a-t-il rendu visible cette action qui va de la causalité périphérique à la conscience ponctuelle, qu'il nous décrit ensuite le mouvement inverse par lequel l'âme réagit excentriquement et projette à son tour, comme un objet, son sentiment dans les espaces : *Et, à la fumée du bouilli, il montait du fond de son âme comme*

d'autres bouffées d'affadissement. Bref, traversé en deux sens différents, par un mouvement successivement contractif et expansif, le milieu flaubertien apparaît comme un espace ambiant qui s'étend de la circonférence au centre et du centre à la circonférence. Ce caractère *circulaire* de la représentation du réel chez Flaubert, n'est nullement métaphorique ; ou si c'est une métaphore, ce n'en est certes pas une inventée pour les besoins de la cause par le critique. Cette métaphore se retrouve, en effet, à chaque instant dans l'œuvre de Flaubert, et elle s'y avère si insistante, si nécessaire, si significative, qu'il faut bien la reconnaître pour l'image essentielle par laquelle s'expriment les rapports du monde et de l'être dans l'imagination flaubertienne. »

GEORGES POULET, 1961.
« Flaubert », in *Les Métamorphoses du cercle*, réédition collection Champs, Flammarion, 1979, pp. 386-388.

Jacques Neefs dresse un fort intéressant bilan de ces deux lectures complémentaires. Selon lui, elles restent prises dans l'illusion réaliste, même si Auerbach constate que les « sentiments d'Emma sont là formulés avec une intensité et une concentration qui ne peuvent pas lui appartenir (...) (il lit donc) dans le désaccord entre la "confusion psychologique" supposée du personnage, et la "mise en ordre psychologique", l'orientation vers une unité de sens ("ennui" ou ailleurs, "aversion de Charles") de l'énoncé, la "main ordonnatrice de l'écrivain", dans l'écart entre l'incapacité de s'exprimer d'Emma et la force d'expression du texte ». *Or, il* « montre bien que tous les éléments de la fiction, des tableaux, des scènes, sont ordonnés en vue du signifié psychologique (...). C'est donc l'univers spatio-temporel du récit qui est chargé de signifier la psychologie (...) et non pas un discours analytique ou explicatif ». *Par ailleurs, il reconnaît que* « les événements, détails et objets de l'univers fictif, nécessaires pour signifier la psychologie (du moins dans le roman du XIXe siècle), sont devenus, avec Flaubert, suffisants ; l'auteur peut en paraître absent, car le roman devient structure d'interprétations ». *Poulet, quant à lui, par sa distinction de l'objectif (le monde des décors et objets) et le subjectif (l'âme d'Emma) analyse leur circulation, qu'il érige en une figure, celle de la circularité, qu'il s'agit de repérer partout :* « Ainsi la lecture de Poulet a l'avantage de signaler une mise en harmonie propre à l'univers du fictif, mais sa démarche et son vocabulaire ont précisément l'inconvénient d'objectiver une opposition/relation, déduite de la seule lecture réaliste du texte, alors que la distinction objectif/subjectif (conscience/objet, dedans/dehors) n'a qu'une valeur référentielle et interprétative, et ne permet que d'ordonner des circuits dans l'illusion réaliste elle-même. »

(« La figuration réaliste », *Poétique*, n° 16, 1973, pp. 467-468)

La femme de province selon Balzac

« A Paris, il existe plusieurs espèces de femmes ; il y a la duchesse et la femme du financier, l'ambassadrice et la femme du consul, la femme du ministre qui est ministre et la femme de celui qui ne l'est plus ; il y a la femme comme il faut de la rive droite et celle de la rive gauche de la Seine ; mais en province il n'y a qu'une femme, et cette pauvre femme est la femme de province. Cette observation indique une des grandes plaies de notre société moderne. Sachons-le bien ! la France au dix-neuvième siècle est partagée en deux grandes zones : Paris et la province ; la province jalouse de Paris, Paris ne pensant à la province que pour lui demander de l'argent. Autrefois, Paris était la première ville de province, la Cour primait la Ville ; maintenant Paris est toute la Cour, la Province est toute la Ville. Quelque grande, quelque belle, quelque forte que soit à son début une jeune fille née dans un département quelconque ; si, comme Dinah Piédefer, elle se marie en province et si elle y reste, elle devient bientôt femme de province. Malgré ses projets arrêtés, les lieux communs, la médiocrité des idées, l'insou-

ciance de la toilette, l'horticulture des vulgarités envahissent l'être sublime caché dans cette âme neuve, et tout est dit, la belle plante dépérit. Comment en serait-il autrement ? Dès leur bas âge, les jeunes filles de province ne voient que des gens de province autour d'elles, elles n'inventent pas mieux, elles n'ont à choisir qu'entre des médiocrités, les pères de province ne marient leurs filles qu'à des garçons de province ; personne n'a l'idée de croiser les races, l'esprit s'abâtardit nécessairement ; aussi, dans beaucoup de villes, l'intelligence est-elle devenue aussi rare que le sang y est laid. L'homme s'y rabougrit sous les deux espèces, car la sinistre idée des convenances de fortune y domine toutes les conventions matrimoniales. Les gens de talent, les artistes, les hommes supérieurs, tout coq à plumes éclatantes s'envole à Paris. Inférieure comme femme, une femme de province est encore inférieure par son mari. Vivez donc heureuse avec ces deux pensées écrasantes ? Mais l'infériorité conjugale et l'infériorité radicale de la femme de province sont aggravées d'une troisième et

terrible infériorité qui contribue à rendre cette figure sèche et sombre, à la rétrécir, à l'amoindrir, à la grimer fatalement. L'une des plus agréables flatteries que les femmes s'adressent à elles-mêmes n'est-elle pas la certitude d'être pour quelque chose dans la vie d'un homme supérieur choisi par elles en connaissance de cause, comme pour prendre leur revanche du mariage où leurs goûts ont été peu consultés ? Or, en province, s'il n'y a point de supériorité chez les maris, il en existe encore moins chez les célibataires. Aussi, quand la femme de province commet sa petite faute, s'est-elle toujours éprise d'un prétendu bel homme ou d'un dandy indigène, d'un garçon qui porte des gants, qui passe pour savoir monter à cheval ; mais, au fond de son cœur, elle sait que ses vœux poursuivent un lieu commun plus ou moins bien vêtu. Dinah fut préservée de ce danger par l'idée qu'on lui avait donnée de sa supériorité. Elle n'eût pas été pendant les premiers jours de son mariage aussi bien gardée qu'elle le fut par sa mère, dont la présence ne lui fut importune qu'au moment où elle eut intérêt à l'écarter, elle aurait été gardée par son orgueil, et par la hauteur à laquelle elle plaçait ses destinées. Assez flattée de se voir entourée d'admirateurs, elle ne vit pas d'amant parmi eux.

[...]

Obligée d'enterrer les trésors de son amour, elle ne livra que des dehors à sa société. Par moments, elle se secouait, elle voulait prendre une résolution virile ; mais elle était tenue en lisières par la question d'argent. Ainsi, lentement et malgré les protestations ambitieuses, malgré les récriminations élégiaques de son esprit, elle subissait les transformations provinciales qui viennent d'être décrites. Chaque jour emportait un lambeau de ses premières résolutions. Elle s'était écrit un programme de soins de toilette que par degrés elle abandonna. Si, d'abord, elle suivit les modes, si elle se tint au courant des petites inventions du luxe, elle fut forcée de restreindre ses achats au chiffre de sa pension. Au lieu de quatre chapeaux, de six bonnets, de six robes, elle se contenta d'une robe par saison. On trouva Dinah si jolie dans un certain chapeau qu'elle fit servir le chapeau l'année suivante. Il en fut de tout ainsi. Souvent l'artiste immola les exigences de sa toilette au désir d'avoir un meuble gothi-

que. Elle en arriva, dès la septième année, à trouver commode de faire faire sous ses yeux ses robes du matin par la plus habile couturière du pays, et sa mère, son mari, ses amis la trouvèrent charmante dans ces toilettes économiques où, selon ses habitués, brillait son goût. On copia ses idées !... Comme elle n'avait sous les yeux aucun terme de comparaison, Dinah tomba dans les pièges tendus aux femmes de province. Si une Parisienne n'a pas les hanches assez bien dessinées, son esprit inventif et l'envie de plaire lui font trouver quelque remède héroïque ; si elle a quelque vice, quelque grain de laideur, une tare quelconque, elle est capable d'en

faire un agrément, cela se voit souvent : mais la femme de province, jamais ! Si sa taille est trop courte, si son embonpoint se place mal, eh ! bien, elle en prend son parti, et ses adorateurs, sous peine de ne pas l'aimer, doivent l'accepter comme elle est, tandis que la Parisienne veut toujours être prise pour ce qu'elle n'est pas. De là ces tournures grotesques, ces maigreurs effrontées, ces ampleurs ridicules, ces lignes disgracieuses offertes avec ingénuité, auxquelles toute une ville s'est habituée, et qui étonnent quand une femme de province se produit à Paris ou devant des Parisiens. »

BALZAC, 1843.
La Muse du département.

qui vivaient heureuses ! Elle avait vu des duchesses à la
Vaubyessard qui avaient la taille plus lourde et les façons
plus communes, et elle exécrait l'injustice de Dieu ; elle
s'appuyait la tête aux murs pour pleurer ; elle enviait les
5 existences tumultueuses, les nuits masquées, les insolents
plaisirs avec tous les éperduments[1] qu'elle ne connaissait pas
et qu'ils devaient donner ①.

Elle pâlissait et avait des battements de cœur. Charles lui
administra de la valériane et des bains de camphre. Tout ce
10 que l'on essayait semblait l'irriter davantage.

En de certains jours, elle bavardait avec une abondance
fébrile ; à ces exaltations succédaient tout à coup des torpeurs où elle restait sans parler, sans bouger. Ce qui la rani-
mait alors, c'était de se répandre sur les bras un flacon d'eau
15 de Cologne.

Comme elle se plaignait de Tostes continuellement, Charles imagina que la cause de sa maladie était sans doute dans
quelque influence locale, et s'arrêtant à cette idée, il songea
sérieusement à aller s'établir ailleurs.

20 Dès lors, elle but du vinaigre pour se faire maigrir, con-
tracta une petite toux sèche et perdit complètement l'appétit.

Il en coûtait à Charles d'abandonner Tostes, après quatre
ans de séjour et au moment *où il commençait à s'y poser.*
S'il le fallait, cependant ! Il la conduisit à Rouen, voir son
25 ancien maître. C'était une maladie nerveuse : on devait la
changer d'air.

Après s'être tourné de côté et d'autre, Charles apprit qu'il
y avait, dans l'arrondissement de Neufchâtel, un fort bourg
nommé Yonville-l'Abbaye, dont le médecin, qui était un
30 réfugié polonais, venait de décamper la semaine précédente. Alors il écrivit au pharmacien de l'endroit pour savoir
quel était le chiffre de la population, la distance où se trouvait le confrère le plus voisin, combien par année gagnait
son prédécesseur, etc. ; et, les réponses ayant été satisfai-
35 santes, il se résolut à déménager vers le printemps, si la
santé d'Emma ne s'améliorait pas.

Un jour qu'en prévision de son départ elle faisait des ran-
gements dans un tiroir, elle se piqua les doigts à quelque
chose. C'était un fil de fer de son bouquet de mariage. Les
40 boutons d'oranger étaient jaunes de poussière, et les rubans
de satin, à liseré d'argent, s'effiloquaient par le bord. Elle le
jeta dans le feu. Il s'enflamma plus vite qu'une paille sèche.
Puis ce fut comme un buisson rouge sur les cendres, et qui

1. *Éperdument : forme substantive
rare, pour « transport », « passion ».*

L'imparfait ou l'effacement du je.

« Dans le style indirect libre se dissimulent des voix différentes et mal assignables : c'est sans doute Emma qui se dit à elle-même au futur :
Est-ce que cette misère durera toujours ?
Est-ce que je n'en sortirai pas ?
mais la phrase suivante est-elle transcriptible à la première personne ? S'agit-il d'une analyse descriptive de l'auteur ou d'une protestation de l'héroïne ? Il est devenu impossible de le dire — et nous savons que ceci est pour Flaubert un succès — parce qu'il a choisi une saisie particulière de la personne, entraînant une saisie particulière du temps, que les analyses de Gustave Guillaume permettent de tirer au clair.
(…) Le passage hors-rapport interlocutif à l'absence d'Emma entraîne (par décadence syntaxique) le passage hors du système du présent.
(…) La forme en -ait décale vers le passé le point d'où l'on considère l'avenir et lui ajoute ainsi une surcharge d'hypothèse ; ce passage est décadence, chute hors du rapport interlocutif et de la présence.
La forme en -ait aurait donc un autre sens que la possibilité déjà reconnue de scander la prose flaubertienne. Qu'est-ce donc que la décadence ? Cette notion ne se comprend qu'en corrélation étroite avec son contraire, l'incidence, que Guillaume définit de la manière suivante :
L'incidence, c'est l'arrivée au temps d'un procès qu'indique le verbe. Cette arrivée au temps est ou bien quelque chose d'accompli, qui a déjà eu lieu à un moment perdu de vue, ou bien quelque chose en accomplissement, qui n'a pas encore eu lieu… L'incidence inscrit dans le temps un instant positif en deçà duquel le procès qu'indique le verbe est inexistant, et cet instant en deçà duquel on ne remonte pas s'attribue l'unité et se refuse la pluralité. L'incidence du verbe au temps est faite d'un seul instant ; au cas où elle serait faite de plusieurs instants, il y aurait plus que l'incidence, et l'on serait déjà, par le fait même de pluralité, engagé en décadence.
Or dans l'imparfait, il y a dépassement d'incidence. Guillaume l'oppose au passé défini, mais non pas comme un temps duratif à un temps ponctuel : l'imparfait est une saisie du procès au sein de son déroulement, de telle sorte que celui-ci nous apparaisse toujours divisé en une partie accomplie « déca-dente », et une partie en accomplissement ou incidente.
Le passé défini, au contraire, saisit le procès en son instant d'arrivée au temps d'incidence et le conserve tout entier en incidence : « Et la lumière fut. »
Ainsi, dans l'imparfait, une partie, si infime soit-elle, du procès est toujours déjà décadente, dépassée, et une partie, si infime soit-elle, toujours à accomplir. L'éternel imparfait prend le récit « in medias res », en évitant la considération de l'incidence, de l'apparition de l'événement, il donne le sentiment de la facticité de l'univers, cette facticité fille de l'absence de toute saisie du sujet.
(…) « L'éternel imparfait » serait lié à l'effacement du je et du présent dont le style indirect libre est un cas particulier, et plus généralement à la difficulté d'identifier les voix narratives ; c'est cette absence de prise directe sur le monde qui entraîne une disparition conjointe de l'événement. »

MICHÈLE HIRSCH, 1974, *Madame Bovary :* « l'Éternel imparfait et la description », in *La description,* Université de Lille-III, Éditions universitaires.

se rongeait lentement. Elle le regarda brûler. Les petites baies de carton éclataient, les fils d'archal[1] se tordaient, le galon se fondait ; et les corolles de papier, racornies, se balançant le long de la plaque comme des papillons noirs, enfin s'envolèrent par la cheminée.

Quand on partit de Tostes au mois de mars, madame Bovary était enceinte ①.

1. *Fil d'archal : fil de laiton.*

① Le petit journal de Madame Bovary

« Je suis en train de recopier, de corriger et raturer toute ma première partie de *Bovary*. Les yeux m'en piquent. Je voudrais d'un seul coup d'œil lire ces cent cinquante-huit pages et les saisir avec tous leurs détails dans une seule pensée. Ce sera le dimanche en huit que je relirai tout à Bouilhet et le lendemain, ou le surlendemain, tu me verras. Quelle chienne de chose que la prose ! Ça n'est jamais fini ; il y a toujours à refaire. Je crois pourtant qu'on peut lui donner la consistance du vers. Une bonne phrase de prose doit être comme un bon vers, *inchangeable*, aussi rythmée, aussi sonore. Voilà du moins mon ambition (il y a une chose dont je suis sûr, c'est que personne n'a jamais eu en tête un type de prose plus parfait que moi ; mais quant à l'exécution, que de faiblesses, que de faiblesses mon Dieu !). Il ne me paraît pas non plus impossible de donner à l'analyse psychologique la rapidité, la netteté, l'emportement d'une narration purement dramatique. Cela n'a jamais été tenté et serait beau. Y ai-je réussi un peu ? Je n'en sais rien. A l'heure qu'il est je n'ai aucune opinion nette sur mon travail. »

A Louise Colet, 22/7/1852

DEUXIÈME PARTIE

I

Yonville-l'Abbaye (ainsi nommé, à cause d'une ancienne abbaye de Capucins dont les ruines n'existent même plus) est ① un bourg à huit lieues de Rouen, entre la route d'Abbeville et celle de Beauvais, au fond d'une vallée
5 qu'arrose la Rieule, petite rivière qui se jette dans l'Andelle, après avoir fait tourner trois moulins vers son embouchure, et où il y a quelques truites, que les garçons, le dimanche, s'amusent à pêcher à la ligne.

On quitte la grande route à la Boissière et l'on continue à
10 plat jusqu'au haut de la côte des Leux[1], d'où l'on découvre la vallée. La rivière qui la traverse en fait comme deux régions de physionomie distincte : tout ce qui est à gauche est en herbage, tout ce qui est à droite est en labour. La prairie s'allonge sous un bourrelet de collines basses pour se rat-
15 tacher par-derrière aux pâturages du pays de Bray, tandis que, du côté de l'Est, la plaine, montant doucement, va s'élargissant et étale à perte de vue ses blondes pièces de blé. L'eau qui court au bord de l'herbe sépare d'une raie blanche la couleur des prés et celle des sillons, et la campagne ainsi
20 ressemble à un grand manteau déplié qui a un collet de velours vert, bordé d'un galon d'argent.

Au bout de l'horizon, lorsqu'on arrive, on a devant soi les chênes de la forêt d'Argueil, avec les escarpements de la côte Saint-Jean, rayés du haut en bas par de longues traî-
25 nées rouges, inégales ; ce sont les traces des pluies, et ces tons de brique, tranchant en filets minces sur la couleur grise

1. Leu : forme ancienne de « loup ».

Sur le présent

« L'emploi prolongé du présent, au début de la deuxième partie du livre, semble être un retour de la voix narrative : le roman coïncide avec le moment de sa narration (et de sa lecture), nous sommes de nouveau à l'origine du récit : "Depuis les événements que l'on va raconter..." Mais, plus que l'affirmation complaisante et indiscrète du narrateur, il y a là représentation ambiguë : le décor bénéficie d'une éternité cartographique (Yonville existe quelque part en Normandie au moment où vous lisez), et simultanément, le parcours de la lecture produit le village dans l'ordre d'une arrivée : "On quitte la grande route... On l'aperçoit de loin... Cependant les cours se font plus étroites, les habitations se rapprochent... Vingt pas plus loin, etc." (pp. 83-85). Ainsi entrée du discours et entrée de la fiction sont soigneusement redondantes : au début du roman, l'arrivée de Charles dans l'étude était intrusion dans l'espace narratif, dans notre champ de vision en même temps que dans notre lecture, il suffisait d'ouvrir le livre pour faire entrer le personnage ; au début de la deuxième partie, c'est la lecture qui va à la rencontre du lieu fictif, c'est le discours qui s'immisce dans l'espace qu'il veut représenter, il faut parcourir des phrases pour découvrir un village. Des détails encore répètent l'effet, diluant méticuleusement les frontières entre le récit et son discours, entre la fiction et sa narration, indistinction où triomphe l'illusion réaliste : l'arrivée de Charles perturbe la classe comme le récit trouble le blanc qui le précède, la géographie de Yonville est clôturée comme la description qui la dit : "Il n'y a plus ensuite rien à voir dans Yonville. La rue (...) s'arrête court au tournant de la route."

Le présent de la deuxième partie a encore une autre fonction, explicitée par sa brusque reprise à l'extrême fin du livre : "...ce fut une tante qui s'en chargea. Elle est pauvre et l'envoie, pour gagner sa vie, dans une filature de coton...". Deuxième et troisième parties du livre sont ainsi unies, et le récit bouclé. La reprise d'un détail narratif renforce l'enjambement : l'allusion aux "pommes de terre" de Lestiboudois est incompréhensible si l'on ne se reporte pas à la longue (et alors étonnante) explication donnée lors de la description de Yonville, si l'on ne revient pas au début même de l'histoire. Tout le récit proprement dit en est comme annulé, mais on nous en avait prévenus : "Depuis les événements que l'on va raconter, rien en effet n'a changé à Yonville." Le récit est suspendu, à son origine comme à son terme, entre l'immobilité d'un village et le triomphe de l'Institution (la Croix d'Honneur), comme dans l'intemporalité du présent qui le porte. L'histoire d'Emma n'est que passé (e), elle est étouffée par la *présence* d'une double figure de l'inébranlable.

Dans un plan tardif, Flaubert prévoyait de terminer son livre par la mise en doute de Homais lui-même : "doute de lui — regarde les bocaux — doute de son existence. [...] — ne suis-je qu'un personnage de roman, le fruit d'une imagination en délire, l'invention d'un petit paltoquot *(sic)* que j'ai vu naître/et qui m'a inventé pour faire croire que je n'existe pas". On peut regretter ce trouble suspensif, qui était un autre moyen de conclure en faisant durer, de rompre avec la bêtise tout en

de la montagne, viennent de la quantité de sources ferrugineuses qui coulent au-delà, dans le pays d'alentour.

On est ici sur les confins de la Normandie, de la Picardie, et de l'Ile-de-France, contrée bâtarde où le langage est sans
5 accentuation, comme le paysage sans caractère. C'est là que l'on fait les pires fromages de Neufchâtel de tout l'arrondissement, et, d'autre part, la culture y est coûteuse, parce qu'il faut beaucoup de fumier pour engraisser ces terres friables pleines de sable et de cailloux.
10 Jusqu'en 1835, il n'y avait point de route praticable pour arriver à Yonville ; mais on a établi vers cette époque un chemin *de grande vicinalité* [1] qui relie la route d'Abbeville à celle d'Amiens, et sert quelquefois aux rouliers [2] allant de Rouen dans les Flandres. Cependant, Yonville-l'Abbaye est
15 demeuré stationnaire, malgré ses *débouchés nouveaux*. Au lieu d'améliorer les cultures, on s'y obstine encore aux herbages, quelque dépréciés qu'ils soient, et le bourg paresseux, s'écartant de la plaine, a continué naturellement à s'agrandir vers la rivière. On l'aperçoit de loin, tout couché
20 en long sur la rive, comme un gardeur de vaches qui fait la sieste au bord de l'eau ①.

Au bas de la côte, après le pont, commence une chaussée plantée de jeunes trembles, qui vous mène en droite ligne jusqu'aux premières maisons du pays. Elles sont encloses de
25 haies, au milieu de cours pleines de bâtiments épars, pressoirs, charretteries et bouilleries [3], disséminés sous les arbres touffus portant des échelles, des gaules ou des faux accrochées dans leur branchage. Les toits de chaume, comme des bonnets de fourrure rabattus sur des yeux, descendent
30 jusqu'au tiers à peu près des fenêtres basses, dont les gros verres bombés sont garnis d'un nœud dans le milieu, à la façon des culs de bouteilles. Sur le mur de plâtre que traversent en diagonale des lambourdes [4] noires, s'accroche parfois quelque maigre poirier, et les rez-de-chaussée ont à leur
35 porte une petite barrière tournante pour les défendre des poussins, qui viennent picorer, sur le seuil, des miettes de pain bis trempé de cidre. Cependant les cours se font plus étroites, les habitations se rapprochent, les haies disparaissent ; un fagot de fougères se balance sous une fenêtre au
40 bout d'un manche à balai [5] ; il y a la forge d'un maréchal et ensuite un charron avec deux ou trois charrettes neuves, en dehors, qui empiètent sur la route. Puis, à travers une claire-voie, apparaît une maison blanche au-delà d'un rond de

1. *Chemin de grande vicinalité : chemin qui relie soit des communes entre elles, soit des communes aux routes départementales ou nationales. L'italique souligne ici la langue administrative.*
2. *Roulier : voiturier qui transportait les marchandises.*
3. *Bouillerie : distillerie d'eau-de-vie.*
4. *Lambourde : pièce de bois supportant les frises d'un parquet ou poutre apparente. C'est ce deuxième sens que nous avons ici.*
5. *Afin de les faire sécher avant de les brûler.*

la prolongeant, de signaler enfin l'ambiguïté de toute représentation fictive, pour faire sens avec elle. D'ailleurs, Flaubert a souvent pris congé de ses fictions par allusion à la représentation elle-même : par exemple à la fin de la première *Éducation sentimentale* (« Ici, l'auteur passe son habit noir et salue la compagnie »), ou à la fin du *Saint Julien*. Mais l'abandon, ici, de ce projet, son remplacement par la froideur du présent immobilisateur, éternisant, "présentifiant" comme on dit pétrifiant, nous permet de lire une agression plus forte encore. L'écriture devient celle du bourreau, l'ironie devra vibrer dans le silence de la dernière constatation. »

JACQUES NEEFS, 1972, *Madame Bovary de Flaubert,* collection Poche critique, Hachette, pp. 46-48.

 # Sur la description de Yonville

On a souvent fait remarquer que cette page célèbre fonctionne sur le modèle balzacien, du point de vue « objectif » d'un narrateur omniscient qui se rapproche de celui des guides touristiques. En revanche, on a moins souligné, à notre connaissance, qu'une catégorie informe constamment cette description : celle de l'utile.
Il suffit d'énumérer quelques éléments : précision du trajet, attention aux cultures, mention des sources ferrugineuses, dépréciation des fromages, nécessité du fumier, célébration du progrès représenté par le chemin de grande vicinalité et déploration du retard de ses effets ainsi que de l'obstination des paysans, peu attentifs aux réalités du marché... tout part d'une même préoccupation, celle de l'expansion et de la rentabilité.
C'est dire qu'une autre voix que celle du narrateur peut ici se déceler : celle de Homais. Non pas certes qu'il faille lui attribuer ce tableau de son bourg, mais tout se passe comme si Yonville était au milieu du gué, en attente de quelque événement qui la dynamiserait. Cet événement sera double : les Comices, qui n'influeront en rien, puisque « rien (...) n'a changé à Yonville », et la décoration d'Homais qui clôt le roman, l'apothéose du pharmacien constituant métonymiquement celle de Yonville, et marquant triomphalement la réalité du progrès bourgeois. Voilà bien les « débouchés nouveaux », expression dont on conviendra qu'elle pourrait être parlée en langage homaisien. Sa mise en italique renverrait ainsi à la fois à l'effet citationnel des journaux (le Fanal *de Rouen?), du discours politique à la Lieuvain et du parler homaisien ordinaire.*
D'une certaine façon, la description de Yonville a ainsi une valeur proleptique, et une valeur analeptique, en tant qu'il y a déjà « du » Homais mais un Homais consacré, déjà hors-fiction. Un Yonville pré-homaisien narrativement et post-homaisien idéologiquement, étant entendu que l'« homaisisme » n'est du point de vue flaubertien que l'universel bourgeois. Un Yonville contaminé, déformé, cartographié, mesuré avec la canne métrique de Binet (cf p. 282). Un Yonville bête.

gazon que décore un Amour[1], le doigt posé sur la bouche ;
deux vases en fonte sont à chaque bout du perron ; des
panonceaux[2] brillent à la porte ; c'est la maison du notaire,
et la plus belle du pays.

5 L'église est de l'autre côté de la rue, vingt pas plus loin, à
l'entrée de la place. Le petit cimetière qui l'entoure, clos
d'un mur à hauteur d'appui, est si bien rempli de tombeaux,
que les vieilles pierres à ras du sol font un dallage continu,
où l'herbe a dessiné de soi-même des carrés verts réguliers.
10 L'église a été rebâtie à neuf dans les dernières années du
règne de Charles X[3]. La voûte en bois commence à se pour-
rir par le haut, et, de place en place, a des enfonçures noires
dans sa couleur bleue. Au-dessus de la porte, où seraient les
orgues, se tient un jubé[4] pour les hommes, avec un escalier
15 tournant qui retentit sous les sabots.

Le grand jour, arrivant par les vitraux tout unis, éclaire
obliquement les bancs rangés en travers de la muraille, que
tapisse çà et là quelque paillasson[5] cloué, ayant au-dessous
de lui ces mots en grosses lettres : « Banc de M. un tel. »
20 Plus loin, à l'endroit où le vaisseau se rétrécit, le confessionnal fait pendant à une statuette de la Vierge, vêtue d'une
robe de satin, coiffée d'un voile de tulle semé d'étoiles
d'argent, et tout empourprée aux pommettes comme une
idole des îles Sandwich ; enfin une copie de la *Sainte*
25 *Famille, envoi du ministre de l'Intérieur*[6], dominant le
maître-autel entre quatre chandeliers, termine au fond la
perspective. Les stalles du chœur, en bois de sapin, sont restées sans être peintes.

Les halles, c'est-à-dire un toit de tuiles supporté par une
30 vingtaine de poteaux, occupent à elles seules la moitié environ de la grande place d'Yonville. La mairie, construite *sur
les dessins d'un architecte de Paris*, est une manière de temple grec qui fait l'angle, à côté de la maison du pharmacien.
Elle a, au rez-de-chaussée, trois colonnes ioniques[7] et, au
35 premier étage, une galerie à plein cintre[8], tandis que le
tympan qui la termine est rempli par un coq gaulois, appuyé
d'une patte sur la Charte[9] et tenant de l'autre les balances de
la justice.

Mais ce qui attire le plus les yeux, c'est en face de
l'auberge du *Lion d'or*, la pharmacie de M. Homais ! Le
40 soir, principalement, quand son quinquet est allumé et que
les bocaux rouges et verts qui embellissent sa devanture
allongent au loin, sur le sol, leurs deux clartés de couleur ;

1. Il s'agit d'une statue de Falconet
(1716-1791) reproduite ad nauseam
pour décorer les jardins. C'est une des
nombreuses occurrences d'objets de
série (voir le contexte p. 89).
2. Panonceau : au sens d'écusson, de
3. Charles X régna de 1824 à 1830.
4. Jubé : galerie surélevée entre la nef
et le chœur, servant de tribune. Elle se
trouve ici au fond de l'église.
5. Paillasson : utilisé comme coussin.
6. Le ministre de l'Intérieur était ministre des cultes.
7. L'ordre ionique se caractérise par un
chapiteau à deux volutes latérales.
8. Plein cintre : typique de l'art roman,
l'arc en plein cintre a une courbe en
demi-cercle.
9. La monarchie louis-philipparde
s'appuie constitutionnellement sur la
Charte de 1830.

365
16
1.50
21 90
365
58 80

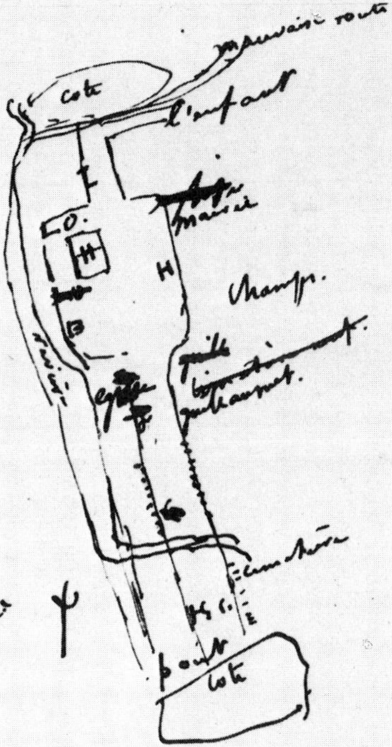

frairie

L'heureux

Hôtel

Homais

LO lion d'or.

B. Bovary.

g. guillaumin

C. chantre

maisonnettes et cours au bord de l'eau

+T. chantre

ψ. route neuve continue jusqu'au ψ

alors, à travers elles, comme dans des feux du Bengale, s'entrevoit l'ombre du pharmacien, accoudé sur son pupitre. Sa maison, du haut en bas, est placardée d'inscriptions écrites en anglaise, en ronde, en moulée : « Eaux de Vichy, de
5 Seltz et de Barèges[1], robs dépuratifs[2], médecine Raspail, racahout[3] des Arabes, pastilles Darcet, pâte Regnault, bandages, bains, chocolats de santé, etc. » Et l'enseigne, qui tient toute la largeur de la boutique, porte en lettres d'or : *Homais, pharmacien.* Puis, au fond de la boutique, derrière
10 les grandes balances scellées sur le comptoir, le mot *laboratoire* se déroule au-dessus d'une porte vitrée qui, à moitié de sa hauteur, répète encore une fois *Homais*, en lettres d'or, sur un fond noir.

Il n'y a plus ensuite rien à voir dans Yonville. La rue (la
15 seule), longue d'une portée de fusil et bordée de quelques boutiques, s'arrête court au tournant de la route. Si on la laisse sur la droite et que l'on suive le bas de la côte Saint-Jean, bientôt on arrive au cimetière ①.

Lors du choléra[4], pour l'agrandir, on a abattu un pan de
20 mur et acheté trois acres de terre à côté ; mais toute cette portion nouvelle est presque inhabitée, les tombes, comme autrefois, continuant à s'entasser vers la porte. Le gardien, qui est en même temps fossoyeur et bedeau à l'église (tirant ainsi des cadavres de la paroisse un double bénéfice), a pro-
25 fité du terrain vide pour y semer des pommes de terre. D'année en année, cependant, son petit champ se rétrécit, et, lorsqu'il survient une épidémie, il ne sait pas s'il doit se réjouir des décès ou s'affliger des sépultures.

— Vous vous nourrissez des morts, Lestiboudois ! lui dit
30 enfin, un jour, M. le curé.

Cette parole sombre le fit réfléchir ; elle l'arrêta pour quelque temps ; mais, aujourd'hui encore, il continue la culture de ses tubercules, et même soutient avec aplomb qu'ils poussent naturellement.

35 Depuis les événements que l'on va raconter, rien, en effet, n'a changé à Yonville. Le drapeau tricolore de fer-blanc tourne toujours au haut du clocher de l'église ; la boutique du marchand de nouveautés agite encore au vent ses deux banderoles d'indienne ; les fœtus[5] du pharmacien,
40 comme des paquets d'amadou blanc, se pourrissent de plus en plus dans leur alcool bourbeux, et, au-dessus de la grande porte de l'auberge, le vieux lion d'or, déteint par les pluies, montre toujours aux passants sa frisure de caniche ②.

1. Ce sont des eaux thermales, sauf l'eau de Seltz, eau gazeuse artificielle, fabriquée par les pharmaciens (cf. p. 638).
2. Rob : sirop très épais fabriqué à partir de sucs de plantes.
3. Racahout : aliment fait de fécules et farines diverses, utilisé par les Turcs et les Arabes et assez en vogue au XIXe siècle. Toutes les autres préparations mentionnées appartiennent à la pharmacopée du temps.
4. Probablement celui de 1832.
5. « Fœtus. Toute pièce anatomique conservée dans de l'esprit-de-vin » (Dictionnaire des idées reçues).

Peut-on interroger le plan de Yonville ?

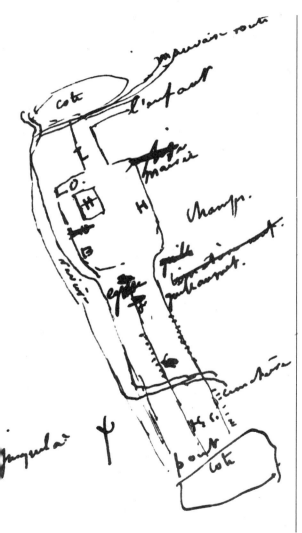

« Pour faciliter son travail et fixer ses idées, Flaubert a tracé deux plans que l'on trouve dans les brouillons. Le plus petit, en bas de page, semble une simple projection — est-ce réellement un souvenir ? — ; le plus détaillé paraît propre à se rappeler les éléments principaux : place d'arme, grand-rue, mairie, halles, auberge, église, pharmacie, maisons des autres protagonistes.

Entre les deux dessins, la disposition des lieux principaux ne change pas : les halles trônent sur la place, le lion d'Or, la maison des Bovary et l'église sont sur le même côté, face à la pharmacie.

Comme tel, le plan détaillé a été dessiné par Flaubert. Il s'agit d'un document de travail qu'il a paru intéressant de faire analyser par un psychologue, car le "test du village" apporte d'utiles indications. Certes, avec toutes les réserves possibles : plan conçu pour un travail déterminé, dans un temps passé, sans rapport avec l'analyseur. Tout de même, ce n'est certainement pas le hasard si Flaubert a modifié l'emplacement de l'église, du cimetière et porté un certain nombre d'autres

Le soir que les époux Bovary devaient arriver à Yonville, madame veuve Lefrançois, la maîtresse de cette auberge, était si fort affairée, qu'elle suait à grosses gouttes en remuant ses casseroles. C'était le lendemain jour de marché
5 dans le bourg. Il fallait d'avance tailler les viandes, vider les poulets, faire de la soupe et du café. Elle avait, de plus, le repas de ses pensionnaires, celui du médecin, de sa femme et de leur bonne ; le billard retentissait d'éclats de rire ; trois meuniers, dans la petite salle, appelaient pour qu'on leur
10 apportât de l'eau-de-vie ; le bois flambait, la braise craquait, et, sur la longue table de la cuisine, parmi les quartiers de mouton cru, s'élevaient des piles d'assiettes qui tremblaient aux secousses du billot où l'on hachait des épinards. On entendait, dans la basse-cour, crier les volailles que la ser-
15 vante poursuivait pour leur couper le cou.

Un homme en pantoufles de peau verte, quelque peu marqué de petite vérole et coiffé d'un bonnet de velours à gland d'or[1], se chauffait le dos contre la cheminée. Sa figure n'exprimait rien que la satisfaction de soi-même, et il avait
20 l'air aussi calme dans la vie que le chardonneret suspendu au-dessus de sa tête, dans une cage d'osier : c'était le pharmacien.

— Artémise ! criait la maîtresse d'auberge, casse de la bourrée[2], emplis les carafes, apporte de l'eau-de-vie,
25 dépêche-toi ! Au moins, si je savais quel dessert offrir à la société que vous attendez ! Bonté divine ! les commis du déménagement recommencent leur tintamarre dans le billard ! Et leur charrette, qui est restée sous la grande porte ! *L'Hirondelle* est capable de la défoncer en arrivant ! Appelle
30 Polyte pour qu'il la remise !... Dire que, depuis le matin, monsieur Homais, ils ont peut-être fait quinze parties et bu huit pots de cidre !... Mais ils vont me déchirer le tapis, continuait-elle en les regardant de loin, son écumoire à la main.

35 — Le mal ne serait pas grand, répondit M. Homais, vous en achèteriez un autre.

— Un autre billard[3] ! exclama la veuve.

— Puisque celui-là ne tient plus, madame Lefrançois ; je vous le répète, vous vous faites tort ! vous fous faites grand
40 tort ! Et puis les amateurs, à présent, veulent des blouses[4] étroites et des queues lourdes. On ne joue plus la bille[5] ; tout est changé ! Il faut marcher avec son siècle ! Regardez Tellier, plutôt...

indications. Loin de nous l'idée de faire ainsi analyser l'écrivain, mais enfin, le dessin est là et les réflexions suscitées seront sans doute utiles à mieux comprendre sinon l'homme, du moins la phase de création littéraire.

"Le village imaginaire aboutit à une structure qui objective la structure de l'individu" (Pierre Mabille). Cette idée est à la base d'une des techniques de l'investigation de la personnalité parmi les plus originales. Proposer à un sujet de construire un village imaginaire c'est en quelque sorte "lui fournir les moyens matériels de construire une représentation symbolique de son monde intérieur (Roger Mucchielli).

"Le plan relevé du village d'Yonville tracé par Flaubert peut-il appartenir à cette forme d'imagination créatrice s'appuyant sur la notion de village ? Sans aucun doute. Pourrons-nous donc utiliser en face de cette production les interprétations essentielles de la psychologie projective en ce domaine ? La réponse à cette deuxième question nous paraît moins évidente. De réels problèmes de validation se posent. Par rapport à la technique habituellement employée, de nombreux éléments manquent. Le fait d'être privé de l'action même ayant abouti à ce résultat, des différentes phases de la construction, du rythme et de la façon dont les éléments ont été mis en place, des commentaires, le fait également que les indi-cations portées sur le plan demeurent inexpliquées, enfin l'impossibilité de réaliser l'enquête, imposent une nécessaire prudence d'interprétation. Il faut aussi tenir compte d'un schématisme et d'une simplification pour ne pas dire d'une certaine caricature, à usage manifestement dramatique, nécessaire au travail du romancier.

C'est donc un Flaubert assez difficile à cerner qui se cache derrière cette production. Les éléments figurant dans ce plan, soumis à la technique d'investigation du « village » considéré comme un matériel projectif ne seront donc retenus que comme indices susceptibles ou non d'être infirmés ou confirmés par ce que l'on sait par ailleurs. Un dépouillement « à l'aveugle » ne saurait aboutir à la connaissance approfondie de la personnalité d'autrui.

Ces précautions nécessaires à l'intégrité intellectuelle étant posées et quoi qu'il en soit, le document en notre possession nous met en face d'un « village-rue fermé », étroite-

ment coincé sur au moins trois côtés sur quatre et en particulier dans tout ce qui touche de près aux Bovary. En termes plus imagés, cela pourrait évoquer une sorte de couloir fermé et renflé dans sa partie supérieure — ou un ventre prolongé par deux appendices haut et bas bouché. Ce qui domine donc, c'est manifestement que dans cette structure les communications ne peuvent s'établir favorablement. Pas de croisements, pas de lieux de rencontre hormis cette grande place sans autre axe que celui nord-sud. On est frappé par cette volonté d'isolement et de fermeture.

Il y a, à n'en pas douter, sur le plan psychologique, quelque chose d'autistique dans la construction. Même l'échappée vers ce que pourrait constituer « l'enfant » se heurte à une barrière le condamnant à la « m a u v a i s e   r o u t e » incertaine.

Même le côté droit, apparemment plus ouvert, a je ne sais quoi d'hostile et d'inquiétant quand on sait ce que signifie dans le roman : la mairie — Homais — Guillaumin — le cimetière. L'intention dramatique de huis-clos dans laquelle évolue Madame Bovary est donc à travers cette construction très clairement signifiée ; pas moyen d'échapper (hormis dans le vide), situation sans issue matérialisable, expansion bloquée dans la forme même.

Si on applique comme un calque sur le plan, les données classiques de la symbolique de l'espace vécu, on s'aperçoit que l'essentiel du village est situé dans la partie haut-gauche, à savoir celle habituellement interprétée comme l'espace du rêve et des nostalgies, chères aux idées romantiques. Les éléments les plus centraux sont l'église et Guillaumin. Faut-il y voir les deux piliers sur lesquels s'appuie la société, c'est-à-dire la religion et l'argent ? On remarquera aussi que la partie reflétant le « moi » profond en organisation donne peu d'indications sinon qu'elle porte la trace d'un traumatisme : un bras de la rivière vient brutalement interrompre la continuité de la rue.

Examinons quelques éléments typiques. Le relief, considéré sous deux aspects : de l'intérieur, comme refuge laissant alors supposer un besoin de se protéger contre la peur, l'anxiété, l'insécurité ; de l'extérieur, comme obstacle à franchir, ne pas franchir pouvant donc évoquer la présence d'une difficulté ou (et) formulant en quelque sorte une rupture avec l'environnement.

L'eau : accompagne tout le village sur le flanc gauche et même semble envahir jusqu'à se confondre avec les parties basses du village. L'eau renvoie à un thème régressif, maternel qu'on peut considérer comme point de fixation tant son importance est soulignée dans l'ensemble de la réalisation ; une eau qui ne s'intègre pas au reste, qui est toujours présente et si près qu'elle contient quelque chose de menaçant, une eau pas maîtrisée, pas canalisée, pas utile ; les traits tourmentés du dessin de Flaubert semblent nous orienter plus vers l'idée d'une force primitive, d'une force violente que d'un endroit calme et reposant, source d'énergie et de nourriture.

L'église : fait problème ; est l'objet d'un déplacement, d'une sorte de recentrage. Est-ce manifestation d'une sorte de recherche inquiète, d'une certaine instabilité ? D'autres éléments subissent quelques variations, mais il nous semble que celle effectuée à l'église est plus significative d'une part, parce qu'à sa place première, est substituée la mairie. On pourrait y voir la matérialisation du conflit entre les pouvoirs spirituels et temporels, entre église et état, etc., idée très active en ce milieu du XIXe siècle... D'autre part dans ce déplacement, l'église n'est plus considérée en tant que projets, désirs à atteindre, à espérer, mais replacée comme artificiellement au centre de la construction ; elle prend la dimension secondaire de support, c'est-à-dire expression des valeurs traditionnelles et de l'autorité morale.

Le cimetière : objet d'un déplacement également, perd sa qualité de neuf ; dans la sphère des besoins primaires.

Permanence des idées de mort''. »

GILLES HENRY, 1980, *L'Histoire du monde c'est une farce, ou la vie de Gustave Flaubert,* Éd. Charles Corlet, pp. 167-170.

Le petit journal de Madame Bovary

« Depuis que nous nous sommes quittés, j'ai fait huit pages de ma deuxième partie : la description topographique d'un village. Je vais maintenant entrer dans une longue scène d'auberge qui m'inquiète fort. »

A Louise Colet, 4/9/1852

L'hôtesse devint rouge de dépit. Le pharmacien ajouta :

— Son billard, vous avez beau dire, est plus mignon que le vôtre ; et qu'on ait l'idée, par exemple, de monter une poule[1] patriotique pour la Pologne ou les inondés de
5 Lyon[2]...

— Ce ne sont pas des gueux comme lui qui nous font peur ! interrompit l'hôtesse, en haussant ses grosses épaules. Allez ! allez ! monsieur Homais, tant que le *Lion d'or* vivra, on y viendra. Nous avons du foin dans nos bottes,
10 nous autres ! Au lieu qu'un de ces matins vous verrez le *Café français* fermé, et, avec une belle affiche[3] sur les auvents ! ⟨1⟩ Changer mon billard, continuait-elle en se parlant à elle-même, lui qui m'est si commode pour ranger ma lessive, et sur lequel, dans le temps de la chasse, j'ai mis coucher
15 jusqu'à six voyageurs !... Mais ce lambin d'Hivert qui n'arrive pas !

— L'attendez-vous pour le dîner de vos messieurs ? demanda le pharmacien.

— L'attendre ? Et M. Binet donc ! A six heures battant
20 vous allez le voir entrer, car son pareil n'existe pas sur la terre pour l'exactitude. Il lui faut toujours sa place dans la petite salle ! On le tuerait plutôt que de le faire dîner ailleurs ! et dégoûté qu'il est ! et si difficile pour le cidre ! Ce n'est pas comme M. Léon ; lui, il arrive quelquefois à sept heures,
25 sept heures et demie même ; il ne regarde seulement pas à ce qu'il mange. Quel bon jeune homme ! Jamais un mot plus haut que l'autre.

— C'est qu'il y a bien de la différence, voyez-vous, entre quelqu'un qui a reçu de l'éducation et un ancien carabinier
30 qui est percepteur.

Six heures sonnèrent. Binet entra.

Il était vêtu d'une redingote bleue, tombant droit d'elle-même tout autour de son corps maigre, et sa casquette de cuir, à pattes nouées par des cordons sur le sommet de sa
35 tête, laissait voir, sous la visière relevée, un front chauve, qu'avait déprimé l'habitude du casque. Il portait un gilet de drap noir, un col de crin[4], un pantalon gris, et, en toute saison, des bottes bien cirées qui avaient deux renflements parallèles, à cause de la saillie de ses orteils. Pas un poil ne
40 dépassait la ligne de son collier blond, qui, contournant la mâchoire, encadrait comme la bordure d'une plate-bande sa longue figure terne, dont les yeux étaient petits et le nez busqué. Fort à tous les jeux de cartes, bon chasseur et possé-

1. Poule : somme constituée par l'ensemble des mises qui reviennent au gagnant.
2. L'insurrection de Varsovie date de novembre 1830. Elle fut écrasée par l'empire russe, dont la Pologne faisait alors partie, depuis les fameux partages du XVIIIᵉ siècle. Durant toute la monarchie de Juillet on organisa des quêtes pour les Polonais victimes de la répression. L'inondation de Lyon, quant à elle, eut lieu en 1840.
3. Affiche : celle de la saisie.
4. Crin : étoffe rude faite avec des poils ou fibres d'origine animale ou végétale.

① Un monde binaire

On a souvent remarqué le principe de dualité qui régit la structure du roman. On ne saurait prétendre ici proposer un relevé exhaustif, mais seulement fournir quelques indications.

D'abord le couple réalité/illusion qui organise toute une série de contraires qui se complètent nécessairement, tout en coexistant sans se fondre ailleurs que dans l'imaginaire d'Emma. C'est sans doute autour de la problématique de la lecture que ce couple se manifeste le plus systématiquement, et donc autour de la question de l'écriture, toujours dénoncée comme mensonge, qu'il s'agisse des livres, des articles d'Homais ou des lettres.

Les lieux participent aussi de la dualité : Tostes/Yonville, Yonville/Rouen, La Huchette/l'hôtel de Bourgogne, et ici le Lion d'or et le Café français. On note aussi le couple campagne/ville et celui formé par la province et la capitale...

A ces antithèses (dans la plupart des cas) répond l'identité des objets dupliqués, comme les « deux renflements parallèles » des bottes de Binet. Cette forme d'insistance constitue la réalité fictive en système autonome à valeur symbolique. L'histoire obéit à cette même loi de binarité : deux amants, deux mariages pour Charles, deux opérations pour Hippolyte, deux scènes de séduction d'Emma, deux cortèges, l'un nuptial, l'autre funèbre, deux bals, à la Vaubyessard et à Rouen, deux fêtes rurales, les noces et les comices, et même deux morts d'Emma, l'une illusoire, l'autre réelle. Particulièrement célèbre est le parallélisme des rêves de Charles et d'Emma (p. 474). On pourrait ajouter les deux arrivées de médecins, Canivet et Larivière, les deux pertes de sa fille par le père Rouault, etc.

Il convient de signaler aussi la capacité des personnages de se dédoubler, comme par exemple Charles se rendant aux Bertaux (p. 58) ou Rodolphe prônant une morale de la duplicité, ainsi que leur répartition en paires : Bovary père/père Rouault, Canivet/Larivière et, bien entendu, Homais/Bournisien.

Il ne s'agit là que de pistes et tout le roman devrait être examiné de ce point de vue, à tous les niveaux, comme roman de la binarité, comme monde de Binet.

dant une belle écriture, il avait chez lui un tour[1], où il s'amusait à tourner des ronds de serviette dont il encombrait sa maison, avec la jalousie d'un artiste et l'égoïsme d'un bourgeois.

5 Il se dirigea vers la petite salle ; mais il fallut d'abord en faire sortir les trois meuniers ; et, pendant tout le temps que l'on fut à mettre son couvert, Binet resta silencieux à sa place, auprès du poêle ; puis il ferma la porte et retira sa casquette, comme d'usage.

10 — Ce ne sont pas les civilités qui lui useront la langue ! dit le pharmacien, dès qu'il fut seul avec l'hôtesse.

— Jamais il ne cause davantage, répondit-elle ; il est venu ici, la semaine dernière, deux voyageurs en draps, des garçons pleins d'esprit qui contaient, le soir, un tas de farces 15 que j'en pleurais de rire ; eh bien, il restait là, comme une alose[2], sans dire un mot.

— Oui, fit le pharmacien, pas d'imagination, pas de saillies, rien de ce qui constitue l'homme de société !

— On dit pourtant qu'il a des moyens[3], objecta l'hôtesse.

20 — Des moyens ! répliqua M. Homais ; lui ! des moyens ? Dans sa partie, c'est possible, ajouta-t-il d'un ton plus calme.

Et il reprit :

— Ah ! qu'un négociant qui a des relations considérables, qu'un jurisconsulte, un médecin, un pharmacien soient 25 tellement absorbés, qu'ils en deviennent fantasques et bourrus même, je le comprends ; on en cite des traits dans les histoires ! Mais, au moins, c'est qu'ils pensent à quelque chose. Moi, par exemple, combien de fois m'est-il arrivé de chercher ma plume sur mon bureau pour écrire une éti-30 quette, et de trouver, en définitive, que je l'avais placée à mon oreille !

Cependant, madame Lefrançois alla sur le seuil regarder si l'*Hirondelle* n'arrivait pas. Elle tressaillit. Un homme vêtu de noir entra tout à coup dans la cuisine. On distinguait, aux 35 dernières lueurs du crépuscule, qu'il avait la figure rubiconde et le corps athlétique.

— Qu'y a-t-il pour votre service, monsieur le curé ? demanda la maîtresse d'auberge, tout en atteignant sur la cheminée un des flambeaux de cuivre qui s'y trouvaient ran-40 gés en colonnade avec leurs chandelles ; voulez-vous prendre quelque chose ? un doigt de cassis, un verre de vin ?

L'ecclésiastique refusa fort civilement. Il venait chercher son parapluie, qu'il avait oublié l'autre jour au couvent

1. *Tour* : « *Indispensable à avoir dans son grenier, à la campagne, pour les jours de pluie* » (Dictionnaire des idées reçues).
2. *Alose* : *poisson marin voisin du hareng, qui remonte les rivières pour frayer.*
3. *Moyens* : *au sens de capacités, de facultés.*

d'Ernemont, et, après avoir prié madame Lefrançois de le lui faire remettre au presbytère dans la soirée, il sortit pour se rendre à l'église, où l'on sonnait l'*Angelus*.

Quand le pharmacien n'entendit plus sur la place le bruit
5 de ses souliers, il trouva fort inconvenante sa conduite de tout à l'heure. Ce refus d'accepter un rafraîchissement lui semblait une hypocrisie des plus odieuses ; les prêtres godaillaient[1] tous sans qu'on les vît, et cherchaient à ramener le temps de la dîme[2].

10 L'hôtesse prit la défense de son curé :

— D'ailleurs, il en plierait quatre comme vous sur son genou. Il a, l'année dernière, aidé nos gens à rentrer la paille ; il en portait jusqu'à six bottes à la fois, tant il est fort !

— Bravo ! dit le pharmacien. Envoyez donc vos filles en
15 confesse à des gaillards d'un tempérament pareil ! Moi, si j'étais le gouvernement, je voudrais qu'on saignât les prêtres une fois par mois. Oui, madame Lefrançois, tous les mois, une large phlébotomie[3], dans l'intérêt de la police et des mœurs !

20 — Taisez-vous donc, monsieur Homais ! vous êtes un impie ! vous n'avez pas de religion !

Le pharmacien répondit :

— J'ai une religion, ma religion, et même j'en ai plus qu'eux tous, avec leurs momeries[4] et leurs jongleries !
25 J'adore Dieu, au contraire ! Je crois en l'Être suprême[5], à un Créateur, quel qu'il soit, peu m'importe, qui nous a placés ici-bas pour y remplir nos devoirs de citoyen et de père de famille ; mais je n'ai pas besoin d'aller, dans une église, baiser des plats d'argent, et engraisser de ma poche un tas de
30 farceurs qui se nourrissent mieux que nous ! Car on peut l'honorer aussi bien dans un bois, dans un champ, ou même en contemplant la voûte éthérée, comme les anciens. Mon Dieu, à moi, c'est le Dieu de Socrate, de Franklin, de Voltaire et de Béranger[6] ! Je suis pour la *Profession de foi du*
35 *vicaire savoyard*[7] et les immortels principes de 89 ! Aussi, je n'admets pas un bonhomme du bon Dieu qui se promène dans son parterre la canne à la main, loge ses amis dans le ventre des baleines[8], meurt en poussant un cri et ressuscite au bout de trois jours : choses absurdes en elles-mêmes et
40 complètement opposées, d'ailleurs, à toutes les lois de la physique ; ce qui nous démontre, en passant, que les prêtres ont toujours croupi dans une ignorance turpide[9], où ils s'efforcent d'engloutir avec eux les populations ⟨1⟩ .

1. *Godailler : faire des excès de table.*
2. *Impôt de l'Ancien Régime versé à l'Église, et représentant souvent le dixième de la récolte. Première occurrence de l'anticléricalisme homaisien.*
3. *Phlébotomie : saignée. S'inaugure ici le trait récurrent du langage pédant du pharmacien.*
4. *Momerie : mascarade, cérémonie ou pratique religieuse dénoncée comme grotesque.*
5. *Être suprême : le Dieu des philosophes du XVIIIᵉ siècle. Robespierre fit célébrer en 1794 une fête de l'Être suprême.*
6. *Ce qui unit dans le discours d'Homais ces philosophes, écrivains et hommes politiques, c'est la croyance de type déiste. Socrate fut condamné parce qu'il « adorait ses dieux propres » ; Voltaire refuse les dogmes ; Franklin, un des chefs de la révolution et de l'indépendance américaines, avait subi l'influence des lumières ; Béranger est le chantre du libéralisme sous la Restauration (voir la note p. 216 et le contexte p. 253).*
7. *La Profession de foi du vicaire savoyard est un célèbre texte de Jean-Jacques Rousseau (1712-1778) inséré dans le livre IV de l'Émile (1762), et probablement écrit dès 1758. Dans ce dialogue entre un prêtre et le futur précepteur d'Émile, l'auteur expose les principes d'une religion naturelle dont le « culte essentiel est celui du cœur ». L'existence de Dieu procède de l'évidence de l'ordre sensible de l'univers et des impératifs de la conscience, ce qu'il appelle le « sentiment intérieur ».*
8. *Allusion à l'épisode biblique de Jonas.*
9. *Turpide : honteux, affecté d'une laideur morale.*

Une première mouture d'Homais

Le père d'Henry dans la première Éducation sentimentale, *« un de ces hommes du grand troupeau (...) se croyant raisonnables et cousus d'absurdités » se présente comme un premier crayon d'Homais, ce prince des idées reçues :*

« Il avait ses idées faites sur tous les sujets possibles ; pour lui toute jeune fille était *pure*, tout jeune homme était un *farceur*, tout mari un *cocu*, tout pauvre un *voleur*, tout gendarme un *brutal*, et toute campagne *délicieuse*.

En fait d'art, il y avait, dans son salon, les gravures des batailles de l'Empire et, dans son cabinet, au-dessus de son bureau, l'*Amour demandant des armes à sa mère*.

Il voulait la liberté des cultes, mais il disait que celle de la presse était poussée jusqu'à la licence, et qu'on ferait bien d'envoyer quelques journalistes aux galères de temps à autre, pour l'exemple. Il criait toujours contre le gouvernement, et à la moindre émeute, il se déclarait pour les mesures les plus violentes. Il détestait les prêtres, qu'il appelait tous des hypocrites, des tartufes, mais il affirmait néanmoins qu'il fallait une religion pour le peuple. Étant propriétaire, il défendait la propriété, tremblait toujours pour la sienne, et avait peur du prolétaire.

Il admirait également Voltaire et Rousseau, qui étaient dans sa bibliothèque, qu'il n'avait pas lus, qu'il n'eût pas compris. Il parlait souvent d'Henry IV, qu'il appelait le Béarnais, et de la "poule au pot" que ce *bon monarque* voulait faire manger à ses enfants tous les dimanches ; il citait encore le "pends-toi, Crillon" et le "panache blanc", ainsi que "tout est perdu fors l'honneur" et "frappe, mais écoute".

Après le dessert il chantait volontiers du Béranger, et il trouvait aussi qu'à ce moment-là un petit air de piano n'est pas désagréable à entendre ; tout ce qui n'était pas contredanse était pour lui de la musique d'enterrement. Il buvait le champagne non frappé et répandait son café dans sa soucoupe.

Quand il passait dans les champs, devant une bicoque de paysans, il disait : "Ah ! j'aime ça, moi ! c'est bien, ça ! vive la campagne ! Toutes ces habitations respirent un air de propreté, d'aisance" et rentré dans la ville : "Voilà de belles maisons au moins ! c'est vraiment là qu'on trouve le bien-etre, le confortable !"

Dans l'hiver, en se chauffant à sa cheminée, il s'écriait : "Comme on y est bien ! on est là, réunis tous, en famille, tranquillement" ; au printemps il disait : "Ah ! Voilà le printemps ! la belle saison ! on voit tout pousser, ça fait plaisir, ça promet" ; dans l'été : "J'aime l'été, moi, on peut s'asseoir sur l'herbe, faire des parties de campagne, on n'est pas renfermé entre quatre murailles" ; et à l'automne enfin : "Il faut avouer que c'est la plus belle saison de l'année que l'automne. Quoi de plus joli au monde que de voir tous ces paysans faire leurs récoltes !"

Excellent homme, que la vue d'un enterrement attristait et que le clair de lune rendait pensif. Il s'amusait, au bal, à voir danser la jeunesse, disait "le tourbillon des plaisirs" et faisait son cent de piquet tous les soirs.

Avant de donner un sou à un pauvre, il voulait savoir si ce n'était pas un fainéant et pourquoi il ne travaillait pas dans les fabriques.

Dans sa maison, bien entendu, il était pour l'ordre et les bonnes mœurs, et se fût indigné s'il eût su que la bonne couchait avec le garçon, tandis qu'il se réjouissait beaucoup des histoires scandaleuses

Il se tut, cherchant des yeux un public autour de lui, car, dans son effervescence, le pharmacien, un moment, s'était cru en plein conseil municipal. Mais la maîtresse d'auberge ne l'écoutait plus ; elle tendait son oreille à un roulement
5 éloigné. On distingua le bruit d'une voiture mêlé à un claquement de fers lâches qui battaient la terre, et l'*Hirondelle* enfin s'arrêta devant la porte.

C'était un coffre jaune porté par deux grandes roues qui, montant jusqu'à la hauteur de la bâche, empêchaient les
10 voyageurs de voir la route et leur salissaient les épaules. Les petits carreaux de ses vasistas étroits tremblaient dans leurs châssis quand la voiture était fermée, et gardaient des taches de boue, çà et là, parmi leur vieille couche de poussière, que les pluies d'orage même ne lavaient pas tout à fait. Elle était
15 attelée de trois chevaux, dont le premier en arbalète[1], et, lorsqu'on descendait les côtes, elle touchait du fond en cahotant.

Quelques bourgeois d'Yonville arrivèrent sur la place ; ils parlaient tous à la fois, demandant des nouvelles, des expli-
20 cations et des bourriches[2] ; Hivert ne savait auquel répondre. C'était lui qui faisait à la ville les commissions du pays. Il allait dans les boutiques, rapportait des rouleaux de cuir au cordonnier, de la ferraille au maréchal, un baril de harengs pour sa maîtresse, des bonnets de chez la modiste, des tou-
25 pets de chez le coiffeur ; et, le long de la route, en s'en revenant, il distribuait ses paquets, qu'il jetait par-dessus les clôtures des cours, debout sur son siège, et criant à pleine poitrine, pendant que ses chevaux allaient tout seuls.

Un accident l'avait retardé ; la levrette de madame
30 Bovary s'était enfuie à travers champs. On l'avait sifflée un grand quart d'heure. Hivert même était retourné d'une demi-lieue en arrière, croyant l'apercevoir à chaque minute ; mais il avait fallu continuer la route. Emma avait pleuré, s'était emportée ; elle avait accusé Charles de ce
35 malheur. M. Lheureux, marchand d'étoffes, qui se trouvait avec elle dans la voiture, avait essayé de la consoler par quantité d'exemples de chiens perdus, reconnaissant leur maître au bout de longues années. On en citait un, disait-il, qui était revenu de Constantinople à Paris. Un autre avait
40 fait cinquante lieues en ligne droite et passé quatre rivières à la nage ; et son père à lui-même avait possédé un caniche qui, après douze ans d'absence, lui avait tout à coup sauté sur le dos, un soir, dans la rue, comme il allait dîner en ville.

1. *En arbalète : se dit d'un cheval attelé seul devant les deux chevaux du timon.*
2. *Bourriche : panier sans anse, de forme oblongue, qui sert au transport du gibier, du poisson, des huîtres.*

arrivées chez les autres, et qu'il excusait volontiers toutes les fredaines.

Il pleurait aux mélodrames et s'attendrissait aux vaudevilles du Gymnase ; il avait même envie de se lier avec les acteurs qui venaient jouer dans sa ville, et il tâchait de les voir en dehors de la scène ; il leur eût de grand cœur payé un petit verre au café, mais il se fût cru déshonoré s'il en eût reçu quelqu'un à dîner chez lui, à sa table.

Philosophe, philanthrope, ami du progrès et de la civilisation, enthousiaste de la culture de la pomme de terre et de l'émancipation des nègres, il déclarait sans cesse que tous les hommes sont égaux, mais il eût été bien étonné, pourtant, si son épicier ne l'eût pas salué le premier lorsqu'il passait devant sa boutique ; tenant sévèrement ses domestiques, disant "ces gens-là" en parlant d'eux, et trouvant toujours que les ouvriers perdaient leur temps. »

GUSTAVE FLAUBERT,
1845,
L'Éducation sentimentale,
première version.

II

Emma descendit la première, puis Félicité, M. Lheureux, une nourrice, et l'on fut obligé de réveiller Charles dans son coin, où il s'était endormi complètement, dès que la nuit était venue.

5 Homais se présenta ; il offrit ses hommages à Madame, ses civilités à Monsieur, dit qu'il était charmé d'avoir pu leur rendre quelque service, et ajouta d'un air cordial qu'il avait osé s'inviter lui-même, sa femme d'ailleurs étant absente.

Madame Bovary, quand elle fut dans la cuisine, s'appro-
10 cha de la cheminée. Du bout de ses deux doigts elle prit sa robe à la hauteur du genou, et, l'ayant ainsi remontée jusqu'aux chevilles, elle tendit à la flamme, par-dessus le gigot qui tournait, son pied chaussé d'une bottine noire. Le feu l'éclairait en entier, pénétrant d'une lumière crue la
15 trame de sa robe, les pores égaux de sa peau blanche et même les paupières de ses yeux qu'elle clignait de temps à autre. Une grande couleur rouge passait sur elle, selon le souffle du vent qui venait par la porte entrouverte.

De l'autre côté de la cheminée, un jeune homme à cheve-
20 lure blonde la regardait silencieusement ①.

Comme il s'ennuyait beaucoup à Yonville, où il était clerc chez maître Guillaumin, souvent M. Léon Dupuis (c'était lui, le second habitué du *Lion d'or*) reculait l'instant de son repos, espérant qu'il viendrait quelque voyageur à l'auberge
25 avec qui causer dans la soirée. Les jours que sa besogne était finie il lui fallait bien, faute de savoir que faire, arriver à l'heure exacte, et subir depuis la soupe jusqu'au fromage le tête-à-tête de Binet. Ce fut donc avec joie qu'il accepta la proposition de l'hôtesse de dîner en la compagnie des nou-
30 veaux venus, et l'on passa dans la grande salle, où madame Lefrançois, par pompe, avait fait dresser les quatre couverts ②.

Homais demanda la permission de garder son bonnet grec, de peur des coryzas[1].

35 Puis, se tournant vers sa voisine :

— Madame, sans doute, est un peu lasse ? on est si épouvantablement cahoté dans notre *Hirondelle* !

1. *Coryza : mot savant pour « rhume de cerveau ». « Toujours se méfier des courants d'air »* (Dictionnaire des idées reçues).

Le narrateur en flagrant délit d'infraction

En étudiant le point de vue dans Madame Bovary, *Claudine Gothot-Mersch relève plusieurs séries d'infractions au code de l'impersonnalité :*

— *les troubles du récit (retours en arrière, variations importantes du tempo, construction substituée au déroulement « normal » des événements, comme dans la scène des Comices...) ;*

— *les interventions d'auteur (maximes, métaphores et comparaisons, explications et commentaires, emploi de* shifters — *ou embrayeurs, c'est-à-dire les unités du code renvoyant au message, comme le « vous » dans « Et vous y étiez aussi, sultans à longues pipes... », p. 130—, ironie...) ;*

— *les cas de refus de l'omniscience, considérés comme intervention* a contrario *du narrateur. Par exemple : « Par respect, ou par une sorte de sensualité qui lui faisait mettre de la lenteur dans ses investigations, Charles n'avait pas encore ouvert le compartiment secret d'un bureau de palissandre dont Emma se servait habituellement. », p. 752, l'utilisation de « peut-être », de « sans doute »...*

Flaubert renonce donc fréquemment au principe de l'objectivité mythique à laquelle il rêve. Claudine Gothot-Mersch ajoute :

« Une étude des variations de point de vue dans *Madame Bovary* peut conduire à des résultats intéressant le sens même de l'œuvre, et aussi sa relation à son auteur.

Pour ce qui est du sens, ou du sujet, je ferai deux remarques. La première concerne les relations d'Emma et des hommes. M. Rousset a fait observer que, lors de la rencontre de Charles et d'Emma, c'est dans l'optique du médecin que Flaubert se place ; nous ne découvrons pas Charles avec les yeux d'Emma mais bien Emma par les yeux de Charles. Or, au moment de la rencontre avec Léon, alors que cependant la jeune femme est depuis longtemps le centre du récit, Flaubert adopte le point de vue du clerc — dont nous ne savons rien encore — pour décrire longuement son héroïne devant la cheminée de l'auberge. De la même façon, lors de la rencontre avec Rodolphe, nous sommes admis dans l'intimité des pensées de celui-ci, qui décide aussitôt de faire d'Emma sa maîtresse, mais nous n'apprenons pas ce que pense la jeune femme : sans doute parce qu'elle ne pense rien ? Lorsque Emma rencontre un homme, le point de vue adopté met l'accent sur le fait que ce n'est pas elle qui décide et qui agit. Elle ne choisit pas, elle est choisie. Voilà sans doute un des aspects de la fatalité qui régit sa destinée.

Ma seconde remarque concerne M. Homais. Il est extrêmement rare que Flaubert adopte le point de vue du pharmacien, pourtant l'un des héros du livre. Ce statut spécial me paraît confirmer la particularité du personnage. Si l'on ne voit jamais par ses yeux, c'est parce qu'il est incapable d'avoir une vision des choses ; à l'intérieur de M. Homais, il n'y a pas une conscience, mais un vide. C'est un personnage traité uniquement de l'extérieur, réduit à des tics et à des discours, et c'est le seul dans son cas. M. Homais n'est pas un caractère — et je dirais volontiers qu'il n'est pas un véritable personnage : c'est l'incarnation du *Dictionnaire des idées reçues*. Ici encore, le traitement du point de vue met en lumière des significations profondes. »

CLAUDINE GOTHOT-MERSCH, 1970, « Le point de vue dans *Madame Bovary* », *Cahiers de l'Association des études françaises*, n° 23,1971, pp. 256-257.

② Un passage balzacien supprimé

Ici prenait place sur le manuscrit une description qui ne pouvait manquer d'évoquer celle, fameuse, de la Maison-Vauquer dans le Père Goriot :

« Les couverts y étaient mis au bout d'une longue table toute nue, qui se perdait par le bas dans les ténèbres de l'appartement. Elle avait en haut, sur la serviette étalée en guise de nappe, deux petites bougies vacillantes qui brillaient dans l'ombre comme deux étoiles perdues et l'on distinguait à peine autour de soi une chasse à courre, qui tenait toute la muraille, avec des cavaliers, des trompes, des piqueurs, un cerf aux abois, des amazones dînant sur l'herbe et des bouteilles de vin qui rafraîchissaient dans des fontaines. Le cordon de la sonnette, tombant le long du papier sale, avait en bas marqué de son gland sur la peinture un grand quart de cercle tout gris. »

POMMIER-LELEU, p. 251.

— Il est vrai, répondit Emma ; mais le dérangement m'amuse toujours ; j'aime à changer de place.

— C'est une chose si maussade, soupira le clerc, que de vivre cloué aux mêmes endroits !

5 — Si vous étiez comme moi, dit Charles, sans cesse obligé d'être à cheval... ①

— Mais, reprit Léon s'adressant à madame Bovary, rien n'est plus agréable, il me semble ; quand on le peut, ajouta-t-il.

10 — Du reste, disait l'apothicaire, l'exercice de la médecine n'est pas fort pénible en nos contrées ; car l'état de nos routes permet l'usage du cabriolet, et, généralement, l'on paye assez bien, les cultivateurs étant aisés. Nous avons, sous le rapport médical, à part les cas ordinaires d'entérite, bron-
15 chite, affections bilieuses, etc., de temps à autre quelques fièvres intermittentes à la moisson, mais, en somme, peu de choses graves, rien de spécial à noter, si ce n'est beaucoup d'humeurs froides[1], et qui tiennent sans doute aux déplorables conditions hygiéniques de nos logements de paysan.
20 Ah ! vous trouverez bien des préjugés à combattre, monsieur Bovary ; bien des entêtements de la routine, où se heurteront quotidiennement tous les efforts de votre science ; car on a recours encore aux neuvaines, aux reliques, au curé, plutôt que de venir naturellement chez le
25 médecin ou chez le pharmacien. Le climat, pourtant, n'est point, à vrai dire, mauvais, et même nous comptons dans la commune quelques nonagénaires. Le thermomètre (j'en ai fait les observations) descend en hiver jusqu'à quatre degrés, et dans la forte saison, touche vingt-cinq, trente centigrades
30 tout au plus, ce qui nous donne vingt-quatre Réaumur au maximum, ou autrement cinquante-quatre Fahrenheit[2] (mesure anglaise), pas davantage ! — et, en effet, nous sommes abrités des vents du nord par la forêt d'Argueil d'une part, des vents d'ouest par la côte Saint-Jean de
35 l'autre ; et cette chaleur, cependant, qui à cause de la vapeur d'eau dégagée par la rivière et la présence considérable de bestiaux dans les prairies, lesquels exhalent, comme vous savez, beaucoup d'ammoniaque, c'est-à-dire azote, hydrogène et oxygène (non, azote et hydrogène seule-
40 ment), et qui, pompant à elle l'humus de la terre, confondant toutes ces émanations différentes, les réunissant en un faisceau, pour ainsi dire, et se combinant de soi-même avec l'électricité répandue dans l'atmosphère, lorsqu'il y en a,

1. Humeur froide : abcès froid des ganglions du cou (les fameuses écrouelles que les rois thaumaturges étaient censés guérir en les touchant).
2. L'échelle de Réaumur avait été mise au point par le savant Réaumur (1683-1757). Elle allait de 0 à 80. Celle de Fahrenheit, d'après le physicien allemand Fahrenheit (1686-1736), fut la première échelle thermométrique, encore utilisée dans les pays anglo-saxons. Elle s'échelonne sur 96 degrés entre le 0 d'un mélange réfrigérant (l'eau gèle à 32 degrés dans ce système), et la température normale du corps humain. On notera plaisamment qu'Homais se trompe dans sa conversion : 30 degrés centigrades équivalent en effet à 86 degrés Fahrenheit, selon la formule $F = (C \times 9/5) + 32$. Cette omission des 32 est-elle imputable à une erreur de Flaubert ou marque-t-elle une ironie subtile à l'égard de la suffisance de l'apothicaire ?

Le petit journal de Madame Bovary

« Mais comment faire du dialogue trivial qui soit bien écrit ? Il le faut pourtant, il le faut. Puis, quand je vais être quitte de cette scène d'auberge, je vais tomber dans un amour platonique déjà ressassé par tout le monde et, si j'ôte de la trivialité, j'ôterai de l'ampleur. »

A Louise Colet, 13/9/1852

« Que ma *Bovary* m'embête ! Je commence à m'y débrouiller pourtant un peu. Je n'ai jamais de ma vie rien écrit de plus difficile que ce que je fais maintenant, du dialogue trivial ! Cette scène d'auberge va peut-être me demander trois mois, je n'en sais rien.

J'en ai envie de pleurer par moments, tant je sens mon impuissance. Mais je crèverai plutôt dessus que de l'escamoter. J'ai à poser à la fois cinq ou six personnages (qui parlent), plusieurs autres (dont on parle), le lieu où l'on est, tout le pays, en faisant des descriptions physiques de gens et d'objets, et à montrer au milieu de tout cela un monsieur et une dame qui commencent (par sympathie de goûts) à s'éprendre un peu l'un de l'autre. Si j'avais de la place encore ! Mais il faut que tout cela soit rapide sans être sec, et développé sans être épaté, tout en me ménageant, pour la suite, d'autres détails

qui là seraient plus frappants. Je m'en vais faire tout rapidement et procéder par grandes esquisses d'ensemble successives ; à force de revenir dessus, cela se serrera peut-être. La phrase en elle-même m'est fort pénible. Il me faut faire parler, en style écrit, des gens du dernier commun, et la politesse du langage enlève tant de pittoresque à l'expression ! »

A Louise Colet, 19/9/1852

« Je travaille un peu mieux ; à la fin de ce mois j'espère avoir fait mon *auberge*. L'action se passe en trois heures. J'aurais été plus de deux mois. »

A Louise Colet, 8/10/1852

pourrait à la longue, comme dans les pays tropicaux, engendrer des miasmes insalubres[1] ; — cette chaleur dis-je, se trouve justement tempérée du côté où elle vient, ou plutôt d'où elle viendrait, c'est-à-dire du côté sud, par les vents de
5 sud-est, lesquels s'étant rafraîchis d'eux-mêmes en passant sur la Seine, nous arrivent quelquefois tout d'un coup, comme des brises de Russie ! ①

— Avez-vous du moins quelques promenades dans les environs ? continuait madame Bovary parlant au jeune
10 homme.

— Oh ! fort peu, répondit-il. Il y a un endroit que l'on nomme la Pâture, sur le haut de la côte, à la lisière de la forêt. Quelquefois, le dimanche, je vais là, et j'y reste avec un livre, à regarder le soleil couchant.

15 — Je ne trouve rien d'admirable comme les soleils couchants, reprit-elle, mais au bord de la mer, surtout.

— Oh ! j'adore la mer[2], dit M. Léon.

— Et puis ne vous semble-t-il pas, répliqua madame Bovary, que l'esprit vogue plus librement sur cette étendue
20 sans limites, dont la contemplation vous élève l'âme et donne des idées d'infini, d'idéal ?

— Il en est de même des paysages de montagnes, reprit Léon. J'ai un cousin qui a voyagé en Suisse l'année dernière, et qui me disait qu'on ne peut se figurer la poésie des
25 lacs, le charme des cascades, l'effet gigantesque des glaciers. On voit des pins d'une grandeur incroyable, en travers des torrents, des cabanes suspendues sur des précipices, et, à mille pieds sous vous, des vallées entières, quand les nuages s'entrouvrent. Ces spectacles doivent enthousiasmer, dispo-
30 ser à la prière, à l'extase ! Aussi je ne m'étonne plus de ce musicien célèbre qui, pour exciter mieux son imagination, avait coutume d'aller jouer du piano devant quelque site imposant ② .

— Vous faites de la musique ? demanda-t-elle.
35 — Non, mais je l'aime beaucoup, répondit-il ③ .

— Ah ! ne l'écoutez pas, madame Bovary, interrompit Homais en se penchant sur son assiette, c'est modestie pure.
— Comment, mon cher ! Eh ! l'autre jour, dans votre chambre vous chantiez l'Ange gardien[3] à ravir. Je vous entendais
40 du laboratoire ; vous détachiez cela comme un acteur.

Léon, en effet, logeait chez le pharmacien, où il avait une petite pièce au second étage, sur la place. Il rougit à ce compliment de son propriétaire, qui déjà s'était tourné vers le

1. Cette théorie est déjà considérée comme peu sérieuse à l'époque. Le savoir d'Homais date !
2. « Mer. N'a pas de fond. - Image de l'infini. - Donne de grandes pensées » (Dictionnaire des idées reçues).
3. Romance de Pauline Duchambge (1778-1858) qui en écrivit beaucoup pour les keepsakes.

De Sganarelle à Homais

Roger Bismut voit dans cette tirade une imitation du discours de Sganarelle dans le Médecin malgré lui *(« Une scène de Molière dans* Madame Bovary, les Amis de Flaubert, *n°23, 1963, pp. 14-17).*
Voici le texte de Molière :

« Pour revenir donc à notre raisonnement, je tiens que cet empêchement de l'action de sa langue est causé par de certaines humeurs qu'entre nous autres savants nous appelons humeurs peccantes ; peccantes, c'est-à-dire... humeurs peccantes ; d'autant que les vapeurs formées par les exhalaisons des influences qui s'élèvent dans la région des maladies, venant... pour ainsi dire... à... Entendez-vous le latin ?

GÉRONTE

En aucune façon.

SGANARELLE, *se levant brusquement.*
Vous n'entendez point le latin ?

GÉRONTE

Non.

SGANARELLE, *avec enthousiasme.*
Cabricias, arci thuram, catalamus, singulariter nominativo, hœc musa, la muse, *bonus, bona, bonum. Deus sanctus, est-ne oratio latinas ? Etiam* oui. *Quare ?* pourquoi ? *Quia substantivo, et adjectivum, concordat in generi, numerum, et casus.*

GÉRONTE

Ah ! que n'ai-je étudié !

JACQUELINE

L'habile homme que v'là !

LUCAS

Oui, ça est si biau que je n'y entends goutte.

SGANARELLE

Or, ces vapeurs dont je vous parle venant à passer, du côté gauche où est le foie, au côté droit où est le cœur, il se trouve que le poumon, que nous appelons en latin *armyan*, ayant communication avec le cerveau, que nous nommons en grec *nasmus*, par le moyen de la veine cave, que nous appelons en hébreu *cubile*, rencontre en son chemin lesdites vapeurs qui remplissent les ventricules de l'omoplate ; et parce que lesdites vapeurs... comprenez bien ce raisonnement, je vous prie ; et parce que lesdites vapeurs ont une certaine malignité... écoutez bien ceci, je vous conjure.

GÉRONTE

Oui.

SGANARELLE

Ont une certaine malignité qui est causée... soyez attentif, s'il vous plaît.

GÉRONTE

Je le suis.

SGANARELLE

Qui est causée par l'âcreté des humeurs engendrées dans la concavité du diaphragme, il arrive que ces vapeurs... *Ossabandus, nequeis, nequer, potarinum, quipsa milus*. Voilà justement ce qui fait que votre fille est muette. »
(...)
Monsieur, c'est une grande et subtile question, entre les docteurs, de savoir si les femmes sont plus faciles à guérir que les hommes. Je vous prie d'écouter ceci, s'il vous plaît. Les uns disent que non, les autres disent que oui : et moi je dis qu'oui et non ; d'autant que l'incongruité des humeurs opaques, qui se rencontrent au tempérament naturel des femmes, étant cause que la partie brutale veut toujours prendre empire sur la sensitive, on voit que l'inégalité de leurs opinions dépend du mouvement oblique du cercle de la lune : et comme le soleil, qui darde ses rayons sur la concavité de la terre, trouve...

MOLIÈRE, 1666,
Le Médecine malgré lui, acte II, scène
4 et acte III, scène 6.

Le petit journal de Madame Bovary

« Voilà deux ou trois jours que ça va bien. Je suis à faire une conversation d'un jeune homme et d'une jeune dame sur la littérature, la mer, les montagnes, la musique, tous les sujets poétiques enfin. On pourrait la prendre au sérieux et elle est d'une grande intention grotesque. Ce sera, je crois, la première fois que l'on verra un livre qui se moque de sa jeune première et de son jeune premier. L'ironie n'enlève rien au pathétique ; elle l'outre au contraire...

Dans ma troisième partie, qui sera pleine de choses farces, je veux qu'on pleure. »

A Louise Colet, 9/10/1852

Aux antipodes du réalisme

Thibaudet le notait, en affirmant que plus qu'une biographie, *Madame Bovary* était le roman de *la* biographie humaine ; Jules de Gaultier l'a manifesté plus vigoureusement, en créant le concept de *bovarysme* pour rendre compte de cette vocation commune à la plupart des personnages de Flaubert : la recherche d'une forme, qu'elle soit modèle d'emprunt qu'on parodie ou rôle social qu'on endosse et où parfois l'on s'épanouit. S'il est malaisé de définir par exemple ceux que Flaubert appelait sa *petite femme* et *ce couillon* de Léon, ce n'est pas qu'ils soient trop complexes ou trop divers ; mais ils se laissent séduire, capter par des constructions imaginaires ; Emma ne détruit un mythe personnel que pour en animer un autre, avec, pour seul signe qui la distingue de son entourage, une vigueur passionnée qui se précipite à la fin, virant à la frénésie, quand, les mythes se dégradant, elle cesse d'en être dupe. Comment le lecteur pourrait-il trouver dans des personnages de ce style un noyau compact ou ce simple principe de liaison qui assure l'unité d'un comportement et qu'on nomme caractère ? Leur mal est précisément de ne pouvoir s'y référer, Flaubert leur ayant refusé une telle certitude comme remède à cette absence qu'ils perçoivent en eux-mêmes. Ce n'est pas pour autant qu'ils s'inventent à tout instant ; rien de moins libre que ces gens, même pour l'échec. Nulle spontanéité, nulle initiative ; quand Emma se décide à aimer ou à fuir, c'est comme si ses rêveries, pesant soudain trop lourd, la faisaient basculer dans l'action. Dès les premières pages du livre, le destin des personnages est inscrit dans leur défaillance, dans leurs vêtements, mais plutôt comme un parfum qui s'évapore que comme une force secrète d'éclosion. On ne saurait non plus invoquer quelque déterminisme et il faut savoir gré à Flaubert de ne pas avoir donné dans ces grands mythes scientifiques du XIXe siècle : l'hérédité et l'influence du milieu. Mais, à la différence des romanciers contemporains qui refusent aussi, plus systématiquement, de recourir à une causalité psychologique ou sociale, Flaubert est très loin de réduire une vie à une succession de conduites, un être à la labilité de ses apparitions ; même la changeante Emma reste toujours attachée aux fantasmes de son adolescence et quand, par exemple, Flaubert parle, à propos de Charles, de la volupté qu'il trouvait dans sa douleur, il paraît soudain l'éclairer plus vivement, non nous en révéler un aspect vraiment inattendu. Place-t-il enfin son roman sous le « c'est la faute de la fatalité », cette fatalité n'offre rien de surhumain ni de tragique ; elle serait plutôt sous-humaine, et il faudrait en chercher les signes dans une vie sourde des choses et des lieux qui palpite sous la chronique.

On le voit, ni caractères qu'on analyse, ni comportements qu'on enregistre, ni produits biologiques ou sociaux, ni spontanéités créatrices, les personnages de Flaubert ne sont pas si faciles à saisir. On reconnaîtra donc dans *Madame Bovary* une présence diffuse du psychologique ; à s'interdire de la localiser, on gagnera du moins de ne pas y chercher seulement les tribulations d'une jeune femme mal mariée ni même l'odyssée d'une âme éprise d'impossible plénitude.

À défaut d'une réalité psychologique circonscrite et immédiatement reconnaissable, y trouverons-nous une réalité sociale qui, elle, serait ainsi définie ? Le premier texte publié de Flaubert : *Une leçon d'histoire naturelle, genre Commis* — ou description à la manière d'un entomologiste de l'employé de bureau — prouvait déjà, plus que son goût pour l'observation, sa passion pour la caricature. Et même dans une scène de genre comme celle des comices d'Yonville, il dépasse le tableau de mœurs et s'élève comme l'a bien vu Thibaudet à une sorte de dialectique de l'idée reçue. Il est vrai que tout romancier s'interroge sur ce que *veut dire* cette société qu'il dit mais précisément ce qui frappe dans *Madame Bovary*, c'est comment Flaubert ne se préoccupe pas de mettre à jour les forces essentielles que camoufle le fonctionnement manifeste de la vie sociale. Il n'analyse pas plus la société qu'il n'analyse les individus et c'est pour la même raison ; il ne se représente pas le social comme une réalité qui agirait sur les hommes de l'extérieur et, commandant leurs gestes et leurs pensées, leur laisserait aussi le pouvoir de s'y opposer franchement, mais comme un air qu'à la fois

ils produisent et respirent et qui s'infiltre jusque dans leurs rêveuses intimités. L'attention féroce que Flaubert porte au langage de tous ses personnages et le soin qu'il prend de nous en fournir pour chacun d'eux des échantillons, se rattachent à cette manière, révolutionnaire il y a un siècle, de voir dans le social une dimension de la personne et non seulement un système de forces objectives et même de passions ; voyez, entre tant d'exemples, la première rencontre à l'auberge d'Emma et de Léon : ils croient livrer leurs doux secrets, ils ne trahissent que leur situation sociale ; à leur insu, elle vient se condenser dans cette concrétion humaine, qui cesse de relever du simple pittoresque : la parole individuelle. À ce maléfice, nul n'échappe : Emma aussi bien que Homais ; les propos amoureux de Rodolphe rejoignent le discours du conseiller de préfecture.

Diffusion du psychologique, intériorisation du social, nous sommes à l'antipode d'un réalisme défini comme l'inventaire d'une réalité à la troisième personne.

JEAN-BAPTISTE PONTALIS, 1954, « La maladie de Flaubert », *Les Temps modernes*, n° 101, pp. 1889-1891.

médecin et lui énumérait les uns après les autres les principaux habitants d'Yonville. Il racontait des anecdotes, donnait des renseignements. On ne savait pas au juste la fortune du notaire, et *il y avait la maison Tuvache*[1] qui faisait beau-
5 coup d'embarras.

Emma reprit :

— Et quelle musique préférez-vous ?

— Oh ! la musique allemande, celle qui porte à rêver[2].

— Connaissez-vous les Italiens[3] ?

10 — Pas encore ; mais je les verrai l'année prochaine, quand j'irai habiter Paris, pour finir mon droit.

— C'est comme j'avais l'honneur, dit le pharmacien, de l'exprimer à monsieur votre époux, à propos de ce pauvre Yanoda[4] qui s'est enfui ; vous vous trouverez, grâce aux
15 folies qu'il a faites, jouir d'une des maisons les plus confortables d'Yonville. Ce qu'elle a principalement de commode pour un médecin, c'est une porte sur *l'Allée*, qui permet d'entrer et de sortir sans être vu. D'ailleurs, elle est fournie de tout ce qui est agréable à un ménage : buanderie, cuisine
20 avec office, salon de famille, fruitier, etc. C'était un gaillard qui n'y regardait pas ! Il s'était fait construire, au bout du jardin, à côté de l'eau, une tonnelle tout exprès pour boire de la bière en été, et si Madame aime le jardinage, elle pourra…

— Ma femme ne s'en occupe guère, dit Charles ; elle
25 aime mieux, quoiqu'on lui recommande l'exercice, toujours rester dans sa chambre, à lire.

— C'est comme moi, répliqua Léon ; quelle meilleure chose, en effet, que d'être le soir au coin du feu avec un livre, pendant que le vent bat les carreaux, que la lampe
30 brûle ?…

— N'est-ce pas ? dit-elle, en fixant sur lui ses grands yeux noirs tout ouverts.

— On ne songe à rien, continuait-il, les heures passent. On se promène immobile dans des pays que l'on croit voir,
35 et votre pensée, s'enlaçant à la fiction, se joue dans les détails ou poursuit le contour des aventures. Elle se mêle aux personnages ; il semble que c'est vous qui palpitez sous leurs costumes.

— C'est vrai ! c'est vrai ! disait-elle.

40 — Vous est-il arrivé parfois, reprit Léon, de rencontrer dans un livre une idée vague que l'on a eue, quelque image obscurcie qui revient de loin, et comme l'exposition entière de votre sentiment le plus délié ?

1. Ainsi s'appelle le maire (voir le contexte p. 365).
2. « Musique : fait penser à un tas de choses. Adoucit les mœurs. Ex. : la Marseillaise » ; « Allemands : peuple de rêveurs (vieux) » (Dictionnaire des idées reçues).
3. Les chanteurs du Théâtre Italien. La Comédie-Italienne avait fusionné en 1762 avec l'Opéra-Comique. On construisit pour elle en 1781-1783 la salle Favart, qu'on appela la Salle des Italiens (d'où le nom du boulevard voisin) et qui est maintenant l'Opéra-Comique de la place Boieldieu (2e arrondissement). La troupe émigra souvent pour des raisons diverses. En 1838, la salle brûla, mais fut reconstruite et l'Opéra-Comique, ou Théâtre Italien, ou Théâtre des Italiens, ou Théâtre des Bouffons, rouvrit en 1840.
4. Yanoda : c'est le nom du prédécesseur polonais de Charles Bovary (cf. p. 200).

N'est-ce pas ? c'est vrai ! c'est vrai !

« — Est-ce que vous seriez poète, par hasard ?

— Qui vous l'a dit ?

— Je devine.

— Mais, j'aime à lire les poètes, continua Henry sans avoir l'air d'y prendre garde. Et vous ? n'aimez-vous pas aussi à vous bercer mollement dans leur rythme, à vous laisser emporter par le rêve d'un génie sur quelque nuage d'or, au-delà des mondes connus ? Mme Renaud le regardait parler.

— Ce sont de grands bonheurs, n'est-ce pas, dit-elle avec une expression d'ignorance avide.

Et, tout en causant ainsi, ils parlèrent ensemble des histoires d'amour fameuses au théâtre, des élégies les plus tendres ; ils aspirèrent en pensée la douceur des nuits étoilées, le parfum des fleurs d'été ; ils se dirent les livres qui les avaient fait pleurer, ceux qui les avaient fait rêver, que sais-je encore ? ils devisèrent sur le malheur de la vie et sur les soleils couchants. Leur entretien ne dura pas longtemps, mais il fut plein, le regard accompagnait chaque mot, le battement de cœur précédait chaque parole. Mme Renaud admira l'imagination d'Henry, qui fut séduit par son âme. »

GUSTAVE FLAUBERT,
1845,
L'Éducation sentimentale,
première version.

« Mme Arnoux était seule près de la croisée, Frédéric l'aborda.

Ils causèrent de ce que l'on disait. Elle admirait les orateurs ; lui, il préférait la gloire des écrivains. Mais on devait sentir, reprit-elle, une plus forte jouissance à remuer les foules directement, soi-même, à voir que l'on fait passer dans leur âme tous les sentiments de la sienne. Ces triomphes ne tentaient guère Frédéric, qui n'avait point d'ambition.

— Ah ! pourquoi ? dit-elle. Il faut en avoir un peu !

Ils étaient l'un près de l'autre, debout, dans l'embrasure de la croisée. La nuit, devant eux, s'étendait comme un immense voile sombre, piqué d'argent. C'était la première fois qu'ils ne parlaient pas de choses insignifiantes. Il vint même à savoir ses antipathies et ses goûts : certains parfums lui faisaient mal, les livres d'histoire l'intéressaient, elle croyait aux songes.

Il entama le chapitre des aventures sentimentales. Elle plaignait les désastres de la passion, mais était révoltée par les turpitudes hypocrites ; et cette droiture d'esprit se rapportait si bien à la beauté régulière de son visage, qu'elle semblait en dépendre.

Elle souriait quelquefois, arrêtant sur lui ses yeux, une minute. Alors, il sentait ses regards pénétrer son âme, comme ces grands rayons de soleil qui descendent jusqu'au fond de l'eau. Il l'aimait sans arrière-pensée, sans espoir de retour, absolument ; et, dans ces muets transports, pareils à des élans de reconnaissance, il aurait voulu couvrir son front d'une pluie de baisers. Cependant, un souffle intérieur l'enlevait comme hors de lui ; c'était une envie de se sacrifier, un besoin de dévouement immédiat, et d'autant plus fort qu'il ne pouvait l'assouvir. »

GUSTAVE FLAUBERT,
1869,
L'Éducation sentimentale.

— J'ai éprouvé cela, répondit-elle.

— C'est pourquoi, dit-il, j'aime surtout les poètes. Je trouve les vers plus tendres que la prose, et qu'ils font bien mieux pleurer.

5 — Cependant ils fatiguent à la longue, reprit Emma ; et maintenant, au contraire, j'adore les histoires qui se suivent tout d'une haleine, où l'on a peur. Je déteste les héros communs et les sentiments tempérés, comme il y en a dans la nature.

10 — En effet, observa le clerc, ces ouvrages ne touchant pas le cœur, s'écartent, il me semble, du vrai but de l'Art. Il est si doux, parmi les désenchantements de la vie, de pouvoir se reporter en idée sur de nobles caractères, des affections pures et des tableaux de bonheur. Quant à moi, vivant 15 ici, loin du monde, c'est ma seule distraction ; mais Yonville offre si peu de ressources ! ⟨1⟩

— Comme Tostes, sans doute, reprit Emma ; aussi j'étais toujours abonnée à un cabinet de lecture.

— Si Madame veut me faire l'honneur d'en user, dit le 20 pharmacien, qui venait d'entendre ces derniers mots, j'ai moi-même à sa disposition une bibliothèque composée des meilleurs auteurs : Voltaire, Rousseau, Delille[1], Walter Scott, l'*Écho des feuilletons*[2], etc., et je reçois, de plus, différentes feuilles périodiques, parmi lesquelles le *Fanal de* 25 *Rouen*[3], quotidiennement, ayant l'avantage d'en être le correspondant pour les circonscriptions de Buchy, Forges, Neufchâtel, Yonville et les alentours.

Depuis deux heures et demie, on était à table ; car la servante Artémise, traînant nonchalamment sur les carreaux 30 ses savates de lisière[4], apportait les assiettes les unes après les autres, oubliait tout, n'entendait à rien et sans cesse laissait entrebâillée la porte du billard, qui battait contre le mur du bout de sa clenche[5].

Sans qu'il s'en aperçût, tout en causant, Léon avait posé 35 son pied sur un des barreaux de la chaise où madame Bovary était assise. Elle portait une petite cravate de soie bleue, qui tenait droit comme une fraise[6] un col de batiste[7] tuyauté ; et, selon les mouvements de tête qu'elle faisait, le bas de son visage s'enfonçait dans le linge ou en sortait avec 40 douceur. C'est ainsi, l'un près de l'autre, pendant que Charles et le pharmacien devisaient, qu'ils entrèrent dans une de ces vagues conversations où le hasard des phrases vous ramène toujours au centre fixe d'une sympathie commune.

1. *Moins connu aujourd'hui que Voltaire ou Rousseau, Jacques Delille (1738-1813) fut le poète lyrique de la nature de la seconde moitié du XVIIIe siècle. Après une traduction des Géorgiques de Virgile (1770), il publia les Saisons (1769), les Mois (1779), les Jardins ou l'Art d'embellir les paysages (1782) et continua sous l'Empire : l'Homme des champs (1800), l'Imagination (1806), les Trois règnes de la nature (1808). Il fut célébré à la fois par les néoclassiques et les premiers romantiques. Il ne peut que convenir à notre potard !*
2. *Ce périodique publiait à part les feuilletons des journaux. Rappelons qu'on fait généralement débuter l'immense production de romans-feuilletons avec la Vieille fille de Balzac (1836).*
3. *Flaubert avait initialement prévu qu'Homais serait le correspondant du très réel Journal de Rouen, mais la direction du journal lui fit demander par Frédéric Baudry, gendre de maître Sénard (voir la note p. 21), de changer le titre. Pour ne pas « casser le rythme de (ses) pauvres phrases », Flaubert se décida pour « Fanal », qui conserve les deux syllabes et la finale.*
4. *Lisière : étoffe rude, utilisée pour tresser des chaussons.*
5. *Clenche (ou clenchette, ou clinche) : pièce principale d'un loquet qui tient la porte fermée.*
6. *Fraise : collet plissé.*
7. *Batiste : toile de lin très fine.*

De Flaubert à Maupassant

Il est bien connu que Maupassant doit beaucoup à Flaubert, dont l'œuvre fonctionne en permanence comme intertexte dans les contes, nouvelles et romans de son fils spirituel. Voici par exemple le traitement d'une scène similaire, où l'on remarquera les démarquages et la synthèse de plusieurs passages de Madame Bovary :

« Ils parlèrent d'eux, de leurs habitudes, de leurs goûts, sur ce ton plus bas, intime, dont on fait les confidences. Il se disait déjà dégoûté du monde, las de sa vie futile ; c'était toujours la même chose ; on n'y rencontrait rien de vrai, rien de sincère.

Le monde ! elle aurait bien voulu le connaître ; mais elle était convaincue d'avance qu'il ne valait pas la campagne.

Et plus leurs sœurs se rapprochaient, plus ils s'appelaient avec cérémonie "monsieur et mademoiselle", plus aussi leurs regards se souriaient, se mêlaient ; il leur semblait qu'une bonté nouvelle entrait en eux, une affection plus répandue, un intérêt à mille choses dont ils ne s'étaient jamais souciés.

(...)

On remonta dans la barque. Elle s'en allait mollement, vent arrière, sans secousse aucune, sans avoir l'air d'avancer. La brise arrivait par souffles lents et tièdes qui tendaient la voile une seconde, puis la laissaient retomber, flasque, le long du mât. L'onde opaque semblait morte ; et le soleil épuisé d'ardeurs, suivant sa route arrondie, s'approchait d'elle tout doucement.

L'engourdissement de la mer faisait de nouveau taire tout le monde.

Jeanne dit enfin : "Comme j'aimerais voyager !"

Le vicomte reprit : "Oui, mais c'est triste de voyager seul, il faut être au moins deux pour se communiquer ses impressions."

Elle réfléchit : "C'est vrai..., j'aime à me promener seule cependant... ; comme on est bien quand on rêve toute seule..."

Il la regarda longuement : "On peut aussi rêver à deux."

Elle baissa les yeux. Etait-ce une allusion ? Peut-être. Elle considéra l'horizon comme pour découvrir encore plus loin ; puis, d'une voix lente : "Je voudrais aller en Italie... ; et en Grèce... ah ! oui, en Grèce... et en Corse ! ce doit être si sauvage et si beau !"

Il préférait la Suisse à cause des chalets et des lacs. Elle disait : "Non, j'aimerais les pays tout neufs comme la Corse, ou les pays très vieux et pleins de souvenirs, comme la Grèce. Ce doit être si doux de retrouver les traces de ces peuples dont nous savons l'histoire depuis notre enfance, de voir les lieux où se sont accomplies les grandes choses."

Le vicomte, moins exalté, déclara : "Moi, l'Angleterre m'attire beaucoup ; c'est une région fort instructive."

Alors, ils parcoururent l'univers, discutant les agréments de chaque pays, depuis les pôles jusqu'à l'équateur, s'extasiant sur des paysages imaginaires et les mœurs invraisemblables de certains peuples comme les Chinois et les Lapons ; mais ils en arrivèrent à conclure que le plus beau pays du monde, c'était la France avec son climat tempéré, frais l'été et doux l'hiver, ses riches campagnes, ses vertes forêts, ses grands fleuves calmes et ce culte des beaux-arts qui n'avait existé nulle part ailleurs, depuis les grands siècles d'Athènes.

Puis ils se turent.

Le soleil, plus bas, semblait saigner ; et une large traînée lumineuse, une route éblouissante courait sur l'eau depuis la limite de l'océan jusqu'au sillage de la barque. »

MAUPASSANT, 1883,
Une Vie.

Spectacles de Paris, titres de romans, quadrilles nouveaux, et le monde qu'ils ne connaissaient pas, Tostes où elle avait vécu, Yonville où ils étaient, ils examinèrent tout, parlèrent de tout jusqu'à la fin du dîner.

5 Quand le café fut servi, Félicité s'en alla préparer la chambre dans la nouvelle maison, et les convives bientôt levèrent le siège. Madame Lefrançois dormait auprès des cendres, tandis que le garçon d'écurie, une lanterne à la main, attendait M. et madame Bovary pour les conduire chez eux. Sa
10 chevelure rouge était entremêlée de brins de paille, et il boitait de la jambe gauche. Lorsqu'il eût pris de son autre main le parapluie de M. le curé, l'on se mit en marche.

Le bourg était endormi. Les piliers des halles allongeaient de grandes ombres. La terre était toute grise, comme par
15 une nuit d'été.

Mais, la maison du médecin se trouvant à cinquante pas de l'auberge, il fallut presque aussitôt se souhaiter le bonsoir, et la compagnie se dispersa.

Emma, dès le vestibule, sentit tomber sur ses épaules,
20 comme un linge humide, le froid du plâtre. Les murs étaient neufs, et les marches de bois craquèrent. Dans la chambre, au premier, un jour blanchâtre passait par les fenêtres sans rideaux. On entrevoyait des cimes d'arbres, et plus loin la prairie, à demi noyée dans le brouillard, qui fumait au clair
25 de la lune, selon le cours de la rivière. Au milieu de l'appartement, pêle-mêle, il y avait des tiroirs de commode, des bouteilles, des tringles, des bâtons dorés avec des matelas sur des chaises et des cuvettes sur le parquet, — les deux hommes qui avaient apporté les meubles ayant tout laissé là,
30 négligemment.

C'était la quatrième fois qu'elle couchait dans un endroit inconnu. La première avait été le jour de son entrée au couvent, la seconde celle de son arrivée à Tostes, la troisième à la Vaubyessard, la quatrième était celle-ci ; et chacune
35 s'était trouvée faire dans sa vie comme l'inauguration d'une phase nouvelle. Elle ne croyait pas que les choses pussent se représenter les mêmes à des places différentes, et, puisque la portion vécue avait été mauvaise, sans doute ce qui restait à consommer serait meilleur ①.

La tentation d'Emma

« Il est facile de lire dans *Madame Bovary* une "tentation". Antoine résiste aux tentations, et d'une version à l'autre va en profiter du mieux qu'il lui sera possible, tandis qu'Emma, en dépit de ses efforts méritoires, y succombera. Elle se scinde en deux surfaces, va se constituer un masque lisse, relativement tranquille, sous lequel un grouillement va creuser. Par les interstices de cette carapace les tentateurs vont s'immiscer de plus en plus profondément, et lorsqu'ils l'auront entièrement vidée il ne lui restera plus qu'à mourir. Au bout d'un certain temps la distance entre sa carapace, ce qu'elle présente aux gens habituellement et à son mari, et ce qu'elle est et fait en réalité, sa peau de fille, devient si forte qu'à l'intérieur même de sa conscience il se produit un dédoublement. Elle a deux vies secrètes : un gouffre qu'elle aime, sa liaison avec Léon lors de ses voyages à Rouen, qu'elle sait si habilement camoufler sous le masque des leçons de piano chez Mademoiselle Lempereur, et qui lui masque cet autre gouffre qui se creuse de plus en plus, celui que fabrique Lheureux, le marchand de modes,

trappe à l'intérieur de laquelle elle va tomber. Personnage doublement double.

(...)

Lorsqu'Emma arrive à Yonville, elle est comme Antoine dans la Thébaïde, les péchés capitaux vont défiler autour d'elle. Si nous interrogeons le texte selon cette grille, nous voyons immédiatement un certain nombre de choses s'organiser : plusieurs personnages sont des incarnations des péchés capitaux non point dans leurs formes les plus hautes comme dans la dernière version de la *Tentation*, mais dans leurs formes bourgeoises, donc les plus méprisables pour Flaubert. Rodolphe va séduire Emma avant que celle-ci essaie de le séduire pour de bon et de se faire enlever par lui. Ce n'est pas un véritable amoureux, c'est un viveur, un gourmet. Pour lui, Madame Bovary est une friandise. Il va la déguster, la consommer. Dès qu'il la rencontre il la trouve intéressante, de quoi passer un bon moment, mais le premier problème qu'il se pose, c'est "comment s'en débarrasser ?" La luxure de Léon sera plus profonde, surtout lorsqu'il revient paré des prestiges de Paris. Lheureux, au

nom prédestiné puisqu'il va prospérer sur la ruine d'Emma, distingue qu'il y a un masque chez elle, devine qu'elle cache quelque chose et va en profiter pour s'enfoncer et l'enfoncer dans ses mensonges. En la tentant par des objets, il l'endette de plus en plus jusqu'au moment où il estimera le fruit mûr et qu'il convient de racler tout ce qui s'est amassé à l'intérieur de cette poche sous la surface. Lheureux est un vicieux récompensé de ses manœuvres. Tout lui réussit. A la mort de Madame Bovary, il s'est considérablement enrichi et va pouvoir ouvrir dans Yonville son grand magasin de nouveautés "les favorites du commerce". Si l'on braque les projecteurs sur la carrière de Lheureux, le roman pourrait s'appeler "les prospérités du vice" ou "l'avarice récompensée".

Homais tente Charles, et sa femme par contrecoup, en lui proposant de guérir le pied-bot, une des victimes non seulement de la nature, mais de la société contemporaine qui ne sait qu'en faire. Charles, poussé par Emma-Ève, tente une opération dont il sent très bien qu'il n'est pas capable de la réussir. Il ne sera nullement

III

Le lendemain, à son réveil, elle aperçut le clerc sur la place. Elle était en peignoir. Il leva la tête et la salua. Elle fit une inclination rapide et referma la fenêtre.

Léon attendit pendant tout le jour que six heures du soir
5 fussent arrivées ; mais, en entrant à l'auberge, il ne trouva que M. Binet, attablé.

Ce dîner de la veille était pour lui un événement considérable ; jamais, jusqu'alors, il n'avait causé pendant deux heures de suite avec une *dame*. Comment donc avoir pu lui
10 exposer, et en un tel langage, quantité de choses qu'il n'aurait pas si bien dites auparavant ? il était timide d'habitude et gardait cette réserve qui participe à la fois de la pudeur et de la dissimulation. On trouvait à Yonville qu'il avait des manières *comme il faut*. Il écoutait raisonner les
15 gens mûrs, et ne paraissait point exalté en politique, chose remarquable pour un jeune homme. Puis il possédait des talents, il peignait à l'aquarelle, savait lire la clef de sol, et s'occupait volontiers de littérature après son dîner, quand il ne jouait pas aux cartes. M. Homais le considérait pour son
20 instruction ; madame Homais l'affectionnait pour sa complaisance, car souvent il accompagnait au jardin les petits Homais, marmots toujours barbouillés, fort mal élevés et quelque peu lymphatiques, comme leur mère. Ils avaient pour les soigner, outre la bonne, Justin, l'élève en pharma-
25 cie, un arrière-cousin de M. Homais que l'on avait pris dans la maison par charité, et qui servait en même temps de domestique.

L'apothicaire se montra le meilleur des voisins. Il renseigna madame Bovary sur les fournisseurs, fit venir son mar-
30 chand de cidre tout exprès, goûta la boisson lui-même, et veilla dans la cave à ce que la futaille fût bien placée ; il indiqua encore la façon de s'y prendre pour avoir une provision de beurre à bon marché, et conclut un arrangement avec Lestiboudois, le sacristain, qui, outre ses fonctions sacerdo-
35 tales et mortuaires, soignait les principaux jardins d'Yonville à l'heure ou à l'année, selon le goût des personnes.

étonné lorsqu'il verra qu'il a produit une catastrophe. Sans qu'il y ait peut-être chez lui à ce moment-là une conscience claire de ce désir, Homais veut éliminer le médecin, et c'est pourquoi il lui propose quelque chose qu'il sait dangereux. Si jamais l'opération en question avait réussi, il aurait tenté autre chose, l'aurait tenté par autre chose. Homais pratique clandestinement la médecine, et a déjà eu maille à partir avec la police à ce sujet. Ne pouvant être médecin, il fait comme s'il l'était ; tissant tout un univers de mensonges, il usurpe cette fonction sainte par excellence pour Flaubert. Il est une personnification de l'envie. A la fin il sera considéré par l'ensemble de la population

entièrement corrompue par lui à cet égard, comme le médecin qui lui correspond vraiment dans son ombre. Officiellement tout le monde dira qu'il n'est pas médecin, mais tout le monde ira le consulter. Tout le monde dira que des activités comme les siennes devraient empêcher d'avoir la croix d'honneur ; pourtant il l'obtiendra enfin.

Cette présence si claire de quatre péchés capitaux nous amène à chercher les autres. Dès le premier chapitre Charles Bovary est marqué comme ayant un défaut principal, un "péché d'habitude", la paresse.

(...)

En opposition à Homais qui voudrait être médecin, il y a celui dont il est envieux, le

médecin, le vrai, le grand personnage, celui que Charles, il le sait bien, ne pourra pas être, le vrai savant semblable à un dieu. Ce magnifique développement de l'orgueil le plus élevé, c'est le docteur Larivière, image dans le roman du père admiré de Flaubert. Entre cette forme la plus haute et le pauvre Charles, il y a un intermédiaire, très humble par rapport au grand patron, plein de morgue par rapport à celui qu'il constate être son inférieur. Emma a de l'orgueil, ses aventures amoureuses vont lui donner de l'orgueil, et elle voudrait provoquer l'orgueil de Charles. Malgré toutes ses vertus, ou plutôt à cause d'elles, c'est le docteur Larivière qui va tenter Emma dans cette direction.

Quant à la colère, elle va se dissimuler dans celui qui est du côté de la police et du gouvernement, l'autre pensionnaire du Lion d'or, l'ancien militaire Binet maintenant capitaine des pompiers mais surtout percepteur, représentant de la justice gouvernementale, de la vindicte publique avec l'huissier, maître Hareng, qui viendra prendre les meubles d'Emma et provoquera son suicide. »

MICHEL BUTOR, 1984, *Improvisations sur Flaubert*, Editions de la Différence, pp. 83-88.

Le besoin de s'occuper d'autrui ne poussait pas seul le pharmacien à tant de cordialité obséquieuse, et il y avait là-dessous un plan.

Il avait enfreint la loi du 19 ventôse an XI[1], article 1er, qui
5 défend à tout individu non porteur de diplôme l'exercice de la médecine ; si bien que, sur des dénonciations ténébreuses, Homais avait été mandé à Rouen, près M. le procureur du roi, en son cabinet particulier. Le magistrat l'avait reçu debout, dans sa robe, hermine à l'épaule et toque en tête.
10 C'était le matin, avant l'audience. On entendait dans le corridor passer les fortes bottes des gendarmes, et comme un bruit lointain de grosses serrures qui se fermaient. Les oreilles du pharmacien lui tintèrent à croire qu'il allait tomber d'un coup de sang ; il entrevit des culs de basse-fosse, sa
15 famille en pleurs, la pharmacie vendue, tous les bocaux disséminés ; et il fut obligé d'entrer dans un café prendre un verre de rhum avec de l'eau de Seltz, pour se remettre les esprits.

Peu à peu, le souvenir de cette admonition[2] s'affaiblit, et il
20 continuait, comme autrefois, à donner des consultations anodines dans son arrière-boutique. Mais le maire lui en voulait, des confrères étaient jaloux, il fallait tout craindre ; en s'attachant M. Bovary par des politesses, c'était gagner sa gratitude, et empêcher qu'il ne parlât plus tard, s'il s'aperce-
25 vait de quelque chose. Aussi, tous les matins, Homais lui apportait *le journal*, et souvent, dans l'après-midi, quittait un instant la pharmacie pour aller chez l'officier de santé faire la conversation.

Charles était triste : la clientèle n'arrivait pas. Il demeurait
30 assis pendant de longues heures, sans parler, allait dormir dans son cabinet ou regardait coudre sa femme. Pour se distraire, il s'employa chez lui comme homme de peine, et même il essaya de peindre le grenier avec un reste de couleur que les peintres avaient laissé. Mais les affaires d'argent
35 le préoccupaient. Il en avait tant dépensé pour les réparations de Tostes, pour les toilettes de Madame et pour le déménagement, que toute la dot, plus de trois mille écus, s'était écoulée en deux ans ①. Puis, que de choses endommagées ou perdues dans le transport de Tostes à Yonville,
40 sans compter le curé de plâtre qui, tombant de la charrette à un cahot trop fort, s'était écrasé en mille morceaux sur le pavé de Quincampoix !

Un souci meilleur vint le distraire, à savoir la grossesse de

1. *Le calendrier révolutionnaire avait été aboli le 1er janvier 1806. La date de cette loi correspond dans le calendrier grégorien au 10 mars 1803. Il s'agit d'une loi consulaire organisant les études de médecine et le doctorat.*
2. *Admonition : techniquement, admonestation de l'autorité judiciaire ou ecclésiastique. Lorsqu'un particulier avait commis une faute qui ne méritait pas une grande punition, on le mandait pour lui faire une remontrance. Utilisé littérairement, ce terme s'emploie pour une réprimande, un sévère avertissement.*

 ## Madame, forcément madame

On le sait, il y a trois Madame(s) Bovary dans le roman : la mère de Charles, Héloïse, veuve Dubuc, et Emma, née Rouault, mais c'est évidemment elle qui s'impose comme Madame Bovary. Un sujet d'étude assez fascinant consiste en l'analyse des occurrences de cette dénomination dans tout le texte. Ainsi, Marie-Thérèse Mathet montre que le terme « Madame » appartient aussi bien à la catégorie du récit qu'à celle du discours, et qu'il peut recouvrir, selon le cas, soit un titre appellatif, soit un désignatif.

Dans le discours, on rencontre comme titre de politesse dans le style direct, dans le discours rapporté en style indirect et en style indirect libre (« ce serait contrarier Madame dans sa convalescence », p. 513). On le repère également dans des récits de discours (« La vieille bonne engagea Madame à prendre connaissance de la maison », p. 108).

Dans le récit, on peut rencontrer trois cas quand le statut narratif n'est pas altéré :

— Monsieur/Madame ;
— Bovary /Madame ;
— Charles/Madame ;

Dans chacun de ces cas, il peut se produire ce que Marie-Thérèse Mathet appelle heureusement une « attraction discursive » exercée par la valeur appellative de « Madame », comme, entre autres exemples, dans cette phrase : « Charles, à la maison, l'attendait ; l'Hirondelle était toujours en retard le jeudi. Madame arrivait enfin ! » (p. 620). On peut en effet percevoir l'énoncé de Félicité en style indirect libre (« Madame arrive enfin ») et la pensée de Charles, formulée ou non : « Voici Madame », s'il s'adresse à la servante, « La voici enfin », s'il se parle à lui-même.

Plus intéressante encore est la suite de cette analyse :

« Voici trois exemples où "Madame" s'oppose à Charles ou à un anaphorique de Charles, et où l'on perçoit un déséquilibre évident entre les deux plans auxquels le terme renvoie :

1 C'était l'heure où Charles rentrait. Ils avaient chaud ; on apportait du cidre doux, et ils buvaient ensemble au complet rétablissement de Madame.

On discerne une nuance discursive dans le segment que j'ai souligné et qui peut, tout aussi bien, être une citation, un îlot discursif emprunté par le narrateur aux personnages, et recouvrir un énoncé du type :

Buvons au rétablissement de Madame !

dans la mesure où la formule employée dans la narration sent le cliché et pourrait bien être mise au compte de l'abbé Bournisien qui est présent.

2 Charles se reprochait d'en oublier Emma (...). L'hiver fut rude. La convalescence de Madame fut longue.

Il semble que la santé d'Emma est devenue un sujet de discours.
Dans les deux exemples que

je viens d'analyser, la valeur appellative l'emporte sur la valeur dénominative à cause de la rupture de niveau créée par la mise en relation de "Charles" avec "Madame" — rupture que favorise aussi l'aspect de cliché qui caractérise les mots environnants. Tout se passe comme si le terme avait, à un moment ou à un autre, été réellement prononcé : il se trouve, pourrait-on dire, "mis en scène".
Dernier exemple : "Madame" fait pendant à "il", anaphorique de Charles :

3 Charles était triste : la clientèle n'arrivait pas. (...) Il (...) allait dormir dans son cabinet ou regardait coudre sa femme. Pour se distraire, il s'employa chez lui comme homme de peine, et même essaya de

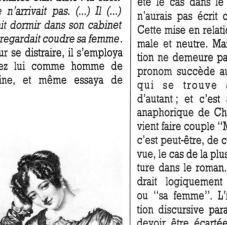

peindre le grenier avec un reste de couleur que les peintres avaient laissé. Mais les affaires d'argent le préoccupaient. *Il* en avait tant dépensé pour les réparations de Tostes, pour les *toilettes de Madame* et pour le déménagement, que toute la dot (...) s'était écoulée en deux ans.

L'occurrence du titre est tellement inattendue et produit un effet si curieux que l'analyse nécessite de faire appel à un contexte beaucoup plus étendu et éloigné. "Charles" est mis en balance avec "sa femme" ; si tel avait toujours été le cas dans le roman, je n'aurais pas écrit ces lignes. Cette mise en relation est normale et neutre. Mais la situation ne demeure pas telle : le pronom succède au prénom qui se trouve amoindri d'autant ; et c'est avec "il" anaphorique de Charles, que vient faire couple "Madame" c'est peut-être, de ce point de vue, le cas de la plus forte rupture dans le roman. On attendrait logiquement "Emma" ou "sa femme". L'interprétation discursive paraît a priori devoir être écartée, puisque le segment nous livre les pures pensées de Charles néanmoins l'écart demeure dans la mesure où l'on attend un simple désignatif d'Emma et non l'indice de son statut social. On a beau faire appel à la valeur purement narrative du terme, celui-ci ne laisse de produire un effet de sens indéniable : comme dans les exemples précédents, l'emploi du titre transforme le segment "les toilettes de Madame" en citation-cliché évoquant un fragment de discours ancillaire, un peu comme si Charles ne parvenait à penser à sa femme qu'au moyen d'expressions stéréotypées, c'est-à-dire par le canal du discours que tiennent les autres sur elle — fût-ce la femme de chambre —, discours en tout cas admiratif et respectueux, qui crée une distance. Le signifié de la phrase précédente vient appuyer cette interprétation : Charles y apparaît comme un être qui s'humilie chez lui, qui se livre à des tâches subalternes auxquelles rien ne l'a préparé ("il essaya", "homme de peine") ; de plus, l'idée d'une telle dépréciation de soi se trouve étayée par l'expression dénigrante "*un reste* de couleur que les peintres avaient *laissé* ", où le champ lexical du résidu, voire du déchet, achève cette image de la dégradation. Le terme de Madame, tout en servant donc platement à désigner Emma, résume et englobe, pour Charles, une réalité irréductible au contexte qui précède

et qui suit et arrache les toilettes d'Emma à la médiocrité qui les entoure : les réparations de Tostes en amont et le déménagement en aval.

La ressource qui s'offrait à Flaubert de désigner ses héros en utilisant le système Monsieur/Madame lorsqu'il s'agit d'un couple, si elle n'est pas du tout exploitée dans l'*Éducation sentimentale* malgré l'existence dans ce roman du ménage Arnoux, l'est au maximum dans *Madame Bovary*. Il y a donc dans cette œuvre un "point de vue" quelque peu différent, dont l'étude dépasse les limites de cette analyse.
Ce qui fait l'objet de celle-ci, c'est que le terme de Madame, s'il peut être perçu comme un simple désignatif

qui fait pendant à "Monsieur" dans la narration, ne se maintient pas longtemps à ce degré zéro de l'énonciation : sa charge discursive essaime dans toute la narration environnante. Cette nuance virtuelle s'actualise à des degrés qui sont évidemment très variables et que j'ai tenté de déterminer, en fonction d'un contexte devenu prépondérant. Le récit se déroule en incluant les paroles, mais celles-ci refusent de s'absorber dans l'histoire tout en lui permettant de se raconter. Si bien que le clivage, ici, est impossible entre récit et discours ; la valeur connotative du terme se superpose rigoureusement à sa valeur dénotative, le terme et le titre se fondent, énoncé et énonciation se confondent : encore un moyen qu'utilise Flaubert pour déjouer les théories de l'écriture et briser, une fois de plus, les frontières qui voudraient séparer le récit du discours. Avec lui le récit n'est plus la rencontre pacifique des deux composantes narrative et discursive que dépeignent les manuels ; il devient, pour ces notions, un lieu de belligérance où le dernier mot reste à l'indécidable. »

**MARIE-THÉRÈSE
MATHET,** 1980,
« Madame (Bovary) »,
Poétique, n° 43, pp.352—353.

sa femme. A mesure que le terme en approchait, il la chérissait davantage. C'était un autre lien de la chair s'établissant, et comme le sentiment continu d'une union plus complexe. Quand il voyait de loin sa démarche paresseuse et sa taille
5 tourner mollement sur ses hanches sans corset, quand vis-à-vis l'un de l'autre il la contemplait tout à l'aise et qu'elle prenait, assise, des poses fatiguées dans son fauteuil, alors son bonheur ne se tenait plus ; il se levait, il l'embrassait, passait ses mains sur sa figure, l'appelait petite maman, voulait la
10 faire danser, et débitait, moitié riant, moitié pleurant, toutes sortes de plaisanteries caressantes qui lui venaient à l'esprit. L'idée d'avoir engendré le délectait. Rien ne lui manquait à présent. Il connaissait l'existence humaine tout du long, et il s'y attablait sur les deux coudes avec sérénité.

15 Emma d'abord sentit un grand étonnement, puis eut envie d'être délivrée, pour savoir quelle chose c'était que d'être mère. Mais, ne pouvant faire les dépenses qu'elle voulait, avoir un berceau en nacelle[1] avec des rideaux de soie rose et des béguins[2] brodés, elle renonça au trousseau,
20 dans un accès d'amertume, et le commanda d'un seul coup à une ouvrière du village, sans rien choisir ni discuter. Elle ne s'amusa donc pas à ces préparatifs où la tendresse des mères se met en appétit, et son affection, dès l'origine, en fut peut-être atténuée de quelque chose.

25 Cependant, comme Charles, à tous les repas, parlait du marmot, bientôt elle y songea d'une façon plus continue.

Elle souhaitait un fils ; il serait fort et brun, elle l'appellerait Georges ; et cette idée d'avoir pour enfant un mâle était comme la revanche en espoir de toutes ses impuissances
30 passées. Un homme, au moins, est libre ; il peut parcourir les passions et les pays, traverser les obstacles, mordre aux bonheurs les plus lointains. Mais une femme est empêchée continuellement. Inerte et flexible à la fois, elle a contre elle les mollesses de la chair avec les dépendances de la loi. Sa
35 volonté, comme le voile de son chapeau retenu par un cordon, palpite à tous les vents, il y a toujours quelque désir qui entraîne, quelque convenance qui retient ①.

Elle accoucha un dimanche, vers six heures, au soleil levant.

40 — C'est une fille ! dit Charles
Elle tourna la tête et s'évanouit ②

Presque aussitôt, madame Homais accourut et l'embrassa, ainsi que la mère Lefrançois du *Lion d'or*. Le

1. *En nacelle : en forme de coque de bateau.*
2. *Béguin : bonnet.*

Faibles femmes

« — Nous ne sommes pas aussi fortes que vous, nous autres femmes ; vous, quand un malheur fond sur vos têtes, quand une croyance s'en va, quand un amour vous quitte, vous avez la science, l'ambition, le jeu, l'argent, la gloire, les orgies, le café, la chasse, les chevaux, le billard, que sais-je, moi ? votre cœur de granit ne s'écorche à rien, il se console de tout, il s'enorgueillit même de ses ruines. Qu'est-ce que cela vous fait, à vous autres, que l'ange que vous avez souillé remonte au ciel, puisque vous n'y croyez pas ? avez-vous aussi des nuits de désespoir, de longues nuits passées à gémir sur une couche brûlante, altérés de cet amour divin que vous nous refusez toujours, car vous ne l'avez jamais ? Pour vous il n'y a pas d'âme, vous êtes des athées ; le corps, le corps est tout, et quand vos sales désirs sont assouvis, malheur à nous ! nous ne servons plus que de piédestaux à votre exécrable vanité, ou d'ornement à vos maisons. »

GUSTAVE FLAUBERT,
1845,
L'Éducation sentimentale,
première version.

 # Province et maternité

« La province romanesque du début du XIXe siècle n'a été considérée comme réaliste que parce qu'elle représente la négation des valeurs romantiques d'énergie et de dépense. Dans cette France qui s'imagine volontiers comme un pays coupé en deux, ou plutôt bisexué, la virilité parisienne est la traduction idéologique de la centralisation culturelle, particulièrement forte avant 1830, et même jusqu'à la mise en place du réseau de chemins de fer, qui accéléra considérablement la circulation des gens et des idées. De cette province-gynécée, patrie des vieilles filles, des épouses frustrées et des mères inconsolables, *Mme Bovary* sonne le glas, en dépit de son sous-titre : "Mœurs de province". C'est pourtant à son propos qu'Albert Thibaudet a écrit que "Le roman, en France, c'est la province". Mais s'il est vrai que le romanesque flaubertien commence par la province, point d'origine obligé, il faut ajouter que ce commencement est aussi une liquidation, à cause de la trajectoire particulière de l'héroïne, qui trouve le moyen, habitant Yonville, de parvenir aux "limites extrêmes de la volupté !" L'expression, y compris le point d'exclamation, est de l'avocat impérial Ernest Pinard, qui requit contre Flaubert en 1857. Quoiqu'elle en reprenne certaines composantes, *Mme Bovary* pulvérise le mythe romantique de la province, parce qu'elle refuse l'assimilation, présente dès *Le Rouge et le Noir*, de la maternité et de la provincialité. Dans l'univers romanesque de Flaubert, la meilleure mère, celle qui fuit son amant pour sauver son enfant, est une Parisienne, nommée Mme Arnoux. C'est ainsi que se trouve abolie, dans *L'Éducation sentimentale*, la frontière fondamentale entre Paris et la province, de même que l'adoption d'un petit garçon par Rosanette, à la fin du roman, remet en cause la dichotomie traditionnelle de la mère et de la putain. Dans un premier temps, entérinant les associations habituelles de la luxure et de la capitale, de la province et du renoncement, Flaubert avait pensé à faire une vierge sage de sa provinciale, et de la Parisienne une épouse adultère.

Les parcours antinomiques d'Emma et de Mme Arnoux n'en deviennent que plus significatifs, car ils montrent que les solutions auxquelles Flaubert a finalement abouti sont des choix idéologiques, produits par le travail même de l'écriture. Mme Arnoux n'est pas plus une « vraie » Parisienne qu'Emma n'incarne la province. Ni l'une ni l'autre ne sont ce qu'on appelle parfois des types, et elles ne font chacune que témoigner d'une obsession accrue de la maternité : être mère ou ne pas être. Sous le Second Empire, l'émancipation relative d'un petit nombre de femmes semble avoir provoqué un durcissement de la pression idéologique, aussi bien dans les mœurs que dans les fictions littéraires. Si rudement que Flaubert punisse son héroïne adultère, le châtiment paraît encore insuffisant au Ministère public. Et pourtant, tant qu'elle a pu espérer, plus ou moins inconsciemment, devenir une mère comblée, Emma Bovary fut un modèle de féminité provinciale, frustrée et malheureuse, mais vertueuse, même en pensée. Cette époque correspond exactement au séjour à Tostes, qui se termine, en même temps que la première partie du roman, sur cette phrase-clé :

(…)

« Quand on partit de Tostes au mois de mars, Mme Bovary était enceinte. »

Néanmoins, en passant du village de Tostes au gros bourg d'Yonville, Emma semble vouée à boire jusqu'à la lie sa destinée de femme de province. En réalité, commence l'étrange itinéraire de ce qu'il faut bien appeler, en dépit de la condamnation qui continue de peser sur les frêles épaules du personnage de Flaubert, sa libération ou du moins ses tentatives d'émancipation. A lui seul, le déménagement qu'elle exige — et qui d'ailleurs empêche Bovary de devenir un petit notable provincial —, est déjà en porte-à-faux par rapport aux règles de la vie de province, qui commandent l'économie des mouvements autant que des biens. En outre, dès qu'elle met le pied à Yonville, Emma commet un véritable solécisme, au

regard de la grammaire provinciale, en proférant qu'elle "aime à changer de place". Mais sa première grande transgression est évidemment son refus radical de la maternité, c'est-à-dire de sa propre féminité. Nul doute en effet qu'un fils, même sans le rite propitiatoire de la layette, lui eût procuré la possibilité de vivre jusqu'au bout par procuration, comme Mme Arnoux ou Mme Aubain :

« Elle souhaitait un fils, il serait fort et brun, elle l'appellerait Georges [...] »

Mais, pour une fille, elle n'a même pas un prénom disponible, et surtout pas le sien, selon le souhait naïf de Charles. Par la suite, l'enfant n'est pas martyrisée, mais le rejet qui s'est produit à sa naissance est symboliquement rejoué dans le triple « laisse-moi » de la scène de la commode. Berthe est décrétée laide par sa mère. Au lieu de brimer sa fille, dans la grande tradition balzacienne, Emma choisit de la délaisser, non sans éprouver de passagères bouffées de culpabilité. Pour elle, ensuite, c'est l'initiation à l'amour, de moins en moins platonique, et qui l'oblige à s'éloigner de plus en plus souvent et de plus en plus loin. A la fin de sa vie, elle est devenue une habituée des voitures publiques et des hôtels de Rouen. Mais c'est seulement à cause des dettes qu'elle se suicide, comme l'avocat impérial n'a pas manqué de le reprocher à Flaubert, et non par remords ou dégoût existentiel.

Dans *Mme Bovary*, la province, ce n'est pas Emma, mais Homais — aussi heureux en famille et aussi insensible qu'Emma est émotive et malheureuse. Or, c'est surtout par les yeux d'Emma qu'est représenté l'espace provincial du roman, qui, de ce fait, n'a plus grand-chose de provincial. Alors que la ville de province balzacienne est un lieu d'enfermement toujours focalisé autour d'une maison ou d'une portion de ville étroitement délimitée, l'espace romanesque de *Mme Bovary*, bien que n'incluant pas Paris, est infiniment varié. On en pourrait tirer une véritable typologie des descriptions de lieux, grâce à cette sorte d'ubiquité que possède Emma, et qui fait d'elle la sœur du Frédéric de L'*Éducation sentimentale*, arpentant inlassablement les rues de la capitale. Du point de vue de l'espace, Flaubert construit ses romans comme des espèces de mobiles. En outre, dans la province de *Mme Bovary*, la proportion entre l'extérieur et l'intérieur, du moins par rapport à la "norme" balzacienne, est entièrement inversée.

D'ailleurs, le centre d'Yonville, ce n'est pas la maison des Bovary, mais la pharmacie d'Homais, prolongée en profondeur, comme dans une sorte de quatrième dimension, par le fameux capharnaüm sous les toits, "véritable sanctuaire", comme le cabinet secret du père Grandet ou le laboratoire de Balthazar Claës, dans *La Recherche de l'Absolu*. Aussi comprend-on que la plupart des descriptions de lieux soient faites à travers le regard d'Emma, depuis les soirs d'été de la ferme paternelle jusqu'à l'apparition de la ville de Rouen, au plus fort de ses amours avec Léon, sans oublier la visite bâclée de la cathédrale, juste avant la scène du fiacre. Pour que ses descriptions puissent se nourrir de leurs émotions et de leurs sentiments, Flaubert refuse d'accorder à ses per-

sonnages les privilèges de l'artiste. Eux aussi font partie des paysages. Ils sont regardés regardant, et c'est sans doute pourquoi l'espace provincial de *Mme Bovary* donne une telle impression de plénitude. Dans la hiérarchie esthétique du roman, plus encore que dans les rêves d'Emma, Rouen jouit de tous les prestiges d'une capitale. Car, faire "une Babylone" de "la vieille cité normande", c'est une façon de dire que Rouen vaut Paris, c'est-à-dire que la province n'existe pas. C'est le regard de l'artiste qui crée la chose à représenter. Tout est donc représentable. Le système flaubertien a poussé jusqu'au paradoxe la quête balzacienne de nouveaux objets à raconter et à décrire. (...)

Tout se passe donc comme si *Mme Bovary*, du seul fait que s'y trouve dissociée l'équivalence de la féminité et de la maternité, venait mettre un point final à cette province littéraire dont la première partie du XIXe siècle avait fait le lieu de l'enfermement et de l'intériorité. »

NICOLE MOZET, 1982, « Yvetot vaut Constantinople. Littérature et géographie en France au XIXe siècle. », *Romantisme*, n° 35. pp. 106-110.

pharmacien, un homme discret, lui adressa seulement quelques félicitations provisoires, par la porte entrebâillée. Il voulut voir l'enfant et le trouva bien conformé.

Pendant sa convalescence, elle s'occupa beaucoup à
5 chercher un nom pour sa fille. D'abord elle passa en revue tous ceux qui avaient des terminaisons italiennes, tels que Clara, Louisa, Amanda, Atala ; elle aimait assez Galsuinde, plus encore Yseult ou Léocadie. Charles désirait qu'on appelât l'enfant comme sa mère ; Emma s'y opposait. On
10 parcourut le calendrier d'un bout à l'autre, et l'on consulta les étrangers.

— M. Léon, disait le pharmacien, avec qui j'en causais l'autre jour, s'étonne que vous ne choisissiez point Madeleine, qui est excessivement à la mode maintenant.

15 Mais la mère Bovary se récria bien fort sur ce nom de pécheresse. M. Homais, quant à lui, avait en prédilection tous ceux qui rappelaient un grand homme, un fait illustre ou une conception généreuse, et c'est dans ce système-là qu'il avait baptisé ses quatre enfants. Ainsi Napoléon repré-
20 sentait la gloire et Franklin la liberté ; Irma, peut-être, était une concession au romantisme ; mais Athalie, un hommage au plus immortel chef-d'œuvre de la scène française. Car ses convictions philosophiques n'empêchaient pas ses admirations artistiques, le penseur chez lui n'étouffait point
25 l'homme sensible ; il savait établir des différences, faire la part de l'imagination et celle du fanatisme. De cette tragédie, par exemple, il blâmait les idées, mais il admirait le style ; il maudissait la conception, mais il applaudissait à tous les détails, et s'exaspérait contre les personnages, en s'enthou-
30 siasmant de leurs discours. Lorsqu'il lisait les grands morceaux, il était transporté ; mais, quand il songeait que les calotins en tiraient avantage pour leur boutique, il était désolé, et dans cette confusion de sentiments où il s'embarrassait, il aurait voulu tout à la fois pouvoir couronner Racine
35 de ses deux mains et discuter avec lui pendant un bon quart d'heure.

Enfin, Emma se souvint qu'au château de la Vaubyessard elle avait entendu la marquise appeler Berthe une jeune femme ; dès lors ce nom-là fut choisi, et, comme le père
40 Rouault ne pouvait venir, on pria M. Homais d'être parrain. Il donna pour cadeaux tous produits de son établissement, à savoir : six boîtes de jujubes, un bocal entier de racahout, trois coffins[1] de pâte à la guimauve, et de plus, six bâtons de

1. *Coffin : petit panier, coffre ou étui.*

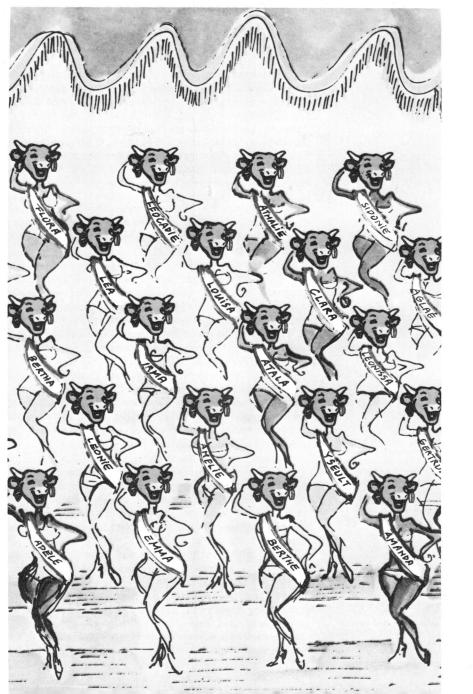

sucre candi qu'il avait retrouvés dans un placard. Le soir de la cérémonie, il y eut un grand dîner ; le curé s'y trouvait ; on s'échauffa. M. Homais, vers les liqueurs, entonna *le Dieu des bonnes gens* [1] ①. M. Léon chanta une barcarolle[2], et
5 madame Bovary mère, qui était la marraine, une romance du temps de l'Empire ; enfin M. Bovary père exigea que l'on descendît l'enfant, et se mit à le baptiser avec un verre de champagne qu'il lui versait de haut sur la tête. Cette dérision du premier des sacrements indigna l'abbé Bournisien ;
10 le père Bovary répondit par une citation de *la Guerre des dieux* [3], le curé voulut partir ; les dames suppliaient ; Homais s'interposa ; et l'on parvint à faire rasseoir l'ecclésiastique, qui reprit tranquillement, dans sa soucoupe, sa demi-tasse[4] de café à moitié bue.

15   M. Bovary père resta encore un mois à Yonville, dont il éblouit les habitants par un superbe bonnet de police à galons d'argent, qu'il portait le matin, pour fumer sa pipe sur la place. Ayant aussi l'habitude de boire beaucoup d'eau-de-vie, souvent il envoyait la servante au *Lion d'or* lui en ache-
20 ter une bouteille, que l'on inscrivait au compte de son fils ; et il usa, pour parfumer ses foulards, toute la provision d'eau de Cologne qu'avait sa bru.

Celle-ci ne se déplaisait point dans sa compagnie. Il avait couru le monde : il parlait de Berlin, de Vienne, de Stras-
25 bourg, de son temps d'officier, des maîtresses qu'il avait eues, des grands déjeuners qu'il avait faits, puis il se montrait aimable, et parfois même, soit dans l'escalier ou au jardin, il lui saisissait la taille en s'écriant :

— Charles, prends garde à toi !

30   Alors la mère Bovary s'effraya pour le bonheur de son fils, et, craignant que son époux, à la longue, n'eût une influence immorale sur les idées de la jeune femme, elle se hâta de presser le départ. Peut-être avait-elle des inquiétudes plus sérieuses. M. Bovary était homme à ne rien
35 respecter.

Un jour, Emma fut prise tout à coup du besoin de voir sa petite fille, qui avait été mise en nourrice chez la femme du menuisier, et sans regarder à l'almanach si les six semaines de la Vierge[5] duraient encore, elle s'achemina vers la
40 demeure de Rolet[6], qui se trouvait à l'extrémité du village, au bas de la côte, entre la grande route et les prairies.

Il était midi ; les maisons avaient leurs volets fermés, et les toits d'ardoises, qui reluisaient sous la lumière âpre du ciel

1. Chanson de Béranger (voir le contexte ci-contre).
2. Barcarolle : à l'origine chanson des gondoliers vénitiens puis, par extension, pièce de musique vocale ou instrumentale sur un rythme berceur à trois temps.
3. Grand poème d'Évariste de Parny (1753-1814) composé de 1795 à 1799, qui parodie l'épopée miltonienne (Paradise lost — le Paradis perdu, 1667, Paradise regained — le Paradis reconquis, 1671, de John Milton, 1608-1674) et la Messiade (1748-1777) de Klopstock (1724-1803). Il met en scène le combat entre les dieux de l'Olympe et les nouveaux dieux chrétiens, Père, Fils, Saint-Esprit et Vierge Marie, le tout émaillé de plaisanteries à vocation antireligieuse. Cette œuvre fut très prisée des voltairiens et des rationalistes, d'autant que sa forme reste parfaitement classique.
4. Tasse de petite taille.
5. Il s'agit des six semaines qui séparent Noël de la Purification (2 février). La tradition voulait qu'une accouchée restât confinée chez elle, en s'abstenant de tout exercice physique, pendant une période de six semaines, au bout de laquelle avait lieu la cérémonie des relevailles.
6. La plupart des éditions varient dans l'orthographe de ce nom, tantôt Rollet, tantôt Rolet. Nous uniformisons toutes les occurrences en Rolet.

① Le Dieu des bonnes gens

Air du vaudeville de Partie carrée

« Il est un Dieu ; devant lui je m'incline,
Pauvre et content, sans lui demander rien.
De l'univers observant la machine,
J'y vois du mal, et n'aime que le bien.
Mais le plaisir à ma philosophie
Révèle assez des cieux intelligents.
Le verre en main, gaiement je me confie
Au Dieu des bonnes gens.

Dans ma retraite où l'on voit l'indigence,
Sans m'éveiller, assise à mon chevet,
Grâce aux amours, bercé par l'espérance,
D'un lit plus doux je rêve le duvet.
Aux dieux des cours qu'un autre sacrifie !
Le verre en main...

Un conquérant, dans sa fortune altière,
Se fit un jeu des sceptres et des lois,
Et ses pieds on peut voir la poussière
Empreinte encor sur le bandeau des rois.
Vous rampiez tous, ô rois qu'on déifie !
Moi, pour braver des maîtres exigeants,
Le verre en main...

Dans nos palais, où, près de la Victoire,
Brillaient les arts, doux fruits des beaux climats,
J'ai vu du Nord les peuplades sans gloire
De leurs manteaux secouer les frimas.
Sur nos débris Albion nous défie ;
Mais les destins et les flots sont changeants :
Le verre en main...

Quelle menace un prêtre fait entendre !
Nous touchons tous à nos derniers instants :
L'éternité va se faire comprendre ;
Tout va finir, l'univers et le temps.
O chérubins à la face bouffie,

Réveillez donc les morts peu diligents !
Le verre en main...

Mais quelle erreur ! non, Dieu n'est point
colère ;
S'il créa tout, à tout il sert d'appui ;
Vins qu'il nous donne, amitié tutélaire,
Et vous, amours, qui créez après lui,
Prêtez un charme à ma philosophie
Pour dissiper des rêves affligeants.
Le verre en main, que chacun se confie
Au Dieu des bonnes gens. »

BÉRANGER, 1817.

253

bleu, semblaient à la crête de leurs pignons faire pétiller des étincelles. Un vent lourd soufflait. Emma se sentait faible en marchant ; les cailloux du trottoir la blessaient ; elle hésita si elle ne s'en retournerait pas chez elle, ou entrerait quelque
5 part pour s'asseoir.

A ce moment, M. Léon sortit d'une porte voisine, avec une liasse de papiers sous son bras. Il vint la saluer et se mit à l'ombre devant la boutique de Lheureux, sous la tente grise qui avançait.
10 Madame Bovary dit qu'elle allait voir son enfant, mais qu'elle commençait à être lasse.

— Si..., reprit Léon, n'osant poursuivre.

— Avez-vous affaire quelque part ? demanda-t-elle.

Et, sur la réponse du clerc, elle le pria de l'accompagner.
15 Dès le soir, cela fut connu dans Yonville, et madame Tuvache, la femme du maire, déclara devant sa servante que *madame Bovary se compromettait* ①.

Pour arriver chez la nourrice, il fallait, après la rue, tourner à gauche, comme pour gagner le cimetière et suivre, entre
20 des maisonnettes et des cours, un petit sentier que bordaient des troènes. Ils étaient en fleur et les véroniques aussi, les églantiers, les orties et les ronces légères qui s'élançaient des buissons. Par le trou des haies, on apercevait, dans les *masures*, quelque pourceau sur un fumier, ou des vaches
25 embricolées[1], frottant leurs cornes contre le tronc des arbres. Tous les deux, côte à côte, ils marchaient doucement, elle s'appuyant sur lui et lui retenant son pas qu'il mesurait sur les siens ; devant eux un essaim de mouches voltigeait, en bourdonnant dans l'air chaud.
30 Ils reconnurent la maison à un vieux noyer qui l'ombrageait. Basse et couverte de tuiles brunes, elle avait en dehors, sous la lucarne de son grenier, un chapelet d'oignons suspendu. Des bourrées, debout contre la clôture d'épines, entouraient un carré de laitues, quelques pieds de
35 lavande et des pois à fleurs montés sur des rames. De l'eau sale coulait en s'éparpillant sur l'herbe, et il y avait tout autour plusieurs guenilles indistinctes, des bas de tricot, une camisole d'indienne rouge, et un grand drap de toile épaisse étalé en long sur la haie. Au bruit de la barrière, la nourrice
40 parut, tenant sur son bras un enfant qui tétait. Elle tirait de l'autre main un pauvre marmot chétif, couvert de scrofules[2] au visage, le fils d'un bonnetier de Rouen que ses parents trop occupés de leur négoce laissaient à la campagne.

1. *Embricolées : normandisme, se dit d'un animal muni d'une bricole, sorte de collier de bois qui l'empêche de brouter les feuilles des arbres.*
2. *Scrofules : écrouelles, humeurs froides. Voir la note 1 p. 228.*

 Le petit journal de Madame Bovary

« Je suis en train d'écrire une visite à une nourrice. On va par un petit sentier et on revient par un autre. Je marche, comme tu le vois sur les brisées du *Livre posthume* *(N.B de Maxime Du Camp)* mais je crois que le parallèle ne m'écrasera pas. Cela sent un peu mieux la campagne, le fumier et ses couchettes que la page de notre ami. Tous les Parisiens voient la nature d'une façon élégiaque et proprette, sans baugée de vaches et sans orties. »

A Louise Colet, 17/12/1852

— Entrez, dit-elle ; votre petite est là qui dort.

La chambre, au rez-de-chaussée, la seule du logis, avait au fond, contre la muraille, un large lit sans rideaux, tandis que le pétrin occupait le côté de la fenêtre, dont une vitre
5 était raccommodée avec un soleil de papier bleu. Dans l'angle, derrière la porte, des brodequins à clous luisants étaient rangés sous la dalle du lavoir, près d'une bouteille pleine d'huile qui portait une plume à son goulot ; un *Mathieu Laensberg*[1] traînait sur la cheminée poudreuse,
10 parmi des pierres à fusil, des bouts de chandelle et des morceaux d'amadou. Enfin la dernière superfluité de cet appartement était une Renommée soufflant dans des trompettes, image découpée sans doute à même quelque prospectus de parfumerie, et que six pointes à sabot clouaient au mur.

15 L'enfant d'Emma dormait à terre, dans un berceau d'osier. Elle la prit avec la couverture qui l'enveloppait, et se mit à chanter doucement en se dandinant.

Léon se promenait dans la chambre ; il lui semblait étrange de voir cette belle dame en robe de nankin[2] tout au
20 milieu de cette misère. Madame Bovary devint rouge ; il se détourna, croyant que ses yeux peut-être avaient eu quelque impertinence. Puis elle recoucha la petite, qui venait de vomir sur sa collerette. La nourrice aussitôt vint l'essuyer, protestant qu'il n'y paraîtrait pas.

25 — Elle m'en fait bien d'autres, disait-elle, et je ne suis occupée qu'à la rincer continuellement ! Si vous aviez donc la complaisance de commander à Camus l'épicier, qu'il me laisse prendre un peu de savon lorsqu'il m'en faut ? ce serait même plus commode pour vous, que je ne dérangerais pas.

30 — C'est bien, c'est bien ! dit Emma. Au revoir, mère Rolet !

Et elle sortit en essuyant ses pieds sur le seuil.

La bonne femme l'accompagna jusqu'au bout de la cour, tout en parlant du mal qu'elle avait à se relever la nuit.

35 — J'en suis si rompue quelquefois, que je m'endors sur ma chaise ; aussi, vous devriez pour le moins me donner une petite livre de café moulu qui me ferait un mois et que je prendrais le matin avec du lait.

Après avoir subi ses remerciements, madame Bovary s'en
40 alla ; et elle était quelque peu avancée dans le sentier, lorsqu'à un bruit de sabots elle tourna la tête : c'était la nourrice !

— Qu'y a-t-il ?

1. Almanach liégeois qui existe toujours aujourd'hui, et que les colporteurs diffusaient.
2. Nankin : toile de coton, le plus souvent d'un jaune particulier – le jaune nankin – et originellement fabriquée dans la ville chinoise de Nankin.

Alors la paysanne, la tirant à l'écart derrière un orme, se mit à lui parler de son mari, qui, avec son métier et six francs par an que le capitaine...

— Achevez plus vite, dit Emma.

5 — Eh bien ! reprit la nourrice poussant des soupirs entre chaque mot, j'ai peur qu'il ne se fasse une tristesse de me voir prendre du café toute seule ; vous savez, les hommes...

— Puisque vous en aurez, répétait Emma, je vous en donnerai !... Vous m'ennuyez !

10 — Hélas ! ma pauvre chère dame, c'est qu'il a, par suite de ses blessures, des crampes terribles à la poitrine. Il dit même que le cidre l'affaiblit.

— Mais dépêchez-vous, mère Rolet !

— Donc, reprit celle-ci faisant une révérence, si ce n'était 15 pas trop vous demander..., elle salua encore une fois, — quand vous voudrez, — et son regard suppliait, — un cruchon d'eau-de-vie, dit-elle enfin, et j'en frotterai les pieds de votre petite, qui les a tendres comme la langue ⟨1⟩.

Débarrassée de la nourrice, Emma reprit le bras de 20 M. Léon. Elle marcha rapidement pendant quelque temps ; puis elle se ralentit, et son regard qu'elle promenait devant elle rencontra l'épaule du jeune homme, dont la redingote avait un collet de velours noir. Ses cheveux châtains tombaient dessus, plats et bien peignés. Elle remarqua ses 25 ongles, qui étaient plus longs qu'on ne les portait à Yonville. C'était une des grandes occupations du clerc que de les entretenir ; et il gardait, à cet usage, un canif tout particulier dans son écritoire.

Ils s'en revinrent à Yonville en suivant le bord de l'eau. 30 Dans la saison chaude, la berge plus élargie découvrait jusqu'à leur base les murs des jardins, qui avaient un escalier de quelques marches descendant à la rivière. Elle coulait sans bruit, rapide et froide à l'œil ; de grandes herbes minces s'y courbaient ensemble, selon le courant qui les poussait, et 35 comme des chevelures vertes abandonnées s'étalaient dans sa limpidité. Quelquefois, à la pointe des joncs ou sur la feuille des nénuphars, un insecte à pattes fines marchait ou se posait. Le soleil traversait d'un rayon les petits globules bleus des ondes qui se succédaient en se crevant ; les vieux 40 saules ébranchés miraient dans l'eau leur écorce grise ; audelà, tout alentour, la prairie semblait vide. C'était l'heure du dîner dans les fermes, et la jeune femme et son compagnon n'entendaient en marchant que la cadence de leurs pas sur

La visite à la nourrice chez Balzac

« Il attacha son cheval au montant d'une porte, et entra dans la chaumière. Les quatre enfants, qui appartenaient à cette femme, paraissaient avoir tous le même âge, circonstance bizarre qui frappa le commandant. La vieille en avait un cinquième presque pendu à son jupon, et qui, faible, pâle, maladif, réclamait sans doute les plus grands soins ; partant il était le bien-aimé, le Benjamin.

Genestas s'assit au coin d'une haute cheminée sans feu, sur le manteau de laquelle se voyait une Vierge en plâtre colorié, tenant dans ses bras l'Enfant Jésus. Enseigne sublime ! Le sol servait de plancher à la maison. A la longue, la terre primitivement battue était devenue raboteuse, et quoique propre, elle offrait en grand les callosités d'une écorce d'orange. Dans la cheminée étaient accrochés un sabot plein de sel, une poêle à frire, un chaudron. Le fond de la pièce se trouvait rempli par un lit à colonnes garni de sa pente découpée. Puis, çà et là, des escabelles à trois pieds, formées par des bâtons fichés dans une simple planche de fayard, une huche au pain, une grosse cuiller en bois pour puiser de l'eau, un seau et des poteries pour le lait, un rouet sur la huche, quelques clayons à fromages, des murs noirs, une porte vermoulue ayant une imposte à claire-voie ; tels étaient la décoration et le mobilier de cette pauvre demeure.

Maintenant, voici le drame auquel assista l'officier, qui s'amusait à fouetter le sol avec sa cravache sans se douter que là se déroulerait un drame. Quand la vieille femme, suivie de son Benjamin teigneux, eut disparu par une porte qui donnait dans sa laiterie, les quatre enfants, après avoir suffisamment examiné le militaire, commencèrent par se délivrer du pourceau. L'animal, avec lequel ils jouaient habituellement, était venu sur le seuil de la porte ; les marmots se ruèrent sur lui si vigoureusement et lui appliquèrent des gifles si caractéristiques, qu'il fut forcé de faire prompte retraite. L'ennemi dehors, les enfants attaquèrent une porte dont le loquet, cédant à leurs efforts, s'échappa de la gâche usée qui le retenait ; puis ils se jetèrent dans une espèce de fruitier où le commandant, que cette scène amusait, les vit bientôt occupés à ronger des pruneaux secs. La vieille au visage de parchemin et aux guenilles sales rentra dans ce moment, en tenant à la main un pot de lait pour son hôte. — Ah ! les vauriens, dit-elle. Elle alla vers les enfants, empoigna chacun d'eux par le bras, le jeta dans la chambre, mais sans lui ôter ses pruneaux, et ferma soigneusement la porte de son grenier d'abondance. — Là, là, mes mignons, soyez donc sages. — Si l'on n'y prenait garde, ils mangeraient le tas de prunes, les enragés ! dit-elle en regardant Genestas.

Puis elle s'assit sur une escabelle, prit le teigneux entre ses jambes, et se mit à le peigner en lui lavant la tête avec une dextérité féminine et des attentions maternelles. Les

quatre petits voleurs restaient, les uns debout, les autres accotés contre le lit ou la huche, tous morveux et sales, bien portants d'ailleurs, grugeant leurs prunes sans rien dire, mais regardant l'étranger d'un air sournois et narquois.

— C'est vos enfants ? demanda le soldat à la vieille.

— Faites excuse, monsieur, c'est les enfants de l'hospice. On me donne trois francs par mois et une livre de savon pour chacun d'eux.

— Mais, ma bonne femme, ils doivent vous coûter deux fois plus.

— Monsieur, voilà bien ce que nous dit monsieur Benassis ; mais si d'autres prennent les enfants au même prix, faut bien en passer par là. N'en a pas qui veut des enfants ! On a encore besoin de la croix et de la bannière pour en obtenir. Quand nous leur donnerions notre lait pour rien, il ne nous coûte guère. D'ailleurs, monsieur, trois francs, c'est une somme. Voilà quinze francs de trouvés, sans les cinq livres de savon. Dans nos cantons, combien faut-il donc s'exterminer le tempérament avant d'avoir gagné dix sous par jour.

(...)

Les quatre orphelins, pour qui toutes les protections humaines se résumaient dans l'affection de cette vieille paysanne,

avaient fini leurs prunes. Ils profitèrent de l'attention avec laquelle leur mère regardait l'officier en causant, et se réunirent en colonne serrée pour faire encore une fois sauter le loquet de la porte qui les séparait du bon tas de prunes. Il y allèrent, non comme les soldats français vont à l'assaut, mais silencieux comme des Allemands, poussés qu'ils étaient par une gourmandise naïve et brutale.

— Ah ! les petits drôles. Voulez-vous bien finir ?

La vieille se leva, prit le plus fort des quatre, lui appliqua légèrement une tape sur le derrière et le jeta dehors ; il ne pleura point, les autres demeurèrent tout pantois.

— Ils vous donnent bien du mal.

— Oh ! non, monsieur, mais ils sentent mes prunes, les mignons. Si je les laissais seuls pendant un moment, ils se crèveraient.

— Vous les aimez ?

A cette demande la vieille leva la tête, regarda le soldat d'un air doucement goguenard, et répondit :

— Si je les aime ! J'en ai déjà rendu trois, ajouta-t-elle en soupirant, je ne les garde que jusqu'à six ans.

— Mais où est le vôtre ?

— Je l'ai perdu.

— Quel âge avez-vous donc ? demanda Genestas pour

détruire l'effet de sa précédente question.

— Trente-huit ans, monsieur. A la Saint-Jean prochaine, il y aura deux ans que mon homme est mort.

Elle achevait d'habiller le petit souffreteux, qui semblait la remercier par un regard pâle et tendre.

— Quelle vie d'abnégation et de travail ! pensa le cavalier.

Sous ce toit, digne de l'étable où Jésus-Christ prit naissance, s'accomplissaient gaiement et sans orgueil les devoirs les plus difficiles de la maternité. Quels cœurs ensevelis dans l'oubli le plus profond ! Quelle richesse et quelle pauvreté ! »

BALZAC, 1833,
Le Médecin de campagne.

Flaubert craignait les similitudes avec Balzac, à preuve ce passage d'une lettre à Louise Colet cité par Claudine Gothot-Mersch (édition Garnier, 1971, pp. 456-457) :
« Ma mère m'a montré (...) dans le *Médecin de campagne* de Balzac, une *même scène* de ma *Bovary* : une visite chez une nourrice (je n'avais pas lu ce livre, pas plus que L(ouis) L(ambert). Ce sont *mêmes détails*, mêmes effets, même intention, à croire que j'ai copié, si ma page n'était infiniment mieux écrite, sans me vanter. »

la terre du sentier, les paroles qu'ils se disaient, et le frôlement de la robe d'Emma qui bruissait tout autour d'elle.

Les murs des jardins, garnis à leur chaperon de morceaux
de bouteilles, étaient chauds comme le vitrage d'une serre.
5 Dans les briques, des ravenelles avaient poussé ; et, du bord
de son ombrelle déployée, madame Bovary, tout en passant, faisait s'égrener en poussière jaune un peu de leurs
fleurs flétries, ou bien quelque branche des chèvrefeuilles et
des clématites qui pendaient au-dehors traînait un moment
10 sur la soie, en s'accrochant aux effilés.

Ils causaient d'une troupe de danseurs espagnols, que l'on
attendait bientôt sur le théâtre de Rouen.

— Vous irez ? demanda-t-elle.

— Si je le peux, répondit-il.

15   N'avaient-ils rien autre chose à se dire ? Leurs yeux pourtant étaient pleins d'une causerie plus sérieuse ; et, tandis
qu'ils s'efforçaient à trouver des phrases banales, ils sentaient une même langueur les envahir tous les deux ; c'était
comme un murmure de l'âme, profond, continu, qui domi-
20 nait celui des voix. Surpris d'étonnement à cette suavité
nouvelle, ils ne songeaient pas à s'en raconter la sensation
ou à en découvrir la cause. Les bonheurs futurs, comme les
rivages des tropiques, projettent sur l'immensité qui les précède leurs mollesses natales, une brise parfumée, et l'on
25 s'assoupit dans cet enivrement, sans même s'inquiéter de
l'horizon que l'on n'aperçoit pas ②.

La terre, à un endroit, se trouvait effondrée par le pas des
bestiaux ; il fallut marcher sur de grosses pierres vertes,
espacées dans la boue. Souvent, elle s'arrêtait une minute à
30 regarder où poser sa bottine, — et, chancelant sur le caillou
qui tremblait, les coudes en l'air, la taille penchée, l'œil indécis, elle riait alors, de peur de tomber dans les flaques d'eau.

Quand ils furent arrivés devant son jardin, madame
Bovary poussa la petite barrière, monta les marches en cou-
35 rant et disparut ①.

Léon rentra à son étude. Le patron était absent ; il jeta un
coup d'œil sur les dossiers, puis se tailla une plume, prit
enfin son chapeau et s'en alla.

Il alla sur la Pâture, au haut de la côte d'Argueil, à l'entrée
40 de la forêt ; il se coucha par terre sous les sapins, et regarda
le ciel à travers ses doigts.

— Comme je m'ennuie ③ ! se disait-il, comme je
m'ennuie !

⟨1⟩ Pour une approche stylistique (2)

Le texte flaubertien offre évidemment un terrain privilégié à l'investigation stylistique. Nous reproduisons ici un extrait d'une étude qui parvient, par les seuls outils de la description stylistique, à inventorier clairement les principaux effets :

Le paysage

a) Flaubert insiste d'abord sur l'indication nette des **dimensions**, de l'horizontale et de la verticale. On part sur une phrase de synthèse :

berge élargie (horizontale), *murs des jardins... marches descendant...* (verticale), *rivière* (horizontale) ; la première et la dernière place, c'est-à-dire les deux positions fortes, sont données à l'horizontale, en encadrement.

Puis la description, dont l'élément principal est la rivière, se développe surtout encore par des données horizontales : *coulait, s'étalait, limpidité ; Se succédaient en se crevant* participe aussi de cette valeur.

Toutefois, les notations "verticales" ne disparaissent pas complètement : *grandes herbes minces, pointe des joncs,* et encore quelques autres expressions. Mais elles sont atténuées, ou "converties", par l'addition d'autres termes comme : *se courbaient, marchait ou se posait.*

On notera aussi *saules*, et *miraient*, traduction horizontale de la verticalité des arbres. *Rayon de soleil*, qui se voit à son reflet sur *la surface des ondes.*

Ces notations sont réduites à peu de chose par la dernière phrase "visuelle", d'une "horizontalité" immense, avec ses deux éléments circonstanciels placés en tête :

"au-delà, tout alentour, la prairie semblait vide"*, phrase à laquelle le silence donne un prolongement sans fin.

Mais on a l'impression que cette horizontalité, que Flaubert a si bien rendue, l'a, après coup, choqué, qu'il l'a trouvée exagérée, trop exclusive, et qu'il a voulu la **compenser** dans le deuxième paragraphe de ce texte, où la verticalité l'emporte : *murs, chaperons ombrelle (?), s'égrener* (noter aussi *flétries*) *pendaient, traînait.*

Cette verticalité est orientée très fortement, non pas de bas en haut, mais de haut en bas. C'est une chute, non pas une

ascension ; cela est évident pour la deuxième phrase, la première étant plus indifférente.

b) Viennent ensuite les indications de **tons**, de **couleurs** et de **formes.**

Les indications de couleurs sont nettes et, en même temps, sobres. On relève :
1ᵉʳ § : "des chevelures *vertes*", "... globules *bleus...*", "...écorce *grise...*" ;
2ᵉ § : "... poussière *jaune*" ;
4ᵉ § : "... pierres *vertes*".
Elles représentent la partie la moins vive, la moins lumineuse du prisme. Pas de rouge, pas d'orange ; le jaune des pollens est la plus marquée de ces couleurs "élémentaires", quand il s'agit des fleurs. Quant au premier paragraphe, il est dominé par le "sombre", vert, bleu, gris que rien ne vient éclairer, et dans le quatrième, le vert des pierres est un vert de mousse, sans éclat.

Ces indications, assez généralement, se greffent, se surajoutent à celles qui concernent les formes ; elles n'apparaissent pas comme essentielles : "chevelures grises *abandonnées*", "*petits* globules bleus", "*grosses* pierres vertes".

Pour les tonalités, ce texte contient aussi peu de chose. Seul est à remarquer l'emploi très particulier du nom abstrait *limpidité* qui met en relief la qualité de l'eau et annonce en même temps l'abstrait *suavité* et l'abstrait *immensité* du §3.

Les formes seules sont donc enregistrées de façon assez complète, dans le dessein évident de traduire encore par cette observation le flou et l'imprécis du fond.

En somme, cette description est tout à fait dans la manière de Flaubert ; la tonalité générale et surtout la forme priment la couleur ; elle est parallèle à celle de l'arrivée à Rouen, opposée à celle de Carthage au soleil levant de *Salammbô*.

Les indications des **bruits**, alliées à celles des perceptions du **toucher**, traduisent de façon générale le **silence**. A la fin du premier paragraphe, on retrouve le procédé employé déjà par Chateaubriand dans *Une nuit dans les déserts du Nouveau Monde*. Les quelques notations que donne Flaubert : *pas, paroles, frôlement* et bruissement (toucher qui se ramène au son), font ressortir le vide sonore, grâce à l'emploi du limitatif *ne... que...*

La même "parcimonie" se retrouve dans l'échantillon de dialogue du § 3 où l'auteur, à dessein, insiste sur cette pauvreté : *...rien autre chose à se dire?*

A peine vient rompre, à la fin du passage, cette pesanteur du silence, le rire faux, et si superficiellement justifié par *de peur de tomber dans les flaques d'eau*. Sur le plan sonore, il provoque une **rupture** qui annonce celle de la dernière phrase déjà signalée : *encourant... disparut*.

L'état d'âme

Flaubert, selon sa méthode analytique, au lieu d'inclure dans le paysage et la description les observations psycho-logiques concernant les personnages, les juxtapose ou, si l'on veut, les encadre. Il lui faut montrer, dans ces conditions :

— qu'ils sont pleins du trouble cher aux amants romantiques ;
— qu'ils sont en défense contre ce trouble.

a) Le "romantisme" se traduit dans cette page par les mots les plus courants qui le caractérisent dans la littérature ; *langueur, murmure de l'âme, suavité, bonheur, mollesse, enivrement,* et aussi, dans une certaine mesure, *brise*.

Mais il est surtout indiqué par le ton et le choix de la grande comparaison qui le développe. Elle fait songer à Baudelaire, mais surtout aux paysages états d'âme. Ces *rivages des tropiques*, ces rivages dont on rêve et qui sentent la magie, correspondent seuls et "traduisent", au sens plein du mot, les emportements du cœur (mot non donné cependant) dont on rêve également. Ils font contraste avec cette champêtre campagne normande, si *banale* (comme les propos tenus), si provinciale, si favorable au contraire au calme et à l'ennui ; le mot *Babylone*, dans la description de Rouen, rejoint cette intention.

A ce point de vue, la dernière phrase du 3e § sert de

"repoussoir" à l'ensemble de la partie descriptive de ce texte. Elle reprend, dans les lignes suivantes, avec des mots comme : *bestiaux, boue, flaques d'eau,* qui forcent la note paysanne et grossière, "cul-terreux" oserait-on dire.

b) La défense contre le trouble, l'auteur l'esquisse dès l'abord. Le passage partait sur une phrase qui contenait les deux **prénoms** des personnages : Emma, Léon. Mais ils disparaissent aussitôt pour ne plus réapparaître. L'homme, inintéressante "utilité", ne revient sur scène qu'une fois (peut-on compter *il* de *répondit-il).* Et alors il est *son compagnon.*

La femme, seule importante, après avoir été dans le 1er § *la jeune femme,* redevient bourgeoisement et platement *madame Bovary* : l'expression est distante ; elle casse l'intimité. Elle rompt l'idée de couple esquissée sur le plan général avec *la jeune femme et son compagnon,* et dont ne donne ensuite une idée que le vague et peu compromettant

ils, au pluriel, des paragraphes 3 et 4.

Elle se traduit, cette défense, plus directement, par l'interrogation *N'avaient-ils rien autre chose à se dire?... pourtant...,* par *ils s'efforçaient,* et par *phrases banales ,* etc.

Mais comme l'auteur sait nous présenter Emma faible et prête à céder ! *Même, tous les deux* reforment le couple et viennent contredire tout le reste : *...qui dominait celui des voix.*

Et comme il laisse prévoir sa "chute" quand il dit : "Les bonheurs *futurs", "et l'on s'assoupit dans cet enivrement..."* !

En fin de compte, une seule possibilité demeure d'échapper au moins provisoirement au destin, c'est le "rire" (cri) et la "fuite" qui rompent le charme, l'enchantement et évitent, qu'à force de "chanceler", on ne tombe.

JEAN CHAILLET, 1969,
Études de grammaire et de style,
Bordas, tome 2, pp. 153-156.

⟨2⟩ Des tropiques en Normandie

Dans une étude consacrée aux réécritures de ce passage, Raymonde Debray-Genette interprète ainsi la comparaison chargée d'illustrer la situation des personnages :

« Flaubert avoue, dans sa correspondance, qu'il est dévoré de comparaisons. De fait, il y en a, semble-t-il, dans *Madame Bovary,* un nombre supérieur à celui des autres

œuvres majeures. (...) L'analyse suffisait à combler la faiblesse intellectuelle des personnages. Mais ne serait-ce pas, d'un autre côté, une façon de suppléer leur langage, de le prolonger, car très souvent, comme ici, le registre thématique des comparaisons appartient au domaine dont ils nourrissent leurs rêves. En l'occurrence le narrateur écrit aussi bien que ses personnages voudraient penser, dans un registre lyrique, conforme à leurs souhaits. Mais la distance n'est que plus grande entre le rivage des tropiques et le bord d'une petite rivière normande. »

RAYMONDE DEBRAY-GENETTE, 1986, « La Chimère et le Sphinx : texte et avant-texte dans Madame Bovary », *Littérature,* n° 64, pp. 59-60.

⟨3⟩ L'ennui

Emma Bovary et Frédéric Moreau manquent leur vie non pas parce qu'ils y sont entrés avec des rêves romantiques, mais parce que la vie est toujours décevante, (...). Autant que le romantisme ridicule c'est la pauvreté de la vie qui est décrite et condamnée (...).

Il se trouvait à plaindre de vivre dans ce village, avec Homais pour ami et M. Guillaumin pour maître. Ce dernier, tout occupé d'affaires, portant des lunettes à branches d'or et favoris rouges sur cravate blanche, n'entendait rien aux
5 délicatesses de l'esprit, quoiqu'il affectât un genre raide et anglais qui avait ébloui le clerc dans les premiers temps. Quant à la femme du pharmacien, c'était la meilleure épouse de Normandie, douce comme un mouton, chérissant ses enfants, son père, sa mère, ses cousins, pleurant
10 aux maux d'autrui, laissant tout aller dans son ménage, et détestant les corsets ; — mais si lente à se mouvoir, si ennuyeuse à écouter, d'un aspect si commun et d'une conversation si restreinte, qu'il n'avait jamais songé, quoiqu'elle eût trente ans, qu'il en eût vingt, qu'ils couchassent porte à
15 porte, et qu'il lui parlât chaque jour, qu'elle pût être une femme pour quelqu'un, ni qu'elle possédât de son sexe autre chose que la robe.

Et ensuite, qu'y avait-il ? Binet, quelques marchands, deux ou trois cabaretiers, le curé, et enfin M. Tuvache, le
20 maire, avec ses deux fils, gens cossus, bourrus, obtus, cultivant leurs terres eux-mêmes, faisant des ripailles en famille, dévots d'ailleurs, et d'une société tout à fait insupportable.

Mais, sur le fond commun de tous ces visages humains, la figure d'Emma se détachait isolée et plus lointaine cepen-
25 dant ; car il sentait entre elle et lui comme de vagues abîmes.

Au commencement, il était venu chez elle plusieurs fois dans la compagnie du pharmacien. Charles n'avait point paru extrêmement curieux de le recevoir ; et Léon ne savait comment s'y prendre entre la peur d'être indiscret et le désir
30 d'une intimité qu'il estimait presque impossible.

C'est pourquoi l'ennui qui monte de ses livres est si pénétrant : en effet il ne contient pas seulement l'ennui, qu'on peut juger coupable, de lecteurs trop passionnés de Chateaubriand ou de Walter Scott, il contient surtout l'ennui que dégage l'existence de tous ceux qui les entourent et la misère des sentiments. Il n'est pas nécessaire d'avoir lu Walter Scott pour trouver Homais ennuyeux, et plate la conversation de Charles. L'illusion romantique n'est qu'une sottise parmi d'autres.

Que les personnages de Flaubert partent du romantisme, c'est évident. Du *Génie du christianisme* aux romans historiques en passant par la poésie lamartinienne et l'exotisme des keepsakes Emma Rouault traverse toutes les modes romantiques ; la cause première de son malheur est de chercher à savoir "ce que l'on entendait au juste dans la vie par les mots de *félicité*, de *passion* et d'*ivresse*, qui lui avaient paru si beaux dans les livres". Dans un premier état du roman elle s'appliquait à émouvoir Charles en lui chantant *le Lac* de Lamartine. Frédéric Moreau de son côté "ambitionnait d'être un jour le Walter Scott de la France". A ses yeux Mme Arnoux "ressemblait aux femmes des

livres romantiques", et dès qu'il la connut "Werther, René, Franck, Lara, Lélia et d'autres plus médiocres l'enthousiasmèrent presque également".

Dans la première *Éducation* Henry et Mme Renaud sont unis par leur goût d'une littérature dont les autres convives se moquent : *Antony, Hernani, Jocelyn*. Il est non moins évident que Flaubert a ensuite voulu saccager une partie de cette littérature. Le sixième chapitre de *Madame Bovary* ridiculise à force d'entassement l'arsenal romantique. Emma près de Léon chante *le Lac* sur la Seine où flottent des taches de graisse, dans un bateau où traînent des oripeaux abandonnés par les noceurs de la veille. Bouvard et Pécuchet, avec la voix de Flaubert, condamnent Walter Scott, Balzac, Dumas et caricaturent *Hernani*. Mais il faut

remarquer que partout cette critique est passagère, qu'elle n'est pas exclusive et qu'elle s'en prend plus au romanesque qu'au Romantisme : Emma a lu aussi les romans de "Mme Cottin d'un bout à l'autre". Dès le couvent elle est donnée pour un esprit "positif au milieu de ses enthousiasmes", et dès le couvent aussi, après s'être laissé glisser dans les méandres lamartiniens, "elle s'en ennuya, n'en voulut point convenir, continua, par habitude, ensuite par vanité, et fut enfin surprise de se sentir apaisée, et sans plus de tristesse au cœur que de rides sur son front". On pourrait presque dire que le romantisme n'est pas pour Emma ou pour Frédéric un élément de leur personnalité. Il est plutôt une conjoncture historique qu'ils ont rencontrée. Leur histoire ne tient pas uniquement à leurs

IV

Dès les premiers froids, Emma quitta sa chambre pour habiter la salle, longue pièce à plafond bas où il y avait, sur la cheminée, un polypier[1] touffu s'étalant contre la glace. Assise dans son fauteuil, près de la fenêtre, elle voyait passer
5 les gens du village sur le trottoir.

Léon, deux fois par jour, allait de son étude au *Lion d'or*. Emma, de loin, l'entendait venir ; elle se penchait en écoutant ; et le jeune homme glissait derrière le rideau, toujours vêtu de même façon et sans détourner la tête. Mais, au cré-
10 puscule, lorsque, le menton dans sa main gauche, elle avait abandonné sur ses genoux sa tapisserie commencée, souvent elle tressaillait à l'apparition de cette ombre glissant tout à coup. Elle se levait et commandait qu'on mît le couvert.

M. Homais arrivait pendant le dîner. Bonnet grec à la
15 main, il entrait à pas muets pour ne déranger personne et toujours en répétant la même phrase : « Bonsoir la compagnie ! » Puis, quand il s'était posé à sa place, contre la table, entre les deux époux, il demandait au médecin des nouvelles de ses malades, et celui-ci le consultait sur la probabilité
20 des honoraires. Ensuite, on causait de ce qu'il y avait *dans le journal*. Homais, à cette heure-là, le savait presque par cœur ; et il le rapportait intégralement, avec les réflexions du journaliste et toutes les histoires des catastrophes individuelles arrivées en France ou à l'étranger. Mais, le sujet se taris-
25 sant, il ne tardait pas à lancer quelques observations sur les mets qu'il voyait. Parfois même, se levant à demi, il indiquait délicatement à Madame le morceau le plus tendre, ou, se tournant vers la bonne, lui adressait des conseils pour la manipulation des ragoûts et l'hygiène des assaisonnements ;
30 il parlait arôme, osmazôme[2], sucs et gélatine d'une façon à éblouir. La tête d'ailleurs plus remplie de recettes que sa pharmacie ne l'était de bocaux, Homais excellait à faire quantité de confitures, vinaigres et liqueurs douces, et il connaissait aussi toutes les inventions nouvelles de caléfacteurs[3]
35 économiques, avec l'art de conserver les fromages et de soigner les vins malades.

1. *Polypier : squelette calcaire des cœlentérés vivant en colonies de polypes, présentant souvent une forme arborescente.*
2. *Osmazôme : matière extraite de la chair et du sang, à laquelle on avait attribué l'odeur et les propriétés nutritives de la viande cuite : « C'est l'osmazôme qui fait le mérite des bons potages » (Brillat-Savarin).*
3. *Caléfacteur : appareil propre à la cuisson des aliments.*

lectures romantiques. Elle tient à leur caractère et à la société déroutante qu'ils ont eue en face d'eux.

Cette proportion est d'extrême conséquence. Elle signifie en effet que c'est le fonds même de la vie qui est ennui à force de pauvreté et de laideur. Si l'on voulait juger le roman en fonction du romantisme, il en ressortirait moins une critique qu'un éloge du romantisme puisque Emma est le personnage le plus attachant, tandis que les moins romantiques comme Charles, Homais, Rodolphe et même Léon sont aussi les plus ennuyeux. Le tort est moins à Emma qui rêve qu'à la vie, qui ne donne pas à la mesure du rêve. Tout est ennui et pauvreté : l'amour d'Emma et de Rodolphe au premier étage de la Mairie comme la contemplation béate des Yonvillais devant leurs comices. La fin d'Emma Bovary est grandiose du point de vue littéraire ; du point de vue des sentiments elle ne l'est pas : Emma ne meurt pas de la fidélité à quelque grand rêve ou du désespoir de le voir déçu. Les rêves se sont dissous dans l'agacement des circonstances. Et dans la chambre mortuaire viennent s'étaler de nouvelles laideurs. Les êtres sont aussi ennuyeux que les choses : les satisfaits, les consciencieux, les débonnaires, les naïfs, et aussi les nobles vieillis, les envoyés du gouvernement, les gentilshommes campagnards, les jeunes gens à demi-rangés et Emma elle-même, fermière transplantée et coquette, qui fût peut-être en d'autres temps devenue précieuse ridicule et qui ne sait pas, sensuelle et généreuse, qu'en province les sentiments butent contre la vie. »

GUY SAGNES, 1969,
*L'ennui dans la littérature
française — 1848-1884*,
Armand Colin, pp. 192-193.

A huit heures, Justin venait le chercher pour fermer la pharmacie. Alors M. Homais le regardait d'un œil narquois, surtout si Félicité se trouvait là, s'étant aperçu que son élève affectionnait la maison du médecin.

5 — Mon gaillard, disait-il, commence à avoir des idées, et je crois, diable m'emporte, qu'il est amoureux de votre bonne !

Mais un défaut plus grave, et qu'il lui reprochait, c'était d'écouter continuellement les conversations. Le dimanche,
10 par exemple, on ne pouvait le faire sortir du salon, où madame Homais l'avait appelé pour prendre les enfants, qui s'endormaient dans les fauteuils, en tirant avec leurs dos les housses de calicot, trop larges.

Il ne venait pas grand monde à ces soirées du pharma-
15 cien, sa médisance et ses opinions politiques ayant écarté de lui successivement différentes personnes respectables. Le clerc ne manquait pas de s'y trouver. Dès qu'il entendait la sonnette, il courait au-devant de madame Bovary, prenait son châle, et posait à l'écart, sous le bureau de la pharmacie,
20 les grosses pantoufles de lisière qu'elle portait sur sa chaussure, quand il y avait de la neige.

On faisait d'abord quelques parties de trente-et-un¹ ; ensuite M. Homais jouait à l'écarté avec Emma ; Léon, derrière elle, lui donnait des avis. Debout et les mains sur le dos-
25 sier de sa chaise, il regardait les dents de son peigne qui mordaient son chignon. A chaque mouvement qu'elle faisait pour jeter les cartes, sa robe du côté droit remontait. De ses cheveux retroussés, il descendait une couleur brune sur son dos, et qui, s'apâlissant graduellement, peu à peu se perdait
30 dans l'ombre ①. Son vêtement, ensuite, retombait des deux côtés sur le siège, en bouffant, pleins de plis et s'étalait jusqu'à terre. Quand Léon, parfois, sentait la semelle de sa botte poser dessus, il s'écartait, comme s'il eût marché sur quelqu'un ② .

35 Lorsque la partie de cartes était finie, l'apothicaire et le médecin jouaient aux dominos, et Emma, changeant de place, s'accoudait sur la table, à feuilleter l'*Illustration* ² . Elle avait apporté son journal de modes. Léon se mettait près d'elle ; ils regardaient ensemble les gravures et s'attendaient
40 au bas des pages. Souvent elle le priait de lui dire des vers ; Léon les déclamait d'une voix traînante et qu'il faisait expirer soigneusement aux passages d'amour. Mais le bruit des dominos le contrariait ; M. Homais y était fort, il battait

1. *Trente-et-un : jeu de cartes où il faut compléter 31 points.*
2. *L'illustration : hebdomadaire illustré fondé en 1843, qui fit du dessin et de la gravure un véritable moyen de conservation historique et de vulgarisation scientifique. les meilleurs dessinateurs et caricaturistes y collaborèrent : Gavarni, Cham, Bertall, etc.*

Posture et séduction

« Il y a, pour les amants de Flaubert, une espèce de volupté à s'embusquer *derrière* la femme qui monte un escalier, ouvre un tiroir, surveille les devoirs des ses enfants, fait sa toilette. Frédéric voit la Maréchale se baisser devant sa commode : "Il s'approcha d'elle et eut un geste d'une éloquence si peu ambiguë, qu'elle se redressa tout empourprée." Henry se montre plus discret lorsque Mme Émilie se penche sur son lit pour mieux examiner un portrait :

"Henry était derrière elle et regardait la torsade de ses cheveux noirs, le peigne qui les retenait, le dos brun qui venait après..."

Chez les Homais, nous aurons pour Emma les yeux de Léon : "Debout et les mains sur le dossier de sa chaise, il regardait les dents de son peigne qui mordaient son chignon. [...] De ses cheveux retroussés, il descendait une couleur brune sur son dos, et qui, s'apâlissant graduellement, peu à peu se perdait dans l'ombre."

Toujours la même attitude : cheveux relevés, nuque fléchie, et ce dos qui s'anime et se colore lorsque le regard glisse de la morsure du peigne à la chute des reins. Beauté de provocation, s'écrient en 1857 les censeurs qui dénoncent Emma et Charles ("Il la baisait dans le dos, elle poussait un cri."), Emma et Léon :

"...et comme ils se trouvaient debout tous les deux, lui placé derrière elle et Emma baissant la tête, il se pencha vers son cou, et la baisa longuement à la nuque."

Dans l'une et l'autre scène, la séductrice se présente par-derrière, mais différemment pour chacun des intéressés. Emma ne se prête à Charles que de mauvaise grâce ; les caresses de ce dernier la pétrifient. Elle se sent traitée, maniée comme une chose. Il se pend après elle ; il la chiffonne. Toutes ses limites, sa rusticité, son manque d'invention se perçoivent alors dans ses baisers :

"... quelquefois, il lui donnait sur les joues de gros baisers à pleine bouche, ou c'étaient des petits baisers à la file tout le long de son bras nu, depuis le bout des doigts jusqu'à l'épaule ; et elle le repoussait, à demi souriante et ennuyée..."

Gros ou petits, ces baisers restent lettre morte. Il n'en résulte aucune impression. Mais pour Léon, quelle victoire ! Emma baisse la tête de sorte qu'il l'embrasse *longuement* ; si ensuite ses baisers se multiplient, c'est afin d'exaspérer le désir :

"Mais vous êtes fou ! ah ! vous êtes fou ! disait-elle avec de petits rires sonores..."

La chute est pour demain. Toute femme qui s'offre de dos s'apprête à révéler son corps. Il suffira pour cela d'un mouvement de la tête ou du bras, d'une inclination. Dans le salon des Homais, sous les yeux de Léon, à chaque geste que faisait Emma "pour jeter les cartes, sa robe du côté droit remontait". Et lorsqu'il s'agit, en présence de Rodolphe, de disposer une cuvette sous la table,

"dans le mouvement qu'elle fit en s'inclinant, sa robe [...] s'évasa autour d'elle sur les carreaux de la salle ; — et, comme Emma, baissée, chancelait un peu en écartant les bras, le gonflement de l'étoffe se crevait de place en place, selon les inflexions de son corsage". »

ROGER KEMPF, 1968, « La découverte du corps dans les romans de Flaubert » in *Sur le corps romanesque*, Seuil, pp. 110-112.

② Précisions sur le désir de Léon

« Elle portait, en ce temps-là, des bonnets *à la Paysanne* qui lui découvraient les oreilles ; ils rappelaient à Léon ceux qu'il avait vus au théâtre, quelquefois, dans des opérascomiques et tout en considérant les bandeaux d'Emma où la lumière de la lampe faisait onduler les moires d'ébène, il lui arrivait à l'âme lentement comme une réminiscence d'émanations analogues et de sentiments oubliés. Ce qu'il avait éprouvé pour d'autres femmes, en d'autres jours, les langueurs de l'adolescence, l'éblouissement de la première chair et la mélancolie du premier désir, mille convoitises dispersées se réunissaient alors sur cette excitation nouvelle, qui les absorbait toutes et les résumait. Pour se figurer mieux son espérance, il allait cherchant dans sa mémoire des formes connues. A ces mollesses du souvenir, de la sensation et du rêve, la pensée du jeune homme se dissolvait avec douceur, et Emma quelquefois lui semblait presque disparaître dans le rayonnement même, qui sortait d'elle. Mais tout à coup, quand elle tournait vers lui sa

figure, et qu'il voyait ainsi ces deux prunelles noires palpitantes, avec les lèvres humides qui parlaient, les dents blanches qui brillaient, c'était un désir âcre, précis, immédiat, quelque chose d'aigu qui le traversait et il avait envie de la palper sur les épaules, afin de la connaître du moins, par un autre sens que par les yeux. »

POMMIER-LELEU, p. 279.

Charles à plein double-six. Puis, les trois centaines termi-
nées, ils s'allongeaient tous deux devant le foyer et ne tar-
daient pas à s'endormir. Le feu se mourait dans les cendres ;
la théière était vide ; Léon lisait encore. Emma l'écoutait, en
5 faisant tourner machinalement l'abat-jour de la lampe, où
étaient peints sur la gaze des pierrots dans des voitures et des
danseuses de corde, avec leurs balanciers. Léon s'arrêtait,
désignant d'un geste son auditoire endormi ; alors ils se parlaient à voix basse, et la conversation qu'ils avaient leur sem-
10 blait plus douce, parce qu'elle n'était pas entendue.

Ainsi s'établit entre eux une sorte d'association, un commerce continuel de livres et de romances ; M. Bovary, peu
jaloux, ne s'en étonnait pas. ⟨1⟩

Il reçut pour sa fête une belle tête phrénologique[1], toute
15 marquetée de chiffres jusqu'au thorax et peinte en bleu.
C'était une attention du clerc. Il en avait bien d'autres,
jusqu'à lui faire, à Rouen, ses commissions ; et le livre d'un
romancier ayant mis à la mode la manie des plantes grasses,
Léon en achetait pour Madame, qu'il rapportait sur ses
20 genoux, dans l'Hirondelle, tout en se piquant les doigts à
leurs poils durs.

Elle fit ajuster, contre sa croisée, une planchette à balustrade pour tenir ses potiches. Le clerc eut aussi son jardinet
suspendu ; ils s'apercevaient soignant leurs fleurs à leur
25 fenêtre.

Parmi les fenêtres du village, il y en avait une encore plus
souvent occupée ; car, le dimanche, depuis le matin jusqu'à
la nuit, et chaque après-midi, si le temps était clair, on voyait
à la lucarne d'un grenier le profil maigre de M. Binet penché
30 sur son tour, dont le ronflement monotone s'entendait
jusqu'au Lion d'or.

Un soir, en rentrant, Léon trouva dans sa chambre un
tapis de velours et de laine avec des feuillages sur fond pâle,
il appela madame Homais, M. Homais, Justin, les enfants,
35 la cuisinière, il en parla à son patron ; tout le monde désira
connaître ce tapis ; pourquoi la femme du médecin faisait-
elle au clerc des générosités ? Cela parut drôle, et l'on pensa
définitivement qu'elle devait être sa bonne amie.

Il le donnait à croire, tant il vous entretenait sans cesse de
40 ses charmes et de son esprit, si bien que Binet lui répondit
une fois fort brutalement :

— Que m'importe, à moi, puisque je ne suis pas de sa
société !

1. La phrénologie fut une « science »
créée par Franz-Joseph Gall
(1758-1820). Elle se fondait sur une
correspondance supposée entre les pro-
tubérances du crâne et les facultés.

La mise à plat ou massacre au roman-photo

Il existe au moins deux « adaptations » de Madame Bovary *en roman-photo :* Bovary 73, *paru le 8 mars 1973 dans le numéro 1340 de* Nous deux, *et* Madame Bovary, *d'après le roman de Flaubert, saucissonné en 16 épisodes dans* Femmes d'aujourd'hui *du 14 mars au 4 juillet 1979. Geneviève Idt les analyse dans «* Madame Bovary *en romans-photos » (1980, in* Flaubert, la femme, la ville, *PUF, 1983, pp. 159-173).*

Nous reproduisons ici d'après cet excellent article la transposition des scènes itératives entre Léon et Emma, véritable entreprise de dé-littérarisation, dans laquelle on ne sait ce qu'il faut le plus admirer, de la manipulation de l'intrigue, de l'élimination radicale de toute ironie ou de la langue complètement artificielle, si typique de ce sous-genre de l'infra-littérature :

Charles et Homais discutent politique en regardant la télévision, alors qu'Emma et Léon voulaient écouter le dernier succès de Gilbert Bécaud, puis :

« Ils se promènent le long du torrent et se réfugient dans une petite auberge isolée pour parler d'amour et de poésie.

LÉON : Parfois je m'identifie au héros du livre que je lis, c'est une chose grisante et qui fait rêver. Ça ne t'arrive pas, à toi aussi ?

EMMA : Oui, mais j'aime surtout les histoires d'amour dramatiques. On ne voit que trop de personnes banales dans la vie, et la banalité m'asphyxie.

LÉON : Que veux-tu dire ?

EMMA : Tu me le demandes ? Mon mari, par exemple, il personnifie la médiocrité ! Il n'a jamais un élan, aucun esprit, et je partage avec lui une vie qui me détruit ! Il ne réalise pas ce que devient notre union ! Ma vie a un emploi du temps rigoureux : l'heure des repas, de la télé, du baiser du soir... et c'est tout ! Il m'aime, mais sans passion, sans ces élans qui vous transportent, qui vous font sentir que l'on vit !

LÉON : Tu dois beaucoup en souffrir !

EMMA : C'est terrible ! Je me fane chaque jour qui passe. Parfois je le regarde et le trouve si mesquin que je me demande comment j'ai pu croire que je l'aimais ! Je suis à bout ! J'ai besoin d'amour, de me sentir vivre, de quelqu'un qui sache m'aimer comme je sais aimer, moi !

LÉON ! Emma ! Entre mes bras tu trouveras tout l'amour que tu désires !

Léon n'a pu retenir les mots, que, longtemps, il n'a pas osé dire. Depuis qu'il a vu Emma pour la première fois, il en a été éperdument épris.

EMMA : Qu'as-tu dit ?

LÉON : Oui, je ne peux plus me taire, je t'aime ! je t'ai tout de suite aimée ! Je pensais ne jamais oser te l'avouer, mais mon amour est plus fort que tout. »

Bovary 73, cité par Geneviève Idt, op. cit.,
p. 172.

Il se torturait à découvrir par quel moyen lui *faire sa déclaration* ; et, toujours hésitant entre la crainte de lui déplaire et la honte d'être si pusillanime, il en pleurait de découragement et de désirs. Puis il prenait des décisions énergiques ; il
5 écrivait des lettres qu'il déchirait, s'ajournait à des époques qu'il reculait. Souvent il se mettait en marche, dans le projet de tout oser ; mais cette résolution l'abandonnait bien vite en la présence d'Emma, et, quand Charles, survenant, l'invitait à monter dans son *boc*, pour aller voir ensemble
10 quelque malade aux environs, il acceptait aussitôt, saluait Madame et s'en allait. Son mari, n'était-ce pas quelque chose d'elle ? ⟨1⟩

Quant à Emma, elle ne s'interrogea point pour savoir si elle l'aimait. L'amour, croyait-elle, devait arriver tout à
15 coup, avec de grands éclats et des fulgurations, — ouragan des cieux qui tombe sur la vie, la bouleverse, arrache les volontés comme des feuilles et emporte à l'abîme le cœur entier. Elle ne savait pas que, sur la terrasse des maisons, la pluie fait des lacs quand les gouttières sont bouchées, et elle
20 fût ainsi demeurée en sa sécurité, lorsqu'elle découvrit subitement une lézarde dans le mur ⟨2⟩.

Le fétichisme du gant

Si le vêtement peut chez Flaubert se faire chair, en être « l'exhalaison dernière », il peut aussi prendre une autre valeur :

« Dans le cas d'un désir qui se refuse à toute satisfaction, le vêtement remplit une fonction exactement inverse : protégeant ce que l'on s'interdit d'atteindre, il devient à la fois un obstacle et une indication. "Il ne pouvait se la figurer autrement que vêtue, tant sa pudeur semblait naturelle et reculait son sexe dans une ombre mystérieuse..." Le vêtement devenant comme l'affleurement de cette ombre sacrée, le fétichisme vestimentaire apparaît l'une des conséquences les plus normales de l'amour interdit : Madame Arnoux, qui refuse tout de sa personne, donne à Frédéric un gant, la semaine d'après un mouchoir ; Léon, dans *Madame Bovary* dérobe lui aussi un gant d'Emma. Tout se passe comme si le désir essayait de se contenter en collectionnant des signes de ce qu'il lui est défendu d'atteindre. Faute de se laisser absorber par son objet, il se recueille dans la contemplation de ces étoffes, qui sont comme une enveloppe solide grâce à laquelle la chair anonyme deviendra un corps individuel. Car à la masse charnelle le vêtement donne

une surface, une forme. Flaubert dit qu'il l'*idéalise* :

Théorie du gant : c'est qu'il *idéalise* la main en la privant de sa couleur, comme le fait la poudre de riz pour le visage. Il la rend *inexpressive*, mais *typique*. La *forme seule est conservée*, et plus *accusée*. Cette couleur factice s'harmonise avec la manche du vêtement, et sans donner l'idée d'une nature autre (puisque le dessin est conservé) met de la nouveauté dans le connu, et rapproche ainsi ce membre couvert d'un membre de statue. Et cependant, cette chose antinaturelle a du mouvement... Rien de plus troublant qu'une main gantée.

Le gant arrête l'expression, l'attraction directe, l'empâtement réciproque du désir ; il protège de la nausée amoureuse en jetant sur la plasticité d'autrui le voile d'une surface neutre. Il veut faire échapper à la mollesse de l'anonyme par la rigidité du typique. Mais cette forme typique conserve un pouvoir d'expression d'autant plus dangereux qu'il est devenu indirect : derrière l'écran du gant on devine quelque chose qui n'est ni la dureté morte du marbre ni la mollesse vivante de la chair. Cette « nature autre », à demi pierre, à demi femme, reste animée d'une vie mystérieuse qui la rend infiniment troublante ; c'est comme si la forme recélait en elle un principe caché qui dirigerait ses

mouvements. Au glissement du désir vers la matière ou vers la chair va donc se substituer une attitude très différente, irritation piétinante, sorte d'exaltation arrêtée, un sentiment de *curiosité* devant la forme. Je voudrais toujours voir *ce qu'il y a derrière* :

Sa maison même n'était pas comme la maison des autres ; elle lui semblait un immobile costume qui cachait son existence ; et le rayon lumineux s'en échappant le soir, par la fente d'un volet, lui causait quelque chose de cette irritation que vous envoie silencieusement une prunelle par la découpure d'un masque noir...

Regard jeté à travers un masque, mouvement d'un gant, c'est tout un : "Le masque a du mouvement par les yeux." Et c'est ce mouvement, cette vie de la forme, ce principe qui la fait exister comme un être unique et différent de tous les autres, que la curiosité veut justement posséder. »

JEAN-PIERRE RICHARD, 1954,
« La création de la forme chez Flaubert » in *Poésie et profondeur*, Seuil, pp. 184-185.

Voici le passage supprimé dont parle Jean-Pierre Richard :

« Que de fois en le considérant, il a cherché sur toute sa personne, comme la trace invisible des caresses qu'il rêvait ! Cette union pourtant lui paraissait être si impossible de soi-même qu'il ne pouvait guère se la figurer.

Chez le pharmacien, un soir, Mme Bovary, en cousant, laissa tomber son gant par terre. Léon le poussa sous la table sans que personne y prît garde. Mais, quand on fut couché, il se releva, descendit les marches à tâtons, le trouva sans peine et revint dans son lit. C'était un gant de couleur jaune, souple, avec des rides sur les phalanges, et la peau semblait soulevée davantage au grand morceau du pouce, à cet endroit de la main, où il y a le plus de chair. Il sentait un parfum vague, quelque chose de tendre comme les violettes fanées. Alors Léon cligna les yeux, il l'entrevit au poignet d'Emma, boutonné, tendu, agissant coquettement dans mille fonctions indéterminées. Il le huma ; il le baisa ; il y passa les quatre doigts de sa main droite et s'endormit la bouche dessus.

Suivant donc le fil des jours qui coulaient calmes à Yonville, tandis que le pharmacien était à ses mortiers, le percepteur à ses ronds de serviette, le fossoyeur à ses jardins, l'aubergiste à ses fourneaux, chacun à sa boutique ou à ses passions différentes, chérie par Charles et convoitée par Léon, Emma vivait entre deux amours sans jouir de l'un ni se douter de l'autre.

Mais elle, qui l'occupait donc ? Se lever, s'habiller, Berthe aux moments perdus, un peu de musique quelquefois, et la pluie qui tombait, ou le roman qu'elle lisait. Elle calculait sur ses doigts combien coûterait de plus par année un domestique mâle dans la maison. Elle avait envie d'un cheval, comme celui du notaire, et d'un meuble en palissandre qu'elle avait vu à Rouen chez un tapissier. Elle achetait à des paysannes leurs vieilles boucles de strass pour s'en composer des bracelets, échangeait ses bagues, voulait une autre montre, une autre broche, rêvait des dentelles, épaillait son cœur en mille fantaisies médiocres et elle en délibérait avec le clerc, dont les approbations exerçaient ainsi sa délicatesse et lui aviaient sa vanité.

Ils se moquaient ensemble des bonnes gens d'Yonville. C'étaient des rires quelquefois à propos d'une redingote, ou d'une locution mal tournée, et puis des tristesses sur la vie, des enthousiasmes pour une polka, des aspirations à l'idéal. Et cet épanchement de chaque jour, que rien du dehors n'occasionnait le plus souvent, et qui était si large que tout leur sentiment y contenait, faisait de l'un à l'autre circuler dans leur âme comme un courant tiède continu, qui en égalisait les deux températures. C'était pour elle une distraction, mais pour lui une volupté : il entrait par là dans cette existence regardée, où il aurait voulu se confondre et s'appropriait même quelque chose de sa partie la plus intime.

Si dans les premiers temps, après le souper où ils avaient tant parlé à l'auberge, ils se fussent fréquentés davantage, l'impression d'Emma, continuant seule, se fût changée sans doute en quelque sentiment plus tendre. Mais les rares visites de Léon, les

préoccupations avaient suspendu quelque temps leur intimité commencée ; ils urent ainsi bien des mois avant [de] revenir au point seulement où ils s'étaient trouvés le premier jour, et l'habitude à présent retirait toute surprise au charme réciproque qu'ils se trouvaient l'un l'autre. Elle se croyait d'ailleurs beaucoup plus vieille que lui et plus expérimentée car il la comprenait toujours, mais ne l'étonnait jamais. Avec ses cheveux blonds et sa figure candide, il semblait à Emma presque une jeune fille ou un page, sans hardiesse dans l'esprit, ni décision dans les manières, n'ayant en effet aucun de ces aspects énergiques, qui captivent les femmes plus que la force vraie. »

POMMIER-LELEU,
pp. 282-284.

② Un procédé privilégié : la prolepse d'annonce

Dans Figures III (Seuil, 1972), Gérard Genette propose de désigner « par prolepse toute manœuvre narrative consistant à raconter ou évoquer d'avance un événement ultérieur, et par analepse toute évocation après coup d'un événement antérieur au point de l'histoire où l'on se trouve » (p. 82).

Par exemple, l'ensemble du chapitre VI de la première partie constitue une analepse, puisqu'il retrace l'éducation d'Emma et la naissance de ses illusions puisées dans les lectures. Il s'agit d'une analepse complète, car la fin du chapitre rejoint le récit premier. Dans le cas contraire, on parle d'analepse partielle, quand la rétrospection s'achève en ellipse. Il s'agit également d'une analepse interne, puisque les années d'Emma au couvent sont postérieures à l'entrée de Charles au collège

de Rouen. On lui opposera l'analepse externe quand elle relate des événements antérieurs au point de départ du récit premier. Genette qualifie d'hétérodiégétiques les analepses internes dont le contenu diégétique est différent de celui du récit premier — c'est le cas dans ce chapitre — et d'homodiégétiques celles qui portent sur la même ligne d'action, lesquelles peuvent être complétives, quand elles comblent après coup une lacune antérieure du récit — ainsi du récit de l'enfance de

Charles Bovary antérieure à son entrée au collège mais rapportée après (cf pp. 40 sq) — ou répétitives quand le récit revient sur ses propres traces — voir par exemple Emma se souvenant des « jours de distribution de prix », p. 152.

Il en va de même pour les prolepses, moins fréquentes dans la conception « classique » du roman. Elles sont externes quand elles anticipent le déroulement de telle ou telle ligne de l'action, postérieur à la fin du récit proprement dit — soit par exemple les deux derniers paragraphes du roman — et internes quand elles évoquent à l'avance tel événement ou telle suite, se subdivisant en prolepses complétives qui comblent par avance une lacune ultérieure, et en prolepses répétitives qui « doublent, si peu que ce soit, un segment narratif à venir » (op. cit. p. 109). Ces dernières jouent évidemment un rôle d'annonce, en référant d'avance à un événement qui sera raconté. Flaubert a volontiers recours à cette technique à la fin d'un chapitre qui indique, en l'entamant brièvement, le sujet du chapitre suivant. On relèvera ainsi les fins des chapitres 3 de la première partie, 5, 10 et 13 de la deuxième et 2 de la troisième, en sus de celle-ci, que Genette compare heureuse-

ment à la phrase d'ouverture de la dernière scène du Temps retrouvé de Marcel Proust :

« Mais c'est quelquefois au moment où tout nous semble perdu que l'avertissement arrive qui peut nous sauver ; on a frappé à toutes les portes qui ne donnent sur rien, et la seule par où on peut entrer et qu'on aurait cherchée en vain pendant cent ans, on y heurte sans le savoir, et elle s'ouvre. » Il s'agit bien du même « modèle de présentation métaphorisée » (op. cit., p. 111). Pour terminer, l'on citera un exemple de prolepse d'annonce située dans le corps même d'un chapitre : « Depuis les événements que l'on va raconter, rien, en effet, n'a changé à Yonville » (p.210). Cette prolepse est à la fois interne et externe, puisqu'elle produit une attente chez le

ecteur et qu'elle qualifie Yon- ville comme inchangé posté- rieurement à la fiction, du point de vue de l'écriture d'une narration ultérieure. Une ultime convergence entre ces deux temps se produira à la fin du roman. Tout se passe comme si la durée même de l'histoire diminuait progressi- vement la distance qui la sépare du moment de la narra- tion, et que se marquait du même coup une isotopie tem- porelle entre l'histoire et son narrateur, laquelle avait été inaugurée dès le début du

roman, grâce au « nous » ini- tial. De plus, se donne à lire un temps yonvillais, et donc pro- vincial, comme durée, comme permanence désespérante de l'identique, comme figé dans une quasi-mort, comme si le tragique destin des Bovary n'avait eu aucun sens ni aucune portée (sauf pour Jus- tin — cf p. 695).

V

Ce fut un dimanche de février, une après-midi qu'il neigeait.

Ils étaient tous, M. et Mme Bovary, Homais et M. Léon, partis voir, à une demi-lieue d'Yonville, dans la vallée, une
5 filature de lin que l'on établissait. L'apothicaire avait emmené avec lui Napoléon et Athalie, pour leur faire faire de l'exercice, et Justin les accompagnait, portant des parapluies sur son épaule.

Rien pourtant n'était moins curieux que cette curiosité. Un
10 grand espace de terrain vide, où se trouvaient pêle-mêle, entre des tas de sable et de cailloux, quelques roues d'engrenage déjà rouillées, entourait un long bâtiment quadrangulaire que perçaient quantité de petites fenêtres. Il n'était pas achevé d'être bâti, et l'on voyait le ciel à travers les lambour-
15 des de la toiture. Attaché à la poutrelle du pignon, un bouquet de paille entremêlé d'épis faisait claquer au vent ses rubans tricolores.

Homais parlait. Il expliquait à *la compagnie* l'importance future de cet établissement, supputait la force des planchers,
20 l'épaisseur des murailles, et regrettait beaucoup de n'avoir pas de canne métrique, comme M. Binet en possédait une pour son usage particulier.

Emma, qui lui donnait le bras, s'appuyait un peu sur son épaule, et elle regardait le disque du soleil irradiant au loin,
25 dans la brume, sa pâleur éblouissante ; mais elle tourna la tête : Charles était là. Il avait sa casquette enfoncée sur ses sourcils, et ses deux grosses lèvres tremblotaient, ce qui ajoutait à son visage quelque chose de stupide ; son dos même, son dos tranquille était irritant à voir, et elle y trouvait
30 étalée sur la redingote toute la platitude du personnage.

Pendant qu'elle le considérait, goûtant ainsi dans son irritation une sorte de volupté dépravée, Léon s'avança d'un pas. Le froid qui le pâlissait semblait déposer sur sa figure une langueur plus douce ; entre sa cravate et son cou, le col
35 de la chemise, un peu lâche, laissait voir la peau ; un bout d'oreille dépassait sous une mèche de cheveux, et son grand

Pour une interprétation d'Homais

On le sait, Jean-Paul Sartre n'a jamais écrit ce qui aurait dû constituer le quatrième volume de l'Idiot de la famille, une étude spécifique de Madame Bovary. Il a cependant pris des notes, dont quelques-unes ont été publiées. En voici qui concernent Homais :

« Que représente Homais ? L'objet pur : sa subjectivité représentée par ses discours) est officielle. C'est le discours rhétorique et libéral (anticlérical) sous Louis-Philippe. Style rhétorique (analogue à celui du Conseiller aux Comices) de ses articles. Le subjectif immédiat (déjeuner à Rouen) qui reste (il est saoûl) est pénétré de l'officiel. Favorable aux modes. Bourgeois qui joue à l'anti-bourgeois (argot). Personnage balzacien : ne conteste les institutions que marginalement ou légèrement : veut s'élever *par elles*. Il inquiète, donc on l'achète (on colère qu'il fasse une clientèle d'enfer, ce qu'on lui refusait au début de la seconde partie). Mais le fait nouveau c'est qu'il s'appuie sur les masses (sa clientèle). Chez Balzac les masses n'existent pas : c'est l'individu qui s'élève seul (Vautrin — Rastignac — Rubempré). Flaubert déteste les masses mais en tient compte (*Éducation sentimentale II*). Style épique de Homais : par là il plaît aux masses. Progressiste : pied-bot (échec d'*un autre*). Humani-

taire et ambitieux : *son* échec : aveugle. Le conduit au crime (comme M. le Préfet, plus tard ! crime dans la bonhomie). Après tout, il est vrai que cet aveugle est ennuyeux pour les voyageurs. Mais qu'en faire ? C'est l'exemple de l'*action* chez Flaubert : le guérir est impossible. Alors l'action vise à le supprimer. C'est le démocrate et le philanthrope. Démocrate dans un régime soi-disant autoritaire (roi). Plus tard : même reproche (les Goncourt aussi) à Napoléon III. Une seule idée (jusque dans le détail sa gentillesse avec Charles) : parvenir. Mais aussi badauderie de bon voisinage. Dans le fond voudrait couler Charles (mais ne le fait pas encore : sa femme y suffit) ; coulera ses successeurs (parce que plus appuyé par la masse).
Pourquoi ? N'est pas dit. Peut-être Flaubert croit à la répétition et à l'habitude. Donc ne représente pas la contestation des institutions, mais juste ce qu'il faut pour parvenir *par elles*. Fait de l'argent, certes. Mais ce qui compte d'*abord*, c'est d'être pris pour un

savant. S'assimile l'idéologie du mécanisme et conserve l'idée d'un Créateur (toujours contestation brisée à temps). Emma fait l'expérience contestataire puisqu'elle constate par elle-même l'insuffisance de Bournisien (*des* prêtres). Lui, ne fait pas l'expérience puisqu'au départ, il est contre eux (par des lectures). Lit et prête le journal : fait de mœurs. Reçoit la Légion d'honneur, la brigue : ce que pense Flaubert de la Légion. Le seul personnage dont on parle au présent *une fois*. (Il vient de recevoir la Légion d'honneur.) Inédit : une étrange pensée ; il doit avoir un auteur malicieux qui le ridiculise ; il se ferme contre lui. Flaubert le supprime : en a peur. Pourtant très moderne : trop pour lui. Mais va jusque-là : sa méthode. Vanité profonde d'Homais liée au modernisme (relatif et provincial). C'est comme cela que Flaubert le présente (Hôtellerie). En fait : intelligent. Pense comme Flaubert, souvent, mais *s'en tient là*. Almaroès se dégrade en Homais. Emma s'en amuse. Curieuse réflexion : on ne va pas dans le salon de Homais qui est méchant en propos. N'est pas relevé ailleurs. Rapports étroits avec les Bovary. *Con-*

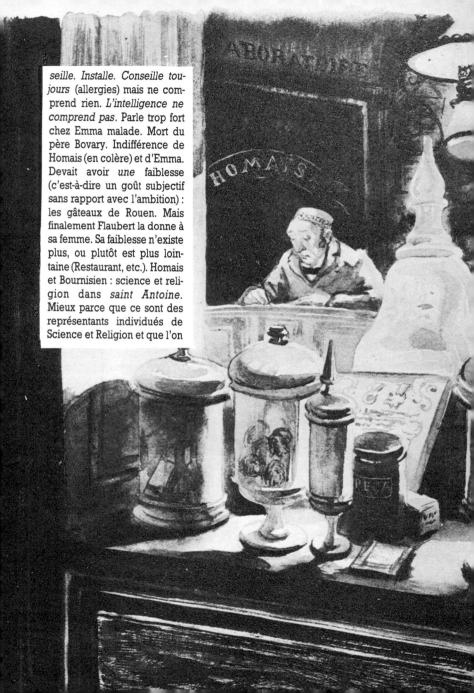

seille. Installe. Conseille toujours (allergies) mais ne comprend rien. *L'intelligence ne comprend pas.* Parle trop fort chez Emma malade. Mort du père Bovary. Indifférence de Homais (en colère) et d'Emma. Devait avoir *une* faiblesse (c'est-à-dire un goût subjectif sans rapport avec l'ambition) : les gâteaux de Rouen. Mais finalement Flaubert la donne à sa femme. Sa faiblesse n'existe plus, ou plutôt est plus lointaine (Restaurant, etc.). Homais et Bournisien : science et religion dans *saint Antoine.* Mieux parce que ce sont des représentants individués de Science et Religion et que l'on

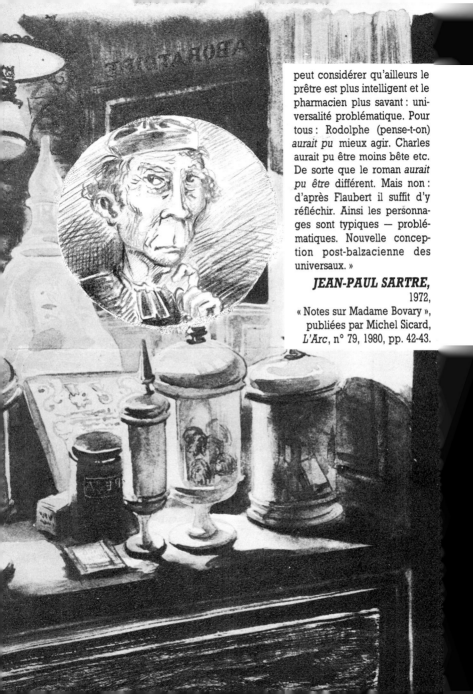

peut considérer qu'ailleurs le prêtre est plus intelligent et le pharmacien plus savant : universalité problématique. Pour tous : Rodolphe (pense-t-on) *aurait pu* mieux agir. Charles aurait pu être moins bête etc. De sorte que le roman *aurait pu être* différent. Mais non : d'après Flaubert il suffit d'y réfléchir. Ainsi les personnages sont typiques — problématiques. Nouvelle conception post-balzacienne des universaux. »

JEAN-PAUL SARTRE,
1972,
« Notes sur Madame Bovary »,
publiées par Michel Sicard,
L'Arc, n° 79, 1980, pp. 42-43.

œil bleu, levé vers les nuages, parut à Emma plus limpide et plus beau que ces lacs des montagnes où le ciel se mire. ⟨i⟩

— Malheureux ! s'écria tout à coup l'apothicaire.

Et il courut à son fils, qui venait de se précipiter dans un
5 tas de chaux pour peindre ses souliers en blanc. Aux reproches dont on l'accablait, Napoléon se prit à pousser des hurlements, tandis que Justin lui essuyait ses chaussures avec
un torchis de paille. Mais il eût fallu un couteau ; Charles
offrit le sien.

10 — Ah ! se dit-elle, il porte un couteau dans sa poche ;
comme un paysan !

Le givre tombait, et l'on s'en retourna vers Yonville.

Madame Bovary, le soir, n'alla pas chez ses voisins, et,
quand Charles fut parti, lorsqu'elle se sentit seule, le paral-
15 lèle recommença dans la netteté d'une sensation presque
immédiate et avec cet allongement de perspective que le
souvenir donne aux objets. Regardant de son lit le feu clair
qui brûlait, elle voyait encore, comme là-bas, Léon debout,
faisant plier d'une main sa badine et tenant de l'autre Atha-
20 lie, qui suçait tranquillement un morceau de glace. Elle le
trouvait charmant ; elle ne pouvait s'en détacher ; elle se
rappela ses autres attitudes en d'autres jours, des phrases
qu'il avait dites, le son de sa voix, toute sa personne ; et elle
répétait, en avançant ses lèvres comme pour un baiser :

25 — Oui, charmant ! charmant !... N'aime-t-il pas ? se
demanda-t-elle. Qui donc ?... mais c'est moi !

Toutes les preuves à la fois s'en étalèrent, son cœur bondit. La flamme de la cheminée faisait trembler au plafond
une clarté joyeuse ; elle se tourna sur le dos en s'étirant les
30 bras.

Alors commença l'éternelle lamentation : « Oh ! si le ciel
l'avait voulu ! Pourquoi n'est-ce pas ? Qui empêchait
donc ?... »

Quand Charles, à minuit, rentra, elle eut l'air de s'éveiller,
35 et, comme il fit du bruit en se déshabillant, elle se plaignit de
la migraine ; puis demanda nonchalamment ce qui s'était
passé dans la soirée.

— M. Léon, dit-il, est remonté de bonne heure.

Elle ne put s'empêcher de sourire, et elle s'endormit l'âme
40 remplie d'un enchantement nouveau.

Le lendemain, à la nuit tombante, elle reçut la visite du
sieur Lheureux, marchand de nouveautés. C'était un
homme habile que ce boutiquier.

Le travail de l'isotopie

Ces deux paragraphes présentent deux éléments équivalents :
« Il avait sa casquette enfoncée sur ses sourcils, et ses deux
grosses lèvres tremblotaient », « un bout d'oreille dépassait sous
une mèche de cheveux, et son grand œil bleu, levé vers les nua-
ges ». Ces deux syntagmes correspondants ont été étudiés par
Jacques Géninasca :

« L'existence d'un paradigme figuratif des parties du visage nous permet de reconnaître, dans le texte, un ensemble à quatre termes, elle n'en fournit pas le critère caractéristique qui reste à définir. Compte tenu de l'organisation discursive du texte, cet ensemble apparaît structuré de manière à assurer l'existence de deux relations d'homologie :
1) a/b :: d/c (sourcils/lèvres :: œil/oreille);
2) a/d :: b/c (sourcils/œil :: lèvres/oreille).
Le critère caractéristique de l'ensemble correspond au contenu isotope du système à quatre termes et les contenus susceptibles d'assurer, dans le cadre de cette isotopie, les deux relations d'homologie, coïncident avec les catégories pertinentes du texte.

Considérons, pour commencer, le couple lèvres-oreille : une manière de le définir consiste à voir, dans ces deux termes, les organes du procès de la communication acoustique *(parole)*. Simultanément, le couple sourcils-œil, sans reproduire la corrélation interne, valable pour le couple précédent, organe émetteur et organe récepteur, devrait, à l'intérieur d'une isotopie de la communication, concerner la communication optique *(regard)*. Notons que l'exploitation de ces deux types de communication, acoustique et optique, est redondante par rapport au changement de code qui démarque les limites de l'unité discursive considérée.

Il reste à interpréter la seconde des homologies supposées par le modèle ci-dessus : a/d :: b/c. Pour ce faire, il est nécessaire de retenir quelques éléments supplémentaires du texte en leur attribuant une pertinence sémantique. Conduite au niveau des traits de contenus, l'analyse des segments retenus révèle que les sourcils sur lesquels s'enfonce une casquette est au grand œil bleu levé vers les nuages, comme *l'œil fermé* à *l'œil ouvert*, si l'on préfère, comme le regard arrêté au regard prolongé. On se demandera, dès lors, si la mise en corrélation des lèvres épaisses, agitées par un tremblement qui est une sorte de parodie de l'acte de la parole, ne doit pas figurer la négation de la *parole*, par opposition à l'oreille dont le bout émerge, qui en serait l'affirmation.

Si notre analyse est pertinente, la seconde homologie peut s'expliquer ainsi : sourcils/œil :: lèvres/oreille :: *non-communication/commu-nication.* »

JACQUES GENINASCA,
1973,
« Unités discursives et procédés d'écriture » in
Journée de travail sur Madame Bovary, 3 février 1973, Société des études romantiques (ronéotypée).

Né Gascon, mais devenu Normand, il doublait sa faconde méridionale de cautèle[1] cauchoise. Sa figure grasse, molle et sans barbe, semblait teinte par une décoction de réglisse claire, et sa chevelure blanche rendait plus vif encore l'éclat
5 rude de ses petits yeux noirs. On ignorait ce qu'il avait été jadis : porteballe[2], disaient les uns, banquier à Routot, selon les autres. Ce qu'il y a de sûr, c'est qu'il faisait, de tête, des calculs compliqués à effrayer Binet lui-même. Poli jusqu'à l'obséquiosité, il se tenait toujours les reins à demi courbés,
10 dans la position de quelqu'un qui salue ou qui invite.

Après avoir laissé à la porte son chapeau garni d'un crêpe, il posa sur la table un carton vert, et commença par se plaindre à Madame, avec force civilités, d'être resté jusqu'à ce jour sans obtenir sa confiance. Une pauvre boutique comme
15 la sienne n'était pas faite pour attirer une *élégante* ; il appuya sur le mot. Elle n'avait pourtant qu'à commander, et il se chargerait de lui fournir ce qu'elle voudrait, tant en mercerie que lingerie, bonneterie ou nouveautés ; car il allait à la ville quatre fois par mois, régulièrement. Il était en relation
20 avec les plus fortes maisons. On pouvait parler de lui aux *Trois Frères*, à la *Barbe d'or* ou au *Grand Sauvage* ; tous ces messieurs le connaissaient comme leurs poches ! Aujourd'hui donc il venait montrer à Madame, en passant, différents articles qu'il se trouvait avoir, grâce à une occasion
25 des plus rares. Et il retira de la boîte une demi-douzaine de cols brodés.

Madame Bovary les examina.

— Je n'ai besoin de rien, dit-elle.

Alors M. Lheureux exhiba délicatement trois écharpes[3]
30 algériennes, plusieurs paquets d'aiguilles anglaises, une paire de pantoufles en paille et, enfin, quatre coquetiers en coco, ciselés à jour par des forçats. Puis, les deux mains sur la table, le cou tendu, la taille penchée, il suivait, bouche béante, le regard d'Emma qui se promenait indécis parmi
35 ces marchandises. De temps à autre, comme pour en chasser la poussière, il donnait un coup d'ongle sur la soie des écharpes, dépliées dans toute leur longueur ; et elles frémissaient avec un bruit léger en faisant, à la lumière verdâtre du crépuscule, scintiller, comme de petites étoiles, les paillettes
40 d'or de leur tissu.

— Combien coûtent-elles ?

— Une misère, répondit-il, une misère ; mais rien ne

1. *Cautèle : prudence rusée.*
2. *Porteballe : « Petit mercier qui court le pays, portant ses marchandises dans une balle sur son dos » (Littré).*
3. *« Écharpe. Poétique » (Dictionnaire des idées reçues).*

resse ; quand vous voudrez ; nous ne sommes pas des Juifs[1] !

Elle réfléchit quelques instants, et finit encore par remercier M. Lheureux, qui répliqua sans s'émouvoir :

— Eh bien ! nous nous entendrons plus tard ; avec les 5 dames je me suis toujours arrangé, si ce n'est avec la mienne, cependant !

Emma sourit.

— C'était pour vous dire, reprit-il d'un air bonhomme, après sa plaisanterie, que ce n'est pas l'argent qui 10 m'inquiète... Je vous en donnerais, s'il le fallait.

Elle eut un geste de surprise.

— Ah ! fit-il vivement et à voix basse, je n'aurais pas besoin d'aller loin pour vous en trouver ; comptez-y !

Et il se mit à demander des nouvelles du père Tellier, le 15 maître du *Café Français*, que M. Bovary soignait alors.

— Qu'est-ce qu'il a donc, le père Tellier ?... Il tousse qu'il en secoue toute sa maison, et j'ai bien peur que, prochainement, il ne lui faille plutôt un paletot de sapin qu'une camisole de flanelle ? Il a fait tant de bamboches[2] quand il était 20 jeune ! Ces gens-là, madame, n'avaient pas le moindre ordre ! Il s'est calciné avec l'eau-de-vie ! Mais c'est fâcheux tout de même de voir une connaissance s'en aller.

Et, tandis qu'il rebouclait son carton, il discourait ainsi sur la clientèle du médecin. 25

— C'est le temps, sans doute, dit-il en regardant les carreaux avec une figure rechignée, qui est la cause de ces maladies-là ! Moi aussi, je ne me sens pas en mon assiette ; il faudra même un de ces jours que je vienne consulter Monsieur, pour une douleur que j'ai dans le dos. Enfin, au 30 revoir, madame Bovary ; à votre disposition ; serviteur très humble !

Et il referma la porte doucement.

Emma se fit servir à dîner dans sa chambre, au coin du feu, sur un plateau ; elle fut longue à manger ; tout lui sem- 35 bla bon.

— Comme j'ai été sage ! se disait-elle en songeant aux écharpes.

Elle entendit des pas dans l'escalier : c'était Léon. Elle se leva, et prit sur la commode, parmi des torchons à ourler, le 40 premier de la pile. Elle semblait fort occupée quand il parut.

La conversation fut languissante, madame Bovary l'abandonnant à chaque minute, tandis qu'il demeurait lui-même

1. Au sens figuré et péjoratif d'usurier, de personne âpre au gain. C'est une des inscriptions lexicales de l'antisémitisme ordinaire et ancestral.
2. Bamboche : petite débauche.

comme tout embarrassé. Assis sur une chaise basse, près de la cheminée, il faisait tourner dans ses doigts l'étui d'ivoire ; elle poussait son aiguille, ou, de temps à autre, avec son ongle, fronçait les plis de la toile. Elle ne parlait pas ; il se tai-
5 sait, captivé par son silence ⟨1⟩, comme il l'eût été par ses paroles.

— Pauvre garçon ! pensait-elle.

— En quoi lui déplais-je ? se demandait-il.

Léon, cependant, finit par dire qu'il devait, un de ces
10 jours, aller à Rouen, pour une affaire de son étude.

— Votre abonnement de musique est terminé, dois-je le reprendre ?

— Non, répondit-elle.

— Pourquoi ?

15 — Parce que…

Et, pinçant ses lèvres, elle tira lentement une longue aiguillée de fil gris.

Cet ouvrage irritait Léon. Les doigts d'Emma semblaient s'y écorcher par le bout ; il lui vint en tête une phrase
20 galante, mais qu'il ne risqua pas.

— Vous l'abandonnez donc ? reprit-il.

— Quoi ? dit-elle vivement ; la musique ? Ah ! mon Dieu, oui ! n'ai-je pas ma maison à tenir, mon mari à soigner, mille choses enfin, bien des devoirs qui passent
25 auparavant !

Elle regarda la pendule. Charles était en retard. Alors elle fit la soucieuse. Deux ou trois fois même elle répéta :

— Il est si bon !

Le clerc affectionnait M. Bovary. Mais cette tendresse à
30 son endroit l'étonna d'une façon désagréable ; néanmoins il continua son éloge, qu'il entendait faire à chacun, disait-il, et surtout au pharmacien.

— Ah ! c'est un brave homme, reprit Emma.

— Certes, reprit le clerc.

35 Et il se mit à parler de madame Homais, dont la tenue fort négligée leur prêtait à rire ordinairement.

— Qu'est-ce que cela fait ? interrompit Emma. Une bonne mère de famille ne s'inquiète pas de sa toilette.

Puis elle retomba dans son silence.

40 Il en fut de même les jours suivants ; ses discours, ses manières, tout changea. On la vit prendre à cœur son ménage, retourner à l'église régulièrement et tenir sa servante avec plus de sévérité.

Elle retira Berthe de nourrice. Félicité l'amenait quand il

Les fonctions du dialogue

En se limitant aux passages écrits au style direct, il est possible de répertorier différentes fonctions du dialogue dans Madame Bovary *comme l'a fait Paul Vernois :*

• **une fonction de présentation des personnages :** *par exemple le dialogue entre Homais et Mme Lefrançois au début de la seconde partie ;*

• **une fonction de révélation :**
— de traits caractériels : par exemple les paroles de Charbovary et du professeur au début du texte, ou la demande en mariage qui opère un effet de différenciation et de stylisation du langage des locuteurs « en dégageant un trait caractériel majeur à travers une déclaration » ;

— les joutes idéologiques du village ou les idées reçues d'un milieu : par exemple les diatribes d'Homais ou les discours amoureux de Rodolphe ;

• **une fonction de séparation des personnages :**
— prise de conscience et accentuation de la faille entre les époux Bovary : par exemple juste avant le bal ;
— naissance de l'angoisse chez Emma après l'impossible dialogue avec Bournisien ;
— séparation de Léon et d'Emma ;

• **une fonction modificatrice de l'intrigue :**
— débuts de conversation insipides à travers lesquels les amoureux tentent leur chance ;
— dialogues qui établissent un climat où se développeront tentatives et tentations ;
— brefs dialogues nés de la surprise ;
— dialogues instruments de la fatalité : les leçons d'équitation et de piano offertes par Charles ;

• **une fonction de retardement de l'intrigue :**
— les interruptions de la conversation sentimentale entre Léon et Emma par les bavardages d'Homais ;
— les interférences du discours de Lieuvain et de celui de Rodolphe ;

• **une fonction contrapuntique de dérision qui dévalue tout idéal :** *par exemple la mère Rolet lors de la visite de Léon et d'Emma, le soliloque d'Homais face à Charles au cours du repas d'accueil, le discours du conseiller aux Comices, la voix du guide dans la cathédrale...*

• **une fonction dramatique,** *plus nette dans la troisième partie.*

D'après **PAUL VERNOIS,**
1973,
« Les fonctions du dialogue (style direct) dans *Madame Bovary* » in *Journée de travail sur Madame Bovary*, 3 février 1973, Société des études romantiques (ronéotypée).

Dialogue et description

« Peignant les personnages, soulignant les situations, le dialogue, pour Flaubert, doit être traité à la manière d'une description : ''il faut choisir et y mettre des plans successifs, des gradations et des demi-teintes, comme dans une description'' — parce que, précisément, c'est de la description.

Il doit aussi — règle inviolable que Flaubert rappelle sans se lasser — être réservé pour les moments importants du livre. Qu'on emploie le style indirect pour rapporter ce qui ne mérite pas d'être mis en relief ; le dialogue ne doit intervenir que dans ''les scènes principales''.

Nous pénétrons là dans le

venait des visites, et madame Bovary la déshabillait afin de faire voir ses membres. Elle déclarait adorer les enfants ; c'était sa consolation, sa joie, sa folie, et elle accompagnait ses caresses d'expansions lyriques, qui, à d'autres qu'à des
5 Yonvillais, eussent rappelé la Sachette de *Notre-Dame de Paris*[1].

Quand Charles rentrait, il trouvait auprès des cendres ses pantoufles à chauffer. Ses gilets maintenant ne manquaient plus de doublure, ni ses chemises de boutons, et même il y
10 avait plaisir à considérer dans l'armoire tous les bonnets de coton rangés par piles égales. Elle ne rechignait plus, comme autrefois, à faire des tours dans le jardin ; ce qu'il proposait était toujours consenti, bien qu'elle ne devinât pas les volontés auxquelles elle se soumettait sans un murmure ;
15 — et lorsque Léon le voyait au coin du feu, après le dîner, les deux mains sur son ventre, les deux pieds sur les chenets, la joue rougie par la digestion, les yeux humides de bonheur, avec l'enfant qui se traînait sur le tapis, et cette femme à taille mince qui par-dessus le dossier du fauteuil
20 venait le baiser au front :

— Quelle folie ! se disait-il, et comment arriver jusqu'à elle ?

Elle lui parut donc si vertueuse et inaccessible, que toute espérance, même la plus vague, l'abandonna.
25 Mais, par ce renoncement, il la plaçait en des conditions extraordinaires. Elle se dégagea, pour lui, des qualités charnelles dont il n'avait rien à obtenir ; et elle alla, dans son cœur, montant toujours et s'en détachant, à la manière magnifique d'une apothéose[2] qui s'envole. C'était un de ces
30 sentiments purs qui n'embarrassent pas l'exercice de la vie, que l'on cultive parce qu'ils sont rares, et dont la perte affligerait plus que la possession n'est réjouissante.

Emma maigrit, ses joues pâlirent, sa figure s'allongea. Avec ses bandeaux noirs, ses grands yeux, son nez droit, sa
35 démarche d'oiseau et toujours silencieuse maintenant, ne semblait-elle pas traverser l'existence en y touchant à peine, et porter au front la vague empreinte de quelque prédestination sublime ? Elle était si triste et si calme, si douce à la fois et si réservée, que l'on se sentait près d'elle pris par un
40 charme glacial, comme l'on frissonne dans les églises sous le parfum des fleurs mêlé au froid des marbres. Les autres même n'échappaient point à cette séduction. Le pharmacien disait :

1. *La référence exacte serait plutôt Paquette-la-Chantefleurie (VI, 3 « Histoire d'une galette au levain de maïs »).*
2. *Apothéose : au sens originel d'ascension d'un héros chez les dieux.*

LA GAZETTE DES CONTEXTES

domaine où se manifeste avec le plus d'évidence le caractère d'exposition du roman chez Flaubert. A de certains moments, — moments importants, et qui le deviennent dans la mesure même où ils vont être traités de façon particulière — la "narration" cède le pas à un mode de composition dramatique. L'auteur nous invite à assister à un événement : noce, bal, dîner à l'auberge, Comices, soirée au théâtre... Autant de passages où, selon l'expression de M. Henri Bonnet, "le récit s'étale en scène". Description des lieux, analyse psychologique, narration, dialogue se mêlent et s'unissent pour nous faire embrasser l'ensemble d'une situation.

(...)

La scène apparaît donc comme une synthèse ; synthèse des procédés romanesques traditionnels, synthèse des thèmes : le récit suit son cours, la description des lieux se développe, la peinture de mœurs s'enrichit, les personnages principaux et secondaires sont rassemblés. La scène est l'endroit privilégié où se manifeste l'unité du livre, cette unité que Flaubert évoque métaphoriquement lorsqu'il écrit à propos des Comices : "Si jamais les effets d'une symphonie ont été reportés dans un livre, ce sera là."

Mais c'est aussi, répétons-le, l'endroit où s'affirme le caractère descriptif du roman, et il est révélateur que, pour rendre compte de cet aspect de la scène, Flaubert ne recoure plus à des métaphores tirées de la musique, mais de la peinture. On aura remarqué dans la lettre sur les Comices l'expression "au premier plan" ; le mot "tableau", d'autre part, est extrêmement fréquent dans la *Correspondance* pour désigner une scène ou une partie de scène. La plupart des grandes scènes de *Madame Bovary* méritent d'ailleurs d'être appelées "scènes d'exposition" pour deux motifs bien distincts : elles sont de l'exposition au point de vue de la technique employée, mais également au sens où l'entend la rhétorique classique. Le bal à la Vaubyessard, le dîner à l'auberge, les Comices, la soirée à l'Opéra, c'est chaque fois le début d'une étape dans la vie sentimentale d'Emma : amour rêvé, *Léon, Rodolphe, Léon II*. Ici se rejoignent une fois de plus l'aspect descriptif et l'aspect psychologique de *Madame Bovary*. On comprend pourquoi Flaubert, proclamant son goût pour l'exposition, la concevait indifféremment sous forme de *tableau* ou d'*analyse psychologique* : le tableau expose une situation morale qui va provoquer un déroule-

ment narratif. On distingue en effet dans *Madame Bovary* une alternance scène-récit, moins marquée dans les premiers brouillons, et que l'écrivain a accentuée dans la version définitive. (...) Ainsi se crée un rythme fondé sur l'alternance d'une scène détaillée et d'un récit rapide. Ne serait-ce pas cette combinaison scène-récit que Flaubert appelle un "mouvement" ? Le terme serait alors plus précis qu'il n'y paraît : il y a bien, dans le groupe scène-récit, un véritable mouvement, une accélération du rythme jusqu'à un palier d'où l'auteur repart plus posément. Cette alternance d'une scène d'exposition et d'un récit qui en découle n'est pas sans rappeler la conception même de l'ouvrage : le déroulement du roman tout entier à partir de la description d'une situation première, celle d'un certain tempérament dans un certain milieu. On retrouve dans l'organisation de détail la même proportion entre l'exposition et le récit que dans l'organisation générale de *Madame Bovary* : la partie descriptive prend le pas sur la partie narrative, relativement réduite. »

CLAUDINE GOTHOT-MERSCH, 1971, Introduction de l'édition Garnier, pp. LII-LIV.

— C'est une femme de grands moyens et qui ne serait
pas déplacée dans une sous-préfecture.

Les bourgeoises admiraient son économie, les clients sa
politesse, les pauvres sa charité.

5 Mais elle était pleine de convoitises, de rage, de haine.
Cette robe aux plis droits cachait un cœur bouleversé, et ces
lèvres si pudiques n'en racontaient pas la tourmente. Elle
était amoureuse de Léon, et elle recherchait la solitude, afin
de pouvoir plus à l'aise se délecter en son image. La vue de
10 sa personne troublait la volupté de cette méditation. Emma
palpitait au bruit de ses pas ; puis, en sa présence, l'émotion
tombait, et il ne lui restait ensuite qu'un immense étonnement qui se finissait en tristesse.

Léon ne savait pas, lorsqu'il sortait de chez elle désespéré,
15 qu'elle se levait derrière lui, afin de le voir dans la rue. Elle
s'inquiétait de ses démarches ; elle épiait son visage ; elle
inventa toute une histoire pour trouver prétexte à visiter sa
chambre. La femme du pharmacien lui semblait bien heureuse de dormir sous le même toit ; et ses pensées conti-
20 nuellement s'abattaient sur cette maison, comme les pigeons
du *Lion d'or* qui venaient tremper là, dans les gouttières,
leurs pattes roses et leurs ailes blanches. Mais plus Emma
s'apercevait de son amour, plus elle le refoulait, afin qu'il ne
parût pas, et pour le diminuer. Elle aurait voulu que Léon
25 s'en doutât ; et elle imaginait des hasards, des catastrophes
qui l'eussent facilité. Ce qui la retenait, sans doute, c'était la
paresse ou l'épouvante, et la pudeur aussi. Elle songeait
qu'elle l'avait repoussé trop loin, qu'il n'était plus temps, que
tout était perdu. Puis l'orgueil, la joie de se dire : « Je suis
30 vertueuse », et de se regarder dans la glace en prenant des
poses résignées, la consolait un peu du sacrifice qu'elle
croyait faire.

Alors, les appétits de la chair, les convoitises d'argent et
les mélancolies de la passion, tout se confondit dans une
35 même souffrance ; — et, au lieu d'en détourner sa pensée,
elle l'y attachait davantage, s'excitant à la douleur et en cherchant partout les occasions. Elle s'irritait d'un plat mal servi
ou d'une porte entrebâillée, gémissait du velours qu'elle
n'avait pas, du bonheur qui lui manquait, de ses rêves trop
40 hauts, de sa maison trop étroite ⟨1⟩ .

Ce qui l'exaspérait, c'est que Charles n'avait pas l'air de se
douter de son supplice. La conviction où il était de la rendre
heureuse lui semblait une insulte imbécile, et sa sécurité là-

① La maison comme prison

« La maison est l'image de l'âme, la coquille d'une intimité. Mais elle est mal supportée par l'être instable qui ne se connaît pas, et ne s'est pas trouvé de centre. Les maisons d'Emma lui sont étrangères. Elle a beau tenter de les emplir de sa présence, cette présence s'use rapidement, n'ayant pas été réfléchie ni sentie par elle. Les objets de l'ameublement et du ménage sont choisis par Emma comme elle choisit ses rêves : non pas vraiment choisis, mais empruntés à un modèle extérieur d'élégance. "Emma savait conduire sa maison /.../

Quand ils avaient, le dimanche, quelque voisin à dîner, elle trouvait moyen d'offrir un plat coquet, s'entendait à poser sur des feuilles de vigne les pyramides de Reines-Claudes." Cette maison de Tostes, dans laquelle elle a, tout au début de son mariage, retiré les globes des flambeaux, fait coller des papiers neufs et repeindre l'escalier, est vite négligée et haïe par Emma. Elle "laiss/e/ tout aller dans son ménage". Puis ce ne sont que crises et dégradations. Dans la maison d'Yonville, le soin du ménage est d'emblée considéré comme un devoir astreignant : c'est quand Emma est amoureuse de Léon qu'elle s'impose ces corvées, raccommoder, ranger, s'occuper d'un mari dont elle déteste l'existence. Cet ascétisme n'est à son tour qu'une attitude chez elle. La femme qui "semblait porter au front la vague empreinte de quelque prédestination sublime", bien vite après le départ de Léon pour Paris, ne pense plus qu'à elle-même, sans d'ailleurs être heureuse.

Retournant au jeu du devoir après l'abandon de Rodolphe, elle exerce désormais à contretemps ses activités ménagères, avec sa "manie de tricoter des camisoles pour les orphelins, au lieu de raccommoder ses torchons". Enfin, la maison se délabre à mesure qu'Emma est "brûlée par cette flamme intime que l'adultère aviv/e/", jusqu'à ce qu'on saisisse les meubles, et "les écrans chinois, les larges rideaux, les fauteuils", "toutes ces choses enfin qui avaient adouci l'amertume de sa vie". Emma les regrette, non comme des éléments d'équilibre, mais comme l'évocation de richesses qu'elle ne possède pas, comme des palliatifs. Intérieur d'imposture qui se vide, image concrète de cette existence fondée sur la fausseté, qui, peu à peu dépossédée de la fausseté même, se résout au suicide.

Le plan même des maisons d'Emma, et leur atmosphère, témoignent d'une relation pervertie avec l'espace. Ce sont des prisons : jardin rectangulaire de Tostes enfermé "entre deux murs de bauge" et devenu "jardinet" après le bal de la Vaubyessard ; fenêtres givrées du long hiver qui laissent passer un jour monotone (fenêtres longuement décrites par Flaubert, au mépris de la réalité moyenne, car l'hiver normand est rarement aussi rigoureux). A Yonville, la maison est trop étroite ; le jour qui filtre à travers les carreaux est "blanchâtre" et présente une des nombreuses images de l'eau hostile : "il s'abaissait doucement avec des ondulations. Les meubles à leur place semblaient devenus plus immobiles et se perdre dans l'ombre comme un océan ténébreux". On est enfermé dans un domaine mesquin, qui semble diviser en boîtes le monde : les premières maisons d'Yonville sont couvertes de toits de chaume, qui, "comme des bonnets de fourrure rabattus sur des yeux, descendent jusqu'au tiers à peu près des fenêtres basses, dont les gros verres bombés sont garnis d'un nœud dans le milieu, à la façon des culs de bouteilles". La diligence de Rouen possède des "vasistas étroits" dont les "petits carreaux" "gardaient des taches de boue, çà et là, parmi leur vieille couche de poussière, que les pluies d'orage même ne lavaient pas tout à fait". L'auberge à laquelle elle mène, place Beauvoisine, à Rouen, a "des vitres épaisses jaunies par les mouches").

Enfermement, mais dans une promiscuité, non dans la solitude. Le cimetière d'Yonville est tellement plein, que "les

vieilles pierres à ras du sol font un dallage continu". Les voyageurs de l'*Hirondelle* endormis dans une attitude grotesque, les espionnages d'Yonville, enveloppent Emma de vulgarité. Ce qui est plus grave, c'est qu'elle est mangée, dans sa maison même, par la présence des autres. Elle a beau tenter de s'y retirer ; elle y trouve des murs indiscrets, poreux. A Tostes, dans le cabinet de Charles, "l'odeur des roux pénétrait à travers la muraille, pendant les consultations, de même que l'on entendait de la cuisine les malades tousser dans le cabinet et débiter toute leur histoire". A Yonville, le grenier, lieu magique où l'on s'enfuit pour ne pas être vu, est pénétré par le bruit du tour de Binet ; Emma n'y monte pas sans être aperçue de son mari et de sa bonne. Charles soigne le domestique de Rodolphe dans la salle commune. Pas de refuge, pas de solidité. D'ordinaire faîte de la stabilité d'une maison, le grenier, ici, est "un vaisseau qui tangue". »

MARIE-CLAIRE BANCQUART, 1973, « L'espace dans *Madame Bovary* », *L'Information littéraire*, n° 2, pp. 66-67.

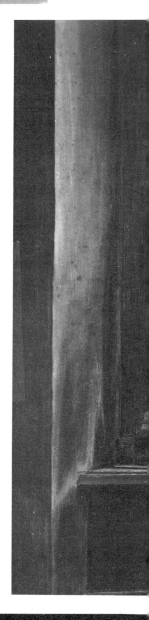

dessus de l'ingratitude. Pour qui donc était-elle sage ? N'était-il pas, lui, l'obstacle à toute félicité, la cause de toute misère, et comme l'ardillon[1] pointu de cette courroie complexe qui la bouclait de tous côtés ?

5 Donc, elle reporta sur lui seul la haine nombreuse qui résultait de ses ennuis, et chaque effort pour l'amoindrir ne servait qu'à l'augmenter ; car cette peine inutile s'ajoutait aux autres motifs de désespoir et contribuait encore plus à l'écartement. Sa propre douceur à elle-même lui donnait
10 des rébellions. La médiocrité domestique la poussait à des fantaisies luxueuses, la tendresse matrimoniale en des désirs adultères. Elle aurait voulu que Charles la battît, pour pouvoir plus justement le détester, s'en venger. Elle s'étonnait parfois des conjectures atroces qui lui arrivaient à la pensée ;
15 et il fallait continuer à sourire, s'entendre répéter qu'elle était heureuse, faire semblant de l'être, le laisser croire !

Elle avait des dégoûts, cependant, de cette hypocrisie. Des tentations la prenaient de s'enfuir avec Léon, quelque part, bien loin, pour essayer une destinée nouvelle ; mais
20 aussitôt il s'ouvrait dans son âme un gouffre vague, plein d'obscurité.

— D'ailleurs il ne m'aime plus, pensait-elle ; que devenir ? quel secours attendre, quelle consolation, quel allégement ?

25 Elle restait brisée, haletante, inerte, sanglotant à voix basse et avec des larmes qui coulaient.

— Pourquoi ne point le dire à Monsieur ? lui demandait la domestique, lorsqu'elle entrait pendant ces crises.

— Ce sont les nerfs, répondait Emma ; ne lui en parle
30 pas, tu l'affligerais.

— Ah ! oui, reprenait Félicité, vous êtes justement comme la Guérine, la fille au père Guérin, le pêcheur du Pollet[2], que j'ai connue à Dieppe, avant de venir chez vous. Elle était si triste, si triste, qu'à la voir debout sur le seuil de sa
35 maison, elle vous faisait l'effet d'un drap d'enterrement tendu devant la porte ①. Son mal, à ce qu'il paraît, était une manière de brouillard qu'elle avait dans la tête, et les médecins n'y pouvaient rien, ni le curé non plus. Quand ça la prenait trop fort, elle s'en allait toute seule sur le bord de la mer,
40 si bien que le lieutenant de la douane, en faisant sa tournée, souvent la trouvait étendue à plat ventre et pleurant sur les galets. Puis, après son mariage, ça lui a passé, dit-on.

— Mais, moi, reprenait Emma, c'est après le mariage que ça m'est venu ② ③ .

1. *Ardillon : pointe qui, dans une boucle, sert à l'arrêter en s'engageant dans un trou de la ceinture, de la courroie.*
2. *Faubourg de Dieppe.*

Le déterminisme rétrograde

Cette expression de Jacques Neefs rend parfaitement compte d'un phénomène narratif remarquable : toute une série d'indices fait que l'histoire de Charles et celle d'Emma sont happées par leur fin. Ainsi on peut relier l'arrêt prophétique de la description de Yonville sur le cimetière (p. 210), les rencontres du fossoyeur Lestiboudois, les conversations sur la mort et cette comparaison de Félicité.

Il en va de même pour les apparitions de Lheureux qui s'inscrivent toutes, depuis la première dans la diligence (p. 222), sur l'axe fatal de l'argent. Surtout, le rôle d'Homais prend un sens capital. A l'entrée et à la fin de l'épisode yonvillais, le dernier du roman, il ponctue le destin du couple. Il est pratiquement à l'origine de leur venue — n'a-t-il pas donné des renseignements favorables ? (p.200) —, il indique la porte de l'Allée, qui sera celle des rendez-vous, il annonce les Comices, suggère l'opération du pied-bot, conseille le déplacement à Rouen pour écouter Lagardy, indique l'emplacement de l'arsenic. *Comme le dit Jacques Neefs :* « Homais est délégué dans la fiction à chaque bifurcation narrative, figure de l'aveuglement postée en chaque lieu cardinal, fatalité narrative, véritable porte-malheur (...) Homais (...) est le nom d'une Loi (narrative, sociale, historique) de la destruction. » (Madame Bovary..., *Poche critique*, Hachette, pp. 59-60.)

La genèse de Madame Bovary

L'ouvrage de référence sur cette question, et dont on peut considérer la plupart des acquis comme définitifs, est La Genèse de Madame Bovary *de Claudine Gothot-Mersch, Corti, 1966, Reprint Slatkine, 1980. Il est hors de question de le résumer, et nous nous contenterons de quelques rappels.*

Toute une tradition attribue comme source au roman l'histoire des époux Delamare qui habitaient à Ry. A partir de 1882 (date de la publication des Souvenirs littéraires *de Maxime Du Camp), et surtout de 1890 (après un article dans le* Journal de Rouen), habitants de Ry et chroniqueurs rivalisèrent de zèle pour amener la réalité à coïncider avec la fiction, et, aujourd'hui encore, on montre la maison des Delamare/Bovary ou la pharmacie d'Homais.

S'il est incontestable que les faits réels aient inspiré Flaubert, il est plus intéressant de constater que cette donnée lui permettait de développer des idées et des thèmes qui le préoccupaient depuis son adolescence. En 1837, avec Passion et vertu, *il s'inspirait déjà d'un fait divers pour raconter l'histoire d'une femme qui empoisonne mari et enfants pour aller rejoindre* son amant en Amérique. Au moment de s'embarquer, elle reçoit une lettre de rupture et s'empoisonne à son tour. Les différences avec Emma sont énormes, mais il s'agit aussi d'une femme aux goûts romanesques déçue par le mariage et qui se tue par désespoir.

Mieux encore, Vaumont, l'amant, est un cynique comme Rodolphe, qui craint que Maza, ainsi s'appelle-t-elle, ne le compromette quand elle lui rend visite. Lui aussi s'écrie «Oh! je l'aurai!», lui aussi l'étourdit de théories sur la passion.

L'histoire de la première Éducation sentimentale *présente* elle aussi des similitudes. Emilie Renaud éprouve les mêmes désillusions dans le mariage. L'adultère se présente comme la seule solution et elle accapare son jeune amant qui finit par se révolter. En revanche, c'est lui que l'on peut considérer comme atteint de bovarysme, ainsi que son ami Jules, tous deux nourris de littérature romantique.

Ce romantisme, on le retrouve dans les Mémoires d'un fou et dans Novembre (1838 et 1842), accréditant la thèse de la filiation de Flaubert à Emma (voir le contexte p. 651).

Le thème de la mal mariée lui vient de Balzac. Jean Pommier a bien montré les concordances entre Madame Bovary et la Muse du département (voir le contexte p. 198), une des Scènes de la vie de province, dans laquelle Dinah Piédefer s'étiole dans une petite ville de province, rêve de Paris et se croit supérieure à son destin, d'accord en cela avec ses concitoyens. Cependant, elle réalise son rêve et rejoint à Paris le journaliste Lousteau qui l'a séduite, conduit son ménage et élève deux enfants (voir « La Muse du département et le thème de la femme mal mariée chez Balzac, Mérimée et Flaubert », l'Année balzacienne, 1961). Ce qui importe surtout, c'est la façon dont la province apparaît comme un environnement frustrant.

L'harmonie d'une destinée et d'un milieu : c'est sur cette idée que Flaubert va travailler. Il envisage d'abord un sujet flamand, avec « une jeune fille qui meurt vierge et mystique, entre son père et sa mère, dans une petite ville de province, au fond d'un jardin planté de choux et de quenouilles, au bord d'une rivière grande comme l'Eau de Robec (...) mon héroïne crève d'exaltation religieuse après avoir connu l'exaltation des sens », projet dont il dira à Mlle Leroyer de Chantepie avoir « gardé (...) tout l'entourage (paysages et personnages assez noirs), la couleur enfin ».

Le thème des embarras financiers vient de la réalité. Flaubert a lu un document intitulé Mémoires de Madame Ludovica qui raconte l'histoire de Louise Pradier, la femme du sculpteur chez qui il avait rencontré Louise Colet. Une séparation de biens avait été prononcée au terme d'une vie tumultueuse, faite d'aventures et de dépenses exorbitantes. Il y est question de procuration, d'emprunts, de cadeaux faits aux amants, de saisie. On voit bien comment tout cela a pu se combiner lorsque Louis Bouilhet conseille à Flaubert d'abandonner la Tentation de saint Antoine au profit d'un sujet plus terre à terre. Du Camp s'en mêle, et c'est l'histoire des Delamare qui sert de trame. La femme mal mariée, la province, l'argent : toute la matière y est. Mais on insistera sur l'influence balzacienne, surtout si l'on ajoute la lecture de la Physiologie du mariage. On peut conclure avec Claudine Gothot-Mersch :

« Ainsi Madame Bovary, qui ouvrira une ère nouvelle dans l'histoire du roman français, est à l'origine dans la lignée traditionnelle. Pas de rupture systématique avec le passé : Flaubert conçoit un roman d'analyse, l'étude d'un cas psychologique qui s'inscrit dans un cadre géographique et social déterminé. C'est à un second stade qu'il va s'éloigner du roman balzacien, sur le plan de la technique romanesque d'une part, sur celui du ton d'autre part : une technique descriptive, une vision du monde essentiellement ironique conditionneront toute la rédaction du livre. Mais au moment de la conception, l'intérêt principal du projet paraît bien résider dans l'analyse psychologique » (édition Garnier, p. XXI).

Deux de la légion.

Le roman de la seconde moitié du XIXᵉ siècle voit défiler cette « légion lyrique » (p. 410) de femmes passionnées et tourmentées, et va s'orienter vers l'analyse d'un bovarysme tenant de l'éréthisme et même vers l'étude quasi clinique.

En voici deux exemples : la mondaine Renée Saccard et la servante Germinie Lacerteux, les différences sociales n'annulant pas la « nature féminine » :

« L'amour qui lui manquait, et auquel elle avait la volonté de se refuser, devint alors la torture de sa vie, un supplice incessant et abominable. Elle eut à se défendre contre les fièvres de son corps, et les irritations du dehors, contre les émotions faciles et les molles lâchetés de sa chair, contre toutes les sollicitations de nature qui l'assaillaient. Il lui fallut lutter avec les chaleurs de la journée, avec les suggestions de la nuit, avec les tiédeurs moites des temps d'orage, avec le souffle de son passé et de ses souvenirs, avec les choses peintes tout à coup au fond d'elle, avec les voix qui l'embrassaient tout bas à l'oreille, avec les frémissements qui faisaient passer de la tendresse dans tous ses membres.

Des semaines, des mois, des années, l'affreuse tentation dura pour elle, sans qu'elle y cédât, sans qu'elle prît un autre amant. Se craignant elle-même, elle fuyait l'homme et se sauvait de sa vue. Elle restait casanière et sauvage, enfermée chez mademoiselle, ou bien en haut dans sa chambre : le dimanche elle ne sortait plus. Elle avait cessé de voir les bonnes de la maison, et, pour s'occuper et s'oublier, elle s'abîmait dans de grands travaux de couture, ou s'enfonçait dans le sommeil. Quand des musiciens venaient dans la cour, elle fermait les fenêtres pour ne pas les entendre : la volupté de la musique lui mouillait l'âme.

Malgré tout, elle ne pouvait s'apaiser ni se refroidir. Ses mauvaises pensées se rallumaient toutes seules, vivaient et s'agitaient sur elles-mêmes. A tout heure, l'idée fixe du désir se levait de tout son être, devenait dans toute sa personne ce tourment fou qui ne finit pas, ce transport des sens au cerveau : l'obsession, — l'obsession que rien ne chasse et qui revient toujours, l'obsession impudique, acharnée, fourmillante d'images, l'obsession qui approche l'amour de tous les sens de la femme, l'apporte à ses yeux fermés, le roule fumant dans sa tête, le charrie tout chaud dans ses artères !

A la longue, l'ébranlement nerveux de ces assauts continuels, l'irritation de cette douloureuse continence, mettaient un commencement de trouble dans les perceptions de Germinie. Son regard croyait toucher ses tentations : une hallucination épouvantable approchait de ses sens la réalité de leurs rêves. Il arrivait qu'à de certains moments ce qu'elle voyait, ce qui était là, les chandeliers, les pieds des meubles, les bras des fauteuils, tout autour d'elle prenait des apparences, des formes d'impureté. L'obscénité surgissait de toutes choses sous ses yeux et venait à elle. Alors, regardant l'heure au coucou de sa cuisine comme une condamnée qui n'a plus son corps à elle, elle disait : dans cinq minutes, je vais descendre dans la rue... — Et, les cinq minutes passées, elle restait et ne descendait pas. »

EDMOND ET JULES DE GONCOURT, 1865,
Germinie Lacerteux.

« Au bout d'un silence, elle répéta, avec l'accent d'une colère sourde :

— Oh ! je m'ennuie, je m'ennuie à mourir.

— Sais-tu que tu n'es pas gaie, dit tranquillement Maxime. Tu as tes nerfs, c'est sûr.

La jeune femme se rejeta au fond de la voiture.

— Oui, j'ai mes nerfs, répondit-elle sèchement. (...)

— Vrai, dit-il, nous en sommes là ?... Mais, bon Dieu ! tu as tout, que veux-tu encore ?

Renée leva la tête. Elle avait dans les yeux une clarté chaude, un ardent besoin de curiosité inassouvie.

— Je veux autre chose, répondit-elle à demi-voix.

— Mais puisque tu as tout, reprit Maxime en riant, autre chose, ce n'est rien... Quoi, autre chose ?

— Quoi ? répéta-t-elle...

Et elle ne continua pas. Elle s'était tout à fait tournée, elle contemplait l'étrange tableau qui s'effaçait derrière elle. La nuit était presque venue ; un lent crépuscule tombait comme une cendre fine. Le lac, vu de face, dans le jour pâle qui traînait encore sur l'eau, s'arrondissait, pareil à une immense plaque d'étain ; aux deux bords, les bois d'arbres verts dont les troncs minces et droits semblent sortir de la nappe dormante, prenaient, à cette heure, des apparences de colonnades violâtres, dessinant de leur architecture régulière les courbes étudiées des rives ; puis, au fond, des massifs montaient, de grands feuillages confus, de larges taches noires fermaient l'horizon. Il y avait là, derrière ces taches, une lueur de braise, un coucher de soleil à demi éteint qui n'enflammait qu'un bout de l'immensité grise. Au-dessus de ce lac immobile, de ces futaies basses, de ce point de vue si singulièrement plat, le creux du ciel s'ouvrait, infini, plus profond et plus large. Ce grand morceau de ciel, sur ce petit coin de nature, avait un frisson, une tristesse vague ; et il tombait de ces hauteurs pâlissantes une telle mélancolie d'automne, une nuit si douce et si navrée, que le Bois, peu à peu enveloppé dans un linceul d'ombre, perdait ses grâces mondaines, agrandi, tout plein

du charme puissant des forêts. Le trot des équipages, dont les ténèbres éteignaient les couleurs vives, s'élevait, semblable à des voix lointaines de feuilles et d'eaux courantes. Tout allait en se mourant. Dans l'effacement universel, au milieu du lac, la voile latine de la grande barque de promenade se détachait, nette et vigoureuse, sur la lueur de braise du couchant. Et l'on ne voyait plus que cette voile, que ce triangle de toile jaune, élargi démesurément.

Renée, dans ses satiétés, éprouva une singulière sensation de désirs inavouables, à voir ce paysage qu'elle ne reconnaissait plus, cette nature si artistement mondaine, et dont la grande nuit frissonnante faisait un bois

sacré, une de ces clairières idéales au fond desquelles les anciens dieux cachaient leurs amours géantes, leurs adultères et leurs incestes divins. Et, à mesure que la calèche s'éloignait, il lui semblait que le crépuscule emportait derrière elle, dans ses voiles tremblants, la terre du rêve, l'alcôve honteuse et surhumaine où elle eût enfin assouvi son cœur malade, sa chair lassée.

Quand le lac et les petits bois, évanouis dans l'ombre, ne furent plus, au ras du ciel, qu'une barre noire, la jeune femme se retourna brusquement, et, d'une voix où il y avait des larmes de dépit, elle reprit sa phrase interrompue :
— Quoi ?... autre chose, parbleu ! je veux autre chose.

Est-ce que je sais, moi ! Si je savais... Mais, vois-tu, j'ai assez de bals, assez de soupers, assez de fêtes comme cela. C'est toujours la même chose. C'est mortel... Les hommes sont assommants, oh ! oui, assommants...

Maxime se mit à rire. Des ardeurs perçaient sous les mines aristocratiques de la grande mondaine. Elle ne clignait plus des paupières ; la ride de son front se creusait durement, sa lèvre d'enfant boudeur s'avançait, chaude, en quête de ces jouissances qu'elle souhaitait sans pouvoir les nommer. »

ÉMILE ZOLA, 1871,
La Curée.

VI

Un soir que la fenêtre était ouverte ⟨1⟩, et que, assise au
bord, elle venait de regarder Lestiboudois, le bedeau, qui
taillait le buis, elle entendit tout à coup sonner l'*Angelus*.

On était au commencement d'avril, quand les primevères
5 sont écloses ; un vent tiède se roule sur les plates-bandes
labourées, et les jardins, comme des femmes, semblent faire
leur toilette pour les fêtes de l'été. Par les barreaux de la tonnelle et au-delà tout alentour, on voyait la rivière dans la
prairie, où elle dessinait sur l'herbe des sinuosités vagabon-
10 des. La vapeur du soir passait entre les peupliers sans feuilles, estompant leurs contours d'une teinte violette, plus pâle
et plus transparente qu'une gaze subtile arrêtée sur leurs
branchages. Au loin, des bestiaux marchaient ; on n'entendait ni leurs pas, ni leurs mugissements ; et la cloche, son-
15 nant toujours, continuait dans les airs sa lamentation
pacifique ⟨2⟩.

A ce tintement répété, la pensée de la jeune femme s'égarait dans ses vieux souvenirs de jeunesse et de pension. Elle
se rappela les grands chandeliers, qui dépassaient sur l'autel
20 les vases pleins de fleurs et le tabernacle à colonnettes. Elle
aurait voulu, comme autrefois, être encore confondue dans
la longue ligne des voiles blancs, que marquaient de noir çà
et là les capuchons raides des bonnes sœurs inclinées sur
leur prie-Dieu ; le dimanche, à la messe, quand elle relevait
25 sa tête, elle apercevait le doux visage de la Vierge, parmi les
tourbillons bleuâtres de l'encens qui montait. Alors un attendrissement la saisit ; elle se sentit molle et tout abandonnée,
comme un duvet d'oiseau qui tournoie dans la tempête ; et
ce fut sans en avoir conscience qu'elle s'achemina vers
30 l'église, disposée à n'importe quelle dévotion, pourvu
qu'elle y absorbât son âme et que l'existence entière y
disparût.

Elle rencontra, sur la place, Lestiboudois, qui s'en revenait ; car, pour ne pas rogner la journée, il préférait inter-
35 rompre sa besogne, puis la reprendre, si bien qu'il tintait
l'*Angelus* selon sa commodité. D'ailleurs, la sonnerie, faite

① Le thème de la fenêtre dans Madame Bovary

Dans un texte célèbre, Jean Rousset a remarquablement mis en évidence l'importance des fenêtres dans le roman. Les stations d'Emma scandent la fiction et constituent autant de points de vue :

« Fenêtres et perspectives plongeantes, ouvertures sur le lointain et rêveries dans l'espace, autant de points névralgiques du récit, de nœuds où le cours narratif s'arrête ; elles correspondent à des prises de vue très singulières, où le romancier résigne ses droits divins traditionnels, où se met à dominer la vision subjective, où l'auteur s'identifie au maximum avec son héroïne, sa place derrière elle et regarde à travers elle. Leur répartition dans le roman est significative. Elles sont inégalement distribuées, absentes des phases actives, où la passion se consomme, elles se multiplient dans les périodes de stagnation et d'attente : à Tostes, après l'invitation au château, où l'on voit pour la première fois Emma, le bal fini, ouvrir la fenêtre et s'y accouder ; c'est le temps de la rêverie qui commence, et qui ne cesse plus, à Tostes aussi bien qu'à Yonville, jusqu'au moment où elle se met à vivre sa grande passion, revient à son mari, s'en éloigne à nouveau après l'épisode du pied-bot, prépare sa fuite, fait des achats et des dettes. Après ces chapitres d'action et de mouvement accéléré, la rupture avec Rodolphe introduit un nouvel adagio, un nouveau temps d'inertie et de stagnation, annoncé cette fois encore par une fenêtre qui s'ouvre devant l'héroïne, mais dans un esprit plus tragique, avec le vertige et la perte de conscience préfigurant le dénouement, la fenêtre du grenier où elle lit la lettre de rupture : "En face, par-dessus les toits, la pleine campagne s'étalait à perte de vue..." C'est qu'elle va se reprendre à désirer ou à regretter, à se dilater hors de ses limites, à "flotter" dans un milieu aérien qui est celui de sa rêverie et de ses perspectives plongeantes : "elle se tenait tout au bord, presque suspendue, entourée d'un grand espace. Le bleu du ciel l'envahissait..." Mais à ces envols périodiques que sont les rêveries devant la fenêtre succède toujours une retombée : "Ma femme ! ma femme ! cria Charles... Et il fallut descendre ! il fallut se mettre à table !" Envol et chute, c'est le mouvement qui rythme l'œuvre comme la vie psychologique de l'héroïne ; ainsi, au début du chapitre VI de la seconde partie, la fenêtre ouverte et le tintement de l'angelus provoquent le vagabondage dans les souvenirs, et l'ascension, le suspens sans poids que traduisent des images de vol, de plume qui tournoie : "elle se sentit molle et tout abandonnée, comme un duvet d'oiseau qui tournoie dans la tempête..." ; puis, revenue de l'église, "elle *se laissa tomber* dans un fauteuil", réabsorbée par l'univers lourd et clos de la chambre, par la fixité du temps répété et des objets immobiles, par la présence opaque d'êtres qui "sont là" comme des meubles : "les meubles à leur place semblaient devenus plus immobiles..., la pendule battait toujours... entre la fenêtre et la table à ouvrage, la petite Berthe était là... Charles parut. C'était l'heure du dîner..." Renouer avec l'existence, après les heures d'envol vers l'au-delà des fenêtres, c'est toujours tomber, retomber dans la réclusion.

Ce double mouvement commande d'autres pages essentielles, comme la phase cen-

plus tôt, avertissait les gamins de l'heure du catéchisme.

Déjà quelques-uns, qui se trouvaient arrivés, jouaient aux billes sur les dalles du cimetière. D'autres, à califourchon sur le mur, agitaient leurs jambes, en fauchant avec leurs sabots
5 les grandes orties poussées entre la petite enceinte et les dernières tombes. C'était la seule place qui fût verte ; tout le reste n'était que pierres, et couvert continuellement d'une poudre fine, malgré le balai de la sacristie.

Les enfants en chaussons couraient là comme sur un par-
10 quet fait pour eux, et on entendait les éclats de leurs voix à travers le bourdonnement de la cloche. Il diminuait avec les oscillations de la grosse corde qui, tombant des hauteurs du clocher, traînait à terre par le bout. Des hirondelles passaient en poussant de petits cris, coupaient l'air au tranchant de
15 leur vol, et rentraient vite dans leurs nids jaunes, sous les tuiles du larmier[1]. Au fond de l'église, une lampe brûlait, c'est-à-dire une mèche de veilleuse dans un verre suspendu. Sa lumière, de loin, semblait une tache blanchâtre qui tremblait sur l'huile. Un long rayon de soleil traversait toute la nef et
20 rendait plus sombres encore les bas-côtés et les angles.

— Où est le curé ? demanda madame Bovary à un jeune garçon qui s'amusait à secouer le tourniquet dans son trou trop lâche.

— Il va venir, répondit-il.

25 En effet, la porte du presbytère grinça, l'abbé Bournisien parut ; les enfants, pêle-mêle, s'enfuirent dans l'église.

— Ces polissons-là ! murmura l'ecclésiastique, toujours les mêmes !

Et, ramassant un catéchisme en lambeaux qu'il venait de
30 heurter avec son pied :

— Ça ne respecte rien !

Mais, dès qu'il aperçut madame Bovary :

— Excusez-moi, dit-il, je ne vous remettais pas.

Il fourra le catéchisme dans sa poche et s'arrêta, conti-
35 nuant à balancer entre deux doigts la lourde clef de la sacristie.

La lueur du soleil couchant qui frappait en plein son visage pâlissait le lasting de sa soutane, luisante sous les coudes, effiloquée par le bas. Des taches de graisse et de tabac
40 suivaient sur sa poitrine large la ligne des petits boutons, et elles devenaient plus nombreuses en s'écartant de son rabat, où reposaient les plis abondants de sa peau rouge ; elle était semée de macules jaunes qui disparaissaient dans les poils

1. Larmier : saillie d'une corniche, creusée par-dessous en gouttière.

trale des Comices, où Emma, remuée par une odeur de pommade et la vue "au loin" de la diligence, mêle en une sorte d'extase les amants et les époques, avant de retourner vers le bas : la foule sur la place, les phrases de l'orateur officiel ; ou comme cette autre extase, de même nature amoureuse, ouvrant la liaison avec Léon de la même manière que la précédente ouvrait la passion pour Rodolphe : la représentation à l'Opéra de Rouen. La loge d'où Emma voit la salle puis la scène "d'en haut" est un avatar de la fenêtre, une nouvelle combinaison de l'enclos et de l'ouverture sur une étendue où se profile un destin imaginaire ; ici, ce n'est pas elle qui se le joue, on le lui joue sur la scène, mais elle ne tarde pas à s'y reconnaître, à s'identifier à la jeune première, à désirer comme elle *"s'envoler dans une étreinte"*, à voir dans le chanteur un autre Rodolphe : "une folie la saisit ; il la regardait, c'est sûr !

Elle eut envie de courir dans ses bras..., de s'écrier « Enlève-moi ! »... Le rideau *se baissa*... et *elle retomba* dans son fauteuil..." La brutale rupture du rêve et de la perspective aérienne s'accompagne, après l'envol, de l'inévitable rechute dans l'étroitesse ; Flaubert insiste à cette occasion sur l'épaisseur de l'air et

l'occlusion de l'espace : "L'odeur du gaz se mêlait aux haleines ; le vent des éventails rendait l'atmosphère plus étouffante. Emma voulut sortir ; la foule encombrait les corridors, et elle retomba dans son fauteuil avec des palpitations qui la suffoquaient." Comment ne pas pressentir l'agonie de la jeune femme, haletante et oppressée, demandant pour la dernière fois : "Ouvre la fenêtre... j'étouffe" ?

Dans cette vie, chaque extase est suivie d'une petite mort ; la mort ultime consonne harmonieusement avec celles qui l'ont précédée et préfigurée. Toutes ces rêveries d'Emma, ces plongées dans son intimité, qui sont les moments où

Flaubert confond le plus étroitement son point de vue avec l'angle de vision de son héroïne, abondent, très logiquement, dans les phases d'inertie et d'ennui qui sont aussi les adagios du roman, où le temps se vide, se répète, semble s'immobiliser. Ce sont les mouvements les plus beaux et les plus neufs de l'œuvre, et ce sont en même temps les plus flaubertiens ; ce sont ceux où Flaubert abandonne dans une large mesure la vision objective de l'universel témoin. »

JEAN ROUSSET, 1962, « *Madame Bovary* ou le livre sur rien » in *Forme et signification*, Corti, pp. 127-130.

⟨2⟩ Le petit journal de Madame Bovary

« Voilà six mois que je fais de l'amour platonique, et en ce moment je m'exalte catholiquement au son des cloches, et j'ai envie d'aller en confesse ! »

A Louise Colet, 6/4/1853

« Dieu ! que ma *Bovary* m'embête ! J'en arrive à la conviction quelquefois qu'il

est *impossible d'écrire*. J'ai à faire un dialogue de ma petite femme avec un curé, dialogue canaille et épais, et, parce que le fond est commun, il faut que le langage soit d'autant plus propre. L'idée et les mots me manquent. Je n'ai que le *sentiment.* »

A Louise Colet, 10/4/1853

rudes de sa barbe grisonnante. Il venait de dîner et respirait bruyamment.

— Comment vous portez-vous ? ajouta-t-il.

— Mal, répondit Emma ; je souffre.

5 — Eh bien ! moi aussi, reprit l'ecclésiastique. Ces premières chaleurs, n'est-ce pas, vous amolissent étonnamment ? Enfin, que voulez-vous ! nous sommes nés pour souffrir, comme dit saint Paul. Mais, M. Bovary, qu'est-ce qu'il en pense ?

10 — Lui ! fit-elle avec un geste de dédain.

— Quoi ! répliqua le bonhomme tout étonné, il ne vous ordonne pas quelque chose ?

— Ah ! dit Emma, ce ne sont pas les remèdes de la terre qu'il me faudrait.

15 Mais le curé, de temps à autre, regardait dans l'église, où tous les gamins agenouillés se poussaient de l'épaule, et tombaient comme des capucins de cartes.

— Je voudrais savoir…, reprit-elle.

— Attends, attends, Riboudet, cria l'ecclésiastique d'une

20 voix colère, je m'en vais aller te chauffer les oreilles, mauvais galopin !

Puis, se tournant vers Emma :

— C'est le fils de Boudet le charpentier ; ses parents sont à leur aise et lui laissent faire ses fantaisies. Pourtant il

25 apprendrait vite, s'il le voulait, car il est plein d'esprit. Et moi quelquefois, par plaisanterie, je l'appelle donc Riboudet (comme la côte que l'on prend pour aller à Maromme), et je dis même : mon Riboudet. Ah ! ah ! Mont-Riboudet[1] ! L'autre jour, j'ai rapporté ce mot-là à Monseigneur, qui en a

30 ri… il a daigné en rire. — Et M. Bovary, comment va-t-il ?

Elle semblait ne pas entendre. Il continua :

— Toujours fort occupé, sans doute ? car nous sommes certainement, lui et moi, les deux personnes de la paroisse qui avons le plus à faire. Mais lui, il est le médecin des corps,

35 ajouta-t-il avec un rire épais, et moi, je le suis des âmes !

Elle fixa sur le prêtre des yeux suppliants :

— Oui…, dit-elle, vous soulagez toutes les misères.

— Ah ! ne m'en parlez pas, madame Bovary ! Ce matin même, il a fallu que j'aille dans le Bas-Diauville pour une

40 vache qui avait l'enfle[2] ① ; ils croyaient que c'était un sort. Toutes leurs vaches, je ne sais comment… Mais, pardon ! Longuemarre et Boudet ! sac à papier ! voulez-vous bien finir !

Et, d'un bond, il s'élança dans l'église.

1. *Lieu-dit des environs de Rouen.*
2. *L'enfle : normandisme souligné par l'italique, pour l'enflure du ventre.*

 Les beautés du savoir-faire

Si le curé soulage toutes les misères en pérennisant l'obscurantisme, le scientisme de Bouvard et Pécuchet produit les mêmes effets : identité significative !

« Le lendemain à six heures un valet de charrue vint leur dire qu'on les réclamait à la ferme, pour une vache désespérée. Ils y coururent.

Les pommiers étaient en fleurs, et l'herbe, dans la cour, fumait sous le soleil levant. Au bord de la mare, à demi couverte d'un drap, une vache beuglait, grelottante des seaux d'eau qu'on lui jetait sur le corps, et, démesurément gonflée, elle ressemblait à un hippopotame.

Sans doute, elle avait pris du "venin" en pâturant dans les trèfles. Le père et la mère Gouy se désolaient, car le vétérinaire ne pouvait venir, et un charron qui savait des mots contre l'enflure ne voulait pas se déranger ; mais ces messieurs dont la bibliothèque était célèbre devaient connaître un secret.

Ayant retroussé leurs manches, ils se placèrent l'un devant les cornes, l'autre à la croupe, et, avec de grands efforts intérieurs et une gesticulation frénétique, ils écartaient les doigts pour répandre sur l'animal des ruisseaux de fluide, tandis que le fermier, son épouse, leur garçon et des voisins les regardaient presque effrayés.

Les gargouillements que l'on entendait dans le ventre de la vache provoquèrent des borborygmes au fond de ses entrailles. Elle émit un vent. Pécuchet dit alors : "C'est une porte ouverte à l'espérance, un débouché, peut-être."

Le débouché s'opéra, l'espérance jaillit dans un paquet de matières jaunes éclatant avec la force d'un obus. Les cuirs se desserrèrent, la vache dégonfla ; une heure après, il n'y paraissait plus. »

GUSTAVE FLAUBERT,
1881 (posthume), *Bouvard et Pécuchet.*

Les gamins, alors, se pressaient autour du grand pupitre, grimpaient sur le tabouret du chantre, ouvraient le missel ; et d'autres, à pas de loups, allaient se hasarder bientôt jusque dans le confessionnal. Mais le curé, soudain, distribua
5 sur tous une grêle de soufflets. Les prenant par le collet de la veste, il les enlevait de terre et les reposait à deux genoux sur les pavés du chœur, fortement, comme s'il eût voulu les y planter.

— Allez, dit-il quand il fut revenu près d'Emma, et en
10 déployant son large mouchoir d'indienne, dont il mit un angle entre ses dents, les cultivateurs sont bien à plaindre !

— Il y en a d'autres, répondit-elle.

— Assurément ! les ouvriers des villes, par exemple.

— Ce ne sont pas eux...

15 — Pardonnez-moi ! j'ai connu là de pauvres mères de famille, des femmes vertueuses, je vous assure, de véritables saintes, qui manquaient même de pain.

— Mais celles, reprit Emma (et les coins de sa bouche se tordaient en parlant), celles, monsieur le curé, qui ont du
20 pain, et qui n'ont pas...

— De feu l'hiver, dit le prêtre.

— Eh ! qu'importe ?

— Comment ! qu'importe ? il me semble, à moi, que lorsqu'on est bien chauffé, bien nourri..., car enfin...

25 — Mon Dieu ! mon Dieu ! soupirait-elle.

— Vous vous trouvez gênée ? fit-il, en s'avançant d'un air inquiet ; c'est la digestion, sans doute ? Il faut rentrer chez vous, madame Bovary, boire un peu de thé ; ça vous fortifiera, ou bien un verre d'eau fraîche avec de la
30 cassonade[1].

— Pourquoi ?

Et elle avait l'air de quelqu'un qui se réveille d'un songe.

— C'est que vous passiez la main sur votre front. J'ai cru qu'un étourdissement vous prenait.

35 Puis, se ravisant :

— Mais vous me demandiez quelque chose ? Qu'est-ce donc ? Je ne sais plus.

— Moi ? Rien..., rien..., répétait Emma.

Et son regard, qu'elle promenait autour d'elle, s'abaissa
40 lentement sur le vieillard à soutane. Ils se considéraient tous les deux, face à face, sans parler.

— Alors, madame Bovary, dit-il enfin, faites excuse, mais le devoir avant tout, vous savez ; il faut que j'expédie

1. Cassonade : sucre qui n'a été raffiné qu'une fois (appelé également vergeoise).

nes garnements. Voilà les premières communions qui vont
venir. Nous serons encore surpris, j'en ai peur ! Aussi, à par-
ir de l'Ascension, je les tiens *recta* tous les mercredis une
neure de plus. Ces pauvres enfants ! on ne saurait les diriger
rop tôt dans la voie du Seigneur, comme, du reste, il nous 5
'a recommandé lui-même par la bouche de son divin Fils...
Bonne santé, madame ; mes respects à monsieur votre
nari !

Et il entra dans l'église, en faisant, dès la porte, une
jénuflexion. 10

Emma le vit qui disparaissait entre la double ligne de
bancs, marchant à pas lourds, la tête un peu penchée sur
'épaule, et avec ses deux mains entrouvertes, qu'il portait
en dehors.

Puis elle tourna sur ses talons, tout d'un bloc comme une 15
statue sur un pivot, et prit le chemin de sa maison. Mais la
grosse voix du curé, la voix claire des gamins arrivaient
encore à son oreille et continuaient derrière elle :

— Êtes-vous chrétien ?

— Oui, je suis chrétien. 20

— Qu'est-ce qu'un chrétien ?

— C'est celui qui, étant baptisé..., baptisé..., baptisé.

Elle monta les marches de son escalier en se tenant à la
rampe, et, quand elle fut dans sa chambre, se laissa tomber
dans un fauteuil. 25

Le jour blanchâtre des carreaux s'abaissait doucement
avec des ondulations. Les meubles à leur place semblaient
devenus plus immobiles et se perdre dans l'ombre comme
dans un océan ténébreux. La cheminée était éteinte, la pendule battait toujours, et Emma vaguement s'ébahissait à ce 30
calme des choses, tandis qu'il y avait en elle-même tant de
bouleversements. Mais, entre la fenêtre et la table à
ouvrage, la petite Berthe était là, qui chancelait sur ses bottines de tricot, et essayait de se rapprocher de sa mère, pour
lui saisir, par le bout, les rubans de son tablier. 35

— Laisse-moi ! dit celle-ci en l'écartant avec la main.

La petite fille bientôt revint plus près encore contre ses
genoux ; et, s'y appuyant des bras, elle levait vers elle son
gros œil bleu, pendant qu'un filet de salive pure découlait de
sa lèvre sur la soie du tablier. 40

— Laisse-moi ! répéta la jeune femme tout irritée.
Sa figure épouvanta l'enfant, qui se mit à crier.

— Eh ! laisse-moi donc ! fit-elle en la repoussant du coude.

Berthe alla tomber au pied de la commode, contre la patère de cuivre ; elle s'y coupa la joue, le sang sortit.
5 Madame Bovary se précipita pour la relever, cassa le cordon de la sonnette, appela la servante de toutes ses forces, et elle allait commencer à se maudire, lorsque Charles parut. C'était l'heure du dîner, il rentrait.

— Regarde donc, cher ami, lui dit Emma d'une voix tran-
10 quille : voilà la petite qui, en jouant, vient de se blesser par terre.

Charles la rassura, le cas n'était point grave, et il alla cher-cher du diachylum[1].

Madame Bovary ne descendit pas dans la salle ; elle vou-
15 lut demeurer seule à garder son enfant. Alors, en la contem-plant dormir, ce qu'elle conservait d'inquiétude se dissipa par degrés, et elle se parut à elle-même bien sotte et bien bonne de s'être troublée tout à l'heure pour si peu de chose. Berthe, en effet, ne sanglotait plus. Sa respiration, mainte-
20 nant, soulevait insensiblement la couverture de coton. De grosses larmes s'arrêtaient au coin de ses paupières à demi closes, qui laissaient voir entre les cils deux prunelles pâles, enfoncées ; le sparadrap, collé sur sa joue, en tirait oblique-ment la peau tendue.

25 — C'est une chose étrange, pensait Emma, comme cette enfant est laide !

Quand Charles, à onze heures du soir, revint de la phar-macie (où il avait été remettre, après le dîner, ce qui lui res-tait du diachylum), il trouva sa femme debout auprès du
30 berceau.

— Puisque je t'assure que ce ne sera rien, dit-il en la bai-sant au front ; ne te tourmente pas, pauvre chérie, tu te ren-dras malade !

Il était resté longtemps chez l'apothicaire. Bien qu'il ne s'y
35 fût pas montré fort ému, M. Homais, néanmoins, s'était efforcé de le raffermir, de lui *remonter le moral*. Alors on avait causé des dangers divers qui menaçaient l'enfance et de l'étourderie des domestiques. Madame Homais en savait quelque chose, ayant encore sur la poitrine les marques
40 d'une écuellée de braise qu'une cuisinière, autrefois, avait laissé tomber dans son sarrau. Aussi ces bons parents prenaient-ils quantité de précautions. Les couteaux jamais n'étaient affilés, ni les appartements cirés. Il y avait aux fenê-

1. *Diachylum : emplâtre qu'on emploie étendu sur une toile gommée (c'est-à-dire du sparadrap).*

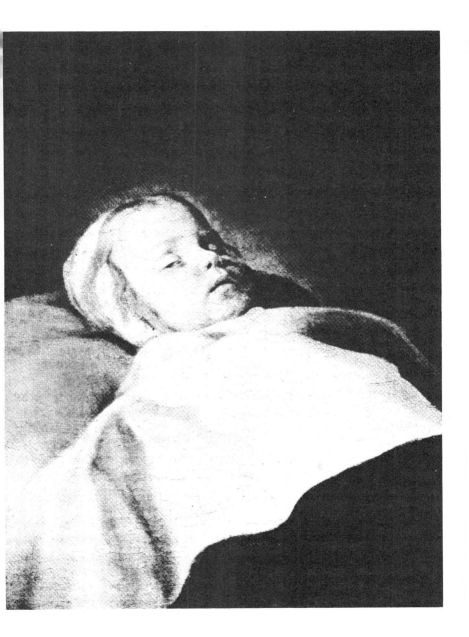

tres des grilles en fer et aux chambranles de fortes barres.
Les petits Homais, malgré leur indépendance, ne pouvaient
remuer sans un surveillant derrière eux ; au moindre rhume,
leur père les bourrait de pectoraux, et jusqu'à plus de quatre
5 ans ils portaient tous, impitoyablement, des bourrelets mate-
lassés. C'était, il est vrai, une manie de madame Homais ;
son époux en était intérieurement affligé, redoutant pour les
organes de l'intellect les résultats possibles d'une pareille
compression, et il s'échappait jusqu'à lui dire :

10   — Tu prétends donc en faire des Caraïbes ou des
Botocudos[1] ?

Charles, cependant, avait essayé plusieurs fois d'interrompre la conversation.

— J'aurais à vous entretenir, avait-il soufflé bas à l'oreille
15 du clerc, qui se mit à marcher devant lui dans l'escalier.

— Se douterait-il de quelque chose ? se demandait
Léon. Il avait des battements de cœur et se perdait en
conjectures.

Enfin Charles, ayant fermé la porte, le pria de voir lui-
20 même à Rouen quels pouvaient être les prix d'un beau
daguerréotype[2] ; c'était une surprise sentimentale qu'il
réservait à sa femme, une attention fine, son portrait en
habit noir. Mais il voulait auparavant *savoir à quoi s'en
tenir* ; ces démarches ne devaient pas embarrasser
25 M. Léon, puisqu'il allait à la ville toutes les semaines, à peu
près.

Dans quel but ? Homais soupçonnait là-dessous quelque
histoire de jeune homme, une intrigue. Mais il se trompait ⟨1⟩ ; Léon ne poursuivait aucune amourette. Plus que
30 jamais il était triste, et madame Lefrançois s'en apercevait
bien à la quantité de nourriture qu'il laissait maintenant sur
son assiette. Pour en savoir plus long, elle interrogea le percepteur ; Binet répliqua, d'un ton rogue, qu'il n'était *point
payé par la police*.

35   Son camarade, toutefois, lui paraissait fort singulier ; car
souvent Léon se renversait sur sa chaise en écartant les bras,
et se plaignait vaguement de l'existence.

— C'est que vous ne prenez point assez de distractions,
disait le percepteur.

40   — Lesquelles ?

— Moi, à votre place, j'aurais un tour !

— Mais je ne sais pas tourner, répondait le clerc.

1. *Les Caraïbes étaient les Indiens autochtones des Antilles, les Botocu-dos une tribu du Brésil, aujourd'hui en voie de disparition. Du point de vue « bourgeois » d'Homais, ces peuplades primitives ne peuvent être que retardées.*
2. *Daguerréotype : un des tout premiers procédés de photographie sur pla-que métallique, et, par métonymie, l'image elle-même. Mot formé sur le nom de Daguerre, son inventeur (1787-1851), dès 1838. C'est donc encore une nouveauté qu'on ne peut trouver que dans une grande ville. « Remplacera la peinture » (Diction-naire des idées reçues).*

Homais, Binet : sagesse et lieux communs

« Une intrigue. — et même il s'en plaisantait, seul à seul au jardin. Dans ce jardin de l'apothicaire, coupé d'allées nombreuses et divisé par losanges, rien ne poussait qui ne fut utile pour la pharmacie. La bourrache, le houblon, la guimauve et l'angélique avec la camomille et les belles de nuit s'étalaient largement dans les plates-bandes ; et elles envahissaient un peu, les carrés de legumes, comme dans l'âme du pharmacien, les idées scientifiques trop à l'étroit debordaient d'elles-mêmes, sur les choses du menage et y restaient enlacées.

tous les matins après son racahout, Mr Homais en manches de chemise venait ramasser là, les limaçons qui lui servaient à composer du sirop. le clerc, souvent l'accompagnait, et c'est alors qu'Homais le persecutait de questions, pr lui faire avouer ses amours. Leon parfois s'en croyait quitte, lorsque le pharmacien, laissant à terre sa cuvette à escargots, soudain lui disait en le poussant du coude. "est-elle gentille ? contez-moi cela !" Leon se récriait, — "Taisez-vous donc, farceur !" reprenait l'apothicaire. puis comme semblant comprendre la mauvaise honte du jeune homme, et

vouloir la menager par savoir-vivre : — "eh ! parbleu ! vous avez raison" "il faut que jeunesse se passe ! vous connaissez d'ailleurs, mes opinions philosophiques. Ainsi voilà Napoleon, mon aîné. Je le destine à la magistrature, c'est un salpêtre — & même je crois qu'il aura du temperament, eh bien ? pensez-vous que plus tard s'il me fait des fredaines d'etudiant, je serai sans cesse à le morigener comme un pedagogue de comedie ! non ! qu'il coure la pretentaine tout à son aise, prvu qu'il menage sa santé, & qu'il reste honnête homme ! Car je comprends que l'on s'amuse, mais en gardant des mœurs et en respectant les principes ! Aussi faut-il accoutumer les enfants à une liberté sage, afin qu'ils la connaissent dejà lorsqu'ils la possederont ! et ne me parlez pas de ces educations bigottes qui leur retrecissent les idées et vont jusqu'à gâter leur estomac ! qu'arrive-t-il ? c'est qu'à peine etablis, dès qu'ils sont abandonnés à eux-mêmes mes gaillards tâchent de rattraper le temps perdu. (La nature est toujours là, voyez-vous !) et alors se livrent au devergondage avec bien plus d'emportement, font la cour à leur pro-

pres femmes de chambre, prennent des habitudes de café quoiqu'etant mariés, dissipent la fortune du beaupère, (souvent peniblement acquise) — bref, finissent par tomber dans la deconsideration, tout cela, parce qu'on ne leur a pas assez lâché la bride, quand il le fallait — & j'aimerais mieux donner ma fille à un brave garçon qui aurait mené rondement la vie et rôti le balai, qu'à l'un de des gds coqs-d'inde elevés dans les seminaires, (où on en fait des hypocrites), et qui n'ayant jamais eu de bons exemples, ourdissent en silence leurs machinations, puis se decouvrent tout d'un coup et deshonorent la société ! — Oui monsieur !" reprenait-il vivement, (et en rejetant le gland d'or de son bonnet qui lui battait sur l'œil) "deshonorent la société. — eh bien, l'autre, saprelotte, s'il se derangeait qqfois au moins connaîtrait ce que c'est que la vie et le moyen de se faire aimer d'une femme — !". L'apothicaire se trompait.
Binet répliqua... Aut. : mais Binet repliqua
Son camarade, toutefois, lui paraissait... Aut. : Cependant son camarade lui paraissait
— Lesquelles ?... Aut. : "Lesquels ?" demandait Leon

un tour!... Aut. : un tour!»
exclamait de suite M. Binet
de satisfaction... Aut. : de satisfaction. "vous n'avez aucun
gout de jeune homme. vous
ne chassez pas! vous ne
pêchez pas! et même vous ne
vous promenez pas! — il y a
ici, par exemple un billard. si
vous en priez bien Mᵉ Lefrançois, car vous, vous etes son
favori, elle y ferait j'en suis sûr
les reparations necessaires. —
alors, nous pourrions tous les
soirs, après le diner, pousser
de compagnie quelques
carambolages. — et c'est un
très beau jeu que le billard!
qui exerce l'adresse, et qui
developpe le corps. mais les
jeunes gens, à présent, sont
c o m m e d e s p o u l e s
mouillées."
Leon accoudé sur la table,
tambourinait de son bras gauche etendu sur le marbre du
petit poele, dont les trois
pieds de fonte s'enfonçaient
dans du sable.
— "voyez-vous" reprenait le
percepteur, « quand on n'a

pas servi, comme militaire, on
n'est pas un homme".
— "Ah!" faisait Leon. — & il
continuait ses reflexions. »

cité d'après le manuscrit
autographe par Claudine
Gothot-Mersch, éd. Garnier,
pp. 392-393.

— Oh ! c'est vrai ! faisait l'autre en caressant sa mâchoire, avec un air de dédain mêlé de satisfaction.

Léon était las d'aimer sans résultat ; puis il commençait à sentir cet accablement que vous cause la répétition de la
5 même vie, lorsque aucun intérêt ne la dirige et qu'aucune espérance ne la soutient. Il était si ennuyé d'Yonville et des Yonvillais, que la vue de certaines gens, de certaines maisons l'irritait à n'y pouvoir tenir ; et le pharmacien, tout bonhomme qu'il était, lui devenait complètement insupportable.
10 Cependant, la perspective d'une situation nouvelle l'effrayait autant qu'elle le séduisait.

Cette appréhension se tourna vite en impatience, et Paris alors agita pour lui, dans le lointain, la fanfare de ses bals masqués avec le rire de ses grisettes[1]. Puisqu'il devait y ter-
15 miner son droit, pourquoi ne partait-il pas ? qui l'empêchait ? Et il se mit à faire des préparatifs intérieurs ; il arrangea d'avance ses occupations. Il se meubla, dans sa tête, un appartement[2]. Il y mènerait une vie d'artiste ! Il y prendrait des leçons de guitare ! Il aurait une robe de chambre, un
20 béret basque, des pantoufles de velours bleu ! Et même il admirait déjà sur sa cheminée deux fleurets en sautoir, avec une tête de mort et la guitare au-dessus.

La chose difficile était le consentement de sa mère ; rien pourtant ne paraissait plus raisonnable. Son patron même
25 l'engageait à visiter une autre étude, où il pût se développer davantage. Prenant donc un parti moyen, Léon chercha quelque place de second clerc à Rouen, n'en trouva pas, il écrivit enfin à sa mère une longue lettre détaillée, où il exposait les raisons d'aller habiter Paris immédiatement. Elle y
30 consentit.

Il ne se hâta point. Chaque jour, durant tout un mois, Hivert transporta pour lui d'Yonville à Rouen, de Rouen à Yonville, des coffres, des valises, des paquets ; et, quand Léon eut remonté sa garde-robe, fait rembourrer ses trois
35 fauteuils, acheté une provision de foulards, pris, en un mot, plus de dispositions que pour un voyage autour du monde, il s'ajourna de semaine en semaine, jusqu'à ce qu'il reçût une seconde lettre maternelle où on le pressait de partir, puisqu'il désirait, avant les vacances passer son examen.
40 Lorsque le moment fut venu des embrassades, madame Homais pleura ; Justin sanglotait ; Homais, en homme fort, dissimula son émotion ; il voulut lui-même porter le paletot de son ami jusqu'à la grille du notaire, qui emmenait Léon à

1. *Grisette : fille de condition modeste, souvent ouvrière de mode, et considérée comme « facile ». C'est un type obligé de l'époque romantique.*
2. *« Appartement de garçon. Toujours en désordre. Avec des colifichets de femme traînant çà et là. Odeur de cigarette. On doit y trouver des choses extraordinaires. » (Dictionnaire des idées reçues.) Cette définition est également applicable à la chambre à coucher de Rodolphe (cf. p. 496).*

318

Rouen dans sa voiture. Ce dernier avait juste le temps de
faire ses adieux à M. Bovary.

Quand il fut au haut de l'escalier, il s'arrêta, tant il se sentait hors d'haleine. A son entrée, madame Bovary se leva
vivement.   5

— C'est encore moi ! dit Léon.

— J'en étais sûre !

Elle se mordit les lèvres, et un flot de sang lui courut sous
la peau, qui se colora tout en rose, depuis la racine des cheveux jusqu'au bord de sa collerette. Elle restait debout, 10
s'appuyant de l'épaule contre la boiserie.

— Monsieur n'est donc pas là ? reprit-il.

— Il est absent.

Elle répéta :

— Il est absent.   15

Alors il y eut un silence. Ils se regardèrent ; et leurs pensées, confondues dans la même angoisse, s'étreignaient
étroitement, comme deux poitrines palpitantes.

— Je voudrais bien embrasser Berthe, dit Léon.

Emma descendit quelques marches, et elle appela 20
Félicité.

Il jeta vite autour de lui un large coup d'œil qui s'étala sur
les murs, les étagères, la cheminée, comme pour pénétrer
tout, emporter tout.

Mais elle rentra, et la servante amena Berthe, qui secouait 25
au bout d'une ficelle un moulin à vent la tête en bas.

Léon la baisa sur le cou à plusieurs reprises.

— Adieu, pauvre enfant ! adieu, chère petite, adieu !

Et il la remit à sa mère.

— Emmenez-la, dit celle-ci.   30

Ils restèrent seuls.

Madame Bovary, le dos tourné, avait la figure posée contre un carreau ; Léon tenait sa casquette à la main et la battait doucement le long de sa cuisse.

— Il va pleuvoir, dit Emma.   35

— J'ai un manteau, répondit-il.

— Ah !

Elle se détourna, le menton baissé et le front en avant. La
lumière y glissait comme sur un marbre, jusqu'à la courbe
des sourcils, sans que l'on pût savoir ce qu'Emma regardait à 40
l'horizon ni ce qu'elle pensait au fond d'elle-même.

— Allons, adieu ! soupira-t-il.

Elle releva sa tête d'un mouvement brusque :

— Oui, adieu…, partez !

Ils s'avancèrent l'un vers l'autre ; il tendit la main, elle hésita.

— A l'anglaise donc[1], fit-elle abandonnant la sienne, tout
5 en s'efforçant de rire.

Léon la sentit entre ses doigts, et la substance même de tout son être lui semblait descendre dans cette paume humide.

Puis il ouvrit la main ; leurs yeux se rencontrèrent encore,
10 et il disparut.

Quand il fut sous les halles, il s'arrêta, et il se cacha derrière un pilier, afin de contempler une dernière fois cette maison blanche avec ses quatre jalousies vertes. Il crut voir une ombre derrière la fenêtre, dans la chambre ; mais le
15 rideau, se décrochant de la patère comme si personne n'y touchait, remua lentement ses longs plis obliques, qui d'un seul bond s'étalèrent tous, et il resta droit, plus immobile qu'un mur de plâtre. Léon se mit à courir.

Il aperçut de loin, sur la route, le cabriolet de son patron,
20 et à côté un homme en serpillière[2] qui tenait le cheval. Homais et M. Guillaumin causaient ensemble. On l'attendait.

— Embrassez-moi, dit l'apothicaire, les larmes aux yeux. Voilà votre paletot, mon bon ami ; prenez garde au froid !
25 Soignez-vous ! ménagez-vous !

— Allons, Léon, en voiture ! dit le notaire.

Homais se pencha sur le garde-crotte, et d'une voix entrecoupée par les sanglots, laissa tomber ces deux mots tristes :

— Bon voyage !

30 — Bonsoir, répondit M. Guillaumin.

Lâchez tout ! Ils partirent, et Homais s'en retourna.

Madame Bovary avait ouvert sa fenêtre sur le jardin, et elle regardait les nuages.

Ils s'amoncelaient au couchant, du côté de Rouen, et rou-
35 laient vite leurs volutes noires, d'où dépassaient par-derrière les grandes lignes du soleil, comme les flèches d'or d'un trophée suspendu, tandis que le reste du ciel vide avait la blancheur d'une porcelaine. Mais une rafale de vent fit se courber les peupliers, et tout à coup la pluie tomba ; elle crépitait
40 sur les feuilles vertes. Puis le soleil reparut, les poules chantèrent, des moineaux battaient des ailes dans les buissons humides ⟨1⟩, et les flaques d'eau sur le sable emportaient en s'écoulant les fleurs roses d'un acacia. ⟨2⟩

1. *Selon la mode anglaise du « shake-hand » (plus exactement du « handshake »).*
2. *Serpillière : « Sorte de tablier de grosse toile ». (Littré)*

Le désir et la chair

À partir d'une variante, Jean-Pierre Richard peut écrire :

L'amour est une noyade à demi consciente et délicieusement progressive.

Afin de s'y liquéfier, l'amoureux en effet s'y empâte. Il y garde un reste de consistance, et juste assez de lucidité pour goûter la montée de son inconscience. "Je ne t'ai jamais tant aimée, j'avais dans l'âme des océans de crème", écrit Flaubert à Louise. La crème conserve une épaisseur, une cohésion interne. De la même façon la pommade, pommade de la moustache chez l'homme, du fard ou de la crème de beauté chez la femme, est la substance qui chez Flaubert incarne et symbolise le mieux la montée du désir : elle représente un état sucré de l'être, où la liquéfaction s'engourdit, s'arrête dans sa propre jouissance, tout en gardant assez de solidité pour irradier vers autrui. La luxure, se "fondant le désir", va se verser tout entière vers l'objet désiré et "coule dessus comme une pommade liquide". À la surface de l'être empâté le désir perle alors comme une liquéfaction de la pâte elle-même, une transpiration :

Est-ce que mon cœur peut les contenir, ces effusions amollissantes qui ne me sont jamais venues que comme des sueurs subites ?

Plus explicitement encore :
Celui-là n'avait donc jamais posé sa tête sur le sein d'une fille d'Ève ? Il ne s'était pas senti dans l'amour d'elle dissoudre avec lenteur, comme une petite plante qui se pourrit sous la pluie chaude de l'orage ? Il n'avait pas éprouvé dans sa main cette main qui sue la mollesse ni tressailli d'épouvante à ce regard qui fond les enthousiasmes et asphyxie la pensée ?

L'amour est lui aussi une nausée ; l'être s'y pourrit lentement, en même temps que sa sudation invite au pourrissement de l'autre. L'amoureux perd son ossature, il devient pure plasticité : Léon, attendant Emma, "a dans les mains des moiteurs lascives" ; et quand ces mains toucheront celles de la femme désirée, sentiront leur moiteur, on verra leurs deux mains s'engluer dans une même pâte, infiniment flexible, merveilleusement ductile :

Il la sentit donc, entre ses doigts, cette main. Elle parut à Léon être flexible, suante, molle, désossée. Une trajection subtile lui monta le long du bras jusqu'au cœur, tandis que la partie la plus intime de lui-même se fondait dans cette paume molle, comme de la pâte qu'elle y aurait maniée lentement.

Phrase merveilleuse où l'on aperçoit, et dans la forme même, comment le double mouvement d'accueil et de don qui constitue l'amour — mouvement originellement rapide comme un éclair —, s'enlise peu à peu dans la mollesse du contact. Il n'y a plus alors d'Emma ni de Léon, mais une seule pâte où ils se sont intimement épousés et perdus, mais où ils continuent encore, par le mouvement instinctif de la volupté, à se "manier" et se connaître l'un l'autre. D'une façon analogue mais moins complète, Frédéric serrant la main de Marie Arnoux éprouve "comme une pénétration à tous les atomes de sa peau". L'amour est une interpénétration charnelle où les individus cessent d'exister comme tels, mais où se poursuit cependant le battement d'une vie commune. Il les plonge moins l'un dans l'autre que tous les deux, également, dans l'anonymat de la chair.

Autrui est donc d'abord porteur, offre de chair. Et il cherche très rarement à esquiver ce rôle, à se dégager de cet anonymat sans lequel il retomberait dans sa particularité, mais aussi dans son insignifiance. Qu'est-ce en effet que Léon, sinon la finesse de ses mains, le velours de ses joues, la grâce physique de sa personne ? Et qu'est-ce que Rodolphe sinon une certaine souplesse et hardiesse musculaires, un parfum de moustaches, et ces deux cuisses qu'il moule dans une culotte de cheval, en homme averti de ses vrais avantages ? Emma les considère l'un et l'autre comme des masses charnelles à travers lesquelles rejoindre son propre désir ; ils ne lui apparaissent jamais comme des personnes distinctes, ni même comme les porteurs ou les symboles de l'autre sexe ; en eux aucun élément d'inconnu : rien de cette apparence mystérieuse que peuvent conférer aux êtres l'idée que l'on se fait de leur altérité, ou bien le sentiment qu'ils obéissent aux injonctions d'une sexualité différente. Ils lui sont seulement un moyen de s'atteindre elle-même. "A la voir ainsi toujours occupée à des passions qu'il ne partageait pas, écrit Flaubert à propos de Rodolphe, il se faisait à lui-même l'effet d'être pour elle une excitation, et rien de plus." Excitation : le désir traverse l'autre sans se laisser modifier par lui.

Salammbô va plus loin encore, pour qui la masculinité circule dans les souffles de l'air, les vapeurs du soir, la caresse de la lune, la présence entière du monde, mais dans aucun être particulier : Mathô incarne seulement un court moment cette virilité diffuse. Mais le mouvement profond de sa sensualité entraîne toujours Flaubert à se noyer dans l'indistinct. Le vertige que

Hugo ressent devant le vid de la Bouche d'Ombre, Flau bert et ses héros l'éprouven devant la plénitude anonym de la matière ou de la chair.

JEAN-PIERR
RICHARD, 195
« La création de la forme che
Flaubert » in *Poésie e
profondeur,* Seui
pp. 130-13

 ## Le projet avorté de Sartr

Si l'étude que Sartre devait consacrer à Madame Bovary *reste à jamais un de ces livres que leur inexistence rend d'autant plu prestigieux pour notre imagination, du moins connaissons-nou les grandes directions qu'il devait suivre. Voici un extrait de l remarquable analyse qu'en a donnée Michel Sicard d'après le notes qu'il a pu consulter :*

«*Imaginaire et temporalité.* La recherche de Sartre commence d'emblée par des notes imbriquées d'où l'on peut dégager une insistance sur ce double thème. *Madame Bovary* apparaît comme "un roman de l'échec et de la fatalité" d'où la narration a retiré toutes les causes. Nous sommes donc renvoyés à l'imaginaire, de la même manière qu'il hantait saint Antoine : "Mme Bovary *est* la métaphore de saint Antoine." Ceci se marque dans le personnage d'Emma qui "passe à l'imagi-

naire total" qui fera son "ma heur" : "son instinct est d'ad rer l'idéal qui devient niaiser quand elle l'imagine". En fa l'imagination ne se déclench que sur un fond de grisaill événementielle qui fournit trame de l'ouvrage : "Idé neuve (elle existe depuis lon temps mais c'est le suj d'Emma) : on ne peut pas so tir de l'endroit où l'on est, par l'action (fuite impossible Rodolphe), ni par les objets d désir (inférieurs au désir lu même). D'où l'idée de la cou leur normande." Le perso

...age d'Emma est une manifestation du post-romantisme ou est à l'œuvre un "faux imaginaire contesté par le réel" ; mais le "choix d'un autre imaginaire n'est pas donné". En effet, il semble que l'on ne quitte pas l'impitoyable totalisation illusion/perte des illusions (mort). Et pourtant la destruction du réel est constante car il est un "centre d'irréalisation". Le Style contribue à cela : "le sens d'une phrase apparaît comme un prétexte à la phrase", et "les phrases marmoréennes néantisent". On rattachera l'entreprise à l'orientation de l'Art pour l'Art, où style et *métaphore* déréalisent. Il faut aussi regarder moins comme thème que comme structure formelle le mécanisme de la tentation : Antoine est tenté de réaliser l'imaginaire ; s'il cédait, il irait en enfer (le réel) ; inversement Madame Bovary, c'est une sainte qui cède à la tentation". Retire-t-on une jouissance de cette imagination ? Pas plus que le lecteur qui subit la tension du style et l'ironie du narrateur, les personnages évoqués ne jouissent de leur irréalisation : "Au sein même du rêve le plus brillant, l'être se laisse aller à une sorte de rêverie dont il a conscience et qui lui gâche jusqu'au plaisir d'imaginer." Finalement, l'aboutissement suprême de

l'imagination serait peut-être d'*être la matière*, d'*"aller vivre cette vie pour revêtir toutes ses formes"*. La chose sur laquelle l'imaginaire s'appuie pourrit et nous ramène au point de vue de la Mort — l'imaginaire et le néant étant une seule et même chose. C'est une forme nouvelle du roman qui est histoire et totalisation du monde, pour Madame Bovary, "le monde révèle son néant en elle et dans sa mort". Ceci est corroboré par maints indices : quand débute le roman Charles et Emma sont morts ; tous les détails sont importants, conduisent à l'ennui et à la mort... C'est un livre sur l'imaginaire, mais pas pur (comme *la Tentation*) ; il joue entre imaginaire et fiction du réel.

L'inertie est présente de façon constante, dans les objets par exemple. Mais l'inscription la plus frappante et la plus incessante réside dans le jeu des temps eux-mêmes. L'expression privilégiée en est le *fréquentatif* qui constitue les événements comme déjà passés tendant ainsi à les effacer. Dans la scène du fiacre, il y a deux temps, celui de la fatalité (irréversible) et celui plus contingent de la course : mais la machine repassant par les mêmes endroits, ce second temps tend aussi à devenir un fréquentatif. On acquiert ainsi

une impression de force : les scènes "étaient telles dans le passé (plusieurs fois) et sont telles pour l'avenir restreint qui enveloppe la scène. Du coup *deux présents* : celui qu'exprime le fréquentatif et celui qu'exprime le parfait qui a deux caractéristiques : c'est ce qui disparaît pendant que les fréquentatifs restent, celui qu'on ne voit qu'une fois, qui enveloppe sa mort dès qu'il a lieu (du point de vue de la mort)". En fait, il y aurait deux temps : le temps du roman qui est un présent déguisé en parfait, et le temps du récit ou fréquentatif ; mais Flaubert confond les deux par une déviation provenant de la répétition. Après avoir noté les différences qui séparent Flaubert de Balzac — sens du présent, du moment unique — Sartre définit le temps flaubertien comme celui de l'impersonnalité, où le fréquentatif (imparfait) est le plus important pour montrer le dégoût d'Emma ; "les changements se font d'un fréquentatif à l'autre" ; parfois, "le passé simple est là pour introduire la rupture entre deux séries de fréquentatifs". Ceci est une manière de nier le présent et la vie.

[...]*Question de genèse*
Parallèlement, une incessante réflexion réapparaît à intervalles réguliers sur le genre utilisé dans *Madame Bovary*. (...)

— Ah ! qu'il doit être loin déjà ! pensa-t-elle.

M. Homais, comme de coutume, vint à six heures et demie, pendant le dîner.

— Eh bien ! dit-il en s'asseyant, nous avons donc tantôt
5 embarqué notre jeune homme ?

— Il paraît ! répondit le médecin.

Puis, se tournant sur sa chaise :

— Et quoi de neuf chez vous ?

— Pas grand-chose. Ma femme, seulement, a été cette
10 après-midi, un peu émue. Vous savez, les femmes, un rien les trouble ! la mienne surtout ! Et l'on aurait tort de se révolter là contre, puisque leur organisation nerveuse est beaucoup plus malléable que la nôtre.

— Ce pauvre Léon ! disait Charles, comment va-t-il vivre
15 à Paris !... S'y accoutumera-t-il ?

Madame Bovary soupira.

— Allons donc ! dit le pharmacien en claquant de la langue, les parties fines chez le traiteur ! les bals masqués ! le champagne ! tout cela va rouler, je vous assure. 🖉
20 — Je ne crois pas qu'il se dérange, objecta Bovary.

— Ni moi ! reprit vivement M. Homais, quoiqu'il lui faudra pourtant suivre les autres, au risque de passer pour un jésuite. Et vous ne savez pas la vie que mènent ces farceurs-là, dans le quartier Latin, avec les actrices[1] ! Du
25 reste, les étudiants sont fort bien vus à Paris. Pour peu qu'ils aient quelque talent d'agrément, on les reçoit dans les meilleures sociétés, et il y a même des dames du faubourg Saint-Germain qui en deviennent amoureuses, ce qui leur fournit, par la suite, les occasions de faire de très beaux mariages.

30 — Mais, dit le médecin, j'ai peur pour lui que... là-bas...

— Vous avez raison, interrompit l'apothicaire, c'est le revers de la médaille ! et l'on y est obligé continuellement d'avoir la main posée sur son gousset. Ainsi, vous êtes dans un jardin public, je suppose ; un quidam[2] se présente, bien
35 mis, décoré même, et qu'on prendrait pour un diplomate ; il vous aborde ; vous causez ; il s'insinue, vous offre une prise ou vous ramasse votre chapeau. Puis on se lie davantage ; il vous mène au café, vous invite à venir dans sa maison de campagne, vous fait faire, entre deux vins, toutes sortes de
40 connaissances, et, les trois quarts du temps ce n'est que pour flibuster[3] votre bourse ou vous entraîner en des démarches pernicieuses.

1. « Jeune homme. Toujours farceur. Il doit l'être. S'étonner quand il ne l'est pas. » « Actrices. La perte des fils de famille. Sont d'une lubricité effrayante, se livrent à des orgies, avalent des millions (finissent à l'hôpital). Pardon ! il y en a qui sont bonnes mères de famille ! » (Dictionnaire des idées reçues).
2. Quidam : mot latin désignant un certain individu, qu'on ne caractérise pas avec plus de précision.
3. Flibuster : « populairement voler, filouter » (Littré).

Dans *Madame Bovary* (...), le point de vue de Charles étant aussi important que celui d'Emma, la vision est éclatée, les schémas sont pervertis : il n'y a pas vraiment de roman d'éducation ("Madame Bovary n'est pas éduquée puisqu'elle se tue") ; le temps, à l'inverse de Balzac, n'est qu'une absence de présent constitué par la répétition ; il n'y a pas à proprement parler de plan dans les parties, faites de blocs contraires en porte-à-faux les uns les autres. Ainsi, Sartre peut articuler l'analyse de Bakhtine relative à la polyphonie et au carnaval, sur les personnages de *Madame Bovary*, inachevés, n'ayant pas de regard (monodique) sur eux, ne parlant pas la même langue (et ne le sachant pas), habités par des lieux communs s'engendrant par *contiguité*... Mais cette analyse

trouve ses limites dans le "réalisme" de Flaubert, anticarnavalesque, écartant les seuils et les crises, pour ne retrouver qu'un "quotidien de l'ordre", une continuité qu'assure par ailleurs la durée cyclique du fréquentatif. Flaubert peut ainsi s'opposer expressément à Balzac par son refus du réalisme social et de l'histoire ; la direction est toute autre, se place dans la contradiction entre les formes sociales et le rêve individuel : "tout est logique quand l'individu participe stratégiquement au théâtre social : tout est non-sens quand on se retire du monde pour, précisément, profiter des bonheurs de ce monde". Pourquoi mettre cette vision de l'absurdité au roman ? C'est au XIXᵉ siècle *le* genre littéraire par excellence ; mais il faut le faire progresser, aboutir à la totalisation du monde

par les personnages. On veut au départ l'impersonnalisme, mais l'auteur intervient beaucoup, comme moyen de sélection, pour assurer les passages entre des personnages qui ne se rencontrent jamais ; il peut être un instrument de totalisation (ironie). Mais cette fonction est incluse dans le texte qui totalise doublement : "l'extériorité se moque de l'intériorité et donne comme extérieur ce qui est intérieur. L'ironie c'est donc cela : l'intérieur devenant l'extérieur". Le roman apparaît donc comme le lieu électif de la dimension symphonique des choses. »

MICHEL SICARD, 1975, « Décrire l'oncle Gustave », *Magazine littéraire,* n° 103-104, « Sartre dans son histoire », pp. 68-70.

 # Le petit journal de Madame Bovary

« T'ai-je dit (le mot) d'un curé de Trouville, auprès de qui je dînais un jour ? Comme je refusais du champagne (j'avais déjà bu et mangé à tomber sous la table, mais mon curé entonnait toujours), il se tourna vers moi et avec un œil ! quel œil ! un œil où il y avait de l'envie, de l'admiration et du dédain tout ensemble, il me dit en levant les épaules :

"Allons donc ! vous autres jeunes gens de Paris qui dans vos soupers fins *sablez le champagne* ! Quand vous venez ensuite en province vous faites les petites bouches" et comme il y avait de sous-entendu entre les mots *"soupers fins"* et celui de *"sablez"* ceux-ci "avec des actrices". Quels horizons ! et dire que je l'excitais, ce brave homme. A

ce propos je vais me permettre une petite citation. "Allons donc ! fit le pharmacien" (...) En deux pages j'ai réuni, je crois, toutes les bêtises que l'on dit en province sur Paris (...) »

A Louise Colet, juin(?) 1853 (éd. Conard, 2ᵉ série, 1910, p. 288)

— C'est vrai, répondit Charles ; mais je pensais surtout aux maladies, à la fièvre typhoïde, par exemple, qui attaque les étudiants de la province.

Emma tressaillit.

5 — A cause du changement de régime, continua le pharmacien, et de la perturbation qui en résulte dans l'économie générale. Et puis, l'eau de Paris, voyez-vous ! les mets des restaurateurs, toutes ces nourritures épicées finissent par vous échauffer le sang et ne valent pas, quoi qu'on en dise, 10 un bon pot-au-feu. J'ai toujours, quant à moi, préféré la cuisine bourgeoise, c'est plus sain[1] ! Aussi, lorsque j'étudiais à Rouen la pharmacie, je m'étais mis en pension dans une pension ; je mangeais avec les professeurs.

Et il continua donc à exposer ses opinions générales et ses 15 sympathies personnelles, jusqu'au moment où Justin vint le chercher pour un lait de poule qu'il fallait faire.

— Pas un instant de répit ! s'écria-t-il, toujours à la chaîne ! Je ne peux sortir une minute ! Il faut, comme un cheval de labour, être à suer sang et eau ! Quel collier de 20 misère !

Puis quand il fut sur la porte :

— A propos, dit-il, savez-vous la nouvelle ?

— Quoi donc ?

— C'est qu'il est fort probable, reprit Homais, en dressant 25 ses sourcils et en prenant une figure des plus sérieuses, que les comices agricoles de la Seine-Inférieure[2] se tiendront cette année à Yonville-l'Abbaye. Le bruit, du moins, en circule. Ce matin, le journal en touchait quelque chose. Ce serait pour notre arrondissement de la dernière importance ! 30 Mais nous en causerons plus tard. J'y vois, je vous remercie ; Justin a la lanterne ⟨1⟩.

1. « Cuisine : de restaurant, toujours échauffante. Bourgeoise, toujours saine. » (Dictionnaire des idées reçues.) « L'eau de Paris donne des coliques » (ibid.).
2. Ainsi s'appelait la Seine-Maritime à l'époque.

① Le petit journal de Madame Bovary

Oui, cela a bien marché aujourd'hui. Je me suis à peu près débarrassé d'un dialogue archi-coupé, fort difficile. J'ai écrit aux deux tiers une phrase "pohétique" et esquissé trois mouvements de mon pharmacien qui me faisaient à la fois beaucoup rire et grand dégoût, tant ce sera fétide d'idée et de tournure. »
A Louise Colet, 26-27/5/1853.

M. Girardin a bien voulu se rendre aux sollicitations du comice pour faire, cette année, son cours nomade sur les engrais dans cette localité. Des affiches annonceront ultérieurement l'époque de ce concours. On ne peut trop engager MM. les cultivateurs à profiter de cette heureuse circonstance pour se fortifier dans l'art de perfectionner leurs fumiers, d'en augmenter la richesse et d'en conserver la fécondité.

VII

Le lendemain fut, pour Emma, une journée funèbre. Tout
lui parut enveloppé par une atmosphère noire qui flottait
confusément sur l'extérieur des choses, et le chagrin
s'engouffrait dans son âme avec des hurlements doux,
5 comme fait le vent d'hiver dans les châteaux abandonnés.
C'était cette rêverie que l'on a sur ce qui ne reviendra plus,
la lassitude qui vous prend après chaque fait accompli, cette
douleur, enfin, que vous apportent l'interruption de tout
mouvement accoutumé, la cessation brusque d'une vibra-
10 tion prolongée[1] ① .

Comme au retour de la Vaubyessard, quand les quadrilles
tourbillonnaient dans sa tête, elle avait une mélancolie
morne, un désespoir engourdi. Léon réapparaissait plus
grand, plus beau, plus suave, plus vague ; quoiqu'il fût
15 séparé d'elle, il ne l'avait pas quittée, il était là, et les murailles de la maison semblaient garder son ombre. Elle ne pouvait détacher sa vue de ce tapis où il avait marché, de ces
meubles vides où il s'était assis. La rivière coulait toujours, et
poussait lentement ses petits flots le long de la berge glis-
20 sante. Ils s'y étaient promenés bien des fois, à ce même murmure des ondes sur les cailloux couverts de mousse. Quels
bons soleils ils avaient eus ! quelles bonnes après-midi,
seuls, à l'ombre, dans le fond du jardin ! Il lisait tout haut,
tête nue, posé sur un tabouret de bâtons secs ; le vent frais
25 de la prairie faisait trembler les pages du livre et les capucines
de la tonnelle... Ah ! il était parti, le seul charme de sa vie, le
seul espoir possible d'une félicité ! Comment n'avait-elle pas
saisi ce bonheur-là, quand il se présentait ! Pourquoi ne
l'avoir pas retenu à deux mains, à deux genoux, quand il
30 voulait s'enfuir ? Et elle se maudit de n'avoir pas aimé
Léon ; elle eut soif de ses lèvres. L'envie la prit de courir le
rejoindre, de se jeter dans ses bras, de lui dire : « C'est moi,
je suis à toi ! » Mais Emma s'embarrassait d'avance aux difficultés de l'entreprise, et ses désirs, s'augmentant d'un regret,
35 n'en devenaient que plus actifs.

Dès lors, ce souvenir de Léon fut comme le centre de son
ennui ; il y pétillait plus fort que, dans un steppe de Russie,

1. Cette description de l'état psychique d'Emma rassemble les symptômes
de la mélancolie.

1 Le tempo

Le *tempo* de Flaubert, dans *Madame Bovary* comme dans *l'Éducation*, est, lui, tout entier celui d'un cheminement rétrospectif, celui d'un homme qui regarde par-dessus son épaule — beaucoup plus proche déjà par là de Proust que de Balzac, il

appartient non pas tant peut-être à la saison de la conscience bourgeoise malheureuse, qu'à celle où le roman, son énergie cinétique épuisée, de prospection qu'il était tout entier glisse progressivement à la rumination nostalgique. Essayons de relire les grands romans du dix-neuvième siècle comme s'ils étaient le coup d'œil final du héros sur sa vie, cette saisie illuminatrice remontant le cours de toute une existence qu'on attribue au mourant dans ses dernières secondes : une telle fiction est rejetée d'emblée par *Le Rouge et le Noir* comme par *Le Père Goriot*, qui s'inscrivent en faux contre elle à toutes leurs pages, mais constitue l'éclairage même, le seul éclairage plausible de *Madame Bovary*, avec les points d'orgue engourdis, stupéfiés, où viennent s'engluer une à une toutes ses scènes : une vie tout entière remémorée, sans départ réel, sans problématique aucune, sans la plus faible palpitation d'avenir. *Tempo* songeur et enlisé, à coloration faiblement onirique, qui ne tient pas seulement, loin de là, à une constante personnelle et aux exigences d'un sujet, mais qui est la basse sourde et rythmique de toute une époque, et qui fait, si l'on veut, alors que leurs pôles imaginatifs coïncident, de l'*Éducation sentimentale* une réplique des *Illusions perdues* presque totalement méconnaissable. »

JULIEN GRACQ, 1981,
En lisant, en écrivant, Corti,
pp. 18-19.

un feu de voyageurs abandonné sur la neige. Elle se précipitait vers lui, elle se blottissait contre, elle remuait délicatement ce foyer près de s'éteindre, elle allait cherchant tout autour d'elle ce qui pouvait l'aviver davantage ; et les rémi-
5 niscences les plus lointaines comme les plus immédiates occasions, ce qu'elle éprouvait avec ce qu'elle imaginait, ses envies de volupté qui se dispersaient, ses projets de bonheur qui craquaient au vent comme des branchages morts, sa vertu stérile, ses espérances tombées, la litière domestique,
10 elle ramassait tout, prenait tout, et faisait servir tout à réchauffer sa tristesse.

Cependant les flammes s'apaisèrent, soit que la provision d'elle-même s'épuisât, ou que l'entassement fût trop considérable. L'amour, peu à peu, s'éteignit par l'absence, le
15 regret s'étouffa sous l'habitude ; et cette lueur d'incendie qui empourprait son ciel pâle se couvrit de plus d'ombre et s'effaça par degrés. Dans l'assoupissement de sa conscience, elle prit même les répugnances du mari pour des aspirations vers l'amant, les brûlures de la haine pour des réchauffe-
20 ments de la tendresse ; mais, comme l'ouragan soufflait toujours, et que la passion se consuma jusqu'aux cendres, et qu'aucun secours ne vint, qu'aucun soleil ne parut, il fut de tous côtés nuit complète, et elle demeura perdue dans un froid horrible qui la traversait. ⟨1⟩
25 Alors les mauvais jours de Tostes recommencèrent. Elle s'estimait à présent beaucoup plus malheureuse ; car elle avait l'expérience du chagrin, avec la certitude qu'il ne finirait pas.

Une femme qui s'était imposé de si grands sacrifices pou-
30 vait bien se passer des fantaisies. Elle s'acheta un prie-Dieu gothique[1], et elle dépensa en un mois pour quatorze francs de citrons à se nettoyer les ongles ; elle écrivit à Rouen, afin d'avoir une robe en cachemire bleu ; elle choisit, chez Lheureux, la plus belle de ses écharpes ; elle se la nouait à la taille
35 par-dessus sa robe de chambre ; et, les volets fermés, avec un livre à la main, elle restait étendue sur un canapé, dans cet accoutrement.

Souvent, elle variait sa coiffure : elle se mettait à la chinoise, en boucles molles, en nattes tressées ; elle se fit une
40 raie sur le côté de la tête et roula ses cheveux en dessous, comme un homme.

Elle voulut apprendre l'italien : elle acheta des dictionnaires, une grammaire, une provision de papier blanc. Elle

1. « *Gothique. Style d'architecture portant plus à la religion que les autres* » (Dictionnaire des idées reçues).

Le petit journal de Madame Bovary

« Je viens de sortir d'une *comparaison soutenue* qui a d'étendue près de deux pages. C'est un morceau, comme on dit, ou du moins je le crois. Mais peut-être est-ce trop pompeux pour la couleur générale du livre, et me faudra-t-il plus tard le retrancher. Mais, physiquement parlant, pour ma santé, j'avais besoin de me retremper dans de bonnes phrases poétiques. L'envie d'une forte nourriture se faisait sentir, après toutes ces finasseries de dialogues, style haché, etc., et autres malices françaises dont je ne fais pas, quant à moi, un très grand cas, qui me sont fort difficiles à écrire, et qui tiennent une grande place dans ce livre. Ma comparaison, du reste, est une ficelle, elle me sert de transition et par là rentre donc dans le plan. »

A Louise Colet, 11-12/6/1853.

L'allégorie du feu amoureux

« Tandis que le paysage extérieur s'anime, l'intérieur des sentiments devient visible, prend consistance. Lorsque Léon quitte Yonville, Emma en est profondément abattue ; elle se confine dans le souvenir du jeune homme, auquel elle associe tout ce qui arrive et qu'elle tâche de raviver avec les expériences nouvelles qu'elle vit. Cependant, cet amour décline avec le temps jusqu'à cesser. Tout cela est exprimé dans le roman au moyen d'une métaphore, la plus longue du livre, et, sans doute, une des plus longues de la littérature. Le souvenir de Léon dans la mémoire d'Emma est comparé à un bûcher qui flamboie dans la steppe et la permanence de ce souvenir, l'avidité avec laquelle Emma le thésaurise et le ranime, en dépit duquel il se languit et meurt, est la description de ce feu dont les flammes sont avivées de nouvelles matières, jusqu'à ce qu'enfin elles s'éteignent, "soit que la provision d'elle-même s'épuisât, ou que l'entassement fût trop considérable". L'image (...) est si complexe et minutieuse que, d'une certaine façon, elle

L. H. O. O. Q.

constitue une série de métaphores, une allégorie. Cette réalité matérielle — le bûcher qui brûle, dure, revit, diminue et s'achève — dont la fonction devrait être d'expliquer l'autre, cette réalité spirituelle dont elle est le symbole, finit plutôt par l'absorber. De référence qu'il est, le bûcher devient le référé, l'explication devient l'expliqué. Il se produit un changement typique de la réalité fictive, dans lequel, tout comme les vêtements s'animent, l'amour s'enflamme littéralement, crépite, danse en flammes rouges, jaunes et bleues, dévore des troncs et des feuilles mortes, puis devient des cendres grises. »

MARIO VARGAS LLOSA, 1975,
L'Orgie perpétuelle,
traduction française 1978,
Gallimard, pp. 132-133.

essaya des lectures sérieuses, de l'histoire et de la philosophie. La nuit, quelquefois, Charles se réveillait en sursaut,
croyant qu'on venait le chercher pour un malade :

— J'y vais, balbutiait-il.

5 Et c'était le bruit d'une allumette qu'Emma frottait afin de
rallumer la lampe. Mais il en était de ses lectures comme de
ses tapisseries, qui, toutes commencées encombraient son
armoire ; elle les prenait, les quittait, passait à d'autres.

Elle avait des accès, où on l'eût poussée facilement à des
10 extravagances. Elle soutint un jour, contre son mari, qu'elle
boirait bien un grand demi-verre d'eau-de-vie, et, comme
Charles eut la bêtise de l'en défier, elle avala l'eau-de-vie
jusqu'au bout.

Malgré ses airs évaporés (c'était le mot des bourgeoises
15 d'Yonville), Emma pourtant ne paraissait pas joyeuse, et,
d'habitude, elle gardait aux coins de la bouche cette immobile contraction qui plisse la figure des vieilles filles et celle
des ambitieux déchus. Elle était pâle partout, blanche
comme du linge ; la peau du nez se tirait vers les narines, ses
20 yeux vous regardaient d'une manière vague. Pour s'être
découvert trois cheveux gris sur les tempes, elle parla de sa
vieillesse.

Souvent des défaillances la prenaient. Un jour même elle
eut un crachement de sang, et, comme Charles s'empres-
25 sait, laissant apercevoir son inquiétude :

— Ah bah ! répondit-elle, qu'est-ce que cela fait ?

Charles s'alla réfugier dans son cabinet ; et il pleura, les
deux coudes sur la table, assis dans son fauteuil de bureau,
sous la tête phrénologique.

30 Alors il écrivit à sa mère pour la prier de venir, et ils eurent
ensemble de longues conférences au sujet d'Emma.

A quoi se résoudre ? ① que faire, puisqu'elle se refusait à
tout traitement ?

— Sais-tu ce qu'il faudrait à ta femme ? reprenait la mère
35 Bovary. Ce seraient des occupations forcées, des ouvrages
manuels ! Si elle était comme tant d'autres, contrainte à
gagner son pain, elle n'aurait pas ces vapeurs-là[1], qui lui
viennent d'un tas d'idées qu'elle se fourre dans la tête, et du
désœuvrement où elle vit.

40 — Pourtant elle s'occupe, disait Charles.

— Ah ! elle s'occupe ! A quoi donc ? A lire des romans[2],
de mauvais livres, des ouvrages qui sont contre la religion et
dans lesquels on se moque des prêtres par des discours tirés

1. *Ross Chambers signale judicieuse-
ment que brouillards, vapeurs, chaleurs
et effluves forment un leitmotiv du
roman, où se répondent brouillard extérieur et brouillard dans la tête d'Emma.
On peut le suivre depuis les exhalaisons
des parfums de l'autel (p. 122)
jusqu'aux émanations de la chambre
mortuaire (p. 730). On ne manquera
pas d'y ajouter le « brouillard » du discours social.*
2. *« Romans. Pervertissent les masses »* (Dictionnaire des idées reçues).

Une tirade d'Homais supprimée

« — « "Pardonnez-moi !" interrompit M. Homais "on peut rester dans la bonne voie, sans suivre aucunement celle de l'Église, admettons tout, plutot. soyons large et philosophe, examinons les choses ; — et ce n'est pas pour attaquer la religion. je la respecte, je sais qu'il en faut une ; mais enfin, le dogme n'implique point la morale, pas plus que la vertu ne relève de la croyance. et ainsi les Espagnoles, les italiennes, ces Andalouses dont on parle dans les auteurs, ces femmes voluptueuses qui assistent aux combats de taureaux et portent des poignards dans leur jarretière. eh bien ? elles ont de la religion et ça n'empêche pas que..."

— "Vous, Mr Homais", repliquait la mère Bovary, "vous etes un homme de science ! vous avez vos idées... j'ai les miennes ! Cependant vous conviendrez qu'une femme ne peut pas raisonner comme un homme. elle ne sait pas le latin ! il lui est impossible de peser le pour et le contre ; et moi je soutiens qu'à force de vouloir en apprendre davantage on finit par se rendre malade, figurez-vous qu'elle passe les nuits".

— "Oh ! detestable ! detestable", s'écria le pharmacien, subitement radouci par le compliment, "nul excès n'est pire que cette manie de faire du jour la nuit, de la nuit le jour. Aussi, moi, même dans le plus fort de mes etudes, jamais je ne me suis couché passé dix heures ! mais dès quatre heures en eté, cinq heures en hiver j'étais à la besogne ! et du reste, six heures suffisent ; c'est raisonnable !

septem horas pigro, nulli concedimus octo

Quoiqu'à vrai dire nous nous soyons un peu relâchés, là dessus de la rigidité gothique de nos bons ayeux. Nonobstant, je pense, comme vous, Madame, que la mollesse du lit lorsqu'on y joint l'habitude de la lecture peut devenir extremement funeste. L'inertie musculaire qui est trop complète ne contrebalance pas l'action cephalique qui est trop violente ; sans compter que la nuit par elle-même, agit puissamment sur le système nerveux ; car l'imagination est alors, plus surrexcitable, la sensibilité plus impressionnable. le nerf optique continuellement obligé de porter au cerceau les sensations, l'ebranle. il le comotionne. il travaille à la façon d'une tarière qui serait adaptée contre lui pour le perforer. — et delà. palpations degouts, perte de l'appetit, les digestions se font mal, l'innervation se trouble, c'est la veille qui se change en rêve, le rêve en veille, le sommeil s'il se presente est perpetuellement agité par des epistomachies autrement dit cauchemars, et bientot arrivent les differents phenomènes de magnetisme et de somnambulisme, avec les plus tristes resultats, les plus deplorables consequences. — et je n'attaque pas ici, notez le bien, le fond de la chose, je ne vais pas au cœur du sujet, qui serait d'examiner les rapports du moral et du physique et comment la litterature et les Beaux-Arts se rattachent à la Physiologie. — non, effleurons, et voyons en passant, ce que l'on trouve dans la plupart des auteurs modernes, afin de decouvrir s'il est possible...

— Mais puisque ça l'amuse", objectait Charles abasourdi.

— "permettez !" disait l'apothicaire echauffé.

— "écoute le" repliquait la mère Bovary.

— "des cavernes" continuait Mr Homais "des spectres, des ruines, des cimetières, des faux-monnoyeurs, des clairs de lune ; que sais-je ? toutes sortes de tableaux lugubres et qui predisposent singulièrement à la melancolie. Puis ajoutez que ces produits fie-

de Voltaire. Mais tout cela va loin, mon pauvre enfant, et quelqu'un qui n'a pas de religion finit toujours par tourner mal.

Donc, il fut résolu que l'on empêcherait Emma de lire des
5 romans. L'entreprise ne semblait point facile. La bonne dame s'en chargea : elle devait, quand elle passerait par Rouen, aller en personne chez le loueur de livres et lui représenter qu'Emma cessait ses abonnements. N'aurait-on pas le droit d'avertir la police, si le libraire persistait quand même
10 dans son métier d'empoisonneur ?

Les adieux de la belle-mère et de la bru furent secs. Pendant les trois semaines qu'elles étaient restées ensemble, elles n'avaient pas échangé quatre paroles, à part les informations et compliments, quand elles se rencontraient à
15 table, et le soir, avant de se mettre au lit.

Madame Bovary mère partit un mercredi, qui était jour de marché à Yonville.

La place, dès le matin, était encombrée par une file de charrettes qui, toutes à cul et les brancards en l'air, s'éten-
20 daient le long des maisons depuis l'église jusqu'à l'auberge. De l'autre côté, il y avait des baraques de toile où l'on vendait des cotonnades, des couvertures et des bas de laine, avec des licous pour les chevaux et des paquets de rubans bleus, qui par le bout s'envolaient au vent. De la grosse
25 quincaillerie s'étalait par terre, entre les pyramides d'œufs et les bannettes de fromages, d'où sortaient des pailles gluantes ; près des machines à blé, des poules qui gloussaient dans des cages plates passaient leurs cous par les barreaux. La foule, s'encombrant au même endroit sans en vouloir
30 bouger, menaçait quelquefois de rompre la devanture de la pharmacie. Les mercredis, elle ne désemplissait pas et l'on s'y poussait, moins pour acheter des médicaments que pour prendre des consultations, tant était fameuse la réputation du sieur Homais, dans les villages circonvoisins. Son robuste
35 aplomb avait fasciné les campagnards. Ils le regardaient comme un plus grand médecin que tous les médecins.

Emma était accoudée à sa fenêtre (elle s'y mettait souvent : la fenêtre, en province, remplace les théâtres et la promenade) ⟨1⟩, et elle s'amusait à considérer la cohue des
40 rustres, lorsqu'elle aperçut un monsieur vêtu d'une redingote de velours vert. Il était ganté de gants jaunes, quoiqu'il fût chaussé de fortes guêtres ; et il se dirigeait vers la maison

vreux d'imaginations en delire sont entachés de neologismes, d'expressions barbares, de mots baroques si bien qu'on est obligé de se casser la tête pour les comprendre. Car moi, je vous avoue que souvent, je ne comprends pas vos auteurs à la mode ! — et je ne dis point les petits, — non. — mais les plus célèbres ceux qui ont de la reputation, ceux qui sont au pinacle ! — et je le repète encore une fois, c'est peut-être un defaut d'esprit, je le declare en toute humilité, enfin je-ne-les-comprends-pas ; et je ne serais pas surpris, le moins du monde, que ces inventions où le bon gout, comme la langue et les mœurs sont si audacieusement outragés ne finissent par revolutionner jusqu'à l'organisme, lui même. Tout cela bien entendu, ne s'adresse nullement à Me Bovary qui certainement est une des dames que je considère le plus, sauf peut-être un peu d'effervescence, un peu d'exaltation." — "Non ! non !" s'écriait la vieille femme en agitant ses gencives aigues "ce que vous dites est plein de jugement Mr Homais ; car ces livres dont vous parlez font voir l'existence en beau, puis quand on arrive à la réalité, on trouve du desenchantement. et c'est cela, j'en suis sûre, elle enrage de savoir qu'elle n'a pas raison, et que je la connais bien. Ah oui ! je la connais bien. Pourtant il ne s'agit pas de faire la mijaurée ! la bel-esprit ! il faut encore souffrir dans la vie ! il faut accomplir ses devoirs ! Il faut gouverner sa maison ! mais c'est pitoyable, vraiment ! tu devrais la surveiller, n'est-ce pas Monsieur, vous qui etes son ami ?'' »

Cité d'après le manuscrit autographe par Claudine Gothot-Mersch, éd. Garnier, pp. 396-397.

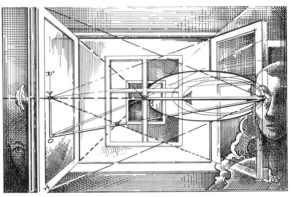

① La fenêtre comme point de mire

« Des regards montent vers la maison, d'autres tombent des fenêtres ou fouillent l'horizon. S'ils avaient le temps, les provinciaux passeraient leur vie entre leurs pots de géraniums. Emma fait la navette entre deux fenêtres : l'une donne sur le jardin, l'autre sur la rue. Elle suit des yeux Charles qui se met en route ; elle contemple la place, le bedeau, Léon qui ne la voit pas, la "cohue des rustres", et s'accoude si fréquemment à sa fenêtre qu'on accuserait l'auteur de ne s'être pas relu. Aussi Flaubert commente-t-il :
"(elle s'y mettait souvent : la fenêtre, en province, remplace le théâtre et la promenade)"
Formule équivoque, la fenêtre constituant un point de mire dans le double sens du mot, à la fois une loge et une scène, le lieu où l'on ronge son frein et celui d'où l'on regarde les

du médecin, suivi d'un paysan marchant la tête basse d'un air tout réfléchi.

— Puis-je voir Monsieur ? demanda-t-il à Justin, qui causait sur le seuil avec Félicité.

5   Et, le prenant pour le domestique de la maison :

— Dites-lui que M. Rodolphe Boulanger, de la Huchette, est là.

Ce n'était point par vanité territoriale que le nouvel arrivant avait ajouté à son nom la particule, mais afin de se faire
10 mieux connaître. La Huchette, en effet, était un domaine près d'Yonville, dont il venait d'acquérir le château, avec deux fermes qu'il cultivait lui-même, sans trop se gêner cependant. Il vivait en garçon, et passait pour avoir *au moins quinze mille livres de rentes* !

15 Charles entra dans la salle, M. Boulanger lui présenta son homme, qui voulait être saigné, parce qu'il éprouvait *des fourmis le long du corps* [1] ⟨1⟩.

— Ça me purgera, objectait-il à tous les raisonnements.

Bovary commanda donc d'apporter une bande et une
20 cuvette, et pria Justin de la soutenir. Puis, s'adressant au villageois déjà blême :

— N'ayez point peur, mon brave.

— Non, non, répondit l'autre, marchez toujours !

Et d'un air fanfaron, il tendit son gros bras. Sous la piqûre
25 de la lancette, le sang jaillit et alla s'éclabousser contre la glace.

— Approche le vase ! exclama Charles.

— *Guête*[2] ! disait le paysan, on jurerait une petite fontaine qui coule ! Comme j'ai le sang rouge ! ce doit être bon
30 signe, n'est-ce pas ?

— Quelquefois, reprit l'officier de santé, l'on n'éprouve rien au commencement, puis la syncope se déclare, et plus particulièrement chez les gens bien constitués, comme celui-ci.

35 Le campagnard, à ces mots, lâcha l'étui qu'il tournait entre ses doigts. Une saccade de ses épaules fit craquer le dossier de la chaise. Son chapeau tomba.

— Je m'en doutais, dit Bovary en appliquant son doigt sur la veine.

La cuvette commençait à trembler aux mains de Justin ;
40 ses genoux chancelèrent, il devint pâle.

— Ma femme ! ma femme ! appela Charles.

D'un bond, elle descendit l'escalier.

passants. Les fenêtres s'ouvrent encore sur d'autres fenêtres (Emma et Léon s'aperçoivent soignant leur jardinet suspendu) et sur tous les événements de la vie de province : l'arrivée de la nouvelle femme du médecin, la première sortie d'Emma à cheval.

Elles s'ouvrent aussi sur le ciel, sources d'air plutôt que de lumière, dès qu'il s'agit de ranimer les corps abattus. Emma, Mme Arnoux, qui suf-foquent aux mauvaises nouvelles, s'approchent de la fenêtre pour respirer. Lorsque la brise se lève ou que le monde embaume, on ne voit plus trop ce qui sépare les personnages de Flaubert, des Anciens de *Salammbô* à Bouvard et Pécuchet. Ils renaissent à l'air frais, ils défaillent délicieusement à la tiédeur du printemps, au vent chaud de l'été. Au bleu de la croisée, Henry, Emma, Charles, Bouvard sentent leur cœur chavi-rer dans la douceur de la nuit. On les entend haleter, soupirer. Ils ont faim. Tout est possible. Rien n'est encore gâché. C'est le même vent tiède qui soulève Frédéric se rendant chez les Arnoux. »

ROGER KEMPF, 1968, « La découverte du corps dans les romans de Flaubert » in *Sur le corps romanesque,* Seuil, pp. 129-130.

Le petit journal de Madame Bovary

« La vulgarité de mon sujet me donne parfois des nausées, et la difficulté de bien écrire tant de choses si communes encore en perspective m'épouvante. Je suis mainte-nant achoppé à une scène des plus simples : une saignée et un évanouissement. Cela est fort difficile ; et ce qu'il y a de désolant, c'est de penser que, même réussi dans la perfec-tion, cela ne peut être que passable et ne sera jamais beau, à cause du fond même. »

A Louise Colet, 12/7/1853.

— Du vinaigre ! cria-t-il. Ah ! mon Dieu, deux à la fois !
Et, dans son émotion, il avait peine à poser la compresse.

— Ce n'est rien, disait tout tranquillement M. Boulanger,
tandis qu'il prenait Justin entre ses bras.

5 Et il l'assit sur la table, lui appuyant le dos contre la
muraille.

Madame Bovary se mit à lui retirer sa cravate. Il y avait un
nœud aux cordons de sa chemise ; elle resta quelques
minutes à remuer ses doigts légers dans le cou du jeune gar-
10 çon ; ensuite elle lui versa du vinaigre sur son mouchoir de
batiste ; elle lui en mouillait les tempes à petits coups et elle
soufflait dessus, délicatement.

Le charretier se réveilla : mais la syncope de Justin durait
encore, et ses prunelles disparaissaient dans leur sclérotique
15 pâle, comme des fleurs bleues dans du lait.

— Il faudrait, dit Charles, lui cacher cela.

Madame Bovary prit la cuvette. Pour la mettre sous la
table, dans le mouvement qu'elle fit en s'inclinant, sa robe
(c'était une robe d'été à quatre volants, de couleur jaune,
20 longue de taille, large de jupe), sa robe s'évasa autour d'elle
sur les carreaux de la salle ; — et, comme Emma, baissée,
chancelait un peu en écartant les bras, le gonflement de
l'étoffe se crevait de place en place, selon les inflexions de
son corsage. Ensuite, elle alla prendre une carafe d'eau, et
25 elle faisait fondre des morceaux de sucre lorsque le pharmacien arriva. La servante l'avait été chercher dans l'algarade ;
en apercevant son élève les yeux ouverts, il reprit haleine.
Puis, tournant autour de lui, il le regardait de haut en bas.

— Sot ! disait-il ; petit sot, vraiment ! sot en trois lettres !
30 Grand-chose, après tout, qu'une phlébotomie ! et un gaillard qui n'a peur de rien ! une espèce d'écureuil, tel que
vous le voyez, qui monte locher[1] des noix à des hauteurs
vertigineuses. Ah ! oui, parle, vante-toi ! voilà de belles dispositions à exercer plus tard la pharmacie ; car tu peux te
35 trouver appelé en des circonstances graves, par-devant les
tribunaux, afin d'y éclairer la conscience des magistrats ; et il
faudra pourtant garder son sang-froid, raisonner, se montrer
homme, ou bien passer pour un imbécile !

Justin ne répondait pas. L'apothicaire continuait :

40 — Qui t'a prié de venir ? Tu importunes toujours monsieur et madame ! Les mercredis, d'ailleurs, ta présence
m'est plus indispensable. Il y a maintenant vingt personnes à
la maison. J'ai tout quitté, à cause de l'intérêt que je te

1. Locher : normandisme : secouer un
arbre pour en faire tomber les fruits.

porte. Allons, va-t'en ! cours ! attends-moi, et surveille les bocaux !

Quand Justin, qui se rhabillait, fut parti, l'on causa quelque peu des évanouissements. Madame Bovary n'en avait jamais eu.

— C'est extraordinaire pour une dame ! dit M. Boulanger. Du reste, il y a des gens bien délicats. Ainsi j'ai vu, dans une rencontre, un témoin perdre connaissance rien qu'au bruit des pistolets que l'on chargeait.

— Moi, dit l'apothicaire, la vue du sang des autres ne me fait rien du tout ; mais l'idée seulement du mien qui coule suffirait à me causer des défaillances, si j'y réfléchissais trop.

Cependant M. Boulanger congédia son domestique, en l'engageant à se tranquilliser d'esprit, puisque sa fantaisie était passée.

— Elle m'a procuré l'avantage de votre connaissance, ajouta-t-il.

Et il regardait Emma durant cette phrase.

Puis il déposa trois francs sur le coin de la table, salua négligemment et s'en alla.

Il fut bientôt de l'autre côté de la rivière (c'était son chemin pour s'en retourner à la Huchette) ; et Emma l'aperçut dans la prairie, qui marchait sous les peupliers, se ralentissant de temps à autre, comme quelqu'un qui réfléchit.

— Elle est fort gentille ! se disait-il ; elle est fort gentille, cette femme du médecin ! De belles dents, les yeux noirs, le pied coquet, et de la tournure comme une Parisienne. D'où diable sort-elle ? Où donc l'a-t-il trouvée, ce gros garçon-là ?

M. Rodolphe Boulanger avait trente-quatre ans ; il était de tempérament brutal et d'intelligence perspicace, ayant d'ailleurs beaucoup fréquenté les femmes, et s'y connaissant bien. Celle-là lui avait paru jolie ; il y rêvait donc, et à son mari.

— Je le crois très bête. Elle en est fatiguée sans doute. Il porte des ongles sales et une barbe de trois jours. Tandis qu'il trottine à ses malades, elle reste à ravauder des chaussettes. Et on s'ennuie ! on voudrait habiter la ville, danser la polka tous les soirs ! Pauvre petite femme ! Ça bâille après l'amour, comme une carpe après l'eau sur une table de cuisine. Avec trois mots de galanterie, cela vous adorerait, j'en suis sûr ! ce serait tendre ! Charmant !... Oui, mais comment s'en débarrasser ensuite ?

Alors les encombrements du plaisir, entrevus en perspective, le firent par contraste, songer à sa maîtresse. C'était une comédienne de Rouen, qu'il entretenait ; et, quand il se fut arrêté sur cette image, dont il avait, en souvenir même, des rassasiements :

5 — Ah ! madame Bovary, pensa-t-il, est bien plus jolie qu'elle, plus fraîche surtout. Virginie, décidément, commence à devenir trop grosse. Elle est si fastidieuse avec ses joies. Et, d'ailleurs, quelle manie de salicoques[1] !

La campagne était déserte, et Rodolphe n'entendait
10 autour de lui que le battement régulier des herbes qui fouettaient sa chaussure, avec le cri des grillons tapis au loin sous les avoines ; il revoyait Emma dans la salle, habillée comme il l'avait vue, et il la déshabillait.

— Oh ! je l'aurai ! s'écria-t-il en écrasant, d'un coup de
15 bâton, une motte de terre devant lui.

Et, aussitôt, il examina la partie politique de l'entreprise. Il se demandait :

— Où se rencontrer ? par quel moyen ? On aura continuellement le marmot sur les épaules, et la bonne, les voi-
20 sins, le mari, toute sorte de tracasseries considérables. Ah bah ! dit-il, on y perd trop de temps !

Puis il recommença :

— C'est qu'elle a des yeux qui vous entrent au cœur comme des vrilles ①. Et ce teint pâle !... Moi, qui adore les
25 femmes pâles !

Au haut de la côte d'Argueil, sa résolution était prise.

— Il n'y a plus qu'à chercher les occasions. Eh bien ! j'y passerai quelquefois, je leur enverrai du gibier, de la volaille ; je me ferai saigner, s'il le faut ; nous deviendrons
30 amis, je les inviterai chez moi... Ah ! parbleu ! ajouta-t-il, voilà les Comices bientôt ; elle y sera, je la verrai. Nous commencerons, et hardiment, car c'est le plus sûr ②.

1. *Salicoque : normandisme : crevette grise ou rose.*

① L'œil et le regard

« Il faut bien distinguer entre l'œil et son activité spécifique (ses ripostes, crues, éruptions), car il possède, chez la femme en particulier, de telles ressources que nul ne se hasarderait à le défier. Qu'adviendrait-il si les yeux d'Emma se fixaient contre moi ? J'attendrais, pour les observer, le moment du reflux, du repos. Les voici qui rêvent, sommeillent, travaillent ou se lèvent doucement. Ils sont profonds et noirs, comme ceux de Mme Arnoux. Dès sa première visite aux Bertaux, Charles note que les mains d'Emma sont imparfaites, un peu brunes et sèches, mais ses yeux admirables :

"... quoiqu'ils fussent bruns, ils semblaient noirs à cause des cils..." "De belles dents, les yeux noirs...", se dira Rodolphe, toujours comptable dans ses déterminations amoureuses. A l'auberge du *Lion d'or*, Léon n'avait pas été moins sensible aux "grands yeux noirs tout ouverts", ces yeux dont Charles étudie les reflets :
"... noirs à l'ombre et bleu foncé au grand jour, ils avaient comme des couches de couleurs successives, et qui, plus épaisses dans le fond, allaient en s'éclaircissant vers la surface de l'émail."
Emma morte, Charles s'approche :

"... ses yeux commençaient à disparaître dans une pâleur visqueuse qui ressemblait à une toile mince, comme si des araignées avaient filé dessus."
Les prunelles ternies, voilées, condamnées (comme on le dit d'une fenêtre ou d'une trappe), rappellent des échappées anciennes aux sources du regard :
"Vus de si près, ses yeux lui paraissaient agrandis, surtout quand elle ouvrait plusieurs fois de suite ses paupières en s'éveillant... [...] Son œil, à lui, se perdait dans ces profondeurs, et il s'y voyait en petit jusqu'aux épaules, avec le foulard qui le coiffait et le haut de sa chemise entrouvert."
Au petit matin, l'œil paresse en lui-même, désarmé, et Charles, le prenant au dépourvu, peut se retrouver tout entier dans la nappe profonde. Inhabituelle complaisance du corps endormi. Il arrive peu que l'œil serve de miroir. "Prunelle ardente", il n'a pas pour mission de refléter, mais d'éblouir, de pénétrer, et d'abord d'éclairer *comme une lampe*. Dans l'agonie, les yeux d'Emma "pâlissaient comme deux globes de lampe qui s'éteignent". Sans doute, la métaphore déçoit, étant de celles

qui, selon Proust, auraient pu naître sans le secours de l'auteur. Mais s'agit-il d'une métaphore ? Flaubert ne définirait-il pas plutôt la fonction élémentaire de l'œil ? En 1846, il écrivait à Louise Colet : "Je contemplais ta tête dans la nuit, je la voyais malgré les ténèbres, tes yeux t'éclairaient toute la figure."

[...]

L'œil aimé ne brille pas seulement dans sa nuit. Il captive et sollicite. Quel visage s'éclairerait pour lui-même ? Et chaque fois il aveugle, enivre, paralyse. La contemplation de Mme Arnoux engourdit Frédéric ou l'énerve "comme l'usage d'un parfum trop fort", ou encore l'éblouit. Flaubert écrit curieusement : "dans l'éblouissement que lui *envoyèrent* ses yeux". Ainsi, l'éblouissement désigne moins un état qu'un projectile ; il vient d'ailleurs, il est infligé :

"C'est qu'elle a des yeux qui vous entrent au cœur comme des vrilles !"

Des *Mémoires d'un fou* à l'*Éducation sentimentale*, ce sont les mêmes litanies :

"... comme la peau de leurs mains est douce, comme leurs regards nous pénètrent !"

Douceur et pénétration ne sont pas contradictoires. Les mains et les yeux travaillent de concert. C'est à celles-ci qu'il

appartient de retenir l'homme et de l'immobiliser à force de caresses :

"... elle recommença sa caresse accoutumée, qui était de me passer la main dans les cheveux tandis qu'elle me regardait fixement, face à face, les yeux dardés contre les miens. Dans cette pose immobile, sa prunelle parut se dilater, il en sortait un fluide que je sentais me couler sur le cœur..."

Flaubert invertit les rapports de l'œil et de la main. Celui-ci cesse d'être l'organe du seul choix ou de la possession fictive : il incise, pénètre, possède. Mais quelle que soit leur dignité respective, l'œil et la main s'apparentent par leur force contenue, leur "virilité cachée". Ainsi la main d'Émilie

"avait quelquefois des pres-

sions brutales, de même que son œil tendre, toujours à demi fermé, lançait à certains moments un jet rapide, incisif, mordant..."

L'on découvre même, à se pencher sur Maria, le duvet de ses joues,

"un duvet fin qui brunissait sa lèvre supérieure et donnait à sa figure une expression mâle et énergique à faire pâlir les beautés blondes".

Mais c'est dans la fougue et l'"humidité presque féroce" de son regard que réside l'ascendant de la femme. Elle détient à la fois les provisions et l'*initiative* de la volupté.

L'homme, chez Flaubert, ne fait que *répondre* à la "volupté qui s'écoule du regard des femmes". Léon contemplait Emma, et

"il lui semblait que son âme, s'échappant vers elle, se répandait comme une onde sur le contour de sa tête, et descendait entraînée dans la blancheur de sa poitrine".

Mais voici qu'Emma, à son tour, se convainc de l'efficace de son charme :

"Il sort de tes yeux, dit-elle à Léon, quelque chose de si doux, qui me fait tant de bien !" »

ROGER KEMPF, 1968, « La découverte du corps dans les romans de Flaubert » in *Sur le corps romanesque*, Seuil, pp. 106-109.

② Le petit journal de Madame Bovary

« Ce livre, tout en calcul et en ruses de style, n'est pas de mon sang, je ne le porte point en mes entrailles, je sens que c'est de ma part une chose voulue, factice. Ce sera peut-être un tour de force qu'admireront certaines gens (et encore en petit nombre) ; d'autres y trouveront quelque vérité de détail et d'observation. Mais de l'air ! de l'air ! Les grandes tournures, les larges et pleines périodes se déroulant comme des fleuves, la multiplicité des métaphores, les grands éclats du style, tout ce que j'aime enfin, n'y sera pas. Seulement, j'en sortirai peut-être préparé à écrire ensuite quelque bonne chose.

Je suis bien désireux d'être dans une quinzaine de jours, afin de lire à B(ouilhet) tout ce commencement de ma deuxième partie (ce qui fera 120 pages, l'œuvre de dix mois). J'ai peur qu'il n'y ait pas grande proportion, car pour le corps même du roman, pour l'action, pour la passion agissante, il ne me restera guère que 120 à 140 pages, tandis que les préliminaires en auront plus du double. J'ai suivi, j'en suis sûr, l'ordre *vrai*, l'ordre naturel. On porte vingt ans une passion sommeillante qui n'agit qu'un seul jour et meurt. Mais la proportion esthétique n'est pas la physiologique. Mouler la vie, est-ce l'idéaliser ? Tant pis, si le moule est de bronze ! C'est déjà quelque chose ; tâchons qu'il soit de bronze. »

A Louise Colet, 21-22/5/1853.

« Enfin de finir ma première partie (de la seconde). (...) J'ai déjà deux cent soixante pages et qui ne contiennent que des préparations d'action, des expositions plus ou moins déguisées de caractère (il est vrai qu'elles sont graduées), de paysages, de lieux. Ma conclusion, qui sera le récit de la mort de ma petite femme, son enterrement et les tristesses du mari qui suivent, aura soixante pages au moins. Restent donc, pour le corps même de l'action, cent vingt à cent soixante pages tout au plus. N'est-ce pas une grande défectuosité ? Ce qui me rassure (médiocrement cependant), c'est que ce livre est une biographie plutôt qu'une péripétie développée. Le drame y a peu de part et, si cet élément dramatique est bien noyé dans le ton général du livre, peut-être ne s'apercevra-t-on pas de ce manque d'harmonie entre les différentes phases, quant à leur développement. »

A Louise Colet, 25-26 juin 1853.

VIII

Ils arrivèrent, en effet, ces fameux Comices ① ! Dès le matin de la solennité, tous les habitants, sur leurs portes, s'entretenaient des préparatifs ; on avait enguirlandé de lierres le fronton de la mairie ; une tente, dans un pré, était
5 dressée pour le festin, et, au milieu de la place, devant l'église, une espèce de bombarde[1] devait signaler l'arrivée de M. le préfet et le nom des cultivateurs lauréats. La garde nationale[2] de Buchy (il n'y en avait point à Yonville) était venue s'adjoindre au corps des pompiers, dont Binet était le
10 capitaine. Il portait, ce jour-là, un col encore plus haut que de coutume ; et, sanglé dans sa tunique, il avait le buste si roide et immobile, que toute la partie vitale de sa personne semblait être descendue dans ses deux jambes, qui se levaient en cadence, à pas marqués, d'un seul mouvement.
15 Comme une rivalité subsistait entre le percepteur et le colonel, l'un et l'autre, pour montrer leurs talents, faisaient à part manœuvrer leurs hommes. On voyait alternativement passer et repasser les épaulettes rouges et les plastrons noirs. Cela ne finissait pas et toujours recommençait ! Jamais il n'y
20 avait eu pareil déploiement de pompe ! Plusieurs bourgeois, dès la veille, avaient lavé leurs maisons ; des drapeaux tricolores pendaient aux fenêtres entrouvertes ; tous les cabarets étaient pleins ; et, par le beau temps qu'il faisait, les bonnets empesés, les croix d'or et les fichus de couleur paraissaient
25 plus blancs que neige, miroitaient au soleil clair, et relevaient de leur bigarrure éparpillée la sombre monotonie des redingotes et des bourgerons[3] bleus. Les fermières des environs retiraient, en descendant de cheval, la grosse épingle qui leur serrait autour du corps leur robe retroussée de peur des
30 taches ; et les maris, au contraire, afin de ménager leurs chapeaux, gardaient par-dessus des mouchoirs de poche, dont ils tenaient un angle entre les dents.

La foule arrivait dans la grande rue par les deux bouts du village. Il s'en dégorgeait des ruelles, des allées, des mai-
35 sons, et l'on entendait de temps à autre retomber le marteau des portes, derrière les bourgeoises en gants de fil, qui sor-

1. Bombarde : canon primitif.
2. La garde nationale était une milice bourgeoise créée sous la Révolution et à laquelle la monarchie de Juillet avait redonné de l'importance.
3. Bourgeron : blouse de grosse toile.

⟨1⟩ Le petit journal de Madame Bovary

« Ce matin, j'ai été à un comice agricole, dont j'en (*sic*) suis revenu mort de fatigue et d'ennui. J'avais besoin de voir une de ces ineptes cérémonies rustiques pour ma *Bovary*, dans la deuxième partie. »

A Louise Colet, 18/7/1852.

« Ce soir, je viens d'esquisser toute ma grande scène des Comices agricoles. Elle sera énorme ; ça aura bien trente pages. Il faut que, dans le récit de cette fête rustico-municipale et parmi ses détails (où *tous* les personnages secondaires du livre paraissent, parlent et agissent), je poursuive, et au premier plan, le dialogue continu d'un monsieur *chauffant* une dame. J'ai de plus, au milieu, le discours solennel d'un conseiller de préfecture, et à la fin (tout terminé) un article de journal fait par mon pharmacien, qui rend compte de la fête en bon style philosophique, poétique et progressif. Tu vois que ce n'est pas une petite besogne. Je suis sûr de ma couleur et de bien des effets ; mais pour que tout cela ne soit pas trop long, c'est le diable ! Et cependant ce sont de ces choses qui doivent être abondantes et pleines. Une fois ce pas-là franchi, j'arriverai vite à ma baisade dans les bois par un temps d'automne (avec leurs chevaux à côté qui broutent les feuilles), et alors je crois que j'y verrai clair, et que j'aurai passé Charybde, si Scylla me reste. »

A Louise Colet, 15/7/1853.

« Bouilhet prétend que ce sera la plus belle scène du livre. Ce dont je suis sûr, c'est qu'elle sera neuve et que l'intention en est bonne. Si jamais les effets d'une symphonie ont été reportés dans un livre, ce sera là ! *Il faut que ça hurle par l'ensemble*, qu'on entende à la fois des beuglements de taureaux, des soupirs d'amour et des phrases d'administrateurs. Il y a du soleil sur tout cela, et des coups de vent qui font remuer les grands bonnets. Mais les passages les plus difficiles de *Saint Antoine* étaient jeux d'enfant en comparaison. J'arrive au dramatique rien que par l'entrelacement du dialogue et les oppositions de caractère. »

A Louise Colet, 12/10/1853.

taient pour aller voir la fête. Ce que l'on admirait surtout, c'étaient deux longs ifs couverts de lampions qui flanquaient une estrade où s'allaient tenir les autorités ; et il y avait de plus, contre les quatre colonnes de la mairie, quatre maniè-
5 res de gaules, portant chacune un petit étendard de toile verdâtre, enrichi d'inscriptions en lettres d'or. On lisait sur l'un : « Au Commerce » ; sur l'autre : « A l'Agriculture » ; sur le troisième : « A l'Industrie » ; et sur le quatrième : « Aux Beaux-Arts ». ⟨1⟩

10   Mais la jubilation qui épanouissait tous les visages paraissait assombrir madame Lefrançois, l'aubergiste. Debout sur les marches de sa cuisine, elle murmurait dans son menton :
  — Quelle bêtise ! quelle bêtise avec leur baraque de toile ! Croient-ils que le préfet sera bien aise de dîner là-bas,
15 sous une tente, comme un saltimbanque ? Ils appellent ces embarras-là, faire le bien du pays ! Ce n'était pas la peine, alors, d'aller chercher un gargotier[1] à Neufchâtel ! Et pour qui ? pour des vachers ! des va-nu-pieds !...

L'apothicaire passa. Il portait un habit noir[2], un pantalon
20 de nankin, des souliers de castor, et par extraordinaire un chapeau, — un chapeau bas de forme.
  — Serviteur ! dit-il ; excusez-moi, je suis pressé.

Et comme la grosse veuve lui demanda où il allait :
  — Cela vous semble drôle, n'est-ce pas ? moi qui reste
25 toujours plus confiné dans mon laboratoire que le rat du bonhomme[3] dans son fromage.
  — Quel fromage ? fit l'aubergiste.
  — Non, rien ! ce n'est rien ! reprit Homais. Je voulais vous exprimer seulement, madame Lefrançois, que je
30 demeure d'habitude tout reclus chez moi. Aujourd'hui, cependant, vu la circonstance, il faut bien que...
  — Ah ! vous allez là-bas ? dit-elle avec un air de dédain.
  — Oui, j'y vais, répliqua l'apothicaire étonné ; ne fais-je point partie de la commission consultative ?
35   La mère Lefrançois le considéra quelques minutes, et finit par répondre en souriant :
  — C'est autre chose ! Mais qu'est-ce que la culture vous regarde ? vous vous y entendez donc ?
  — Certainement, je m'y entends, puisque je suis phar-
40 macien, c'est-à-dire chimiste ! et la chimie, madame Lefrançois, ayant pour objet la connaissance de l'action réciproque et moléculaire de tous les corps de la nature, il s'ensuit que l'agriculture se trouve comprise dans son domaine ! Et, en

1. *Gargotier : tenancier de gargote, restaurant à bon marché où l'on propose une médiocre cuisine.*
2. *« Habit noir. En province est le dernier terme de la cérémonie et du dérangement ». (Dictionnaire des idées reçues.)*
3. *Allusion au Rat qui s'est retiré du monde, fable (VII, 3) de La Fontaine, souvent surnommé le bonhomme.*

⟨1⟩ Les lampions : de l'éclat à l'extinction

Scène travaillée s'il en fut, les Comices devaient présenter un épisode particulièrement ciselé, celui du poseur de lampions. Voici ce passage d'après le manuscrit, un extrait de la correspondance qui insiste sur l'importance que Flaubert lui accordait et une analyse des raisons de sa suppression :

« Jusqu'à trois heures cependant, rien d'extraordinaire n'avait eu lieu, lorsque l'on découvrit au premier étage de la mairie un individu qui se penchait en dehors des fenêtres et qui aligna sur leur dalle extérieure six lampions. On savait donc à quoi s'en tenir sur la quantité des luminaires, d'avance même l'on s'en réjouissait. Mais on entendit un murmure : "Le voilà ! le voilà !" Les nez se levèrent, les yeux cherchèrent, et l'on aperçut au second étage le même étranger en manches de chemise, qui disposait pareillement six autres pots de suif. Alors la foule fut ravie. Ce furent des exclamations, quelques-uns même dans leur gaîté se donnèrent des coups de poing, les enfants se faisaient hisser sur les épaules pour mieux voir, et les vieillards admiraient comme eux, car jamais de mémoire d'homme, on n'avait rien vu de pareil à Yonville l'Abbaye. Tout semblait fini, et même le poseur de lampions, après avoir bien calé les deux derniers, avait disparu depuis longtemps, lorsque soudain,

du milieu de l'œil-de-bœuf, tout en haut, sous les ardoises, on vit un bras sortir, puis, s'allongeant avec effort, déposer sur l'extrémité de la pierre, juste au-dessus de la tête du coq gaulois, encore un dernier lampion. Alors un cri s'échappa, large, prolongé, retentissant et comme le peuple en pousse, lorsque quelque grande passion l'agite.

Le bras cependant apparaissait toujours dans l'œil-de-bœuf, quoiqu'on le distinguait mal à cause de l'éclat des pierres blanchâtres et du soleil qui, frappant en plein sur la petite vitre ronde, faisait

tout autour de lui, comme un disque d'or. On reconnut néanmoins qu'il essayait d'ajuster un dernier lampion tout contre l'autre, ce qu'il réussit à exécuter. Mais la joie de la multitude ne pouvait plus s'accroître. Elle avait monté par degrés, jusqu'à l'extrême limite du possible, comme l'artificier lui-même. Car cet homme bien sûr était l'artificier, puisque le conseil municipal, ne reculant devant aucune dépense, devait à neuf heures du soir faire tirer un feu d'artifice par un Italien, venu de Rouen. »

POMMIER-LELEU, pp. 337-338.

« Ce soir, j'ai encore recommencé sur un nouveau plan ma maudite page des lampions que j'ai déjà écrite quatre fois. Il y a de quoi se casser la tête contre le mur ! Il s'agit (en une page) de peindre les gradations d'enthousiasme d'une multitude à propos d'un bonhomme qui, sur la façade d'une mairie, place successivement plusieurs lampions. Il faut qu'on voie la foule gueuler d'étonnement et de joie ; et cela sans charge ni réflexions de l'auteur. (...) Dans ce moment-ci (...), je viens de montrer, dans un dialogue qui roule sur la pluie et le beau temps, un particulier qui doit être à la fois bon enfant, commun, un peu canaille et prétentieux ! Et à travers tout cela, il faut qu'on voie qu'il *pousse sa pointe.* »

A Louise Colet, 30/9/1853.

« L'épisode du poseur de lampions est réflexif, parce qu'il développe au niveau de la foule, ce qui se passe entre Rodolphe et Emma, entre Lieuvain et ses administrés. Bien plus, il fonctionne à l'intérieur des Comices de la manière dont les Comices fonctionnent dans le roman. L'on peut en effet s'étonner de la position centrale de ce chapitre et de son importance quantitative dans le roman. Mme Gothot-Mersch écrit à ce propos :

Inventé pour les besoins du récit [...] le chapitre se gonfle de toute une matière extérieure à l'histoire d'Emma : description des mœurs de province, discours ridicules, interventions des personnages secondaires, mise en vedette d'Homais. Non seulement le chapitre est central dans *Madame Bovary*, mais il est aussi le plus long. Plus peut-être que son rôle dans les aventures de la jeune femme, son importance matérielle et la prouesse technique qu'il représente, lui assurent sa place de premier plan. (La genèse de *Madame Bovary*, Corti, 1966, pp. 217-218)

Le poseur de lampions, lui aussi, est "inventé pour les besoins du récit", en l'occurrence annoncer le feu d'artifice ; lui aussi "se gonfle de toute une matière exté-

rieure" ; l'un et l'autre, quoique ancrés dans le récit, semblent excédentaires. Mais chez un romancier aussi minutieux que Flaubert, cette excédentarité, justement, fait signe. Elle dit ce qui doit être lu dans les pauvres aventures d'une jeune femme de province : la mise en scène de l'ILLUSION. La position centrale, l'importance quantitative, le soin apporté par Flaubert à la rédaction des Comices et du poseur de lampions ne sont que des conséquences de leur fonction réflexive.

"Jusqu'à trois heures rien n'avait eu lieu", "tout à coup l'on découvrit un étranger les bras nus", "cela promettait d'être beau", "le public ne s'attendait pas à tant", "puis on revit le même homme", "ce fut un ébahissement", "on vit un bras dans un disque d'or". Ces péripéties du poseur de lampions ne racontent-elles pas, à leur manière, l'histoire d'Emma ? Du Vicomte de La Vaubyessard au Léon de Rouen, c'est toujours le même homme qu'elle entrevoit. Flaubert le dit lui-même : "un fantôme fait de ses plus ardents souvenirs, de ses lectures les plus belles, de ses convoitises les plus fortes. A chacune de ses liaisons, l'extase précède de peu l'échec, qu'elle devine de plus en plus tôt et qu'elle

repousse de plus en plus désespérément. La foule, tout à son cri, ne sait pas encore que le feu d'artifice, à la fin des Comices, ne tiendra pas les promesses de l'artificier. Tous les jeux sont pipés. Mais entre deux indifférences, deux désespoirs, il y a LE SPECTACLE DE L'ILLUSION, sous la conduite du maître : le poseur de lampions, Lieuvain, Rodolphe, Flaubert surtout.

En effet, non seulement l'épisode de l'artificier introduit aux creux des Comices et au centre du roman, une duplication structurale et thématique, mais il inscrit également la figure imaginaire de sa production et de sa réception.

[...]

Voilà la faute du poseur de lampions et la cause de sa disparition : dans un scénario typique quoique retors de réappropriation, il réintroduisait le Maître du Spectacle.

La ruse du récit avait choisi à bon escient comme substitut auctorial, un inconnu, un étranger, un spécialiste : cet Italien venu de Rouen. Toute mention de l'Italie est rêve dans *Madame Bovary*.

[...]

C'est donc ici, un artificier : entre la rhétorique de Rodolphe, celle de Lieuvain, et les artifices de l'Art, la polysémie du mot n'est pas vaine.

Flaubert supprimera l'artificier. En début de chapitre et de façon sans doute prématurée, l'épisode instaurait une codification dangereuse en assumant une fonction révélatrice et matricielle : sa valeur métaphorique explosant sur l'œuvre entière, en gênait la polysémie et la progression. Renonçant ainsi à la symétrie qui, du poseur de lampions à l'article d'Homais, "envaginait" les Comices à leurs deux extrémités, Flaubert ne gardera que la duplication finale. L'article d'Homais, en position plus ferme, plus directement cautionné par le caractère et le passé du personnage, plus étroitement limité à la seule narration du chapitre, redit et réfracte dans une ironie moins ambiguë, le seul niveau scriptural. Homais écrira :

Le soir, un brillant feu d'artifice a tout à coup illuminé les airs. On eût dit un véritable kaléidoscope, un vrai décor d'opéra et un moment notre petite localité a pu se croire transportée au milieu d'un rêve des *Mille et une nuits.*

Mais le narrateur nous avait déjà "vendu la mèche" :

Les pièces pyrotechniques (...) avaient, par excès de précaution, été enfermées dans la cave de Tuvache ; aussi la poudre humide ne s'enflammait guère, et le morceau principal qui devait figurer un dragon se mordant la queue, rata complètement.

Cet ouroboros décevant, lui aussi, nous fait signe : il rejoint les reptiles divers qui métaphorisent dans le roman, l'angoisse ou l'érotisme d'Emma ; il image, dans un éternel retour, les infinies réécritures des brouillons ; il consacre les avatars de l'illusion et des structures enchâssées. (...) »

JEANNE GOLDIN, 1982, « Les Comices de l'illusion », *Littérature,* n° 46, pp. 21-24.

effet, composition des engrais, fermentation des liquides, analyse des gaz et influence des miasmes, qu'est-ce que tout cela, je vous le demande, si ce n'est de la chimie pure et simple ?

5   L'aubergiste ne répondit rien. Homais continua :

— Croyez-vous qu'il faille, pour être agronome, avoir soi-même labouré la terre ou engraissé des volailles ? Mais il faut connaître plutôt la constitution des substances dont il s'agit, les gisements géologiques, les actions atmosphéri-
10   ques, la qualité des terrains, des minéraux, des eaux, la densité des différents corps et leur capillarité ! que sais-je ? Et il faut posséder à fond tous ses principes d'hygiène, pour diriger, critiquer la construction des bâtiments, le régime des animaux, l'alimentation des domestiques ! il faut encore,
15   madame Lefrançois, posséder la botanique ; pouvoir discerner les plantes, entendez-vous, quelles sont les salutaires d'avec les délétères, quelles les improductives et quelles les nutritives, s'il est bon de les arracher par-ci et de les ressemer par-là, de propager les unes, de détruire les autres ; bref, il
20   faut se tenir au courant de la science par les brochures et papiers publics, être toujours en haleine, afin d'indiquer les améliorations…

L'aubergiste ne quittait point des yeux la porte du *café Français*, et le pharmacien poursuivit :

25   — Plût à Dieu que nos agriculteurs fussent des chimistes, ou que du moins ils écoutassent davantage les conseils de la science ! Ainsi, moi, j'ai dernièrement écrit un fort opuscule, un mémoire de plus de soixante et douze pages, intitulé : *Du cidre, de sa fabrication et de ses effets ; suivi de quelques*
30   *réflexions nouvelles à ce sujet*, que j'ai envoyé à la Société agronomique de Rouen ; ce qui m'a même valu l'honneur d'être reçu parmi ses membres, section d'agriculture, classe de pomologie[1] ; eh bien, si mon ouvrage avait été livré à la publicité… ①

35   Mais l'apothicaire s'arrêta, tant madame Lefrançois paraissait préoccupée.

— Voyez-les donc ! disait-elle, on n'y comprend rien ! une gargote semblable !

Et, avec des haussements d'épaules qui tiraient sur sa poi-
40   trine les mailles de son tricot, elle montrait des deux mains le cabaret de son rival, d'où sortaient alors des chansons.

— Du reste, il n'en a pas pour longtemps, ajouta-t-elle, avant huit jours, tout est fini.

1. Pomologie : science des fruits à pépins.

1 Homais est-il bête ?

« Longtemps il a passé pour un crétin. Flaubert devait s'en réjouir. Mais Thibaudet a flairé le piège : il a fait observer que le pharmacien était sans conteste *intelligent*. Mieux : dans ce roman lugubre qui s'achève sur un naufrage, Homais triomphe seul et sur toute la ligne. Supérieur aux officiers de santé, il règne sur le canton ; pour fragmentaires qu'elles soient, les connaissances scientifiques dont il fait étalage témoignent d'une certaine instruction ; l'ascension des Homais ressemble à celle des Flaubert : le fils sera médecin et le petit-fils dira : "Nous sommes *une famille*." Flaubert a, sans aucun doute, voulu peindre un libre penseur ridicule ; mais il a voulu, en même temps, *lui donner raison*. Comment n'a-t-on pas vu que Bournisien est conçu tout exprès pour justifier les diatribes de Homais ? Qu'est-ce qui empêchait l'auteur de montrer un prêtre moins repoussant que ce curé matérialiste, ignare, qui mange et boit comme quatre, n'entend rien aux âmes et que la sottise pousse à l'intolérance ? Quelle étrange mystification : dans le même livre, Flaubert nous montre la bêtise odieuse d'un anticlérical et l'odieuse bêtise d'un prêtre qui justifie pleinement l'anticléricalisme.
[...]
Où donc se trouve le ridicule ? En la satisfaction béate du pharmacien : Flaubert ne le blâme point de détruire *par la Science* les croyances chrétiennes ; il lui reproche de mettre *en la Science* une confiance inconditionnée ; sa bêtise éclate dans les mots "opposées à toutes les lois physiques, ce qui démontre..." : une énorme fatuité s'y révèle, une foi tout aussi stupide que l'autre ; l'Absolu n'a fait que se déplacer : la Religion le logeait au ciel, le Scientisme libéral le met dans la Raison humaine. Et cet Être suprême, auquel le pharmacien prétend croire, il rappelle à Flaubert le culte révolutionnaire que le "haïssable" Robespierre avait instauré. Cette abstraction n'a d'autre office que de garantir la rationalité de l'univers et l'éthique de la bourgeoisie : le Dieu de Homais n'est point la contestation de l'homme ; il le divinise au contraire et se tient à ses ordres. Toute la différence est là : Flaubert, incroyant par fatalité, constate dans le désespoir l'absence de Dieu, la sottise des mythes, l'igno-rance turpide et le matérialisme des prêtres ; Homais, héritier du déisme révolutionnaire, fait les mêmes constatations dans la sérénité ; mieux : il fonde sa tranquillité d'âme sur elles. Quand le pharmacien oppose la physique aux dogmes catholiques, Flaubert n'a rien à lui répondre, lui qui écrit si souvent : "Je hais l'antiphysis." Mais l'auteur n'en déteste pas moins sa créature : ce qu'il reproche à Homais, c'est de se complaire à écraser sous l'entassement de petites vérités précises et coupantes les grandes inquiétudes de l'humanité. Cette bêtise invincible et victorieuse, dont les entreprises, habilement menées, réussissent toujours et qui, finale-

Homais se recula de stupéfaction. Elle descendit ses trois marches, et, lui parlant à l'oreille :

— Comment ! vous ne savez pas cela ? On va le saisir cette semaine. C'est Lheureux qui le fait vendre. Il l'a assas-
5 siné de billets.

— Quelle épouvantable catastrophe ! s'écria l'apothicaire, qui avait toujours des expressions congruantes[1] à toutes les circonstances imaginables. ①

L'hôtesse donc se mit à lui raconter cette histoire, qu'elle
10 savait par Théodore, le domestique de M. Guillaumin, et, bien qu'elle exécrât Tellier, elle blâmait Lheureux. C'était un enjôleur, un rampant.

— Ah ! tenez, dit-elle, le voilà sous les halles ; il salue madame Bovary, qui a un chapeau vert. Elle est même au
15 bras de M. Boulanger.

— Madame Bovary ! fit Homais. Je m'empresse d'aller lui offrir mes hommages. Peut-être qu'elle sera bien aise d'avoir une place dans l'enceinte, sous le péristyle[2].

Et, sans écouter la mère Lefrançois, qui le rappelait pour
20 lui en conter plus long, le pharmacien s'éloigna d'un pas rapide, sourire aux lèvres et jarret tendu, distribuant de droite et de gauche quantité de salutations et emplissant beaucoup d'espace avec les grandes basques de son habit noir, qui flottaient au vent derrière lui.

25 Rodolphe, l'ayant aperçu de loin, avait pris un train rapide ; mais madame Bovary s'essouffla ; il se ralentit donc et lui dit en souriant, d'un ton brutal :

— C'est pour éviter ce gros homme : vous savez, l'apothicaire.

30 Elle lui donna un coup de coude.

— Qu'est-ce que cela signifie ? se demanda-t-il.

Et il la considéra du coin de l'œil, tout en continuant à marcher.

Son profil était si calme, que l'on n'y devinait rien. Il se
35 détachait en pleine lumière, dans l'ovale de sa capote[3] qui avait des rubans pâles ressemblant à des feuilles de roseau. Ses yeux aux longs cils courbes regardaient devant elle, et, quoique bien ouverts, ils semblaient un peu bridés par les pommettes, à cause du sang, qui battait doucement sous sa
40 peau fine. Une couleur rose traversait la cloison de son nez. Elle inclinait la tête sur l'épaule, et l'on voyait entre ses lèvres le bout nacré de ses dents blanches.

— Se moque-t-elle de moi ? songeait Rodolphe.

1. Congruante : qui convient à... (normalement « congruente »). L'expression « Quelle épouvantable catastrophe » appartient probablement au « Garçon », personnage inventé par Flaubert et ses amis, chargé à la fois d'incarner et de critiquer le bourgeois.
2. Péristyle : galerie à colonnes de cette « manière de temple grec » qu'est la mairie (cf. p. 208).
3. Capote : chapeau en étoffe plissée ou piquée, se nouant avec des rubans sous le menton.

nent, rend compte de tout le
éel, de tout ce que nous som-
nes, il faut, pour découvrir sa
iideur, son abjecte suffisance,
son matérialisme à courte vue,
se placer au point de vue de

ce qui aurait dû être et n'a pas
été, au point de vue de
l'absence, du Néant, du vide,
de notre vain désir et de notre
délaissement. Et finalement,
quelle est cette pensée carica-

turale que Flaubert a logée en
Homais ? Eh bien, c'est tout
simplement le rationalisme
expérimental du docteur Flaubert ; c'est la Science tout
entière, rabaissée jusqu'à
l'imbécillité. »

JEAN-PAUL SARTRE,
1971-1972,
L'Idiot de la famille, réédition
Tel, Gallimard, tome I, pp.
642-644.

La parole du pharmacien

Si nous suivons le fil conduc-
eur du paradigme thématique
parole/écriture, l'opposition
structurante du roman n'est ni
Emma *vs* Rodolphe, ni Emma
s Charles (ni encore la "tarte
à la crème" de la critique traditionnelle, Homais *vs* Bournisien) ; le doublet privilégié
n'est autre qu'Emma *vs*
Iomais, opposition fondamen-
ale mi-énoncée mi-dissimulée
par leur nom, qu'il faut lire :
emm(a) vs Hom(ais). Cette
ecture consiste à suppléer au
nanque d'Emma en lui restau-
ant son F tronqué, et à retran-
ther le supplément de
Iomais, en mettant entre
parenthèses son suffixe sura-
outé. Comment ne pas voir
lans les opérations que Flaubert a fait subir aux termes de
opposition sexuelle pour

générer les noms des personnages, l'équivalent sur le plan
du signifiant de la castration ?
Ainsi nous pourrions qualifier
l'axe de la castration d'archi-
axe, axe principal qui subordonne tous les autres axes
sémantiques du roman.
A l'incapacité d'Emma de
trouver les mots nécessaires
pour exprimer ses pensées
(un des corollaires de la théorie cratylienne étant que les
pensées/sentiments *précèdent* la parole), s'oppose
l'adéquation toujours réitérée
des pensées et des paroles du
pharmacien :

Peut-être aurait-elle souhaité faire à
quelqu'un la confidence de toutes ces
choses. Mais comment dire un insaisissable malaise, qui change d'aspect comme
les nuées, qui tourbillonne comme le
vent ? Les mots lui manquaient donc,
l'occasion, la hardiesse.

– Quelle épouvantable catastrophe !
s'écria l'apothicaire, qui avait toujours des
expressions congruentes à toutes les circonstances imaginables.

Notons que l'incapacité
d'Emma est intermittente, sa
cyclothymie est aussi une
pathologie de la parole :

En de certains jours, elle bavardait avec
une abondance fébrile ; à ces exaltations
succédaient tout à coup des torpeurs où
elle restait sans parler, sans bouger.

Néanmoins, sur le plan de
l'encodage de la parole,
Homais l'emporte sans conteste. De tous les personnages
du roman, c'est le seul à travailler inlassablement son
expression. Parler pour lui est
une jouissance : "... car le
pharmacien se plaisait beaucoup à prononcer ce mot *docteur*, comme si, en l'adressant
à un autre, il eût fait rejaillir sur

Ce geste d'Emma pourtant n'avait été qu'un avertissement ; car M. Lheureux les accompagnait, et il leur parlait de temps à autre, comme pour entrer en conversation :

— Voici une journée superbe ! tout le monde est dehors !
5 les vents sont à l'est.

Et madame Bovary, non plus que Rodolphe, ne lui répondait guère, tandis qu'au moindre mouvement qu'ils faisaient, il se rapprochait en disant : « Plaît-il ? » et portait la main à son chapeau.

10 Quand ils furent devant la maison du maréchal, au lieu de suivre la route jusqu'à la barrière, Rodolphe, brusquement, prit un sentier, entraînant madame Bovary ; il cria :

— Bonsoir, M. Lheureux ! au plaisir !

— Comme vous l'avez congédié ! dit-elle en riant.

15 — Pourquoi, reprit-il, se laisser envahir par les autres ? et, puisque, aujourd'hui, j'ai le bonheur d'être avec vous...

Emma rougit. Il n'acheva point sa phrase. Alors il parla du beau temps et du plaisir de marcher sur l'herbe. Quelques marguerites étaient repoussées.

20 — Voici de gentilles pâquerettes, dit-il, et de quoi fournir bien des oracles à toutes les amoureuses du pays[1].

Il ajouta :

— Si j'en cueillais. Qu'en pensez-vous ?

— Est-ce que vous êtes amoureux ? fit-elle en toussant
25 un peu.

— Eh ! eh ! qui sait ? répondit Rodolphe.

Le pré commençait à se remplir, et les ménagères vous heurtaient avec leurs grands parapluies, leurs paniers et leurs bambins. Souvent, il fallait se déranger devant une lon-
30 gue file de campagnardes, servantes en bas bleus, à souliers plats, à bagues d'argent, et qui sentaient le lait, quand on passait près d'elles. Elles marchaient en se tenant par la main, et se répandaient ainsi sur toute la longueur de la prairie, depuis la ligne des trembles jusqu'à la tente du banquet.
35 Mais c'était le moment de l'examen, et les cultivateurs, les uns après les autres, entraient dans une manière d'hippodrome que formait une longue corde portée sur des bâtons.

Les bêtes étaient là, le nez tourné vers la ficelle, et alignant confusément leurs croupes inégales. Des porcs assoupis
40 enfonçaient en terre leur groin ; des veaux beuglaient ; des brebis bêlaient ; les vaches, un jarret replié, étalaient leur ventre sur le gazon, et, ruminant lentement, clignaient leurs paupières lourdes, sous les moucherons qui bourdonnaient

1. Allusion à la marguerite qu'on effeuille pour savoir si l'on est aimé : « un peu, beaucoup, passionnément... »

ui-même quelque chose de la pompe qu'il y trouvait". Parler c'est aussi un art : "Il avait médité sa phrase, il l'avait arrondie, polie, rythmée ; c'était un chef-d'œuvre de prudence et de transition, de tournures fines et de délicatesse." A la différence de Rodolphe, Homais ne parle pas une langue figée, il se plaît à entendre et à reproduire des expressions nouvelles, des mots dans le vent. Ainsi, au cours d'une conversation avec Léon, il révèle ses dons mimétiques extraordinaires, en parlant "Parigot".

...]

Si Rodolphe est un beau parleur, s'il manie avec adresse le code du vil séducteur, Homais a le don *des langues* (le latin, l'anglais, l'argot) qu'il manie avec l'amour d'un érudit, expert en transcodage.

Mais si sur l'axe de la communication, Homais l'emporte sur Emma qui, faut-il le rappeler, ne brille pas en tant que décodeuse, se laissant facilement duper par les clichés que lui débite Rodolphe avant comme après leur liaison "C'était la première fois qu'Emma s'entendait dire ces choses ; et son orgueil, comme quelqu'un qui se délasse dans une étuve, s'étirait mollement et tout entier à la chaleur de ce langage", Elle se laissa prendre à ses

paroles..."), quand on passe à cette communication différée qu'est l'écriture, le rapport de force s'égalise. Certains lecteurs s'étonneront peut-être de cette affirmation, ignorant les activités scripturales d'Emma. Et, pourtant, c'est sur le terrain de l'écriture que la rivalité Emma/Homais se révèle la plus âpre, c'est dans la mesure où ils pratiquent deux écritures différentes, que leur opposition sexuelle devient significative. La croix qu'ambitionne Homais, et dont la réception clôt le roman — "Il vient de recevoir la croix d'honneur" — est destinée à couronner ses écrits, qui sont nombreux. C'est l'écrivailleur par excellence, ayant publié "et à mes frais, différents ouvrages d'utilité publique, tels que... (et il rappelait son mémoire intitulé : *Du cidre, de sa fabrication et de ses effets* ; plus, des observations sur le puceron laniger, envoyées à l'Académie ; son volume de

statistique, et jusqu'à sa thèse de pharmacien) ». Face à cette logorrhée de journaliste, qu'a publié Emma ? Rien, mais elle a écrit. Ce qui, à ma connaissance, a échappé à la critique c'est le rapport thématique et structural de *Madame Bovary* et de la première *Éducation* : le couple Emma/Homais est un nouvel avatar du couple Jules/Henry. Même ceux qui, prenant la célèbre exclamation, "Madame Bovary, c'est moi", au pied de la lettre, se sont attardés sur les similitudes anecdotiques entre Emma et Gustave, sont passés à côté de l'essentiel, du trop évident : Emma, c'est aussi le portrait de l'artiste, mais de *l'artiste en jeune femme*. »

NAOMI SCHOR, 1976,
« Pour une thématique restreinte, écriture, parole et différence dans *Madame Bovary* » in *Littérature*, n° 22, pp. 37-38.

autour d'elles. Des charretiers, les bras nus, retenaient par le licou des étalons cabrés, qui hennissaient à pleins naseaux du côté des juments. Elles restaient paisibles, allongeant la tête et la crinière pendante, tandis que leurs poulains se
5 reposaient à leur ombre, ou venaient les téter quelquefois ; et, sur la longue ondulation de tous ces corps tassés, on voyait se lever au vent, comme un flot, quelque crinière blanche, ou bien saillir des cornes aiguës, et des têtes d'hommes qui couraient. A l'écart, en dehors des lices[1], cent pas
10 plus loin, il y avait un grand taureau noir muselé, portant un cercle de fer à la narine, et qui ne bougeait pas plus qu'une bête de bronze. Un enfant en haillons le tenait par une corde.

Cependant, entre les deux rangées ⟨1⟩, des messieurs
15 s'avançaient d'un pas lourd, examinant chaque animal, puis se consultaient à voix basse. L'un d'eux, qui semblait plus considérable, prenait, tout en marchant, quelques notes sur un album. C'était le président du jury : M. Derozerays de la Panville. Sitôt qu'il reconnut Rodolphe, il s'avança vive-
20 ment, et lui dit en souriant d'un air aimable :

— Comment, monsieur Boulanger, vous nous abandonnez ?

Rodolphe protesta qu'il allait venir. Mais quand le président eut disparu :
25 — Ma foi, non, reprit-il, je n'irai pas ; votre compagnie vaut bien la sienne.

Et, tout en se moquant des comices, Rodolphe, pour circuler plus à l'aise, montrait au gendarme sa pancarte bleue, et même il s'arrêtait parfois devant quelque beau *sujet*, que
30 madame Bovary n'admirait guère. Il s'en aperçut, et alors se mit à faire des plaisanteries sur les dames d'Yonville, à propos de leur toilette ; puis il s'excusa lui-même du négligé de la sienne. Elle avait cette incohérence de choses communes et recherchées, où le vulgaire, d'habitude, croit entrevoir la
35 révélation d'une existence excentrique, les désordres du sentiment, les tyrannies de l'art, et toujours un certain mépris des conventions sociales, ce qui le séduit ou l'exaspère. Ainsi, sa chemise de batiste à manchettes plissées bouffait au hasard du vent, dans l'ouverture de son gilet, qui
40 était de coutil[2] gris, et son pantalon à larges raies découvrait aux chevilles ses bottines de nankin, claquées[3] de cuir verni. Elles étaient si vernies, que l'herbe s'y reflétait. Il foulait avec

1. Lice : terrain entouré de palissades.
2. Coutil : toile grise de lin ou de coton.
3. Claquées : les chaussures ont du cuir au bout et sur les côtés. Elles se portent dans ce cas à la ville. C'est un signe d'élégance urbaine qui contribue à singulariser Rodolphe, à l'instar de ses gants jaunes (cf. p. 334).

① Deux ou le chiffre clé

Le "groupe binaire", C. Gothot-Mersch l'a remarqué après, entre autres, Thibaudet et P. Moreau), est à la fois pour Flaubert "un procédé d'invention et un schéma struturel") ; est aussi un trait social, et l'antithèse ne l'épuise pas. Madame Bovary est gouvernée par une hantise de la répétition qui s'étend aux lieux : Tostes/Yonville, ferme des Bertaux/maison Rollet..., aux scènes : bal à la Vaubyessard/Opéra à Rouen..., et aux personnages : vicomte/Léon, vicomte/Rodolphe, Léon/Rodolphe, vicomte/ténor, ténor/Léon, Léon/Léon, Homais/Bournisien, lesquels s'opposent et se complètent aussi parfaitement que deux flambeaux sur une cheminée bourgeoise". Pour les objets il s'agit souvent, ici encore, d'une nécessité fonctionnelle : on voit mieux avec deux bougies ; mais Flaubert met un soin irritant à signaler les objets doubles, qui reçoivent dès lors des connotations de bêtise lancinante, de monotonie itérative : "... et elle restait accoudée sur le bord, entre deux pots de géranium", "... et elle restait le coude au bord de son assiette, entre les deux bougies qui brûlaient", ou encore de suffisance satisfaite, comme si le bourgeois pensait double. Les deux vases de fonte devant le perron du notaire obéissent à un mécanisme décoratif, mais pourquoi deux réchauds d'argent sur sa table à déjeuner et deux épingles de diamant à sa cravate ? Garniture de cheminée oblige : ce sont deux flambeaux, deux grands vases bleus, deux fleurets en sautoir ou deux coquilles roses. Inévitables, sans doute, deux bocaux dans la vitrine du pharmacien, deux banderoles d'indienne devant celle du

marchand de nouveautés, deux tringles pour l'enseigne du perruquier, mais pourquoi le *Fanal de Rouen* a-t-il chu entre *les* deux pilons ? Emma commande une caisse de voyage, Lheureux lui en livre deux, est-ce ruse mercantile ou facétie arithmétique ?

Une donnée sociale devient ainsi un élément d'une vision du monde et presque un tic d'écriture. On dirait même qu'une des raisons de la haine de Flaubert pour les bottes est qu'elles appellent les marques doubles : Charles "portait toujours de fortes bottes, qui avaient au cou-de-pied deux plis épais", et nous avons vu celles de Binet "bien cirées" avec "deux renflements parallèles". Glissant des vêtements aux êtres, le chiffre deux décompose, dirait-on, les corps en fascinants objets de chair. Voici Charles au coin du feu : "les deux mains sur son ventre, les deux pieds sur les chenets". Voici les paysans des Comices endimanchés, embourgeoisés, cols raides et cravates blanches : "et l'on appuyait ses deux mains sur ses deux cuisses...".

C'est dans ce chapitre que le procédé — conscient ou non — est particulièrement lisible : le chiffre deux y revient 18 fois, comme un leitmotiv, accompagnant le duo d'amour

elles les crottins de cheval, une main dans la poche de sa veste et son chapeau de paille mis de côté.

— D'ailleurs, ajouta-t-il, quand on habite la campagne…

— Tout est peine perdue, dit Emma.

5 — C'est vrai ! répliqua Rodolphe. Songer que pas un seul de ces braves gens n'est capable de comprendre même la tournure d'un habit !

Alors ils parlèrent de la médiocrité provinciale, des existences qu'elle étouffait, des illusions qui s'y perdaient[1].

10 — Aussi, disait Rodolphe, je m'enfonce dans une tristesse…

— Vous ! fit-elle avec étonnement. Mais je vous croyais très gai ?

— Ah ! oui, d'apparence, parce qu'au milieu du monde
15 je sais mettre sur mon visage un masque railleur, et cependant que de fois, à la vue d'un cimetière, au clair de lune[2], je me suis demandé si je ne ferais pas mieux d'aller rejoindre ceux qui sont à dormir…

— Oh ! Et vos amis ? dit-elle. Vous n'y pensez pas.

20 — Mes amis ? lesquels donc ? en ai-je ? Qui s'inquiète de moi ?

Et il accompagna ces derniers mots d'une sorte de sifflement entre ses lèvres.

Mais ils furent obligés de s'écarter l'un de l'autre à cause
25 d'un grand échafaudage de chaises qu'un homme portait derrière eux. Il en était si surchargé, que l'on apercevait seulement la pointe de ses sabots, avec le bout de ses deux bras, écartés droit. C'était Lestiboudois, le fossoyeur, qui charriait dans la multitude les chaises de l'église. Plein d'imagination
30 pour tout ce qui concernait ses intérêts, il avait découvert ce moyen de tirer parti des comices ; et son idée lui réussissait, car il ne savait plus auquel entendre[3]. En effet, les villageois, qui avaient chaud, se disputaient ces sièges dont la paille sentait l'encens, et s'appuyaient contre leurs gros dossiers
35 salis par la cire des cierges, avec une certaine vénération.

Madame Bovary reprit le bras de Rodolphe ; il continua comme se parlant à lui-même :

— Oui ! tant de choses m'ont manqué ! toujours seul ! Ah ! si j'avais eu un but dans la vie, si j'eusse rencontré une
40 affection, si j'avais trouvé quelqu'un… Oh ! comme j'aurais dépensé toute l'énergie dont je suis capable, j'aurais surmonté tout, brisé tout !

1. « *Illusions : se plaindre de ce qu'on les a perdues, affecter d'en avoir eu beaucoup* ». (Dictionnaire des idées reçues.)
2. « *Lune. Inspire la mélancolie* ». (Dictionnaire des idées reçues.)
3. *Auquel entendre : avec qui se mettre d'accord.*

ntre "deux pauvres âmes", n-dessus de l'estrade flanuée de deux longs ifs. omais ne peut que conclure ar un toast "à l'industrie et ux beaux-arts, ces deux eurs".

, j'osais, en dépit de Homais, ansformer ces sœurs en frèes ennemis, je serais tenté de oir leur antagonisme métahorisé dans les deux objets ui encadrent la fin de la prenière partie : le porte-cigare t le bouquet de mariage. A ux seuls, ils nous permettent n tout cas de résumer toutes es remarques. L'un ouvre et autre clôt un chapitre ominé par l'opposition de ici et de l'ailleurs, tous deux bjets reparaissant (ils ont un assé dans le texte), tous deux bjets de communication, uisque cadeaux à l'origine, us deux maintenant objets iographiques, à un tournant e leur histoire.

u premier abord, les deux bjets ne paraissent pas situés u même niveau romanesue : le premier est traversé ar un discours, le second nserré dans une "description hysique" tout en extériorité. s sont pourtant tous deux us le regard d'Emma, de un et l'autre côté du rêve. 'un lui fut donné par le asard et vient d'un ailleurs ythique, l'autre par la cérénonie sociale et témoigne des

rites observés : la norme face à la transgression, car l'un dit l'amour — l'adultère noble, — l'autre le mariage — l'union bourgeoise. Tous deux sont vrais objets de roman, dans la mesure où ils ont perdu leur signification première (l'un est *cela*, l'autre *quelque chose*), et, coupés de leur origine, hors service, ils n'ont plus qu'une fonction symbolique : positivité caressante de l'ail-

leurs, que le tissu soyeux du texte donne à toucher, négativité agressive de l'ici : Emma se pique à son bouquet. Tous deux enfin, porteurs d'affects de signe contraire, ont été soustraits au monde et appartiennent à la vie secrète d'Emma, l'un caché au creux du linge, protégé contre la profanation, l'autre oublié dans un tiroir — première rupture avec l'ordre.

Ainsi préservé, miraculeusement intact, le porte-cigares est un tabernacle de valeurs, une intériorité magique. Il épanche les parfums qui éveillent les rêves, et suscite peu à peu son décor : une gravure de Keepsake, et bientôt le làbas démesuré. Le bouquet, lui, est une pure concrétion sociale, un objet éventé d'où n'émane plus rien. Il est, comme le curé de plâtre un peu plus loin, atteint par la ruine du temps et l'abandon, non pas mort pourtant puisqu'il faudra le détruire, comme à l'appel de l'objet médiateur, pour briser le cercle de l'ici. Et cette destruction de l'objet-obstacle, symétrique de la reconstruction de l'objet catalyseur, s'accompagne d'un crépitement de consonnes rappelant la fin de l'autre séquence, où se compose un discours "implicite" : l'acte sacrilège, la violation d'un tabou social (qu'on songe au bouquet de mariage de la première Madame Bovary, conservé dans une carafe trônant sur la cheminée) mettent en marche le destin. Fugitivement s'esquisse l'image du buisson ardent, qu'on dirait venue du surmoi ; et l'envol des papillons noirs vient rappeler qu'à l'arrivée à Tostes déjà le bouquet avait éveillé en Emma la pensée de sa mort. Envol symétrique : celui des papillons blancs, quand, au moment d'une autre transgression, Emma déchire la lettre qui disait non.

Cependant le langage de la description — et de la destruction — livre encore autre chose. Il est, pourrait-on dire, des évidences culturelles : la passion est aristocratique, comme le cigare, et le mariage bourgeois ; donc le porte-cigares est bien né et le bouquet sent la roture. Mais l'opposition est plus profonde, à y regarder de près : elle n'est pas seulement de nature symbolique, au niveau du signifié, elle affecte la structure matérielle des objets, c'est-à-dire leur mode de production et leurs techniques de fabrication. D'un côté le monde de la qualité, l'activité noble, parce que gratuite ; une pièce originale, personnalisée par le lent travail qui l'a ouvrée à loisir, une matière riche et ductile, une œuvre

intime et pensée, une totalité lisse et indestructible. De l'autre, la platitude de l'objet "manchesterisé", supposant un travail anonyme et divisé, des matériaux bon marché et corruptibles, une hideur sèche qui livre avec impudeur sa carcasse et ses pitoyables secrets. Un tel objet est à lui-même son propre commentaire, mais il est lourd d'une parole refoulée, qu'on peut trouver en clair dans telle lettre de son époque :

A propos de l'industrie, as-t réfléchi quelquefois à la qua. tité de professions bête qu'elle engendre et à la mass de stupidité qui, à la longu doit en provenir ? Ce sera une effrayante statistique faire ! Qu'attendre d'ur population comme celle d Manchester, qui passe sa vie faire des épingles ? et la co. fection d'une épingle exig cinq à six spécialités différer tes ! Le travail se subdivisant, se fait donc, à côté des mach nes, quantité d'homme machines... Les rêveurs d Moyen Age étaient d'autre hommes que les actifs d temps modernes. »

CLAUDE DUCHET, 196 « Roman et objets : l'exemp. de Madame Bovary », *Europ* n° 485-487, pp. 186-18

A ces considérations s l'importance du chiffre 2, no pouvons ajouter, à titre d'in cation, que Jacques-Lou Douchin a entrepris une le ture de Madame Bovary e fonction du symbolisme d chiffres 3, 4 et 6, dont il relèv en comptant leurs multiple combinaisons, 194 occurre ces dans le roman (« Madam Bovary, roman ésotérique Les Amis de Flaubert, n° 58 59, 1981).

— Il me semble pourtant, dit Emma, que vous n'ête
guère à plaindre.

— Ah ! vous trouvez ? fit Rodolphe.

— Car enfin..., reprit-elle, vous êtes libre.

5   Elle hésita :

— Riche.

— Ne vous moquez pas de moi, répondit-il.

Et elle jurait qu'elle ne se moquait pas, quand un coup d
canon retentit ; aussitôt, on ⟨1⟩ se poussa, pêle-mêle, vers l
10 village.

C'était une fausse alerte. M. le préfet n'arrivait pas ; et le
membres du jury se trouvaient fort embarrassés, ne sachar
s'il fallait commencer la séance ou bien attendre encore.

Enfin, au fond de la Place, parut un grand landau[1] d
15 louage, traîné par deux chevaux maigres, que fouettait à
tour de bras un cocher en chapeau blanc. Binet n'eut que l
temps de crier : « Aux armes ! » et le colonel de l'imiter. O
courut vers les faisceaux[2]. On se précipita. Quelques-un
même oublièrent leur col. Mais l'équipage préfectoral sem
20 bla deviner cet embarras, et les deux rosses accouplées, se
dandinant sur leur chaînette[3], arrivèrent au petit trot devan
le péristyle de la mairie, juste au moment où la garde natio
nale et les pompiers s'y déployaient, tambour battant, e
marquant le pas.

25   — Balancez[4] ! cria Binet.

— Halte ! cria le colonel. Par file à gauche !

Et, après un port d'armes où le cliquetis des capucines[5], s
déroulant, sonna comme un chaudron de cuivre qui dégrin
gole les escaliers, tous les fusils retombèrent.

30   Alors on vit descendre du carrosse un monsieur vêtu d'u
habit court à broderie d'argent, chauve sur le front, portar
toupet à l'occiput, ayant le teint blafard et l'apparence de
plus bénignes. Ses deux yeux, fort gros et couverts de pau
pières épaisses, se fermaient à demi pour considérer la mu
35 titude, en même temps qu'il levait son nez pointu et faisa
sourire sa bouche rentrée. Il reconnut le maire à so
écharpe, et lui exposa que M. le préfet n'avait pu venir.
était, lui, un conseiller de préfecture ; puis il ajouta quelque
excuses. Tuvache y répondit par des civilités, l'autre s'avou
40 confus ; et ils restaient ainsi, face à face, et leurs fronts s
touchant presque, avec les membres du jury tout alentou
le conseil municipal, les notables, la garde nationale et l
foule. M. le conseiller, appuyant contre sa poitrine son pet

1. *Landau : voiture à quatre roues, à capote formée de deux soufflets pliants.*
2. *Faisceaux : assemblages de fusils posés sur la crosse et qui se tiennent*
3. *Chaînette : partie du harnais reliée au timon.*
4. *Balancer : au sens de « marquer le pas en restant sur place ».*
5. *Capucine : au sens d'anneau de métal qui fixe le canon sur le fût.*

du point de vue et de la voix du narrateur.

Mais quand le *on* alterne avec un *il* ou prend sa place, et qu'il ne saurait néanmoins s'agir d'un spectacle partagé ?

Est-ce une façon de rapprocher le lecteur des héros, le *on* élargissant leurs perceptions jusqu'à nous, faisant de *nous* leurs compagnons ? Est-ce au contraire un moyen subtil de déclasser ces héros, de leur refuser tout "génie" en leur donnant des perceptions et une sensibilité communes ? Est-ce un *on* qui unit d'abord le *je* du héros et le *je* du narrateur, qui naîtrait de l'effort constant de Flaubert pour entrer dans ses personnages : emblème, si l'on veut, de son impersonnalité ?

(...) De même que le discours indirect libre est un compromis entre la narration à la troisième personne et le discours rapporté, le *on*, alternant avec le *il*, serait un compromis entre la narration omnisciente non située et la narration totalement focalisée sur un seul personnage (...), le *on* de focalisation serait donc un outil d'emboîtement, de fusion des visions. »

JEAN-LUC SEYLAZ, 1974, « Perspective et voix dans *Madame Bovary* » in *La Quintefeuille*, l'Aire, coopérative Rencontre, Lausanne.

① On : usage et valeur

À partir des nombreux « on » qui scandent la grande scène des Comices, Jean-Luc Seylaz définit la subtile utilisation de ce pronom bien commode :

Pour le *on* vraiment collectif, le *on* yonvillais, on pourrait dire (que) ce qui dans les Comices n'est pas appréhendé par les héros, n'en est pas pour autant pris en charge directement par le narrateur ; il est donné comme perçu par un personnage collectif (...) Ce serait, en quelque sorte, "naturaliser" la narration omnisciente en donnant au narrateur un statut fictif de participant (...) et quand Flaubert décrit au présent Yonville, il recourt aussi au *on*. C'est le *on* des guides touristiques qui postule, à côté du scripteur, la présence et la perception de voyageurs virtuels (...). D'ailleurs le narrateur peut se désolidariser de ce *on* (par exemple à la fin du portrait de Catherine Leroux) l'irruption

tricorne noir, réitérait ses salutations, tandis que Tuvache, courbé comme un arc, souriait aussi, bégayait, cherchait ses phrases, protestait de son dévouement à la monarchie, et de l'honneur que l'on faisait à Yonville.

5   Hippolyte, le garçon de l'auberge, vint prendre par la bride les chevaux du cocher, et tout en boitant de son pied bot, il les conduisit sous le porche du *Lion d'or*, où beaucoup de paysans s'amassèrent à regarder la voiture. Le tambour battit, l'obusier tonna, et les messieurs à la file montè-
10 rent s'asseoir sur l'estrade, dans les fauteuils en utrecht[1] rouge qu'avait prêtés madame Tuvache.

Tous ces gens-là se ressemblaient. Leurs molles figures blondes, un peu hâlées par le soleil, avaient la couleur du cidre doux, et leurs favoris bouffants s'échappaient de
15 grands cols roides, que maintenaient des cravates blanches à rosette[2] bien étalée. Tous les gilets étaient de velours, à châle[3] ; toutes les montres portaient au bout d'un long ruban quelque cachet ovale en cornaline[4] ; et l'on appuyait ses deux mains sur ses deux cuisses, en écartant avec soin la
20 fourche du pantalon, dont le drap non décati[5] reluisait plus brillamment que le cuir des fortes bottes.

Les dames de la société se tenaient derrière, sous le vestibule, entre les colonnes, tandis que le commun de la foule était en face, debout, ou bien assis sur des chaises. En effet,
25 Lestiboudois avait apporté là toutes celles qu'il avait déménagées de la prairie, et même il courait à chaque minute en chercher d'autres dans l'église, et causait un tel encombrement par son commerce, que l'on avait grand-peine à parvenir jusqu'au petit escalier de l'estrade.

30   — Moi, je trouve, dit M. Lheureux (s'adressant au pharmacien, qui passait pour gagner sa place), que l'on aurait dû planter là deux mâts vénitiens[6] : avec quelque chose d'un peu sévère et de riche comme nouveauté, c'eût été d'un fort joli coup d'œil.

35   — Certes, répondit Homais. Mais, que voulez-vous ! c'est le maire qui a tout pris sous son bonnet. Il n'a pas grand goût, ce pauvre Tuvache, et il est même complètement dénué de ce qui s'appelle le génie des arts[7]. ①

Cependant Rodolphe, avec madame Bovary, était monté
40 au premier étage de la mairie, dans la *salle des délibérations*, et comme elle était vide, il avait déclaré que l'on y serait bien pour jouir du spectacle plus à son aise. Il prit trois tabourets autour de la table ovale, sous le buste du monarque, et, les

1. Utrecht : le velours d'Utrecht, très résistant, utilisé dans l'ameublement.
2. Rosette : au sens de « nœud », à une ou deux boucles, que l'on peut défaire en tirant sur les bouts.
3. A châle : c'est-à-dire qu'ils se croisent sur la poitrine.
4. Cornaline : variété d'agate translucide, rouge foncé, dont on fait des cachets (cf. p. 466) et des bijoux.
5. Non décati : il conserve encore son apprêt.
6. C'est-à-dire qu'ils portent des lanternes vénitiennes, ou lampions.
7. « Maire de village. Toujours ridicule » (Dictionnaire des idées reçues.)

⟨1⟩ Quelques remarques sur l'onomastique

Tout indique que Flaubert a soigneusement choisi les noms des personnages. Sans prétendre faire un sort à chacun ni épuiser les significations des noms les plus polysémiques, nous proposons ici quelques indications.

— *Charles Bovary* : le « charbovari » du début est à lui seul un commentaire. Bovary a à voir avec le bœuf (voir le contexte p. 33).

— *Emma* : évoque le verbe « aimer » : « aima », et c'est un prénom en « a » (cf. p. 250).

— *Emma/Madame Bovary* : on peut jouer sur « Madame Bo varie » et sur « Madame Bov a ri », ce qui renvoie à sa mort. Ira-t-on jusqu'à y repérer l'anglais "ovary", autrement dit "ovaire", ce qui renverrait à l'hystérie ?

— *Léon Dupuis* : on insistera sur le caractère banal du nom qui contraste avec la pose et les prétentions du personnage, qui continuera de suivre le bœuf, puisqu'il épousera une Léocadie Lebœuf (cf. p. 745).

— *Rodolphe Boulanger* : ici encore un nom ouvertement plébéien, renforcé par le domicile, La Huchette. Le prénom est tiré du côté de l'italianité et évoque Rodolfo. Il possède aussi une charge littéraire, évidemment dévalorisée, avec le prince Rodolphe des Mystères de Paris d'Eugène Sue (1842-1843). Ses sonorités (R/ODO) suggèrent le beau parleur qui parle d'or, l'enjôleur sûr de lui. On le rapprochera de Théodore, le séducteur de Félicité (sur Félicité, voir le contexte p. 179).

— *Hippolyte* : écho tragique (Phèdre).

— *Justin* : le seul juste, peut-être, de cette sinistre galerie yonvillaise.

— *Madame Lefrançois* : écho du café rival, le Café Français, comme pour mieux accentuer la reduplication (voir le contexte p. 357).

— *Lestiboudois* : emprunt direct à la réalité, puisqu'un député de Lille portait ce nom sous la Monarchie de Juillet.

— *Binet* : renvoie explicitement au thème du

binaire (voir le contexte p. 423).

— *Bournisien* : le curé borné qui n'entend rien.

— *Lheureux* : un des noms transparents du roman, celui qui réussit, avec l'aide de son ami Vinçart, où l'on peut lire le verbe « pincer » et noter le suffixe péjoratif.

— *Aux Comices*, s'accumulent les noms aux résonances végétales et animales : Tuvache, Derozerays, Bizet (un biset est un pigeon sauvage de couleur bise), Lehérissé... Quant à Cullembourg, c'est un calembour explicite. Sur Lieuvain, voir le contexte p. 373.

— *Enfin*, Flaubert explique lui-même le sens de « *Homais* » : « *Homais vient de homo - l'homme.* » (manuscrit).

N.B. : On trouvera de précieux renseignements dans Jean Pommier, « Noms et prénoms dans *Madame Bovary*, essai d'onomastique littéraire » in *Dialogues avec le passé*, Nizet, 1967.

ayant approchés de l'une des fenêtres, ils s'assirent l'un près de l'autre.

Il y eut une agitation sur l'estrade, de longs chuchotements, des pourparlers. Enfin, M. le conseiller se leva. On
5 savait maintenant qu'il s'appelait Lieuvain, et l'on se répétait son nom de l'un à l'autre, dans la foule. Quand il eut donc collationné[1] quelques feuilles et appliqué dessus son œil pour y mieux voir, il commença :

« Messieurs,

10 « Qu'il me soit permis d'abord (avant de vous entretenir de l'objet de cette réunion d'aujourd'hui, et ce sentiment, j'en suis sûr, sera partagé par vous tous), qu'il me soit permis, dis-je, de rendre justice à l'administration supérieure, au gouvernement, au monarque, messieurs, à notre souve-
15 rain, à ce roi bien-aimé à qui aucune branche de la prospérité publique ou particulière n'est indifférente, et qui dirige à la fois d'une main si ferme et si sage le char de l'État parmi les périls incessants d'une mer orageuse, sachant d'ailleurs faire respecter la paix comme la guerre, l'industrie, le com-
20 merce, l'agriculture et les beaux-arts. » ⟨1⟩

— Je devrais, dit Rodolphe, me reculer un peu.

— Pourquoi ? dit Emma.

Mais, à ce moment, la voix du Conseiller s'éleva d'un ton extraordinaire. Il déclamait :
25 « Le temps n'est plus, messieurs, où la discorde civile ensanglantait nos places publiques, où le propriétaire, le négociant, l'ouvrier lui-même, en s'endormant le soir d'un sommeil paisible, tremblaient de se voir réveillés tout à coup au bruit des tocsins incendiaires, où les maximes les plus
30 subversives sapaient audacieusement les bases[2]... »

— C'est qu'on pourrait, reprit Rodolphe, m'apercevoir d'en bas ; puis j'en aurais pour quinze jours à donner des excuses, et, avec ma mauvaise réputation...

— Oh ! vous vous calomniez, dit Emma.
35 — Non, non, elle est exécrable, je vous jure.

« Mais, messieurs, poursuivait le Conseiller, que si, écartant de mon souvenir ces sombres tableaux, je reporte mes yeux sur la situation actuelle de notre belle patrie : qu'y vois-je ? Partout fleurissent le commerce et les arts ; partout
40 des voies nouvelles de communication, comme autant d'artères nouvelles dans le corps de l'État, y établissent des rapports nouveaux ; nos grands centres manufacturiers ont repris leur activité ; la religion, plus affermie, sourit à tous les

1. Collationner : vérifier l'ordre des feuilles.
2. « Bases. De la société, sont (id est) la propriété, la famille, la religion, le respect des autorités. − En parler avec colère si on les attaque. » (Dictionnaire des idées reçues) ; quant à l'ouvrier, il est « toujours honnête quand il ne fait pas d'émeutes » (ibid.).

Le petit journal de Madame Bovary

« J'ai eu aujourd'hui un grand succès. Tu sais que *nous* avons eu hier le *bonheur* d'avoir monsieur Saint-Arnaud. *(N.B. Le maréchal de Saint-Arnaud, ministre de la guerre, qui, en répondant au discours du préfet, assura les Rouennais que l'Empereur se faisait un devoir de restaurer l'agriculture de ses désastres.)* Eh bien, j'ai trouvé ce matin, dans le *Journal de Rouen*, une phrase du maire lui faisant un discours, laquelle phrase j'avais, la veille, écrite *textuellement* dans la *Bovary* (dans un discours de préfet, à des Comices agricoles). Non seulement c'était la même idée, les mêmes mots, mais les mêmes *assonances* de style. Je ne cache pas que ce sont de ces choses qui me font plaisir. Quand la littérature arrive à la précision de résultat d'une science exacte, c'est roide. »

A Louise Colet, 22/7/1853.

cœurs ; nos ports sont pleins, la confiance renaît, et enfin la France respire !... »

— Du reste, ajouta Rodolphe, peut-être, au point de vue du monde, a-t-on raison ?

5   — Comment cela ? fit-elle.

— Eh quoi ! dit-il, ne savez-vous pas qu'il y a des âmes sans cesse tourmentées ? Il leur faut tour à tour le rêve et l'action, les passions les plus pures, les jouissances les plus furieuses, et l'on se jette ainsi dans toutes sortes de fantai-
10 sies, de folies.

Alors elle le regarda comme on contemple un voyageur qui a passé par des pays extraordinaires, et elle reprit :

— Nous n'avons pas même cette distraction, nous autres pauvres femmes !

15   — Triste distraction, car on n'y trouve pas le bonheur.

— Mais le trouve-t-on jamais ? demanda-t-elle.

— Oui, il se rencontre un jour, répondit-il.

« Et c'est là ce que vous avez compris, disait le Conseiller. Vous, agriculteurs et ouvriers des campagnes ; vous, pion-
20 niers pacifiques d'une œuvre toute de civilisation ! vous, hommes de progrès et de moralité ! vous avez compris, dis-je, que les orages politiques sont encore plus redoutables vraiment que les désordres de l'atmosphère... »

— Il se rencontre un jour, répéta Rodolphe, un jour, tout
25 à coup, et quand on en désespérait. Alors des horizons s'entrouvrent, c'est comme une voix qui crie : « Le voilà ! » Vous sentez le besoin de faire à cette personne la confidence de votre vie, de lui donner tout, de lui sacrifier tout ! On ne s'explique pas, on se devine. On s'est entrevu dans ses
30 rêves. (Et il la regardait.) Enfin, il est là, ce trésor que l'on a tant cherché, là, devant vous ; il brille, il étincelle. Cependant on en doute encore, on n'ose y croire ; on en reste ébloui, comme si l'on sortait des ténèbres à la lumière. ①

Et, en achevant ces mots, Rodolphe ajouta la pantomime
35 à sa phrase. Il se passa la main sur le visage, tel qu'un homme pris d'étourdissement ; puis il la laissa retomber sur celle d'Emma. Elle retira la sienne. Mais le Conseiller lisait toujours :

« Et qui s'en étonnerait, messieurs ? Celui-là seul qui
40 serait assez aveugle, assez plongé (je ne crains pas de le dire), assez plongé dans les préjugés d'un autre âge pour méconnaître encore l'esprit des populations agricoles. Où trouver, en effet, plus de patriotisme que dans les campa-

1 # Discours et séduction

Entre autres multiples remarques qu'il conviendrait de faire sur tout ce passage, il nous paraît important de souligner la similitude entre les deux discours : celui de Lieuvain et celui de Rodolphe. L'étude du manuscrit montre que Flaubert a soigneusement travaillé leur montage. Il s'agit, en les intercalant, de les confronter, de les faire se nourrir l'un de l'autre, d'établir en leur réciprocité et leur parallélisme leur profonde identité. Tous deux, par les artifices d'une rhétorique exhibée comme telle, visent à séduire, séduire l'audience petite-bourgeoise et paysanne pour le Conseiller, séduire Emma pour Rodolphe. Ces deux manœuvres discursives entendent captiver et asservir en faisant entendre à leurs victimes ce qu'elles désirent, en flattant leurs préjugés, leurs idées reçues, leur soif d'identification à des modèles rassurants ou prestigieux. En caressant leurs aspirations, les discours accaparent leurs destinataires. Tout un ensemble de réseaux lexicaux, métaphoriques, phoniques les unit et met en évidence leur parenté. Surtout leur plénitude, ronflante et/ou lyrique, révèle un vide. Truffés de clichés, de lieux communs, de stéréotypes, ils ne parlent que le convenu, que le déjà dit et le déjà écrit. Ils sont foncièrement des pantomimes, et l'utilisation de ce terme pour désigner le jeu de scène de Rodolphe vaut pour toute cette petite pièce, où chacun joue à quelque chose, ou plutôt à être quelqu'un, où chacun vise à se conformer à un type, une figure reconnue et codée, soit en la mettant à distance, soit en en jouissant pleinement : Rodolphe ou le héros romantique, Lieuvain ou le fin politique maniant la démagogie, le public ou l'auditoire attentif et intelligent, Emma ou l'héroïne de roman en train de se laisser délicieusement séduire, en attendant mieux.

Scène ironique parmi les plus ironiques, ce montage savant fait éclater les discours en en dénonçant le mécanisme et l'artifice, mais aussi leur redoutable efficacité. S'ils sont usés, leur usure n'en empêche nullement l'usage, au contraire. S'ils s'annulent comme langage, ils valent comme parole viciée mais perverse, dangereuse et charmante, séduisante en un mot.

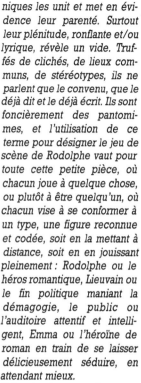

gnes, plus de dévouement à la cause publique, plus d'intelligence en un mot ? Et je n'entends pas, messieurs, cette intelligence superficielle, vain ornement des esprits oisifs, mais plus de cette intelligence profonde et modérée, qui
5 s'applique par-dessus toute chose à poursuivre des buts utiles, contribuant ainsi au bien de chacun, à l'amélioration commune et au soutien des États, fruit du respect des lois et de la pratique des devoirs... »

— Ah ! encore, dit Rodolphe. Toujours les devoirs, je
10 suis assommé de ces mots-là. Ils sont un tas de vieilles ganaches[1] en gilet de flanelle, et de bigotes à chaufferette[2] et à chapelet, qui continuellement nous chantent aux oreilles : « Le devoir ! le devoir ! » Eh ! parbleu ! le devoir, c'est de sentir ce qui est grand, de chérir ce qui est beau, et non pas
15 d'accepter toutes les conventions de la société, avec les ignominies qu'elle nous impose.

— Cependant..., cependant..., objectait madame Bovary.

— Eh non ! pourquoi déclamer contre les passions ? Ne
20 sont-elles pas la seule belle chose qu'il y ait sur la terre, la source de l'héroïsme, de l'enthousiasme, de la poésie, de la musique, des arts, de tout enfin ?

— Mais il faut bien, dit Emma, suivre un peu l'opinion du monde et obéir à sa morale.
25 — Ah ! c'est qu'il y en a deux, répliqua-t-il. La petite, la convenue, celle des hommes, celle qui varie sans cesse et qui braille si fort, s'agite en bas, terre à terre, comme ce rassemblement d'imbéciles que vous voyez. Mais l'autre, l'éternelle, elle est tout autour et au-dessus, comme le paysage
30 qui nous environne et le ciel bleu qui nous éclaire.

M. Lieuvain venait de s'essuyer la bouche avec son mouchoir de poche. Il reprit :

« Et qu'aurais-je à faire, messieurs, de vous démontrer ici l'utilité de l'agriculture[3] ? Qui donc pourvoit à nos besoins ?
35 qui donc fournit à notre subsistance ? N'est-ce pas l'agriculteur ? L'agriculteur, messieurs, qui, ensemençant d'une main laborieuse les sillons féconds des campagnes, fait naître le blé, lequel broyé est mis en poudre au moyen d'ingénieux appareils, en sort sous le nom de farine, et, de là,
40 transporté dans les cités, est bientôt rendu chez le boulanger, qui en confectionne un aliment pour le pauvre comme pour le riche. N'est-ce pas l'agriculteur encore qui engraisse, pour nos vêtements, ses abondants troupeaux dans les pâtura-

1. Ganache : sotte personne.
2. Chaufferette : boîte à couvercle percé de trous, dans laquelle on met de la braise pour se chauffer les pieds.
3. « Agriculture. Manque de bras ». (Dictionnaire des idées reçues.)

COMICE AGRICOLE

DE

l'Arrondissement de Rouen.

Concours à Darnétal le 17 Juillet 1855.

Prix mention honorable.

Pour l'ensemble de bonnes cultures, (catégorie des fermiers)
à Mr Couturier, cultiv.r à Blainville-
-Crevon.

ges ? Car comment nous vêtirions-nous, car comment nous
nourririons-nous sans l'agriculteur ? Et même, messieurs,
est-il besoin d'aller si loin chercher des exemples ? Qui n'a
souvent réfléchi à toute l'importance que l'on retire de ce
5 modeste animal, ornement de nos basses-cours, qui fournit
à la fois un oreiller moelleux pour nos couches, sa chair succulente pour nos tables, et des œufs ? Mais je n'en finirais
pas, s'il fallait énumérer les uns après les autres les différents
produits que la terre bien cultivée, telle qu'une mère généreuse, prodigue à ses enfants. Ici, c'est la vigne ; ailleurs, ce
sont les pommiers à cidre ; là, le colza ; plus loin, les fromages ; et le lin ; messieurs, n'oublions pas le lin ! qui a pris
dans ces dernières années un accroissement considérable et
sur lequel j'appellerai plus particulièrement votre
15 attention. » ① ②

Il n'avait pas besoin de l'appeler : car toutes les bouches
de la multitude se tenaient ouvertes, comme pour boire ses
paroles. Tuvache, à côté de lui, l'écoutait en écarquillant les
yeux ; M. Derozerays, de temps à autre, fermait doucement
20 les paupières ; et, plus loin, le pharmacien, avec son fils
Napoléon entre les jambes, bombait sa main contre son
oreille pour ne pas perdre une seule syllabe. Les autres
membres du jury balançaient lentement leur menton dans
leur gilet, en signe d'approbation. Les pompiers, au bas de
25 l'estrade, se reposaient sur leurs baïonnettes ; et Binet,
immobile, restait le coude en dehors, avec la pointe du sabre
en l'air. Il entendait peut-être, mais il ne devait rien apercevoir, à cause de la visière de son casque qui lui descendait
sur le nez. Son lieutenant, le fils cadet du sieur Tuvache,
30 avait encore exagéré le sien ; car il en portait un énorme et
qui lui vacillait sur la tête, en laissant dépasser un bout de
son foulard d'indienne. Il souriait là-dessous avec une douceur toute enfantine, et sa petite figure pâle, où des gouttes
ruisselaient, avait une expression de jouissance, d'accable-
35 ment et de sommeil.

La Place jusqu'aux maisons était comble de monde. On
voyait des gens accoudés à toutes les fenêtres, d'autres
debout sur toutes les portes, et Justin, devant la devanture
de la pharmacie, paraissait tout fixé dans la contemplation
40 de ce qu'il regardait. Malgré le silence, la voix de M. Lieuvain se perdait dans l'air. Elle vous arrivait par lambeaux de
phrases, qu'interrompait çà et là le bruit des chaises dans la
foule ; puis on entendait, tout à coup, partir derrière soi un
long mugissement de bœuf, ou bien les bêlements des

La rhétorique du discours de Lieuvain

Le Conseiller au nom-charge — Lieuvain, lieu de la vanité et de la vacuité —, accumule clichés et lieux communs dans son discours. À cet effet ironique s'en ajoute un autre plus subtil et plus destructeur peut-être : le balancement rhétorique boite quelque peu, signalant par là une insuffisante maîtrise de cet art fondamental pour les hommes de et du pouvoir. Son rang subalterne s'expliquerait-il ainsi ?
Voici une étude de ces infractions sur l'ensemble de ce discours pris dans toutes ses séquences, au nombre de sept :

« On étudiera l'articulation de la dissonance et de la redondance dans le mouvement du discours, en prenant pour sommet parodique la séquence 6.

a) Lieuvain souligne la composition de son discours par des effets de redondance, clichant une rhétorique dont il n'a conservé que la lettre : ainsi de la "captatio benevolentiae" de l'exorde ("Qu'il me soit permis... qu'il me soit permis, dis-je", S1), du développement avec, après l'exposé des faits (cf. "ces sombres tableaux", S3, définissant l'hypotypose précédente) la démonstration appuyée d'exemples ("Et qu'aurais-je à faire, Messieurs, de vous démontrer l'utilité de l'agriculture ?" "Et même, Messieurs, est-il besoin d'aller si loin chercher des exemples ?" "Mais je n'en finirais pas s'il fallait énumérer les différents produits...", S6). Effets de redondance soulignés par le changement d'énonciateur ("Et c'est là ce que vous avez compris, disait le Conseiller. [...] vous avez compris, dis-je", S4).

b) Dans les séquences 1 à 5 surtout, prédomine le clichage par emploi abusif des *symétries syntaxiques et rythmiques* : répétition du rythme ternaire allié au binaire, dans des périodes de cadence majeure, à la chute nombreuse : cf. S1 : "... ce roi bien-aimé

L'hypnose de l'auditoire commence avec ces balancements rythmiques, générateurs d'euphorie. Les groupements ternaires se retrouvent dans la séquence 2 ("où la discorde civile...,/où le propriétaire, le négociant l'ouvre lui-même...,/où les maximes les plus subversives...''), à la séquence 4 ("vous.../vous.../vous...") et à la séquence 5 ("plus de patriotisme.../plus de dévouement.../plus d'intelligence...") dont la période finale, bien qu'interrompue, allie le binaire au binaire. Le nombre rythmique se cliche, soutenu par une symétrie syntaxique invariable (cf. "plus vraiment... que...", S4 ; « ne... pas... mais plus", S5) et des répétitions qui résonnent parodiquement ("nouvelles... nouvelles, ...nouveaux", S4).

On peut noter ainsi l'insertion de la *discordance* parmi la symétrie :
— sur fond de cadence majeure, se détache, privée de liens syntaxiques, la fin de la séquence 3, aux groupes rythmiques décroissants ;
— la symétrie syntaxique contraste avec la dissymétrie sémantique : "faire respecter la paix comme la guerre..." S1 (seul le premier des compléments paraît approprié) ; "assez aveugle, assez plongé (je ne crains pas de le dire...")", S5 (le commentaire, qui actualise la métaphore lexicalisée, dissocie l'adjectif d'un complément indispensable sémantiquement à la réalisation de la figure).

Cet exemple relève aussi du *discours des figu-*

res, perceptible à deux niveaux : les clichés, par surdétermination du contexte, spécifient une isotopie stylistique, où les procédés poétiques et leurs figures se clichent ; en même temps, saisis comme grotesques, ils servent à rompre l'isotopie. Ainsi de la métaphore du "char de l'État», qui signifie la dignité de la fonction royale, mais dont l'incohérence est ridicule.

Toutefois les incohérences et les dissonances semblent encore emportées dans le mouvement oratoire du discours, que soulignent les annonces déjà citées (déclamation, S2, psalmodie, S7).

c) Dans l'intermédiaire, introduite par une notation prosaïque qui donne le ton, s'inscrit la séquence 6, où le grotesque s'affiche.

Il n'est d'ailleurs pas indifférent que les dissonances éclatent dans la partie démonstrative : le mauvais fonctionnement de la rhétorique sert à discréditer l'argumentation. Le plaisir de la dissymétrie se généralise, désarticulant ce qui se clichait déjà.

Les *interrogations rhétoriques*, déjà amorcées dans les séquences précédentes (S3 et S5), se systématisent : elles sont rendues ridicules par leur accumulation, et la cacophonie des [k] ("Car comment..., car comment...") ruinant la symétrie syntaxique, formant écho ("Qui donc... qui donc..."), et soulignant la lourdeur des "qui et des que" abhorrés de Flaubert : (cf "l'agriculteur, qui... lequel... qui...", "n'est-ce pas l'agriculteur encore qui..." "Qui n'a souvent réfléchi à l'importance que... qui..." S6).

Cette rupture de l'isotopie stylistique est rendue manifeste par la *parodie* que constitue l'éloge héroï-comique du blé et de la poule, l'héroï-comique relevant de deux types de contradictions : 1) les "contradictions stylistiques internes au texte" ; 2) le "contraste entre la connotation attachée au référent décrit et la connotation attachée au matériel verbal utilisé" :

— contraste contre le référent trivial (le blé, la poule) et le ton ou le langage employé. L'éloge emphatique du blé, à la manière du pantagruélion de Rabelais, présente la fabrication du pain, sur le mode épique, comme une alchimie fabuleuse ("... fait naître le blé ...mis en poudre au moyen d'ingénieux appareils, en sort sous le nom de...", S6). L'idéal héroïque n'existe que sous la forme de l'allusion parodique ;

— ce contraste se double de la contradiction entre un langage poétique ou figuré ("ensemençant d'une main laborieuse les sillons féconds des campagnes", "transporté dans les cités", avec écho parodique des rimes intérieures) et le prosaïsme de "blé", "farine", "boulanger", "aliment", S6.

— L'effet est renforcé par la clausule de la période ("qui en confectionne un aliment pour le pauvre comme pour le riche", S6), qui, peu nombreuse, est appauvrie encore par l'emploi d'une opposition stéréotypée (pauvre/riche).

La parodie se poursuit avec l'éloge de la poule : le contraste entre le discours figuré (périphrase : "ce modeste animal, ornement de nos basses-cours" substituée au terme propre) ou littéraire ("nos couches"), et le prosaïsme ("des œufs"), se redouble d'une inversion rythmique : la période se termine par une clausule boiteuse, dont le volume décroissant est souligné par la dissymétrie syntaxique : "ornement de nos basses-cours qui fournit à la fois un oreiller moelleux pour nos couches, sa chair succulente pour nos tables, et des œufs", S6.

La rhétorique est encore mise à distance par :

— la discordance entre la symétrie syntaxique ("ici", "ailleurs", "là", "plus loin", S6) et la dissymétrie sémantique, qui fait voisiner la vigne, les pommiers à cidre et le colza avec le fromage ;

— et dans la séquence 7, par des fautes de syntaxe, comme : "appliquez-vous [...] aux bons engrais'', expression substituée au syntagme "aux bons plants", ou des fautes contre l'harmonie, comme l'écho : des "races bovines, ovines et porcines", discréditant le rythme ternaire, reprenant les "suggestions de la routine", ou la dissonance de : »en en sortant ». Fautes contre l'harmonie sont aussi les termes suffixés en "-ment" ou en "-tion", qui relèvent pour beaucoup du langage administratif ; ainsi : "accroissement", "particulièrement", "attention" (S6), "amélioration", "développement" (S7).

Ces ruptures de l'isotopie stylistique influent sur la lecture du discours : les comparaisons et métaphores qui ressortissent du sublime (comme : "la terre, telle qu'une mère généreuse...", S6, ou les comices "comme des arènes pacifiques", S7) sont emportées dans la lecture parodique. Cet effet vaut pour le langage de l'idylle à la péroraison.

Seule une lecture dialectique des traits dissonants et redondants permet d'articuler leurs effets : la redondance spécifie une isotopie stylistique, dont la rupture signale le surcodage. »

ANNE HERSCHBERG-PIERROT, 1979, « Clichés, stéréotypes et stratégie discursive dans le discours de Lieuvain », *Littérature,* n° 36, pp. 99-102.

 ## 2 Acuité du style, acuité de l'ouïe

En prenant ce passage pour exemple, Henri Mitterand précise ce qu'il en est du réalisme flaubertien :

« Le paradoxe (du) réalisme (flaubertien) est que le comble de l'illusion y est en même temps le comble de l'exactitude. Car Flaubert n'est pas seulement un théoricien et un critique prodigieusement intelligent. Cela ne suffit point à faire un romancier, pas plus d'ailleurs que l'acharnement à écrire ; et la qualité d'un style ne tient ni aux principes, ni à la durée, ni aux efforts de son élaboration. "Il y a une chose triste, écrit Flaubert, c'est de voir combien les grands hommes arrivent aisément à l'effet en dehors de l'Art même." C'est-à-dire en dehors du métier, et de l'effort. Cette réflexion s'applique fort bien au roman flaubertien. Car les vraies sources de l'effet doivent y être cherchées bien en deçà d'une esthétique, et d'une technique : dans la finesse de l'oreille et dans l'intuition de la langue — dons qui sont de nature, et d'où naissent, selon le moment, le burlesque ou la poésie. (Soit) le discours du conseiller (...) Personne ne peut lire ce texte sans se trouver paralysé à l'idée de parler en public, car personne n'est à l'abri de ces clichés, de ces platitudes, de ces cadences boiteuses, que Flaubert *entend* mieux que personne, et qui transforment l ' é l o q u e n c e e n bouffonnerie. »

HENRI MITTERAND, 1965, « Flaubert et le style », *Les Amis de Flaubert,* n° 27, pp. 8-9.

agneaux qui se répondaient au coin des rues. En effet, les vachers et les bergers avaient poussé leurs bêtes jusque-là, et elles beuglaient de temps à autre, tout en arrachant avec leur langue quelque bribe de feuillage qui leur pendait sur le
5 museau.

Rodolphe s'était rapproché d'Emma, et il disait d'une voix basse, en parlant vite :

— Est-ce que cette conjuration du monde ne vous révolte pas ? Est-il un seul sentiment qu'il ne condamne ?
10 Les instincts les plus nobles, les sympathies les plus pures sont persécutés, calomniés, et, s'il se rencontre enfin deux pauvres âmes, tout est organisé pour qu'elles ne puissent se joindre. Elles essayeront cependant, elles battront des ailes, elles s'appelleront. Oh ! n'importe, tôt ou tard, dans six
15 mois, dix ans, elles se réuniront, s'aimeront, parce que la fatalité l'exige et qu'elles sont nées l'une pour l'autre.

Il se tenait les bras croisés sur ses genoux, et, ainsi levant la figure vers Emma, il la regardait de près, fixement. Elle distinguait dans ses yeux des petits rayons d'or s'irradiant
20 tout autour de ses pupilles noires, et même elle sentait le parfum de la pommade qui lustrait sa chevelure. Alors une mollesse la saisit, elle se rappela ce vicomte qui l'avait fait valser à la Vaubyessard, et dont la barbe exhalait, comme ces cheveux-là, cette odeur de vanille et de citron ; et,
25 machinalement, elle entreferma les paupières pour la mieux respirer. Mais, dans ce geste qu'elle fit en se cambrant sur sa chaise, elle aperçut au loin, tout au fond de l'horizon, la vieille diligence *l'Hirondelle*, qui descendait lentement la côte des Leux, en traînant après soi un long panache de
30 poussière. C'était dans cette voiture jaune que Léon, si souvent, était revenu vers elle ; et par cette route-là qu'il était parti pour toujours ! Elle crut le voir en face, à sa fenêtre ; puis tout se confondit, des nuages passèrent ; il lui sembla qu'elle tournait encore dans la valse, sous le feu des lustres,
35 au bras du vicomte, et que Léon n'était pas loin, qu'il allait venir... et cependant elle sentait toujours la tête de Rodolphe à côté d'elle. La douceur de cette sensation pénétrait ainsi ses désirs d'autrefois, et comme des grains de sable sous un coup de vent, ils tourbillonnaient dans la bouffée
40 subtile du parfum qui se répandait sur son âme ⟨1⟩. Elle ouvrit les narines à plusieurs reprises, fortement, pour aspirer la fraîcheur des lierres autour des chapiteaux. Elle retira ses gants, elle s'essuya les mains ; puis, avec son mouchoir,

1 Le roman, une série de foyers

« Flaubert a conçu et réalisé (...) une nouvelle façon de présenter les rapports entre l'être et ses objets, une façon plus vraie, en tout cas plus concrète, plus *sensible*, que celle de ses devanciers. Alors que ceux-ci, et Stendhal lui-même, se contentaient de suivre le héros, d'action en action, le long de sa ligne temporelle, et alors que Balzac, d'autre part, projetait son action, comme un foyer de forces rayonnant à partir d'un point initial, Flaubert est le premier qui, aban-

donnant cette conception unilinéaire ou monocentrique, construise son roman comme une série de foyers à partir desquels, en avant, en arrière, de tous côtés, il y a un déploiement d'objets et un rayonnement à la fois temporel et spatial. Pour la première fois dans le domaine du roman, la conscience humaine apparaît telle qu'elle est, comme un centre toujours reconstitué, autour duquel se poursuit indéfiniment le vol convergent ou divergent des sensations et des souvenirs. Et pour la première fois aussi, en se faisant centre et cercle, le roman arrive à exprimer ce qu'on peut appeler la *densité* ou l'*épaisseur* de la substance humaine. Épaisseur qui peut être celle qui se forme à partir du centre de la conscience s'épandant dans toutes les directions ; ou à partir de la circonférence des sensations et des souvenirs, comme une convergence vers la conscience. L'un et l'autre de ces deux mouvements alternent (...) dans *Madame Bovary*. »

GEORGES POULET, 1961, « Flaubert » in *Les Métamorphoses du cercle*, réédition collection Champs, Flammarion, 1979, p. 402.

elle s'éventait la figure, tandis qu'à travers le battement de ses tempes elle entendait la rumeur de la foule et la voix du Conseiller qui psalmodiait ses phrases.

Il disait :

5 « Continuez ! persévérez ! n'écoutez ni les suggestions de la routine, ni les conseils trop hâtifs d'un empirisme téméraire ! Appliquez-vous surtout à l'amélioration du sol, aux bons engrais, au développement des races chevalines, bovines, ovines et porcines ! Que ces comices soient pour vous 10 comme des arènes pacifiques où le vainqueur, en en sortant, tendra la main au vaincu et fraternisera avec lui, dans l'espoir d'un succès meilleur ! Et vous, vénérables serviteurs ! humbles domestiques, dont aucun gouvernement jusqu'à ce jour n'avait pris en considération les pénibles 15 labeurs, venez recevoir la récompense de vos vertus silencieuses, et soyez convaincus que l'État, désormais, a les yeux fixés sur vous, qu'il vous encourage, qu'il vous protège, qu'il fera droit à vos justes réclamations et allégera, autant qu'il est en lui, le fardeau de vos pénibles sacrifices ! »

20 M. Lieuvain se rassit alors ; M. Derozerays se leva, commençant un autre discours. Le sien peut-être, ne fut point aussi fleuri que celui du Conseiller ; mais il se recommandait par un caractère de style plus positif, c'est-à-dire par des connaissances plus spéciales et des considérations plus rele-25 vées. Ainsi, l'éloge du gouvernement y tenait moins de place ; la religion et l'agriculture en occupaient davantage. On y voyait le rapport de l'une et de l'autre, et comment elles avaient concouru toujours à la civilisation. Rodolphe, avec madame Bovary, causait rêves, pressentiments, 30 magnétisme. Remontant au berceau des sociétés, l'orateur vous dépeignait ces temps farouches où les hommes vivaient de glands, au fond des bois. Puis ils avaient quitté la dépouille des bêtes, endossé le drap, creusé des sillons, planté la vigne. Était-ce un bien, et n'y avait-il pas dans cette 35 découverte plus d'inconvénients que d'avantages ? M. Derozerays se posait ce problème. Du magnétisme, peu à peu, Rodolphe en était venu aux affinités, et, tandis que M. le président citait Cincinnatus à sa charrue[1], Dioclétien plantant ses choux[2], et les empereurs de la Chine inaugurant 40 l'année par des semailles[3], le jeune homme expliquait à la jeune femme que ces attractions irrésistibles tiraient leur cause de quelque existence antérieure.

— Ainsi, nous, disait-il, pourquoi nous sommes-nous

1. Cincinnatus : patricien romain qui fut deux fois dictateur au ve siècle avant Jésus-Christ. Les licteurs qui lui apportèrent les insignes de sa charge le trouvèrent conduisant sa charrue. Il symbolise la vertu et la simplicité.
2. Dioclétien : empereur romain de 285 à 305. Il abdiqua et l'on rapporte qu'il refusa de reprendre le pouvoir pour continuer à cultiver ses laitues, auxquelles Derozerays substitue des choux, probablement par contamination de l'expression « aller cultiver (ou planter) ses choux ».
3. Les empereurs légendaires de l'ancienne Chine initiaient les travaux agricoles.

connus ? quel hasard l'a voulu ? C'est qu'à travers l'éloignement, sans doute, comme deux fleuves qui coulent pour se
rejoindre, nos pentes particulières nous avaient poussés l'un
vers l'autre.

5   Et il saisit sa main ; elle ne la retira pas.

« Ensemble de bonnes cultures ! » cria le président.

— Tantôt, par exemple, quand je suis venu chez vous...

« A M. Bizet, de Quincampoix. »

— Savais-je que je vous accompagnerais ?

10   « Soixante et dix francs ! »

— Cent fois même j'ai voulu partir, et je vous ai suivie, je
suis resté.

« Fumiers. »

— Comme je resterais ce soir, demain, les autres jours,
15 toute ma vie !

« A M. Caron, d'Argueil, une médaille d'or ! »

— Car jamais je n'ai trouvé dans la société de personne
un charme aussi complet.

« A M. Bain, de Givry-Saint-Martin ! »

20   — Aussi, moi, j'emporterai votre souvenir.

« Pour un bélier mérinos... »

— Mais vous m'oublierez, j'aurai passé comme une
ombre.

« A M. Belot, de Notre-Dame... »

25   — Oh ! non, n'est-ce pas, je serai quelque chose dans
votre pensée, dans votre vie ?

« Race porcine, prix *ex æquo* : à MM. Lehérissé et Cullembourg ; soixante francs ! » ①

Rodolphe lui serrait la main, et il la sentait toute chaude et
30 frémissante comme une tourterelle captive qui veut reprendre sa volée ; mais, soit qu'elle essayât de la dégager ou bien
qu'elle répondît à cette pression, elle fit un mouvement des
doigts ; il s'écria :

— Oh ! merci ! Vous ne me repoussez pas ! Vous êtes
35 bonne ! Vous comprenez que je suis à vous ! Laissez que je
vous voie, que je vous contemple !

Un coup de vent qui arriva par les fenêtres fronça le tapis
de la table, et, sur la Place, en bas, tous les grands bonnets
des paysannes se soulevèrent, comme des ailes de papillons
40 blancs qui s'agitent.

« Emploi de tourteaux[1] de graines oléagineuses », continua le président.

Il se hâtait :

1. *Tourteau : résidu de graines dont on fait une sorte de gâteau qu'on utilise comme aliment pour le bétail ou comme engrais.*

De la subversion

Ce passage permet à Pierre Bergounioux d'illustrer ce qu'il appelle « la subversion intense consécutive à l'effacement du scripteur devant les codes » qui caractérise ce qui se passe au niveau du discours (les modes et aspects du récit) par opposition à l'aspect traditionnel du niveau de l'histoire (organisée selon une logique des actions et des personnages), pour reprendre les catégories opératoires de Todorov :

Génisse pleine, de deux à trois ans : 1er prix, à M. Lesueur, de Bondeville, une médaille et une prime de 40 fr. ; 2e prix, *de deux ans*, à M. Lelarge, de Malaunay, une médaille et une prime de 30 fr.

Vaches laitières de six ans : 1er prix, à M. Thomas Mulot, une médaille et 100 fr. ; 2e prix, à M. Bréard, une médaille et une prime de 80 fr. ; 3e prix, à M. Anfry fils, de Grand-Couronne, une médaille et 60 fr.

« Au niveau de l'histoire, c'est-à-dire de cette somme d'événements pris dans leur déroulement causal et temporel, il n'y a rien que de très traditionnel et il est loisible de retrouver dans le syntagme narratif cette suite de fonctions et d'actions prélevées dans les codes "sémique" et "proaïrétique", et redistribuées selon les normes de la plus conventionnelle logique romanesque. Rien d'ambivalent à cet égard, sinon un léger tremblement, un flou imperceptible dans le lourd conformisme de l'histoire elle-même. C'est au titre de ce conformisme ostentatoire que Flaubert a pu être récupéré comme littérature, et c'est comme histoire d'adul-

tère que l'avocat impérial E. Pinard a fustigé *Madame Bovary.*

— Mais c'est au niveau du discours qu'on peut apprécier la subversion intense consécutive à l'effacement du scripteur devant les codes, devant la parole hégémonique de l'autre. *Madame Bovary* ne réalise pas cette hiérarchisation arrêtée des discours qui s'y entrecroisent ; aux lieu et place de la relation transcendante et unilatérale qui unissait jusqu'alors le narrateur et ses personnages, le sujet de l'énonciation et le sujet de l'énoncé, le vide se fait. Le deuxième terme de la relation, le sujet de l'énonciation ("je" qui peut très bien s'affubler

d'un "il") est devenu insaisissable. Toutes les positions clés où l'on avait coutume de surprendre le créateur présent dans sa création, tous les hauts lieux que représentent les instances du discours, les traits stylistiques, les énoncés idéologiques se trouvent désertés. Il n'est plus aucune référence dernière qui permette de déterminer le degré de vérité ou de fausseté propre à chaque discours, de fixer les coordonnées d'un épicentre régulateur. La voix de l'autre s'énonce dans son indécidable plénitude, et dans l'effacement du scripteur qui à aucun moment ne prend en charge la vulgarité, la vanité ou plus largement la "naïveté"

« Engrais flamand[1], — culture du lin, — drainage, baux à longs termes, — services de domestiques. »

Rodolphe ne parlait plus. Ils se regardaient. Un désir suprême faisait frissonner leurs lèvres sèches ; et mollement,
5 sans efforts, leurs doigts se confondirent.

« Catherine-Nicaise-Élisabeth Leroux, de Sassetot-la-Guerrière, pour cinquante-quatre ans de service dans la même ferme, une médaille d'argent — du prix de vingt-cinq francs ! »

10 « Où est-elle, Catherine Leroux ? » répéta le Conseiller.

Elle ne se présentait pas, et l'on entendait des voix qui chuchotaient :

— Vas-y !
— Non.
15 — A gauche !
— N'aie pas peur !
— Ah ! qu'elle est bête !
— Enfin y est-elle ? s'écria Tuvache.
— Oui !... la voilà !
20 — Qu'elle approche donc !

Alors on vit s'avancer sur l'estrade une petite vieille femme de maintien craintif, et qui paraissait se ratatiner dans ses pauvres vêtements. Elle avait aux pieds de grosses galoches de bois, et, le long des hanches, un grand tablier bleu.
25 Son visage maigre, entouré d'un béguin sans bordure, était plus plissé de rides qu'une pomme de reinette flétrie, et des manches de sa camisole[2] rouge dépassaient deux longues mains, à articulations noueuses. La poussière des granges, la potasse des lessives et le suint des laines les avaient si bien
30 encroûtées, éraillées, durcies, qu'elles semblaient sales quoiqu'elles fussent rincées d'eau claire ; et, à force d'avoir servi, elles restaient entrouvertes, comme pour présenter d'elles-mêmes l'humble témoignage de tant de souffrances subies. Quelque chose d'une rigidité monacale relevait
35 l'expression de sa figure. Rien de triste ou d'attendri n'amollissait ce regard pâle. Dans la fréquentation des animaux, elle avait pris leur mutisme et leur placidité. C'était la première fois qu'elle se voyait au milieu d'une compagnie si nombreuse ; et, intérieurement effarouchée par les dra-
40 peaux, par les tambours, par les messieurs en habit noir et par la croix d'honneur du Conseiller, elle demeurait tout immobile, ne sachant s'il fallait s'avancer ou s'enfuir, ni pourquoi la foule la poussait et pourquoi les examinateurs

1. Engrais flamand : excréments récupérés dans les fosses d'aisance et étendus d'eau.
2. Camisole : « Sorte de vêtement à manches et court qui se porte sous ou sur la chemise. » (Littré.)

du texte qu'il met en scène. La structure de *Madame Bovary* n'est pas, à l'instar du texte classique, verticale, mais parfaitement horizontale ; elle est pure juxtaposition de discours, cohabitation arbitraire et toujours fluctuante d'énoncés-énonciations désoriginés, sans autre liaison que leur commune présence dans l'espace du livre. On peut noter ici l'homologie entre le caractère parataxique du "style" flaubertien — ou disons, d'un certain phrasé — et les grandes unités de discours où il s'intègre. Tel entretien galant de Rodolphe et d'Emma sur fond de comice agricole propose un exemple frappant de cette juxtaposition et de cette interférence de discours, avec toute l'ambiguïté qui en résulte.

[...]

Appliquant avant la lettre l'aphorisme mallarméen, c'est à une sorte de "disparition élocutoire" que son parti pris d'altérité intégrale conduit le scripteur. C'est en ce qu'il se retire pour donner carrière aux multiples énoncés qui l'environnent que Flaubert peut retrouver la littérature et il lui faut s'anéantir pour y resurgir. Véritable coup de force qui bouscule la juridiction stricte du langage, geste sacrificiel qui ouvre la littérature à la conscience malheureuse de son inexistence — puisqu'elle sera l'autre —, et l'écriture aux modes spécifiques de sa production. »

PIERRE BERGOUNIOUX, 1972, « Flaubert et l'autre », *Communications,* n° 19, pp. 49-50.

lui souriaient. Ainsi se tenait, devant ces bourgeois épanouis, ce demi-siècle de servitude. ①

— Approchez, vénérable Catherine-Nicaise-Élisabeth Leroux ! dit M. le Conseiller, qui avait pris des mains du pré-
5 sident la liste des lauréats.

Et tour à tour examinant la feuille de papier, puis la vieille femme, il répétait d'un ton paternel :

— Approchez, approchez !

— Êtes-vous sourde ? dit Tuvache, en bondissant sur son
10 fauteuil.

Et il se mit à lui crier dans l'oreille :

— Cinquante-quatre ans de service ! Une médaille d'argent ! Vingt-cinq francs ! C'est pour vous.

Puis, quand elle eut sa médaille, elle la considéra. Alors
15 un sourire de béatitude se répandit sur sa figure, et on l'entendait qui marmottait en s'en allant :

— Je la donnerai au curé de chez nous, pour qu'il me dise des messes.

— Quel fanatisme ! exclama le pharmacien, en se pen-
20 chant vers le notaire.

La séance était finie ; la foule se dispersa ; et, maintenant que les discours étaient lus, chacun reprenait son rang et tout rentrait dans la coutume : les maîtres rudoyaient les domestiques, et ceux-ci frappaient les animaux, triompha-
25 teurs indolents qui s'en retournaient à l'étable, une couronne verte entre les cornes.

Cependant les gardes nationaux étaient montés au premier étage de la mairie, avec des brioches embrochées à leurs baïonnettes, et le tambour du bataillon qui portait un
30 panier de bouteilles. Madame Bovary prit le bras de Rodolphe ; il la reconduisit chez elle ; ils se séparèrent devant sa porte ; puis il se promena seul dans la prairie, tout en attendant l'heure du banquet.

Le festin fut long, bruyant, mal servi ; l'on était si tassé,
35 que l'on avait peine à remuer les coudes, et les planches étroites qui servaient de bancs faillirent se rompre sous le poids des convives. Ils mangeaient abondamment. Chacun s'en donnait pour sa quote-part. La sueur coulait sur tous les fronts ; et une vapeur blanchâtre, comme la buée d'un
40 fleuve par un matin d'automne, flottait au-dessus de la table, entre les quinquets suspendus. Rodolphe, le dos appuyé contre le calicot de la tente, pensait si fort à Emma, qu'il n'entendait rien. Derrière lui, sur le gazon, des domestiques

Le peuple : marginalisation et protestation

'armi les figures de personna-
res issus du peuple, celle de
Catherine Leroux est sans
doute la plus émouvante. Si le
monde paysan n'est guère
flatté dans le roman, la servante, Hippolyte, l'Aveugle
représentent par leur statut
marginalisé et symbolique les
*opprimés d'une société
impitoyable :*
Le dessein de Madame
Bovary ne relève pas de
l'information sociale, mais elle
y est présente accessoirement
d'une manière qui atteste la
lucidité de Flaubert. Si son
mépris pour le peuple considéré dans son ensemble ne se
dément pas, son engagement
affectif est indéniable dans la
création d'individus miséreux
et opprimés partageant aussi
l'affinité entre le romancier et
son héroïne, une affinité dont
le lien est la protestation contre les limitations de la vie,
contre l'existence dure et
médiocre, rendue plus mal
tolérable encore par les conventions et les hypocrisies
d'une bourgeoisie éprise
d'ordre moral. »

JEAN-PIERRE VILCOT,
1980,
« Personnages du peuple,
révolte et marginalité dans
Madame Bovary », Les Amis
de Flaubert, n° 57, p. 20.

*On peut élargir la
perspective :*

« Bien que le roman annonce,
au début de sa deuxième partie, que rien ne change à Yonville, la situation des personnages est marquée par une étonnante instabilité des fortunes.
Dans le récit, il y a cinq faillites
ou ruines : Bovary père,
Héloïse Dubuc, Tellier le
cabaretier, Emma et Charles
Bovary et le père Rouault. A
l'opposé, deux fortunes se
construisent : Lheureux (avec
son complice Vinçart), en
secret tout au long du récit, et
le pharmacien Homais. La stabilité de certains, riches, pon-
dère l'ensemble : le notaire,
Rodolphe et le marquis
d'Andervilliers. Le récit est
ainsi image d'une transformation, il dit les difficultés d'une
petite bourgeoisie qui n'est
pas encore constituée en
classe cohérente. *Madame
Bovary* est le roman de la transition, de la définition lente et
accidentée d'une force nouvelle, prise, dans l'héritage de
la Révolution de 1789, entre
l'attachement terrien et aristocratique et la nécessité d'une
transformation économique et
sociale. Comme l'a montré
Claude Duchet, Emma est là,
très exactement située, "pay-

sanne d'origine, aristocrate de
désir, petite bourgeoise dans
sa vie". L'alternative de ce
milieu de siècle est claire :
"intégration à la notabilité
bourgeoise ou prolétarisa-
tion". L'ascension exemplaire
de Homais et Lheureux ou la
chute d'une famille (Berthe
Bovary doit travailler "pour
gagner sa vie, dans une filature de coton"). Clairement, le
récit fait le constat de la seule
survie possible dans le siècle :
la complicité du profit et du
progrès, le travail de l'argent
et des techniques.

Parallèlement, quatre personnages de la misère font appel,
par la fugacité même des allusions qui y sont faites, de
l'oubli où ils sont tenus par
une société consacrée à assurer sa notabilité. La mère Rollet, réduite à sa "masure" et
aux supplications, trouble un
instant le murmure d'Emma et
de Léon. De même, la "vénérable Catherine-Nicaise-
Elizabeth Leroux" émerge sur
fond de festivités bourgeoises
(celles du Progrès et celles du
Cœur), où son "mutisme" et sa
"placidité" témoignent d'un
scandale soigneusement inaperçu : "Ainsi se tenait,
devant ces bourgeois épa-
nouis, ce demi-siècle de servitude. » Enfin, deux victimes

empilaient des assiettes sales ; ses voisins parlaient, il ne leur répondait pas ; on lui emplissait son verre, et un silence s'établissait dans sa pensée, malgré les accroissements de la rumeur. Il rêvait à ce qu'elle avait dit et à la forme de ses
5 lèvres ; sa figure, comme en un miroir magique, brillait sur la plaque des shakos[1] ; les plis de sa robe descendaient le long des murs, et des journées d'amour se déroulaient à l'infini dans les perspectives de l'avenir.

Il la revit le soir, pendant le feu d'artifice ; mais elle était
10 avec son mari, madame Homais et le pharmacien, lequel se tourmentait beaucoup sur le danger des fusées perdues ; et, à chaque moment, il quittait la compagnie pour aller faire à Binet des recommandations.

Les pièces pyrotechniques envoyées à l'adresse du sieur
15 Tuvache avaient, par excès de précaution, été enfermées dans sa cave ; aussi la poudre humide ne s'enflammait guère, et le morceau principal, qui devait figurer un dragon se mordant la queue, rata complètement. De temps à autre, il partait une pauvre chandelle romaine[2] ; alors la foule
20 béante poussait une clameur où se mêlait le cri des femmes à qui l'on chatouillait la taille pendant l'obscurité. Emma, silencieuse, se blottissait doucement contre l'épaule de Charles ; puis, le menton levé, elle suivait dans le ciel noir le jet lumineux des fusées. Rodolphe la contemplait à la lueur des lam-
25 pions qui brûlaient.

Ils s'éteignirent peu à peu. Les étoiles s'allumèrent. Quelques gouttes de pluie vinrent à tomber. Elle noua son fichu sur sa tête nue.

A ce moment, le fiacre du Conseiller sortit de l'auberge.
30 Son cocher, qui était ivre, s'assoupit tout à coup ; et l'on apercevait de loin, par-dessus la capote, entre les deux lanternes, la masse de son corps qui se balançait de droite et de gauche, selon le tangage des soupentes[3].

— En vérité, dit l'apothicaire, on devrait bien sévir contre
35 l'ivresse ! Je voudrais que l'on inscrivît, hebdomadairement, à la porte de la mairie, sur un tableau *ad hoc*[4], les noms de tous ceux qui, durant la semaine, se seraient intoxiqués avec des alcools[5]. D'ailleurs, sous le rapport de la statistique, on aurait là comme des annales patentes[6] qu'on irait au
40 besoin... Mais excusez.

Et il courut encore vers le capitaine.

Celui-ci rentrait à sa maison. Il allait revoir son tour.

— Peut-être ne feriez-vous pas mal, lui dit Homais,

---

1. *Shako : coiffure militaire rigide, imitée de celle des hussards hongrois, portée par divers corps de cavalerie et d'infanterie.*
2. *Chandelle romaine : pièce pyrotechnique en forme de chandelle et qui lance des étoiles.*
3. *Soupente : assemblage de courroies qui soutiennent le corps d'une voiture.*
4. *Ad hoc : expression latine signifiant « pour l'objet même ».*
5. *« Alcoolisme. Cause de toutes les maladies modernes ». (Dictionnaire des idées reçues.)*
6. *Patente : évidente, manifeste.*

des "bienfaits de la science" disent à quel prix d'exploitation ou de mépris, Progrès et renommée sont acquis. L'"intéressant stréphopode" est acheté pour permettre une tentative de promotion, mais l'aveugle de Rouen, appelé par l'orgueil médical de Homais, est finalement repoussé parce que inopportun et persécuté. Il n'était pas question pour Flaubert de lancer un cri "socialiste", mais par l'ironie de telles juxtapositions, par l'absence de commentaires, le texte donne à lire le jeu des hypocrisies qui couvrent "comme l'indistincte lamentation d'une vague détresse". »

JACQUES NEEFS, 1972,
Madame Bovary de Flaubert,
collection Poche critique,
Hachette, pp. 42-43.

et inscrire encore plus nettement Catherine Leroux dans une perspective de dénonciation :

« Catherine Leroux, entrée en servitude pour au moins un demi-siècle à la veille même de 1789, y est assez exactement dans la position du mendiant de Molière : "Une médaille d'argent ! Vingt-cinq francs ! C'est pour vous." Mais la misère dévoie instinctivement les allèchements de la servitude : "Je la donnerai au curé de chez nous, pour qu'il me dise des messes." L'aliénation du "fanatisme", comme s'exclame Homais, défait dans l'indécidable l'aliénation des discours lus, de la rhétorique officielle, des listes de prix. Le calembour se hérisse dans l'exaequalité de la race porcine, et le roman romanesque

du désir dissimule l'habit dont on couvre la misère : avec son "grand tablier bleu", "sa camisole rouge" et l'illimité de son "béguin sans bordure", Catherine Leroux échappe au mensonge tricolore autant qu'elle l'exhibe, à la rationalité de l'argent autant qu'elle en porte la croix et l'honneur. Comme ses mains, elle est l'entrouvert du tissu de ce texte, pour porter d'elle-même témoignage de ce qu'est l'amour de l'humanité dans tout discours humaniste. »

JACQUES SEEBACHER,
1974,
« Chiffres, dates, écritures, inscriptions dans Madame Bovary » in *La Production du sens chez Flaubert*, colloque de Cerisy, 10/18, p. 295.

d'envoyer un de vos hommes ou d'aller vous-même...

— Laissez-moi donc tranquille, répondit le percepteur, puisqu'il n'y a rien !

— Rassurez-vous, dit l'apothicaire, quand il fut revenu
5 près de ses amis. M. Binet m'a certifié que les mesures étaient prises. Nulle flammèche ne sera tombée. Les pompes sont pleines. Allons dormir.

— Ma foi ! j'en ai besoin, fit madame Homais, qui bâillait considérablement ; mais, n'importe, nous avons eu pour
10 notre fête une bien belle journée.

Rodolphe répéta d'une voix basse et avec un regard tendre :

— Oh ! oui, bien belle !

Et, s'étant salués, on se tourna le dos.

15 Deux jours après, dans le Fanal de Rouen, il y avait un grand article sur les comices. Homais l'avait composé, de verve, dès le lendemain :

« Pourquoi ces festons, ces fleurs, ces guirlandes ? Où courait cette foule, comme les flots d'une mer en furie, sous
20 les torrents d'un soleil tropical qui répandait sa chaleur sur nos guérets[1] ? »

Ensuite, il parlait de la condition des paysans. Certes, le gouvernement faisait beaucoup, mais pas assez ! « Du courage ! lui criait-il ; mille réformes sont indispensables,
25 accomplissons-les. » Puis, abordant l'entrée du Conseiller, il n'oubliait point « l'air martial de notre milice », ni « nos plus sémillantes villageoises », ni les vieillards à tête chauve, « sorte de patriarches qui étaient là, et dont quelques-uns, débris de nos immortelles phalanges[2], sentaient encore bat-
30 tre leurs cœurs au son mâle des tambours. » Il se citait des premiers parmi les membres du jury, et même il rappelait, dans une note, que M. Homais, pharmacien, avait envoyé un Mémoire sur le cidre à la Société d'agriculture. Quand il arrivait à la distribution des récompenses, il dépeignait la joie
35 des lauréats en traits dithyrambiques. « Le père embrassait son fils, le frère le frère, l'époux l'épouse. Plus d'un montrait avec orgueil son humble médaille, et sans doute, revenu chez lui, près de sa bonne ménagère, il l'aura suspendue en
40 pleurant aux murs discrets de sa chaumine[3].

« Vers six heures, un banquet, dressé dans l'herbage de M. Liégeard, a réuni les principaux assistants de la fête. La plus grande cordialité n'a cessé d'y régner[4]. Divers toasts ont été portés : M. Lieuvain, au monarque ! M. Tuvache, au

1. Guéret : terre labourée et non ensemencée et, poétiquement, toute terre labourable.
2. Il s'agit des anciens combattants des armées napoléoniennes.
3. Chaumine : « Chétive maison de paysan » (Littré).
4. « Banquet : la plus franche cordialité ne cesse d'y régner ». (Dictionnaire des idées reçues.)

préfet ! M. Derozerays, à l'agriculture ! M. Homais, à l'industrie et aux beaux-arts, ces deux sœurs ! M. Leplichey, aux améliorations ! Le soir, un brillant feu d'artifice a tout à coup illuminé les airs. On eût dit un véritable kaléidoscope, un
5 vrai décor d'Opéra, et un moment notre petite localité a pu se croire transportée au milieu d'un rêve des *Mille et une Nuits*.

« Constatons qu'aucun événement fâcheux n'est venu troubler cette réunion de famille. »

10 Et il ajoutait :

« On y a seulement remarqué l'absence du clergé. Sans doute les sacristes entendent le progrès d'une autre manière. Libre à vous, messieurs de Loyola[1] ! » ⟨1⟩ ⟨2⟩

1. *Ces messieurs de Loyola sont évidemment les Jésuites, cible obligée d'un voltairien. La Compagnie de Jésus fut fondée dès 1534 par saint Ignace de Loyola (1491 ?-1556).*

① Le petit journal de Madame Bovary

« Je ne suis pas mécontent de mon article de Homais (indirect et avec citations). Il rehausse les comices et les fait paraître plus courts parce qu'il les résume. »

A Louise Colet 10/12(?) 1853.

② Un texte parodique

Ce « morceau » homaisien mériterait un commentaire approfondi tant le comique flaubertien s'y déploie magistralement. Signalons seulement qu'il parodie ici un discours de l'académicien Ancelot (1794-1854) pour l'inauguration au Havre le 9 août 1852 des statues de Bernardin de Saint-Pierre et de Casimir Delavigne :
« Où va cette foule empressée
Désertant ses foyers, ses comptoirs, ses sillons ?
Pourquoi sur cette mer, par les vents caressée,
A la cime des mâts ces mille pavillons ? »
En fait, il s'agit d'une parodie de parodie, ou d'imitation, car ce discours en vers s'inspire d'une des œuvres de Casimir Delavigne (1793-1843) la Messénienne *sur Jeanne d'Arc :*
« D'où vient ce bruit lugubre ?
Où courent ces guerriers
Dont la foule à longs flots roule
Et se précipite ? »
Madame Bovary *devait être bien sûr parodiée à son tour. Cela se fera au théâtre avec* Les Vaches landaises *de Delecour et Lambert Thiboust, au Palais-Royal en 1857, et* Ohé, les petits agneaux *de Cogniard et Clairville, la même année aux Variétés. Signalons que deux adaptations théâtrales furent commises par William Busnach au Théâtre français de Rouen en 1906 et par Gaston Baty en 1936 au théâtre Montparnasse.*

IX

Six semaines s'écoulèrent. Rodolphe ne revint pas. Un soir, enfin, il parut.

Il s'était dit, le lendemain des comices :

— N'y retournons pas de sitôt, ce serait une faute.

5 Et, au bout de la semaine, il était parti pour la chasse. Après la chasse, il avait songé qu'il était trop tard, puis il fit ce raisonnement :

— Mais, si du premier jour, elle m'a aimé, elle doit, par l'impatience de me revoir, m'aimer davantage. Continuons 10 donc !

Et il comprit que son calcul avait été bon, lorsque, en entrant dans la salle, il aperçut Emma pâlir.

Elle était seule. Le jour tombait. Les petits rideaux de mousseline, le long des vitres, épaississaient le crépuscule, 15 et la dorure du baromètre, sur qui frappait un rayon de soleil, étalait des feux dans la glace, entre les découpures du polypier.

Rodolphe resta debout ; et à peine si Emma répondit à ses premières phrases de politesse.

20 — Moi, dit-il, j'ai eu des affaires. J'ai été malade.

— Gravement ? s'écria-t-elle.

— Eh bien ! fit Rodolphe en s'asseyant à ses côtés sur un tabouret, non !... C'est que je n'ai pas voulu revenir.

— Pourquoi ?

25 — Vous ne devinez pas ?

Il la regarda encore une fois, mais d'une façon si violente qu'elle baissa la tête en rougissant. Il reprit :

— Emma...

— Monsieur ! fit-elle en s'écartant un peu.

30 — Ah ! vous voyez bien, répliqua-t-il d'une voix mélancolique, que j'avais raison de vouloir ne pas revenir ; car ce nom, ce nom qui remplit mon âme et qui m'est échappé, vous me l'interdisez ! Madame Bovary !... Eh ! tout le monde vous appelle comme cela !... Ce n'est pas votre 35 nom, d'ailleurs ; c'est le nom d'un autre !

Il répéta :

— D'un autre !

Et il se cacha la figure entre les mains.

— Oui, je pense à vous continuellement !... Votre souvenir me désespère ! Ah ! pardon !... Je vous quitte... Adieu !... J'irai loin..., si loin, que vous n'entendrez plus parler de moi !... Et cependant..., aujourd'hui..., je ne sais 5 quelle force encore m'a poussé vers vous ! Car on ne lutte pas contre le ciel, on ne résiste point au sourire des anges ! on se laisse entraîner par ce qui est beau, charmant, adorable !

C'était la première fois qu'Emma s'entendait dire ces cho- 10 ses ; et son orgueil, comme quelqu'un qui se délasse dans une étuve, s'étirait mollement et tout entier à la chaleur de ce langage.

— Mais, si je ne suis pas venu, continua-t-il, si je n'ai pu vous voir, ah ! du moins j'ai bien contemplé ce qui vous 15 entoure. La nuit, toutes les nuits, je me relevais, j'arrivais jusqu'ici, je regardais votre maison, le toit qui brillait sous la lune, les arbres du jardin qui se balançaient à votre fenêtre, et une petite lampe, une lueur, qui brillait à travers les carreaux, dans l'ombre. Ah ! vous ne saviez guère qu'il y avait 20 là, si près et si loin, un pauvre misérable...

Elle se tourna vers lui avec un sanglot.

— Oh ! vous êtes bon ! dit-elle.

— Non, je vous aime, voilà tout ! Vous n'en doutez pas ! Dites-le-moi ; un mot ! un seul mot ! 25

Et Rodolphe, insensiblement, se laissait glisser du tabouret jusqu'à terre ; mais on entendit un bruit de sabots dans la cuisine, et la porte de la salle, il s'en aperçut, n'était pas fermée.

— Que vous seriez charitable, poursuivit-il en se relevant, 30 de satisfaire une fantaisie !

C'était de visiter sa maison ; il désirait la connaître ; et, madame Bovary n'y voyant point d'inconvénient, ils se levaient tous deux, quand Charles entra.

— Bonjour, docteur, lui dit Rodolphe. 35

Le médecin, flatté de ce titre inattendu, se répandit en obséquiosités, et l'autre en profita pour se remettre un peu.

— Madame m'entretenait, fit-il donc, de sa santé...

Charles l'interrompit : il avait mille inquiétudes, en effet ; les oppressions de sa femme recommençaient. Alors Rodol- 40 phe demanda si l'exercice du cheval ne serait pas bon.

— Certes ! excellent, parfait !... Voilà une idée ! Tu devrais la suivre[1].

1. « Exercice. Préserve de toutes les maladies : toujours conseiller d'en faire ». (Dictionnaire des idées reçues.)

Et, comme elle objectait qu'elle n'avait point de cheval,
M. Rodolphe en offrit un ; elle refusa ses offres ; il n'insista
pas ; puis, afin de motiver sa visite, il conta que son charretier, l'homme à la saignée, éprouvait toujours des
5 étourdissements.

— J'y passerai, dit Bovary.

— Non, non, je vous l'enverrai ; nous viendrons, ce sera
plus commode pour vous.

— Ah ! fort bien. Je vous remercie.

10 Et, dès qu'ils furent seuls :

— Pourquoi n'acceptes-tu pas les propositions de M.
Boulanger, qui sont si gracieuses ?

Elle prit un air boudeur, chercha mille excuses, et déclara
finalement *que cela peut-être semblerait drôle*.

15 — Ah ! je m'en moque pas mal ! dit Charles en faisant
une pirouette. La santé avant tout ! Tu as tort !

— Eh ! comment veux-tu que je monte à cheval, puisque
je n'ai pas d'amazone[1] ?

— Il faut t'en commander une ! répondit-il.

20 L'amazone la décida.

Quand le costume fut prêt, Charles écrivit à M. Boulanger
que sa femme était à sa disposition, et qu'ils comptaient sur
sa complaisance.

Le lendemain, à midi, Rodolphe arriva devant la porte de
25 Charles avec deux chevaux de maître. L'un portait des pom-
pons roses aux oreilles et une selle de femme en peau de
daim.

Rodolphe avait mis de longues bottes molles, se disant
que sans doute elle n'en avait jamais vu de pareilles ; en
30 effet, Emma fut charmée de sa tournure, lorsqu'il apparut
sur le palier avec son grand habit de velours et sa culotte de
tricot blanc. Elle était prête, elle l'attendait.

Justin s'échappa de la pharmacie pour la voir, et l'apothicaire aussi se dérangea. Il faisait à M. Boulanger des
35 recommandations.

— Un malheur arrive si vite ! Prenez garde ! Vos chevaux
peut-être sont fougueux ! ①

Elle entendit du bruit au-dessus de sa tête : c'était Félicité
qui tambourinait contre les carreaux pour divertir la petite
40 Berthe. L'enfant envoya de loin un baiser ; sa mère lui
répondit d'un signe avec le pommeau de sa cravache.

— Bonne promenade ! cria M. Homais. De la prudence,
surtout ! de la prudence !

1. *Amazone : longue robe de drap que
portent les cavalières.*

Les flaubertismes

Proust conteste les réticences de Thibaudet pour qui Flaubert était peu doué pour écrire et célèbre celui qui « par l'usage entièrement nouveau et personnel qu'il a fait du passé défini, du passé indéfini, du participe présent, de certains pronoms et de certaines prépositions, a renouvelé presque autant notre vision des choses que Kant, avec ses Catégories, les théories de la Connaissance et de la Réalité du monde extérieur ». S'il déplore qu'il n'y ait « peut-être pas dans tout Flaubert une seule belle métaphore », il s'attache à disséquer ce qu'il appelle les « particularités grammaticales » du style de Flaubert, à commencer par l'usage de la conjonction et : il la supprime quand elle devrait marquer une pause rythmique et diviser un tableau, et l'utilise pour commencer une phrase secondaire, pour relancer une description par exemple. Il poursuit ainsi :

« Ces singularités grammaticales traduisant en effet une vision nouvelle, que d'application ne fallait-il pas pour bien fixer cette vision, pour la faire passer de l'inconscient dans le conscient, pour l'incorporer enfin aux diverses parties du discours ! Ce qui étonne seulement chez un tel maître c'est la médiocrité de sa correspondance. Généralement les grands écrivains qui ne savent pas écrire (comme les grands peintres qui ne savent pas dessiner) n'ont fait en réalité que renoncer leur "virtuosité", leur "facilité" innées, afin de créer, pour une vision nouvelle, des expressions qui tâchent peu à peu de s'adapter à elle. Or dans la correspondance où l'obéissance absolue à l'idéal intérieur, obscur, ne les soumet plus, ils redeviennent ce que, moins grands, ils n'auraient cessé d'être. Que de femmes, déplorant les œuvres d'un écrivain de leurs amis, ajoutent "Et si vous saviez quels ravissants billets il écrit quand il se laisse aller ! Ses lettres sont infiniment supérieures à ses livres." En effet c'est un jeu d'enfant de montrer de l'éloquence, du brillant, de l'esprit, de la décision dans le trait, pour qui d'habitude manque de tout cela seulement parce qu'il doit se modeler sur une réalité tyrannique à laquelle il ne lui est pas permis de changer quoi que ce soit. Cette hausse brusque et apparente que subit le talent d'un écrivain dès qu'il improvise (ou d'un peintre qui "dessine comme Ingres" sur l'album d'une dame laquelle ne comprend pas ses tableaux) cette hausse devrait être sensible dans la Correspondance de Flaubert. Or c'est plutôt une baisse qu'on enregistre. Cette anomalie se complique de ceci que tout grand artiste qui volontairement laisse la réalité s'épanouir dans ses livres se prive de laisser paraître en eux une intelligence, un jugement critique qu'il tient pour inférieurs à son génie. Mais tout cela qui n'est pas dans son œuvre, déborde dans sa conversation, dans ses lettres. Celles de Flaubert n'en font rien paraître. Il nous est impossible d'y reconnaître, avec M. Thibaudet, les "idées d'un cerveau de premier ordre", et cette fois ce n'est pas par l'article de M. Thibaudet, c'est par la Correspondance de Flaubert que nous sommes déconcertés. Mais enfin puisque nous sommes avertis du génie de Flaubert seulement par la beauté de son style et les singularités immuables d'une syntaxe déformante, notons encore une de ces singularités : par exemple un adverbe finissant non seulement une phrase, une période, mais un livre. (Dernière phrase d'*Hérodias* : "Comme elle était très lourde (la tête de Saint Jean), ils la portaient alternativement.") Chez lui

Et il agita son journal en les regardant s'éloigner.

Dès qu'il sentit la terre, le cheval d'Emma prit le galop.
Rodolphe galopait à côté d'elle. Par moments ils échangeaient une parole. La figure un peu baissée, la main haute
5 et le bras droit déployé, elle s'abandonnait à la cadence du
mouvement qui la berçait sur la selle.

Au bas de la côte, Rodolphe lâcha les rênes ; ils partirent
ensemble, d'un seul bond ; puis, en haut, tout à coup, les
chevaux s'arrêtèrent, et son grand voile bleu retomba.

10 On était aux premiers jours d'octobre. Il y avait du brouillard sur la campagne. Des vapeurs s'allongeaient à l'horizon,
entre le contour des collines ; et d'autres, se déchirant, montaient, se perdaient. Quelquefois, dans un écartement des
nuées, sous un rayon de soleil, on apercevait au loin les toits
15 d'Yonville, avec les jardins au bord de l'eau, les cours, les
murs, et le clocher de l'église. Emma fermait à demi les paupières pour reconnaître sa maison, et jamais ce pauvre village où elle vivait ne lui avait semblé si petit. De la hauteur
où ils étaient, toute la vallée paraissait un immense lac pâle,
20 s'évaporant à l'air. Les massifs d'arbres, de place en place,
saillissaient comme des rochers noirs ; et les hautes lignes
des peupliers, qui dépassaient la brume, figuraient des grèves que le vent remuait. ①

A côté, sur la pelouse, entre les sapins, une lumière brune
25 circulait dans l'atmosphère tiède. La terre, roussâtre comme
de la poudre de tabac, amortissait le bruit des pas ; et, du
bout de leurs fers, en marchant, les chevaux poussaient
devant eux des pommes de pin tombées.

Rodolphe et Emma suivirent ainsi la lisière du bois. Elle se
30 détournait de temps à autre afin d'éviter son regard, et alors
elle ne voyait que les troncs des sapins alignés, dont la succession continue l'étourdissait un peu. Les chevaux soufflaient. Le cuir des selles craquait.

Au moment où ils entrèrent dans la forêt, le soleil parut.
35 — Dieu nous protège ! dit Rodolphe.
— Vous croyez ? fit-elle.
— Avançons ! Avançons ! reprit-il.

Il claqua de la langue. Les deux bêtes couraient.

De longues fougères, au bord du chemin, se prenaient
40 dans l'étrier d'Emma. Rodolphe, tout en allant, se penchait
et il les retirait à mesure. D'autres fois, pour écarter les branches, il passait près d'elle, et Emma sentait son genou lui frô-
ler la jambe. Le ciel était devenu bleu. Les feuilles ne
remuaient pas. Il y avait de grands espaces pleins de bruyè-

comme chez Leconte de Lisle, on sent le besoin de la solidité, fût-elle un peu massive, par réaction contre une littérature sinon creuse, du moins très légère, dans laquelle trop d'interstices, de vides, s'insinuaient. D'ailleurs les adverbes, locutions adverbiales, etc., sont toujours placés dans Flaubert de la façon à la fois la plus laide, la plus inattendue, la plus lourde, comme pour maçonner ces phrases compactes, boucher les moindres trous. M. Homais dit : "Vos chevaux, *peut-être,* sont fougueux." Hussonnet : "Il serait temps, *peut-être,* d'aller instruire les populations." "Paris, bientôt, serait été." Les "après tout", les "cependant", les "du moins" sont toujours placés ailleurs qu'où ils l'eussent été par quelqu'un d'autre que

Flaubert, en parlant ou en écrivant. "Une lampe en forme de colombe brûlait dessus *continuellement."* Pour la même raison, Flaubert ne craint pas la lourdeur de certains verbes, de certaines expressions un peu vulgaires (en contraste

avec la variété de verbes que nous citions plus haut, le verbe avoir, si solide, est employé constamment, là où un écrivain de second ordre chercherait des nuances plus fines : "Les maisons avaient des jardins en pente." "Les quatre tours avaient des toits pointus." C'est le fait de tous les grands inventeurs en art, au moins au XIXᵉ siècle, que tandis que des esthètes montraient leur filiation avec le passé, le public les trouva vulgaires. »

MARCEL PROUST, 1920, « A propos du style de Flaubert », repris in *Chroniques*, Gallimard, 1928, cité par Raymonde Debray-Genette, *Flaubert,* Miroir de la critique, Didier, 1970, pp. 52-53.

 ## Le petit journal de Madame Bovary

« J'ai une baisade qui m'inquiète fort et qu'il ne faudra pas biaiser, quoique je veuille la faire chaste, c'est-à-dire littéraire, sans détails lestes, ni images licencieuses ; il faudra que le luxurieux soit dans l'émotion. »

A Louise Colet, 2/7/1853.

« Voilà une des rares journées de ma vie que j'ai passée dans l'illusion complètement et

depuis un bout jusqu'à l'autre. Tantôt, à 6 heures, au moment où j'écrivais le mot attaque de nerfs, j'étais si emporté, je gueulais si fort et sentais si profondément ce que ma petite femme éprouvait, que j'ai eu peur moi-même d'en avoir une. Je me suis levé de ma table et j'ai ouvert la fenêtre pour me calmer.

(...) Aujourd'hui (...) homme et femme tout ensemble, amant

et maîtresse à la fois, je me suis promené à cheval dans une forêt, par un après-midi d'automne, sous des feuilles jaunes, et j'étais les chevaux, les feuilles, le vent, les paroles qu'ils se disaient et le soleil rouge qui faisait s'entrefermer leurs paupières noyées d'amour. »

A Louise Colet, 23/12/1853.

res tout en fleurs ; et des nappes de violettes s'alternaient avec le fouillis des arbres, qui étaient gris, fauves ou dorés, selon la diversité des feuillages. Souvent on entendait, sous les buissons, glisser un petit battement d'ailes, ou bien le cri
5 rauque et doux des corbeaux, qui s'envolaient dans les chênes.

Ils descendirent. Rodolphe attacha les chevaux. Elle allait devant, sur la mousse, entre les ornières.

Mais sa robe trop longue l'embarrassait, bien qu'elle la
10 portât relevée par la queue, et Rodolphe, marchant derrière elle, contemplait entre ce drap noir et la bottine noire, la délicatesse de son bas blanc, qui lui semblait quelque chose de sa nudité ⟨①⟩.

Elle s'arrêta.
15 — Je suis fatiguée, dit-elle.

— Allons, essayez encore ! reprit-il. Du courage !

Puis cent pas plus loin elle s'arrêta de nouveau ; et, à travers son voile, qui de son chapeau d'homme descendait obliquement sur ses hanches, on distinguait son visage dans
20 une transparence bleuâtre, comme si elle eût nagé sous des flots d'azur.

— Où allons-nous donc ?

Il ne répondit rien. Elle respirait d'une façon saccadée. Rodolphe jetait les yeux autour de lui et il se mordait la
25 moustache.

Ils arrivèrent à un endroit plus large, où l'on avait abattu des baliveaux[1]. Ils s'assirent sur un tronc d'arbre renversé, et Rodolphe se mit à lui parler de son amour.

Il ne l'effraya point d'abord par des compliments. Il fut
30 calme, sérieux, mélancolique.

Emma l'écoutait la tête basse, et tout en remuant, avec la pointe de son pied, des copeaux par terre.

Mais, à cette phrase :

— Est-ce que nos destinées maintenant ne sont pas
35 communes ?

— Eh non ! répondit-elle. Vous le savez bien. C'est impossible.

Elle se leva pour partir. Il la saisit au poignet. Elle s'arrêta. Puis, l'ayant considéré quelques minutes d'un œil amoureux
40 et tout humide, elle dit vivement :

— Ah ! tenez, n'en parlons plus... Où sont les chevaux ? Retournons.

Il eut un geste de colère et d'ennui. Elle répéta :

1. *Baliveau : arbre réservé lors de la coupe et destiné à devenir un arbre de haute futaie.*

⟨1⟩ Le vêtement et le corps

« C'est dans la mesure où le vêtement doit, en premier lieu, non pas classer ou déclasser un personnage, mais dévoiler ou dessiner un corps, que Flaubert se sépare, non sans regrets, d'une vestignomonie de type balzacien. Dans une lettre de 1854 entièrement consacrée au *chiffon*, il confie à Louise Colet : "J'ai souffert beaucoup de ces riens, dont un homme *ne doit pas parler*. Ainsi il y a des ameublements, des costumes, des couleurs d'habits, des profils de chaises, des bordures de rideaux, qui me font mal." Antipathie nerveuse qui explique la garde-robe des romans. Il y a, pour Flaubert, deux catégories de vêtements : ceux qui l'irritent et ceux qui lui parlent. L'irrite tout ce qui est "arrangé pour le public", tel l'accoutrement d'un "petit beau jeune homme à moustaches en croc" qui se pavane sur le bateau de la Saône. Mais soudain le temps fraîchit, obligeant le jeune homme à enfiler son paletot : "Ce paletot, en revanche, cet infâme paletot était bien à son maître, à lui seul, il y tenait par les racines les plus secrètes de sa vie." L'on songe à Emma trouvant étalée sur la redingote de Charles "toute la plati-

tude du personnage". Or, si déplaisants que soient ce paletot et cette redingote, ils ont le mérite de dire vrai, d'exprimer un rapport, de raconter une histoire. La toilette scandaleuse, ce n'est pas la toilette décente, libidineuse, élégiaque ou émoustillante, pour reprendre les expressions de Flaubert, mais la toilette suffisante qui prétend exister pour elle-même dans les armoires comme dans les fêtes. Toute une vestignomonie négative s'illustre le jour des noces et des Comices : gamins "incommodés par leurs habits neufs", crainte de salir ses gants, chemises bombant comme des cuirasses, plastrons, cols hauts, bonnets empesés, chapeaux enveloppés de mouchoirs, tuniques sanglées, robes retroussées "de peur des taches". Flaubert qui a en horreur l'étriqué, le dur, le mou petit-bourgeois (les pantoufles d'Homais), célèbre la mousseline et les chaussures fines ; mais avant de préciser les qualités du costume, il le maltraite comme pour l'exorciser. Rodolphe déforme d'une main la poche de sa veste et foule les crottins de cheval avec ses bottines "si vernies que l'herbe s'y reflétait".

[...]
Du moment qu'il est promis à l'effacement ou à la destruction, le vêtement cesse d'être le vain et pesant ornement de la tragédie. Qu'il soit donc aussi étranger dans son armoire que le livre sur son rayon : il est fait pour se défaire comme le livre pour être lu. [...] L'impatience d'Emma ("Elle se déshabillait brutalement, [...] elle faisait d'un seul geste tomber ensemble tous ses vêtements...") présente la toilette sous l'unique jour de l'appétit. Trait d'union avec le corps et le désir, le vêtement évoque, au lieu des arcanes du pouvoir, un rétrécissement du monde, le privilège de la possession charnelle.

[...]
Avant même qu'il ne cède, le vêtement annonce le corps, chante son passage ou son avènement. Flaubert prête à l'étoffe une sorte d'*impetus* qui l'élève au-dessus du commun des choses : [...] le lacet de corset d'Emma Bovary siffle "autour de ses hanches comme une couleuvre qui glisse". Piètre métaphore, mais que légitiment le goût et les impressions des personnages. S'ils aiment à entendre le costume, Flaubert leur offre des lieux propices aux courants d'air (portes, escaliers,

fenêtres) et des étoffes sensibles et dociles.

Des mots clés se détachent : à travers, forme, contour. Le vêtement n'a de dignité que s'il s'abolit en dessinant le corps et son relief.

[...]

Ainsi le corps est-il tantôt moulé (non point sanglé) par le vêtement, tantôt à travers celui-ci livré au regard ébloui. A l'auberge du *Lion d'Or*, Mme Bovary s'approche de la cheminée :

"Le feu l'éclairait en entier, pénétrant d'une lumière crue la trame de sa robe, les pores égaux de sa peau blanche et même les paupières de ses yeux..."

Ne dirait-on pas qu'une transfusion s'effectue de la trame de cette robe aux pores de cette peau, comme dans la scène où Mathô contemple Salammbô :

"... les vêtements, pour lui, se confondaient avec le corps. La moire des étoffes était, comme la splendeur de sa peau, quelque chose de spécial et n'appartenant qu'à elle."

L'étoffe se fait chair et Léon, posant sa botte sur la robe d'Emma, s'écarte "comme s'il eût marché sur quelqu'un". Confusion, illusion dont témoigne le style, puisque la description, chez Flaubert, est l'œuvre d'un sujet. Aussi les mêmes épithètes — moelleux,

velouté, moiré — s'attribuent-
elles indifféremment au corps
et au vêtement.

Plus curieusement encore,
l'on voit des vêtements qui, se
laissant prendre au jeu du
désir, aimantés par lui, coupables pour un peu, miment la
possession rêvée ou pro-
chaine. Emma danse avec le
vicomte et sa robe, "par le
bas, s'éraflait au pantalon ; les
jambes entraient l'une dans
l'autre..." Dans la campagne
d'Yonville, précédant l'intimité des corps, "le drap de sa
robe s'accrochait au velours
de l'habit". [...] Mais que le
vêtement efface pour interdire
ou s'efface pour laisser voir,
qu'il entretienne ou allume le
désir, toujours il pactise avec
le corps. Bien plus, il y adhère
si intimement qu'on ne saurait
les séparer sans dommage.
Dans *Madame Bovary* comme
dans l'*Éducation sentimentale*, la banqueroute, épilogue
funèbre, se traduit par le
démembrement d'une garde-
robe. La carrière d'Emma se
boucle avec la saisie de son
linge et "son existence, jusque dans ses recoins les plus
i n t i m e s , f u t c o m m e
u n c a d a v r e q u e l ' o n
autopsie...". »

ROGER KEMPF, 1968,
« La découverte du corps
dans les romans de Flaubert »
in *Sur le corps romanesque* ,
Seuil, pp. 112-118.

— Où sont les chevaux ? où sont les chevaux ?

Alors souriant d'un sourire étrange et la prunelle fixe, les dents serrées, il s'avança en écartant les bras. Elle se recula tremblante. Elle balbutiait :

5 — Oh ! vous me faites peur ! vous me faites mal ! Partons.

— Puisqu'il le faut, reprit-il en changeant de visage.

Et il redevint aussitôt respectueux, caressant, timide. Elle lui donna son bras. Ils s'en retournèrent. Il disait :

10 — Qu'aviez-vous donc ? Pourquoi ? Je n'ai pas compris. Vous vous méprenez, sans doute ? Vous êtes dans mon âme comme une madone sur un piédestal, à une place haute, solide et immaculée. Mais j'ai besoin de vous pour vivre ! J'ai besoin de vos yeux, de votre voix, de votre pen-

15 sée. Soyez mon amie, ma sœur, mon ange !

Et il allongeait son bras et lui en entourait la taille. Elle tâchait de se dégager mollement. Il la soutenait ainsi, en marchant.

Mais ils entendirent les deux chevaux qui broutaient le

20 feuillage.

— Oh ! encore, dit Rodolphe. Ne partons pas ! Restez !

Il l'entraîna plus loin, autour d'un petit étang, où des lentilles d'eau faisaient une verdure sur les ondes. Des nénuphars flétris se tenaient immobiles entre les joncs. Au bruit de leurs

25 pas dans l'herbe, des grenouilles sautaient pour se cacher.

— J'ai tort, j'ai tort, disait-elle. Je suis folle de vous entendre.

— Pourquoi ?... Emma ! Emma !

— Oh ! Rodolphe !... fit lentement la jeune femme en se

30 penchant sur son épaule.

Le drap de sa robe s'accrochait au velours de l'habit. Elle renversa son cou blanc, qui se gonflait d'un soupir et, défaillante, tout en pleurs, avec un long frémissement et se cachant la figure, elle s'abandonna. ①

35 Les ombres du soir descendaient ; le soleil horizontal, passant entre les branches, lui éblouissait les yeux. Çà et là, tout autour d'elle, dans les feuilles ou par terre, des taches lumineuses tremblaient, comme si des colibris, en volant, eussent éparpillé leurs plumes. Le silence était partout ;

40 quelque chose de doux semblait sortir des arbres ; elle sentait son cœur, dont les battements recommençaient, et le sang circuler dans sa chair comme un fleuve de lait ② ③ .

Alors, elle entendit tout au loin, au-delà du bois, sur les

Du scénario à la rédaction : la métaphorisation du sexe

On aimerait pouvoir reproduire la plus grande partie des scénarios de Madame Bovary (ainsi Flaubert appelait-il les plans qu'il ne cessait d'élaborer). Nous choisissons de nous limiter à un seul exemple qui montre bien comment Flaubert imagine une situation, les effets qu'il entend produire et la distance qu'il établit entre le schéma préalable et l'écriture.

Cette « baisade » apparaît ainsi sur le manuscrit :

Courses dans le bois — au galop — elle est essoufflée — on met pied à terre — il attache les deux chevaux qui broutent les feuilles — on marche — craintes vagues d'Emma — elle veut revenir vers les chevaux — petites clochettes des vaches perdues dans le tallis — soir d'automne — mots coupés — roucoulements et soupirs entremêlés dans le dialogue (hein... voulez-vous... quoi) — voile noir, oblique sur sa figure, comme des ondes — montrer nettement le geste de Rodolphe qui lui prend le cul d'une main, et la taille de l'autre — et elle s'abandonna.

— renature — bourdonnement de tempes d'Emma.

elle rentre fière à Yonville — son cheval piaffe sur les pavés — mine hautaine. »

POMMIER-LELEU, p. 77.

Vivre c'est sentir

Il est des moments où la sensation est si parfaitement conjuguée avec la vie générale des choses, que l'une devient pour ainsi dire l'expression métaphorique de l'autre. Alors se sentir vivre, c'est sentir vivre la vie, sentir battre le pouls de la durée. Ainsi la scène d'amour charnel dans Madame Bovary.

[...]

En ce passage Flaubert arrive à donner au moment une densité spatiale et temporelle si particulière, que l'on dirait (et c'est là sans doute l'effet que Flaubert voulait produire) que ce moment appartient à une durée différente de celle des jours ordinaires, une durée où le *tempo* des choses se fait plus doux, plus lent, et par conséquent plus perceptible ; une durée qui s'étale. C'est comme si le temps, telle une brise qui passe, pouvait être senti dans les battements de cœur qui recommencent,

dans le sang qui circule ainsi qu'un fleuve de lait. Ce n'est plus la conscience amère d'un intervalle qui se creuse, il n'y a plus d'intervalle, il n'y a plus qu'un glissement général à la fois des choses et de l'être sentant, avec le sentiment d'une homogénéité absolue entre les différents éléments qui composent ce moment. L'être sentant, et son corps, et le paysage, et la nature, et la vie, tout participe au même moment du même devenir. »

GEORGES POULET, 1950, « Flaubert » in *Études sur le temps humain*, Plon, pp. 321-323.

La crudité de Flaubert dans ses ébauches et scénarios ne se dément jamais et permet d'apprécie[r] quelle sensualité il accorde à Emma. Voici par exemple quelques notations particulièreme[nt] révélatrices :

« C'était le parallèle qui excitait Emma — Cette haine enflammait l'amour — excitations de Rodolphe — manière dont elle l'aimait profondément cochonne — Soigne cela comme une œuvre d'art — but de la vie, occupation exclusive (...)

à propos des excitations de cul qu'elle prenait au coït journalier de Charles son besoin d'aimer était comme un papillon qui tourne autour de la flamme et s'empêtre dans la chandelle.

(...)

(à propos des voyages à Rouen pour y retrouver Léon) départ de Rouen noyée de foutre, de larmes de cheveux et de champagne (...) Emma est très savante en voluptés — Léon se demande d'où cela lui vient, qui est-ce qui lui a appris.

L'habitude de baiser la rend sensuelle (...) elle jouit de tromper — dans sa passion avec Rodolphe elle faisait lit à part — maintenant elle recouche avec Charles et le caresse même (...) après les fouteries va se faire recoiffer (...) elle rentre à Yonville dans un bon état physique de fouterie normale (...) »

POMMIER-LELEU, pp. 97, 101, 30, 31, 96.

Sur la durée.

On comparera ce passage avec ce que J.-B. Pontalis écrit sur le rapport du style et de la durée :

Flaubert dédaigne le *présent* qui constate des faits rigoureusement objectifs et situés ou bien exprime un temps haletant, comme toujours happé par le moment qui vient. Son *passé simple* n'a pas cette valeur logique et rassurante que lui donne généralement le récit ; il indique un spectacle dont on ne sait trop pour qui il se donne et qui y participe (exemple : « un râle métallique se traîna dans les airs », etc.). Quant à l'*éternel imparfait* dont on n'oublie jamais le mouvement compact et funèbre, il ramasse tout dans sa durée indéfinie (« On s'était dit adieu, on ne parlait plus ; le grand air l'entourait (...). Elle souriait là-dessous à la chaleur tiède ; et on entendait les gouttes d'eau, une à une, tomber sur la moire tendue »), à moins que la période ne se brise brutalement comme une lame et ne retombe en de courtes phrases au parfait. Le voilà le style de *La Nausée* au XIXᵉ siècle ! Ce rythme incantatoire de périodes et de coupes, ces lentes et obscures gradations puis ces retombées, imposent un temps lourd des choses qui se désagrègent au moment où l'on s'attend enfin à les voir mûrir. Bien plus, ils signifient que la fatalité est ici fondée non sur un arrière-monde mais sur une durée ; curieusement *Madame Bovary* commence par une évocation de souvenirs : « Nous étions à l'étude (...). Il serait maintenant impossible à aucun de nous de se rien rappeler de lui » et on sait qu'il ne sera plus jamais ensuite question de ce *nous*. Mais c'est assez : le roman tout entier se trouve ainsi placé sous le signe d'une mémoire collective qui cesse presque aussitôt d'être portée par un sujet et, devenue anonyme, laisse les émotions et les actes, les événements et les choses s'organiser spontanément en discours comme s'ils sécrétaient d'eux-mêmes le temps et qu'on pouvait lire sur eux « cet allongement de perspective que le souvenir donne aux objets ».

Madame Bovary apparaît alors comme un chant intentionnellement monotone et massif : les faits s'annoncent de loin, les thèmes toujours se reprennent, variant seulement d'amplitude, les destins s'accomplissent d'eux-mêmes et le fiévreux érotisme d'Emma ne parvient pas à briser une plainte toujours recommencée.

On voit qu'on ne saurait parler du style sans être aussitôt renvoyé à un aspect du monde ; cela revient alors au même d'analyser la manière dont Flaubert gauchit la langue ou l'originalité de son rapport aux choses ; ainsi, et l'on s'en doutait, ce que confirmerait surtout une analyse stylistique, c'est l'effort de Flaubert pour donner à sentir une réalité différente de celle que le langage se charge habituellement de rendre reconnaissable. Si le langage est voué à une tâche nouvelle, il doit subir une métamorphose, qui lui interdise d'être un vain décor s'élevant sur la pâte des choses ; il faut donc que Flaubert l'empâte à son tour, l'alourdisse, brise ses élans, installe la ruine dans ses triomphes mêmes, comme dans ces choses dont il est destiné à nous donner une équivalence seulement plus impérieuse. Les mots deviendront alors plus que verre transparent mais moins que nouvelle matière, — car le langage est humain et ce n'est certainement pas la gloire de l'homme qu'il s'agit de célébrer.

JEAN-BAPTISTE PONTALIS, 1954, « La maladie de Flaubert », *Les Temps modernes,* n° 101, pp. 1893-1894.

autres collines, un cri vague et prolongé, une voix qui se traînait, et elle l'écoutait silencieusement, se mêlant comme une
musique aux dernières vibrations de ses nerfs émus. Rodolphe, le cigare aux dents, raccommodait avec son canif une
5 des deux brides cassée.

Ils s'en revinrent à Yonville, par le même chemin. Ils revi-
rent sur la boue les traces de leurs chevaux, côte à côte, et
les mêmes buissons, les mêmes cailloux dans l'herbe. Rien
autour d'eux n'avait changé ; et pour elle, cependant, quel-
10 que chose était survenu de plus considérable que si les montagnes se fussent déplacées. Rodolphe, de temps à autre, se
penchait et lui prenait sa main pour la baiser.

Elle était charmante, à cheval ! Droite, avec sa taille
mince, le genou plié sur la crinière de sa bête et un peu colo-
15 rée par le grand air, dans la rougeur du soir.

En entrant dans Yonville, elle caracola sur les pavés ①.
On la regardait des fenêtres.

Son mari, au dîner, lui trouva bonne mine ; mais elle eut
l'air de ne pas l'entendre lorsqu'il s'informa de sa prome-
20 nade ; et elle restait le coude au bord de son assiette, entre
les deux bougies qui brûlaient.

— Emma ! dit-il.

— Quoi ?

— Eh bien, j'ai passé cette après-midi chez M. Alexan-
25 dre ; il a une ancienne pouliche encore fort belle, un peu
couronnée[1] seulement, et qu'on aurait, je suis sûr, pour une
centaine d'écus...

Il ajouta :

— Pensant même que cela te serait agréable, je l'ai rete-
30 nue..., je l'ai achetée... Ai-je bien fait ? Dis-moi donc.

Elle remua la tête en signe d'assentiment ; puis, un quart
d'heure après :

— Sors-tu ce soir ? demanda-t-elle.

— Oui. Pourquoi ?

35 — Oh ! rien, rien, mon ami.

Et, dès qu'elle fut débarrassée de Charles, elle monta
s'enfermer dans sa chambre.

D'abord, ce fut comme un étourdissement ; elle voyait les
arbres, les chemins, les fossés, Rodolphe, et elle sentait
40 encore l'étreinte de ses bras, tandis que le feuillage frémissait
et que les joncs sifflaient ②.

Mais, en s'apercevant dans la glace, elle s'étonna de son
visage. Jamais elle n'avait eu les yeux si grands, si noirs, ni

Ironie et authenticité

igne de bêtise — la grande scène d'amour romantique ne 'épuise-t-elle pas en vulgaire adultère avec un Rodolphe arbo- ant des attributs phalliques (couteau, cigare...) ? — la caraco- ade d'Emma (voir le contexte p. 109) montre bien son aveugle- ment. Toute à sa jouissance, elle n'a pas perçu l'indifférence du nâle satisfait. Mais l'ironie textuelle se révèle plus complexe qu'il n'y paraît :

Emma triomphe naïvement ; e texte qui constate sa caraco- ade invite au contraire une ecture perspicace, entendue, onique, impliquant au niveau e la relation écriture-lecture ne lucidité qui n'est pas npartie au personnage. mma vit sa bêtise, le texte la onte en épingle, et du coup, en distingue.

'ironie, pourtant, présente eux inconvénients : elle peut e confondre avec la bêtise, ont elle est — si l'on veut — la ersion « intelligente » ; et, xercée contre Emma, elle ris- ue d'associer le roman, éta- lissant ainsi son identité, son utonomie individuelles au épens de cette chose « à emi facile » qu'est le person- age, avec l'indifférence xploitatrice, et quelque peu ruelle, dont font preuve les éducteurs masculins, ceux ui profitent, dans le roman, e la bêtise du personnage. u reste — c'est au Roland arthes de *S/Z* que nous

devons cette analyse — l'iro- nie a ceci de commun avec le vertige d'Emma qu'elle relève d'une structure en régression perpétuelle, elle a les caracté- ristiques d'une fuite en avant. « Citation » des codes d'autrui, elle relève elle-même d'un code culturel, qui est celui de l'« intelligence », et l'ironiste, en se donnant pour « intelli- gent » en face de la bêtise, est obligé d'ironiser à son tour ce recours à un code convenu qu'est son affichage d'intelli- gence, désormais confondu avec la bêtise. Et ainsi de suite... Car il faudra que soit ironisée ensuite cette ironie déjà seconde tentant d'échap- per à la bêtise de l'ironie, ce qui déclenche un mécanisme qui ne peut avoir de fin. (...) L'ironie est donc nécessaire : elle s'oppose à l'aveuglement des personnages et garantit le texte de la confusion toujours possible avec eux et avec leurs discours. Mais elle ne libère pas le texte, en quête

d'une marque d'identité qui le distinguerait du monde de la bêtise, du vertige de la vapori- sation : elle montre au con- traire ce texte, à un degré second, plongé toujours dans ce monde. C'est là qu'heureu- sement un autre recours s'offre, pour lequel Emma n'est plus un modèle négatif mais au contraire un exemple positif : c'est celui de la sincé- rité, qui n'est pas tout à fait la même chose que la naïveté. Emma a le tort, démunie qu'elle est du sens de l'ironie, de prendre comme sincères des paroles qui ne le sont pas (et même lorsque, plus tard, elle reconnaîtra en femme expérimentée les manipula- tions de Léon, elle restera naïve par rapport à celles de Lheureux). Mais le tort des séducteurs, dû à leur indiffé- rence, c'est soit de ne pas reconnaître (tel Rodolphe), soit d'exploiter sans merci (tel Lheureux) la sincérité qui s'exprime dans un person- nage comme Emma. Sincérité qui signifie l'authenticité du désir, même inextricablement confondu, comme l'est celui d'Emma, avec le kitsch et la bêtise, signes de l'emprise sociale.

Au lecteur, donc, en face d'Emma et en face de *Madame Bovary*, de ne pas ressembler à ces personnages cyniques, chacun à sa manière, que sont Léon, Rodolphe, Lheureux... Or, il n'y a pas d'indicateurs de sincérité qui permettraient de distinguer celle-ci d'un discours hypocrite ou intéressé, pas plus qu'il n'est possible de distinguer l'ironie d'une impassibilité qui rejoindrait l'indifférence séductrice ou exploiteuse. L'ironie et la sincérité se confondent du reste à leur tour inextricablement, au niveau de la passion — de la colère, si l'on veut — dont elles sont le véhicule. Mais la tâche du lecteur sera bien, non seulement de distinguer

l'ironie du texte, qui se distingue par là de la bêtise d'Emma, mais, en même temps, de rester sensible à une sincérité d'expression, à une émotion authentique, que le texte ironique véhicule, à l'instar du personnage, *dans sa bêtise même*. Sincérité qui distingue Emma, et avec elle le texte, de tous les personnages hypocrites et/ou indifférents qui, à quelques exceptions près (Charles, Justin...), forment son milieu social.

La promenade à cheval d'Emma et de Rodolphe, il faut donc la lire, *à la fois* en se

distançant ironiqueme[nt] d'Emma (en constatant, p[ar] exemple, comment le trava[il] de son imagination lui cach[e] les réalités — celle du pa[y]sage, celles des intentions d[e] Rodolphe), et en s'associa[nt] par empathie, et contre Rodo[l]phe, au désir du personnag[e] qui est un désir de bonheur [et] d'amour, et qui n'a rien d[e] trompeur, d'hypocrite ni su[r]tout d'indifférent (même si o[n] peut le juger « bête »). »

ROSS CHAMBERS, 198[.]
« Répétition et ironie » i[n]
Mélancolie et oppositio[n]
Corti, pp. 208-21[.]

② Sous la tente, Mâtho et Salammbô...

« Mâtho n'entendait pas ; il la contemplait, et les vêtements, pour lui, se confondaient avec le corps. La moire des étoffes était, comme la splendeur de sa peau, quelque chose de spécial et n'appartenant qu'à elle. Ses yeux, ses diamants étincelaient ; le poli de ses ongles continuait la finesse des pierres qui chargeaient ses doigts ; les deux agrafes de sa tunique, soulevant un peu de ses seins, les rapprochaient l'un de l'autre, et il se

perdait par la pensée dans leur étroit intervalle, où descendait un fil tenant une plaque d'émeraudes, que l'on apercevait plus bas sous la gaze violette. Elle avait pour pendants d'oreilles deux petites balances de saphir supportant une perle creuse, pleine d'un parfum liquide. Par les trous de la perle, de moment en moment, une gouttelette qui tombait mouillait son épaule nue. Mâtho la regardait tomber.

Une curiosité indomptabl[e] l'entraîna ; et, comme u[n] enfant qui porte la main sur u[n] fruit inconnu, tout en trem[?]blant, du bout de son doigt, la toucha légèrement sur l[e] haut de sa poitrine ; la chair u[n] peu froide céda avec un[e] résistance élastique.

Ce contact, à peine sensib[le] pourtant, ébranla Mâth[o] jusqu'au fond de lui-même. U[n] soulèvement de tout son êtr[e] le précipitait vers elle. Il aura[it] voulu l'envelopper, l'abso[r-]

ber, la boire. Sa poitrine hale-
ait, il claquait des dents.

En la prenant par les deux poignets, il l'attira doucement, et
il s'assit alors sur une cuirasse,
près du lit de palmier que couvrait une peau de lion. Elle
était debout. Il la regardait de
bas en haut, en la tenant ainsi
entre ses jambes, et il
répétait :

— Comme tu es belle !
comme tu es belle !

[...]

Mâtho gardait toujours ses
petites mains dans les siennes ; et, de temps à autre, malgré l'ordre du prêtre, en tournant le visage, elle tâchait de
l'écarter avec des secousses
de ses bras. Il ouvrait les narines pour mieux humer le parfum s'exhalant de sa per-
sonne. C'était une émanation
indéfinissable, fraîche, et
cependant qui étourdissait
comme la fumée d'une casso-
lette. Elle sentait le miel, le
poivre, l'encens, les roses, et
une autre odeur encore.

[...]

Il levait ses bras où des veines
s'entrecroisaient comme des
lierres sur des branches
d'arbre. De la sueur coulait sur
sa poitrine, entre ses muscles
carrés ; et son haleine
secouait ses flancs avec sa
ceinture de bronze toute garnie de lanières qui pendaient
jusqu'à ses genoux, plus fermes que du marbre.

Salammbô, accoutumée aux
eunuques, se laissait ébahir
par la force de cet homme.
C'était le châtiment de la
Déesse ou l'influence de
Moloch circulant autour
d'elle, dans les cinq armées.
Une lassitude l'accablait ; elle
écoutait avec stupeur le cri
intermittent des sentinelles,
qui se répondaient.

Les flammes de la lampe vacil-
laient sous des rafales d'air
chaud. Il venait, par moment,
de larges éclairs ; puis l'obscurité redoublait ; et elle ne
voyait plus que les prunelles
de Mâtho, comme deux charbons dans la nuit. Cependant,
elle sentait bien qu'une fatalité
l'entourait, qu'elle touchait à
un moment suprême, irrévo-
cable, et, dans un effort, elle
remonta vers le zaïmph et leva
les mains pour le saisir.

— Que fais-tu ? s'écria mâtho.
Elle répondit avec placidité :
— Je m'en retourne à
Carthage.

[...]

— Ne t'en va pas ! pitié ! je
t'aime ! je t'aime !

Il était à genoux, par terre,
devant elle ; et il lui entourait
la taille de ses deux bras, la
tête en arrière, les mains
errantes ; les disques d'or suspendus à ses oreilles luisaient
sur son cou bronzé ; de grosses larmes roulaient dans ses
yeux pareils à des globes
d'argent ; il soupirait d'une

façon caressante, et murmurait
de vagues paroles, plus légères qu'une brise et suaves
comme un baiser.

Salammbô était envahie par
une mollesse où elle perdait
toute conscience d'elle-
même. Quelque chose à la fois
d'intime et de supérieur, un
ordre des Dieux la forçait à s'y
abandonner ; des nuages la
soulevaient, et, en défaillant,
elle se renversa sur le lit dans
les poils du lion. »

GUSTAVE FLAUBERT,
1862,
Salammbô.

d'une telle profondeur. Quelque chose de subtil épandu sur
sa personne la transfigurait.

Elle se répétait : « J'ai un amant ! un amant ! » se délectant à cette idée comme à celle d'une autre puberté qui lui
5 serait survenue. Elle allait donc posséder enfin ces joies de
l'amour, cette fièvre du bonheur dont elle avait désespéré.
Elle entrait dans quelque chose de merveilleux où tout serait
passion, extase, délire ; une immensité bleuâtre l'entourait,
les sommets du sentiment étincelaient sous sa pensée, et
10 l'existence ordinaire n'apparaissait qu'au loin, tout en bas,
dans l'ombre, entre les intervalles de ces hauteurs ①.

Alors elle se rappela les héroïnes des livres qu'elle avait
lus, et la légion lyrique de ces femmes adultères se mit à
chanter dans sa mémoire avec des voix de sœurs qui la char-
15 maient. Elle devenait elle-même comme une partie véritable
de ces imaginations et réalisait la longue rêverie de sa jeunesse, en se considérant dans ce type d'amoureuse qu'elle
avait tant envié. D'ailleurs, Emma éprouvait une satisfaction
de vengeance. N'avait-elle pas assez souffert ! Mais elle
20 triomphait maintenant, et l'amour, si longtemps contenu,
jaillissait tout entier avec des bouillonnements joyeux. Elle le
savourait sans remords, sans inquiétude, sans trouble.

La journée du lendemain se passa dans une douceur nouvelle. Ils se firent des serments. Elle lui raconta ses tristesses.
25 Rodolphe l'interrompait par ses baisers ; et elle lui demandait, en le contemplant les paupières à demi closes, de
l'appeler encore par son nom et de répéter qu'il l'aimait.
C'était dans la forêt, comme la veille, sous une hutte de
sabotiers. Les murs en étaient de paille et le toit descendait si
30 bas, qu'il fallait se tenir courbé. Ils étaient assis l'un contre
l'autre, sur un lit de feuilles sèches.

A partir de ce jour-là, ils s'écrivirent régulièrement tous les
soirs. Emma portait sa lettre au bout du jardin, près de la
rivière, dans une fissure de la terrasse. Rodolphe venait l'y
35 chercher et en plaçait une autre, qu'elle accusait toujours
d'être trop courte ②.

Un matin, que Charles était sorti dès avant l'aube, elle fut
prise par la fantaisie de voir Rodolphe à l'instant. On pouvait
arriver promptement à la Huchette, y rester une heure et
40 être rentré dans Yonville que tout le monde encore serait
endormi. Cette idée la fit haleter de convoitise, et elle se
trouva bientôt au milieu de la prairie, où elle marchait à pas
rapides, sans regarder derrière elle.

Madame Bovary et l'horizon d'attente

A propos de ce paragraphe, Hans-Robert Jauss inscrit Madame Bovary *dans la perspective de ce que la critique allemande a appelé la réception :*

« Comment une forme esthétique nouvelle peut entraîner aussi des conséquences d'ordre moral ou, en d'autres termes, comment elle peut donner à un problème moral la plus grande portée sociale imaginable, c'est ce que démontre de façon impressionnante le cas de *Madame Bovary*, tel que le reflète le procès intenté à Flaubert après la première publication de l'œuvre en 1857 dans la *Revue de Paris*. La forme littéraire nouvelle qui contraignait le public de Flaubert à percevoir de manière inaccoutumée le "sujet éculé" était le principe de la narration impersonnelle (ou impartiale), en rapport avec le procédé stylistique du "discours indirect libre" que Flaubert maniait en virtuose et avec un à-propos parfait. Ce que cela signifie peut être mis en lumière à propos d'une description que le procureur Pinard, dans son réquisitoire, incrimina comme particulièrement immorale. [...] Le procureur prit ces dernières phrases pour une description objective impliquant le jugement du narrateur, et

s'échauffa sur cette "glorification de l'adultère", qu'il tenait pour bien plus immorale et dangereuse encore que le faux pas lui-même. Or l'accusateur de Flaubert était victime d'une erreur que l'avocat ne se fit pas faute de relever aussitôt : les phrases incriminées ne sont pas une constatation objective du narrateur, à laquelle le lecteur pourrait adhérer, mais l'opinion toute subjective du personnage, dont l'auteur veut décrire ainsi la sentimentalité romanesque. Le procédé artistique consiste à présenter le discours intérieur du personnage sans les marques du discours direct ("Je vais donc enfin posséder...") ou du discours indirect ("Elle se disait qu'elle allait enfin posséder...") ; il en résulte que le lecteur doit décider lui-même s'il lui faut prendre ce discours comme expression d'une vérité ou d'une opinion caractéristique du personnage. En fait, Emma Bovary est "jugée par le seul fait que son existence est caractérisée avec précision, et en raison de ses propres sentiments". Cette conclusion d'une analyse stylistique

moderne concorde exactement avec la réplique de l'avocat Sénard, qui souligne que la désillusion commence pour Emma dès le deuxième jour : "Le dénouement pour la moralité se trouve à chaque ligne du livre" — à ceci près que Sénard ne pouvait pas lui-même alors nommer un procédé stylistique qu'aucune étude n'avait encore répertorié ! Le désarroi provoqué par les innovations formelles du narrateur Flaubert éclate à travers le procès : la forme impersonnelle du récit n'obligeait pas seulement ses lecteurs à percevoir autrement les choses — "avec une précision photographique", selon l'appréciation de l'époque —, elle les plongeait aussi dans une étrange et surprenante incertitude de jugement. Du fait que le nouveau procédé rompait avec une vieille convention du genre romanesque : la présence constante d'un jugement moral univoque et garanti porté sur les personnages, le roman de Flaubert pouvait poser de façon plus radicale ou renouvelée des problèmes concernant la pratique de la vie, qui au cours des débats reléguèrent tout à fait à l'arrière-plan le chef d'accusation initial, la prétendue lascivité du roman. Passant à la contre-attaque, le défenseur posa une question qui retournait contre la société le reproche fait au roman de n'apporter rien d'autre que "l'histoire des adultères d'une femme de province" : le sous-titre de *Madame Bovary* n'aurait-il pas dû être bien plutôt : "Histoire de l'éducation trop souvent donnée en province ?" Cependant la question où le procureur mit tout le poids de son réquisitoire reste sans réponse : "Qui peut condamner cette femme dans le livre ? Personne. Telle est la conclusion. Il n'y a pas dans le livre un personnage qui puisse la condamner. Si vous y trouvez un personnage sage, si vous y trouvez un seul principe en vertu duquel l'adultère soit stigmatisé, j'ai tort."

Si pas un des personnages représentés ne saurait jeter la première pierre à Emma Bovary et si le roman ne défend aucun principe moral au nom duquel on pourrait la condamner, alors, en même temps que le "principe de la fidélité conjugale", n'est-ce pas aussi l'"opinion publique", ses idées reçues et son fondement, le "sentiment religieux", qui sont remis en question ? Devant quelle instance le procès de *Madame Bovary* doit-il être porté, si les normes sociales jusqu'alors

régnantes, "opinion publique, sentiment religieux, morale publique, bonnes mœurs", n'ont plus compétence pour en juger ? Ces questions, formulées ou implicites, ne témoignent nullement chez le procureur d'un manque d'intelligence esthétique et d'un moralisme philistin. Elles expriment bien plutôt l'effet insoupçonné produit par une nouvelle forme artistique qui, entraînant une nouvelle "manière de voir les choses", avait le pouvoir d'arracher le lecteur aux évidences de son jugement moral habituel et de rouvrir un problème dont la morale publique tenait la solution toute prête. Et si Flaubert, en raison de l'art de son style impersonnel, ne donnait aucune prise à la condamnation de son roman pour immoralité de l'auteur, c'était en

quelque sorte un scandale ; aussi l'action de la justice fut-elle tout simplement logique, lorsqu'elle acquitta l'écrivain Flaubert et condamna l'école littéraire qu'il était censé représenter — en fait le nouveau procédé littéraire jusqu'alors inconnu dont il avait usé.

[...]

C'est ainsi qu'une œuvre littéraire peut rompre avec l'attente de ses lecteurs en usant d'une forme esthétique inédite, et les confronter à des questions dont la morale cautionnée par l'État ou la religion ne leur a pas donné la réponse. »

HANS ROBERT JAUSS,
1974,
traduction française 1978,
Pour une esthétique de la réception, Gallimard, pp. 76-79.

 ## Les lettres d'Emma

« Elle écrivait les siennes, à la hâte, sans rature, le cœur battant, les joues en feu, et le papier se couvrait de toutes les prolixités de sa tendresse qui débordaient jusque sur les marges. Elle lui rappelait les joies de la veille et elle s'impatientait déjà des attentes du lendemain. Entre ces souvenirs récents et ces espérances certaines, l'amour brûlait

comme entre deux foyers concentriques et ses sensations recommençaient par cet effort qu'elle faisait à vouloir les traduire. Emma s'allongeait donc le sentiment, en le pensant ainsi au laminoir du style. Cependant, il ne perdait rien de sa solidité, parce que la chair satisfaite y ajoutait chaque jour quelque chose.

Réminiscences de lecture,

elléités mystiques, délires charnels et tendresses en poudre, tout ainsi se confondait dans la largeur de cette passion. Un tas de choses petites et grandes, communes ou rares, insipides ou savoureuses s'y résumaient en la diversifiant et c'était comme ces salades d'Espagne, où l'on voit flotter dans l'huile blanche des fruits et des légumes, les quartiers de bouc et des tranches de cédrat.

À mesure que les jours se succédaient, une félicité plus complète l'envahissait. Les moindres fibres de ses nerfs semblaient pomper quelque chose de la félicité de son âme. Elle y sentait verdoyer les frondaisons multiples et comme une pluie chaude qui tombait dessus continuellement et sa poitrine respirait mieux. Ses sens rajeunis s'épanouissaient davantage ; elle y voyait de plus loin, il y avait autour d'elle plus de soleil, plus d'air, plus de bonnes odeurs. Elle comprenait davantage quantité de mystères humains qui l'avaient embarrassée et l'ensemble de la vie lui paraissait être à la fois plus tranquille et plus beau. Tous les plans de son horizon s'étant ainsi rapprochés, elle palpait ses rêves avec la paume de ses mains, satisfaite de sa personnalité, enchantée de son amant ; ne désirant plus rien, sans convoitises, sans rêves, mais non sans mémoire, elle se partageait. »

POMMIER-LELEU, pp. 383-384.

[...] « Nous devons constater parallèlement à la croissance et multiplication de l'objet dans le texte, le prétexte que prend ce dernier à inscrire, à partir du théâtre épistolaire qu'il s'offre à lui-même, une série de scènes romanesques qui mettent en jeu cet objet constitué : sécrété par le désir de l'héroïne, l'objet entraîne avec lui de petites scènes traditionnelles (si on les réfère aux romans « classiques » du XIXe siècle) mais diffuses et discrètes, en ce qui concerne le texte de Flaubert.

L'installation d'une relation amoureuse préfigure un échange, si possible régulier, de lettres, aussi : « A partir de ce jour-là, ils s'écrivirent régulièrement tous les soirs. » Bien entendu, le regain amoureux est immédiatement vivifié par le retour du code épistolaire momentanément aboli, l'occasion de la brouille : « Ils recommencèrent à s'aimer. Souvent même, au milieu de la journée Emma lui écrivait tout à coup. »

L'amour qui se répète ne saurait se lasser de ces échanges et Léon se voit sommé de correspondre à l'image de son prédécesseur : « C'était chez la mère Rollet qu'il devait envoyer ses lettres. »

L'amour peut s'essouffler, non point le devoir épistolaire : « Elle était aussi dégoûtée de lui qu'il était fatigué d'elle. Emma retrouvait dans l'adultère les platitudes du mariage [...]. Elle n'en continuait pas moins de lui écrire des lettres amoureuses en vertu de cette idée qu'une femme doit toujours écrire à son amant. » Un état antérieur du texte précisait que ces lettres étaient écrites sur le bureau où elle rédigeait « ses devoirs d'Italien ».

Nécessairement vécu dans la clandestinité, l'adultère requiert pour assurer l'impunité de l'échange littéraire, l'établissement de codes de circulation secrets et sécurisants : Charles étant le mari idéal à ce jeu, rien n'est plus aisé dans le roman : « Emma portait sa lettre au bout du jardin dans une fissure de la terrasse. Rodolphe venait l'y chercher et en plaçait une autre qu'elle accusait [...]. » Ou bien : « Puis à travers les carreaux [elle] faisait signe à Justin ; qui dénouant vite sa serpillière s'envolait à la Huchette. » Véritable Dieu Mercure, dont la fonction pharmaceutique est bafouée par les besognes subalternes auxquelles le condamne sa dégradante serpillière, tel apparaît Justin, qui vite ressaisit cette occasion de récupérer son réel et gratifiant autre rôle de dieu messager. Cybèle aussi s'en même, les paniers de fruits ou de gibier envoyés par Rodolphe en témoignent, et les ruses d'Epiméthée sont bien connues. « Elle lui fit des recommandations si précises à propos de la double enveloppe qu'il admira grandement son astuce amoureuse. »

Aux temples de l'amour la lettre est icône. « Il attendait ses lettres. Il les relisait. Il lui écrivait », mais au royaume de l'adultère, les craintes des amants, les indiscrétions d'autrui et les fureurs du mari trompé sont proverbiales : « On reconnaît les chagrins de la semaine, les pressentiments pour les lettres [...] » ; rappelons simplement que l'huissier vient commettre ses indiscrétions sur la correspondance de Rodolphe, et que Charles découvre à la fin du roman les preuves fulgurantes des infidélités d'Emma.

Rodolphe enfin, nouvel Ulysse à la recherche d'un fantôme ; évoque en une scène aux évidentes connotations nécrologiques, l'âme disparue de la femme qu'il a cessé d'aimer et plonge en l'enfer des amours mortes.

Ainsi l'objet créé dans le texte devient prétexte à un théâtre romanesque à l'intérieur duquel il se constitue en héros, même s'il n'est plus tout jeune premier. La tradition qui pèse sur ces schémas d'exploitation romanesque contribue à alléger chez Flaubert les allusions, somme toute fugitives, à ces motifs, l'objet une fois de plus ne sortant que vivifié de cette théâtralisation fort sobre qui le met en scène. La lettre amoureuse, poncif littéraire bourratif et indigeste, on la trouve, en effet, déjà dans la première *Éducation sentimentale* : « Les amants ont la rage d'écrire [...].

Or supposant le lecteur aussi gourmet que nous, on lui fait grâce de toute correspondance, amoureuse, malheur inévitable dans un livre, chose plus assommante pour nous qu'un gâteau de Savoie ou qu'une dinde aux marrons. »

Ce qui est clair. C'est que après avoir éclore en une multiple floraison un objet dès l'abord perçu au travers d'une significative absence, le texte s'attache à faire surgir en un même flot tumultueux ce qui n'est jamais plus que cadavres et lettres mortes ; des limbes qui précèdent toute naissance, aux caveaux qui enclosent toute vie, boîte de carton ou boîte de bois blanc, pyramides funéraires aux anodins

secrets, la lettre a rarement vécu l'espace vrai de l'instant de sa lecture, car ici il ne s'agit jamais de « lire », mais toujours de « relire », comme si le sens à donner n'était jamais clair comme s'il n'y avait jamais de sens clair du tout.

La lettre ne se perpétue qu' proportion que son sens e son contenu s'épuisent, s'abo lissent et se perdent. Moins j lis les lettres de l'autre et plu je dois lui écrire, moins il y a réelle correspondance entre les scripteurs et plus s'instau rent les correspondances. La lettre de Rodolphe placée e échange systématique de l lettre d'Emma, ignore le con tenu de cette dernière : i s'agit moins ici de lui apporte. une réponse que de comble: une fissure qui, contrairemen à ce qui se passera dans l'*Éducation sentimentale*, ne peu vivre de vide. C'est bien parce qu'ils n'ont finalement rien à se dire — en témoignent les stéréotypes permanents de leurs discours — que ces amants s'écrivent, ne se lisent jamais, mais se relisent toujours, car se lire, cela signifierait trop se comprendre et se parler, et finalement se perdent à ces relectures. Ainsi le thème de l'épistolaire, après avoir posé le statut de l'objet, choisit ici de poser celui de son fonctionnement et de son rôle, et conformément à

l'objet de stéréotype, il ne saurait ici avoir une réelle fonction de communication.

[...]

La lettre a été longtemps attendue, et en définitive, en chacune de ses manifestations, c'est le schéma du multiple qui prévaut, à l'image des autres objets flaubertiens, et avec lui s'épuisent et s'exténuent les choses ainsi apparues. Exténuation donc des sens à lire, des mots à écrire, et jusqu'aux souvenirs que ces trop illusoires lettres peuvent vouloir perpétuer : « A propos d'un mot il se rappelait des visages, de certains gestes, un son de voix ; quelquefois pourtant il ne se rappelait rien. » Et ce rien qui s'installe enfin, vient nous dire que la lettre d'amour dans *Madame Bovary* ne vaut que pour le temps de son écriture ou de sa trop fugitive lecture ; conservée en boîte, elle ne peut être que destinée à la mort et au néant. La première lettre du père Rouault porte en ses plis les cendres qui alors prennent tout leur sens : elles figurent la destination la meilleure, la poussière carbonisée, d'un papier retourné à l'inutile page blanche originelle, dès lors que le temps ne l'épargne que parce qu'il s'évertue sur les mots. Et cette page, couverte de mots qui ne signifient plus rien n'est bonne qu'à brûler. Ont-ils d'ailleurs jamais signifié ?

Quand les doigts de l'huissier parcourent les lettres de Rodolphe, ils le font à la manière des vers qui rongent tout cadavre : "Alors l'indignation la prit à voir cette grosse main aux doigts rouges comme des limaces qui se posaient sur ces pages où son cœur avait battu." La nécrophagie est entrée dans le texte : la lettre mise en bière, de luxe ou de bois blanc, atténue le dernier écho de son scripteur jusqu'à la voix blanche de la mort. Trop bien et trop mal écrits les mots privés, aux sens incertains et multiples, filent au néant.

De la lettre en gravure sous fin papier de soie à la boulette crispée de papier fin, du "billet décacheté" nonchalamment couché, au froissé frileux d'une lettre égarée, le texte de Flaubert dit l'origine et la fin maximale d'un objet de décor, de désir et de circulation qui rarement vibra d'une fugitive et réelle signification. »

LAURENCE PERFEZOU,
1984,
« De la pose d'Emma aux pauses de Frédéric : la lettre de *Madame Bovary* à *l'Éducation sentimentale* »,
Revue des sciences humaines, n° 195, pp. 64-69.

Le jour commençait à paraître. Emma, de loin, reconnut la maison de son amant, dont les deux girouettes à queue-d'aronde[1] se découpaient en noir sur le crépuscule pâle.

5 Après la cour de la ferme, il y avait un corps de logis qui devait être le château. Elle y entra, comme si les murs, à son approche, se fussent écartés d'eux-mêmes. Un grand escalier droit montait vers un corridor. Emma tourna la clenche d'une porte, et tout à coup, au fond de la chambre, elle
10 aperçut un homme qui dormait. C'était Rodolphe. Elle poussa un cri.

— Te voilà ! te voilà ! répétait-il. Comment as-tu fait pour venir ?...Ah ! ta robe est mouillée !

— Je t'aime ! répondit-elle en lui passant les bras autour
15 du cou.

Cette première audace lui ayant réussi, chaque fois maintenant que Charles sortait de bonne heure, Emma s'habillait vite et descendait à pas de loup le perron qui conduisait au bord de l'eau.

20 Mais, quand la planche aux vaches était levée, il fallait suivre les murs qui longeaient la rivière ; la berge était glissante ; elle s'accrochait de la main, pour ne pas tomber, aux bouquets de ravenelles flétries 1 . Puis elle prenait à travers des champs en labour, où elle enfonçait, trébuchait et empê-
25 trait ses bottines minces. Son foulard, noué sur sa tête, s'agitait au vent dans les herbages ; elle avait peur des bœufs, elle se mettait à courir ; elle arrivait essoufflée, les joues roses, et exhalant de toute sa personne un frais parfum de sève, de verdure et de grand air. Rodolphe, à cette heure-là,
30 dormait encore. C'était comme une matinée de printemps qui entrait dans sa chambre.

Les rideaux jaunes, le long des fenêtres, laissaient passer doucement une lourde lumière blonde. Emma tâtonnait en clignant des yeux, tandis que les gouttes de rosée suspen-
35 dues à ses bandeaux faisaient comme une auréole de topazes tout autour de sa figure. Rodolphe, en riant, l'attirait à lui et il la prenait sur son cœur.

Ensuite, elle examinait l'appartement, elle ouvrait les tiroirs des meubles, elle se peignait avec son peigne et se
40 regardait dans le miroir à barbe. Souvent même, elle mettait entre ses dents le tuyau d'une grosse pipe qui était sur la table de nuit, parmi des citrons et des morceaux de sucre, près d'une carafe d'eau.

1. A queue d'aronde : dont la queue est en forme de queue d'hirondelle, « aronde » étant l'ancien nom de cet oiseau.

Quelques leitmotive dans Madame Bovary

S'il est aisé de relever la valeur symbolique de maints réseaux métaphoriques dans Madame Bovary, *on ne doit pas négliger pour autant celle de nombreux passages « sans images ». D.L. Demorest s'était employé à la mettre en valeur dès 1931. Il rapproche ainsi, par exemple, les occurrences de trébuchement : le cheval de Charles lors de la première visite aux Bertaux, Emma qui chancelle en revenant de chez la nourrice avec Léon, la berge glissante le long de la rivière lors des retours de chez Rodolphe... ou bien Rodolphe qui écrase une motte de terre en se jurant d'avoir Emma, les cheveux qui se cassent quand il ouvre sa boîte à souvenirs et Charles qui défonce d'un coup de pied une boîte d'où le portrait de Rodolphe lui saute en plein visage. Il ajoute également :*

On se rappelle que la robe dans laquelle Emma est enterrée est sa robe de mariée, et l'homme qui disait qu'il ne pouvait voir une belle femme bien habillée sans penser à son squelette, ne pouvait manquer de concevoir ainsi les choses. Si l'on joint à cela le fait qu'une robe de mariée représente sa chasteté, que les robes en général, dans cette œuvre comme dans celles déjà étudiées, représentent la pureté, l'inaccessibilité, on comprendra bien que c'est pour cause que Flaubert parlant du cortège de mariage écrit : "La robe d'Emma, trop longue, traînait un peu par le bas ; de temps à autre, elle s'arrêtait pour la tirer, et alors délicatement, de ses doigts gantés, elle enlevait les herbes rudes avec les petits dards des chardons, pendant que Charles, les mains vides, attendait qu'elle eût fini." Dans un brouillon Flaubert avait ajouté que lorsque Emma essayait de dégager sa robe "la doublure de soie craquait". Revenant de chez la nourrice, lors de leur première promenade ensemble, Emma et Léon marchent le long de la berge de la rivière et de "grandes herbes minces s'y courbaient ensemble, selon le courant qui les poussait, et comme des chevelures vertes abandonnées s'étalaient dans sa limpidité". Plus loin, "les murs des jardins..., étaient chauds comme le vitrage d'une serre. Dans les briques, des ravenelles avaient poussé ; et, du bord de son ombrelle déployée, Madame Bovary, tout en passant, faisait s'égrener en poussière jaune un peu de leurs fleurs flétries, ou bien quelque branche des chèvrefeuilles et des clématites qui pendaient au dehors traînait un moment sur la soie en s'accrochant aux effilés".

Emma et Rodolphe approchent de la forêt fatale, et "de longues fougères, au bord du chemin, se prenaient dans l'étrier d'Emma. Rodolphe, tout en allant, se penchait et il les retirait à mesure", et aussi, d'après plusieurs brouillons, son long voile s'accroche aux broussailles ou aux buissons. Comme le jour de son mariage, "sa robe trop longue l'embarrassait, bien qu'elle la portât relevée par la queue". Au moment de la défaillance, "le drap de sa robe s'accrochait au velours de l'habit".

Emma a l'audace d'aller souvent, de grand matin à travers champs, au château de Rodolphe : "Mais, quand la planche aux vaches était levée, il fallait suivre les murs qui longeaient la rivière ; la berge était glissante ; elle s'accrochait de la main, pour ne pas tomber, aux bouquets de ravenelles flétries. Puis elle prenait à travers des champs en labour, où elle s'enfonçait, trébuchait et empêtrait ses bottines minces."

Ce sont les mêmes ravenelles flétries.

Enfin en s'enfuyant de chez Rodolphe, le jour de l'empoisonnement, "elle repassa par la longue allée, en trébuchant contre les tas de feuilles mortes que le vent dispersait". Et cette fois la planche aux vaches est baissée, comme pour faciliter sa course éperdue, jusqu'en bas de la côte et chez le pharmacien, où elle prend l'arsenic.

Léon et Emma vont chez la nourrice qui, plus tard, devient l'entremetteuse de celle-ci. "Pour arriver chez (elle), il fallait, après la rue, tourner à gauche, comme pour gagner le cimetière", notation se retrouvant dans la plupart des brouillons, et le jour de l'empoisonnement, les commères voyant Emma qui sortait de chez Binet "et tournait à droite comme pour gagner le cimetière..., se perdirent en conjectures". Sans oublier que le fiacre qui renferme "comme un tombeau" les amoureux passe par le cimetière de Rouen.

On a vu que les souliers d'Emma avec leur cire et leur poussière, après le bal de Vaubyessard, deviennent un symbole. Avant la chute, elle a peur de les salir dans les flaques d'eau des trous faits par les bestiaux. On a vu que plus tard le petit Justin enlève en rêvant la crotte des rendez-vous.

Ajoutons que les bottines et robes qu'Emma passe à la servante Félicité avec la plus grande complaisance, ont comme exact parallèle les amours clandestines de celle-ci avec Théodore qu'Emma inspire par son exemple et qu'elle protège et encourage. Félicité, après la mort de sa maîtresse, hérite d'une partie de sa garde-robe

et vole le reste en décampan[t] enlevée par Théodore. C'e[st] un autre cas de l'influenc[e] posthume d'Emma.
[...]
Il y a aussi sans doute u[n] symbole renfermé (que l'o[n] retrouvera dans l'*Éducatio[n] sentimentale*) dans les cactu[s] que Léon avait apportés [à] Emma lors de leur premièr[e] idylle, et qui lui piquaient le[s] doigts comme le bouque[t] d'oranger d'Emma lui avait fa[it] lors de son départ de Toste[s]. Mme Bovary parle à Léon d[e] ces plantes, en le retrouvan[t] après la longue époque d[e] séparation et d'oubli : "L[e] froid les a tués cet hiver[.] Rodolphe entre dans la sall[e] pour aborder son programm[e] de séduction "et la dorure d[u] baromètre, sur qui frappait u[n] rayon de soleil, étalait de[s] feux dans la glace". Ma[is] après l'échec de l'opératio[n] du pied-bot, lorsque Charle[s] découragé, demande à s[a] femme de l'embrasse[r] "Assez !" s'écria-t-elle d'un a[ir] terrible. Et s'échappant de [la] salle, Emma ferma la porte [si] fort que le baromètre bond[it] de la muraille et s'écrasa p[ar] terre". »

Don Louis DEMOREST
193[.]
L'expression figurée e[t] symbolique dans l'œuvre d[e] Flaubert, Presses moderne[s] pp. 461-46[.]

Il leur fallait un bon quart d'heure pour les adieux. Alors Emma pleurait ; elle aurait voulu ne jamais abandonner Rodolphe. Quelque chose de plus fort qu'elle la poussait vers lui, si bien qu'un jour, la voyant survenir à l'improviste,
5 il fronça le visage, comme quelqu'un de contrarié.

— Qu'as-tu donc ? dit-elle. Souffres-tu ? Parle-moi !

Enfin il déclara, d'un air sérieux, que ses visites devenaient imprudentes et qu'elle se compromettait. ①

① Lecture et identification

Il existe bien des similitudes entre Madame Bovary et Anna Karénine. Tous deux appartiennent à une constellation romanesque que l'on pourrait appeler le roman d'adultère. Il y a bien une "légion" (p. 410) de femmes adultères dans le roman du XIXᵉ siècle, ce que la condition de la femme mariée explique sans peine : il suffit de lire les études que les historiens ont consacrées à cette question pour s'en persuader.

Voici un extrait significatif :

« Le héros de son roman touchait à l'apogée de son bonheur anglais — un titre de baronnet et une terre, où elle aurait bien voulu l'accompagner — quand soudain il lui sembla que ledit héros devait éprouver une certaine honte et que cette honte rejaillissait sur elle. Mais de quoi avait-il à rougir ? "Et moi, de quoi serais-je honteuse ?'' se demanda-t-elle avec une surprise indignée. Elle abandonna son livre et se renversa sur son fauteuil en serrant le coupe-papier dans ses mains nerveuses. Qu'avait-elle fait ? Elle passa en revue ses souvenirs de Moscou : ils étaient tous excellents. Elle se rappela le bal, Vronski, son beau visage d'amoureux transi, l'attitude qu'elle avait observée envers le jeune homme : rien de tout cela ne pouvait provoquer sa confusion. Néanmoins le sentiment de honte augmentait précisément à cette réminiscence, tandis qu'une voix intérieure semblait lui dire : "Tu brûles, tu brûles !'' "Ah ! çà, qu'est-ce que cela signifie ? se demanda-t-elle résolument en changeant de place sur son fauteuil. Aurais-je peur de regarder ce souvenir en face ? Qu'y a-t-il au bout du compte ? Existe-t-il, peut-il rien exister de commun entre ce petit officier et moi, à part les habituelles relations mondaines ?'' Elle sourit de dédain et reprit son livre, mais décidément elle n'y comprenait plus rien. Elle frotta son coupe-papier sur la vitre gelée, en passa sur sa joue la surface froide et lisse, et cédant à un accès

subit de joie, elle se prit à rire presque bruyamment. Elle sentait ses nerfs se tendre de plus en plus, ses yeux s'ouvrir démesurément ; ses mains, ses pieds se crispaient ; quelque chose l'étouffait et dans cette pénombre vacillante, les sons et les images s'imposaient à elle avec une étrange intensité. Elle se demandait à chaque instant si le train avançait, reculait ou demeurait sur place. Était-ce bien Annouchka, ou une étrangère, cette femme, là, près d'elle ? "Qu'est-ce qui est suspendu à cette patère, une pelisse ou un animal ? Et suis-je bien moi-même assise à cette place ? Est-ce bien moi ou une autre femme ?'' Attirée par cet état d'inconscience elle avait peur de s'y abandonner. Se sentant encore capable de résistance, elle se leva, rejeta son plaid, sa pèlerine, et crut un moment s'être reprise : un homme maigre, vêtu d'un long paletot de nankin auquel il manquait un bouton, venait d'entrer ; elle devina que c'était le préposé au chauffage, elle le vit consulter le thermomètre, remarqua que le vent et la neige s'introduisaient à sa suite dans le wagon... Puis tout se confondit de nouveau : l'individu à grande taille se mit à grignoter quelque chose sur la paroi ; la vieille dame étendit ses jambes et en remplit tout le

X

Peu à peu, ces craintes de Rodolphe la gagnèrent. L'amour l'avait enivrée d'abord, et elle n'avait songé à rien au-delà. Mais, à présent qu'il était indispensable à sa vie, elle craignait d'en perdre quelque chose, ou même qu'il ne fût
5 troublé. Quand elle s'en revenait de chez lui, elle jetait tout alentour des regards inquiets, épiant chaque forme qui passait à l'horizon et chaque lucarne du village d'où l'on pouvait l'apercevoir. Elle écoutait les pas, les cris, le bruit des charrues ; et elle s'arrêtait plus blême et plus tremblante que les
10 feuilles des peupliers qui se balançaient sur sa tête.

Un matin, qu'elle s'en retournait ainsi, elle crut distinguer tout à coup le long canon d'une carabine qui semblait la tenir en joue. Il dépassait obliquement le bord d'un petit tonneau, à demi enfoui entre les herbes, sur la marge d'un fossé.
15 Emma, prête à défaillir de terreur, avança cependant, et un homme sortit du tonneau, comme ces diables à boudin qui se dressent du fond des boîtes. Il avait des guêtres bouclées jusqu'aux genoux, sa casquette enfoncée jusqu'aux yeux, les lèvres grelottantes et le nez rouge. C'était le capitaine
20 Binet, à l'affût des canards sauvages. ①

— Vous auriez dû parler de loin ! s'écria-t-il. Quand on aperçoit un fusil, il faut toujours avertir.

Le percepteur, par là, tâchait de dissimuler la crainte qu'il venait d'avoir ; car, un arrêté préfectoral ayant interdit la
25 chasse aux canards autrement qu'en bateau, M. Binet, malgré son respect pour les lois, se trouvait en contravention. Aussi croyait-il à chaque minute entendre arriver le garde-champêtre. Mais cette inquiétude irritait son plaisir, et, tout seul dans son tonneau, il s'applaudissait de son bonheur et
30 de sa malice.

A la vue d'Emma, il parut soulagé d'un grand poids, et aussitôt, entamant la conversation :

— Il ne fait pas chaud, ça pique !

Emma ne répondit rien. Il poursuivit.
35 — Et vous voilà sortie de bien bonne heure ?

— Oui, dit-elle en balbutiant ; je viens de chez la nourrice où est mon enfant.

wagon comme d'un nuage noir ; elle perçut un grincement, un martèlement affreux, à croire que l'on suppliciait quelqu'un ; un feu rouge l'aveugla, puis l'ombre envahit tout. Anna crut tomber dans un précipice. Ces sensations étaient d'ailleurs plutôt amusantes. La voix d'un homme emmitouflé et couvert de neige lui cria quelque chose à l'oreille. Elle reprit ses sens, comprit qu'on approchait d'une station et que cet homme était le conducteur. Aussitôt elle demanda à la femme de chambre son châle et sa pèlerine, les mit et se dirigea vers la porte.

— Madame veut sortir ? demanda Annouchka.

— Oui, j'ai besoin de respirer ; on étouffe ici.

La bourrasque fit mine de lui barrer le passage. Il lui parut drôle de lutter pour ouvrir la porte. Le vent semblait l'attendre sur la plate-forme du wagon pour l'emporter dans un hurlement de joie, mais s'accrochant d'une main à la rampe du marchepied et relevant sa robe de l'autre, elle descendit sur le quai. Quelque peu abritée par le wagon, elle respira avec une réelle jouissance l'air glacial de cette nuit de tempête. Debout près de la voiture elle considérait le quai et les feux de la gare. »

TOLSTOI, 1877.
Anna Karénine.

 ## Binet, image critique de Flaubert ?

Lors du colloque de Manchester (1980), D. Williams proposait de voir en Binet une figure plus importante que ne le laisserait supposer le rôle narratif réduit de ce « tourneur maniaque ». Ermite privé de liens affectifs, producteur d'un travail artisanal monotone et répétitif, Binet exécute minutieusement les objets, les accumule et y prend du plaisir : des ronds de serviette aux phrases, l'assimilation est aisée.

On remarque également qu'il signale ce que Jacques Neefs

a appelé le « déterminisme rétrograde » d'Emma qui l'emporte vers son destin narratif : leur première rencontre métaphorise un rapport de proie à chasseur et le tour se fait entendre aux moments critiques de l'évolution de l'héroïne. Binet pourrait alors apparaître comme une figure de la cruauté romanesque qui s'acharne sur Emma, et ainsi de la « mauvaise conscience » de l'écrivain.

Enfin son nom même renvoie au binarisme, qui caractérise autant le comportement de

l'ancien carabinier reconverti en percepteur que l'écriture reproductrice du roman et que le parallélisme confirmé dans la forme circulaire du tour entre la vie d'Emma et le travail de l'écrivain. Flaubert suggérerait ainsi qu'il « ne fait que répéter sur le plan esthétique les mêmes mouvements » qu'Emma. (D. Williams, « le rôle de Binet dans Madame Bovary *» in* Flaubert : la dimension du texte, *Manchester University Press, 1982.)*

— Ah ! fort bien ! fort bien ! Quant à moi, tel que vous me voyez, dès la pointe du jour, je suis là ; mais le temps est si crassineux, qu'à moins d'avoir la plume juste au bout...

— Bonsoir, monsieur Binet, interrompit-elle en lui tournant les talons.

5 — Serviteur, madame, reprit-il d'un ton sec.

Et il rentra dans son tonneau.

Emma se repentit d'avoir quitté si brusquement le percepteur. Sans doute, il allait faire des conjectures défavorables.

10 L'histoire de la nourrice était la pire excuse, tout le monde sachant bien à Yonville que la petite Bovary, depuis un an, était revenue chez ses parents. D'ailleurs, personne n'habitait aux environs ; ce chemin ne conduisait qu'à la Huchette ; Binet donc avait deviné d'où elle venait, et il ne

15 se tairait pas, il bavarderait, c'était certain ! Elle resta jusqu'au soir à se torturer l'esprit dans tous les projets de mensonges imaginables, et ayant sans cesse devant les yeux cet imbécile à carnassière.

Charles, après le dîner, la voyant soucieuse, voulut, par

20 distraction, la conduire chez le pharmacien ; et la première personne qu'elle aperçut dans la pharmacie, ce fut encore lui, le percepteur ! Il était debout devant le comptoir, éclairé par la lumière du bocal rouge, et il disait :

— Donnez-moi, je vous prie, une demi-once de vitriol.

25 — Justin, cria l'apothicaire, apporte-nous l'acide sulfurique.

Puis, à Emma, qui voulait monter dans l'appartement de madame Homais :

— Non, restez, ce n'est pas la peine, elle va descendre.

30 Chauffez-vous au poêle en attendant... Excusez-moi... Bonjour, docteur (car le pharmacien se plaisait beaucoup à prononcer ce mot *docteur*, comme si en l'adressant à un autre, il eût fait rejaillir sur lui-même quelque chose de la pompe qu'il y trouvait)... Mais prends garde de renverser les

35 mortiers ! va plutôt chercher les chaises de la petite salle ; tu sais bien qu'on ne dérange pas les fauteuils du salon.

Et, pour remettre en place son fauteuil, Homais se précipitait hors du comptoir, quand Binet lui demanda une demi-once d'acide de sucre.

40 — Acide de sucre ? fit le pharmacien dédaigneusement. Je ne connais pas, j'ignore ! Vous voulez peut-être de l'acide oxalique[1] ? C'est oxalique, n'est-il pas vrai ?

Binet expliqua qu'il avait besoin d'un mordant pour com-

1. *Acide oxalique : acide qui existe dans les oxalides (comme l'oseille), le rumex, les lichens, etc. Sa formule est* $C_2H_2O_4$*.*

poser lui-même une eau de cuivre avec quoi dérouiller diverses garnitures de chasse. Emma tressaillit. Le pharmacien se mit à dire :

— En effet, le temps n'est pas propice, à cause de l'humidité.   5

— Cependant, reprit le percepteur d'un air finaud, il y a des personnes qui s'en arrangent.

Elle étouffait.

— Donnez-moi encore...

— Il ne s'en ira donc jamais ! pensait-elle.   10

— Une demi-once d'arcanson[1] et de térébenthine, quatre onces de cire jaune, et trois demi-onces de noir animal, s'il vous plaît, pour nettoyer les cuirs vernis de mon équipement.

L'apothicaire commençait à tailler de la cire, quand 15 madame Homais parut avec Irma dans ses bras, Napoléon à ses côtés et Athalie qui la suivait. Elle alla s'asseoir sur le banc de velours, contre la fenêtre, et le gamin s'accroupit sur un tabouret, tandis que sa sœur aînée rôdait autour de la boîte à jujube, près de son petit papa. Celui-ci emplissait des 20 entonnoirs et bouchait des flacons, il collait des étiquettes, il confectionnait des paquets. On se taisait autour de lui ; et l'on entendait seulement de temps à autre tinter les poids dans les balances, avec quelques paroles basses du pharmacien donnant des conseils à son élève.   25

— Comment va votre jeune personne ? demanda tout à coup madame Homais.

— Silence ! exclama son mari, qui écrivait des chiffres sur le cahier de brouillons.

— Pourquoi ne l'avez-vous pas amenée ? reprit-elle à 30 demi-voix.

— Chut ! chut ! fit Emma en désignant du doigt l'apothicaire.

Mais Binet, tout entier à la lecture de l'addition, n'avait rien entendu probablement. Enfin il sortit. Alors Emma, 35 débarrassée, poussa un grand soupir.

— Comme vous respirez fort ! dit madame Homais.

— Ah ! c'est qu'il fait un peu chaud, répondit-elle.

Ils avisèrent donc, le lendemain, à organiser leurs rendez-vous ; Emma voulait corrompre sa servante par un cadeau ; 40 mais il eût mieux valu découvrir à Yonville quelque maison discrète. Rodolphe promit d'en chercher une.

Pendant tout l'hiver, trois ou quatre fois la semaine, à la

1. Arcanson : résine provenant de la distillation de la térébenthine, analogue à la colophane (voir la note p. 100).

nuit noire, il arrivait dans le jardin. Emma, tout exprès, avait retiré la clef de la barrière, que Charles crut perdue.

Pour l'avertir, Rodolphe jetait contre les persiennes une poignée de sable. Elle se levait en sursaut ; mais quelquefois
5 il lui fallait attendre, car Charles avait la manie de bavarder au coin du feu, et il n'en finissait pas. Elle se dévorait d'impatience ; si ses yeux l'avaient pu, ils l'eussent fait sauter par les fenêtres. Enfin, elle commençait sa toilette de nuit ; puis, elle prenait un livre et continuait à lire fort tranquillement,
10 comme si la lecture l'eût amusée. Mais Charles, qui était au lit, l'appelait pour se coucher.

— Viens donc, Emma, disait-il, il est temps.

— Oui, j'y vais ! répondit-elle.

Cependant, comme les bougies l'éblouissaient, il se tour-
15 nait vers le mur et s'endormait. Elle s'échappait, en retenant son haleine, souriante, palpitante, déshabillée.

Rodolphe avait un grand manteau ; il l'en enveloppait tout entière, et, passant le bras autour de sa taille, il l'entraînait sans parler jusqu'au fond du jardin.

20 C'était sous la tonnelle, sur ce même banc de bâtons pourris où autrefois Léon la regardait si amoureusement, durant les soirs d'été. Elle ne pensait guère à lui maintenant.

Les étoiles brillaient à travers les branches du jasmin sans feuilles. Ils entendaient derrière eux la rivière qui coulait, et,
25 de temps à autre, sur la berge, le claquement des roseaux secs. Des massifs d'ombre, çà et là, se bombaient dans l'obscurité, et parfois, frissonnant tous d'un seul mouvement, ils se dressaient et se penchaient comme d'immenses vagues noires qui se fussent avancées pour les recouvrir. Le froid de
30 la nuit les faisait s'étreindre davantage ; les soupirs de leurs lèvres leur semblaient plus forts ; leurs yeux, qu'ils entrevoyaient à peine, leur paraissaient plus grands, et, au milieu du silence, il y avait des paroles dites tout bas qui tombaient sur leur âme avec une sonorité cristalline et qui s'y répercu-
35 taient en vibrations multipliées. ①

Lorsque la nuit était pluvieuse, ils s'allaient réfugier dans le cabinet aux consultations, entre le hangar et l'écurie. Elle allumait un des flambeaux de la cuisine, qu'elle avait caché derrière les livres. Rodolphe s'installait là comme chez lui. La
40 vue de la bibliothèque et du bureau, de tout l'appartement enfin, excitait sa gaieté ; et il ne pouvait se retenir de faire sur Charles quantité de plaisanteries qui embarrassaient Emma. Elle eût désiré le voir plus sérieux, et même plus dra-

1 Emma Bovary : un mythe littéraire

Comme toutes les grandes créations de la littérature, Emma Bovary était destinée à vivre dans l'imaginaire des lecteurs fascinés par son histoire, par sa grandeur tragique ou par tout ce que son être de papier fait naître de sensations, d'émotions, de fantasmes. Très vite elle devint un mythe, une référence obligée, à tel point que son nom passa dans la langue, à la fois avec « bovarysme » et comme appellation d'un type : des femmes furent qualifiées de « Bovary » avec toutes les variations possibles, allant jusqu'à « une Bovary de HLM ». Il était dès lors normal qu'elle rentrât dans le Panthéon littéraire.

Il serait impossible de suivre ici cette filiation. Contentons-nous de signaler qu'Emma Bovary autorise tous les jeux délicieux de l'intertextualité, et citons cet extrait d'un roman récent, dont le titre est tout un programme : Emma Bovary est dans votre jardin :

« Imagine-toi dans une situation semblable.

Un matin, tu rencontres Julien Sorel ou Raskolnikov... »

« J'aimerais mieux Emma Bovary », dit Hugo timidement.

« Si, toutefois, tu me permets d'entrer dans le jeu et de choisir mes partenaires.

Oui, Emma... », intervient Hugo plus catégoriquement cette fois.

« Si tu veux. Que ferais-tu si, un matin, Emma Bovary se trouvait dans ton jardin ? Elle t'attend. »

« Je n'ai pas de jardin ! »

« Tu ouvres tes volets », poursuit-elle, d'une voix plus assurée maintenant, faisant comprendre à Hugo qu'il doit l'écouter avec la plus grande attention.

Et, après avoir allumé une cigarette, Julia reprend :

« Tu ouvres tes volets. C'est le matin, très tôt. En bas, dans le jardin, Emma Bovary est assise sur le banc. Tu ne la reconnais pas tout de suite. Le souvenir que tu as d'elle est assez vague. Mais tu vas lui parler, tu aimerais savoir ce qu'elle fait ainsi, si tôt le matin, devant ta fenêtre. Elle a l'air de t'attendre. Elle te sourit et te fait un signe de la main, un bonjour amical. Tout à l'heure tu la suivras. Le lieu où elle t'emmène, c'est Yonville. Est-ce le jour de sa mort ? Est-elle venue te chercher pour que tu assistes à son agonie ? Peut-être se sentira-t-elle moins seule, avec toi à ses côtés. Bien sûr tu ne pourras intervenir, ni t'approcher. Tu n'es qu'un lecteur. N'oublie pas, juste un lecteur. »

MARIETTE CONDROYER, 1984, *Emma Bovary est dans votre jardin*, R. Laffont, pp. 96-97.

matique à l'occasion, comme cette fois où elle crut entendre
dans l'allée un bruit de pas qui s'approchaient.

— On vient ! dit-elle.

Il souffla la lumière.

5   — As-tu tes pistolets ?

— Pourquoi ?

— Mais... pour te défendre, reprit Emma.

— Est-ce de ton mari ? Ah ! le pauvre garçon !

Et Rodolphe acheva sa phrase avec un geste qui signi-
10 fiait : « Je l'écraserais d'une chiquenaude. »

Elle fut ébahie de sa bravoure, bien qu'elle y sentît une
sorte d'indélicatesse et de grossièreté naïve qui la scandalisa.

Rodolphe réfléchit beaucoup à cette histoire de pistolets.
Si elle avait parlé sérieusement, cela était fort ridicule,
15 pensait-il, odieux même, car il n'avait, lui, aucune raison de
haïr ce bon Charles, n'étant pas ce qui s'appelle dévoré de
jalousie ; — et, à ce propos, Emma lui avait fait un grand
serment qu'il ne trouvait pas non plus du meilleur goût.

D'ailleurs, elle devenait bien sentimentale. Il avait fallu
20 échanger des miniatures, on s'était coupé des poignées de
cheveux, et elle demandait à présent une bague, un véritable anneau de mariage, en signe d'alliance éternelle. Souvent elle lui parlait des cloches du soir ou des *voix de la
nature* ; puis elle l'entretenait de sa mère, à elle, et de sa
25 mère, à lui. Rodolphe l'avait perdue depuis vingt ans.
Emma, néanmoins, l'en consolait avec des mièvreries de
langage, comme on eût fait à un marmot abandonné, et
même lui disait quelquefois, en regardant la lune :

— Je suis sûre que là-haut, ensemble, elles approuvent
30 notre amour.

Mais elle était si jolie ! il en avait possédé si peu d'une candeur pareille ! Cet amour sans libertinage était pour lui quelque chose de nouveau et qui, le sortant de ses habitudes
faciles, caressait à la fois son orgueil et sa sensualité. L'exal-
35 tation d'Emma, que son bon sens bourgeois dédaignait, lui
semblait, au fond du cœur, charmante, puisqu'elle s'adressait à sa personne. Alors, sûr d'être aimé, il ne se gêna pas,
et insensiblement ses façons changèrent ①.

Il n'avait plus, comme autrefois, de ces mots si doux qui la
40 faisaient pleurer, ni de ces véhémentes caresses qui la ren-
daient folle ; si bien que leur grand amour, où elle vivait
plongée, parut se diminuer sous elle, comme l'eau d'un
fleuve qui s'absorberait dans son lit, et elle aperçut la

⟨1⟩ Le déphasage dans l'amour

« Dans le développement comparé d'une passion, d'un sentiment, et même dans la compréhension d'une idée, l'un devance toujours l'autre, et le second est arrivé au point culminant que le premier l'a dépassé ou est déjà revenu en arrière. Les âmes ne marchent pas de front comme des chevaux de carrosse attelés à la même flèche, mais plutôt elles vont l'une après l'autre, s'entrecroisant dans leur chemin, se heurtant, se quittant, et courent éperdues comme des billes d'ivoire sur un billard ; on adore telle femme qui commence à vous aimer, qui vous adorera quand vous ne l'aimerez plus, et qui sera lassée de vous quand vous reviendrez à elle. L'unisson est rare dans la vie, et l'on pourrait compter le nombre des minutes où les deux cœurs qui s'aiment le mieux ont chanté d'accord. »

GUSTAVE FLAUBERT,
1845,
L'Éducation sentimentale,
première version.

vase. Elle n'y voulut pas croire ; elle redoubla de tendresse ; et Rodolphe, de moins en moins, cacha son indifférence.

Elle ne savait pas si elle regrettait de lui avoir cédé, ou si elle ne souhaitait point, au contraire, le chérir davantage.
5 L'humiliation de se sentir faible se tournait en une rancune que les voluptés tempéraient. Ce n'était pas de l'attachement, c'était comme une séduction permanente. Il la subjuguait. Elle en avait presque peur.

Les apparences, néanmoins, étaient plus calmes que
10 jamais, Rodolphe ayant réussi à conduire l'adultère selon sa fantaisie ; et, au bout de six mois, quand le printemps arriva, ils se trouvaient, l'un vis-à-vis de l'autre, comme deux mariés qui entretiennent tranquillement une flamme domestique.
15 C'était l'époque où le père Rouault envoyait son[1] dinde, en souvenir de sa jambe remise. Le cadeau arrivait toujours avec une lettre. Emma coupa la corde qui la retenait au panier, et lut les lignes suivantes :

Mes chers enfants,

20 « J'espère que la présente vous trouvera en bonne santé et que celui-là vaudra bien les autres ; car il me semble un peu plus mollet, si j'ose dire, et plus massif. Mais, la prochaine fois, par changement, je vous donnerai un coq, à moins que vous ne teniez de préférence aux *picots*[2] ; et
25 renvoyez-moi la bourriche, s'il vous plaît, avec les deux anciennes. J'ai eu un malheur à ma charretterie, dont la couverture, une nuit qu'il ventait fort, s'est envolée dans les arbres. La récolte non plus n'a pas été trop fameuse. Enfin, je ne sais pas quand j'irai vous voir. Ça m'est tellement diffi
30 cile de quitter maintenant la maison, depuis que je suis seul, ma pauvre Emma ! »

Et il y avait ici un intervalle entre les lignes, comme si le bonhomme eût laissé tomber sa plume pour rêver quelque temps.
35 « Quant à moi, je vais bien, sauf un rhume que j'ai attrapé l'autre jour à la foire d'Yvetot, où j'étais parti pour retenir un berger, ayant mis le mien dehors, par suite de sa trop grande délicatesse de bouche. Comme on est à plaindre avec tous ces brigands-là ! Du reste, c'était aussi un malhonnête.
40 J'ai appris d'un colporteur qui, en voyageant cet hiver par

1. *Forme masculine impropre pour dindon.*
2. *Picot : normandisme souligné par l'italique pour « dindon ».*

votre pays, s'est fait arracher une dent, que Bovary travaillait toujours dur. Ça ne m'étonne pas, et il m'a montré sa dent ; nous avons pris un café ensemble. Je lui ai demandé s'il t'avait vue, il m'a dit que non, mais qu'il avait vu dans l'écu-
5 rie deux animaux, d'où je conclus que le métier roule. Tant mieux, mes chers enfants, et que le bon Dieu vous envoie tout le bonheur imaginable.

Il me fait deuil[1] de ne pas connaître encore ma bien-aimée petite-fille Berthe Bovary. J'ai planté pour elle, dans le jar-
10 din, sous ta chambre, un prunier de prunes d'avoine[2], et je ne veux pas qu'on y touche, si ce n'est pour lui faire plus tard des compotes, que je garderai dans l'armoire, à son intention, quand elle viendra.

Adieu, mes chers enfants. Je t'embrasse, ma fille ; vous
15 aussi, mon gendre, et la petite, sur les deux joues.

Je suis, avec bien des compliments,

Votre tendre père,

THÉODORE ROUAULT. »

Elle resta quelques minutes à tenir entre ses doigts ce gros
20 papier. Les fautes d'orthographe s'y enlaçaient les unes aux autres, et Emma poursuivait la pensée douce qui caquetait tout au travers comme une poule à demi cachée dans une haie d'épine ①. On avait séché l'écriture avec les cendres du foyer, car un peu de poussière grise glissa de la lettre sur sa
25 robe, et elle crut presque apercevoir son père se courbant vers l'âtre pour saisir les pincettes. Comme il y avait long-temps qu'elle n'était plus auprès de lui, sur l'escabeau dans la cheminée, quand elle faisait brûler le bout d'un bâton à la grande flamme des joncs marins qui pétillaient !... Elle se
30 rappela des soirs d'été tout pleins de soleil. Les poulains hennissaient quand on passait, et galopaient, galopaient... Il y avait sous sa fenêtre une ruche à miel, et quelquefois les abeilles, tournoyant dans la lumière, frappaient contre les carreaux comme des balles d'or rebondissantes. Quel bon-
35 heur dans ce temps-là ! quelle liberté ! quel espoir ! quelle abondance d'illusions ! Il n'en restait plus maintenant ! Elle en avait dépensé à toutes les aventures de son âme, par tou-tes les conditions successives, dans la virginité, dans le mariage et dans l'amour ; — les perdant ainsi continuelle-
40 ment le long de sa vie, comme un voyageur qui laisse quel-que chose de sa richesse à toutes les auberges de la route.

Mais qui donc la rendait si malheureuse ? où était la catas-

1. *Il me fait deuil : normandisme pour « cela me fait de la peine ».*
2. *Prunes d'avoine : le manuscrit porte « prunes de Monsieur », variété bien répertoriée. Il s'agit probablement ici de prunes qui mûrissent en même temps que l'avoine (comme on dit des pêches de vigne).*

1 Les artifices du style

« Les images de *Madame Bovary* sont le plus souvent non des images spontanées, mais des comparaisons artificielles et balancées comme celles de l'épopée. Tel... tel... "Elle observait le bonheur de son fils, avec un silence triste, comme quelqu'un de ruiné qui regarde, à travers les carreaux, des gens attablés dans son ancienne maison." "La femme du pharmacien lui paraissait bien heureuse de dormir sous le même toit ; et ses pensées continuellement s'abattaient sur cette maison, comme les pigeons du *Lion d'Or* qui venaient tremper là, dans les gouttières, leurs pattes roses et leurs ailes blanches."

La comparaison habituelle à Flaubert consiste à essayer de préciser et de faire saisir un sentiment un peu délicat et compliqué en lui donnant une expression et une correspondance physiques. L'effet est généralement médiocre, et il semble que la comparaison trop étudiée, trop balancée, repousse le sentiment, l'étouffe comme une source sous des tombereaux de terre. [...]

L'impression d'artifice est encore aggravée par une tournure fréquente dans les comparaisons de Flaubert ; la substitution du *plus* au *comme*. "Elle écoutait les pas, les cris, le bruit des chaussures ; et elle s'arrêtait plus blême et plus tremblante que les feuilles de peuplier qui se balançaient sur sa tête." Le terme de degré rehausse-t-il ici une comparaison banale ? "Quant au souvenir de Rodolphe, elle l'avait descendu au fond de son cœur ; et il restait là, plus solennel et plus immobile qu'une momie de roi dans son souterrain."

L'image factice devient quelquefois spirituelle, mais en un lieu où l'esprit n'est pas à sa place. "Les fautes d'orthographe (il s'agit de la lettre du père Rouault) s'y enlaçaient les unes aux autres, et Emma poursuivait la pensée douce qui caquetait tout au travers, comme une poule à demi cachée dans une haie d'épines."

Flaubert renverse parfois l'ordre coutumier de la comparaison, et d'une manière peu heureuse. "Les herbes se hérissent comme la chevelure d'un lâche." Dans le devoir de jeunesse qu'est *Par les champs*, on trouve ce phénomène : "L'escalier tournant, à marches de bois vermoulues, gémissait et craquait sous nos pas, comme l'âme d'une femme sensible sous une désillusion nouvelle."

Il y a donc un curieux contraste entre la spontanéité des images dans la *Correspondance* et le caractère artificiel des comparaisons dans les œuvres travaillées de Flaubert. Il est incapable de transporter dans les secondes le jaillissement des premières. L'image appartient à ce fond de nature qu'il est obligé de refréner et de combattre, elle est l'écume du flot oratoire, et à mesure qu'il se construit contre ce flot, il l'élimine. Ce qu'il en garde lui paraît compassé et il finit par y renoncer complètement. »

ALBERT THIBAUDET,
1935,
Gustave Flaubert, Gallimard,
pp. 211-212.

trophe extraordinaire qui l'avait bouleversée ? Et elle releva la tête, regardant autour d'elle, comme pour chercher la cause de ce qui la faisait souffrir ⟨1⟩ .

5 Un rayon d'avril chatoyait sur les porcelaines de l'étagère : le feu brûlait ; elle sentait sous ses pantoufles la douceur du tapis ; le jour était blanc, l'atmosphère tiède, et elle entendit son enfant qui poussait des éclats de rire.

En effet, la petite fille se roulait alors sur le gazon, au milieu de l'herbe qu'on fanait. Elle était couchée à plat ven-
10 tre, au haut d'une meule. Sa bonne la retenait par la jupe. Lestiboudois râtissait à côté, et, chaque fois qu'il s'approchait, elle se penchait en battant l'air de ses deux bras.

— Amenez-la-moi ! dit sa mère se précipitant pour l'embrasser. Comme je t'aime, ma pauvre enfant ! comme je
15 t'aime !

Puis, s'apercevant qu'elle avait le bout des oreilles un peu sale, elle sonna vite pour avoir de l'eau chaude et la nettoya, la changea de linge, de bas, de souliers, fit mille questions sur sa santé, comme au retour d'un voyage, et enfin, la bai-
20 sant encore et pleurant un peu, elle la remit aux mains de la domestique, qui restait fort ébahie devant cet excès de tendresse.

Rodolphe, le soir, la trouva plus sérieuse que d'habitude.

— Cela se passera, jugea-t-il, c'est un caprice.
25 Et il manqua consécutivement à trois rendez-vous. Quand il revint, elle se montra froide et presque dédaigneuse.

— Ah ! tu perds ton temps, ma mignonne…

Et il eut l'air de ne point remarquer ses soupirs mélancoliques, ni le mouchoir qu'elle tirait.
30 C'est alors qu'Emma se repentit !

Elle se demanda même pourquoi donc elle exécrait Charles, et s'il n'eût pas été meilleur de le pouvoir aimer. Mais il n'offrait pas grande prise à ces retours du sentiment, si bien qu'elle demeurait fort embarrassée dans sa velléité de sacri-
35 fice, lorsque l'apothicaire vint à propos lui fournir une occasion.

Statistiques et stylistique

« Les comparaisons sont introduites de façon variée :

— 244 (soit 77 %) d'entre elles s'effectuent à l'aide de l'adverbe *comme* ;

— 40 (soit 12,5 %) sont introduites par le comparatif de supériorité, construit avec *plus... que* ;

— 2 par le comparatif d'infériorité, construit avec *moins... que* ;

— 3 par le comparatif d'égalité (qui a d'ailleurs un emploi voisin de celui de *comme*), construit avec *aussi... que*, ou *autant... aussi* (un seul exemple) ;

— 5 par l'adjectif *tel* ou *tel que* ;

— 1 par l'adjectif *pareil* ;

— 10 par des verbes :
rassembler : 4 ;
sembler : 4 ;
rappeler : 1 ;
paraître : 1 ;

— 4 par des locutions verbales :
avoir l'air aussi que : 1 ;
avoir l'aspect de : 1 ;
faire l'effet : 1 ;
on eût dit : 1 ;

— 2 par divers procédés (comparaisons indirectes).

[...]

Il y a, dans *Madame Bovary*, quatre groupes fondamentaux de comparaisons qui se distinguent nettement du point de vue de la structure. Sur le total de 318 comparaisons :

1) 221 (soit 66,5 %) sont construites autour d'un *verbe*, c'est-à-dire autour d'un prédicat qui exprime *l'action* ;

2) 76 (soit 24 %) sont construites autour d'un *adjectif*, c'est-à-dire autour d'un prédicat qui exprime *la qualité* ;

3) 23 (soit 7,5 %) sont les comparaisons où deux *substantifs* se trouvent juxtaposés, rapprochés pour la plupart par l'intermédiaire des verbes d'état ("paraître", "sembler", etc.), mais où la qualité commune n'est pas explicitement exprimée.

4) 8 (soit 2,5 %) sont construites autour d'un *adverbe*, mettant face à face un adverbe et un substantif, soit juxtaposant un adverbe à un autre adverbe.

Toutes les comparaisons du type 1 et du type 2 — soit 9 sur 10 — sont introduites par des mots outils de subordination et le *tertium comparationis* exprime l'analogie établie entre les deux termes. Toutes se ramènent au schéma fondamental : (1) terme comparé ; (2) tertium comparationis ; (3) mot outil ; (4) terme comparant. Tandis que les comparaisons du type 3 et du type 4 — relativement rares dans le roman de Flaubert — ne comprennent pas le prédicat exprimant la qualité commune. Elles se ramènent au schéma : (1) terme comparé ; (2) mot outil ; (3) terme comparant.

La première impression qu'on retire de ce tableau est la disproportion entre les comparaisons portant sur un phénomène verbal et celles portant sur un adjectif ; 3 à 1. Ce n'est nullement une proportion habituelle. On sait, par exemple, que la comparaison sous sa forme la plus simple (articulée presque toujours sur l'adverbe *comme*) est la figure essentielle des locutions populaires. Il est cependant significatif que, dans ce domaine, le nombre de celles qui affectent une action verbale est à peu près égal à celui des comparaisons construites autour d'un adjectif. »

GEORGE PISTORIUS,
1970,
« Structure des comparaisons dans *Madame Bovary* »,
Cahiers de l'Association Internationale des Études françaises, n° 23, 1971,
pp. 228 et 231-232.

XI

Il avait lu dernièrement l'éloge d'une nouvelle méthode pour la cure des pieds-bots ; et, comme il était partisan du progrès, il conçut cette idée patriotique que Yonville, pour *se mettre au niveau*, devait avoir des opérations de
5 stréphopodie[1]. ①

— Car, disait-il à Emma, que risque-t-on ? Examinez (et il énumérait, sur ses doigts, les avantages de la tentative) ; succès presque certain, soulagement et embellissement du malade, célébrité vite acquise à l'opérateur. Pourquoi votre
10 mari, par exemple, ne voudrait-il pas débarrasser ce pauvre Hippolyte, du *Lion d'or* ? Notez qu'il ne manquerait pas de raconter sa guérison à tous les voyageurs, et puis (Homais baissait la voix et regardait autour de lui) qui donc m'empêcherait d'envoyer au journal une petite note là-dessus ? Eh !
15 mon Dieu ! un article circule..., on en parle..., cela finit par faire la boule de neige ! Et qui sait ? qui sait ?

En effet, Bovary pouvait réussir ; rien n'affirmait à Emma qu'il ne fût pas habile, et quelle satisfaction pour elle que de l'avoir engagé à une démarche d'où sa réputation et sa for-
20 tune se trouveraient accrues ? Elle ne demandait qu'à s'appuyer sur quelque chose de plus solide que l'amour.

Charles, sollicité par l'apothicaire et par elle, se laissa convaincre. Il fit venir de Rouen le volume du docteur Duval, et, tous les soirs, se prenant la tête entre les mains, il s'enfonçait
25 dans cette lecture.

Tandis qu'il étudiait les équins, les varus et les valgus, c'est-à-dire la stréphocatopodie, la stréphendopodie et la stréphexopodie (ou, pour parler mieux, les différentes déviations du pied, soit en bas, en dedans ou en dehors),
30 avec la stréphypopodie et la stréphanopodie (autrement dit torsion en dessous et redressement en haut), M. Homais, par toute sorte de raisonnements, exhortait le garçon d'auberge à se faire opérer.

— A peine sentiras-tu, peut-être, une légère douleur ;
35 c'est une simple piqûre comme une petite saignée, moins que l'extirpation de certains cors.

Hippolyte, réfléchissant, roulait des yeux stupides.

1. *Stréphopodie : du grec strephôs, torsion, nom savant du pied-bot.*

Le petit journal de Madame Bovary

« J'étudie la théorie des pieds-bots. J'ai dévoré en trois heures tout un volume de cette intéressante littérature et pris des notes. »

A Louise Colet, 7/4/1854

« Je patauge en plein dans la chirurgie. J'ai été aujourd'hui à Rouen, chez mon frère, avec qui j'ai longuement causé anatomie du pied et pathologie des pieds-bots. »

A Louise Colet, 18/4/1854

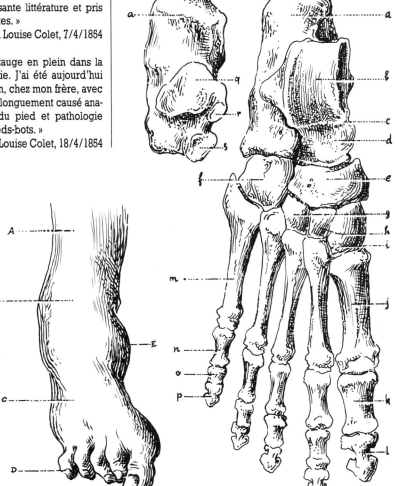

— Du reste, reprenait le pharmacien, ça ne me regarde pas ! c'est pour toi ! par humanité pure ! Je voudrais te voir, mon ami, débarrassé de ta hideuse claudication, avec ce balancement de la région lombaire, qui, bien que tu préten-
5 des, doit te nuire considérablement dans l'exercice de ton métier.

Alors Homais lui représentait combien il se sentirait ensuite plus gaillard et plus ingambe, et même lui donnait à entendre qu'il s'en trouverait mieux pour plaire aux fem-
10 mes ; et le valet d'écurie se prenait à sourire lourdement. Puis il l'attaquait par la vanité :

— N'es-tu pas un homme, saprelotte ? Que serait-ce donc, s'il t'avait fallu servir, aller combattre sous les drapeaux ?... Ah ! Hippolyte !
15 Et Homais s'éloignait, déclarant qu'il ne comprenait pas cet entêtement, cet aveuglement à se refuser aux bienfaits de la science.

Le malheureux céda, car ce fut comme une conjuration. Binet, qui ne se mêlait jamais des affaires d'autrui, madame
20 Lefrançois, Artémise, les voisins, et jusqu'au maire, M. Tuvache, tout le monde l'engagea, le sermonna, lui faisait honte ; mais ce qui acheva de le décider, *c'est que ça ne lui coûterait rien*. Bovary se chargeait même de fournir la machine pour l'opération. Emma avait eu l'idée de cette
25 générosité, et Charles y consentit, se disant au fond du cœur que sa femme était un ange.

Avec les conseils du pharmacien, et en recommençant trois fois, il fit donc construire par le menuisier, aidé du serrurier, une manière de boîte pesant huit livres environ, et où
30 le fer, le bois, la tôle, le cuir, les vis et les écrous ne se trouvaient point épargnés.

Cependant, pour savoir quel tendon couper à Hippolyte, il fallait connaître d'abord quelle espèce de pied-bot il avait.

Il avait un pied faisant avec la jambe une ligne presque
35 droite, ce qui ne l'empêchait pas d'être tourné en dedans, de sorte que c'était un équin mêlé d'un peu de varus, ou bien un léger varus fortement accusé d'équin. Mais, avec cet équin, large en effet comme un pied de cheval, à peau rugueuse, à tendons secs, à gros orteils, et où les ongles
40 noirs figuraient les clous d'un fer, le stréphopode, depuis le matin jusqu'à la nuit, galopait comme un cerf. On le voyait continuellement sur la place, sautiller tout autour des charrettes, en jetant en avant son support inégal. Il semblait

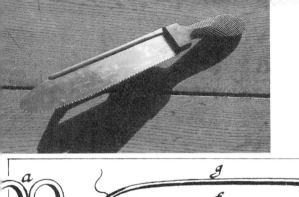

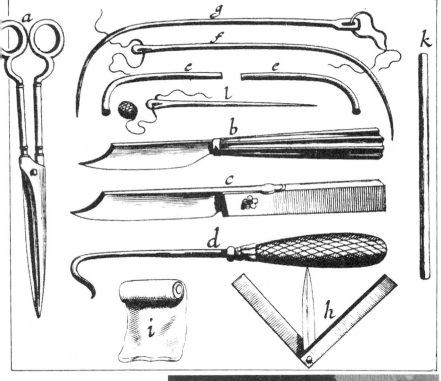

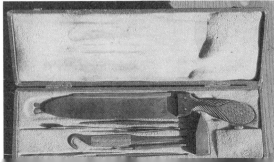

même plus vigoureux de cette jambe-là que de l'autre. A force d'avoir servi, elle avait contracté comme des qualités morales de patience et d'énergie, et quand on lui donnait quelque gros ouvrage, il s'écorait[1] dessus, préférablement.

5　Or, puisque c'était un équin, il fallait couper le tendon d'Achille, quitte à s'en prendre plus tard au muscle tibial antérieur pour se débarrasser du varus ; car le médecin n'osait d'un seul coup risquer deux opérations, et même il tremblait déjà, dans la peur d'attaquer quelque région
10　importante qu'il ne connaissait pas.

Ni Ambroise Paré[2], appliquant pour la première fois depuis Celse[3], après quinze siècles d'intervalle, la ligature immédiate d'une artère ; ni Dupuytren[4] allant ouvrir un abcès à travers une couche épaisse d'encéphale ; ni Gen-
15　soul[5], quand il fit la première ablation de maxillaire supérieur, n'avaient certes le cœur si palpitant, la main si frémissante, l'intellect aussi tendu que M. Bovary quand il approcha d'Hippolyte, son *ténotome* [6] entre les doigts. Et, comme dans les hôpitaux, on voyait à côté, sur une table, un tas de
20　charpie, des fils cirés, beaucoup de bandes, une pyramide de bandes, tout ce qu'il y avait de bandes chez l'apothicaire. C'était M. Homais qui avait organisé dès le matin tous ces préparatifs, autant pour éblouir la multitude que pour s'illusionner lui-même. Charles piqua la peau ; on entendit un
25　craquement sec. Le tendon était coupé, l'opération était finie. Hippolyte n'en revenait pas de surprise ; il se penchait sur les mains de Bovary pour les couvrir de baisers. ⟨1⟩

— Allons, calme-toi, disait l'apothicaire, tu témoigneras plus tard ta reconnaissance envers ton bienfaiteur !
30　Et il descendit conter le résultat à cinq ou six curieux qui stationnaient dans la cour, et qui s'imaginaient qu'Hippolyte allait reparaître marchant droit. Puis Charles, ayant bouclé son malade dans le moteur mécanique, s'en retourna chez lui, où Emma, tout anxieuse, l'attendait sur la porte. Elle lui
35　sauta au cou ; ils se mirent à table ; il mangea beaucoup, et même il voulut, au dessert, prendre une tasse de café, débauche qu'il ne se permettait que le dimanche lorsqu'il y avait du monde.

La soirée fut charmante, pleine de causeries, de rêves en
40　commun. Ils parlèrent de leur fortune future, d'améliorations à introduire dans leur ménage ; il voyait sa considération s'étendant, son bien-être s'augmentant, sa femme l'aimant toujours ; et elle se trouvait heureuse de se rafraî-

1. S'écorait : écorer, ou plus souvent accorer, est un terme de marine qui signifie appuyer, maintenir un bâtiment par des accores, pièces de bois qui servent d'étais.
2. Ambroise Paré : chirurgien d'Henri II, de François II, de Charles IX et d'Henri III (v. 1509-1590) qui substitua la ligature des artères à leur cautérisation lors des amputations.
3. Celse : médecin romain du siècle d'Auguste surnommé le « Cicéron de la médecine », auteur du De arte medica.
4. Dupuytren : chirurgien de Louis XVIII et de Charles X (1777-1835), un des fondateurs de l'anatomie pathologique, et qui réussit de nombreuses opérations délicates.
5. Gensoul : chirurgien français (1797-1858) qui exerça à Lyon et est resté célèbre par la hardiesse de ses opérations. Il publia notamment une Lettre chirurgicale sur quelques maladies graves du sinus maxillaire et de l'os maxillaire inférieur *(Lyon, 1833).*
6. Ténotome : l'italique souligne ici ironiquement le terme technique. C'est un instrument permettant (avec lequel on pratique la section d'un tendon (ou ténotomie).

Une transposition cinématographique

Il existe trois principales adaptations cinématographiques de Madame Bovary : celles de Jean Renoir (1934), de Gerhardt Lamprecht (1937) et de Vincente Minnelli (1949).

Pour Renoir, qui n'accepta le sujet que du bout des lèvres, il s'agit surtout d'en proposer un traitement naturaliste. Emma, incarnée par Valentine Tessier, y perd beaucoup de sa complexité, de ses angoisses, de sa révolte, de son caractère tragique.

Pola Negri, ex-monstre sacré du muet, la joue dans la version allemande de 1937, très rarement visible, et Jennifer Jones dans le film de Minnelli, sans doute le plus intéressant des trois cinéastes dans ce difficile travail de transfert d'un système codé à un autre. Il prend le parti d'une Emma romantique exaltée, ce qui donne une splendide scène de bal. Il la montre seule dans un univers fait de jouissance, d'hypocrisie et de lâcheté.

Nous reproduisons ci-dessous un court extrait du scénario. Il s'agit de l'épisode du pied-bot, traité d'une manière particulière. En effet, Charles renonce in extremis à l'opération au nom de ses propres limites. Il est ainsi rendu plus émouvant, ce qui n'enlève rien à la cruelle déception d'Emma. On peut s'interroger sur les raisons qui ont motivé le scénariste et le metteur en scène : souci d'éviter une scène pénible ? volonté d'approfondir le personnage du médecin, remarquablement interprété par Van Heflin ? ou de rendre son échec peut-être encore plus lamentable et signifier symboliquement son impuissance ?

Charles, penché sur Hippolyte attaché sur la table, coupe son pantalon et défait sa chaussure. Hippolyte prend sa main :
Hippolyte : « I'm gonna... dance... with girls ? » (« Je vais... pouvoir... danser... avec les filles ? »)
Charles, un moment interdit, le regarde, puis jette son bistouri et détache les sangles.
Charles : « I'm not able to cure you. Go back to work. » (« Je suis incapable de te guérir. Retourne à ton travail. »)
Homais tente de s'interposer. Charles le repousse :
Charles : « Let go of him ! » (« Laissez-le ! »)
Hippolyte s'enfuit, sort et traverse la foule amassée au-dehors.
Retour sur l'intérieur de la pièce. Charles se rhabille :
Charles : « There will be no operation. I'm a blunderer all right and I'll not make him or anybody else the victim of my blunders. » (« Il n'y aura pas d'opération. Je suis un incapable, soit, et ni lui ni personne ne sera victime de mon incapacité. ») Il rassemble rapidement ses affaires, chapeau et trousse.
Tuvache : « You disgrace our village ! » (« Vous déshonorez notre village ! »)
Charles les regarde, s'en va, franchit la porte, s'arrête devant la foule silencieuse, et la traverse.
Plan sur Emma à sa fenêtre.
Retour sur Charles se dirigeant chez lui.
Plan sur Emma descendant l'escalier. Elle lui ouvre la porte. Ils se regardent.
Emma : « What happened ? » (« Que s'est-il passé ? »)
Il entre, les yeux baissés. Il enlève lentement son chapeau.
Emma : « The operation ? » (« Et l'opération ? »)
Charles : « I... didn't perform it. » (« Je... ne l'ai pas faite. »)
Il entre dans son cabinet et referme la porte.
Retour sur Emma qui s'appuie sur la porte d'entrée en fermant les yeux.

(Transcription et traduction par Gérard Gengembre.)

chir dans un sentiment nouveau, plus sain, meilleur, enfin d'éprouver quelque tendresse pour ce pauvre garçon qui la chérissait. L'idée de Rodolphe, un moment, lui passa par la tête ; mais ses yeux se reportèrent sur Charles : elle remar-
5 qua même avec surprise qu'il n'avait point les dents vilaines.

Ils étaient au lit lorsque M. Homais, malgré la cuisinière, entra tout à coup dans la chambre, en tenant à la main une feuille de papier fraîche écrite. C'était la réclame qu'il desti-nait au *Fanal de Rouen.* Il la leur apportait à lire.
10   — Lisez vous-même, dit Bovary.

Il lut :

— « Malgré les préjugés qui recouvrent encore une partie de la face de l'Europe comme un réseau, la lumière cepen-dant commence à pénétrer dans nos campagnes. C'est ainsi
15 que, mardi, notre petite cité d'Yonville s'est vue le théâtre d'une expérience chirurgicale qui est en même temps un acte de haute philanthropie. M. Bovary, un de nos prati-ciens les plus distingués... »

— Ah ! c'est trop ! c'est trop ! disait Charles, que l'émo-
20 tion suffoquait.

— Mais non, pas du tout ! comment donc !... « A opéré d'un pied-bot... » Je n'ai pas mis le terme scientifique, parce que, vous savez, dans un journal..., tout le monde peut-être ne comprendrait pas ; il faut que les masses...
25   — En effet, dit Bovary. Continuez.

— Je reprends, dit le pharmacien. « M. Bovary, un de nos praticiens les plus distingués, a opéré d'un pied-bot le nommé Hippolyte Tautain, garçon d'écurie depuis vingt-cinq ans à l'hôtel du *Lion d'or,* tenu par madame veuve
30 Lefrançois, sur la place d'Armes. La nouveauté de la tenta-tive et l'intérêt qui s'attachait au sujet avaient attiré un tel concours de population, qu'il y avait véritablement encom-brement au seuil de l'établissement. L'opération, du reste, s'est pratiquée comme par enchantement, et à peine si quel-
35 ques gouttes de sang sont venues sur la peau, comme pour dire que le tendon rebelle venait enfin de céder sous les efforts de l'art. Le malade, chose étrange (nous l'affirmons *de visu*) n'accusa point de douleur. Son état, jusqu'à pré-sent, ne laisse rien à désirer. Tout porte à croire que la con-
40 valescence sera courte ; et qui sait même si, à la prochaine fête villageoise, nous ne verrons pas notre brave Hippolyte figurer dans des danses bachiques[1], au milieu d'un chœur de joyeux drilles, et ainsi prouver à tous les yeux, par sa verve

1. *Danses bachiques : des danses semblables à celles du culte de Bac-chus, nom latinisé de Bacchos, ou Dionysos, dieu du vin et du délire extati-que. On parle aussi de chansons bachi-ques au sens de chansons à boire. C'est une des nombreuses occurrences de l'emphase grotesque propre à Homais.*

et ses entrechats, sa complète guérison ? Honneur donc aux savants généreux ! honneur à ces esprits infatigables qui consacrent leurs veilles à l'amélioration ou bien au soulagement de leur espèce ! Honneur ! trois fois honneur ! N'est-ce
5 pas le cas de s'écrier que les aveugles verront, les sourds entendront et les boiteux marcheront ! Mais ce que le fanatisme autrefois promettait à ses élus, la science maintenant l'accomplit pour tous les hommes ! Nous tiendrons nos lecteurs au courant des phases successives de cette cure si
10 remarquable. ⟨1⟩ »

Ce qui n'empêcha pas que, cinq jours après, la mère Lefrançois n'arrivât tout effarée en s'écriant :
— Au secours ! il se meurt !… J'en perds la tête !
Charles se précipita vers le *Lion d'or*, et le pharmacien qui
15 l'aperçut passant sur la place, sans chapeau, abandonna la pharmacie. Il parut lui-même, haletant, rouge, inquiet, et demandant à tous ceux qui montaient l'escalier :
— Qu'a donc notre intéressant stréphopode ?

Il se tordait, le stréphopode, dans des convulsions atro-
20 ces, si bien que le moteur mécanique où était enfermée sa jambe frappait contre la muraille à la défoncer.

Avec beaucoup de précautions, pour ne pas déranger la position du membre, on retira donc la boîte, et l'on vit un spectacle affreux. Les formes du pied disparaissaient dans
25 une telle bouffissure, que la peau tout entière semblait près de se rompre, et elle était couverte d'ecchymoses occasionnées par la fameuse machine. Hippolyte déjà s'était plaint d'en souffrir ; on n'y avait pris garde ; il fallut reconnaître qu'il n'avait pas eu tort complètement ; et on le laissa libre
30 quelques heures. Mais à peine l'œdème[1] eut-il un peu disparu, que les deux savants jugèrent à propos de rétablir le membre dans l'appareil, et en l'y serrant davantage, pour accélérer les choses. Enfin, trois jours après, Hippolyte n'y pouvant plus tenir, ils retirèrent encore une fois la mécani-
35 que, tout en s'étonnant beaucoup du résultat qu'ils aperçurent. Une tuméfaction livide s'étendait sur la jambe, et avec des phlyctènes[2] de place en place, par où suintait un liquide noir. Cela prenait une tournure sérieuse. Hippolyte commençait à s'ennuyer, et la mère Lefrançois l'installa dans la
40 petite salle, près de la cuisine, pour qu'il eût au moins quelque distraction.

Mais le percepteur, qui tous les jours y dînait, se plaignit

1. *Œdème : gonflement dû à l'infiltration séreuse de divers tissus.*
2. *Phlyctènes : pustules ou ampoules formées par une sérosité qui s'amasse sous l'épiderme.*

Savoir et pouvoir

« Un rassemblement des énoncés disséminés dans le roman ferait apparaître deux grandes configurations discursives, celle du savoir et/ou pouvoir, celle du romanesque. On pourrait les désigner de deux noms de héros, bien que ces discours ne se confondent pas (par leur extension) avec ces origines énonciatives :

— discours d'Homais
— discours d'Emma,

à titre d'exemple le discours romanesque est aussi tenu par Léon, Rodolphe, etc. ; celui du savoir par Canivet, Larivière, le conseiller de préfecture, etc.

Ces deux discours se caractérisent par leur trop-plein, c'est-à-dire l'excès de signifiant par rapport au signifié : à titre d'exemple cf. le verbalisme d'Homais ou le délire onirique d'Emma.

Cette surabondance est l'indice d'un manque à suppléer qui est ici explicitement désigné comme impossibilité pour un type de discours convenu à recouvrir la réalité. Cette impossibilité forme le noyau d'un premier manque constamment répété qui pose tout le problème d'une véritable écriture réaliste, celle qui traverserait la distance entre la forme convenue et le réel qui lui échappe. La scène des Comices est le point culminant de cette dérision. Les deux discours sont renvoyés l'un à l'autre dans leur mutuelle inadéquation. Ils sont équivalents, seule l'ironie peut opérer momentanément cette traversée vers le réel.

La distance d'avec les choses se manifeste dans l'impossibilité de désignation. La multiplicité des signifiants cache l'absence du mot qui désignerait ce lieu de l'absence et par là même le comblerait en le recouvrant : « Comment dire un insaisissable malaise qui change d'aspect comme les nuées, qui tourbillonne comme le vent ? Les mots lui manquaient donc, l'occasion, la hardiesse... »

Pour Homais, enfermé dans son univers taxinomique, ce ne sont pas les mots qui manquent, mais leur adéquation au réel, ce qui revient au même. Les deux diagnostics qu'il formule sont erronés, et la réalité (disons la force des choses) se venge : cf. épisode du pied-bot, de l'aveugle... Le rapport au pouvoir d'un tel langage se trouve dénoncé. Ce rapport n'est positif que dans l'univers social du roman en tant qu'il est mû par le même verbalisme : il y a adéquation de ce discours au discours implicite, discours social. La réussite verbale se trouve donc limitée par la destruction du discours qui la permet et la reconnaît : c'est le jeu de l'ironie.

Le fonctionnement identique de ces deux discours en fait deux aspects interchangeables du discours du désir : désir du savoir/pouvoir, désir romanesque. L'étude de l'argent en montre l'incidence sociale et arrête, au niveau du motif romanesque, le jeu du désir.

Le schème de la relation désirante éclaire le modèle de fonctionnement du discours et permet de désigner l'aporie de la représentation du monde, à travers celle de l'écriture réaliste elle-même.

[...]

Dans *Madame Bovary* le désir est toujours irréductible à tout objet qu'il vise, ainsi se dessine un manque profond, jamais délimitable ni assignable en un lieu précis et que, pour cette raison, nous appellerons constitutif.

Désir romanesque ou désir de savoir/pouvoir sont les deux déplacements engendrés par le désir qui est désir d'abolition de la distance, de l'altérité, désir d'intégration :

— intégration du ça au moi
— intégration du moi au monde,

avec amertume d'un tel voisinage. Alors on transporta Hippolyte dans la salle du billard.

Il était là, geignant sous ses grosses couvertures, pâle, la barbe longue, les yeux caves, et, de temps à autre, tournant
5 sa tête en sueur sur le sale oreiller où s'abattaient les mouches. Madame Bovary le venait voir. Elle lui apportait des linges pour ses cataplasmes, et le consolait, l'encourageait. Du reste, il ne manquait pas de compagnie, les jours de marché surtout, lorsque les paysans autour de lui poussaient les
10 billes du billard, s'escrimaient avec les queues, fumaient, buvaient, chantaient, braillaient.

— Comment vas-tu ? disaient-ils en lui frappant sur l'épaule. Ah ! tu n'es pas fier, à ce qu'il paraît ! mais c'est ta faute. Il faudrait faire ceci, faire cela.
15 Et on lui racontait des histoires de gens qui avaient tous été guéris par d'autres remèdes que les siens ; puis, en manière de consolation, ils ajoutaient :

— C'est que tu t'écoutes trop ! lève-toi donc ! tu te dorlotes comme un roi ! Ah ! n'importe, vieux farceur ! tu ne sens
20 pas bon !

La gangrène, en effet, montait de plus en plus. Bovary en était malade lui-même. Il venait à chaque heure, à tout moment. Hippolyte le regardait avec des yeux pleins d'épouvante et balbutiait en sanglotant :
25 — Quand est-ce que je serai guéri ?... Ah ! sauvez-moi !... Que je suis malheureux ! que je suis malheureux !

Et le médecin s'en allait, toujours en lui recommandant la diète.

— Ne l'écoute point, mon garçon, reprenait la mère
30 Lefrançois ; ils t'ont déjà bien assez martyrisé ! tu vas t'affaiblir encore. Tiens, avale !

Et elle lui présentait quelque bon bouillon, quelque tranche de gigot, quelque morceau de lard, et parfois des petits verres d'eau-de-vie, qu'il n'avait pas le courage de porter à
35 ses lèvres.

L'abbé Bournisien, apprenant qu'il empirait, fit demander à le voir. Il commença par le plaindre de son mal, tout en déclarant qu'il fallait s'en réjouir, puisque c'était la volonté du Seigneur, et profiter vite de l'occasion pour se réconcilier
40 avec le ciel.

— Car, disait l'ecclésiastique d'un ton paterne[1], tu négligeais un peu tes devoirs ; on te voyait rarement à l'office divin ; combien y a-t-il d'années que tu ne t'es approché de

1. *Paterne : « familièrement et en badinant, qui appartient à un père » (Littré).*

(au niveau du motif romanesque, on peut en faire la lecture dans les rêves d'Ailleurs d'Emma, etc.). Cette double intégration, visée originaire du désir, contrevient par sa figure totalisante (mode métaphorique) avec la stratégie de déplacement du désir dont le mode est métonymique (parcellisation dans la chaîne des contiguïtés).

Emma et Homais ne consomment que des signifiants de connotation réorganisés en discours mythique par le jeu du désir. Nous pourrions choisir deux exemples privilégiés, le porte-cigare, la croix d'honneur. Mais les éléments interchangeables (indéfiniment substitutifs) du mythe ne connotent qu'imparfaitement la visée du désir et délimitent tous la figure du manque, de l'absence centrale à suppléer. Ils soulignent par leur prolifération l'irréductible de la distance.

La constitution du mythe est opérée par la réduction d'un ensemble de significations (images des Keepsakes, cravache, porte-cigare, etc.) à des signes tous équivalents dans le nouveau système signifiant, puisqu'ils n'y sont plus que des valants pour... qui entretiennent avec le signifié manquant une relation non d'équivalence mais de contiguïté fantasmée (présence dépla-

cée d'une absence qui se voit ainsi signifiée). Emma est avide de ces signes et s'enferme dans la répétition décevante du procès métonymique.

Au-delà de leur apparente contradiction et de la prolifération désordonnée, une étude de ces signes montrerait qu'ils ont tous en commun un schème occulté : celui de

richesse (le luxe et la gratuité conditionnent le paradigme de l'Ailleurs). »

FRANÇOISE GAILLARD, 1973, « Quelques notes pour une lecture idéologique de *Madame Bovary* », *Revue des Sciences humaines,* n° 151, pp. 465-467.

la sainte table ? Je comprends que tes occupations, que le
tourbillon du monde aient pu t'écarter du soin de ton salut.
Mais, à présent, c'est l'heure d'y réfléchir. Ne désespère pas
cependant ; j'ai connu de grands coupables qui, près de
5 comparaître devant Dieu (tu n'en es point encore là, je le
sais bien), avaient imploré sa miséricorde, et qui certainement sont morts dans les meilleures dispositions. Espérons
que, tout comme eux, tu nous donneras de bons exemples !
Ainsi, par précaution, qui donc t'empêcherait de réciter
10 matin et soir un « Je vous salue, Marie, pleine de grâce », et
un « Notre Père, qui êtes aux cieux » ? Oui, fais cela ! pour
moi, pour m'obliger. Qu'est-ce que ça coûte ?... Me le
promets-tu ?

Le pauvre diable promit. Le curé revint les jours suivants.
15 Il causait avec l'aubergiste et même racontait des anecdotes
entremêlées de plaisanteries, de calembours qu'Hippolyte
ne comprenait pas. Puis, dès que la circonstance le permettait, il retombait sur les matières de religion, en prenant une
figure convenable. ⟨1⟩

20   Son zèle parut réussir ; car bientôt le stréphopode témoigna l'envie d'aller en pèlerinage à Bon-Secours, s'il se guérissait : à quoi M. Bournisien répondit qu'il ne voyait pas
d'inconvénient ; deux précautions valaient mieux qu'une.
On ne risquait rien.

25   L'apothicaire s'indigna contre ce qu'il appelait les
manœuvres du prêtre ; elles nuisaient, prétendait-il, à la
convalescence d'Hippolyte, et il répétait à madame
Lefrançois :

— Laissez-le ! laissez-le ! vous lui perturbez le moral avec
30 votre mysticisme !

Mais la bonne femme ne voulait plus l'entendre. Il était
cause de tout. Par esprit de contradiction, elle accrocha
même au chevet du malade un bénitier tout plein, avec une
branche de buis.

35   Cependant la religion pas plus que la chirurgie ne paraissait le secourir, et l'invincible pourriture allait montant toujours des extrémités vers le ventre. On avait beau varier les
potions et changer les cataplasmes, les muscles chaque jour
se décollaient davantage, et enfin Charles répondit par un
40 signe de tête affirmatif quand la mère Lefrançois lui
demanda si elle ne pourrait point, en désespoir de cause,
faire venir M. Canivet, de Neufchâtel, qui était une célébrité.

1 Un comique tragique

« Le comique, partout et toujours dans le livre, fait partie intégrale de cette triste vie provinciale, et en reçoit son ton. S'il n'est que triste dans la Première Partie du livre, il devient désespéré et amer dans l'action frénétique de la Troisième Partie. Un tel comique, soigneusement intégré, non seulement aux mouvements mais aussi aux tonalités du livre, ne se distinguera guère du reste de la matière qui n'est pas comique, mais formera plutôt avec le reste une unité profonde. Si l'effet du tout est en somme tragique, il faut constater que le comique contribue à cet effet par sa qualité spéciale, au lieu de fournir le contraste auquel on s'attend.

[...]

Flaubert apporte à son roman la vision d'un ridicule intrinsèque au monde, partagé fatalement par tout être vivant, et par toute action ou création des hommes aussi. Si ce ridicule fait rire souvent, notre conscience de son universalité rend triste aussi, et devant les formes les plus extrêmes de ce ridicule, notre rire disparaît pour être remplacé par une sombre rêverie sur la destinée futile de l'homme. Déterminé par une telle conception du comique de la vie,

Madame Bovary ne pouvait pas manquer d'être cette composition apparemment paradoxale : remplie à chaque page de comique et produisant un effet tragique. C'était exactement le programme de son auteur. On pourrait même hasarder l'opinion que c'est surtout dans la scène de la mort d'Emma que Flaubert cherchait à atteindre ce sommet comique, selon sa conception, le moment extrême où le comique se mêle au tragique dans une vision de l'absurdité de la vie humaine. N'est-ce pas ainsi qu'il faut interpréter le célèbre *"rire atroce, frénétique, désespéré"* d'Emma, qui a fait couler tant d'encre ? Ne faut-il pas

comprendre que la voix de l'Aveugle, à ce moment suprême, inspire chez Emma une vision-éclair de la réalité qu'elle s'était constamment efforcée de nier, la réalité que sa vie n'aboutit à rien, comme la vie de tout le monde ? Son rire marque donc un dernier instant de lucidité, où elle comprend la désolante vérité sur sa vie. A ce moment-là, son sens du comique de la vie est identique à celui de Flaubert lui-même. »

MURRAY SACHS, 1973, « Le comique dans Madame Bovary », in *Langages de Flaubert*, Minard, 1976, pp. 177-180.

Docteur en médecine, âgé de cinquante ans, jouissant d'une bonne position et sûr de lui-même, le confrère ne se gêna pas pour rire dédaigneusement lorsqu'il découvrit cette jambe gangrenée jusqu'au genou. Puis, ayant déclaré net
5 qu'il la fallait amputer, il s'en alla chez le pharmacien déblatérer contre les ânes qui avaient pu réduire un malheureux homme en un tel état. Secouant M. Homais par le bouton de sa redingote, il vociférait dans la pharmacie :

— Ce sont là des inventions de Paris ! Voilà les idées de
10 ces messieurs de la Capitale ! c'est comme le strabisme, le chloroforme et la lithotritie[1], un tas de monstruosités que le gouvernement devrait défendre ! Mais on veut faire le malin, et l'on vous fourre des remèdes sans s'inquiéter des conséquences. Nous ne sommes pas si forts que cela, nous
15 autres ; nous ne sommes pas des savants, des mirliflores[2], des jolis cœurs ; nous sommes des praticiens, des guérisseurs, et nous n'imaginerions pas d'opérer quelqu'un qui se porte à merveille ! Redresser des pieds-bots ! est-ce qu'on peut redresser les pieds-bots ? c'est comme si l'on voulait,
20 par exemple, rendre droit un bossu !

Homais souffrait en écoutant ce discours, et il dissimulait son malaise sous un sourire de courtisan, ayant besoin de ménager M. Canivet, dont les ordonnances quelquefois arrivaient jusqu'à Yonville ; aussi ne prit-il pas la défense de
25 Bovary, ne fit-il même aucune observation, et, abandonnant ses principes, il sacrifia sa dignité aux intérêts plus sérieux de son négoce.

Ce fut dans le village un événement considérable que cette amputation de cuisse par le docteur Canivet ! Tous les
30 habitants, ce jour-là, s'étaient levés de meilleure heure, et la Grande-Rue, bien que pleine de monde, avait quelque chose de lugubre comme s'il se fût agi d'une exécution capitale. On discutait chez l'épicier sur la maladie d'Hippolyte ; les boutiques ne vendaient rien, et madame Tuvache, la
35 femme du maire, ne bougeait pas de sa fenêtre, par l'impatience où elle était de voir venir l'opérateur.

Il arriva dans son cabriolet, qu'il conduisait lui-même. Mais, le ressort du côté droit s'étant à la longue affaissé sous le poids de sa corpulence, il se faisait que la voiture penchait
40 un peu tout en allant, et l'on apercevait sur l'autre coussin près de lui une vaste boîte, recouverte de basane[3] rouge, dont les trois fermoirs de cuivre brillaient magistralement.

Quand il fut entré comme un tourbillon sous le porche du

1. *Canivet tonne contre le progrès au nom de son « bon sens » provincial. On pratiquait en effet des opérations de strabisme par ténotomie — avec, il est vrai, des résultats inégaux —, le chloroforme commençait à remplacer les anesthésies depuis 1834 et les premières publications concernant la lithotritie — c'est-à-dire la pulvérisation des calculs urinaires dans la vessie — datent de 1824.*
2. *Mirliflore : ce mot désigne un jeune élégant, un dandy et remonte au règne de Louis XVI.*
3. *Basane : peau de mouton qu'on utilise généralement pour les reliures.*

Lion d'or, le docteur, criant très haut, ordonna de dételer
son cheval, puis il alla dans l'écurie voir s'il mangeait bien
l'avoine ; car, en arrivant chez ses malades, il s'occupait
d'abord de sa jument et de son cabriolet. On disait même à
ce propos : « Ah ! M. Canivet, c'est un original ! » Et on 5
l'estimait davantage pour cet inébranlable aplomb. L'univers
aurait pu crever jusqu'au dernier homme, qu'il n'eût pas failli
à la moindre de ses habitudes.

Homais se présenta.

— Je compte sur vous, fit le docteur. Sommes-nous 10
prêts ? En marche !

Mais l'apothicaire, en rougissant, avoua qu'il était trop
sensible pour assister à une pareille opération.

— Quand on est simple spectateur, disait-il, l'imagination, vous savez, se frappe ! Et puis j'ai le système nerveux 15
tellement...

— Ah bah ! interrompit Canivet, vous me paraissez, au
contraire, porté à l'apoplexie. Et, d'ailleurs, cela ne
m'étonne pas ; car, vous autres, messieurs les pharmaciens,
vous êtes continuellement fourrés dans votre cuisine, ce qui 20
doit finir par altérer votre tempérament. Regardez-moi, plutôt : tous les jours, je me lève à quatre heures, je fais ma
barbe à l'eau froide (je n'ai jamais froid) et je ne porte pas de
flanelle, je n'attrape aucun rhume, le coffre est bon ! Je vis
tantôt d'une manière, tantôt d'une autre, en philosophe, au 25
hasard de la fourchette. C'est pourquoi je ne suis point délicat comme vous et il m'est aussi parfaitement égal de découper un chrétien que la première volaille venue[1]. Après ça,
direz-vous, l'habitude..., l'habitude !...

Alors, sans aucun égard pour Hippolyte, qui suait 30
d'angoisse entre ses draps, ces messieurs engagèrent une
conversation où l'apothicaire compara le sang-froid d'un chirurgien à celui d'un général ; et ce rapprochement fut agréable à Canivet, qui se répandit en paroles sur les exigences de
son art. Il le considérait comme un sacerdoce, bien que les 35
officiers de santé le déshonorassent. Enfin, revenant au
malade, il examina les bandes apportées par Homais, les
mêmes qui avaient comparu lors du pied-bot, et demanda
quelqu'un pour lui tenir le membre. On envoya chercher
Lestiboudois, et M. Canivet, ayant retroussé ses manches, 40
passa dans la salle de billard, tandis que l'apothicaire restait
avec Artémise et l'aubergiste, plus pâles toutes les deux que
leur tablier, et l'oreille tendue contre la porte.

1. « Docteurs. (...) Tous matérialis-
tes ». (Dictionnaire des idées reçues.)

Bovary, pendant ce temps-là, n'osait bouger de sa maison. Il se tenait en bas, dans la salle, assis au coin de la cheminée sans feu, le menton sur sa poitrine, les mains jointes, les yeux fixes. Quelle mésaventure ! pensait-il, quel désap-
5 pointement ! Il avait pris pourtant toutes les précautions imaginables. La fatalité s'en était mêlée. N'importe ! si Hippolyte plus tard venait à mourir, c'est lui qui l'aurait assassiné. Et puis, quelle raison donnerait-il dans les visites, quand on l'interrogerait ? Peut-être, cependant, s'était-il trompé en
10 quelque chose ? Il cherchait, ne trouvait pas. Mais les plus fameux chirurgiens se trompaient bien. Voilà ce qu'on ne voudrait jamais croire ! on allait rire, au contraire, clabauder¹ ! Cela se répandrait jusqu'à Forges ! jusqu'à Neufchâtel ! jusqu'à Rouen ! partout ! Qui sait si des confrères n'écri-
15 raient pas contre lui ? Une polémique s'ensuivrait, il faudrait répondre dans les journaux. Hippolyte même pouvait lui faire un procès. Il se voyait déshonoré, ruiné, perdu ! Et son imagination, assaillie par une multitude d'hypothèses, ballottait au milieu d'elles comme un tonneau vide emporté à la
20 mer et qui roule sur les flots.

Emma, en face de lui, le regardait ; elle ne partageait pas son humiliation, elle en éprouvait une autre : c'était de s'être imaginé qu'un pareil homme pût valoir quelque chose, comme si vingt fois déjà elle n'avait pas suffisamment aperçu
25 sa médiocrité.

Charles se promenait de long en large, dans la chambre. Ses bottes craquaient sur le parquet.

— Assieds-toi, dit-elle, tu m'agaces !

Il se rassit.

30 Comment donc avait-elle fait (elle qui était si intelligente !) pour se méprendre encore une fois ? Du reste, par quelle déplorable manie avoir ainsi abîmé son existence en sacrifices continuels ? Elle se rappela tous ses instincts de luxe, toutes les privations de son âme, les bassesses du mariage,
35 du ménage, ses rêves tombant dans la boue comme des hirondelles blessées, tout ce qu'elle avait désiré, tout ce qu'elle s'était refusé, tout ce qu'elle aurait pu avoir ! et pourquoi ? pourquoi ? ①

Au milieu du silence qui emplissait le village, un cri déchi-
40 rant traversa l'air. Bovary devint pâle à s'évanouir. Elle fronça les sourcils d'un geste nerveux, puis continua. C'était pour lui cependant, pour cet être, pour cet homme qui ne comprenait rien, qui ne sentait rien ! car il était là, tout tran-

1. Clabauder : crier sans motifs, protester sans raison.

Le vouloir-vivre d'Emma

« Ce qui concourt beaucoup à l'équilibre et à l'efficacité de *Madame Bovary*, à l'inverse de *L'Éducation Sentimentale* où l'esprit de dérision en définitive submerge l'ensemble monotonement, c'est que tout ce qui touche de près à l'héroïne — non seulement Léon et Rodolphe, mais Justin, le père Rouault et même Charles — est tiré un moment peu ou prou du commun par le reflet d'un feu central intense, et constitue autour d'Emma (car tous sont présents de bout en bout, ou reviennent, jusqu'à la fin) comme un anneau satellisé de faible éclairement, mais qui suffit à l'isoler des grotesques sans alliage que sont Homais, Binet ou Bournisien, au point que, d'un bout à l'autre du livre, elle semble à peine les percevoir. En relisant le roman, ce qui m'a frappé, ce n'est pas le ratage misérable des amours et des fantasmes d'Emma, sur lequel Flaubert s'appesantit, c'est l'intensité de flamme vive qui plante son héroïne, au milieu du sommeil épais d'un trou de Normandie, comme une torche allumée. Je suis plus sensible, à cette relecture, au beau combat d'Emma qu'à sa défaite, qui n'est nullement dérisoire, comme on le dit trop souvent. Car, en somme, tout ce qu'il est possible de tenter, dans sa situation dès le début sans espoir, elle le tente, non sans hardiesse, et la passivité nostalgique et fascinée qui a gardé le nom de bovarysme n'a que très relativement à voir avec un esprit de décision qui, dans le livre, va plus d'une fois jusqu'à l'intrépidité. Finalement, dans les dernières scènes (où Flaubert, d'ailleurs, bascule ostensiblement du côté de son héroïne) la placidité bovine d'Yonville en est perturbée : cette flammèche de passion errante est à deux doigts de mettre le feu à un village pourtant si exemplairement ignifugé.

C'est cette fureur d'un vouloir-vivre effréné, lent à s'éveiller, couvant et finalement explosant dans la torpeur d'une bourgade comme une bombe à retardement, qui en définitive assure pour beaucoup la grandeur du livre. L'enlisement, naturel à Flaubert, à n'être cette fois pas consenti, retrouve, avec un contrepoids, tout son potentiel poétique. Une fois de plus, l'éclairage d'un chef-d'œuvre change avec le temps : celui du *M.L.F.*, comme celui de mai 68 ("Prenez vos désirs pour des réalités") viennent chercher à la distance d'un siècle dans Emma Bovary une surface vivement réfléchissante, et font du livre pour nous, aujourd'hui, autant qu'un roman de l'échec, un roman de l'éveil : celui d'une prosélyte encore à l'état sauvage. »

JULIEN GRACQ, 1981, *En lisant, en écrivant*, Corti, pp. 81-82.

quillement, et sans même se douter que le ridicule de son nom allait désormais la salir comme lui. Elle avait fait des efforts pour l'aimer, et elle s'était repentie en pleurant d'avoir cédé à un autre.

5   — Mais c'était peut-être un valgus ? exclama soudain Bovary, qui méditait.

Au choc imprévu de cette phrase tombant sur sa pensée comme une balle de plomb dans un plat d'argent, Emma tressaillant leva la tête pour deviner ce qu'il voulait dire ; et
10 ils se regardèrent silencieusement, presque ébahis de se voir, tant ils étaient par leur conscience éloignés l'un de l'autre. Charles la considérait avec le regard trouble d'un homme ivre, tout en écoutant, immobile, les derniers cris de l'amputé qui se suivaient en modulations traînantes, cou-
15 pées de saccades aiguës, comme le hurlement lointain de quelque bête qu'on égorge. Emma mordait ses lèvres blê-mes, et, roulant entre ses doigts un des brins du polypier qu'elle avait cassé, elle fixait sur Charles la pointe ardente de ses prunelles, comme deux flèches de feu prêtes à partir.
20 Tout en lui l'irritait maintenant, sa figure, son costume, ce qu'il ne disait pas, sa personne entière, son existence enfin. Elle se repentait, comme d'un crime, de sa vertu passée, et ce qui en restait encore s'écroulait sous les coups furieux de son orgueil. Elle se délectait dans toutes les ironies mauvai-
25 ses de l'adultère triomphant. Le souvenir de son amant revenait à elle avec des attractions vertigineuses ; elle y jetait son âme, emportée vers cette image par un enthousiasme nouveau ; et Charles lui semblait aussi détaché de sa vie, aussi absent pour toujours, aussi impossible et anéanti, que
30 s'il allait mourir et qu'il eût agonisé sous ses yeux.

Il se fit un bruit de pas sur le trottoir. Charles regarda ; et, à travers la jalousie baissée, il aperçut au bord des halles, en plein soleil, le docteur Canivet qui s'essuyait le front avec son foulard. Homais, derrière lui, portait à la main une
35 grande boîte rouge, et ils se dirigeaient tous les deux du côté de la pharmacie.

Alors, par tendresse subite et découragement, Charles se tourna vers sa femme en lui disant :

— Embrasse-moi donc, ma bonne !
40   — Laisse-moi ! fit-elle, toute rouge de colère.

— Qu'as-tu ? qu'as-tu ? répétait-il stupéfait. Calme-toi, reprends-toi !... Tu sais bien que je t'aime !... viens !

— Assez ! s'écria-t-elle d'un air terrible.

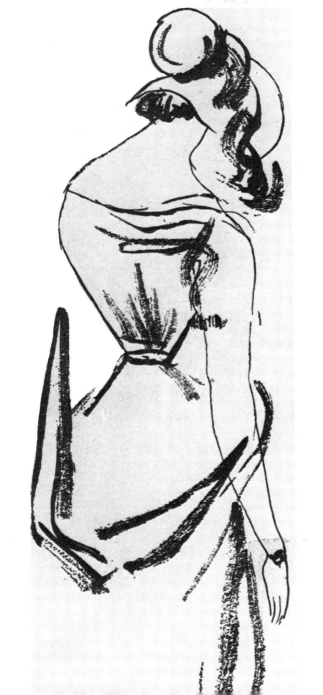

Et s'échappant de la salle, Emma ferma la porte si fort, que le baromètre bondit de la muraille et s'écrasa par terre.

Charles s'affaissa dans son fauteuil, bouleversé, cherchant ce qu'elle pouvait avoir, imaginant une maladie nerveuse,
5 pleurant, et sentant vaguement circuler autour de lui quelque chose de funeste et d'incompréhensible. ⟨1⟩

Quand Rodolphe, le soir, arriva dans le jardin, il trouva sa maîtresse qui l'attendait au bas du perron, sur la première marche. Ils s'étreignirent, et toute leur rancune se fondit comme une neige sous la chaleur de ce baiser.

1 Emma androgyne

« Malgré tout son zèle de comédien, il n'a pas pu ne pas infuser un sang viril dans les veines de sa créature, et (...) madame Bovary, pour ce qu'il y a en elle de plus énergique et de plus ambitieux, et aussi de plus rêveur, madame Bovary est restée un homme. Comme la Pallas armée, sortie du cerveau de Zeus, ce bizarre androgyne a gardé toutes les séductions d'une âme virile dans un charmant corps féminin.

[...]

Qu'on examine attentivement :

1° L'imagination, faculté suprême et tyrannique, substituée au cœur, ou à ce qu'on appelle le cœur, d'où le raisonnement est d'ordinaire exclu, et qui domine généralement dans la femme comme dans l'animal ;

2° Énergie soudaine d'action, rapidité de décision, fusion mystique du raisonnement et de la passion, qui caractérise les hommes créés pour agir ;

3° Goût immodéré de la séduction, de la domination et même de tous les moyens vulgaires de séduction, descendant jusqu'au charlatanisme du costume, des parfums et de la pommade — le tout se résumant en deux mots:

dandysme, amour exclusif de la domination.

Et pourtant madame Bovary se donne ; emportée par les sophismes de son imagination, elle se donne magnifiquement, généreusement, d'une manière toute masculine, à des drôles qui ne sont pas ses égaux, exactement comme les poètes se livrent à des drôlesses.

Une nouvelle preuve de la qualité toute virile qui nourrit son sang artériel, c'est qu'en somme cette infortunée a moins souci des défectuosités extérieures visibles, des provincialismes aveuglants de son mari, que de cette absence totale de génie, de cette infériorité spirituelle bien constatée par la stupide opération du pied-bot.

Et à ce sujet, relisez les pages qui contiennent cet épisode, si injustement traité de parasitique, tandis qu'il sert à mettre en vive lumière tout le caractère de la personne. — Une colère noire, depuis longtemps concentrée, éclate dans toute l'épouse Bovary ; les portes claquent ; le mari stupéfié, qui n'a su donner à sa romanesque femme aucune jouissance spirituelle, est relégué dans sa chambre ; il est en pénitence, le coupable ignorant ! et madame Bovary, la désespérée, s'écrie, comme une petite lady Macbeth accouplée à un capitaine insuffisant : "Ah ! que ne suis-je *au moins* la femme d'un de ces vieux savants chauves et voûtés, dont les yeux abrités de lunettes vertes sont toujours braqués sur les archives de la science ! je pourrais fièrement me balancer à son bras ; je serais au moins la compagne d'un roi spirituel ; mais la compagne de chaîne de cet imbécile qui ne sait pas redresser le pied d'un infirme ! oh !"

Cette femme, en réalité, est très sublime dans son espèce, dans son petit milieu et en

XII

Ils recommencèrent à s'aimer. Souvent même, au milieu de la journée, Emma lui écrivait tout à coup ; puis, à travers les carreaux, faisait un signe à Justin, qui, dénouant vite sa serpillière, s'envolait à la Huchette. Rodolphe arrivait ;
5 c'était pour lui dire qu'elle s'ennuyait, que son mari était odieux et son existence affreuse !

— Est-ce que j'y peux quelque chose ? s'écria-t-il un jour, impatienté.

— Ah ! si tu voulais !...
10 Elle était assise par terre, entre ses genoux, les bandeaux dénoués, le regard perdu.

— Quoi donc ? fit Rodolphe.

Elle soupira.

— Nous irions vivre ailleurs..., quelque part...
15 — Tu es folle, vraiment ! dit-il en riant. Est-ce possible ?

Elle revint là-dessus ; il eut l'air de ne pas comprendre et détourna la conversation.

Ce qu'il ne comprenait pas, c'était tout ce trouble dans une chose aussi simple que l'amour. Elle avait un motif, une
20 raison, et comme un auxiliaire à son attachement.

Cette tendresse, en effet, chaque jour s'accroissait davantage sous la répulsion du mari. Plus elle se livrait à l'un, plus elle exécrait l'autre ; jamais Charles ne lui paraissait aussi désagréable, avoir les doigts aussi carrés, l'esprit aussi lourd,
25 les façons si communes qu'après ses rendez-vous avec Rodolphe, quand ils se trouvaient ensemble. Alors, tout en faisant l'épouse et la vertueuse, elle s'enflammait à l'idée de cette tête dont les cheveux noirs se tournaient en une boucle vers le front hâlé, de cette taille à la fois si robuste et si élé-
30 gante, de cet homme enfin qui possédait tant d'expérience dans la raison, tant d'emportement dans le désir ! C'était pour lui qu'elle se limait les ongles avec un soin de ciseleur, et qu'il n'y avait jamais assez de *cold-cream*[1] sur sa peau, ni de patchouli[2] dans ses mouchoirs. Elle se chargeait de brace-
35 lets, de bagues, de colliers. Quand il devait venir, elle emplissait de roses ses deux grands vases de verre bleu, et disposait son appartement et sa personne comme une cour-

1. *Cold-cream : anglicisme souligné par l'italique : pommade adoucissante employée pour la toilette du visage, faite de blanc de baleine, de cire et d'huile d'amandes douces.*
2. *Patchouli : parfum extrait du patchouli, plante originaire de l'Inde, à l'odeur forte.*

face de son petit horizon ;
4° Même dans son éducation de couvent, je trouve la preuve du tempérament équivoque de madame Bovary.

Les bonnes sœurs ont remarqué dans cette jeune fille une aptitude étonnante à la vie, à profiter de la vie, à en conjecturer les jouissances ; voilà l'homme d'action !

Cependant la jeune fille s'enivrait délicieusement de la couleur des vitraux, des teintes orientales que les longues fenêtres ouvragées jetaient sur son paroissien de pensionnaire ; elle se gorgeait de la musique solennelle des vêpres, et, par un paradoxe dont tout l'honneur appartient aux nerfs, elle substituait dans son âme au Dieu véritable le Dieu de sa fantaisie, le Dieu de l'avenir et du hasard, un Dieu de vignette, avec éperons et moustaches ; voilà le poète hystérique.

L'hystérie ! Pourquoi ce mystère physiologique ne ferait-il pas le fond et le tuf d'une œuvre littéraire, ce mystère que l'Académie de médecine n'a pas encore résolu, et qui, s'exprimant dans les femmes par la sensation d'une boule ascendante et asphyxiante (je ne parle que du symptôme principal), se traduit chez les hommes nerveux par toutes les impuissances et aussi par l'aptitude à tous les excès ? »

CHARLES BAUDELAIRE, 1857, « Madame Bovary par Gustave Flaubert », *l'Artiste,* 18 octobre 1857, repris in *L'Art romantique.*

tisane qui attend un prince. Il fallait que la domestique fût sans cesse à blanchir du linge ; et, de toute la journée, Félicité ne bougeait de la cuisine, où le petit Justin, qui souvent lui tenait compagnie, la regardait travailler.

5 Le coude sur la longue planche où elle repassait, il considérait avidement toutes ces affaires de femmes étalées autour de lui : les jupons de basin[1], les fichus, les collerettes, et les pantalons à coulisse[2], vastes de hanches et qui se rétrécissaient par le bas.

10 — A quoi cela sert-il ? demandait le jeune garçon en passant sa main sur la crinoline ou les agrafes.

— Tu n'as donc jamais rien vu ? répondait en riant Félicité ; comme si ta patronne, madame Homais, n'en portait pas de pareils.

15 — Ah bien oui ! madame Homais !

Et il ajoutait d'un ton méditatif :

— Est-ce que c'est une dame comme Madame ?

Mais Félicité s'impatientait de le voir tourner ainsi tout autour d'elle. Elle avait six ans de plus, et Théodore, le 20 domestique de M. Guillaumin, commençait à lui faire la cour.

— Laisse-moi tranquille ! disait-elle en déplaçant son pot d'empois[3]. Va-t'en plutôt piler des amandes ; tu es toujours à fourrager du côté des femmes ; attends pour te mêler de 25 ça, méchant mioche, que tu aies de la barbe au menton.

— Allons, ne vous fâchez pas, je m'en vais vous *faire ses bottines*.

Et aussitôt, il atteignait sur le chambranle les chaussures d'Emma, tout empâtées de crotte — la crotte des rendez-30 vous — qui se détachait en poudre sous ses doigts, et qu'il regardait monter doucement dans un rayon de soleil. ⟨1⟩

— Comme tu as peur de les abîmer ! disait la cuisinière qui n'y mettait pas tant de façons quand elle les nettoyait elle-même, parce que Madame, dès que l'étoffe n'était plus 35 fraîche, les lui abandonnait.

Emma en avait une quantité dans son armoire, et qu'elle gaspillait à mesure, sans que jamais Charles se permît la moindre observation.

C'est ainsi qu'il déboursa trois cents francs pour une jambe 40 de bois dont elle jugea convenable de faire cadeau à Hippolyte. Le pilon en était garni de liège, et il avait des articulations à ressort, une mécanique compliquée recouverte d'un pantalon noir, que terminait une botte vernie. Mais Hip-

1. *Basin : étoffe croisée dont la chaîne est de fil et la trame de coton.*
2. *Pantalons à coulisse : sous-vêtement avec un rempli pour le serrer au moyen d'un cordon, un rempli étant un pli qu'on fait à une étoffe afin de la raccourcir ou de la border.*
3. *Empois : colle épaisse à base d'amidon, utilisée pour l'apprêt, l'empesage du linge.*

Le fétichisme du pied

« Gustave, qui vient d'arriver à Trouville pour y passer des vacances, a été à la plage voir "se baigner les autres". Sa lettre (du 14 août 1853) nous le montre épouvanté par la laideur des femmes cachées dans le fourreau de ces sacs et sous ces bonnets pour se mettre à l'eau : mais ce qui le déprime encore davantage c'est ce qu'elles laissent à l'air, c'est-à-dire leurs pieds : "Et les pieds ! rouges, maigres, avec des oignons, des durillons, déformés par la bottine, longs comme des navettes ou larges comme des battoirs." Il n'y a aucun doute, il s'agit d'un amateur. Et il est significatif que le nom du père suprême du fétichisme du pied — auquel il a d'ailleurs donné son nom —, dont la volumineuse œuvre romanesque et autobiographique a pour colonne vertébrale cette délicate extrémité féminine et sa gaine, apparaisse gribouillé par Flaubert sur les manuscrits de *Madame Bovary* conservés à la Bibliothèque municipale de Rouen : la mélodie picaresque que chante l'Aveugle du roman fut prise d'un livre de Restif de la Bretonne.

En tout cas, ce démon se projette dans *Madame Bovary*, où pieds et chaussures féminines sont très importants dans la vie érotique des hommes. J'ai évoqué la magie qu'exercent sur Justin les bottines d'Emma ; ailleurs, le narrateur rapporte que, lorsque Léon, lassé, essaie de se libérer de l'empire qu'Emma a sur lui, "au craquement de ses bottines, il se sentait lâche, comme les ivrognes à la vue des liqueurs fortes". Dans l'entrevue avec le notaire à qui Emma a été demandé de l'aide pour payer ses dettes, Me Guillaumin se trouble et semble caresser l'idée de profiter de sa belle visiteuse quand son genou frôle "sa bottine, dont la semelle se recourbait tout en fumant contre le poêle". Quand Emma s'en va, dégoûtée de la vilenie du notaire, celui-ci reste hébété, "les yeux fixés sur ses belles pantoufles en tapisse-

rie", qui étaient "un présent de l'amour". La première fois que Léon voit Emma, qui vient d'arriver à Yonville, Mme Bovary relève sa jupe pour approcher de la flamme de la cheminée "son pied chaussé d'une bottine noire". Et le jour de la promenade à cheval, qui finira par l'acte de l'amour, Rodolphe apprécie "entre ce drap noir et la bottine noire, la délicatesse de son bas blanc, qui lui semblait quelque chose de sa nudité". Quand Emma, à l'apogée de sa passion pour Rodolphe, atteint sa beauté la plus splendide, il n'est pas rare, alors, que le narrateur précise, en décrivant ses charmes, que "quelque chose de subtil qui vous pénétrait se dégageait même des draperies de sa robe et de la cambrure de son pied". Dans les brouillons manuscrits de *Madame Bovary* on découvre que même Charles était un amateur. Dans un passage, que Flaubert élimina ensuite, l'officier de santé, en contemplant lors de l'extrême-onction les pieds d'Emma moribonde, est envahi de souvenirs érotiques ; il se revoit le jour des noces, dénouant les cordons des souliers blancs d'Emma tandis qu'"il frémissait dans les éblouissements de la possession prochaine".

En réalité, les premiers signes d'émotion chez Charles à la vue d'Emma sont de nature fétichiste : ce sont les sabots qui les provoquent aux pieds de la fille du père Rouault. Le narrateur est explicite, il dit que Charles est heureux d'aller à la ferme des Berteaux, attiré qu'il est par ces puissants aimants : "Il aimait les petits sabots de mademoiselle Emma sur les dalles lavées de la cuisine ; ses talons hauts la grandissaient un peu, et, quand elle marchait devant lui, les semelles de bois, se relevant vite, claquaient avec un bruit sec contre le cuir de la bottine". Il s'agit d'une présence multi-ple, qui a différentes tonalités : voluptueuses, impérieuses et, à la fin, même pieuses, quand l'abbé Bournisien met le saint chrême sur "la plante des pieds, si rapides autrefois quand elle courait à l'assouvissance de ces désirs, et qui

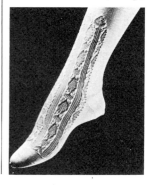

maintenant ne marcheraient plus". Mais de toute cette galerie de références, la plus persistante et la plus chère, à mes yeux, est la description de la "mignarde chaussure" d'Emma — un chausson de satin rosé, brodé — qui reste suspendu par l'empeigne à son petit pied, quand elle saute sur les genoux de son amant dans cette chambre encombrée de l'Hôtel de Boulogne. »

MARIO VARGAS LLOSA, 1975,
L'Orgie perpétuelle,
traduction française, 1978,
Gallimard, pp. 32-34.

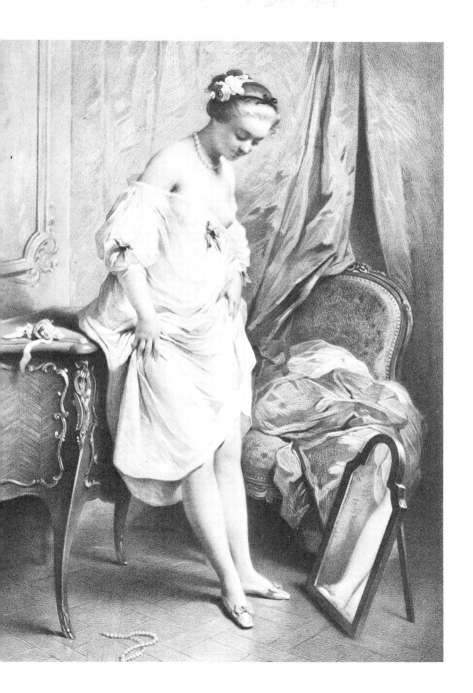

polyte, n'osant à tous les jours se servir d'une si belle jambe,
supplia madame Bovary de lui en procurer une autre plus
commode. Le médecin, bien entendu, fit encore les frais de
cette acquisition.

5   Donc, le garçon d'écurie peu à peu recommença son
métier. On le voyait comme autrefois parcourir le village, et
quand Charles entendait de loin, sur les pavés, le bruit sec
de son bâton, il prenait bien vite une autre route ①.

C'était M. Lheureux, le marchand, qui s'était chargé de la
10 commande ; cela lui fournit l'occasion de fréquenter Emma.
Il causait avec elle des nouveaux déballages de Paris, de
mille curiosités féminines, se montrait fort complaisant, et
jamais ne réclamait d'argent. Emma s'abandonnait à cette
félicité de satisfaire tous ses caprices. Ainsi, elle voulut avoir,
15 pour donner à Rodolphe, une fort belle cravache qui se
trouvait à Rouen dans un magasin de parapluies. M. Lheureux, la semaine d'après, la lui posa sur sa table.

Mais le lendemain il se présenta chez elle avec une facture
de deux cent soixante et dix francs sans compter les centi-
20 mes. Emma fut très embarrassée : tous les tiroirs du secrétaire étaient vides ; on devait plus de quinze jours à Lestiboudois, deux trimestres à la servante, quantité d'autres
choses encore, et Bovary attendait impatiemment l'envoi de
M. Derozerays, qui avait coutume, chaque année, de le
25 payer vers la Saint-Pierre.

Elle réussit d'abord à éconduire Lheureux ; enfin il perdit
patience : on le poursuivait, ses capitaux étaient absents, et,
s'il ne rentrait dans quelques-uns, il serait forcé de lui reprendre toutes les marchandises qu'elle avait.

30   — Eh ! reprenez-les ! dit Emma.

— Oh ! c'est pour rire ! répliqua-t-il. Seulement, je ne
regrette que la cravache. Ma foi ! je la redemanderai à
Monsieur.

— Non ! non ! fit-elle.

35   — Ah ! je te tiens ! pensa Lheureux.

Et, sûr de sa découverte, il sortit en répétant à demi voix
et avec son petit sifflement habituel :

— Soit ! nous verrons ! nous verrons !

Elle rêvait comment se tirer de là, quand la cuisinière
40 entrant, déposa sur la cheminée un petit rouleau de papier
bleu, de la part de M. Derozerays. Emma sauta dessus,
l'ouvrit. Il y avait quinze napoléons. C'était le compte. Elle

Emma, une destinée boiteuse

« Suivons le destin lézardé d'Emma, suivons le fil avec lequel elle reprise ses bas, le fil de son pas, le fil de sa vie et de sa chute. Tout commence avec le grand écart du cheval de Charles à l'entrée des Bertaux, lorsque celui-ci est appelé pour cette jambe cassée du père Rouault. Par trois fois, le retour claudicant d'une dinde, dans le roman, va célébrer cet accident et sa guérison. Le père d'Emma quittera Charles, après la mort de sa fille au rythme cassé de son bidet boiteux. Le curé de plâtre dans le jardin de Tostes a perdu son pied droit. Il ne supportera pas le déplacement et finira en mille morceaux sur le pavé de Quincampoix. Emma recevra de Charles une pouliche couronnée. Elle joue à l'écarté avec Monsieur Homais, chancelle sur les pierres dans la boue, fait des confidences aux bûches... et au balancier de l'horloge, fait tourner l'abat-jour qui porte des danseuses à balancier. Elle se dandine en berçant sa fille Berthe qui chancelle sur ses bottines.

La destinée boiteuse et amoureuse d'Emma a quelque rapport avec l'infirmité d'Hippolyte, le garçon d'écurie, au nom attendu, qui boite de la jambe gauche, par l'effet d'un équin, on le soupçonnait, compliqué d'un varus. Emma *Bovary* ne pourrait-elle pas lire dans cette complication l'image même de son chevauchement amoureux ? Monsieur Homais n'a pas de mal à convaincre Emma que l'opération d'Hippolyte par Charles sera une prothèse amoureuse : "Quelle satisfaction pour elle que d'avoir engagé à une démarche d'où sa réputation et sa fortune se trouveraient accrues ? Elle ne demandait qu'à s'appuyer sur quelque chose de plus solide que l'amour." Mais comment une telle opération pourrait-elle réussir ? L'amour est claudication inguérissable, prothèse par lui-même. Dans les mêmes dépenses qui paient les bottines innombrables, "tout empâtées de crotte des rendez-vous", Emma fera acheter à Charles une artistique jambe de bois. Le bruit de ce pilon complète bien celui du bâton de l'Idiot pour rythmer le pas défaillant de ce cœur brisé.

Emma a une fille qui finira dans une filature de coton. Les dernières lignes du texte, les derniers fils de son tissu, reprennent cette reprise qu'Emma faisait à son bas de coton blanc au commencement de l'histoire. Berthe ne fait-elle pas revenir, en filant sa propre légende, "Du temps où Berthe filait", le temps des légendes, l'éternel retour des légendes, de la fileuse en nourrice chez la mère Rollet qui file au rouet du lin, tour de rouennerie ?

Pauvre petite Berthe. Toujours en déséquilibre : elle chancelle sur ses bottines de tricot, sa mère se dandine pour la bercer. Lorsque Charles rêve à son avenir il l'imagine lui brodant des pantoufles. Emma ferait mieux de penser à elle : cette pauvre enfant laide a des bas percés. Quand sa mère vient la prendre, elle est pieds-nus et cherche son petit soulier. Sa mère morte, elle traîne en brodequins sans lacet. Pauvre Cendrillon.

Pourquoi l'avoir appelée Berthe ? Emma a choisi ce nom qu'elle a entendu à la Vaubyessard. Mais ne fallait-il pas qu'elle s'appelât Berthe parce que sa mère était déjà Bertaude ? C'est à la ferme des Bertaux que tout commence, à cette jambe cassée. La Bertaude est la fiancée diabolique, à la déformation asymétrique des pieds, signe de passage entre ciel et terre. Berthe au grand pied, la boi-

entendit Charles dans l'escalier ; elle jeta l'or au fond de son tiroir et prit la clef.

Trois jours après, Lheureux reparut.

— J'ai un arrangement à vous proposer, dit-il ; si, au lieu
5 de la somme convenue, vous vouliez prendre...

— La voilà, fit-elle en lui plaçant dans la main quatorze napoléons.

Le marchand fut stupéfait. Alors, pour dissimuler son désappointement, il se répandit en excuses et en offres de
10 service qu'Emma refusa toutes ; puis elle resta quelques minutes palpant dans la poche de son tablier les deux pièces de cent sous qu'il lui avait rendues. Elle se promettait d'économiser, afin de rendre plus tard...

— Ah ! bah ! songea-t-elle, il n'y pensera plus.

15 Outre la cravache à pommeau de vermeil, Rodolphe avait reçu un cachet avec cette devise : *Amor nel cor*[1] ① ; de plus, une écharpe pour se faire un cache-nez, et enfin un porte-cigarettes tout pareil à celui du Vicomte, que Charles avait autrefois ramassé sur la route et qu'Emma conservait.
20 Cependant ces cadeaux l'humiliaient. Il en refusa plusieurs ; elle insista, et Rodolphe finit par obéir, la trouvant tyrannique et trop envahissante.

Puis elle avait d'étranges idées :

— Quand minuit sonnera, disait-elle, tu penseras à moi !
25 Et, s'il avouait n'y avoir pas songé, c'étaient des reproches en abondance, et qui se terminaient toujours par l'éternel mot :

— M'aimes-tu ?

— Mais oui, je t'aime ! répondait-il.

30 — Beaucoup ?

— Certainement !

— Tu n'en as pas aimé d'autres, hein ?

— Crois-tu m'avoir pris vierge ? exclamait-il en riant.

Emma pleurait, et il s'efforçait de la consoler, enjolivant
35 de calembours ses protestations.

— Oh ! c'est que je t'aime ! reprenait-elle, je t'aime à ne pouvoir me passer de toi, sais-tu bien ? J'ai quelquefois des envies de te revoir où toutes les colères de l'amour me déchirent. Je me demande : « Où est-il ? Peut-être il parle à
40 d'autres femmes ? Elles lui sourient, il s'approche... » Oh ! non, n'est-ce pas, aucune ne te plaît ? Il y en a de plus belles ; mais, moi, je sais mieux aimer ! Je suis ta servante et ta

1. *Amor nel cor* : devise en italien poétique dans la tradition pétrarquiste et signifiant « amour au (dans le) cœur ».

teuse, est assimilée à la reine de Saba. Cette fileuse se confond avec une figure apparemment historique : est-ce la mère de Charlemagne ou la seconde femme de Rodolphe II, qui allait de château en château à cheval filant ? Ah ! Rodolphe... Reine Pédauque au pied d'oie ? Charles rencontre un troupeau d'oies aux Bertaux. Ces pieds : quel dam ! Quel fléau, madame !

Dans *Rage et impuissance* le jeune Flaubert parle d'une vieille servante de médecin appelée Berthe, tâchant de se souvenir d'une légende de sa jeunesse. Est-ce la vieille Julie, servante des Flaubert, qui apprit à Gustave à filer les légendes ? Songer aussi à cette Félicité, qui n'a pour enfant qu'un perroquet naturalisé. Julie était de la vallée de

Mme Louise Colet

l'Andelle, vous savez, au-delà de la côte des deux Amants, vers le village de Ry, l'Andelle dans laquelle se jette la Rieule...

Au fond du cœur bourgeois de Flaubert, fossile ou perroquet, se cache une vieille servante silencieuse, la plus misérable des filles du Temps, mais aussi la plus jeune : Cordelia, la fille du Vieux roi Lear, la fille du vieux Flaubert, qui lui redonne vie. Flaubert, cette vieille bête, ce fléau de bêtise, ce fléau de Berthe.

Madame Bovary, c'est Berthe, c'est moi, c'est Flauberthe, qui a perdu le bout de son pied... »

JEAN MAUREL, 1981, « Une dame bête comme ses pieds », *Revue des Sciences humaines,* n° 181, pp. 112-113.

 ## Amor nel cor et Louise Colet

Louise Colet n'avait pas pardonné la rupture brutale et cavalière que lui avait imposée Gustave Flaubert. Après la publication de Madame Bovary, *elle fit paraître un poème vengeur et cinglant sous le titre* Amor nel Cor *(Le monde illustré, 29 janvier 1859). Le thème en est une femme qui « met tout son cœur et toute sa bourse dans l'achat d'un cachet gravé de cette devise, pour l'offrir à celui qu'elle aime » (Claudine Gothot-Mersch, édition Garnier, p. 460). En voici le quatrain final :*

« Eh bien ! dans un roman de commis-voyageur
Qui comme un air malsain nous soulève le
cœur,

Il a raillé ce don en une phrase plate
Mais il garde pourtant le beau cachet d'agate. »
C'est attirer l'attention sur la part autobiographique du roman. On a relevé des ressemblances entre la lettre de rupture de Rodolphe et les lettres à Louise Colet, on sait que Gustave avait lui aussi sur sa table de chevet une pipe et un verre d'eau (cf. p. 416), etc. Mais si l'ironie s'en prend à la sentimentalité d'Emma, peut-être proche de celle de Louise, force est de convenir que si Gustave ressemble à Rodolphe, il ne se ménage guère, puisque la fiction nous brosse le portrait impitoyable d'un cynique et d'un goujat.

concubine ! Tu es mon roi, mon idole ! tu es bon ! tu es beau ! tu es intelligent ! tu es fort !

Il s'était tant de fois entendu dire ces choses, qu'elles n'avaient pour lui rien d'original. Emma ressemblait à toutes
5 les maîtresses ; et le charme de la nouveauté, peu à peu tombant comme un vêtement, laissait voir à nu l'éternelle monotonie de la passion, qui a toujours les mêmes formes et le même langage. Il ne distinguait pas, cet homme si plein de pratique, la dissemblance des sentiments sous la parité des
10 expressions. Parce que des lèvres libertines ou vénales lui avaient murmuré des phrases pareilles, il ne croyait que faiblement à la candeur de celles-là ; on en devait rabattre, pensait-il, les discours exagérés cachant les affections médiocres ; comme si la plénitude de l'âme ne débordait pas
15 quelquefois par les métaphores les plus vides, puisque personne, jamais, ne peut donner l'exacte mesure de ses besoins, ni de ses conceptions, ni de ses douleurs, et que la parole humaine est comme un chaudron fêlé où nous battons des mélodies à faire danser les ours, quand on voudrait
20 attendrir les étoiles ⟨1⟩ .

Mais, avec cette supériorité de critique appartenant à celui qui, dans n'importe quel engagement, se tient en arrière, Rodolphe aperçut en cet amour d'autres jouissances à exploiter. Il jugea toute pudeur incommode. Il la traita sans
25 façon. Il en fit quelque chose de souple et de corrompu. C'était une sorte d'attachement idiot plein d'admiration pour lui, de volupté pour elle ⟨2⟩ , une béatitude qui l'engourdissait ; et son âme s'enfonçait en cette ivresse et s'y noyait, ratatinée, comme le duc de Clarence dans son tonneau de
30 malvoisie[1].

Par l'effet seul de ses habitudes amoureuses, madame Bovary changea d'allures. Ses regards devinrent plus hardis, ses discours plus libres ; elle eut même l'inconvenance de se promener avec M. Rodolphe une cigarette à la bouche,
35 *comme pour narguer le monde* ; enfin, ceux qui doutaient encore ne doutèrent plus quand on la vit, un jour, descendre de *l'Hirondelle*, la taille serrée dans un gilet, à la façon d'un homme ; et madame Bovary mère, qui, après une épouvantable scène avec son mari, était venue se réfugier
40 chez son fils, ne fut pas la bourgeoise la moins scandalisée. Bien d'autres choses lui déplurent : d'abord Charles n'avait point écouté ses conseils pour l'interdiction des romans ; puis, *le genre de la maison* lui déplaisait ; elle se permit des

1. George, duc de Clarence (1449-1478), accusé de complot sous le règne d'Édouard IV d'Angleterre, fut condamné à mort et demanda, dit-on, à être noyé dans un tonneau de son vin favori, le malvoisie, vin doux et sucré, d'origine grecque. Shakespeare a utilisé et transposé cet épisode dans son Richard III *(1592).*

① Ironie et demande d'amour

S'il s'agit bien dans ce passage — souvent évoqué — d'une intervention du narrateur, on peut y remarquer la condamnation de la « lecture » cynique d'Emma par Rodolphe, sans pour autant lui substituer une « lecture » ironique :

Rodolphe n'est capable ni d'une lecture ironique, à laquelle il substitue le calcul intéressé, l'exploitation, ni d'une lecture sympathique et de confiance, à laquelle il substitue de l'indifférence, une sorte de lassitude devant « l'éternelle monotonie de la passion » et l'usure du « charme de la nouveauté ». Plein de « pratique », il est incapable, devant les répétitions de la vie (« Emma ressemblait à toutes les maîtresses », « toujours les mêmes formes et le même langage »), de distinguer ce qu'elles peuvent quelquefois exprimer d'authentique, de candide et d'original. Si pourtant il y a quelques possibilité de « charme » dans la vie, apte à survivre à « l'éternelle monotonie », c'est d'une part dans l'existence d'une sincérité passionnée telle que celle d'Emma qu'elle réside, d'autre part dans la rencontre d'un lecteur qui, à la différence de Rodolphe, ne céderait pas à la tentation de l'indifférenciation et resterait prêt à « distinguer », au besoin, entre « lèvres libertines ou vénales »

et « plénitude de l'âme ». Et comme « personne, jamais ne peut donner l'exacte mesure de ses besoins », il s'ensuit que cette analyse est valable pour les formes de discours les plus intelligentes et les plus conscientes (*Madame Bovary*, par exemple), comme pour les bêtises sentimentales qui tombent des lèvres d'une Emma.

(...) Plus exactement, cette lecture doit être elle-même une lecture métaphorique, saisissant à travers les « métaphores les plus vides » la « plénitude d'âme » qui les déborde quelquefois, tandis que la mauvaise lecture est une lecture métonymique, déduisant de la vénalité ou du libertinage des lèvres le caractère dégradé de leur message. C'est par la contiguïté, et par une lecture sensible à cette contiguïté, que le langage se dégrade ; ainsi le discours de *Madame Bovary* souffre de sa contiguïté de *pars pro toto* au discours social qui en fournit la matière. Mais une lecture métaphorique de ce même langage, tout en reconnaissant son « vide », sera attentive au non-dit et à l'indicible — « besoins », « conceptions », « douleurs » — dont ce langage ne peut donner l'« exacte mesure », et saura reconnaître, malgré « les mêmes formes et le même langage », quelque chose d'essentiel, la « dissemblance des sentiments ».

ROSS CHAMBERS, 1987, op. cit., pp. 216-217.

② L'échec d'Emma est-il un échec sexuel ?

Après avoir rappelé la position de Baudelaire sur la virilité d'Emma (voir le contexte p. 457) et relevé les traits qui font échapper Emma à la norme féminine, Max Milner pose la question de la sexualité d'Emma :

Si l'on considère qu'un véritable épanouissement sexuel n'est possible pour la femme que si elle assume sa féminité, et que cette attitude va de pair avec l'abandon de l'identification à l'image paternelle et avec l'acceptation de la castration (acceptation qui — faut-il le rappeler ? — n'est pas celle

observations, et l'on se fâcha, une fois surtout, à propos de Félicité.

Madame Bovary mère, la veille au soir, en traversant le corridor, l'avait surprise dans la compagnie d'un homme, un 5 homme à collier brun, d'environ quarante ans, et qui, au bruit de ses pas, s'était vite échappé de la cuisine. Alors Emma se prit à rire ; mais la bonne dame s'emporta, déclarant qu'à moins de se moquer des mœurs, on devait surveiller celles des domestiques.

10 — De quel monde êtes-vous ? dit la bru, avec un regard tellement impertinent que madame Bovary lui demanda si elle ne défendait point sa propre cause.

— Sortez ! fit la jeune femme se levant d'un bond.

— Emma !... maman !... s'écriait Charles pour les 15 rapatrier[1].

Mais elles s'étaient enfuies toutes les deux dans leur exaspération. Emma trépignait en répétant :

— Ah ! quel savoir-vivre ! quelle paysanne !

Il courut à sa mère ; elle était hors des gonds, elle 20 balbutiait :

— C'est une insolente ! une évaporée ! pire, peut-être !

Et elle voulait partir immédiatement, si l'autre ne venait lui faire des excuses. Charles retourna donc vers sa femme et la conjura de céder ; il se mit à genoux ; elle finit par 25 répondre :

— Soit ! j'y vais.

En effet, elle tendit la main à sa belle-mère avec une dignité de marquise, en lui disant :

— Excusez-moi, madame.

30 Puis, remontée chez elle, Emma se jeta tout à plat ventre sur son lit, et elle y pleura comme un enfant, la tête enfoncée dans l'oreiller.

Ils étaient convenus, elle et Rodolphe, qu'en cas d'événement extraordinaire, elle attacherait à la persienne un petit 35 chiffon de papier blanc, afin que, si par hasard il se trouvait à Yonville, il accourût dans la ruelle, derrière la maison. Emma fit le signal ; elle attendait depuis trois quarts d'heure, quand tout à coup elle aperçut Rodolphe au coin des halles. Elle fut tentée d'ouvrir la fenêtre, de l'appeler ; mais déjà il avait disparu. Elle retomba désespérée.

40 Bientôt pourtant il lui sembla que l'on marchait sur le trottoir. C'était lui, sans doute ; elle descendit l'escalier, traversa la cour. Il était là, dehors. Elle se jeta dans ses bras.

---

1. *Rapatrier : au sens de réconcilier.*

'une existence diminuée), il erait peut-être possible de ouver dans les rares indicaons données par Flaubert sur enfant d'Emma, quelques-nes des raisons qui l'ont amee à assumer un rôle viril : ffacement très grand de la ère, qui a pu dévaluer le rôle minin aux yeux de la fille, faiesse du caractère du père, ui amène Emma à assumer, urtout après la mort de la ère, certaines des prérogaties de l'homme dans le foyer ..)

out cela demeure, bien ntendu, très hypothétique,

mais nous induit à penser que l'échec d'Emma n'est pas seulement imputable à la "fatalité" qui n'a mis sur sa route que des hommes médiocres, mais aussi aux dispositions psychiques qui commandent son comportement sexuel (et qui expliquent d'ailleurs l'attrait qu'exercent sur elle des hommes d'une médiocre virilité). »

MAX MILNER, 1973, « Sur la sexualité d'Emma Bovary », in *Journée de travail sur Madame Bovary*, 3 février 1973, Société des études romantiques (ronéotypée).

pied des autels, parmi l'encens des cérémonies, et son premier rendez-vous avec Léon, qui enflamme le couple et précède la grande scène érotique du fiacre, a lieu, sur la suggestion d'Emma, dans la cathédrale de Rouen. La séduction est intimement liée, selon un système de vases communicants où l'érotique s'imprègne de religiosité et la religion d'érotisme, à la description que fait le suisse aux amants imminents des beautés et des trésors de la cathédrale. Bien qu'elle meure jeune et ait une mort atroce, Emma, du moins, grâce à son courage de s'accepter telle qu'elle est, vit des expériences profondes que ne pressentent même pas, dans leur existence aussi routinière que celle de leurs poules et de leurs chiens, les bourgeoises vertueuses de Yonville. Je me réjouis qu'Emma au lieu d'étouffer ses sens essaie de les combler, qu'elle n'ait pas scrupule à confondre le "cul" et le "cœur", qui sont, de fait, des parents proches, et qu'elle soit capable de croire que la lune existait pour éclairer son alcôve. »

ario Vargas-Llosa insiste, lui, sur le courage d'une femme qui assume :

Flaubert résumait à Louise vec une certaine vulgarité on opinion sur les femmes : Elles ne sont pas franches vec elles-mêmes ; elles ne 'avouent pas leurs sens ; elles rennent leur cul pour leur œur et croient que la lune est ite pour éclairer leur bouoir" (*Corresp.,* vol. II, p. 401). e ne vois pas pourquoi on ne ourrait en dire autant des ommes (...) Emma, en revanhe, essaie de tirer parti de es "limites" et, transformant vice en vertu, la règle en xception, elle brise le condionnement qui pèse sur sa ersonne (son sexe) et entame n processus qui est, sans le

moindre doute, un obscur, un instinctif processus de libération. Il est impossible de ne pas admirer l'aptitude d'Emma au plaisir ; une fois stimulée et éduquée par Rodolphe, elle dépasse son maître et son second amant, et enveloppe d'un chaud érotisme le roman à partir du chapitre IX de la seconde partie. Comme dans la littérature libertine du XVIIIe siècle — Flaubert fut un lecteur enthousiaste du marquis de Sade —, l'amour est lié à la religion, ou, plutôt, à l'Église et aux objets du culte. L'éveil sexuel d'Emma se produit dans un collège de bonnes sœurs, au

MARIO VARGAS LLOSA, 1975, *L'Orgie perpétuelle,* traduction française, 1978, Gallimard, pp. 28-29.

— Prends donc garde, dit-il.

— Ah ! si tu savais ! reprit-elle.

Et elle se mit à lui raconter tout, à la hâte, sans suite, exagérant les faits, en inventant plusieurs, et prodiguant les
5 parenthèses si abondamment qu'il n'y comprenait rien.

— Allons, mon pauvre ange, du courage, console-toi,
patience !

— Mais voilà quatre ans que je patiente et que je souffre !... Un amour comme le nôtre devrait s'avouer à la face
10 du ciel ! Ils sont à me torturer. Je n'y tiens plus ! Sauve-moi !

Elle se serrait contre Rodolphe. Ses yeux, pleins de larmes, étincelaient comme des flammes sous l'onde ; sa gorge
haletait à coups rapides ⟨①⟩ ; jamais il ne l'avait tant aimée ;
si bien qu'il en perdit la tête et qu'il lui dit :

15 — Que faut-il faire ? que veux-tu ?

— Emmène-moi ! s'écria-t-elle. Enlève-moi !... Oh ! je
t'en supplie !

Et elle se précipita sur sa bouche, comme pour y saisir le
consentement inattendu qui s'en exhalait dans un baiser.

20 — Mais..., reprit Rodolphe.

— Quoi donc ?

— Et ta fille ?

Elle réfléchit quelques minutes, puis répondit :

— Nous la prendrons, tant pis !

25 — Quelle femme ! se dit-il en la regardant s'éloigner.

Car elle venait de s'échapper dans le jardin. On l'appelait.

La mère Bovary, les jours suivants, fut très étonnée de la
métamorphose de sa bru. En effet, Emma se montra plus
docile, et même poussa la déférence jusqu'à lui demander
une recette pour faire mariner des cornichons.

30 Était-ce afin de les mieux duper l'un et l'autre ? ou bien
voulait-elle, par une sorte de stoïcisme voluptueux, sentir
plus profondément l'amertume des choses qu'elle allait
abandonner ? Mais elle n'y prenait garde, au contraire ; elle
vivait comme perdue dans la dégustation anticipée de son
35 bonheur prochain. C'était avec Rodolphe un éternel sujet de
causeries. Elle s'appuyait sur son épaule, elle murmurait :

— Hein ! quand nous serons dans la malle-poste !... Y
songes-tu ? Est-ce possible ? Il me semble qu'au moment où
je sentirai la voiture s'élancer, ce sera comme si nous mon-
40 tions en ballon, comme si nous partions vers les nuages.
Sais-tu que je compte les jours ?... Et toi ?

Jamais madame Bovary ne fut aussi belle qu'à cette épo-

① Au procès : cachez cette beauté que je ne saurais voir !

Réquisitoire :

Voilà un portrait, messieurs, comme sait les faire M. Flaubert. Comme les yeux de cette femme s'élargissent ! Comme quelque chose de ravissant est épandu sur elle, depuis sa chute ! Sa beauté a-t-elle jamais été aussi éclatante que le lendemain de sa chute, que dans les jours qui ont suivi la chute ? Ce que l'auteur nous montre, c'est la poésie de l'adultère, et je vous demande encore une fois si ces pages lascives ne sont pas d'une immoralité profonde ! »

Plaidoirie :

Au lieu des *désillusions*, vous auriez voulu les *souillures* de l'adultère *(cf. p. 537)*. Le tribunal jugera. Quant à moi, si j'avais à faire poser le même personnage, je lui dirais : "Pauvre femme ! si vous croyez que les baisers de votre mari sont quelque chose de monotone, d'ennuyeux, si vous n'y trouvez — c'est le mot qui a été signalé — que les platitudes du mariage, s'il vous semble voir une souillure dans cette union à laquelle l'amour n'a pas présidé, prenez-y garde, vos rêves sont une illu-sion, et vous serez un jour cruellement détrompée.''

Celui qui crie bien fort, messieurs, qui se sert du mot souillure pour exprimer ce que nous avons appelé désillusion, celui-là dit un mot vrai, mais vague, qui n'apprend rien à l'intelligence. J'aime mieux celui qui ne crie pas fort, qui ne prononce pas le mot de souillure, mais qui avertit la femme de la déception, de la désillusion, qui lui dit : Là où vous croyez trouver l'amour, vous ne trouverez que le libertinage ; là où vous croyez trouver le bonheur, vous ne trouverez que des amertumes. Un mari qui va tranquillement à ses affaires, qui vous embrasse, qui met son bonnet de coton et mange sa soupe avec vous est un mari prosaïque qui vous révolte ; vous aspirez à un homme qui vous aime, qui vous idolâtre, pauvre enfant ! cet homme sera un libertin, qui vous aura prise une minute pour jouer avec vous. L'illusion se sera produite la première fois, peut-être la seconde ; vous serez rentrée chez vous enjouée, en chantant la chanson de l'adultère : "J'ai un amant !" La troisième fois vous n'aurez pas besoin d'arriver jusqu'à lui, la désillusion sera venue. Cet homme que vous aviez rêvé, aura perdu tout son prestige ; vous aurez retrouvé dans l'amour les platitudes du mariage ; et vous les aurez retrouvées avec le mépris et le dédain, le dégoût et le remords poignant. »

que ; elle avait cette indéfinissable beauté ⟨1⟩ qui résulte de
la joie, de l'enthousiasme, du succès, et qui n'est que l'harmonie du tempérament avec les circonstances. Ses convoitises, ses chagrins, l'expérience du plaisir et ses illusions tou-
5 jours jeunes, comme font aux fleurs le fumier, la pluie, les
vents et le soleil, l'avaient par gradations développée, et elle
s'épanouissait enfin dans la plénitude de sa nature. Ses paupières semblaient taillées tout exprès pour ses longs regards
amoureux où la prunelle se perdait, tandis qu'un souffle fort
10 écartait ses narines minces et relevait le coin charnu de ses
lèvres, qu'ombrageait à la lumière un peu de duvet noir. On
eût dit qu'un artiste habile en corruptions avait disposé sur sa
nuque la torsade de ses cheveux : ils s'enroulaient en une
masse lourde, négligemment, et selon les hasards de l'adul-
15 tère, qui les dénouait tous les jours. Sa voix maintenant prenait des inflexions plus molles, sa taille aussi ; quelque chose
de subtil qui vous pénétrait se dégageait même des draperies
de sa robe et de la cambrure de son pied. Charles, comme
aux premiers temps de son mariage, la trouvait délicieuse et
20 tout irrésistible.

Quand il rentrait au milieu de la nuit, il n'osait pas la
réveiller ⟨2⟩. La veilleuse de porcelaine arrondissait au plafond une clarté tremblante, et les rideaux fermés du petit
berceau faisaient comme une hutte blanche qui se bombait
25 dans l'ombre, au bord du lit. Charles les regardait. Il croyait
entendre l'haleine légère de son enfant. Elle allait grandir
maintenant ; chaque saison, vite, amènerait un progrès. Il la
voyait déjà revenant de l'école à la tombée du jour, toute
rieuse, avec sa brassière tachée d'encre, et portant au bras
30 son panier ; puis il faudrait la mettre en pension, cela coûterait beaucoup ; comment faire ? Alors il réfléchissait. Il pensait à louer une petite ferme aux environs, et qu'il surveillerait lui-même, tous les matins, en allant voir ses malades. Il
en économiserait le revenu, il le placerait à la caisse d'épar-
35 gne ; ensuite il achèterait des actions, quelque part,
n'importe où ; d'ailleurs, la clientèle augmenterait ; il y
comptait, car il voulait que Berthe fût bien élevée, qu'elle eût
des talents, qu'elle apprît le piano. Ah ! qu'elle serait jolie
plus tard, à quinze ans, quand, ressemblant à sa mère, elle
40 porterait comme elle, dans l'été, de grands chapeaux de
paille ! on les prendrait de loin pour les deux sœurs. Il se la
figurait travaillant le soir auprès d'eux, sous la lumière de la
lampe ; elle lui broderait des pantoufles ; elle s'occuperait

1

Sur la beauté d'Emma : variation et expansion

Jamais Mme Bovary ne fut aussi belle qu'à cette époque : elle avait cette indéfinissable beauté qui *ressort de l'inspiration*, du succès, de l'enthousiasme, *celle qui façonne le visage selon le moule des pensées et qui n'est que l'harmonie de toute la personne avec les circonstances extérieures. Elle en était à son second amour, à son premier nant, et tous ses rêves, tous es chagrins,* l'expérience *des ens, et ses illusions plus jeues* l'avaient par *leur action omplexe amenée à son ntier développement* et elle épanouissait enfin dans la **l**énitude de sa nature. Ses **a**upières *un peu lourdes* **e**mblaient taillées tout exprès **o**ur *avoir de ces longs* **e**gards *langoureux* où la pru**e**lle *disparaissait*, tandis **u**'un souffle *sonore* écartait **s** ailes transparentes de son **e**z et *retroussait* le coin **h**arnu de ses lèvres, **u**'ombrageait un peu de **u**vet noir, *comme si quelque* **o**igt *capricieux l'eût bar***o**uillé *délicatement avec de* poudre de fusain. On eût dit **u**'un artiste habile en corrup**o**ns avait disposé sur sa **u**que la torsade de ses che**e**ux : ils *se bombaient au haut*

de *son cou brun* en une masse lourde, négligemment, *comme prêts à tomber d'eux-mêmes,* et selon les hasards ou *l'habitude* de l'adultère qui *les nouait* et les dénouait tous les jours. *Mais par-devant ils s'évasaient légèrement comme deux coquilles d'ébène et rehaussaient d'un* reflet bleu la pâleur mate de son front, qui avait quelque chose d'impassible et d'impitoyable. Souvent elle y portait les mains à plat, pour lisser ses bandeaux et alors ses doigts se relevaient par le bout. Ils avaient l'air toujours un peu humides, comme si des parfums en eussent pénétré la peau, qui vous semblait être, plus qu'une autre, propre à des caresses onctueuses et à des frémissements. Sa voix, comme sa taille, prenait maintenant des inflexions plus molles, elle se traînait avec des sonorités métalliques qui vous bourdonnaient encore à l'oreille quand elle avait fini de parler et quelque chose de subtil qui vous pénétrait se dégageait comme une vapeur des draperies de sa robe et de la cambrure de son pied. Bovary ne comprenait pas que la connaissabt si bien, elle lui parût être cependant si neuve.

Il profitait de tout cela, il la chérissait plus que jamais, il sentait des redoublements d'ardeur comme aux premiers temps de leur mariage, d'une façon continue, profonde. D'ailleurs, il se réjouissait de ce changement, car elle était gaie maintenant, on l'entendait quelquefois dans l'escalier qui chantait comme un oiseau. Elle avait le caractère facile et l'appétit mieux réglé. Quand il rentrait au milieu de la nuit, il n'osait pas la réveiller, mais se glissant à côté d'elle, il la baisait sur le cou, du bout des lèvres, entre le bonnet et le fichu. L'atmosphère de l'alcôve lui semblait être tiédie par l'émanation de son corps, et la fraîcheur des pâtes humides, sur sa table de toilette, se mêlait vaguement à ce parfum qui lui embaumait l'âme. A travers le linge tout chaud d'elle-même, il sentait en s'endormant la forme confuse de ses membres. Étendue sur le dos et sans ouvrir les yeux, Emma repoussait le bras qu'il avançait vers elle, dans un bâillement de lassitude et de concupiscence timide. »

POMMIER-LELEU,
pp. 429-430.

② Charles et la passivité onirique

L'étude d'une variante de ce passage permet à Graham Falconer de montrer comment Flaubert modifie le personnage de Charles, au détriment peut-être de la vraisemblance psychologique :

« Voici un des brouillons, que je reproduis d'après l'édition du Club de l'Honnête Homme :

"Quand il rentrait au milieu de la nuit il n'osait pas la réveiller, mais, se glissant à côté d'elle, il la baisait du bout des lèvres, sur le cou, entre le bonnet et le fichu. L'atmosphère de l'alcôve lui semblait être tiédie par l'émanation de son corps, et la fraîcheur des pâtes humides, sur sa table de toilette, se mêlait (vaguement) à ce parfum qui lui embaumait l'âme. A travers le linge tout chaud d'elle-même, il sentait en s'endormant la forme confuse de ses membres bien-aimés. Étendue sur le dos et sans ouvrir les yeux, Emma repoussait machinalement le bras qu'il avançait vers son cœur, dans un bâillement de lassitude et de concupiscence timide."

Viennent ensuite les pensées vagues sur l'avenir de Berthe, plus ou moins telles qu'on les connaît aujourd'hui, puis le narrateur de conclure :

"Cela continuerait toujours, et doucement, à travers les bru-

mes du sommeil, les pensées de Charles se dispersaient ainsi vers l'avenir ou voltigeaient comme des mouches au bord des lèvres de sa femme."

La principale différence ent[re] cette description et celle qu[e] Flaubert a livrée au publi[c] c'est la présence de toute un[e] série de verbes actifs : no[us] sommes en présence de deu[x] volontés qui s'affrontent. E[n] supprimant ces verbes — avec eux, les gestes et les se[n]timents qu'ils traduisent, Fla[u]bert a pour ainsi dire intéri[o]risé la scène ; aucun évén[e]ment ne vient maintena[nt] déranger la pureté du rê[ve] prosaïque de Charles, qui se[ra] contrasté, dans le passage q[ui] suit, avec celui d'Emma, à [la] fois plus poétique et manife[s]tement plus illusoire. Sous [sa] forme actuelle, l'épisode pe[ut] déconcerter le lecteur, qui n[e] savait pas, ou qui avait oubl[ié] que Charles était capable d[e] ce type de réflexion. Mais [il] n'est plus question d'exp[li]quer le comportement d[es] personnages : l'effet forme[l] architectural et poétique [de] l'antithèse à juste titre célèb[re] ayant été préféré, ici comm[e] un peu partout chez Flaube[rt] à la vraisemblance psychol[o]gique traditionnelle. »

GRAHAM FALCONE[R]
197[?]
« Flaubert assassin d[e] Charles », in *Langages d[e] Flaubert*, Minard, 197[?] pp. 129-13[?]

Le temps sexualisé

Au fur et à mesure que Charles, oubliant sa jeunesse (il a connu « enfin l'amour », une nuit) répugne à vivre la nuit, Emma devient un être nocturne. Elle avait déjà « désiré se marier *à minuit*. Dans la lune de miel dont elle rêve, la nuit joue un rôle capital : *Quand le soleil se couche, on respire au bord des golfes le parfum des citronniers ; puis, le soir, sur la terrasse des villas, seule et les doigts confondus, on regarde les étoiles en faisant des projets.* » Pour se donner de l'amour, elle se met à réciter *« au clair de lune »* « tout ce qu'elle savait par cœur de rimes passionnées » à son mari qui reste aussi calme qu'auparavant », ni plus amoureux, ni plus ému ». Lors de la soirée au château, pendant le sommeil de son époux : « Emma mit un châle sur ses épaules, ouvrit la fenêtre et s'accouda. *La nuit était noire.* » Ce voyage a d'ailleurs fait « un trou dans sa vie, à la manière de ces grandes crevasses qu'un orage, *en une seule nuit,* creuse quelquefois dans les montagnes ». Plus tard elle s'éveille « la *nuit* », « quand les mareyeurs, dans leurs charrettes, passaient sous ses fenêtres en chantant *la Marjolaine* » et elle rêve du Vicomte qui vit à Paris où ils se rendent. Lorsqu'enfin

Charles s'endort sur *La Ruche médicale*, elle regrette de n'avoir pas pour mari « un de ces hommes d'ardeurs *taciturnes* qui travaillent *la nuit* dans les livres » et elle envie « les existences tumultueuses, *les nuits* masquées ». Le drame d'Emma et de Charles repose donc sur une sexualisation implicite du temps ; mais surtout la norme en cette matière est transgressée et cette transgression est sanctionnée soit par la société soit par les personnages qui ont intériorisé la norme et qui vivent sa transgression comme un déchirement intime.

Dans les seconde et troisième parties, le sommeil de Charles, la nuit, pendant qu'Emma est éveillée, revient comme un véritable leitmotiv : dès leur arrivée à Yonville, Charles « s'était endormi complètement, *dès que la nuit était venue* » ; on le voit ensuite dormir en compagnie de Homais. Certaines nuits, lorsqu'Emma frotte une allumette, il se réveille en sursaut. Le soir des comices, le feu d'artifice est en partie manqué : « Le morceau principal, qui devait figurer un dragon se mordant la queue, rata complètement » — échec souligné par le compte rendu comique qu'en fait Homais : « On eût dit un véritable kaléidoscope, un

vrai décor d'Opéra, notre petite localité a pu se croire transportée au milieu d'un rêve des *Mille et une nuits*. » Autres nuits manquées, celles où Charles Bovary rentrant de ses tournées n'ose réveiller Emma ; « Emma ne dormait pas, elle faisait semblant d'être endormie, et, tandis qu'il s'assoupissait à ses côtés, elle se réveillait en d'autres rêves. » Lorsqu'elle est passée de Rodolphe à Léon, Emma va le rejoindre à Rouen : « Elle se levait, et elle s'habillait silencieusement pour ne point éveiller Charles. » Vers la fin de ses aventures : « Pour ne pas avoir la nuit auprès d'elle, cet homme étendu qui dormait, elle finit, à force de grimaces, par le reléguer au second étage. »

Entre les sommeils béats et indus de Charles Bovary et l'inconduite de sa femme il existe un rapport de causalité réciproque : le fait que Charles ne remplisse pas son devoir d'époux contraint son épouse à lui chercher des remplaçants ; le fait qu'Emma soit ou devienne une femme exigeante et impérieuse (et non douce et soumise) fait de Charles une « loque conjugale ».

EDGARD PICH, 1976, « L'antiféminisme sous le Second Empire », *Romantisme,* n° 13-14, p. 174.

du ménage ; elle emplirait toute la maison de sa gentillesse
et de sa gaieté. Enfin, ils songeraient à son établissement :
on lui trouverait quelque brave garçon ayant un état solide ;
il la rendrait heureuse ; cela durerait toujours.

5 Emma ne dormait pas, elle faisait semblant d'être endormie ; et, tandis qu'il s'assoupissait à ses côtés, elle se réveillait en d'autres rêves.

Au galop de quatre chevaux, elle était emportée depuis
huit jours vers un pays nouveau, d'où ils ne reviendraient
10 plus. Ils allaient, ils allaient, les bras enlacés, sans parler.
Souvent, du haut d'une montagne, ils apercevaient tout à
coup quelque cité splendide avec des dômes, des ponts, des
navires, des forêts de citronniers et des cathédrales de marbre blanc, dont les clochers aigus portaient des nids de cigo-
15 gnes. On marchait au pas, à cause des grandes dalles, et il y
avait par terre des bouquets de fleurs que vous offraient des
femmes habillées en corset rouge. On entendait sonner des
cloches, hennir les mulets, avec le murmure des guitares et
le bruit des fontaines, dont la vapeur s'envolant rafraîchissait
20 des tas de fruits, disposés en pyramide au pied des statues
pâles, qui souriaient sous les jets d'eau. Et puis ils arrivaient,
un soir, dans un village de pêcheurs, où des filets bruns
séchaient au vent, le long de la falaise et des cabanes. C'est
là qu'ils s'arrêteraient pour vivre : ils habiteraient une maison
25 basse, à toit plat, ombragée d'un palmier, au fond d'un
golfe, au bord de la mer. Ils se promèneraient en gondole, ils
se balanceraient en hamac : et leur existence serait facile et
large comme leurs vêtements de soie, toute chaude et étoi-
lée comme les nuits douces qu'ils contempleraient. Cepen-
30 dant, sur l'immensité de cet avenir qu'elle se faisait appa-
raî-
tre, rien de particulier ne surgissait ; les jours, tous magnifiques, se rassemblaient comme des flots ; et cela se balançait
à l'horizon, infini, harmonieux, bleuâtre et couvert de
soleil ⟨1⟩. Mais l'enfant se mettait à tousser dans son berceau,
35 ou bien Bovary ronflait plus fort, et Emma ne s'endormait
que le matin, quand l'aube blanchissait les carreaux et que
déjà le petit Justin, sur la place, ouvrait les auvents de la
pharmacie. ⟨2⟩

Elle avait fait venir M. Lheureux et lui avait dit :
40 — J'aurais besoin d'un manteau, un grand manteau, à
long collet, doublé.

— Vous partez en voyage ? demanda-t-il.

De l'équivalence des descriptions

Ce lieu imaginaire rêvé par Emma présente des analogies avec les autres lieux décrits dans le roman :

« En tant que *lieux*, Yonville, Rouen, la Vaubyessard, la cité splendide rêvée par Emma lorsqu'elle veut s'enfuir avec Rodolphe, sont équivalents, destinés tous à accueillir la sensibilité et les illusions d'Emma. Il se trouve que les descriptions de ces lieux contiennent un grand nombre de prédicats identiques ou au moins analogues ; les différences subtiles mais indéniables, en sont d'autant plus révélatrices.

Rouen	Vaubyessard	Yonville	Yonville 2	Cité splendide
				vapeurs des fontaines
brouillard		brume	nuées	
panaches bruns			lac pâle	
brume			s'évaporant	
nuages			brume	forêt de
arbres sans	bouquets de	arbres	massifs	citronniers
feuilles	grands arbres	touffus	d'arbres	
broussailles	espacés			
violettes	touffes de verdure			cathédrale de marbre
églises	inégales	l'église	l'église	blanc
maisons	bâtiments	bâtiments épars		dômes
toits	toits de chaume	toits	toits	ponts
ponts	pont	pont		fontaines
fleuve	rivière	rivière	bord de	jets d'eau
			l'eau	
Côte Ste Catherine	coteaux	côte		du haut d'une
descendant	se déployant	dans une	de la hauteur	montagne
	en bas			sonner les cloches
ronflement des				hennir des mulets
fonderies				murmurer des guitares
carillons				bruit des fontaines

On peut attribuer les *différences* à la volonté de l'héroïne de voir les lieux différemment tandis que les *ressemblances* reviendraient à la vision réaliste du focalisateur-narrateur (...) Paradoxalement, on peut conclure que les quatre lieux décrits sont différents selon la vision de l'héroïne qui les idéalise et qui, pour cette raison, les imagine avec des signifiants différents : ils sont identiques selon la vision réaliste, parce que le signifié "ennui" les sous-tend tous. »

MIEKE BAL, 1977,
Narratologie, Klincksieck, pp. 101-102.

② Sur la rêverie d'Emma

« Thibaudet fait observer qu'à l'exception de quelques conditionnels (dont il ne semble pas voir, d'ailleurs, qu'ils n'ont aucune valeur modale et qu'ils expriment simplement, comme dans *il m'a dit qu'il viendrait*, le futur dans un discours indirect au passé), toutes les phrases de cette page ont leurs verbes à l'imparfait — imparfait, ici, de style indirect, qui équivaut à un indicatif présent et qui marque l'intensité d'une imagination pour qui "tout est donné comme réalisé". Dans la suite du texte, le retour à la réalité n'est marqué par aucune rupture temporelle, ce qui est, dit justement Thibaudet, une façon de faire ce rêve aussi présent que les bruits de la chambre : "...cela se balançait à l'horizon infini, harmonieux, bleuâtre et couvert de soleil. Mais l'enfant se mettait à tousser dans son berceau, ou bien Bovary ronflait plus fort, et Emma ne s'endormait que le matin, quand l'aube blanchissait les carreaux et que déjà, etc."

La remarque de Thibaudet sur l'emploi des temps peut être complétée et corroborée par une autre, qui portera sur le contenu et le caractère de la description par laquelle Flau-

bert veut restituer — ou constituer — la rêverie d'Emma. Il s'agit bien, précisons-le, non pas d'un songe, mais d'une rêverie éveillée ; Flaubert dit curieusement que, tandis que Charles, à côté d'elle, s'assoupissait, Emma "se réveillait en d'autres rêves". Dans cette circonstance, on ne peut

qu'être surpris de la netteté e de la précision de certain détails, comme les nids d cigognes sur les clocher aigus, les grandes dalles qu obligent à marcher au pas, le corsets rouges, la vapeur de fontaines, les pyramides d fruits, les filets bruns, etc. L version antérieure retenue pa

'édition Pommier-Leleu donne encore quelques effets de ce genre supprimés par Flaubert dans sa rédaction définitive : les femmes ont des tresses noires, au bruit des cloches, des mulets et des fontaines s'ajoute le frôlement de la robe des moines, et surtout, cette phrase si caractéristique : "Le soleil frappait sur les cuirs de la capote et la poussière, qui tourbillonnait comme de la fumée, leur craquait dans les gencives".

Qu'un personnage puisse, dans le vague de la rêverie, percevoir de ces détails avec une pareille acuité, cela dépasse évidemment la vraisemblance générale. Le commentaire de Thibaudet, qui rappelle *Perrette et le pot au lait* ("Quand je l'eus" !) et voit dans cette puissance d'illusion un trait spécifiquement féminin, est d'une justesse contestable. On peut aussi, avec plus de mesure, prêter à Flaubert une intention d'ordre psychologique, visant la personnalité particulière d'Emma : il voudrait montrer, par ce luxe étrange de détails, le caractère hallucinatoire de ses rêveries, qui serait un des aspects de la pathologie bovaryste. Il y a sans doute une part de vérité dans cette interprétation, mais elle n'est pas entièrement satisfaisante. Un peu plus loin, lorsque

Emma, devenue vraiment malade après la trahison de Rodolphe, sombre dans une crise de dévotion mystique, Flaubert présentera ses *visions* d'une manière beaucoup plus objective — et plus traditionnelle — en écrivant : "Alors elle laissa retomber sa tête, croyant entendre dans les espaces le chant des harpes séraphiques et apercevoir en un ciel d'azur, sur un trône d'or, au milieu des saints tenant des palmes vertes, Dieu le Père tout éclatant de majesté, et qui d'un signe faisait descendre vers la terre des anges aux ailes de flamme pour l'emporter dans leurs bras". Par le vague des détails, leur caractère tout conventionnel, et ce *croyant entendre* (comparer au *elle était emportée* de tout à l'heure) qui les place sans équivoque dans le plan de l'irréel, on voit bien que l'hallucination, ou l'*apparition*, nous est donnée ici avec une force d'illusion très inférieure à celle que Flaubert accordait à une simple rêverie. »

GÉRARD GENETTE,
1966,
« Silences de Flaubert » in
Figures I, réédition collection
Points, Seuil, 1976,
pp. 224-225.

— Non ! mais..., n'importe, je compte sur vous n'est-ce pas ? et vivement !

Il s'inclina.

— Il me faudrait encore, reprit-elle, une caisse..., pas
5 trop lourde..., commode.

— Oui, oui, j'entends, de quatre-vingt-douze centimètres environ sur cinquante, comme on les fait à présent.

— Avec un sac de nuit.

— Décidément, pensa Lheureux, il y a du grabuge là-
10 dessous.

— Et tenez, dit Mme Bovary en tirant sa montre de sa ceinture, prenez cela ; vous vous payerez dessus.

Mais le marchand s'écria qu'elle avait tort ; ils se connaissaient ; est-ce qu'il doutait d'elle ? Quel enfantillage ! Elle
15 insista cependant pour qu'il prît au moins la chaîne, et déjà Lheureux l'avait mise dans sa poche et s'en allait, quand elle le rappela.

— Vous laisserez tout chez vous. Quant au manteau — elle eut l'air de réfléchir, — ne l'apportez pas non plus ; seu-
20 lement, vous me donnerez l'adresse de l'ouvrier et avertirez qu'on le tienne à ma disposition.

C'était le mois prochain qu'ils devaient s'enfuir. Elle partirait d'Yonville comme pour aller faire des commissions à Rouen. Rodolphe aurait retenu les places, pris des passe-
25 ports, et même écrit à Paris, afin d'avoir la malle entière jusqu'à Marseille, où ils achèteraient une calèche et, de là, continueraient sans s'arrêter, par la route de Gênes. Elle aurait eu soin d'envoyer chez Lheureux son bagage, qui serait directement porté à l'*Hirondelle*, de manière que per-
30 sonne ainsi n'aurait de soupçons ; et, dans tout cela, jamais il n'était question de son enfant. Rodolphe évitait d'en parler ; peut-être qu'elle n'y pensait pas.

Il voulut avoir encore deux semaines devant lui, pour terminer quelques dispositions ; puis, au bout de huit jours, il
35 en demanda quinze autres, puis il se dit malade ; ensuite il fit un voyage ; le mois d'août passa, et, après tous ces retards, ils arrêtèrent que ce serait irrévocablement pour le 4 septembre, un lundi. ⟨1⟩
40 Enfin le samedi, l'avant-veille, arriva.

Rodolphe vint le soir, plus tôt que de coutume.

— Tout est-il prêt ? lui demanda-t-elle.

— Oui.

La reconstitution d'une chronologie

Le lundi 4 septembre 1843 constitue, selon Jacques Seebacher, le pôle central à partir duquel toute la chronologie du roman peut s'établir :

« C'est précisément cette date centrale, cette unique précision dans tout le livre, qui permet, de proche en proche, de saison en saison, le repérage. L'année même ne figure pas dans le roman, et si l'indication d'un "lundi 12 septembre" avait été maintenue par Flaubert, nous serions en 1842 et non en 1843. Car, à y regarder de près, on voit bien qu'il s'agit de la Monarchie de Juillet, mais le retrait du jalonnement chronologique transforme cette assez brève période en un temps indéterminé du vieillissement (...) l'envahissement du récit par la description déshistorise l'ensemble, ou plutôt (fait) basculer l'histoire du côté de la nature, transforme cette enquête sauvage sur l'époque en un document sur la nature humaine. »

JACQUES SEEBACHER,
1974,
« Chiffres, dates, écritures, inscriptions dans Madame Bovary » in *La Production du sens chez Flaubert*, colloque de Cerisy, 10/18, 1975, p. 291.

D'où la chronologie reconstituable :

1786, 1788 - *naissance de Bovary père, entrée en servitude de C. Leroux.*

1809 - *naissance du fils Rouault.*

1812 - *Bovary père quitte le service, se marie.*

1828 - *octobre : entrée de Charles en 5ᵉ.*

1831 - *juillet : Charles quitte à la fin de la troisième ; novembre : il s'inscrit en vue de l'officiat de santé.*

1834 - *juillet : Charles recalé à l'examen final.*

1835 - *juillet : Charles reçu ; automne : installation à Tostes.*

1836 - *mars : mariage avec la veuve Dubuc.*

1837 - *6 janvier : fracture du père Rouault ; 21 ou 22 février : le père Rouault guéri ; le père Rouault est veuf depuis environ la fin 1835. Emma serait-elle née vers 1818 ?*

mars : jalousie d'Héloïse. Charles suspend ses visites aux Bertaux ; avril/mai : fuite du notaire. Scène du père Bovary à Héloïse. Mort d'Héloïse ; fin juillet : Charles retourne aux Bertaux ; 28-30 septembre : demande en mariage de Charles.

1838 - *mai : mariage de Charles et d'Emma ; été : Emma déçue ; fin septembre : bal de la Vaubyessard.*

1839 - *printemps-été : mélancolie d'Emma ; septembre : anniversaire du bal.*

1840 - *hiver : mélancolie ; Carême : séjour à Tostes de Mme Bovary mère ; fin février : visite du père Rouault ; reste de l'année : malaises d'Emma. Charles prospecte.*

1841 - *début : choix de Yonville ; mars : départ pour Yonville. Emma enceinte ; fin mai-début juin : naissance de Berthe ; début juillet : visite à la mère Rolet ; automne : sympathie grandissante d'Emma pour Léon.*

1842 - *février : Emma amoureuse de Léon ; mars : elle se reprend ; avril-mai : projets de Léon. Ses adieux. Son départ ; juillet : apparition de Rodolphe ; août : comices agricoles ; fin septembre-octobre : Rodolphe reparaît ; octobre : Emma devient sa maîtresse.*

1843 - *avril-mai : opération du pied-bot ; refroidissement de leur amour. Leur liaison redémarre ; août : querelle d'Emma et de sa belle-mère, projets de fuite ; LUNDI 4 SEPTEMBRE : rupture (noyade de Léopoldine Hugo) ; septembre : maladie d'Emma ; octobre : Charles emprunte 1 000 francs à Lheureux*

1844 - *mai : convalescence d'Emma ; juin : représentation de Lucia de Lammermoor. Visite* de la cathédrale et scène du fiacre ; mort du père Bovary. Emma à Rouen pour la procuration ; été-automne : les rendez-vous du jeudi ; novembre-décembre : épisode du châle.

1845 - début : première négociation avec Lheureux (la masure de Barneville); juillet-septembre : seconde négociation Lheureux ; octobre-décembre : Emma paie deux billets avec le solde de Barneville et s'endette à nouveau ; refroidissement avec Léon.

1846 - jeudi 19 mars : mi-Carême ; vendredi 20 : papier de mise en vente ; samedi 21 : inventaire de l'huissier, maître Hareng ; dimanche 22 : départ pour Rouen et dernière rencontre avec Léon ; lundi 23 : Guillaumin, Binet, Rodolphe. Elle s'empoisonne ; mardi 24 au matin : Canivet ; 11 heures : Larivière ; 12 heures : déjeuner chez Homais ; 14 heures : extrême-onction ; 16 heures : mort d'Emma ; 24/25 et 25/26 : veillées funèbres ; jeudi 26 au matin : mise en bière ; fin de matinée : arrivée du père Rouault ; début de l'après-midi : obsèques ; fin d'après-midi : départ du père Rouault (mars : mort de Caroline

Flaubert, épouse Hamard, qui sera enterrée dans sa robe de mariée).

1847 - août : mort de Charles Bovary.

1847-1848 - mort de Mme Bovary mère. Paralysie du père Rouault.

1856 - Berthe travaille dans une filature de coton. Homais reçoit la Croix (Flaubert achève et publie Madame Bovary, Hugo publie Les Contemplations, séparées en « Autrefois » et « Aujourd'hui » par le « tombeau » du 4 septembre 1846).

D'après la chronologie établie par un groupe de chercheurs et énoncée par Jacques Seebacher dans la Journée de travail sur Madame Bovary, 3 février 1973, Société des études romantiques, pp. 44-45, et la chronologie publiée par Roger Bismut dans les Amis de Flaubert, n° 42, 1973, pp. 5-7.

Un travail d'étudiants sous la direction de Jean Delabroy mené à Paris VII en 1986 amène à revoir en partie cette chronologie en plaçant le mariage en 1839, d'où toute une série de modifications.

Flaubert/Hugo : meurtre du père, mort de l'Histoire

« On aura remarqué que le début du roman occulte soigneusement 1830, et la fin 1848. Tout se passe comme si ces révolutions n'avaient pas existé, comme si l'événement et la date n'avaient aucune existence réelle, dans un réalisme de l'acceptation de la nature des choses. L'espacement et l'effacement du temps donnent son sens au romanesque : un travail hypocrite sur le fatalisme, sur cet opium du peuple qu'est, plus encore peut-être que la religion, le laïcisme, l'anticléricalisme d'une classe habile à tous les échanges, de Bournisien à Homais et réciproquement, de Loyola à Voltaire et de Racine à Hugo. Le travail de ce réalisme-là est travail contre l'innocence du réalisme, il est production de la prohibition du sens. Partis de la régression familiale, du roman impossible, il faut bien arriver à voir, dans le roman achevé, ce rien, ce quasi impensable qu'il serait trop commode, et trop creusement fidèle, d'appeler transgression de la transgression.

On en donnera pourtant un exemple minime, quoique un peu central, pour tenter d'apercevoir ce que pourrait être une désacralisation de la désacralisation. La date du 4 septembre 1843 est celle de la mort de Léopoldine Hugo, noyée à Villequier, Seine-Inférieure. Tous les journaux en ont parlé, au moment où Flaubert fréquentait le plus les Hugo. Et c'est la date qui, au livre IV des Contemplations, sépare d'une page de non-poème, d'une page de points, les deux parties de ces Mémoires d'un mort, Autrefois et Aujourd'hui. C'est la date qui passe, en mars 1856, d'un culte familial, d'un clan litté-raire, au grand public, en attendant de faire pivoter tous les exercices de récitation, toutes les compositions fran-çaises de baccalauréat. Le pont aux ânes de l'histoire lit-téraire du romantisme, dès que le romantisme s'aperçoit qu'il est l'histoire littéraire, qu'il vit de sa mort, à partir de l'effondrement des *Burgraves*, en 1843. Laisser lire dans *Madame Bovary* je ne sais quelle identité douteuse entre la mort de Léopoldine et le lâchage d'Emma, risquer que le clan des Hugo, y compris Louise Colet, s'indigne de cette offense, ce n'est plus mimer l'inceste avec la sœur, c'est oser l'inceste avec le Père, avec le maître incon-testé pour Flaubert de l'écri-ture romantique, avec la figure même du siècle. Transgres-sion qui s'interdit aussitôt : tout le travail réellement réa-liste, c'est-à-dire historique de *Madame Bovary*, s'ordonne en une tentative d'expulser le résidu de sacré qui s'accu-mule en cet abîme de la désacralisation.

Pour l'expulser, ou plutôt pour y faillir bien en une sorte d'imitation, il suffit de l'accro-cher ailleurs, à un ailleurs dont l'insignifiance et l'impercepti-bilité garantissent la proximité et la justesse. A l'ailleurs de l'origine, par resaisie ressas-sante du commencement. Si notre roman commence, dans le référent historique vers 1830, l'action s'en enclenche à la fracture du père, le jour des Rois. Or il est un roman de 1830 dont l'action commence aussi un 6 janvier : *Notre-Dame de Paris,* maître livre du romantisme, roman historique et roman de l'Histoire, roman de la Fatalité contre le Fatum, roman de l'Anankê. Et roman qui commence en 1482, année qui poussait, dit Hugo, l'ironie jusqu'à faire coïncider la Fête des Rois avec la Fête des Fous. Pour les amateurs d'ana-grammes et de valse-hésitation, on dira même que *Notre-Dame* a failli se dater de 1483 et que *Madame...* a failli se retrouver seule devant le panier d'abricots en 1842. Aux amateurs de diabolo de faire glisser les chiffres, ou encore de s'interroger sur ce *Notre* de 1830 qui devient *Ma* sous Badinguet et sur ce Ry nor-mand, voire ces ris de veau qui paragrammatisent avec l'énormité de Rabelais, entre les pleurs d'Emma et les jeux de Gustave, les séductions de la capitale et l'universelle bou-verie. C'est en privé qu'on

leur indiquera ce qu'on peut faire de l'égrugeoir et de Saint-Pierre-aux-Bœufs. Pour tenter de revenir au sérieux absolu de la blague, signalons à la hâte et en vrac ce qui mériterait toute une étude : la levrette d'Emma porte le nom de la chèvre de la Esmeralda, Djali ; la bohémienne figure à l'autre bout du livre chez le notaire, en une gravure de Steuben ; l'ennui d'Emma devant Charles à table se tra-duit par des rayures au cou-teau, comme celui de l'Égyp-tienne qui rêve à Phœbus devant un Gringoire qui mange faute d'aimer ; la pas-sion maternelle pour Berthe se dit par référence à la double identité de la recluse du Trou aux Rats, prostituée et martyre, Paquette la Chante-fleurie et Sachette. A la cathé-drale de Paris correspond celle de Rouen, aux cloches de Quasimodo la cloche d'Amboise, dont il ne reste que la trace, "un grand cercle de pavés noirs", au clocher pyramidal de la *Fièvre* de Claude Frollo l'absurde cons-truction en ferraille dont la bourgeoisie industrielle a pré-tendu achever le chef-d'œuvre de pierre. Et le délire de la comparaison, de l'identification, la folie de l'exhibition du sens mènerait à comparer l'aveugle et les Truands, l'opération du pied-bot avec le brodequin dont on torture le pied mignon de la Esmeralda. L'important n'est pas en ce repérage indéfini de ressemblances, de coïncidences ou d'équivalences. On peut toujours multiplier les sources de l'auteur, les dévier en clins d'œil, les interpréter psychologiquement (Emma a lu ce livre, sans doute, et sa mémoire l'a naturalisé au point de fabriquer ce que les fabricants d'étiquettes appelleront le bovarysme) ou les utiliser à l'élaboration d'une théorie de l'intertextualité. On se bornera (parce que chez Hugo comme chez Flaubert les bourgeois sont toujours tout à côté des bornes) à rappeler que l'idéologie explicite de *Notre-Dame de Paris* tient dans le chapitre et la thèse "Ceci tuera cela". Ceci, c'est le livre imprimé, la presse, les journaux ; cela, c'est le grimoire de pierre, l'architecture, le sens symbolique. "Ceci" va à 1789, lumière au bout du tunnel (et à 1836, date de naissance du roman feuilleton et de la publicité du *Siècle*, démocratisation de la culture par toutes les "grandes vicinalités" possibles, asservissement cybernétique de l'art au commerce, extinction du paupérisme pour le renforcement de l'exploitation). Le meurtre de "Cela" c'est l'extinction de toute herméneutique, la ruine de

l'alchimiste Claude Frollo, la constitution de l'impérialisme du sens écrit, de la rationalité contre la rude et rugueuse rigueur des maçons des cathédrales. Voilà pourquoi notre fille est muette : le Suisse de la cathédrale de Rouen montre les tombeaux de la Renaissance, le cocu Brézé, la royale gourgandine, Diane de Poitiers, et écrase tout cet accablement de la souveraineté moderne par la masse des livres écrits sur la cathédrale. Fuyons.
On va donc fuir dans la fuite, dans la cuisine de l'écriture gratuite, qui dit fantasmatiquement la vérité de la dépense. Ce qui s'inscrivait tout à l'heure dans le registre de Lheureux s'écrit monétisation

du mythe, c'est-à-dire dévaluation. Et l'on a ici un assez bel exemple de déconstruction. Car si l'idéologie explicite de *Notre-Dame* est le fameux "Ceci tuera cela", son mythe romanesque est l'impossible synthèse narquoise entre Don Juan et Faust, Phœbus et Frollo. Sganarelle est évidemment l'agneau de ce sacrifice. Chez Hugo il s'appelle Gringoire, chez Flaubert Homais. »

JACQUES SEEBACHER,
1974,
« Chiffres, dates, écritures, inscriptions dans Madame Bovary » in *La Production du sens chez Flaubert*, colloque de Cerisy, 1975, 10/18, pp. 292-295.

Madame Bovary : un roman déshistoricisé

Pierre Barbéris propose de relire le roman à la lumière de sa chronologie non dite. Nous résumons ici son raisonnement : la première date, 1812 (p. 40), renvoie au début de l'effondrement de l'Empire, et les affaires de conscription à la désaffection du peuple pour l'Empereur guerrier. Charles naît en 1815 et grandit sous la Restauration. Nommé officier de santé en 1835, il arrive à Yonville en 1841. Les traces de la vie politique de ces années de la Monarchie de Juillet se relèvent dans la vie yonvillaise : le Café français représente la gauche patriote, l'auberge du Lion d'or la droite bien-pensante. La décadence de l'un et la prospérité de l'autre disent le rapport de force. Mais l'épisode de Yonville coïncide avec la victoire du parti de la Résistance sur celui du Mouvement, d'où le ralliement de l'aristocratie, le discours du conseiller aux Comices, et l'évolution d'Homais, qui, d'opposant modéré au début de la deuxième partie, devient partisan de l'Ordre et touche sa récompense, la croix. Mieux même, si l'on considère que l'Illustration *commence à paraître en 1843 (cf. p. 270), on peut penser qu'Emma meurt en 1847 et Charles en août 1848, ce qui gommerait complètement la Révolution de 1848. Ainsi, la décoration d'Homais pourrait récompenser des services rendus à la cause du Prince-Président, et lui avoir été conférée au début du Second Empire. Pendant ce temps, l'industrialisation de la Haute-Normandie s'est accélérée. On reliera dans cette perspective les articles d'Homais sur le progrès, la visite sur le chantier de la filature (p. 282), le public de la représentation de* Lucia *(p. 538) et l'envoi de Berthe à l'usine à la fin du texte.*

Pierre Barbéris conclut ainsi :
« Bilan : Flaubert a systématiquement dépolitisé son texte ; il en a gommé toutes les références trop explicites, il l'a systématiquement *désitué*, constituant comme une contre-chronologie romanesque parallèle à l'autre chronologie, celle que tout le monde a dans la tête mais qu'il s'agit de déclasser et dévaloriser. Loin de s'appuyer sur la chronologie réelle, la chronologie de *Madame Bovary* se construit contre elle, à ses dépens et la vide, progressivement, de tout sens et de toute réalité. On a commencé par un Empire lourdement négativisé ; on finit par l'union sacrée des possédants et par l'exclusion de tous les héros (Emma morte, Charles mort, la gamine à l'usine, le vagabond enfermé dans un "hôpital").

On finit aussi (au niveau du texte définitif) par l'exclusion de tout lyrisme, de tout idéal, de tout "romantisme", de toute croyance en quelque chose. Flaubert n'avait-il pas d'abord écrit, à propos de Larivière : "Il appartenait à cette robuste génération scientifique qui avait vingt ans au début du siècle", supprimant une version antérieure encore plus claire : "Il appartenait à cette génération de praticiens *enfantés par le génie de la Révolution*, et qui, transportant l'héroïsme aux amphithéâtres..." ? N'avait-il pas écrit à propos d'Homais en voie non de sécession critique mais de ralliement : "Il devint libre-échangiste, saint-simonien, phalanstérien, s'occupa *comme un autre* du problème social et de la moralisation des classes pauvres" ?

Au moment où les disciples de Saint-Simon vont entrer dans la Banque, fonder le P.L.M., fournir des ministres à Badinguet, c'est là un autre signe de l'enfoncée du siècle dans sa propre nuit. Mais tout cela, Flaubert l'a gommé, comme signes, sans doute, d'une trop grande clarté qui aurait pu avoir valeur de confiance en l'homme, en l'HISTOIRE, comme affirmations certainement aussi, de ce "romantisme" et de ce prométhéisme désormais sans signification. (...) "Napoléon" aide Homais au laboratoire, et ce sera la seule nomination directe du nouveau maître de la France, sur qui Flaubert s'acharne, quand même, à sa manière, invisible. C'est lui qui décore Homais, sanctionne l'internement perpétuel du mendiant, l'entrée de Berthe à l'usine alors que tout le monde, et d'abord lui, bien avant Homais, ne parle que de l'extinction du paupérisme. Mais cette extinction s'est faite, du côté de Bois-Guillaume par une décision d'internement perpétuel... »

PIERRE BARBÉRIS, 1980,
Le prince et le marchand,
Fayard, pp. 411-412.

Alors ils firent le tour d'une plate-bande, et allèrent s'asseoir près de la terrasse, sur la margelle du mur.

— Tu es triste, dit Emma.

— Non, pourquoi ?

5 Et cependant il la regardait singulièrement, d'une façon tendre.

— Est-ce de t'en aller ? reprit-elle, de quitter tes affections, ta vie ? Ah ! je comprends… Mais moi, je n'ai rien au monde ! tu es tout pour moi. Aussi je serai tout pour toi, je te 10 serai une famille, une patrie ; je te soignerai, je t'aimerai.

— Que tu es charmante ! dit-il en la saisissant dans ses bras.

— Vrai ? fit-elle avec un rire de volupté. M'aimes-tu ? Jure-le donc !

15 — Si je t'aime ! si je t'aime ! mais je t'adore, mon amour !

La lune, toute ronde et couleur de pourpre, se levait à ras de terre, au fond de la prairie. Elle montait vite entre les branches des peupliers, qui la cachaient de place en place, comme un rideau noir, troué. Puis elle parut, éclatante de 20 blancheur, dans le ciel vide qu'elle éclairait ; et alors, se ralentissant, elle laissa tomber sur la rivière une grande tache, qui faisait une infinité d'étoiles ; et cette lueur d'argent semblait s'y tordre jusqu'au fond, à la manière d'un serpent sans tête couvert d'écailles lumineuses. Cela ressemblait 25 aussi à quelque monstrueux candélabre, d'où ruisselaient, tout du long, des gouttes de diamant en fusion ⟨1⟩. La nuit douce s'étalait autour d'eux ; des nappes d'ombre emplissaient les feuillages. Emma, les yeux à demi clos, aspirait avec de grands soupirs le vent frais qui soufflait. Ils ne se par- 30 laient pas, trop perdus qu'ils étaient dans l'envahissement de leur rêverie. La tendresse des anciens jours leur revenait au cœur, abondante et silencieuse comme la rivière qui coulait, avec autant de mollesse qu'en apportait le parfum des seringas, et projetait dans leurs souvenirs des ombres plus déme- 35 surées et plus mélancoliques que celles des saules immobiles qui s'allongeaient sur l'herbe. Souvent quelque bête nocturne, hérisson ou belette, se mettant en chasse, dérangeait les feuilles, ou bien on entendait par moments une pêche mûre qui tombait toute seule de l'espalier. ⟨2⟩

40 — Ah ! la belle nuit ! dit Rodolphe.

— Nous en aurons d'autres ! reprit Emma.

Et, comme se parlant à elle-même :

— Oui, il fera bon voyager… Pourquoi ai-je le cœur

⟨1⟩ Un exemple d'intertextualité : la lune chateaubrianesque au télescope flaubertien

Cette description prend sa source dans le célèbre nocturne américain que Chateaubriand place dans le Génie du christianisme *(1802, 1ʳᵉ partie, livre V, chap. XII) :*

« Une heure après le coucher du soleil, la lune se montra au-dessus des arbres, à l'horizon opposé. Une brise embaumée, que cette reine des nuits amenait de l'orient avec elle, semblait la précéder dans les forêts comme sa fraîche haleine. L'astre solitaire monta peu à peu dans le ciel : tantôt il suivait paisiblement sa course azurée ; tantôt il reposait sur des groupes de nues qui ressemblaient à la cime de hautes montagnes couronnées de neige. Ces nues, ployant et déployant leurs voiles, se déroulaient en zones diaphanes de satin blanc, se dispersaient en légers flocons d'écume, ou formaient dans les cieux des bancs d'une ouate éblouissante, si doux à l'œil, qu'on croyait ressentir leur mollesse et leur élasticité. La scène sur la terre n'était pas moins ravissante : le jour bleuâtre et velouté de la lune descendait dans les intervalles des arbres, et poussait des gerbes de lumière jusque dans l'épaisseur des plus profondes ténèbres. La rivière qui coulait à mes pieds, tour à tour se perdait dans le bois, tour à tour reparaissait brillante des constellations de la nuit, qu'elle répétait dans son sein. Dans une savane, de l'autre côté de la rivière, la clarté de la lune dormait sans mouvement sur les gazons : des bouleaux agités par les brises, et dispersés çà et là, formaient des îles d'ombres flottantes sur cette mer immobile de lumière. »

Jean Rousset commente ainsi le travail de lecture/réécriture auquel se livre Flaubert :

« Cette page n'a pas laissé Flaubert insensible : il en donne une version personnelle dans le nocturne de *Madame Bovary* (dernière entrevue d'Emma et de Rodolphe avant la rupture, dans le jardin de Yonville).
La lune "laissa tomber... sur la rivière sa lueur élargie qui se tordait de la surface au fond comme un serpent couvert d'écailles lumineuses et qui, s'évasant sur la berge, ressemblait [2 mots illisibles] candélabre tombé dans l'eau et d'où jaillissaient continuellement par toutes ses branches une infinité d'étoiles".

La lumière projetée dans l'eau nocturne donne lieu chez Flaubert à une poussée simultanée d'étalement et d'enfoncement, qui correspond au schème constant de la rêverie d'Emma Bovary — et de Flaubert : dispersion vers les lointains et plongée dans l'étroitesse d'une réclusion, externe ou interne, chambre ou obsession. Le poète retrouve dans l'eau miroitante la démarche de son imagination.
Habituellement alternatifs dans le roman, voici que les deux mouvements s'associent, se croisent : la lueur s'élargit et se tord "de la surface au fond" donnant naissance à deux comparaisons que Flaubert, dans les diverses versions, aménagera, nettoiera, mais sans les amputer, alors que son texte définitif, le plus souvent, les châtie ou les retranche.
L'évolution de l'image du candélabre jusqu'à la version imprimée révèle la logique de l'imagination au travail : "tombé dans l'eau" passera dans le préambule ; lié au mouvement de descente, il appartenait à la première comparaison ; quant à "jaillis-

saien", il sera remplacé par "ruisselaient", mieux adapté au milieu liquide, qui suscitera aussi les "gouttes de diamant en fusion" à la place des étoiles ; celles-ci sont maintenues, mais déplacées au début du tableau.

[...]

On a le droit de se souvenir du texte de Chateaubriand, puisque Flaubert s'en souvient pour le remodeler. La réflexion de la lumière céleste sur la terre exclut ici toute référence à un Dieu maintenant absent, l'accent porte tout entier sur l'eau, sur les transformations qu'elle fait subir au modèle devenu insignifiant ; les reflets flaubertiens signalent un acheminement vers l'intériorité, ils miment l'activité d'un esprit réfléchissant le monde à travers une vision subjective. Aussi Flaubert accroît-il au maximum l'écart entre la source et le reflet, entre l'extérieur et l'intérieur. A la lune dans le ciel, l'eau répond par une métamorphose radicale ; l'immobilité devient mouvement, le disque rond se transforme en serpent, en candélabre. Entre la cause et l'effet, il n'y a plus rien de commun, si ce n'est la luminosité. La vision l'emporte sur le réel, et la composition en deux volets jumeaux, pratiquée par Chateaubriand et que maintiendra

encore Gautier, perd toute raison d'être.

Quand il s'agit de Flaubert, on se sent tenu de relier le fragment à l'ensemble du roman, de dégager "le fil du collier" : "tu sais que les beaux fragments ne sont rien. L'unité, l'unité, tout est là ! l'ensemble, voilà ce qui manque à tous ceux d'aujourd'hui..." (14 oct. 1846). Le romancier se tient rigoureusement parole. Ce fragment est placé au milieu du dialogue d'Emma et de Rodolphe, l'avant-veille du jour marqué pour leur fuite ; il coupe brusquement ce dialogue en deux, il rompt le ton, change de plan et déplace le point de vue. Qui parle ici ? Entre les propos ardents et conventionnels des amants, c'est soudain l'auteur qui prend la parole, on n'en saurait douter ; les deux comparaisons suffiraient à le prouver. Pendant ce temps, les personnages se taisent, pris par le silence de la nuit qui les renvoie à leurs souvenirs : "Ils ne se parlaient pas, trop perdus qu'ils étaient dans l'envahissement de leur rêverie." Flaubert se laisse lui aussi gagner par leur rêverie, mais il la dépasse et l'approfondit ; rêvant avec eux, il parle à leur place, beaucoup mieux qu'eux, et tout à coup il leur redonne la parole. L'effet est saisissant, et bien dans la

manière de Flaubert : il tourne en dérision la poésie authentique de ce nocturne, et de la façon la plus simple ; quelques mots de ses jeunes premiers, puisés dans l'arsenal des clichés, et tout se défait :

— Ah ! la belle nuit ! dit Rodolphe.

— Nous en aurons d'autres ! reprit Emma.

Et comme se parlant à elle-même :

— Oui, il fera bon voyager..., cédant une fois de plus à sa pente éternelle, se détournant de ce qu'elle a sous les yeux, de ce paysage nocturne qui vient de nous être montré dans sa splendeur ; elle ne le voit pas, Flaubert seul le voit, tandis qu'elle rêve à d'autres lieux qu'elle ne verra pas, au voyage qui ne se fera pas.

Par cette reprise du dialogue qui dit la fausse poésie après la vraie, c'est contre lui-même que Flaubert, à travers ses personnages, se retourne, puisque c'est lui-même qui avait parlé et rêvé ; c'est son propre clair de lune qu'il bafoue, et par la même occasion celui de Chateaubriand, son admiration de jeunesse.

Il ne s'en tient pas là. Cent pages plus loin, un second clair de lune sur l'eau fait écho à celui-ci ; cette fois, il n'éclaire plus Emma et Rodolphe, mais Emma et Léon, en barque sur la Seine à Rouen.

La raillerie est explicite, elle porte sur les nocturnes littéraires, sur une certaine poésie romantique :
"Une fois, la lune parut ; alors ils ne manquèrent pas à faire des phrases, trouvant l'astre mélancolique et plein de poésie ; même elle se mit à chanter :
Un soir, t'en souvient-il ? nous voguions, etc.". »

JEAN ROUSSET, 1968,
L'intérieur et l'extérieur,
Corti, pp. 218-221.

② Pour une lecture mythique

Ce passage permet à Claude Vigée de proposer une intéressante interprétation à la lumière des mythes permanents qui informent le rapport de l'être humain au monde, et dont nous donnons ici, au risque du schématisme, un trop court résumé :

« Cette page de Flaubert est dominée par trois ou quatre images clefs qui se disposent en deux groupes antagonistes (...) la lune et la nuit, l'ombre et le feu. C'est le conflit des contraires qui s'engendrent mutuellement. (...) Emma vit dans un état aussi éloigné que possible de cette harmonie du multiple où se révèle l'unité divine. La désunion intérieure entre la puissance imaginative débridée et les ressources émotionnelles aussi pauvres que dévoyées, la scission extérieure avec le monde et le passé, la dischronie et l'aliénation ne sont-elles pas caractéristiques de sa maladie ? Ainsi, notre passage fait le point de la situation psychologique. Il nous donne sous forme symbolique, le bilan de la position d'Emma. (...) Elle est un champ de batailles. (...) Elle est la victime de ses démons.

(...) Le disque lunaire est le symbole universel de l'Amante-Mère céleste — l'antique Astarté ou Tanit « la prostituée ». (...) L'alliance universelle d'une signification sexuelle et funèbre, qui donne à notre passage son caractère troublant, composé à la fois de volupté et d'angoisse, est rendue de façon explicite dans le mythe grec d'Hécate (...).
L'image fluviale, à travers ses métamorphoses diverses, informe l'œuvre entière, et tisse d'un épisode à l'autre le réseau de ses correspondances, où s'exprime en filigrane la destinée de l'héroïne (...).
Le destin tragique d'Emma, possédée par Hécate et le serpent de l'Hadès (...) se préfigure dans la vision (...) du serpent de feu qui s'anéantit sous les flots. (S'y) annonce l'agonie du Désir, rite dont l'objectif ultime est l'expiation orgiaque, la purification voluptueuse par la souffrance (...).
La dernière image, celle du fruit tombant, ne fait que rassembler en faisceau la signification qui sommeille dans les autres, et tend à illuminer rétrospectivement celles qui précèdent. »

CLAUDE VIGÉE, 1979,
« L'ambivalence de l'image mythique chez Flaubert » in
Essais sur Flaubert, Nizet, pp. 166-179.

triste, cependant ? Est-ce l'appréhension de l'inconnu...,
l'effet des habitudes quittées..., ou plutôt... ? Non, c'est
l'excès du bonheur ! Que je suis faible, n'est-ce pas ?
Pardonne-moi !

5 — Il est encore temps ! s'écria-t-il. Réfléchis, tu t'en
repentiras peut-être.

— Jamais ! fit-elle impétueusement.

Et, en se rapprochant de lui :

— Quel malheur donc peut-il me survenir ? Il n'y a pas
10 de désert, pas de précipice ni d'océan que je ne traverserais
avec toi. A mesure que nous vivrons ensemble, ce sera
comme une étreinte chaque jour plus serrée, plus complète !
Nous n'aurons rien qui nous trouble, pas de soucis, nul obstacle ! Nous serons seuls, tout à nous, éternellement... Parle
15 donc, réponds-moi. ①

Il répondait à intervalles réguliers : « Oui... oui !... » Elle
lui avait passé les mains dans ses cheveux, et elle répétait
d'une voix enfantine, malgré de grosses larmes qui
coulaient :

20 — Rodolphe ! Rodolphe !... Ah ! Rodolphe, cher petit
Rodolphe !

Minuit sonna.

— Minuit ! dit-elle. Allons, c'est demain ! encore un jour !

Il se leva pour partir ; et, comme si ce geste qu'il faisait eût
25 été le signal de leur fuite, Emma, tout à coup, prenait un air
gai :

— Tu as les passeports ?

— Oui.

— Tu n'oublies rien ?

30 — Non.

— Tu en es sûr ?

— Certainement.

— C'est à l'hôtel *de Provence*, n'est-ce pas, que tu
m'attendras ?... à midi ?

35 Il fit un signe de tête.

— A demain, donc ! dit Emma dans une dernière
caresse.

Et elle le regarda s'éloigner.

Il ne se détournait pas. Elle courut après lui, et, se pen-
40 chant au bord de l'eau entre des broussailles :

— A demain ! s'écria-t-elle.

Il était déjà de l'autre côté de la rivière et marchait vite
dans la prairie.

Du bovarysme moderne

« Leurs corps, leurs gestes étaient infiniment beaux, leurs regards sereins, leurs cœurs transparents, leurs sourires limpides.

Et, dans une brève apothéose, ils voyaient se construire des palais gigantesques. Sur des plaines nivelées, des milliers de feux de joie étaient allumés, des millions d'hommes venaient chanter le *Messie*. Sur des terrasses colossales, dix mille cuivres jouaient le *Requiem* de Verdi. Des poèmes étaient gravés sur le flanc des montagnes. Des jardins surgissaient dans les déserts. Des villes entières n'étaient que fresques.

Mais ces images scintillantes, toutes ces images qui arrivaient en foule, qui se précipitaient au-devant d'eux, qui coulaient en un flot saccadé, intarissable, ces images de vertige, de vitesse, de lumière, de triomphe, il leur semblait d'abord qu'elles s'enchaînaient avec une nécessité surprenante, selon une harmonie sans limites, comme si, devant leurs yeux émerveillés, s'étaient dressés tout à coup un paysage achevé, une totalité spectaculaire et triomphale, une complète image du monde, une organisation cohérente qu'ils pouvaient enfin comprendre, déchiffrer. Il leur semblait d'abord que leurs sensations se décuplaient, que s'amplifiaient à l'infini leurs facultés de voir et de sentir, qu'un bonheur merveilleux accompagnait le moindre de leurs gestes, rythmait leurs pas, imprégnait leur vie : le monde allait à eux, ils allaient au-devant du monde, ils n'en finissaient pas de le découvrir. Leur vie était amour et ivresse. Leur passion ne connaissait pas de limites ; leur liberté était sans contrainte.

Mais ils étouffaient sous l'amoncellement des détails. Les images s'estompaient, se brouillaient ; ils n'en pouvaient retenir que quelques

bribes, floues et confuses, fragiles, obsédantes et bêtes, appauvries. Non plus un mouvement d'ensemble, mais des tableaux isolés, non plus une unité sereine, mais une fragmentation crispée, comme si ces images n'avaient jamais été que des reflets très lointains, démesurément obscurcis, des scintillations allusives, illusoires, qui s'évanouissaient à peine nées, des poussières : la dérisoire projection de leurs désirs les plus gauches, un impalpable poudroiement de maigres splendeurs, des lambeaux de rêves qu'ils ne pourraient jamais saisir.

Ils croyaient imaginer le bonheur ; ils croyaient que leur invention était libre, magnifique, que, par vagues successives, elle imprégnait l'univers. Ils croyaient qu'il leur suffisait de marcher pour que leur marche soit un bonheur. Mais ils se retrouvaient seuls, immobiles, un peu vides. Une plaine grise et glacée, une steppe aride : nul palais ne se dressait aux portes des déserts, nulle esplanade ne leur servait d'horizon. »

GEORGES PEREC, 1965,
Les Choses, Édition J'ai lu,
pp. 132-134.

Au bout de quelques minutes, Rodolphe s'arrêta ; et, quand il la vit avec son vêtement blanc peu à peu s'évanouir dans l'ombre comme un fantôme, il fut pris d'un tel battement de cœur, qu'il s'appuya contre un arbre pour ne pas
5 tomber.

— Quel imbécile je suis ! fit-il en jurant épouvantablement. N'importe, c'était une jolie maîtresse !

Et, aussitôt, la beauté d'Emma, avec tous les plaisirs de cet amour, lui réapparurent. D'abord il s'attendrit, puis il se
10 révolta contre elle.

— Car enfin, exclamait-il en gesticulant, je ne peux pas m'expatrier, avoir la charge d'une enfant.

Il se disait ces choses pour s'affermir davantage.

— Et, d'ailleurs, les embarras, la dépense... Ah ! non,
15 non, mille fois non ! cela eût été trop bête ! ①

'ELANGIE.

⟨1⟩ Rodolphe : goujaterie et irresponsabilité

Il semble que tout ait été dit sur Rodolphe : sorte de hobereau roturier qui affecte de mépriser les provinciaux, jouisseur cynique qui traite les femmes en objets de plaisir, amant lâche qui fuit devant ses responsabilités... On peut se demander cependant si, dans l'économie de la fiction et sans tomber dans le travers de la psychologisation, Rodolphe peut être tenu pour responsable de son incompréhension d'Emma.

En effet, il se révèle un être insuffisant, et cette insuffi-sance le constitue essentielle-ment. De l'amour il ne réalise que la vérité érotique du désir, et l'on notera qu'Emma n'est érotiquement femme qu'avec lui. Dès lors Rodolphe s'épuise très vite en simple pourvoyeur de jouissance et ne saurait accéder à la qualité d'amant selon le désir fantas-matique d'Emma.

Plus profondément, il parti-cipe d'un principe fondamen-tal du roman : le vécu semble ne produire que des acci-dents alors que la substance échappe toujours. Rodolphe, lui, se contente de ces acci-dents et il en profite, ainsi de la beauté consommable d'Emma que la conjoncture lui offre. Homme de l'immédia-teté, il ne peut que reculer devant toute projection dans l'avenir. Il ne saurait de ce fait vouloir ni pouvoir pousser l'adultère jusqu'à sa consé-quence ultime. Sa logique sera donc d'être défaillant et d'adopter l'abjection comme conduite de sauvegarde.

La scène d'adieu qu'Emma voulait nuit de programmation du futur s'avère en fait scène de liquéfaction, où la subs-tance se fond en des reflets décomposés. C'est une nuit de la nostalgie où la mollesse reste la seule qualité de la représentation. Du fait de la réalité d'homme moyen et de petits moyens en dehors de ses capacités érotiques (de Rodolphe), Emma passe à côté d'un adultère actif dans lequel elle se réaliserait. C'est qu'Emma ne peut donner forme à l'événement ni accé-der à l'être, et son histoire lamentable, menée avec des personnages lamentables, radicalise le statut constituant du vécu : on ne peut ni (se) représenter, ni vouloir, ni même désirer : l'être n'arrive pas à se fixer. Rodolphe signi-fie aussi cette désinscription du sujet.

495

XIII

A peine arrivé chez lui, Rodolphe s'assit brusquement à son bureau, sous la tête de cerf faisant trophée contre la muraille. Mais, quand il eut la plume entre les doigts, il ne sut rien trouver, si bien que, s'appuyant sur les deux coudes,
5 il se mit à réfléchir. Emma lui semblait être reculée dans un passé lointain, comme si la résolution qu'il avait prise venait de placer entre eux, tout à coup, un immense intervalle.

Afin de ressaisir quelque chose d'elle, il alla chercher dans l'armoire, au chevet de son lit, une vieille boîte à biscuits de
10 Reims où il enfermait d'habitude ses lettres de femmes, et il s'en échappa une odeur de poussière humide et de roses flétries. D'abord il aperçut un mouchoir de poche, couvert de gouttelettes pâles. C'était un mouchoir à elle, une fois qu'elle avait saigné du nez, en promenade ; il ne s'en souve-
15 nait plus. Il y avait auprès, se cognant à tous les angles, la miniature donnée par Emma ; sa toilette lui parut prétentieuse et son regard *en coulisse*[1] du plus pitoyable effet ; puis, à force de considérer cette image et d'évoquer le souvenir du modèle, les traits d'Emma peu à peu se confondi-
20 rent en sa mémoire, comme si la figure vivante et la figure peinte, se frottant l'une contre l'autre, se fussent réciproquement effacées. Enfin il lut de ses lettres ; elles étaient pleines d'explications relatives à leur voyage, courtes, techniques et pressantes comme des billets d'affaires. Il voulut revoir les
25 longues, celles d'autrefois ; pour les trouver au fond de la boîte, Rodolphe dérangea toutes les autres ; et machinalement il se mit à fouiller dans ce tas de papiers et de choses, y retrouvant pêle-mêle des bouquets, une jarretière, un masque noir, des épingles et des cheveux — des cheveux ! de
30 bruns, de blonds ; quelques-uns même, s'accrochant à la ferrure de la boîte, se cassaient quand on l'ouvrait.

Ainsi flânant parmi ses souvenirs, il examinait les écritures et le style des lettres, aussi variés que leurs orthographes. Elles étaient tendres ou joviales, facétieuses, mélancoli-
35 ques ; il y en avait qui demandaient de l'amour et d'autres qui demandaient de l'argent. A propos d'un mot, il se rappe-

1. « *Regarder en coulisse : familièrement, regarder de côté, à la dérobée* » (Littré).

lait des visages, de certains gestes, un son de voix ; quelquefois pourtant il ne se rappelait rien.

En effet, ces femmes, accourant à la fois dans sa pensée,
s'y gênaient les unes les autres et s'y rapetissaient, comme
5 sous un même niveau d'amour qui les égalisait. Prenant
donc à poignée les lettres confondues, il s'amusa pendant
quelques minutes à les faire tomber en cascades, de sa main
droite dans sa main gauche. Enfin, ennuyé, assoupi, Rodolphe alla reporter la boîte dans l'armoire en se disant :
10   — Quel tas de blagues !...

Ce qui résumait son opinion ; car les plaisirs, comme des
écoliers dans la cour d'un collège, avaient tellement piétiné
sur son cœur, que rien de vert n'y poussait, et ce qui passait
par là, plus étourdi que les enfants, n'y laissait pas même,
15 comme eux, son nom gravé sur la muraille. ①

— Allons, se dit-il, commençons !

Il écrivit :

« Du courage, Emma ! du courage ! Je ne veux pas faire
le malheur de votre existence... »
20   — Après tout, c'est vrai, pensa Rodolphe ; j'agis dans
son intérêt ; je suis honnête.

« Avez-vous mûrement pesé votre détermination ?
Savez-vous l'abîme où je vous entraînais, pauvre ange ?
Non, n'est-ce pas ? Vous alliez confiante et folle, croyant au
25 bonheur, à l'avenir... Ah ! malheureux que nous sommes !
insensés ! »

Rodolphe s'arrêta pour trouver ici quelque bonne excuse.

— Si je lui disais que toute ma fortune est perdue ?...
Ah ! non, et d'ailleurs, cela n'empêcherait rien. Ce serait à
30 recommencer plus tard. Est-ce qu'on peut faire entendre raison à des femmes pareilles !

Il réfléchit, puis ajouta :

« Je ne vous oublierai pas, croyez-le bien, et j'aurai continuellement pour vous un dévouement profond, mais, un
35 jour, tôt ou tard, cette ardeur (c'est là le sort des choses
humaines) se fût diminuée ; sans doute ! Il nous serait venu
des lassitudes, et qui sait même si je n'aurais pas eu l'atroce
douleur d'assister à vos remords et d'y participer moi-même,
puisque je les aurais causés. L'idée seule des chagrins qui
40 vous arrivent me torture, Emma ! Oubliez-moi ! Pourquoi
faut-il que je vous aie connue ? Pourquoi étiez-vous si
belle ? Est-ce ma faute ? Ô mon Dieu ? non, non, n'en
accusez que la fatalité ! »

⟨1⟩ Ascension et/ou jouissance

« Si tous les acteurs semblent être confondus dans l'énonciation à l'intérieur d'une même sphère du médiocre, il n'en demeure pas moins que leurs programmes ne sont pas identiques. On peut en effet distinguer programmes de quête et programmes de préservation (jouissance de l'acquis). Ainsi Homais présenterait un programme d'ascension sociale — amélioration de sa pharmacie, dont il dit qu'il l'a prise en piteux état ("... de sa pharmacie, (il) racontait en quelle décadence elle était autrefois, et le point de perfection où il l'avait montée") ; recherche de l'expansion (journalisme) ; quête enfin de l'objet fétiche, la croix. Quant à Léon, en dépit des apparences, son programme semble bien être aussi une quête d'ascension, marquée par des étapes nettes, séjour dans une étude de province (Yonville), séjour à Paris (études de droit), retour à Rouen, passage comme premier clerc, établissement final comme notaire et mariage socialement convenable, faisant de lui — et le texte en fournit de nombreux indices — un double d'Homais. Programme de quête, encore, celui de Lheureux. Pro-

gramme de quête, aussi, celui d'Emma — avec une incertitude quant à l'objet de la quête. Est-ce l'amour ? ou la mort ? Quête d'un objet flou, l'ailleurs, le plus, l'informulé, en ce qui touche au subjectif. Et ces programmes se différencient par leurs résultats, échec, réussite, l'un soulignant l'autre.

A ces programmes de quête s'opposent des programmes de jouissance, de préservation. Ceux de Binet, de Guillaumin le notaire, qui ne cherchent pas à acquérir plus qu'ils n'ont déjà. Mais aussi celui de Rodolphe, pour lequel la conquête d'Emma n'est guère qu'un programme d'usage, secondaire par rapport à son programme de jouissance. Programme de jouissance encore que celui de Charles, que seule l'emprise de sa mère, un temps, avait pu informer en programme de conquête sociale (études, réussite aux examens, mariage avec une veuve riche).

Remarquons à ce propos que les programmes de quête, d'ascension sociale semblent liés à la mère — mère de Charles, mère de Léon, qui veillent sur les études et le mariage — tandis que le programme de

jouissance, voire de dilapidation, semble relever du père, avec, par exemple, les deux pères Rouault et Bovary, qui sont sur le versant de la consommation, de la dilapidation, l'un et l'autre étant de piètres agriculteurs qui préfèrent la jouissance à la gestion, mais aussi le beau-père du marquis de la Vaubyessard, le vieux duc. De manière significative, Emma, qui a un programme de quête troublé, sans objet clair, a perdu sa mère, de même que Rodolphe qui, lui, ne cherche qu'à jouir — sans dilapidation toutefois, avec une gestion bourgeoise, et de son domaine et de l'adultère avec Emma.

De manière connexe, signalons que les programmes de conquête, tout comme les programmes de jouissance, tendent à impliquer la trahison — marquant là les limites de la différenciation. Trahison des convictions libérales pour Homais, qui doit gagner l'oreille du préfet afin de décrocher la croix qu'il convoite (avec l'ironie, pour un anticlérical, que comporte le sémantisme). Trahison de l'amour pour Léon qui abandonne Emma pour préserver son avenir, qui, au sens propre, contribue à la tuer. Trahi-

— Voilà un mot qui fait toujours de l'effet, se dit-il.

« Ah ! si vous eussiez été une de ces femmes au cœur frivole comme on en voit, certes, j'aurais pu, par égoïsme, tenter une expérience alors sans danger pour vous. Mais cette
5 exaltation délicieuse, qui fait à la fois votre charme et votre tourment, vous a empêchée de comprendre, adorable femme que vous êtes, la fausseté de notre position future. Moi non plus, je n'y avais pas réfléchi d'abord, et je me reposais à l'ombre de ce bonheur idéal, comme à celle du man-
10 cenillier[1], sans prévoir les conséquences. »

— Elle va peut-être croire que c'est par avarice que j'y renonce... Ah ! n'importe ! tant pis, il faut en finir !

« Le monde est cruel, Emma. Partout où nous eussions été, il nous aurait poursuivis. Il vous aurait fallu subir les
15 questions indiscrètes, la calomnie, le dédain, l'outrage peut-être. L'outrage à vous ! Oh !... Et moi qui voudrais vous faire asseoir sur un trône ! moi qui emporte votre pensée comme un talisman ! Car je me punis par l'exil de tout le mal que je vous ai fait. Je pars. Où ? Je n'en sais rien, je suis
20 fou ! Adieu ! Soyez toujours bonne ! Conservez le souvenir du malheureux qui vous a perdue. Apprenez mon nom à votre enfant, qu'il le redise dans ses prières. »

La mèche des deux bougies tremblait. Rodolphe se leva pour aller fermer la fenêtre, et, quand il se fut rassis :
25 — Il me semble que c'est tout. Ah ! encore ceci, de peur qu'elle ne vienne à *me relancer* :

« Je serai loin quand vous lirez ces tristes lignes ; car j'ai voulu m'enfuir au plus vite afin d'éviter la tentation de vous revoir. Pas de faiblesse ! Je reviendrai ; et peut-être que,
30 plus tard, nous causerons ensemble très froidement de nos anciennes amours. Adieu ! »

Et il y avait un dernier adieu, séparé en deux mots : *A Dieu !* ce qu'il jugeait d'un excellent goût.

— Comment vais-je signer, maintenant ? se dit-il. Votre
35 tout dévoué ?... Non. Votre ami ?... Oui, c'est cela.

« Votre ami. »

Il relut sa lettre. Elle lui parut bonne. ①

— Pauvre petite femme ! pensa-t-il avec attendrissement. Elle va me croire plus insensible qu'un roc ; il eût fallu
40 quelques larmes là-dessus ; mais, moi, je ne peux pas pleurer ; ce n'est pas ma faute. Alors, s'étant versé de l'eau dans un verre, Rodolphe y trempa son doigt et il laissa tomber de haut une grosse goutte, qui fit une tache pâle sur l'encre[2] ;

1. *Mancenillier : arbre des Antilles dont le fruit et le suc sont des poisons. On croyait que son ombre même était délétère.*
2. *Flaubert a peut-être trouvé ce trait dans le* Père Goriot *de Balzac (1835). On le signale également dans les* Ames du Purgatoire *de Mérimée (1834).*

son encore pour Rodolphe, pour qui la réalisation du programme de jouissance passe par l'abandon d'Emma. Suite de trahisons et de mensonges dans le programme de Lheureux qui n'acquiert *Les favorites du commerce* que grâce aux faillites du Café Français et de Madame Bovary.

Donc le texte préserve une différenciation des programmes (tout en en marquant les limites), différenciation qui contribue à permettre la lecture. »

LAURENCE LÉVY-DELPLA, 1981, « Lisibilité et illisibilité : la lecture à l'œuvre dans *Madame Bovary* », exposé inédit pour le séminaire de Pierre Barbéris, ENS. Saint-Cloud, 1979-1981, avec son aimable autorisation.

 ## La lettre de rupture

« Mieux que toute autre, la lettre de rupture écrite par Rodolphe est dans le roman le lieu, l'occasion, l'exemple de la multiplicité des lectures : le lecteur et avec lui l'infinité des lecteurs du roman — nous ne parlons pas de ses relecteurs — Emma et Charles vont se voir offrir cet exercice de compréhension, mais au jeu de ces relectures c'est tout le sens initial qui va se perdre et se dissoudre : un premier sens qui se donne à lire comme un sens illusoire. "Il relut sa lettre. Elle lui parut bonne", une seconde occasion qui est celle du brouillage et de l'aveuglement progressif, "Mais plus elle y fixait d'attention, plus ses idées se confondaient", une troisième et ultime tentative qui sera celle de l'incompréhension inerte, relayée par le fulgurant contresens : "Charles demeura immobile et béant [...] le ton de la lettre l'illusionna : « Ils se sont peut-être aimés platoniquement »" et le vide du signifié a comblé de sens dérisoire l'objet le plus résistant du texte.

[...]

La lettre de rupture que nous lui voyons composer est impérieuse dans son contenu, puisque le texte nous en ménage l'exhaustivité, dans l'économie narrative, puisqu'elle inaugure à elle seule le chapitre XIII, dans ses prolongements, immédiats et futurs, dans toute sa destinée enfin. Elle inaugure sa figure par une éloquente mise en scène de son scripteur : le temps de l'écriture pour ce dernier ne correspond pas à celui de l'abolition de l'espace ou du temps, et il n'y a pas résorption de ceux-ci dans un éventuel hors-temps, au-delà des contingences matérielles, et qui correspondrait à un lieu mythique, idéal et paradisiaque d'une écriture fluviale et souple. Loin de là, l'espace est résistance, l'espace est présence et dureté : "A peine arrivé chez lui, Rodolphe s'assit brusquement à son bureau, sous la tête de cerf faisant trophée contre la muraille." L'espace dans ses manifestations propres l'emporte sur le temps de l'écriture : "La mèche de deux bougies tremblait. Rodolphe se leva pour aller fermer la fenêtre." Le temps de l'écriture inscrit dans le temps réel est un temps décompté, économisé : "Allons ! se dit-il ! commençons !... Ah ! n'importe ! Il faut en finir..." La lettre commence par un temps de blocage massif : "Mais quand il eut la plume entre ses doigts, il ne sut rien trouver, si bien que s'appuyant sur les deux coudes il se mit à réfléchir." Un temps d'écriture fragmenté au maximum par des déplacements du scripteur, par des pauses réflexives qui disent la conscience toujours présente de l'écrivant, en perpétuelle alerte par rapport aux mots qui ne viennent pas tout seuls, corvée donc, et corvée manifeste d'un épistolaire au douloureux enfante-

puis, cherchant à cacheter la lettre, le cachet *Amor nel cor* se rencontra.

— Cela ne va guère à la circonstance... Ah bah ! n'importe !

5 Après quoi, il fuma trois pipes et s'alla coucher.

Le lendemain, quand il fut debout (vers deux heures environ, il avait dormi tard), Rodolphe se fit cueillir une corbeille d'abricots. Il disposa la lettre dans le fond, sous des feuilles de vigne, et ordonna tout de suite à Girard, son valet de 10 charrue, de porter cela délicatement chez madame Bovary. Il se servait de ce moyen pour correspondre avec elle, lui envoyant, selon la saison, des fruits ou du gibier.

— Si elle te demande de mes nouvelles, dit-il, tu répondras que je suis parti en voyage. Il faut remettre le panier à 15 elle-même, en mains propres... Va, et prends garde !

Girard passa sa blouse neuve, noua son mouchoir autour des abricots, et marchant à grands pas lourds dans ses grosses galoches ferrées, prit tranquillement le chemin d'Yonville.

20 Madame Bovary, quand il arriva chez elle, arrangeait avec Félicité, sur la table de la cuisine, un paquet de linge.

— Voilà, dit le valet, ce que notre maître vous envoie.

Elle fut saisie d'une appréhension, et, tout en cherchant quelque monnaie dans sa poche, elle considérait le paysan 25 d'un œil hagard, tandis qu'il la regardait lui-même avec ébahissement, ne comprenant pas qu'un pareil cadeau pût tant émouvoir quelqu'un. Enfin il sortit. Félicité restait. Elle n'y tenait plus, elle courut dans la salle comme pour y porter les abricots, renversa le panier, arracha les feuilles, trouva la let-30 tre, l'ouvrit, et, comme s'il y avait eu derrière elle un effroyable incendie, Emma se mit à fuir vers sa chambre, tout épouvantée.

Charles y était, elle l'aperçut ; il lui parla, elle n'entendit rien, et elle continua vivement à monter les marches, hale-35 tante, éperdue, ivre, et toujours tenant cette horrible feuille de papier, qui lui claquait dans les doigts comme une plaque de tôle. Au second étage, elle s'arrêta devant la porte du grenier, qui était fermée.

Alors elle voulut se calmer ; elle se rappela la lettre ; il fal-40 lait la finir, elle n'osait pas. D'ailleurs, où ? comment ? on la verrait.

— Ah ! non, ici, pensa-t-elle, je serai bien.

Emma poussa la porte et entra.

nent, occasion d'une désinvolture libératoire et commode : "Elle va peut-être croire que j'y renonce par avarice... Ah ! N'importe ! Il faut en finir...", souci manifeste de surtout ne pas avoir à recommencer : "Si je lui disais que toute ma fortune est perdue ?... Ah ! NON ! Et d'ailleurs cela n'empêcherait rien. Ce serait à recommencer plus tard." Économie permanente de ce qui est toujours dilaté chez les autres, temps papier, mots arguments, volonté manifeste de ne faire ce travail qu'une fois, tout est mis en œuvre par cet avare scripteur pour réussir à produire une lettre résistante à l'usure, même si elle échoue à produire du bon sens.

La résistance en effet est flagrante : que reste-t-il des lettres du concurrent le plus immédiat, Léon ? Rien d'autre qu'une masse de papiers soumise à la dévoration hagarde de Charles. L'auteur même a lui, s'est évanoui du texte après une dernière occurrence explicite, celle qui, figurant l'assomption glorieuse de son patronyme pompeusement étalé en la rigidité définitive d'un faire-part matrimonial, fige à jamais, sous la main maternelle, un personnage récupéré, rangé et classé au tiroir des êtres néantisés en la ville d'Yvetot — "Voir Yvetot

et mourir". Ce fut vers cette époque que Mme veuve Dupuis eut l'honneur de lui faire part du "mariage de Monsieur Léon Dupuis son fils, notaire à Yvetot, avec Mlle Léocadie Lebœuf de Bondeville". A la mise à mort de Léon s'oppose dans le texte la ténacité du personnage de Rodolphe : un peu plus loin en effet dans le roman, nous voyons Charles ajuster sa pantoufle, brodée par Emma et qui avait signifié aux habitants de Yonville la réussite de son mariage ("Au sortir de la messe, on le voyait sur sa porte avec de belles pantoufles en tapisserie [...]") sur la boulette de papier fatidique qui lui signifie de plein fouet l'illusion de ce bonheur ; mais cette fois-ci la discrétion de la signature, "il découvrit un petit R au bas de la seconde page" s'accompagne de la vitalité de son propriétaire et Rodolphe réapparaît pour avoir une ultime entrevue avec Charles.

Rodolphe fut donc un personnage éminemment économe, qui en définitive avait compté non seulement ses mots et son temps, mais aussi ses lettres : atrophie maximale d'un nom qui pourrait être majestueux et emphatique, Rodolphe Boulanger de La Huchette, telle se dit la majuscule recroquevillée en bas de page, et qui

autorise le scripteur à revenir récupérer son bien : nous savions tout du contenu de la lettre sauf cette avarice scripturale, car il nous restait à apprendre que le vrai destinataire d'une lettre n'est jamais celui qu'on pense (ni Emma ni Charles n'ont donné de sens à ces mots), mais est bien ce scripteur lui-même, Rodolphe, à qui Charles enfin restitue son bien, lui redonnant dans le "seul grand mot" qu'il prononça jamais, le mot "fatalité", l'heureuse trouvaille qu'il reste sa légitime et unique propriété. Charles meurt en trichant, son dernier grand mot lui a été soufflé par la lettre de son rival.

Emma aussi, à l'image de son premier amant, a voulu composer une lettre de rupture ; cela se passe peu après son entrevue avec Léon, mais ici l'allusion textuelle reste discrète : "Emma le soir écrivit au clerc une interminable lettre, où elle se dégageait du rendez-vous ; tout maintenant était fini, et ils ne devaient plus pour leur bonheur se rencontrer. Mais quand la lettre fut close, comme elle ne savait pas l'adresse de Léon, elle se trouva fort embarrassée. — Je la lui donnerai moi-même, se dit-elle. Il viendra." Une rapide intrusion dans un état antérieur du texte nous permet de savoir qu'elle ne cesse

Les ardoises laissaient tomber d'aplomb une chaleur lourde, qui lui serrait les tempes et l'étouffait ; elle se traîna jusqu'à la mansarde close, dont elle tira le verrou, et la lumière éblouissante jaillit d'un bond.

5 En face, par-dessus les toits, la pleine campagne s'étalait à perte de vue. En bas, sous elle la place du village était vide ; les cailloux du trottoir scintillaient, les girouettes des maisons se tenaient immobiles ; au coin de la rue, il partit d'un étage inférieur une sorte de ronflement à modulations stridentes.
10 C'était Binet qui tournait.

Elle s'était appuyée contre l'embrasure de la mansarde et elle relisait la lettre avec des ricanements de colère. Mais plus elle y fixait d'attention, plus ses idées se confondaient. Elle le revoyait, elle l'entendait, elle l'entourait de ses deux bras ; et
15 des battements de cœur, qui la frappaient sous la poitrine comme à grands coups de bélier, s'accéléraient l'un après l'autre, à intermittences inégales. Elle jetait les yeux tout autour d'elle avec l'envie que la terre croulât. Pourquoi n'en pas finir ? Qui la retenait donc ? Elle était libre. Et elle
20 s'avança, elle regarda les pavés en se disant :

— Allons ! allons !

Le rayon lumineux qui montait d'en bas directement tirait vers l'abîme le poids de son corps. Il lui semblait que le sol de la place oscillant s'élevait le long des murs, et que le plan-
25 cher s'inclinait par le bout, à la manière d'un vaisseau qui tangue. Elle se tenait tout au bord, presque suspendue, entourée d'un grand espace. Le bleu du ciel l'envahissait, l'air circulait dans sa tête creuse, elle n'avait qu'à céder, qu'à se laisser prendre ; et le ronflement du tour ne discontinuait
30 pas, comme une voix furieuse qui l'appelait. ⟨1⟩

— Ma femme ! ma femme ! cria Charles.

Elle s'arrêta.

— Où es-tu donc ? Arrive !

L'idée qu'elle venait d'échapper à la mort faillit la faire
35 s'évanouir de terreur ; elle ferma les yeux ; puis elle tressaillit au contact d'une main sur sa manche : c'était Félicité.

— Monsieur vous attend, Madame ; la soupe est servie.

Et il fallut descendre ! il fallut se mettre à table !

Elle essaya de manger. Les morceaux l'étouffaient. Alors
40 elle déplia sa serviette comme pour en examiner les reprises et voulut réellement s'appliquer à ce travail, compter les fils de la toile. Tout à coup, le souvenir de la lettre lui revint. L'avait-elle donc perdue ? Où la retrouver ? Mais elle éprou-

d'écrire que "lorsque le papier fut plein". Emma, donc, pour un contenu similaire à celui de son premier amant, est nécessairement prolixe et redondante, puisqu'elle s'installe dans l'interminable, alors que Rodolphe s'était montré si soucieux d'économie. La redondance verbeuse fait de l'épistolaire féminin, l'illustration parfaite de l'incapacité à cristalliser en lui la moindre valeur positive, et les deux destinées s'opposent point à point : la lettre de Rodolphe, confiée à un messager et dissimulée sous les abricots, est acheminée au pas précautionneux mais non point véloce du valet de charrue, tandis qu'Emma se fait elle-même une coursière preste et zélée : "Emma était pâle, elle marchait vite." La première lettre trouve son destinataire, se voit ensuite l'occasion d'une multiplication des lectures, tandis que sa concurrente reste la propriété de son auteur, "Lisez, dit-elle en lui tendant un papier. Oh ! Non !", et renvoie à une incertaine et douteuse lecture à l'occasion des faits élidés de la scène du fiacre. L'aînée se crispe en une boulette compacte, qu'un vent propice fait parvenir sous la pantoufle de Charles, la misérable cadette se déchire et se disperse en fragments légers, qu'un souffle complice éparpille en autant de délicats "papillons blancs" au milieu de la campagne.

L'écriture féminine, dans *Madame Bovary*, est une écriture épistolière, vaine et prolixe, boursouflée et misérable, incapable du moindre prolongement. L'écriture masculine se diversifie en ses manifestations, propose des voies de fluidité inconsistante (Léon), mais aussi des résistances victorieuses au-dessus desquelles plane une ombre familière. »

LAURENCE PERFEZOU,
1984,
« De la pose d'Emma aux pauses de Frédéric : la lettre de *Madame Bovary* à *l'Éducation sentimentale* », *Revue des Sciences humaines,* n° 195, pp. 66-72.

vait une telle lassitude dans l'esprit, que jamais elle ne put inventer un prétexte à sortir de table. Puis elle était devenue lâche ; elle avait peur de Charles ; il savait tout, c'était sûr ! En effet, il prononça ces mots, singulièrement :

5 — Nous ne sommes pas près, à ce qu'il paraît, de voir M. Rodolphe.

— Qui te l'a dit ? fit-elle en tressaillant.

— Qui me l'a dit ? répliqua-t-il un peu surpris de ce ton brusque ; c'est Girard, que j'ai rencontré tout à l'heure à la

10 porte du *café Français*. Il est parti en voyage, ou il doit partir.

Elle eut un sanglot.

— Quoi donc t'étonne ? Il s'absente ainsi de temps à autre pour se distraire, et, ma foi ! je l'approuve. Quand on a de la fortune et que l'on est garçon !... Du reste, il s'amuse

15 joliment, notre ami ! c'est un farceur. M. Langlois m'a conté...

Il se tut, par convenance, à cause de la domestique qui entrait.

Celle-ci replaça dans la corbeille les abricots répandus sur

20 l'étagère ; Charles, sans remarquer la rougeur de sa femme, se les fit apporter, en prit un et mordit à même.

— Oh ! parfait ! disait-il. Tiens, goûte.

Et il tendit la corbeille, qu'elle repoussa doucement.

— Sens donc : quelle odeur ! fit-il en la lui passant sous

25 le nez à plusieurs reprises.

— J'étouffe ! s'écria-t-elle en se levant d'un bond.

Mais, par un effort de volonté, ce spasme disparut ; puis :

— Ce n'est rien ! dit-elle, ce n'est rien ! c'est nerveux ! Assieds-toi, mange !

30 Car elle redoutait qu'on ne fût à la questionner, à la soigner, qu'on ne la quittât plus.

Charles, pour lui obéir, s'était rassis, et il crachait dans sa main les noyaux des abricots, qu'il déposait ensuite dans son assiette.

35 Tout à coup, un tilbury bleu passa au grand trot sur la place. Emma poussa un cri et tomba roide par terre, à la renverse. ⟨1⟩

En effet, Rodolphe, après bien des réflexions, s'était décidé à partir pour Rouen. Or, comme il n'y a, de la

40 Huchette à Buchy, pas d'autre chemin que celui d'Yonville, il lui avait fallu traverser le village, et Emma l'avait reconnu à la lueur des lanternes qui coupaient comme un éclair le crépuscule.

Soleil et feux du désespoir

Incontestablement, Emma est un personnage torturé, et ses tourments la tirent du côté de l'excès. Ce passage nous permet de citer un texte relativement peu connu et très riche, dans la perspective de l'analyse psychologique :

« L'affreuse cruauté de ses épreuves intérieures, l'acuité intolérable de ses passions, la brutalité déchirante de ses angoisses placent (...) Emma Bovary, créature parmi d'autres, au carrefour de toutes les destinées qui croisent la sienne, fait de sa vie la vie du roman : le monde tout à coup ne vaut plus que pour elle, les êtres qui l'environnent que par elle. (...) Cette merveille incomparable qu'est la promenade à cheval où Emma se donne à Rodolphe ne relate en définitive que la brève histoire d'un cœur comblé qui voit le monde et ne le regarde plus, aux yeux de qui la nature, pour un miracle d'une heure, renaît en formes divines, s'accorde un instant à son ineffable félicité et, se fondant tout entière en un bonheur surnaturel, retrouve brusquement la plénitude mystique de l'âme ravie, et ne peut se décrire que comme un chant d'amour, dans la langue tendre et noyée des engourdissements noyés. Plus tard lorsque Emma, qui a reçu de Rodolphe sa lettre de rupture, est montée là-haut, sous le toit, flamboyante de désespoir comme une torche, et s'est proposée soudain, dans l'embrasure de sa mansarde, au village immobile dévoré par le soleil, il semble que les choses à cette hauteur ne puissent plus que refléter l'incendie de sa douleur, ne soient là que pour suggérer à sa pensée, succombant sous l'affolement des passions, des mirages hallucinés. »

PHILIPPE GARCIN, 1947, « *Madame Bovary* ou l'imaginaire en défaut », *Les Cahiers du Sud,* n° 286, pp. 988-989.

Le pharmacien, au tumulte qui se faisait dans la maison, s'y précipita. La table, avec toutes les assiettes, était renversée ; de la sauce, de la viande, les couteaux, la salière et l'huilier jonchaient l'appartement ; Charles appelait au
5 secours ; Berthe, effarée, criait ; et Félicité, dont les mains tremblaient, délaçait Madame, qui avait le long du corps des mouvements convulsifs.

— Je cours, dit le pharmacien, chercher dans mon laboratoire, un peu de vinaigre aromatique.
10 Puis, comme elle rouvrait les yeux en respirant le flacon :
— J'en étais sûr, fit-il ; cela vous réveillerait un mort.
— Parle-nous ! disait Charles, parle-nous ! Remets-toi ! C'est moi, ton Charles qui t'aime ! Me reconnais-tu ? Tiens, voilà ta petite fille : embrasse-la donc !
15 L'enfant avançait les bras vers sa mère pour se pendre à son cou. Mais, détournant la tête, Emma dit d'une voix saccadée :

— Non, non... personne !
Elle s'évanouit encore. On la porta sur son lit.
20 Elle restait étendue, la bouche ouverte, les paupières fermées, les mains à plat, immobile, et blanche comme une statue de cire. Il sortait de ses yeux deux ruisseaux de larmes qui coulaient lentement sur l'oreiller ①.

Charles, debout, se tenait au fond de l'alcôve, et le phar-
25 macien, près de lui, gardait ce silence méditatif qu'il est convenable d'avoir dans les occasions sérieuses de la vie.

— Rassurez-vous, dit-il en lui poussant le coude, je crois que le paroxysme est passé.

— Oui, elle repose un peu maintenant ! répondit Char-
30 les, qui la regardait dormir. Pauvre femme !... pauvre femme !... la voilà retombée !

Alors Homais demanda comment cet accident était survenu. Charles répondit que cela l'avait saisie tout à coup, pendant qu'elle mangeait des abricots.
35 — Extraordinaire !... reprit le pharmacien. Mais il se pourrait que les abricots eussent occasionné la syncope ! Il y a des natures si impressionnables à l'encontre de certaines odeurs ! et ce serait même une belle question à étudier, tant sous le rapport pathologique que sous le rapport physiologi-
40 que. Les prêtres en connaissaient l'importance, eux qui ont toujours mêlé des aromates à leurs cérémonies. C'est pour vous stupéfier l'entendement et provoquer des extases, chose d'ailleurs facile à obtenir chez les personnes du sexe,

1 ## Emma comme hystérique

On remarquera à quel point Flaubert a été soucieux de traduire les signes physiologiques de la sensualité de l'héroïne, sa sensibilité aux odeurs, aux frôlements, sa gourmandise, les sensations de froid et de chaud. "On versa du vin de Champagne à la glace. Emma frissonna de toute sa peau, en sentant ce froid dans sa bouche." Quand le printemps paraît, elle a "des étouffements aux premières chaleurs". Dans les moments de passion, "sa gorge haletait à coups rapides". Frémissement, gonflement du cou, et après ce que Flaubert appelle cavalièrement dans sa correspondance "la baisade", "elle sentait son cœur, dont les battements recommençaient, et le sang circuler dans sa chair comme un fleuve de lait".

Mais comment un homme parvient-il à imaginer le désir féminin ? Dans les moments peut-être les plus intenses, Flaubert s'est représenté l'état de son héroïne, à travers l'expérience qu'il eut de quelques crises quasi épileptiques. Ainsi, lorsque le désir atteint une telle force qu'elle sent qu'elle va céder à Rodolphe, Flaubert avait écrit, dans une première version : "Ce n'était pas la marche ou le poids de son vêtement qui la faisait haleter, mais une étrange angoisse de tout son être, comme si une attaque de nerfs lui allait venir." On sait que les épileptiques sentent, en général, des signes avant-coureurs de la crise. Flaubert se rappelle aussi ces états, quand il évoque les paroxysmes de douleur d'Emma. Lors du départ de Rodolphe, ce "spasme" qu'elle peut d'abord contenir, puis : "Tout à coup, un tilbury bleu passa au grand trot sur la place. Emma poussa un cri et tomba roide par terre, à la renverse." Malaise bien caractéristique de l'épilepsie que cette raideur, et qui n'a rien à voir avec le mol affaissement des héroïnes romanesques.

[...]

Ce qui nous intéresse (...), c'est de comprendre pourquoi il a utilisé son expérience de l'épilepsie pour se représenter les états paroxystiques d'Emma dans l'intensité du désir comblé ou déçu. Parce qu'une tradition médicale au XIXᵉ siècle tend à attribuer à la femme toute une pathologie nerveuse, à commencer par l'hystérie ? Le trouble nerveux est par essence, dans ces perspectives, féminin. D'autre part, le désir féminin, refoulé, endigué par la société qu'il terrifie, est considéré comme hystérique. C'est là le "topos" médical de son temps, dont Flaubert se ferait docilement l'écho ? On n'en restera pas à cette explication sociologique, et qui demeure peut-être à la surface du phénomène de la création littéraire. Flaubert se figure le désir d'Emma d'une telle intensité qu'il ne peut lui comparer que ces états-limites que l'épilepsie lui a permis de connaître. C'est entre la vie et la mort, dans ces instants où le malade traverse la catalepsie, que le romancier situe cet Eros féminin, si mal connu, mais dont il sent bien qu'il a quelque lien avec Thanatos. Les moments les plus intensément vécus par l'héroïne, dans le bonheur comme dans la souffrance, sont déjà des prémonitions de cette mort qu'elle porte en elle et vers qui le récit progresse inexorablement. »

BÉATRICE DIDIER, 1983,
Introduction à l'édition du
Livre de poche, pp. 16-18.

qui sont plus délicates que les autres. On en cite qui s'éva-
nouissent à l'odeur de la corne brûlée, du pain tendre... ①

— Prenez garde de l'éveiller ! dit à voix basse Bovary.

— Et non seulement, continua l'apothicaire, les humains
5 sont en butte à ces anomalies, mais encore les animaux.
Ainsi, vous n'êtes pas sans savoir l'effet singulièrement aphrodisiaque que produit le *nepeta cataria*, vulgairement
appelé herbe-au-chats sur la gent féline ; et d'autre part,
pour citer un exemple que je garantis authentique, Bridoux
10 (un de mes anciens camarades, actuellement établi rue Malpalu[1]) possède un chien qui tombe en convulsions dès qu'on
lui présente une tabatière. Souvent même il en fait l'expérience devant ses amis, à son pavillon du bois Guillaume[2].
Croirait-on qu'un simple sternutatoire[3] pût exercer de tels
15 ravages dans l'organisme d'un quadrupède ? C'est extrêmement curieux, n'est-il pas vrai ?

— Oui, dit Charles, qui n'écoutait pas.

— Cela nous prouve, reprit l'autre en souriant avec un air
de suffisance bénigne, les irrégularités sans nombre du
20 système nerveux. Pour ce qui est de Madame, elle m'a toujours paru, je l'avoue, une vraie sensitive[4]. Aussi ne vous
conseillerai-je point, mon bon ami, aucun de ces prétendus
remèdes qui, sous prétexte d'attaquer les symptômes, atta-
quent le tempérament. Non, pas de médicamentation
25 oiseuse ! du régime, voilà tout ! des sédatifs, des émollients,
des dulcifiants[5]. Puis, ne pensez-vous pas qu'il faudrait peut-
être frapper l'imagination ?

— En quoi ? comment ? dit Bovary.

— Ah ! c'est là la question ! Telle est effectivement la
30 question : *That is the question*[6] ! comme je lisais dernièrement dans le journal.

Mais Emma, se réveillant, s'écria :

— Et la lettre ? et la lettre ?

On crut qu'elle avait le délire ; elle l'eut à partir de minuit :
35 une fièvre cérébrale s'était déclarée.

Pendant quarante-trois jours, Charles ne la quitta pas. Il
abandonna tous ses malades ; il ne se couchait plus, il était
continuellement à lui tâter le pouls, à lui poser des sinapis-
mes[7], des compresses d'eau froide. Il envoyait Justin jusqu'à
40 Neufchâtel chercher de la glace ; la glace se fondait en
route ; il le renvoyait. Il appela M. Canivet en consultation ;
il fit venir de Rouen le docteur Larivière, son ancien maître ;
il était désespéré. Ce qui l'effrayait le plus, c'était l'abatte-

1. *Rue du centre de Rouen.*
2. *Aujourd'hui Bois-Guillaume, commune de la banlieue de Rouen, à l'époque lieu de villégiature pour les bourgeois rouennais.*
3. *Sternutatoire : médicament irritant
qui provoque l'éternuement.*
4. *Sensitive : plante qui replie ses
feuilles dès qu'on la touche, et, par
extension, « se dit d'une personne que
les moindres choses blessent ou effa-
rouchent » (Littré).*
5. *Les émollients ont pour effet
d'amollir, de relâcher des tissus enflammés ; les dulcifiants tempèrent l'acidité
ou l'âcreté ; quant aux sédatifs, ils cal-
ment, modèrent l'activité exagérée
d'un organe.*
6. *C'est évidemment la célèbre citation d'Hamlet qu'Homais ne repère pas
comme effet culturel déjà stéréotypé,
et qu'il attribue au journal où il retrempe
quotidiennement son être bourgeois.*
7. *Sinapisme : cataplasme à base de
farine de moutarde. « Cataplasme. Doit
toujours être mis en attendant l'arrivée
du médecin. » (Dictionnaire des idées
reçues.) (Voir également l'épisode du
pied-bot, p. 446.)*

⟨1⟩ Sur les femmes

Le Dictionnaire des idées reçues *prévoyait une entrée « Femme », mais il reste muet ; sans doute y aurait-il eu trop à dire. Les ouvrages de fiction sont parsemés de notations dont le rassemblement pourrait constituer l'article avorté. On rapprochera cette homaiserie de tel passage de la première* Éducation sentimentale, *et l'on appréciera de nouveau la parenté entre Emma et Émilie :*

« Quant à Émilie, sa santé était excellente, elle supportait les roulis, la nourriture du bord, l'ardeur du soleil, le froid des nuits, les veilles, la fatigue, elle n'éprouvait jamais le plus petit malaise, le capitaine l'en admirait beaucoup. Elle avait d'ailleurs arrangé sa vie comme si elle eût dû la passer tout entière sur ce navire, elle y avait pris des occupations régulières, elle s'y amusait presque. Elle broda d'abord une bourse pour Henry, puis une paire de pantoufles, ce qu'elle fit le plus lentement possible afin de travailler plus longtemps pour lui ; elle se plaisait à donner à manger aux poulets, elle leur jetait du pain émietté à travers les barreaux ; les pigeons du bord, qui perchaient dans les mâts, venaient becqueter dans sa main ou sur son tablier.

Une fois, pour s'occuper, elle eut l'idée de faire de la pâtisserie qui fut trouvée excellente par tout le monde, si ce n'est par Henry qui n'en put goûter, la mer étant très rude

ce jour-là. Je ne sais pas même s'il eût été bien aise de la voir dans la cantine, avec le cuisinier, les bras retroussés jusqu'aux coudes, les mains à plein dans le beurre, et toute barbouillée de farine. Les femmes de ce genre ont des manies singulières ; celle-ci, par exemple, aimait l'odeur de la corne brûlée et adorait le vinaigre, elle en buvait à pleine cuiller.

Mais il se mêlait à la douceur de sa caresse une sorte de force contenue, de virilité cachée, qui faisait qu'elle subjuguait, enchantait ; ainsi sa main, d'une mollesse si humide au simple toucher, avait quelquefois des pressions brutales, de même que son œil tendre, toujours à demi fermé, lançait à certains moments un jet rapide, incisif, mordant ; puis, par-dessus tout cela, dominait un calme exquis, un abandon plein de paresse et de naturel, un peu de mélancolie rêveuse, une simplicité charmante ; c'était quelque chose de la mère de famille sans enfants et de la vierge sans virginité. »

GUSTAVE FLAUBERT,
1845,
L'Éducation sentimentale,
première version.

ment d'Emma ; car elle ne parlait pas, n'entendait rien et même semblait ne point souffrir, — comme si son corps et son âme se fussent ensemble reposés de toutes leurs agitations.

5 Vers le milieu d'octobre, elle put se tenir assise dans son lit, avec des oreillers derrière elle. Charles pleura quand il la vit manger sa première tartine de confitures. Les forces lui revinrent ; elle se levait quelques heures pendant l'après-midi, et, un jour qu'elle se sentait mieux, il essaya de lui faire
10 faire, à son bras, un tour de promenade dans le jardin. Le sable des allées disparaissait sous les feuilles mortes ; elle marchait pas à pas, en traînant ses pantoufles, et, s'appuyant de l'épaule contre Charles, elle continuait à sourire.

15 Ils allèrent ainsi jusqu'au fond, près de la terrasse. Elle se redressa lentement, se mit la main devant ses yeux, pour regarder ; elle regarda au loin, tout au loin ; mais il n'y avait à l'horizon que de grands feux d'herbe, qui fumaient sur les collines.

20 — Tu vas te fatiguer, ma chérie, dit Bovary.

Et, la poussant doucement pour la faire entrer sous la tonnelle :

— Assieds-toi donc sur ce banc : tu seras bien.

— Oh ! non, pas là, pas là ! fit-elle d'une voix défaillante.
25 Elle eut un étourdissement, et dès le soir, sa maladie recommença avec une allure plus incertaine, il est vrai, et des caractères plus complexes. Tantôt elle souffrait au cœur, puis dans la poitrine, dans le cerveau, dans les membres ; il lui survint des vomissements où Charles crut apercevoir les
30 premiers symptômes d'un cancer.

Et le pauvre garçon, par là-dessus, avait des inquiétudes d'argent !

XIV

D'abord, il ne savait comment faire pour dédommager M.
Homais de tous les médicaments pris chez lui ; et, quoiqu'il
ût pu, comme médecin, ne pas les payer, néanmoins il
rougissait un peu de cette obligation. Puis la dépense du
ménage, à présent que la cuisinière était maîtresse, devenait 5
ffrayante ; les notes pleuvaient dans la maison ; les fournisseurs murmuraient ; M. Lheureux surtout, le harcelait. En
ffet, au plus fort de la maladie d'Emma, celui-ci, profitant
de la circonstance pour exagérer sa facture, avait vite
apporté le manteau, le sac de nuit, deux caisses au lieu 10
d'une, quantité d'autres choses encore. Charles eut beau
dire qu'il n'en avait pas besoin, le marchand répondit arro-
gamment qu'on lui avait commandé tous ces articles et qu'il
ne les reprendrait pas ; d'ailleurs, ce serait contrarier
Madame dans sa convalescence ; Monsieur réfléchirait ; 15
bref, il était résolu à le poursuivre en justice plutôt que
d'abandonner ses droits et que d'emporter ses marchandises. Charles ordonna par la suite de les renvoyer à son
magasin ; Félicité oublia ; il avait d'autres soucis ; on n'y
pensa plus ; M. Lheureux revint à la charge, et, tour à tour 20
menaçant et gémissant, manœuvra de telle façon, que
Bovary finit par souscrire un billet à six mois d'échéance.
Mais à peine eut-il signé ce billet, qu'une idée audacieuse lui
surgit : c'était d'emprunter mille francs à M. Lheureux.
Donc, il demanda, d'un air embarrassé, s'il n'y avait pas 25
moyen de les avoir, ajoutant que ce serait pour un an et au
taux que l'on voudrait. Lheureux courut à sa boutique, en
apporta les écus et dicta un autre billet, par lequel Bovary
déclarait devoir payer à son ordre, le 1er septembre prochain, la somme de mille soixante et dix francs ; ce qui, avec 30
les cent quatre-vingts déjà stipulés, faisait juste douze cent
cinquante. Ainsi, prêtant à six pour cent, augmenté d'un
quart de commission, et les fournitures lui rapportant un bon
tiers pour le moins, cela devait, en douze mois, donner cent
trente francs de bénéfice ; et il espérait que l'affaire ne s'arrê- 35
terait pas là, qu'on ne pourrait payer les billets, qu'on les
renouvellerait, et que son pauvre argent, s'étant nourri chez

le médecin comme dans une maison de santé, lui reviendrait, un jour, considérablement plus dodu, et gros à faire
craquer le sac.

Tout, d'ailleurs, lui réussissait. Il était adjudicataire[1] d'une
5 fourniture de cidre pour l'hôpital de Neufchâtel ; M. Guillaumin lui promettait des actions dans les tourbières de Grumesnil, et il rêvait d'établir un nouveau service de diligences
entre Argueil et Rouen, qui ne tarderait pas, sans doute, à
ruiner la guimbarde du *Lion d'or*, et qui, marchant plus vite,
10 étant à prix plus bas et portant plus de bagages. lui mettrait
ainsi dans les mains tout le commerce d'Yonville ⟨1⟩ .

Charles se demanda plusieurs fois par quel moyen,
l'année prochaine, pouvoir rembourser tant d'argent ; et il
cherchait, imaginait des expédients, comme de recourir à
15 son père ou de vendre quelque chose. Mais son père serait
sourd, et il n'avait lui, rien à vendre. Alors il découvrait de
tels embarras, qu'il écartait vite de sa conscience un sujet de
méditation aussi désagréable. Il se reprochait d'en oublier
Emma ; comme si, toutes ses pensées appartenant à cette
20 femme, c'eût été lui dérober quelque chose que de n'y pas
continuellement réfléchir.

L'hiver fut rude. La convalescence de Madame fut longue. Quand il faisait beau, on la poussait dans son fauteuil
auprès de la fenêtre, celle qui regardait la Place ; car elle
25 avait maintenant le jardin en antipathie, et la persienne de ce
côté restait constamment fermée. Elle voulut que l'on vendît
le cheval ; ce qu'elle aimait autrefois, à présent lui déplaisait.
Toutes ses idées paraissaient se borner au soin d'elle-même.
Elle restait dans son lit à faire de petites collations, sonnait sa
30 domestique pour s'informer de ses tisanes ou pour causer
avec elle. Cependant la neige sur le toit des halles jetait dans
la chambre un reflet blanc, immobile ; ensuite ce fut la pluie
qui tombait. Et Emma quotidiennement attendait, avec une
sorte d'anxiété, l'infaillible retour d'événements minimes,
35 qui pourtant ne lui importaient guère. Le plus considérable
était, le soir, l'arrivée de *l'Hirondelle*. Alors l'aubergiste criait
et d'autres voix répondaient, tandis que le falot d'Hippolyte
qui cherchait des coffres sur la bâche, faisait comme une
étoile dans l'obscurité. A midi, Charles rentrait ; ensuite il
40 sortait ; puis elle prenait un bouillon, et, vers cinq heures, à
la tombée du jour, les enfants qui s'en revenaient de la
classe, traînant leurs sabots sur le trottoir, frappaient tous

*1. Adjudicataire : bénéficiaire d'une
adjudication, marché entre une administration et un particulier dans des conditions de publicité et de concurrence.
L'administration achète au moins cher
dans le respect du cahier des charges.*

Lheureux comme épreuve initiatique

«Dans la mesure où l'on accepte de considérer une structure romanesque comme une succession d'"épreuves de réalité" lesquelles se amènent toujours, en *fin de compte*, à un affrontement initiatique, le véritable partenaire d'Emma ne saurait être ni Charles, ni Rodolphe, ni Léon, comparses châtrés, ni Homais, ni Bournisien, doubles et spectateurs : c'est Lheureux, détenteur d'argent et d'ailleurs fournisseur des cravaches et jambes de bois). Tout se passe comme si l'éducation sentimentale d'Emma constituait une sorte de préparation à leur rencontre.

Le roman comprend donc, de part et d'autre des comices, une protase, sans Lheureux, puis une apodose, où sa présence se fait de plus en plus insistante et déterminante. Bien plus que Charles, Rodolphe ou Léon, Lheureux séduit Emma (Mme Lefrançois le dénonce comme "enjôleur" ; il est le Tentateur, Méphistophélès — ou, plus simplement, et Autre, en quête de qui tout héros de roman s'est mis en chemin et grâce auquel, peut-être, il parviendra à sortir de enfance : le roman de la période bourgeoise est toujours roman de l'adolescence.

Dans le roman d'apprentissage classique, sorti de l'univers maternel, de la Maison, comme Candide du château paradisiaque des superlatifs, il affronte œdipiennement quelque champion de la société, univers paternel. Le lieu de rencontre est souvent une auberge. Après la prise du pouvoir, le schéma se modifie : il faut le cadre du roman historique romantique pour qu'il subsiste, formellement. C'est que l'auberge et la lutte dont elle constituait le cadre réunissaient deux classes ennemies. Le hidalgo se heurtait aux marchands, Gil Blas ou Candide à la réalité du système féodal déclinant. Mais au XIXᵉ siècle, sauf s'il s'agissait d'un héros prolétarien, ce qui est impensable, il n'y a plus d'autre-de-classe puisque tout se passe au sein de la famille bourgeoise (d'où, on l'a vu, la problématique particulière d'une critique idéologique). L'impulsion dramatique initiale consistera donc moins à chercher au dehors le combat viril, révolutionnaire ou récupérateur, qu'à tenter, dans les ambivalences et les hébétudes pré-œdipiennes, de s'arracher aux emprises maternelles. L'auberge glisse le long

du récit et, placée jadis au début, modèle générateur des lieux d'épreuves suivants, elle se retrouve tout à la fin, ou sort du champ.

Emma, qui s'ingénie à plaquer partout, comme Don Quichotte, l'écran de l'introuvable Château des contes et des cœurs, forme fantasmatique de la Maison, ne réussira pas à rencontrer le réel, qui serait celui de la lutte des classes. Le Bois où dort la Belle ressemble à celui où Merlin reste pris. Certes, le trajet somnambulique passe par quelques auberges : des fausses, simples succursales de la Maison originelle, jalonnant un circuit fermé. Maison → Lion d'Or → Croix rouge → Hôtel de Boulogne → Croix rouge → Lion d'Or → Maison. Chacune ressemble à cette auberge du quartier Saint-Gervais où le père Rouault s'était arrêté avec la petite, juste avant de l'enfermer au couvent, et où elle avait déjà découvert, sur les assiettes peintes, les rudiments des sortilèges qui allaient la maintenir à jamais prisonnière de l'idéologie dominante. Emma et Léon, faux antagonistes, sont entourés des signes équivoques de leur démission : l'hôtel est sur le port, mais ils y vivent

avec leurs règles la cliquette des auvents, les uns après les autres.

C'était à cette heure-là que M. Bournisien venait la voir. Il s'enquérait de sa santé, lui apportait des nouvelles et
5 l'exhortait à la religion dans un petit bavardage câlin qui ne manquait pas d'agrément. La vue seule de sa soutane la réconfortait.

Un jour qu'au plus fort de sa maladie elle s'était crue agonisante, elle avait demandé la communion ; et, à mesure
10 que l'on faisait dans sa chambre les préparatifs pour le sacrement, que l'on disposait en autel la commode encombrée de sirops et que Félicité semait par terre des fleurs de dahlia, Emma sentait quelque chose de fort passant sur elle, qui la débarrassait de ses douleurs, de toute perception, de tout
15 sentiment. Sa chair allégée ne pesait plus, une autre vie commençait ; il lui sembla que son être, montant vers Dieu, allait s'anéantir dans cet amour comme un encens allumé qui se dissipe en vapeur. On aspergea d'eau bénite les draps du lit ; le prêtre retira du saint ciboire la blanche hostie ; et ce
20 fut en défaillant d'une joie céleste qu'elle avança les lèvres pour accepter le corps du Sauveur qui se présentait. Les rideaux de son alcôve se gonflaient mollement, autour d'elle, en façon de nuées, et les rayons des deux cierges brûlant sur la commode lui parurent être des gloires éblouissan-
25 tes. Alors elle laissa retomber sa tête, croyant entendre dans les espaces le chant des harpes séraphiques et apercevoir en un ciel d'azur, sur un trône d'or, au milieu des saints tenant des palmes vertes, Dieu le Père tout éclatant de majesté, et qui d'un signe faisait descendre vers la terre des anges aux
30 ailes de flamme pour l'emporter dans leurs bras. ⟨1⟩

Cette vision splendide demeura dans sa mémoire comme la chose la plus belle qu'il fût possible de rêver ; si bien qu'à présent elle s'efforçait d'en ressaisir la sensation, qui continuait cependant, mais d'une manière moins exclusive et
35 avec une douceur aussi profonde. Son âme, courbatue d'orgueil, se reposait enfin dans l'humilité chrétienne ; et, savourant le plaisir d'être faible, Emma contemplait en elle-même la destruction de sa volonté, qui devait faire aux envahissements de la grâce une large entrée. Il existait donc
40 à la place du bonheur des félicités plus grandes, un autre amour au-dessus de tous les autres amours, sans intermittence ni fin, et qui s'accroîtrait éternellement ! Elle entrevit, parmi les illusions de son espoir, un état de pureté flottant

volets fermés, portes closes" – "Il y avait sur la cheminée, entre les candélabres, deux de ces grandes coquilles roses où l'on entend le bruit de la mer..." La Mère ? La mère Lefrançois attend Emma au retour de ses illusoires évasions ; ou la mère Rollet, vieille au rouet, chez laquelle elle se réfugie et se couche, à demi inconsciente, avant sa dernière tentative contre Lheureux et sa mort.

Simple extension du rêve où s'aliène Emma, la fausse auberge participe donc de sa ruine. La première victime de Lheureux (...) se trouve être le Café Français ; dans le même coffre-fort voisinent les boucles d'oreille de l'aubergiste Tellier et la chaîne d'or d'Emma, et leurs morts se suivront de peu dans le récit. Aux dernières pages, Mme Lefrançois elle-même sera acculée par Lheureux à une faillite dont la crainte la hantait depuis sa première apparition. Un véritable renversement s'est produit par rapport au schéma classique : non seulement il n'y a plus d'auberge et Emma ne rencontre personne dans sa quête à la Diogène, mais Lheureux vient la traquer jusque "chez elle" (?), où elle demeure enfermée sans recours.

MICHEL PICARD, 1973, « La prodigalité d'Emma Bovary » in *Littérature*, n° 10, pp. 93-95. Repris in *La lecture comme jeu*. Éditions de Minuit, 1986.

---

① Au procès : comment faut-il parler à Dieu ?

Réquisitoire :

« Dans quelle langue prie-t-on Dieu avec les paroles adressées à l'amant dans les épanchements de l'adultère ? Sans doute on parlera de la couleur locale, et on s'excusera, en disant qu'une femme vaporeuse, romanesque, ne fait pas, même en religion, les choses comme tout le monde. Il n'y a pas de couleur locale qui excuse ce mélange ! Voluptueuse un jour, religieuse le lendemain, nulle femme, même dans d'autres régions, même sous le ciel d'Espagne ou d'Italie, ne murmure à Dieu les caresses qu'elle donnait à l'amant. Vous apprécierez ce langage, messieurs, et vous n'excuserez pas ces paroles de l'adultère introduites, en quelque sorte, dans le sanctuaire de la Divinité ! »

Plaidoirie :

« J'en demande pardon à monsieur l'Avocat impérial, j'en demande pardon au tribunal, j'interromps ce passage, mais j'ai besoin de dire que c'est l'auteur qui parle, et de vous faire remarquer dans quels termes il s'exprime sur le mystère de la communion ; j'ai besoin, avant de reprendre cette lecture, que le tribunal saisisse la valeur littéraire empruntée à ce tableau ; j'ai besoin d'insister sur ces expressions qui appartiennent à l'auteur :

[...]

Voilà des sentiments religieux ! »

au-dessus de la terre, se confondant avec le ciel, et où elle aspira d'être. Elle voulut devenir une sainte. Elle acheta des chapelets, elle porta des amulettes ; elle souhaitait avoir dans sa chambre, au chevet de sa couche, un reliquaire
5 enchâssé d'émeraudes, pour le baiser tous les soirs.

Le curé s'émerveillait de ces dispositions, bien que la religion d'Emma, trouvait-il, pût, à force de ferveur, finir par friser l'hérésie et même l'extravagance. Mais, n'étant pas très versé dans ces matières sitôt qu'elles dépassaient une cer-
10 taine mesure, il écrivit à M. Boulard, libraire de Monseigneur, de lui envoyer *quelque chose de fameux pour une personne du sexe, qui était pleine d'esprit.* Le libraire, avec autant d'indifférence que s'il eût expédié de la quincaillerie à des nègres, vous emballa pêle-mêle tout ce qui avait cours
15 pour lors dans le négoce des livres pieux. C'étaient de petits manuels par demandes et par réponses, des pamphlets d'un ton rogue dans la manière de M. de Maistre[1], et des espèces de romans à cartonnage rose et à style douceâtre, fabriqués par des séminaristes troubadours ou des bas bleus repenties.
20 Il y avait le *Pensez-y bien ; l'Homme du monde aux pieds de Marie, par M. de***, décoré de plusieurs ordres ; des Erreurs de Voltaire[2], à l'usage des jeunes gens,* etc.

Madame Bovary n'avait pas encore l'intelligence assez nette pour s'appliquer sérieusement à n'importe quoi ; d'ail-
25 leurs, elle entreprit ces lectures avec trop de précipitation. Elle s'irrita contre les prescriptions du culte ; l'arrogance des écrits polémiques lui déplut par leur acharnement à poursuivre des gens qu'elle ne connaissait pas ; et les contes profanes relevés de religion lui parurent écrits dans une telle igno-
30 rance du monde, qu'ils l'écartèrent insensiblement des vérités dont elle attendait la preuve. Elle persista pourtant, et, lorsque le volume lui tombait des mains, elle se croyait prise par la plus fine mélancolie catholique qu'une âme éthérée pût concevoir.

35 Quant au souvenir de Rodolphe, elle l'avait descendu tout au fond de son cœur ; et il restait là, plus solennel et plus immobile qu'une momie de roi dans un souterrain. Une exhalaison s'échappait de ce grand amour embaumé et qui, passant à travers tout, parfumait de tendresse l'atmosphère
40 d'immaculation où elle voulait vivre. Quand elle se mettait à genoux sur son prie-Dieu gothique, elle adressait au Seigneur les mêmes paroles de suavité qu'elle murmurait jadis à son amant, dans les épanchements de l'adultère. C'était

1. *Joseph de Maistre : théoricien de la contre-révolution, défenseur d'une conception théocratique de la monarchie et de l'ultramontanisme en religion. Ses ouvrages principaux sont les* Considérations sur la France *(1796),* Du pape *(1818) et les* Soirées de Saint-Pétersbourg *(1821). Il vécut de 1753 à 1821.*
2. *« Voltaire. (...) Science superficielle »* (Dictionnaire des idées reçues.)

pour faire venir la croyance ; mais aucune délectation ne descendait des cieux, et elle se relevait, les membres fatigués, avec le sentiment vague d'une immense duperie. Cette recherche, pensait-elle, n'était qu'un mérite de plus ;
5 et dans l'orgueil de sa dévotion, Emma se comparait à ces grandes dames d'autrefois, dont elle avait rêvé la gloire sur un portrait de la Vallière, et qui, traînant avec tant de majesté la queue chamarrée de leurs longues robes, se retiraient en des solitudes pour y répandre aux pieds du Christ
10 toutes les larmes d'un cœur que l'existence blessait.

Alors, elle se livra à des charités excessives. Elle cousait des habits pour les pauvres ; elle envoyait du bois aux femmes en couches ; et Charles, un jour en rentrant, trouva dans la cuisine trois vauriens attablés qui mangeaient un
15 potage. Elle fit revenir à la maison sa petite fille, que son mari, durant sa maladie, avait renvoyée chez la nourrice. Elle voulut lui apprendre à lire ; Berthe avait beau pleurer, elle ne s'irritait plus. C'était un parti pris de résignation, une indulgence universelle. Son langage à propos de tout était
20 plein d'expressions idéales. Elle disait à son enfant :

— Ta colique est-elle passée, mon ange ?

Madame Bovary mère ne trouvait rien à blâmer, sauf peut-être cette manie de tricoter des camisoles pour les orphelins, au lieu de raccommoder ses torchons. Mais,
25 harassée de querelles domestiques, la bonne femme se plaisait en cette maison tranquille, et même elle y demeura jusques après Pâques, afin d'éviter les sarcasmes du père Bovary qui ne manquait pas, tous les vendredis saints, de se commander une andouille.
30 Outre la compagnie de sa belle-mère, qui la raffermissait un peu par sa rectitude de jugement et ses façons graves, Emma, presque tous les jours, avait encore d'autres sociétés. C'était madame Langlois, madame Caron, madame Dubreuil, madame Tuvache et, régulièrement de deux à
35 cinq heures, l'excellente madame Homais, qui n'avait jamais voulu croire, celle-là, à aucun des cancans que l'on débitait sur sa voisine. Les petits Homais aussi venaient la voir ; Justin les accompagnait. Il montait avec eux dans la chambre ①, et il restait debout près de la porte, immobile, sans
40 parler. Souvent même, madame Bovary, n'y prenant garde, se mettait à sa toilette. Elle commençait par retirer son peigne, en secouant sa tête d'un mouvement brusque ; et, quand il aperçut la première fois cette chevelure entière qui

Le jouet extraordinaire

« Elle arrivait escortée de ses quatre marmots traînant après eux l'incroyable cadeau du medecin, qu'avaient acheté de compagnie le percepteur et le marchand d'étoffes. »

Sur sa prière, en effet, ces deux messieurs s'étaient ensemble transportés à Rouen et répétant dans toutes les boutiques leur invariable phrase "nous voudrions pour une personne qui a de la reconnaissance envers quelqu'un, quelque chose de joli" ils avaient fini par découvrir une curiosité qui coûta cinquante écus et qui ne valait pas trois liards.

C'était une manière de disque en bois, garni de grelots tout autour, et sur lequel quantité de petits bonshommes, parmi des marionnettes peintes en rouge s'occupaient à des professions différentes. L'ensemble représentait une ville. La cathédrale au milieu, était ornée sous son portique de personnages en verre filé, qui se pressaient pour un baptême. Plus loin un âne à poil de lapin, portait dans des cacolets, des noyaux de prunes en guise de cantaloups, et sous les tentes de la poissonnerie, des saumons de plâtre avec leurs rougeurs à la gueule, ressemblaient à des cigares en chocolat. On voyait un vendeur de moutarde brouettant son tonneau et un charcutier qui ouvrait un cochon ; puis des arbres, frisés comme des perruques et dans une confusion de couleurs bleue, blanche, grise, dans un pêle-même de lignes disgracieuses et de positions impossibles, des veaux, des chevaux, des charrettes, des laitières, car il y en avait pour tous les goûts, pour tous les sexes. Ainsi quatre soldats à panache entouraient un obusier, tandis que des blanchisseuses lavaient du linge absent dans un bassin sans eau, — où s'accumulait d'ailleurs, toute la poussière de ce hideux édifice — et s'il n'était pas des plus neufs c'est qu'on ne fabriquait point souvent de pareilles choses. celle-là même affirmait le marchand, avait été autrefois, "destinée au Roi de Rome".

L'apothicaire en fut si enthousiasmé, qu'il la plaça dans son salon ; et il la montrait aux personnes qui venaient à la pharmacie en s'écriant invariablement : "moi je trouve que c'est un morceau digne d'être dédié à un musée !" Ce merveilleux joujou ne tarda pas cependant, à produire du trouble dans la famille Homais. D'abord, les enfants le manièrent tellement que toute la peinture s'en alla. puis s'ennuyant de le contempler en commun, chacun voulut accaparer pour lui seul ce qu'il jugeait être à sa convenance. mais la colle forte qui se moulait comme des bottines sur les jambes des bonshommes, et qui montait comme une lave contre le mur des maisons, ne permit pas d'arracher une seule pièce sans endommager toutes les autres. Napoléon en s'emparant des militaires, cassa complètement la cathédrale, ce qui fit pleurer Athalie, et Franklin détruisit exprès les basses-cours pour se venger d'Irma qui en versant de l'eau dans la fontaine, avait abîmé la peau de l'âne.

descendait jusqu'aux jarrets en déroulant ses anneaux noirs, ce fut pour lui, le pauvre enfant, comme l'entrée subite dans quelque chose d'extraordinaire et de nouveau dont la splendeur l'effraya.

5   Emma, sans doute, ne remarquait pas ses empressements silencieux ni ses timidités. Elle ne se doutait point que l'amour, disparu de sa vie, palpitait là, près d'elle, sous cette chemise de grosse toile, dans ce cœur d'adolescent ouvert aux émanations de sa beauté. Du reste, elle enveloppait tout
10 maintenant d'une telle indifférence, elle avait des paroles si affectueuses et des regards si hautains, des façons si diverses, que l'on ne distinguait plus l'égoïsme de la charité, ni la corruption de la vertu. Un soir, par exemple, elle s'emporta contre sa domestique, qui lui demandait à sortir et balbutiait
15 en cherchant un prétexte ; puis tout à coup :

    — Tu l'aimes donc ? dit-elle.

Et, sans attendre la réponse de Félicité, qui rougissait, elle ajouta d'un air triste :

    — Allons, cours-y ! amuse-toi !

20   Elle fit, au commencement du printemps, bouleverser le jardin d'un bout à l'autre, malgré les observations de Bovary ; il fut heureux, cependant, de lui voir enfin manifester une volonté quelconque. Elle en témoigna davantage à mesure qu'elle se rétablissait. D'abord, elle trouva moyen
25 d'expulser la mère Rolet, la nourrice, qui avait pris l'habitude, pendant sa convalescence, de venir trop souvent à la cuisine avec ses deux nourrissons et son pensionnaire, plus endenté[1] qu'un cannibale. Puis elle se dégagea de la famille Homais, congédia successivement toutes les autres visites et
30 même fréquenta l'église avec moins d'assiduité, à la grande approbation de l'apothicaire, qui lui dit alors amicalement :

    — Vous donniez un peu dans la calotte !

M. Bournisien, comme autrefois, survenait tous les jours, en sortant du catéchisme. Il préférait rester dehors à prendre
35 l'air *au milieu du bocage*, il appelait ainsi la tonnelle. C'était l'heure où Charles rentrait. Ils avaient chaud ; on apportait du cidre doux, et ils buvaient ensemble au complet rétablissement de Madame.

Binet se trouvait là, c'est-à-dire un peu plus bas, contre le
40 mur de la terrasse, à pêcher des écrevisses. Bovary l'invitait à se rafraîchir, et il s'entendait parfaitement à déboucher les cruchons.

    — Il faut, disait-il en promenant autour de lui et

1. Endenté : « être bien endenté, avoir de belles dents, et fig. avoir bon appétit » (Littré).

J'on put même en cette circonstance, voir un peu les différents caractères des petits Homais.

Napoléon était vif, turbulent, grimacier. on lui réservait la pharmacie, à moins qu'il ne préférât faire son droit pour entrer plus tard dans la magistrature. Athalie avait l'humeur capricieuse et déjà se montrait coquette. Irma comme sa maman, serait une bonne ménagère. quant à Franklin il était taciturne, méditatif, vindicatif, et partisan des jeux paisibles. Son père le destinait à l'école polytechnique. mais sa mère avait peur qu'il n'y prit trop de peine, et qu'on ne lui cassât la tête.

— ''Nous pourrons néanmoins, ma bonne amie'', objectait alors M. Homais, ''commencer dès quatorze ans, par lui apprendre le dessin. cela forme le goût ! — et si nous voyons qu'il y morde, s'il aime à ''faire un lavis'' à tirer des plans, à lever un arpentage... eh bien, ma foi, nous le l a n c e r o n s d a n s l e s mathématiques !''

Et il fallait entendre la manière dont il prononçait ce mot : mathématiques ! avec quelle emphase à la fois, et quelle volubilité ! Admirateur de toutes les sciences, Homais se proposait de n'épargner rien, en inculquer le fanatisme à ses enfants.

Il épargnait en revanche, sur l'habillement de son élève car il le vêtissait avec ses vieilles défroques rajustées par la cuisinière, et comme le jeune garçon grandissait vite, non seulement elles étaient sales, mais toujours incommodes. son pantalon noir lui montait jusqu'à la poitrine ; ses chaussons de drap bleu taillés à même quelque gilet déteint avaient des reprises en fil rouge ; et sa veste le serrait tellement des épaules, qu'il ne se résignait à la porter que dans les froids excessifs. Il se montrait d'ailleurs, encore plus paresseux que d'habitude, et on le voyait, les trois quarts du jour, assis en face de M. Homais, sur l'autre comptoir, du côté droit, regardant voler les mouches autour des bocaux, et la main passée dans ses cheveux. à la moindre occasion, il décampait bien vite, pour aller flâner chez le médecin. Lorsqu'il y conduisait les petits Homais, il montait. »

Cité d'après le manuscrit autographe par Claudine Gothot-Mersch, éd. Garnier, pp. 413-414.

jusqu'aux extrémités du paysage un regard satisfait, tenir ainsi la bouteille d'aplomb sur la table, et après que les ficelles sont coupées, pousser le liège à petits coups, doucement, doucement, comme on fait, d'ailleurs, à l'eau de
5 Seltz, dans les restaurants.

Mais le cidre, pendant sa démonstration, souvent leur jaillissait en plein visage, et alors l'ecclésiastique, avec un rire opaque, ne manquait jamais cette plaisanterie :

— Sa bonté saute aux yeux !

10 Il était brave homme[1], en effet, et même, un jour, ne fut point scandalisé du pharmacien, qui conseillait à Charles, pour distraire Madame, de la mener au théâtre de Rouen voir l'illustre ténor Lagardy. Homais, s'étonnant de ce silence, voulut savoir son opinion, et le prêtre déclara qu'il
15 regardait la musique comme moins dangereuse pour les mœurs que la littérature.

Mais le pharmacien prit la défense des lettres. Le théâtre, prétendait-il, servait à fronder les préjugés, et, sous le masque du plaisir, enseignait la vertu.

20 — *Castigat ridendo mores*[2], monsieur Bournisien ! Ainsi, regardez la plupart des tragédies de Voltaire ; elles sont semées habilement de réflexions philosophiques qui en font pour le peuple une véritable école de morale et de diplomatie.

25 — Moi, dit Binet, j'ai vu autrefois une pièce intitulée *le Gamin de Paris*[3], où l'on remarque le caractère d'un vieux général qui est vraiment tapé ! Il rembarre un fils de famille qui avait séduit une ouvrière, qui à la fin...

— Certainement ! continuait Homais, il y a la mauvaise
30 littérature comme il y a la mauvaise pharmacie ; mais condamner en bloc le plus important des beaux-arts me paraît une balourdise, une idée gothique, digne de ces temps abominables où l'on enfermait Galilée.

— Je sais bien, objecta le curé, qu'il existe de bons ouvra-
35 ges, de bons auteurs ; cependant, ne serait-ce que ces personnes de sexe différent réunies dans un appartement enchanteur, orné de pompes mondaines, et puis ces déguisements païens, ce fard, ces flambeaux, ces voix efféminées, tout cela doit finir par engendrer un certain libertinage
40 d'esprit et vous donner des pensées déshonnêtes, des tentations impures. Telle est du moins l'opinion de tous les Pères. Enfin, ajouta-t-il en prenant subitement un ton de voix mystique, tandis qu'il roulait sur son pouce une prise de

1. « Prêtres. (...) C'est égal, il y en a de bons, tout de même ! » (Dictionnaire des idées reçues.)
2. « Comédie : castigat ridendo mores ». (Dictionnaire des idées reçues.) Il s'agit de la devise de la Comédie — « elle corrige les mœurs en riant » — qu'imagina le poète Santeul (1630-1697) et que Molière reprit à son compte.
3. « Gamin. Toujours suivi "de Paris". A invariablement beaucoup d'esprit ». (Dictionnaire des idées reçues.)

tabac, si l'Église a condamné les spectacles, c'est qu'elle avait raison ; il faut nous soumettre à ses décrets.

— Pourquoi, demanda l'apothicaire, excommunie-t-elle les comédiens ? car, autrefois, ils concouraient ouvertement
5 aux cérémonies du culte. Oui, on jouait, on représentait au milieu du chœur des espèces de farces appelées mystères, dans lesquelles les lois de la décence souvent se trouvaient offensées.

L'ecclésiastique se contenta de pousser un gémissement,
10 et le pharmacien poursuivit :

— C'est comme dans la Bible ; il y a..., savez-vous..., plus d'un détail... piquant, des choses... vraiment... gaillardes !

Et, sur un geste d'irritation que faisait M. Bournisien :
15 — Ah ! vous conviendrez que ce n'est pas un livre à mettre entre les mains d'une jeune personne, et je serais fâché qu'Athalie...

— Mais ce sont les protestants, et non pas nous, s'écria l'autre impatienté, qui recommandent la Bible !
20 — N'importe ! dit Homais, je m'étonne que, de nos jours, en un siècle de lumières, on s'obstine encore à proscrire un délassement intellectuel qui est inoffensif, moralisant, et même hygiénique quelquefois, n'est-ce pas, docteur ?
25 — Sans doute, répondit le médecin nonchalamment, soit que, ayant les mêmes idées, il voulût n'offenser personne, ou bien qu'il n'eût pas d'idées. ⟨1⟩

La conversation semblait finie, quand le pharmacien jugea convenable de pousser une dernière botte.
30 — J'en ai connu, des prêtres, qui s'habillaient en bourgeois pour aller voir gigoter des danseuses.

— Allons donc ! fit le curé.

— Ah ! j'en ai connu !

Et, séparant les syllabes de sa phrase, Homais répéta :
35 — J'en—ai—connu.

— Eh bien ! ils avaient tort, dit Bournisien résigné à tout entendre.

— Parbleu ! ils en font bien d'autres ! s'exclama l'apothicaire[1].
40 — Monsieur !... reprit l'ecclésiastique avec des yeux si farouches, que le pharmacien en fut intimidé.

— Je veux seulement dire, répliqua-t-il alors d'un ton

1. « *Prêtres. Couchent avec leurs bonnes et ont des enfants qu'ils appellent leurs neveux.* »(Dictionnaire des idées reçues.)

① Madame Bovary, un roman qui échappe au réalisme ?

« Il suffit de lire avec intelligence *Madame Bovary* pour comprendre que rien n'est plus loin du réalisme.

Le procédé de l'écrivain réaliste consiste à raconter simplement des faits arrivés, accomplis par des personnages moyens qu'il a connus et observés.

Dans *Madame Bovary*, chaque personnage est un type, c'est-à-dire le résumé d'une série d'êtres appartenant au même ordre intellectuel.

Le médecin de campagne, la provinciale rêveuse, le pharmacien, sorte de Prudhomme, le curé, les amants, et même toutes les figures accessoires sont des types, doués d'un relief d'autant plus énergique qu'en eux sont concentrées des quantités d'observations de même nature, d'autant plus vraisemblables qu'ils représentent l'échantillon modèle de leur classe.

Mais Gustave Flaubert avait grandi à l'heure de l'épanouissement du romantisme ; il était nourri des phrases retentissantes de Chateaubriand et de Victor Hugo, et il se sentait un besoin lyrique qui ne pouvait s'épandre complètement en des livres précis comme *Madame Bovary.*

Et c'est là un des côtés les plus singuliers de ce grand homme : ce novateur, ce révélateur, cet oseur a été jusqu'à sa mort sous l'influence dominante du romantisme. C'est presque malgré lui, presque inconsciemment, poussé par la force irrésistible de son génie, par la force créatrice enfermée en lui, qu'il écrivait ces romans d'une allure si nouvelle, d'une note si personnelle. Par goût, il préférait les sujets épiques, qui se déroulent en des espèces de chants pareils à des tableaux d'opéra.

Dans *Madame Bovary*, d'ailleurs, comme dans l'*Éducation sentimentale*, sa phrase, contrainte à rendre des choses communes, a souvent des élans, des sonorités, des tons au-dessus des sujets qu'elle exprime. Elle part, comme fatiguée d'être contenue, d'être forcée à cette platitude, et, pour dire la stupidité d'Homais ou la niaiserie d'Emma, elle se fait pompeuse ou éclatante, comme si elle traduisait des motifs de poème... »

GUY DE MAUPASSANT,
1885,
étude pour l'édition Quantin
des œuvres de Flaubert.

« Les dernières années de Louis-Philippe avaient vu les dernières explosions d'un esprit encore excitable par les jeux de l'imagination ; mais le nouveau romancier se trouvait en face d'une société absolument usée, — pire qu'usée, — abrutie et goulue, n'ayant horreur que de la fiction, et d'amour que pour la possession.

Dans des conditions semblables, un esprit bien nourri, enthousiaste du beau, mais façonné à une forte escrime, jugeant à la fois le bon et le mauvais des circonstances, a dû se dire : "Quel est le moyen le plus sûr de remuer toutes ces vieilles âmes ? Elles ignorent en réalité ce qu'elles aimeraient ; elles n'ont un dégoût positif que du grand ; la passion naïve, ardente, l'abandon poétique les fait rougir et les blesse. — Soyons donc vulgaire dans le choix du sujet, puisque le choix d'un sujet trop grand est une impertinence pour le lecteur du XIX⁰ siècle. Et aussi prenons bien garde à nous abandonner et à parler pour notre compte propre. Nous serons de glace en racontant des passions et des aventures où le commun du monde met ses chaleurs ; nous serons, comme dit l'école, objectif et impersonnel.

Et aussi, comme nos oreilles ont été harassées dans ces derniers temps par des bavardages d'école puérils, comme nous avons entendu parler d'un certain procédé littéraire appelé *réalisme*, — injure dégoûtante jetée à la face de tous les analystes, mot vague et élastique qui signifie pour le vulgaire, non pas une méthode nouvelle de création, mais une description minutieuse des accessoires, — nous profiterons de la confusion des esprits et de l'ignorance universelle. Nous étendrons un style nerveux, pittoresque, subtil, exact, sur un canevas banal. Nous enfermerons les sentiments les plus chauds et les plus bouillants dans l'aventure la plus triviale. Les paroles les plus solennelles, les plus décisives, s'échapperont des bouches les plus sottes.

Quel est le terrain de sottise, le milieu le plus stupide, le plus productif en absurdités, le plus abondant en imbéciles intolérants ?

La province.

Quels y sont les acteurs les plus insupportables ?

Les petites gens qui s'agitent dans de petites fonctions dont l'exercice fausse leurs idées.

Quelle est la donnée la plus usée, la plus prostituée, l'orgue de Barbarie le plus éreinté ?

L'Adultère.

Je n'ai pas besoin, s'est dit le poète, que mon *héroïne* soit une héroïne. Pourvu qu'elle soit suffisamment jolie, qu'elle ait des nerfs, de l'ambition, une aspiration irréfrénable vers un monde supérieur, elle sera intéressante. Le tour de force, d'ailleurs, sera plus noble, et notre pécheresse aura au moins ce mérite, — comparativement fort rare, — de se distinguer des fastueu-

ses bavardes de l'époque qui nous a précédés.

Je n'ai pas besoin de me préoccuper du style, de l'arrangement pittoresque, de la description des milieux ; je possède toutes ces qualités à une puissance surabondante ; je marcherai appuyé sur l'analyse et la logique, et je prouverai ainsi que tous les sujets sont indifféremment bons ou mauvais, selon la manière dont ils sont traités, et que les plus vulgaires peuvent devenir les meilleurs.''

Dès lors, *Madame Bovary*, — une gageure, une vraie gageure, un pari, comme toutes les œuvres d'art, — était créée. »

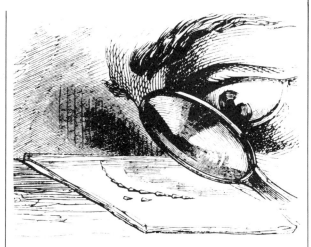

CHARLES BAUDELAIRE, 1857, « Madame Bovary par Gustave Flaubert », *l'Artiste,* 18 octobre 1857, repris in *l'Art romantique.*

« Le premier caractère du roman naturaliste, dont *Madame Bovary* est le type, est la reproduction exacte de la vie, l'absence de tout élément romanesque. La composition de l'œuvre ne consiste plus que dans le choix des scènes et dans un certain ordre harmonique des développements. Les scènes sont elles-mêmes les premières venues : seulement l'auteur les a soigneusement triées et

équilibrées, de façon à faire de son ouvrage un monument d'art et de science. C'est de la vie exacte donnée dans un cadre admirable de facture. Toute invention extraordinaire en est donc bannie. (...) Le roman va devant lui, contant les choses au jour le jour, ne ménageant aucune surprise, offrant tout au plus la matière d'un fait divers ; et, quand il est fini, c'est comme si l'on quittait la rue pour rentrer chez soi. »

ÉMILE ZOLA, 1875, article repris dans *Les Romanciers naturalistes,* 1881.

« Dès les premières phrases d'un roman de Flaubert, on est averti : la vie passera au large très loin, figée dans la distance, saisie avec assez de

recul pour que le début et la fin en soient tenus à la fois sous le regard avec une sorte de volupté amère et écœurée. L'histoire est close avant de commencer, et le ton noué de l'Histoire romancée d'ailleurs perce partout. *Éducation sentimentale* ou *Bovary* d'un côté, et *Salammbô* de l'autre, c'est tout un, et c'est toujours le même timbre : "C'était à Mégara, faubourg de Carthage, dans les jardins d'Hamilcar"... On vient à peine d'aérer la resserre funèbre, d'escamoter les bâches, les tréteaux, les scalpels d'une exhumation : un des assistants, rétrospectivement, raconte. »

JULIEN GRACQ, 1978, *Lettrines 2,* Corti, pp. 97-98.

moins brutal, que la tolérance est le plus sûr moyen d'attirer les âmes à la religion.

— C'est vrai ! c'est vrai ! concéda le bonhomme en se rasseyant sur sa chaise.

5 Mais il n'y resta que deux minutes. Puis, dès qu'il fut parti, M. Homais dit au médecin :

— Voilà ce qui s'appelle une prise de bec ! Je l'ai roulé, vous avez vu, d'une manière !... Enfin, croyez-moi, condui- sez Madame au spectacle, ne serait-ce que pour faire une

10 fois dans votre vie enrager un de ces corbeaux-là, sapre- lotte ! Si quelqu'un pouvait me remplacer, je vous accompa- gnerais moi-même. Dépêchez-vous ! Lagardy ne donnera qu'une seule représentation ; il est engagé en Angleterre à des appointements considérables. C'est, à ce qu'on assure,

15 un fameux lapin ! il roule sur l'or ! il mène avec lui trois maî- tresses et son cuisinier ! Tous ces grands artistes brûlent la chandelle par les deux bouts ; il leur faut une existence dévergondée qui excite un peu l'imagination. Mais ils meu- rent à l'hôpital, parce qu'ils n'ont pas eu l'esprit, étant jeu-

20 nes, de faire des économies[1]. Allons, bon appétit ; à demain !

Cette idée de spectacle germa vite dans la tête de Bovary ; car aussitôt il en fit part à sa femme, qui refusa tout d'abord, alléguant la fatigue, le dérangement, la dépense ;

25 mais, par extraordinaire, Charles ne céda pas, tant il jugeait cette récréation lui devoir être profitable. Il n'y voyait aucun empêchement ; sa mère leur avait expédié trois cents francs sur lesquels il ne comptait plus, les dettes courantes n'avaient rien d'énorme, et l'échéance des billets à payer au

30 sieur Lheureux était encore si longue, qu'il n'y fallait pas songer. D'ailleurs imaginant qu'elle y mettait de la délica- tesse, Charles insista davantage : si bien qu'elle finit, à force d'obsessions, par se décider. Et, le lendemain, à huit heures, ils s'emballèrent dans l'*Hirondelle* .

35 L'apothicaire, que rien ne retenait à Yonville, mais qui se croyait contraint de n'en pas bouger, soupira en les voyant partir.

— Allons, bon voyage ! leur dit-il, heureux mortels que 40 vous êtes !

Puis, s'adressant à Emma, qui portait une robe de soie bleue à quatre falbalas[2] ⟨1⟩ :

— Je vous trouve jolie comme un Amour ! Vous allez faire florès[3] à Rouen.

1. « *Artistes. Tous farceurs. (...) Gagnant des sommes folles, mais les jettent par les fenêtres.* » Dictionnaire des idées reçues.)
2. *Falbala : volant.*
3. *Faire florès : briller, obtenir des suc- cès, réussir.*

Bleue Emma, Emma blues

Le bleu accompagne Emma tout au long du roman, s'amalgame à son personnage. Repérons les occurrences :
— elle entre dans le texte par une lettre « cachetée d'un petit cachet de cire bleue » (p. 56) ;
— elle apparaît pour la première fois vêtue d'une « robe de mérinos bleu » (p. 59) ;
— quand elle entreprend de séduire Charles, le jour « bleui(t) un peu les cendres froides » et elle offre du curaçao à son invité, liqueur le plus souvent bleue (p. 87) ;
— elle s'achète « deux grands vases de verre bleu » (p. 180) ;
— lors de son arrivée à Yonville, elle porte « une petite cravate de soie bleue » (p. 236) ;
— elle écrit à Rouen pour commander « une robe de cachemire bleu » (p. 330) ;
— dans la scène de la baisade avec Rodolphe, elle arbore un « grand voile bleu » (p. 398) ;
— partant « faire florès » à Rouen, elle a « une robe de soie bleue » (p. 530) ;
— l'argent providentiel de M. Derozerays est enveloppé de « papier bleu » (p. 464) ;
— Léon lui rappelle qu'elle portait « un chapeau à petites fleurs bleues » (p. 552) ;
À cette liste, il convient d'ajouter le tilbury (p. 504) et le flacon d'arsenic (p. 581). Notons aussi qu'elle semble irradier du bleu (« ses bandeaux [...] luisaient d'un éclat bleu », p. 158) ou qu'elle baigne dans le bleu (« à travers son voile [...] on distinguait son visage dans une transparence bleuâtre », p. 398), et que ses yeux deviennent bleus (voir le contexte p. 114).
Mais surtout le bleu colore les rêves d'Emma, qui aspire à « la contrée bleuâtre où les échelles de soie se balancent à des ballons » (p. 654), à « ces pays à noms sonores » où « sous des stores de soie bleue, on monte au pas des routes escarpées » (p. 136). Ainsi se teinte également l'indéterminé, l'infini flou : « une immensité bleuâtre l'entourait » (p. 410), « l'immensité de cet avenir qu'elle se faisait apparaître (...) se balançait à l'horizon, infini, harmonieux, bleuâtre et couvert de soleil » (p. 478). L'arsenic, quant à lui, imprimera à son visage une nuance « bleuâtre » (p. 697) et au-dessus du lit funèbre flottent « des tourbillons de vapeur bleuâtre » (p. 730).

On peut alors conclure avec Loïc Héry :

« Quand on le compare aux autres couleurs, le bleu apparaît donc comme une marque incontestable d'Emma Bovary, par la quantité des notations comme par leur qualité : plus que le blanc, le bleu correspond à un choix véritable du personnage, c'est-à-dire de l'auteur. [...] Le bleu est la couleur qu'Emma choisit pour elle-même, la couleur de son goût, de ses rêves — cynisme du romancier : rien n'est rose et le bleu est aussi la couleur du cauchemar, par le tilbury et le flacon d'arsenic.

On constate que ce point a été travaillé par Flaubert en comparant l'état définitif à l'édition Pommier : si la majorité des bleus attachés à Emma sont déjà présents, on remarque l'apparition (dans la version définitive par rapport aux états précédents) du curaçao, de la cravate de soie bleue (initialement verte, Pommier 258), de la robe de cachemire (initialement blanche, Pommier 322), du papier bleu (tout d'abord incolore, Pommier 421) dans lequel est emballé l'argent d'un client, du tilbury (incolore lors de sa première apparition dans les premières versions, Pommier 446 ; mais il était déjà noté comme bleu à sa deuxième apparition, Pom-

La diligence descendait à l'hôtel de la *Croix rouge*, sur la place Beauvoisine. C'était une de ces auberges comme il y en a dans tous les faubourgs de province, avec de grandes écuries et de petites chambres à coucher, où l'on voit au

5 milieu de la cour des poules picorant l'avoine sous les cabriolets crottés des commis voyageurs ; — bons vieux gîtes à balcon de bois vermoulu qui craquent au vent dans les nuits d'hiver, continuellement pleins de monde, de vacarme et de mangeaille, dont les tables noires sont poissées par les *glo-*

10 *rias*, les vitres épaisses jaunies par les mouches, les serviettes humides tachées par le vin bleu ; et qui, sentant toujours le village, comme des valets de ferme habillés en bourgeois, ont un café sur la rue, et du côté de la campagne un jardin à légumes. Charles immédiatement se mit en courses. Il con-

15 fondit l'avant-scène avec les galeries, le *parquet* [1] avec les loges, demanda des explications, ne les comprit pas, fut renvoyé du contrôleur au directeur, revint à l'auberge, retourna au bureau, et, plusieurs fois ainsi, arpenta toute la longueur de la ville, depuis le théâtre jusqu'au boulevard.

20 Madame s'acheta un chapeau, des gants, un bouquet. Monsieur craignait beaucoup de manquer le commencement ; et, sans avoir eu le temps d'avaler le bouillon, ils se présentèrent devant les portes du théâtre, qui étaient encore fermées.

1. *Parquet : impropre pour parterre.*

mier 536), de la robe en soie bleue qu'elle porte à Rouen, et des "vapeurs bleuâtres qui dominent le lit mortuaire, et qui étaient initialement grises (Pommier 621).

On relèvera également la disparition d'un bleu, couleur des "longs rubans" du "grand bonnet de satin" de la veuve (Pommier 149). On peut y voir la volonté de ne pas appliquer à "Mme Bovary jeune" la couleur caractéristique de la jeune Madame Bovary.

Un autre bleu disparaît pour des raisons plus mystérieuses : le "bleu bourgeois" du "tapis de pied" qu'Emma brode pour Léon (scénario XXVIII, Pommier 59).

On a noté combien le bleu importait à Emma ; on remarquera, en retour, combien peu il touche les trois hommes qui traversent sa vie : elle rêve tout en bleu, et ils en ont si peu... Comment éviter l'échec ?

Puisque nous en sommes aux hypothèses audacieuses, on se demandera si l'habit bleu de Théodore, qui choque tant Homais à l'enterrement d'Emma, n'est pas là comme une indication ironique, même cynique, comme un dernier reflet de cette couleur qu'elle a aimé porter.

Beaucoup plus importante est l'indication portée de la main de l'auteur sur le premier scénario (Pommier 6) :

"Il faut que le premier coup comme *couleur* domine tout le reste de la passion — qu'il y en ait toujours dessus le reflet."

On remarquera alors que le voile d'Emma, dans la forêt, est toujours noir, dans les premières versions (encore dans le scénario XXXVIII par exemple). Il devient bleu dans la version définitive, il porte sa couleur sur le visage d'Emma et son reflet, effectivement, s'étend à tout le roman, danse sur toute la Passion d'Emma... »

LOÏC HÉRY, 1984, « Les couleurs dans *Madame Bovary* », DEA sous la direction de Pierre Barbéris, Université de Caen, avec son aimable autorisation.

XV

La foule stationnait contre le mur, parquée symétriquement entre des balustrades. A l'angle des rues voisines, de gigantesques affiches répétaient en caractères baroques : « *Lucie de Lammermoor*[1]... Lagardy... Opéra..., etc. » Il
5 faisait beau ; on avait chaud ; la sueur coulait dans les frisures, tous les mouchoirs tirés épongeaient des fronts rouges ; et parfois un vent tiède, qui soufflait de la rivière, agitait mollement la bordure des tentes en coutil suspendues à la porte des estaminets. Un peu plus bas, cependant, on était rafraî-
10 chi par un courant d'air glacial qui sentait le suif, le cuir et l'huile. C'était l'exhalaison de la rue des Charrettes, pleine de grands magasins noirs où l'on roule des barriques.

De peur de paraître ridicule, Emma voulut, avant d'entrer, faire un tour de promenade sur le port, et Bovary,
15 par prudence, garda les billets à sa main, dans la poche de son pantalon, qu'il appuyait contre son ventre.

Un battement de cœur la prit dès le vestibule. Elle sourit involontairement de vanité, en voyant la foule qui se précipitait à droite par l'autre corridor, tandis qu'elle montait l'esca-
20 lier des *premières*. Elle eut plaisir, comme un enfant, à pousser de son doigt les larges portes tapissées ; elle aspira de toute sa poitrine l'odeur poussiéreuse des couloirs, et, quand elle fut assise dans sa loge, elle se cambra la taille avec une désinvolture de duchesse.

25 La salle commençait à se remplir, on tirait les lorgnettes de leurs étuis, et les abonnés, s'apercevant de loin, se faisaient des salutations. Ils venaient se délasser dans les beaux-arts des inquiétudes de la vente ; mais, n'oubliant point *les affaires*, ils causaient encore cotons[2], trois-six[3] ou indigo[4]. On
30 voyait là des têtes de vieux, inexpressives et pacifiques, et qui, blanchâtres de chevelure et de teint, ressemblaient à des médailles d'argent ternies par une vapeur de plomb. Les jeunes beaux se pavanaient au *parquet*, étalant, dans l'ouverture de leur gilet, leur cravate rose ou vert-pomme ; et
35 madame Bovary les admirait d'en haut, appuyant sur des badines à pomme d'or la paume tendue de leurs gants jaunes.

1. *Opéra de Donizetti (1797-1848) datant de 1835. (Voir le contexte p. 539).*
2. *« Coton. Une des bases de la société dans la Seine-Inférieure. »* (Dictionnaire des idées reçues.)
3. *Trois-six : eau-de-vie à 36 degrés, cotée en bourse.*
4. *Indigo : matière tinctoriale bleue, extraite de l'indigotier.*

Cependant, les bougies de l'orchestre s'allumèrent ; le lustre descendit du plafond, versant, avec le rayonnement de ses facettes, une gaieté subite dans la salle ; puis les musiciens entrèrent les uns après les autres, et ce fut d'abord un long charivari de basses ronflant, de violons grinçant, de pis- 5 tons trompettant, de flûtes et de flageolets qui piaulaient. Mais on entendit trois coups sur la scène ; un roulement de timbales commença, les instruments de cuivre plaquèrent des accords, et le rideau, se levant, découvrit un paysage.

C'était le carrefour d'un bois, avec une fontaine, à gau- 10 che, ombragée par un chêne. Des paysans et des seigneurs, le plaid sur l'épaule, chantaient tous ensemble une chanson de chasse ; puis il survint un capitaine qui invoquait l'ange du mal en levant au ciel ses deux bras ; un autre parut ; ils s'en allèrent, et les chasseurs reprirent. 15

Elle se retrouvait dans les lectures de sa jeunesse, en plein Walter Scott. Il lui semblait entendre, à travers le brouillard, le son des cornemuses écossaises se répéter sur les bruyères. D'ailleurs, le souvenir du roman facilitant l'intelligence du libretto[1], elle suivait l'intrigue phrase à phrase, tandis que 20 d'insaisissables pensées qui lui revenaient se dispersaient, aussitôt, sous les rafales de la musique. Elle se laissait aller au bercement des mélodies et se sentait elle-même vibrer de tout son être comme si les archets des violons se fussent promenés sur ses nerfs. Elle n'avait pas assez d'yeux pour con- 25 templer les costumes, les décors, les personnages, les arbres peints qui tremblaient quand on marchait, et les toques de velours, les manteaux, les épées, toutes ces imaginations qui s'agitaient dans l'harmonie comme dans l'atmosphère d'un autre monde. Mais une jeune femme s'avança en jetant une 30 bourse à un écuyer vert. Elle resta seule, et alors on entendit une flûte qui faisait comme un murmure de fontaine ou comme des gazouillements d'oiseau. Lucie entama d'un air brave sa cavatine[2] en sol majeur ; elle se plaignait d'amour, elle demandait des ailes. Emma, de même, aurait voulu, 35 fuyant la vie, s'envoler dans une étreinte. Tout à coup, Edgar-Lagardy[3] parut.

Il avait une de ces pâleurs splendides qui donnent quelque chose de la majesté des marbres aux races ardentes du Midi. Sa taille vigoureuse était prise dans un pourpoint de 40 couleur brune ; un petit poignard ciselé lui battait sur la cuisse gauche, et il roulait des regards langoureusement en découvrant ses dents blanches. On disait qu'une princesse

1. Libretto : mot italien signifiant « livret ».
2. Cavatine : pièce vocale plus brève que l'aria. Une des plus célèbres est celle de Don Giovanni dans l'opéra du même nom de Mozart (1787).
3. Le ténor Lagardy joue le rôle d'Edgar (Edgardo dans l'original italien).

polonaise, l'écoutant un soir chanter sur la plage de Biarritz, où il radoubait[1] des chaloupes, en était devenue amoureuse. Elle s'était ruinée à cause de lui. Il l'avait plantée là pour d'autres femmes, et cette célébrité sentimentale ne laissait
5 pas que de servir à sa réputation artistique. Le cabotin diplomate avait même soin de faire toujours glisser dans les réclames une phrase poétique sur la fascination de sa personne et la sensibilité de son âme. Un bel organe, un imperturbable aplomb, plus de tempérament que d'intelligence et plus
10 d'emphase que de lyrisme, achevaient de rehausser cette admirable nature de charlatan, où il y avait du coiffeur et du toréador.

Dès la première scène, il enthousiasma. Il pressait Lucie dans ses bras, il la quittait, il revenait, il semblait désespéré :
15 il avait des éclats de colère, puis des râles élégiaques d'une douceur infinie, et les notes s'échappaient de son cou nu, pleines de sanglots et de baisers. Emma se penchait pour le voir, égratignant avec ses ongles le velours de sa loge. Elle s'emplissait le cœur de ces lamentations mélodieuses qui se
20 traînaient à l'accompagnement des contrebasses, comme des cris de naufragés dans le tumulte d'une tempête. Elle reconnaissait tous les enivrements et les angoisses dont elle avait manqué mourir. La voix de la chanteuse ne lui semblait être que le retentissement de sa conscience, et cette illu-
25 sion qui la charmait quelque chose même de sa vie. Mais personne sur la terre ne l'avait aimée d'un pareil amour. Il ne pleurait pas comme Edgar, le dernier soir, au clair de lune, lorsqu'ils se disaient : « A demain ; à demain !... » La salle craquait sous les bravos ; on recommença la strette[2]
30 entière ; les amoureux parlaient des fleurs de leur tombe, de serments, d'exil, de fatalité, d'espérances, et quand ils poussèrent l'adieu final, Emma jeta un cri aigu, qui se confondit avec la vibration des derniers accords.

— Pourquoi donc, demanda Bovary, ce seigneur est-il à
35 la persécuter ?

— Mais non, répondit-elle ; c'est son amant.

— Pourtant il jure de se venger sur sa famille, tandis que l'autre, celui qui est venu tout à l'heure, disait : « J'aime Lucie et je m'en crois aimé. » D'ailleurs, il est parti avec son
40 père, bras dessus, bras dessous. Car c'est bien son père, n'est-ce pas, le petit laid qui porte une plume de coq à son chapeau ?

Malgré les explications d'Emma, dès le duo récitatif où

1. *Radouber : faire des réparations sur la coque d'un bateau.*
2. *Strette : partie d'une fugue qui précède la conclusion et dans laquelle le sujet et la réponse se poursuivent avec des entrées de plus en plus rapprochées.*

Gilbert expose à son maître Ashton ses abominables manœuvres, Charles, en voyant le faux anneau de fiançailles qui doit abuser Lucie, crut que c'était un souvenir d'amour envoyé par Edgar. Il avouait, du reste, ne pas comprendre l'histoire, — à cause de la musique, — qui nuisait 5 beaucoup aux paroles.

— Qu'importe ? dit Emma ; tais-toi !

— C'est que j'aime, reprit-il en se penchant sur son épaule, à me rendre compte, tu sais bien.

— Tais-toi ! tais-toi ! fit-elle impatientée.   10

Lucie s'avançait, à demi soutenue par ses femmes, une couronne d'oranger dans les cheveux, et plus pâle que le satin blanc de sa robe. Emma rêvait au jour de son mariage ; et elle se revoyait là-bas, au milieu des blés, sur le petit sentier, quand on marchait vers l'église. Pourquoi donc n'avait- 15 elle pas, comme celle-là, résisté, supplié ? Elle était joyeuse, au contraire, sans s'apercevoir de l'abîme où elle se précipitait... Ah ! si, dans la fraîcheur de sa beauté, avant les souillures du mariage et la désillusion de l'adultère, elle avait pu placer sa vie sur quelque grand cœur solide, alors la vertu, la 20 tendresse, les voluptés et le devoir se confondant, jamais elle ne serait descendue d'une félicité si haute. Mais ce bonheur-là, sans doute, était un mensonge imaginé pour le désespoir de tout désir. Elle connaissait à présent la petitesse des passions que l'art exagérait. S'efforçant donc d'en 25 détourner sa pensée, Emma voulait ne plus voir dans cette reproduction de ses douleurs qu'une fantaisie plastique bonne à amuser les yeux, et même elle souriait intérieurement d'une pitié dédaigneuse, quand au fond du théâtre, sous la portière de velours, un homme apparut en manteau 30 noir.

Son grand chapeau à l'espagnole tomba dans un geste qu'il fit ; et aussitôt les instruments et les chanteurs entonnèrent le sextuor[1]. Edgar, étincelant de furie, dominait tous les autres de sa voix plus claire. Ashton lui lançait en notes gra- 35 ves des provocations homicides, Lucie poussait sa plainte aiguë, Arthur modulait à l'écart des sons moyens, et la basse-taille[2] du ministre ronflait comme un orgue, tandis que les voix de femmes, répétant ses paroles, reprenaient en chœur, délicieusement. Ils étaient tous sur la même ligne à 40 gesticuler ; et la colère, la vengeance, la jalousie, la terreur, la miséricorde et la stupéfaction s'exhalaient à la fois de leurs bouches entrouvertes. L'amoureux outragé brandissait son

1. Sextuor : composition vocale ou instrumentale à six parties. Celui de Lucie de Lammermoor est particulièrement célèbre.
2. Basse-taille : voix intermédiaire entre la basse et le ténor. On l'appelle aujourd'hui baryton.

épée nue ; sa collerette de guipure se levait par saccades,
selon les mouvements de sa poitrine, et il allait de droite et
de gauche, à grands pas, faisant sonner contre les planches
les éperons vermeils[1] de ses bottes molles, qui s'évasaient à
5 la cheville. Il devait avoir, pensait-elle, un intarissable
amour, pour en déverser sur la foule à si larges effluves.
Toutes ses velléités de dénigrement s'évanouissaient sous la
poésie du rôle qui l'envahissait, et, entraînée vers l'homme
par l'illusion du personnage, elle tâcha de se figurer sa vie,
10 cette vie retentissante, extraordinaire, splendide, et qu'elle
aurait pu mener cependant, si le hasard l'avait voulu. Ils se
seraient connus, ils se seraient aimés ! Avec lui, par tous les
royaumes de l'Europe, elle aurait voyagé de capitale en
capitale, partageant ses fatigues et son orgueil, ramassant les
15 fleurs qu'on lui jetait, brodant elle-même ses costumes ;
puis, chaque soir, au fond d'une loge, derrière la grille à
treillis d'or, elle eût recueilli, béante, les expansions de cette
âme qui n'aurait chanté que pour elle seule ; de la scène,
tout en jouant, il l'aurait regardée. Mais une folie la saisit : il
20 la regardait, c'est sûr ! Elle eut envie de courir dans ses bras
pour se réfugier en sa force, comme dans l'incarnation de
l'amour même, et de lui dire, de s'écrier : « Enlève-moi,
emmène-moi, partons ! A toi, à toi ! toutes mes ardeurs et
tous mes rêves ! »
25   Le rideau se baissa. ⟨1⟩

L'odeur du gaz se mêlait aux haleines ; le vent des éventails rendait l'atmosphère plus étouffante. Emma voulut sortir ; la foule encombrait les corridors, et elle retomba dans
son fauteuil avec des palpitations qui la suffoquaient. Char-
30 les, ayant peur de la voir s'évanouir, courut à la buvette lui
chercher un verre d'orgeat.

Il eut grand-peine à regagner sa place ; car on lui heurtait
les coudes à tous les pas, à cause du verre qu'il tenait entre
ses mains, et même il en versa les trois quarts sur les épaules
35 d'une Rouennaise en manches courtes, qui, sentant le
liquide froid lui couler dans les reins, jeta des cris de paon,
comme si on l'eût assassinée. Son mari, qui était un filateur,
s'emporta contre le maladroit ; et, tandis qu'avec son mouchoir elle épongeait les taches sur sa belle robe de taffetas[2]
40 cerise, il murmurait d'un ton bourru les mots d'indemnité, de
frais, de remboursement. Enfin, Charles arriva près de sa
femme, et lui disant tout essoufflé :

1. Vermeil : sous sa forme adjective,
ce mot signifie « d'un rouge vif et
léger ». Sous sa forme substantive,
c'est un argent doré dont la dorure tire
sur le rouge (voir pp. 176 et 180).
2. Taffetas : étoffe de soie unie et
brillante.

De Lucia à Emma

« A peine le rideau s'est-il levé sur *Lucie* qu'Emma se trouve de plain-pied dans un univers onirique qui lui est depuis longtemps familier. (...) Depuis le bal au château de Vaubyessard, où le frisson des violons du bal est devenu le sien, elle a eu maintes fois l'occasion de mesurer combien la musique, fût-elle d'essence vulgaire, stimule ses aspirations au luxe et au plaisir. Il n'est pas jusqu'à l'orgue de barbarie qui, en lui apportant des "échos du monde" ne la fasse palpiter. "Des sarabandes à n'en plus finir se déroulaient dans sa tête, et, comme une bayadère sur les fleurs d'un tapis, sa pensée bondissait avec les notes, se balançait de rêve en rêve, de tristesse en tristesse." Quelle autre métaphore pourrait mieux caractériser l'expansion tour à tour exaltée et mélancolique du chant de Lucie ?

Une image au miroir

La représentation de l'opéra au théâtre des Arts de Rouen est l'événement charnière de l'existence d'Emma. Le récit de cette représentation occupe dans le roman exactement la même place que le fameux sextuor dans la parti-

tion. Ce sextuor constitue le finale du second acte tandis que le récit conclut la seconde partie du roman. Dans les deux cas, il s'agit d'un coup de théâtre qui va faire coïncider la fiction et la réalité : au retour inopiné d'Edgard alors que Lucie vient d'être unie à Arthur répond la réapparition inattendue de Léon qui a aimé Emma en secret.

Pour Emma comme pour Lucie, le mariage s'avère être l'obstacle majeur à l'avènement du bonheur. Leurs conditions se confondent. "Pourquoi donc n'avait-elle pas, comme celle-là, résisté, supplié ?" pensait tout à l'heure Emma. Mais l'éventualité de ce bonheur, "un mensonge imaginé pour le désespoir de tout désir" ne lui inspire que du détachement. Connaissant maintenant "la petitesse des passions que l'art exagérait", elle cède au dédain, et, désillusionnée, va se détacher peut-être de ce qu'elle voit et de ce qu'elle entend lorsque Edgard apparaît tout à coup au fond du théâtre précédant de peu l'entrée de Léon dans la loge. Ainsi le destin des deux femmes est infléchi presque au même moment par la fatalité. Lucie va vivre dans la folie

l'union rêvée que la raison a rendu impossible. Emma va connaître avec Léon les délices du plaisir que sa condition lui défend. Mais le prix de ces conquêtes sera la déchéance et la mort, pour l'une comme pour l'autre.

Le rapprochement d'Emma et de Lucie amène une autre constatation : le roman offre une image "au miroir" de l'opéra. En effet, chez Flaubert, l'action progresse sous l'accumulation des conséquences fatales du mariage par lequel débute l'histoire, laquelle se terminera, comme l'opéra, par le suicide d'un des héros. Le mariage laisse Emma insatisfaite. L'état conjugal l'opprime. Essaie-t-elle de secouer le joug qu'elle se heurte sur tous les plans à l'égoïste domination masculine. Son entêtement à lutter n'a d'égal que son impatience à vivre ses fantasmes. L'action de l'opéra effectue le parcours inverse pour aboutir au même résultat. Lucia s'efforce de résister à un mariage qu'on lui impose à des fins politiques alors qu'elle aime librement selon son cœur. Elle aussi est aux prises avec une société régie par des hommes et qui l'étouffera impitoyablement : l'autel nuptial sera la table du sacrifice. A cette symétrie des situations répond le parallélisme des

— J'ai cru, ma foi, que j'y resterais ! Il y a un monde !...
un monde !...

Il ajouta :

— Devine un peu qui j'ai rencontré là-haut ? M. Léon !

5 — Léon ?

— Lui-même ! Il va venir te présenter ses civilités.

Et, comme il achevait ces mots, l'ancien clerc d'Yonville
entra dans la loge.

Il tendit sa main avec un sans-façon de gentilhomme : et
10 madame Bovary machinalement avança la sienne, sans
doute obéissant à l'attraction d'une volonté plus forte. Elle
ne l'avait pas sentie depuis ce soir de printemps où il pleuvait
sur les feuilles vertes, quand ils se dirent adieu, debout au
bord de la fenêtre. Mais, vite, se rappelant à la convenance
15 de la situation, elle secoua dans un effort cette torpeur de ses
souvenirs et se mit à balbutier des phrases rapides.

— Ah ! bonjour... Comment ! vous voilà ?

— Silence ! cria une voix du parterre, car le troisième
acte commençait.

20 — Vous êtes donc à Rouen ?

— Oui.

— Et depuis quand ?

— A la porte ! à la porte !

On se tournait vers eux ; ils se turent.

25 Mais, à partir de ce moment, elle n'écouta plus ; et le
chœur des conviés, la scène d'Ashton et de son valet, le
grand duo en *ré* majeur, tout passa pour elle dans l'éloignement, comme si les instruments fussent devenus moins
sonores et les personnages plus reculés ; elle ① se rappelait
30 les parties de cartes chez le pharmacien, et la promenade
chez la nourrice, les lectures sous la tonnelle, les tête-à-tête
au coin du feu, tout ce pauvre amour si calme et si long, si
discret, si tendre, et qu'elle avait oublié cependant. Pourquoi donc revenait-il ? quelle combinaison d'aventures le
35 replaçait dans sa vie ? Il se tenait derrière elle, s'appuyant de
l'épaule contre la cloison ; et, de temps à autre, elle se sentait frissonner sous le souffle tiède de ses narines qui lui descendait dans la chevelure.

— Est-ce que cela vous amuse ? dit-il en se penchant sur
40 elle de si près, que la pointe de sa moustache lui effleura la
joue.

Elle répondit nonchalamment :

— Oh ! mon Dieu, non ! pas beaucoup.

figures. Dans le roman de Flaubert chaque personnage masculin appartient à la classe dominante de la société circonscrite par le village d'Yonville. Il y a le médecin, Charles Bovary ; le pharmacien, Homais ; le curé, Bournisien ; le négociant, Lheureux. Y a-t-il un personnage féminin qui puisse leur être opposé ? Aucun, sinon Emma. Ils dressent les barreaux de la cage à laquelle elle se heurte désespérément, exaspérée par l'ardeur de ses désirs et de ses rêves. Rodolphe, le vicomte rentier et Léon, le clerc de notaire, ses deux amants, sont d'ailleurs. Ils représentent bel et bien l'évasion pour la jeune femme, mais cette perspective deviendra elle-même bien vite illusoire. Six hommes contre une femme dans le roman. Cinq contre une dans l'opéra, qui figurent aussi les degrés de cette échelle sociale inaccessible à une femme : le propriétaire terrien parvenu, Henri Ashton ; sir Arthur, l'époux imposé, neveu d'un ministre ; Raimond, le clergyman ; Gilbert l'estafier d'Henri, enfin Edgard Ravenswood, l'amant qui, lui aussi, échappe au cercle et fait briller l'espoir incertain d'une existence meilleure. Tout comme Emma déteste Charles Bovary, son époux, Lucie va

détester Arthur jusqu'à lui ôter la vie. Les deux maris aiment leur épouse et s'en croient aimés. L'un et l'autre ont en commun une personnalité neutre, un caractère aboulique. Emma et Lucia vont transgresser l'ordre de servitude que le mariage leur a enjoint. Elles useront pour cela de leur exceptionnelle capacité phantasmatique et sensuelle qui confine à l'hystérie. Chez Lucie, cette capacité s'extériorise par une exubérance vocale intermittente. Cette exubérance se manifeste toujours avec une espèce de logique hypertrophiée qui gonfle le sens des mots jusqu'à le distordre sous la prolifération des formules ornementales. On sait quelle émotion exaltante et profonde la voix de Lucie suscite chez Emma : "La voix de la chanteuse ne lui semblait être que le retentissement de sa conscience, et cette illusion qui la charmait quelque chose même de sa vie." C'est alors qu'elle suppose au ténor Lagardy incarnant Edgard "un intarissable amour" et "qu'entraînée vers l'homme par l'illusion du personnage, elle tâcha de se figurer sa vie, cette vie retentissante extraordinaire, splendide (...)" C'est Léon qui, dans quelques instants, à l'entracte, va se substituer inopinément à Edgar Lagardy. Les rêves

d'Emma seront alors sur le point de devenir une réalité. Du même coup la musique n'offrira plus d'intérêt pour elle. "Elle n'écouta plus [...] tout passa pour elle dans l'éloignement, comme si les instruments fussent devenus moins sonores et les personnages plus reculés..." Entre la fiction et la réalité le souvenir ravivé de son amour ancien pour Léon s'interpose. Dès lors comment s'étonner que la scène de la folie de Lucie la laisse indifférente et que le jeu de la chanteuse lui paraisse exagéré puisqu'elle s'apprête à vivre avec Léon sa propre folie ? Victime de la cruelle réalité, Lucie s'est réfugiée dans l'illusion. Victime de l'illusion, Emma s'est jetée dans la réalité qui, de la plus délicieuse deviendra vite la plus amère. Seule la Mort saura peut-être superposer à nouveau les visages de ces deux sœurs romantiques qui nous sourient encore tristement. »

JOEL-MARIE FAUQUET,
1983,
« Emma et Lucia ou l'attirante fantasmagorie des réalités sentimentales », *L'Avant-scène Opéra,* n° 55, pp. 94-95.

Alors il fit la proposition de sortir du théâtre, pour aller prendre des glaces quelque part.

— Ah ! pas encore ! restons ! dit Bovary. Elle a les cheveux dénoués : cela promet d'être tragique.

5 Mais la scène de la folie n'intéressait point Emma, et le jeu de la chanteuse lui parut exagéré.

— Elle crie trop fort, dit-elle en se tournant vers Charles, qui écoutait.

— Oui... peut-être... un peu, répliqua-t-il, indécis entre
10 la franchise de son plaisir et le respect qu'il portait aux opinions de sa femme.

Puis Léon dit en soupirant :

— Il fait une chaleur...

— Insupportable ! c'est vrai. !

15 — Es-tu gênée ? demanda Bovary.

— Oui, j'étouffe ; partons.

M. Léon posa délicatement sur ses épaules son long châle de dentelle, et ils allèrent tous les trois s'asseoir sur le port, en plein air, devant le vitrage d'un café.

20 Il fut d'abord question de sa maladie, bien qu'Emma interrompît Charles de temps à autre, par crainte, disait-elle, d'ennuyer M. Léon ; et celui-ci leur raconta qu'il venait à Rouen passer deux ans dans une forte étude, afin de se rompre aux affaires, qui étaient différentes en Normandie de
25 celles que l'on traitait à Paris. Puis il s'informa de Berthe, de la famille Homais, de la mère Lefrançois ; et, comme ils n'avaient, en présence du mari, rien de plus à se dire, bientôt la conversation s'arrêta.

Des gens qui sortaient du spectacle passèrent sur le trot-
30 toir, tout en fredonnant ou braillant à plein gosier : *Ô bel ange, ma Lucie !* Alors Léon, pour faire le dilettante[1], se mit à parler musique. Il avait vu Tamburini, Rubini, Persiani, Grisi[2] ; et à côté d'eux, Lagardy, malgré ses grands éclats, ne valait rien.

35 — Pourtant, interrompit Charles qui mordait à petits coups son sorbet au rhum, on prétend qu'au dernier acte il est admirable tout à fait ; je regrette d'être parti avant la fin, car ça commençait à m'amuser.

— Au reste, reprit le clerc, il donnera bientôt une autre
40 représentation.

Mais Charles répondit qu'ils s'en allaient dès le lendemain.

— A moins, ajouta-t-il en se tournant vers sa femme, que tu ne veuilles rester seule, mon petit chat ?

1. *Dilettante : amateur de musique, surtout de l'italienne. « Homme riche, abonné à l'Opéra ».* (Dictionnaire des idées reçues.)
2. *Tous ces chanteurs italiens ont interprété les rôles de Lucie de Lammermoor. Ils appartinrent également tous à la troupe des Italiens : la basse Tamburini (1800-1876) dès 1831, le ténor Rubini (1795-1854) en 1832, et les soprani Persiani (Fanny Tacchinardi, épouse du compositeur Persiani, 1818-1867) et Grisi (il y eut deux sœurs : Giuditta, 1805-1840, Giulia, 1812-1861, qui resta plus longtemps au Théâtre-Italien) respectivement en 1837 et 1832.*

① L'objectif, le subjectif et la question du sens

« Quand il dit "Emma" ou "Madame Bovary", nous sommes dans l'objectif ; quand il dit "Elle", il peut ajouter "eut cette pensée" ou "vit une image"... et il peut aborder le côté subjectif. Le "Elle" est donc jeté dans l'univers et est par là objectif, mais cependant, en même temps il se retire vers un soi qui est la subjectivité même. C'est certainement ça, et que Flaubert ait attribué à Madame Bovary beaucoup de ses pensées, de ses sentiments et de ses conduites, ce n'est pas douteux ! Mais ce n'est pas là qu'est le problème. Le problème est : qu'est-ce que représente Madame Bovary comme femme ? et quels étaient les sentiments que lui portait Flaubert ? C'est ça qu'il faut établir, parce qu'il y a derrière Madame Bovary un mystère. De même que Charles est un personnage très mystérieux : il est à la fois un imbécile, un raté et d'un autre côté il est la bonté. C'est curieux cet assemblage : bien sûr qu'on peut être un imbécile et être bon, mais qu'un auteur ait choisi un imbécile pour montrer la bonté — bonté que Flaubert n'avait pas, qu'il pensait avoir mais qu'il n'avait pas (Flaubert n'était pas bon, et Madame Bovary non plus n'est pas bonne), et Flaubert estimait et n'estimait pas la bonté : c'était un curieux mélange — et qu'il l'ait donné totalement à Charles, en en faisant un personnage profondément sympathique, c'est un mystère aussi. De même que le petit gommeux, Rodolphe, le petit propriétaire, c'est originellement un misérable avec un peu d'instruction — mais de bouche à oreille, pas une instruction de lycée — qui par quelques beaux mots et par sa prestance séduisait Madame Bovary ; mais c'est beaucoup plus que ça, il faut le voir, il est plus curieux : il exprime des idées que Flaubert avait sur les femmes. Et Flaubert s'y est mis comment ? comment Flaubert est-il intervenu dans Rodolphe ?

Et, de manière plus générale, qu'est-ce que veut dire ce roman ? Ça a un sens, ce roman. On voit une jeune fille qui devient femme, qui est belle, qui a des amants, qui meurt un peu du contraste avec ce qu'elle rêve de faire et la pauvreté du mari à qui elle fait endosser des dettes terribles, et elle meurt : voilà une vie. Une autre vie, c'est celle du petit Bovary dont nous connaissons depuis la naissance jusqu'à la mort, les moindres détails de la vie : qu'est-ce qu'il représente ? Et il y a une troisième mort — enfin, elle n'est pas morte, mais on sait qu'elle mourra — c'est la fille, la petite qui était gentille quand Emma est morte, qui avait un rapport avec le père à la fin de sa vie qui est touchant et qui quand même ira chez une tante, travailler dans les filatures (ça, ça représente bien sûr la dégradation)... Mais tout ça, qu'est-ce que ça signifie ? Est-ce que ça signifie que seuls triompheront les petits et les mauvais comme par exemple Homais ? ou bien est-ce que ça veut dire autre chose ? Tout ça, ce sont des problèmes qu'on ne se pose en général pas : aujourd'hui, quand on prend Madame Bovary, on pense que c'est un livre pessimiste, et puis c'est tout. Mais ce n'est pas vrai, c'est plus compliqué. C'est un pessimisme certain — les bons meurent — mais ce pessimisme n'est pas insignifiant, et a lui-même un sens. Pourquoi les bons meurent ? et pourquoi les méchants sont ceux qui vivent ? »

JEAN-PAUL SARTRE,
1976,
entretien avec Michel Sicard, intitulé « Sartre parle de Flaubert », *Magazine littéraire*, n° 118.

Et, changeant de manœuvre devant cette occasion inattendue qui s'offrait à son espoir, le jeune homme entama
l'éloge de Lagardy dans le morceau final. C'était quelque
chose de superbe, de sublime ! Alors Charles insista :

5 — Tu reviendras dimanche. Voyons, décide-toi ! tu as
tort, si tu sens le moins du monde que cela te fait du bien.

Cependant les tables, alentour, se dégarnissaient ; un garçon vint discrètement se poster près d'eux ; Charles qui
comprit, tira sa bourse ; le clerc le retint par le bras, et même
10 n'oublia point de laisser, en plus, deux pièces blanches, qu'il
fit sonner contre le marbre.

— Je suis fâché, vraiment, murmura Bovary, de l'argent
que vous...

L'autre eut un geste dédaigneux plein de cordialité, et,
15 prenant son chapeau :

— C'est convenu, n'est-ce pas, demain, à six heures ?

Charles se récria encore une fois qu'il ne pouvait s'absenter plus longtemps ; mais rien n'empêchait Emma...

— C'est que..., balbutia-t-elle avec un singulier sourire,
20 je ne sais pas trop...

— Eh bien ! tu réfléchiras, nous verrons, la nuit porte
conseil...

Puis à Léon, qui les accompagnait :

— Maintenant que vous voilà dans nos contrées, vous
25 viendrez, j'espère, de temps à autre, nous demander à
dîner ?

Le clerc affirma qu'il n'y manquerait pas, ayant d'ailleurs
besoin de se rendre à Yonville pour une affaire de son
étude. Et l'on se sépara devant le passage Saint-Herbland,
30 au moment où onze heures et demie sonnaient à la
cathédrale.

TROISIÈME PARTIE

I

M. Léon, tout en étudiant son droit, avait passablement
fréquenté la *Chaumière*, où il obtint même de fort jolis succès près des grisettes, qui lui trouvaient *l'air distingué*. C'était
le plus convenable des étudiants : il ne portait les cheveux ni
trop longs ni trop courts, ne mangeait pas le 1er du mois 5
l'argent de son trimestre, et se maintenait en de bons termes
avec ses professeurs. Quant à faire des excès, il s'en était
toujours abstenu, autant par pusillanimité que par
délicatesse.

Souvent, lorsqu'il restait à lire dans sa chambre, ou bien 10
assis le soir sous les tilleuls de Luxembourg, il laissait tomber
son Code par terre, et le souvenir d'Emma lui revenait. Mais
peu à peu ce sentiment s'affaiblit, et d'autres convoitises
s'accumulèrent par-dessus, bien qu'il persistât cependant à
travers elles ; car Léon ne perdait pas toute espérance, et il y 15
avait pour lui comme une promesse incertaine qui se balançait dans l'avenir, tel qu'un fruit d'or suspendu à quelque
feuillage fantastique.

Puis, en la revoyant après trois années d'absence, sa passion se réveilla. Il fallait, pensait-il, se résoudre enfin à la 20
vouloir posséder. D'ailleurs, sa timidité s'était usée au contact des compagnies folâtres, et il revenait en province,
méprisant tout ce qui ne foulait pas d'un pied verni l'asphalte
du boulevard. Auprès d'une Parisienne en dentelles, dans le
salon de quelque docteur illustre, personnage à décorations 25
et à voiture, le pauvre clerc, sans doute, eût tremblé comme

un enfant ; mais ici, à Rouen, sur le port, devant la femme
de ce petit médecin, il se sentait à l'aise, sûr d'avance qu'il
éblouirait. L'aplomb dépend des milieux où il se pose : on
ne parle pas à l'entresol comme au quatrième étage, et la
5 femme riche semble avoir autour d'elle, pour garder sa
vertu, tous ses billets de banque, comme une cuirasse, dans
la doublure de son corset.

En quittant, la veille au soir, M. et madame Bovary,
Léon, de loin, les avait suivis dans la rue ; puis les ayant vus
10 s'arrêter à la *Croix rouge*, il avait tourné les talons et passé
toute la nuit à méditer un plan.

Le lendemain donc, vers cinq heures, il entra dans la cuisine de l'auberge, la gorge serrée, les joues pâles, et avec
cette résolution des poltrons que rien n'arrête.

15 — Monsieur n'y est point, répondit un domestique.

Cela lui parut de bon augure. Il monta.

Elle ne fut pas troublée à son abord ; elle lui fit, au contraire, des excuses pour avoir oublié de lui dire où ils étaient
descendus.

20 — Oh ! je l'ai deviné, reprit Léon.

— Comment ?

Il prétendit avoir été guidé vers elle, au hasard, par un instinct. Elle se mit à sourire, et aussitôt, pour réparer sa sottise,
Léon raconta qu'il avait passé sa matinée à la chercher suc-
25 cessivement dans tous les hôtels de la ville.

— Vous vous êtes donc décidée à rester ? ajouta-t-il.

— Oui, dit-elle, et j'ai eu tort. Il ne faut pas s'accoutumer
à des plaisirs impraticables, quand on a autour de soi mille
exigences...

30 — Oh ! je m'imagine...

— Eh ! non, car vous n'êtes pas une femme, vous.

Mais les hommes avaient aussi leurs chagrins, et la conversation s'engagea par quelques réflexions philosophiques.
Emma s'étendit beaucoup sur la misère des affections terres-
35 tres et l'éternel isolement où le cœur reste enseveli. ⟨1⟩

Pour se faire valoir, ou par une imitation naïve de cette
mélancolie qui provoquait la sienne, le jeune homme
déclara s'être ennuyé prodigieusement tout le temps de ses
études. La procédure l'irritait, d'autres vocations l'attiraient,
40 et sa mère ne cessait, dans chaque lettre, de le tourmenter.
Car ils précisaient de plus en plus les motifs de leur douleur,
chacun, à mesure qu'il parlait, s'exaltant un peu dans cette
confidence progressive. Mais ils s'arrêtaient quelquefois

L'ironie flaubertienne

Un tel sujet ne saurait être traité, fût-ce schématiquement, dans le cadre de cet ouvrage. On peut considérer en effet que tout le roman est ironique, globalement et en chacune de ses composantes. Le projet, l'agencement, les personnages, l'intrigue, l'écriture, tout est ironisé. Il s'agit d'une entreprise de destruction généralisée.

Dès lors, les définitions classiques de l'ironie se révèlent insuffisantes pour rendre compte d'une telle systématisation. On considère généralement qu'elle consiste à décrire en termes valorisants une réalité qu'il s'agit de dévaloriser et qu'elle est faite pour être perçue, mais sur un mode toujours ambigu, de telle manière que le récepteur ne sache pas avec certitude s'il décode correctement le discours.

On étend la notion en désignant une réalité extralinguistique (quand on parle de l'ironie de l'Histoire, ou de celle d'une situation, par exemple) perçue comme contraste par un observateur qui désigne une contradiction entre des faits contigus.

On peut alors distinguer l'ironie verbale, conçue comme contradiction entre deux niveaux sémantiques, et l'iro-

nie non verbale, contradiction entre deux faits rapprochés. Elles fonctionnent à plein dans Madame Bovary, avec ou sans intervention directe du narrateur. La situation d'Emma, ses aventures, la contradiction entre le rêve et la réalité, entre les discours d'Homais et leur objet, tout relève de l'ironie.

Parmi les critères les plus souvent retenus pour pointer l'ironie figurent ses indices : intonation, guillemets, point d'exclamation, points de suspension, contexte linguistique ou extralinguistique, modalisateurs intensifs et, plus généralement l'hyperbole...

Ainsi le décodage de l'ironie s'avère un processus complexe qui met en jeu de multiples compétences, linguistiques et idéologiques. Dans le cas de Flaubert, il convient de rapporter la fiction aux autres écrits, et en particulier la correspondance, de garder présente à l'esprit la dérision qui informe constamment sa vision du monde, etc., etc. De plus, l'on ne sait pas très bien s'il faut procéder pour son œuvre comme beaucoup le font, autrement dit étendre la notion d'ironie au pastiche, à la parodie, au calembour, etc., soit une gamme de procédés. De fait, il les utilise largement. Comment ne pas remarquer le

registre parodico-héroïque dans les scènes de l'arrivée du nouveau, de la noce et des Comices (Homais étant à la fois Prudhomme et Homère dans ce dernier exemple) ? Comment ne pas interroger le sens de la mort d'Emma, grand moment tragique et/ou rupture passagère démentie par la fin (voir le commentaire p. 714) ? Au terme du roman, le lecteur ne peut savoir dans quelle mesure « on se fout de lui », comme l'écrivait Flaubert.

Nous conclurons avec ces lignes :

« Sur quoi porte l'ironie ? Évidemment, en premier lieu, elle s'attaque aux personnages du roman, ou, plus exactement, à ce que représentent les personnages du roman. Et, dans ce domaine, il s'agit bien d'une table rase, la première en date (ce ne sera pas la dernière...). Car enfin, l'ironie agresse avec autant de mordant le sentimentalisme d'Emma ou de Léon que le rationalisme d'Homais ou le "positivisme" de Rodolphe. Elle déchire avec autant de rigueur les petits-bourgeois que les paysans. Elle étrille avec autant d'acharnement le pharmacien que le curé et les renvoie, dos à dos, croupir dans la même "bêtise". C'est

devant l'exposition complète de leur idée, et cherchaient alors à imaginer une phrase qui pût la traduire cependant. Elle ne confessa point sa passion pour un autre ; il ne dit pas qu'il l'avait oubliée.

5 Peut-être ne se rappelait-il plus ses soupers après le bal, avec des débardeuses[1] ; et elle ne se souvenait pas sans doute des rendez-vous d'autrefois, quand elle courait le matin dans les herbes, vers le château de son amant. Les bruits de la ville arrivaient à peine jusqu'à eux ; et la cham-
10 bre semblait petite, tout exprès pour resserrer davantage leur solitude. Emma, vêtue d'un peignoir en basin, appuyait son chignon contre le dossier du vieux fauteuil ; le papier jaune de la muraille faisait comme un fond d'or derrière elle ; et sa tête nue se répétait dans la glace avec la raie blanche au
15 milieu,· et le bout de ses oreilles dépassant sous ses bandeaux.

— Mais pardon, dit-elle, j'ai tort ! je vous ennuie avec mes éternelles plaintes !

— Non, jamais ! jamais !

20 — Si vous saviez, reprit-elle, en levant au plafond ses beaux yeux qui roulaient une larme, tout ce que j'avais rêvé !

— Et moi, donc ! Oh ! j'ai bien souffert ! Souvent je sortais, je m'en allais, je me traînais le long des quais, m'étour-
25 dissant au bruit de la foule sans pouvoir bannir l'obsession qui me poursuivait. Il y a sur le boulevard, chez un marchand d'estampes, une gravure italienne qui représente une Muse. Elle est drapée d'une tunique et elle regarde la lune, avec des myosotis sur sa chevelure dénouée. Quelque
30 chose incessamment me poussait là ; j'y suis resté des heures entières.

Puis, d'une voix tremblante :

— Elle vous ressemblait un peu.

Madame Bovary détourna la tête, pour qu'il ne vît pas sur
35 ses lèvres l'irrésistible sourire qu'elle y sentait monter.

— Souvent, reprit-il, je vous écrivais des lettres qu'ensuite je déchirais.

Elle ne répondait pas. Il continua :

— Je m'imaginais quelquefois qu'un hasard vous amène-
40 rait. J'ai cru vous reconnaître au coin des rues ; et je courais après tous les fiacres où flottait à la portière un châle, un voile pareil au vôtre...

Elle semblait déterminée à le laisser parler sans l'interrompre. Croisant les bras et baissant la figure, elle considérait la

1. *Débardeuse : à l'origine, les débardeurs étaient des ouvriers qui désunissaient les troncs d'arbre liés ensemble pour constituer les « trains de bois ». Leur costume inspira un type de carnaval, qui fut à la mode après 1830 : large pantalon de velours laissant paraître la cheville, bourgeron rentré sous une ceinture rouge flottante, bonnet de police incliné sur l'oreille, costume « unisexe » qui convenait aux danses excentriques.*

un nettoyage intégral, auquel le triomphe final d'Homais met un comble.

Mais l'ironie franchit un pas de plus. Le pas décisif. Elle corrode, d'un bout à l'autre du récit, l'écriture "réaliste". Par un magistral coup de génie, Flaubert a répondu à l'invite qu'on lui a faite de brider son "lyrisme" naturel, de mettre un frein à son imagination "extravagante". "Vous voulez du récit réaliste ? Eh bien ! en voici. Voyez comme c'est simple : l'histoire d'un fait divers, il suffit de *raconter*. Je vais donc raconter. Mais je vais m'y prendre de telle sorte que vous allez, dès le début, vous

trouver piégés, vous, Bouilhet et Du Camp qui n'avez rien compris à mon grand poème, mais vous surtout, lecteurs amateurs ou professionnels, qui allez pouvoir, au cours des années et des décennies à venir, recueillir à même mon texte de magnifiques gerbes de contresens ! Que de « bêtises » va-t-on proférer sur le « réalisme » ! On va même, je le pressens, me proclamer « chef d'école »... Et par-dessus le marché, me traîner devant les tribunaux pour « atteinte à la morale publique et à la religion ». Décidément oui, « *Ô grotesque ! tu es donc comme le soleil, dominant le*

monde de ta splendeur ! » (*Voyage en Orient.*")

On perçoit donc toute la complexité essentielle d'une œuvre pourtant considérée comme "populaire" ou "facilement accessible", à cause de son apparente simplicité. Simplicité ô combien apparente ! *Madame Bovary* est un roman bourré d'arrière-pensées. »

JACQUES-LOUIS DOUCHIN, 1984, *Le Bourreau de soi-même, essai sur l'itinéraire intellectuel de Gustave Flaubert,* Archives des Lettres modernes, n° 213, Minard, pp. 58-59.

rosette de ses pantoufles, et elle faisait dans leur satin de petits mouvements, par intervalles, avec les doigts de son pied.

Cependant, elle soupira :

5 — Ce qu'il y a de plus lamentable, n'est-ce pas ? c'est de traîner, comme moi, une existence inutile. Si nos douleurs pouvaient servir à quelqu'un, on se consolerait dans la pensée du sacrifice !

Il se mit à vanter la vertu, le devoir et les immolations 10 silencieuses, ayant lui-même un incroyable besoin de dévouement qu'il ne pouvait assouvir.

— J'aimerais beaucoup, dit-elle, à être une religieuse d'hôpital.

— Hélas ! répliqua-t-il, les hommes n'ont point de ces 15 missions saintes, et je ne vois nulle part aucun métier..., à moins peut-être que celui de médecin...

Avec un haussement léger de ses épaules ⟨1⟩, Emma l'interrompit pour se plaindre de sa maladie où elle avait manqué mourir ; quel dommage ! elle ne souffrirait plus 20 maintenant. Léon tout de suite envia *le calme du tombeau*, et même, un soir, il avait écrit son testament en recommandant qu'on l'ensevelît dans ce beau couvre-pied, à bandes de velours, qu'il tenait d'elle ; car c'est ainsi qu'ils auraient voulu avoir été, l'un et l'autre se faisant un idéal sur lequel ils 25 ajustaient à présent leur vie passée. D'ailleurs, la parole est un laminoir qui allonge toujours les sentiments.

Mais à cette invention du couvre-pied :

— Pourquoi donc ? demanda-t-elle.

— Pourquoi ?

30 Il hésitait.

— Parce que je vous ai bien aimée !

Et, s'applaudissant d'avoir franchi la difficulté, Léon, du coin de l'œil, épia sa physionomie.

Ce fut comme le ciel, quand un coup de vent chasse les 35 nuages. L'amas des pensées tristes qui les assombrissaient parut se retirer de ses yeux bleus ; tout son visage rayonna.

Il attendait. Enfin elle répondit :

— Je m'en étais toujours doutée...

40 Alors, ils se racontèrent les petits événements de cette existence lointaine, dont ils venaient de résumer, par un seul mot, les plaisirs et les mélancolies. Il se rappelait le berceau de clématite, les robes qu'elle avait portées, les meubles de sa chambre, toute sa maison.

Désir de savoir et désir romanesque

Après avoir relevé les mentions du savoir scientifique et notamment médical dans le roman, Claude Mouchard interroge les diverses figures du désir de savoir :

« Y a-t-il une relation entre cette série de l'appropriation du savoir et la série des étapes de la quête d'Emma ? Quel rapport entre les figurations respectives de ces deux types de désir ?

Il semble exister plusieurs points d'intersection :

— au plus haut, au plus irréel, l'image la plus brillante, la plus stéréotypée et la plus vide, celle de Paris, fascine également les deux désirs.

— des deux côtés, les livres sont des modèles contraignants, qui incitent à une répétition appauvrie ou parodique (...)

En un timide espoir de synthèse, le désir romanesque d'Emma cherche du côté de Charles un relais, un moyen — ou un pis-aller — en essayant de relancer ou de susciter chez lui le désir de savoir et l'ambition médicale.

Mais cet espoir sera, bien sûr, cruellement démenti, et, par exemple, un court échange de stéréotypes entre Léon et Emma ramasse à la fois le rêve d'une union entre le romanesque et le scientifique (ou, si l'on veut, d'une appropriation romanesque du savoir et des pouvoirs qu'il donne), et son lourd achoppement (cf. p. 000).

C'est qu'en réalité, contrairement à l'exaltation croissante du désir érotico-romanesque, le désir de savoir est perpétuellement livré à l'affaissement, à la dénégation, à l'exclusion :

— Charles est dépourvu de désir propre : il n'est qu'un moyen pour le désir de sa mère ou de sa femme.

— Canivet n'est que refus à l'égard des progrès du savoir médical.

— Larivière est hors concours, exclu par excès de cette confrontation des ambitions. Il n'appartient que de façon paradoxale, et presque énigmatique, à l'espace du roman. Son apparition aurait plutôt pour résultat de souligner durement la nécessaire absence du véritable savoir dans le roman, et l'incompatibilité entre le travail effectif de la science et Yonville.

De ce point de vue, Homais serait le cas le plus ambigu et le plus généreusement exploité. Il semble se caractériser par son habileté à ruser avec le désir de savoir, à le détourner vers des issues latérales, par son acharnement à utiliser le savoir, ou l'image du savoir, au profit de ses relations yonvilloises.

A la mort d'Emma s'oppose la réussite de Homais.

D'un côté, le désir sans cesse plus dévorant, où Emma elle-même finira par s'engloutir.

De l'autre, un désir négocié, renonçant à empiéter sur les instances supérieures du savoir, s'épanouissant latéralement — perpendiculairement à l'ascension dans le savoir —, se servant pourtant des instances supérieures pour apparaître localement comme leur reflet autorisé. (...)

Homais est celui qui subsiste au-delà de l'extinction de tout désir. Géniteur satisfait plus qu'homme de désir (il ne saurait avoir d'attrait érotique que lourdement parodique), il est du côté de la perpétuation, de la durée répétitive, du côté du "réel", tel que le roman tend finalement à le figurer. »

CLAUDE MOUCHARD,
1973,
« Le problème de la science dans *Madame Bovary* » in *Journée de travail sur Madame Bovary*, 3 février 1973, Société des études romantiques (ronéotypée).

— Et nos pauvres cactus, où sont-ils ?

— Le froid les a tués cet hiver.

— Ah ! que j'ai pensé à eux, savez-vous ? Souvent je les
revoyais comme autrefois, quand, par les matins d'été, le
5 soleil frappait sur les jalousies… et j'apercevais vos deux bras
nus qui passaient entre les fleurs.

— Pauvre ami ! fit-elle en lui tendant la main.

Léon, bien vite, y colla ses lèvres. Puis, quand il eut largement respiré :

10 — Vous étiez, dans ce temps-là, pour moi, je ne sais
quelle force incompréhensible qui captivait ma vie. Une fois,
par exemple, je suis venu chez vous ; mais vous ne vous en
souvenez pas, sans doute ?

— Si, dit-elle. Continuez.

15 — Vous étiez en bas, dans l'antichambre, prête à sortir,
sur la dernière marche ; — vous aviez même un chapeau à
petites fleurs bleues ; et, sans nulle invitation de votre part,
malgré moi, je vous ai accompagnée. A chaque minute,
cependant, j'avais de plus en plus conscience de ma sottise,
20 et je continuais à marcher près de vous, n'osant vous suivre
tout à fait, et ne voulant pas vous quitter. Quand vous
entriez dans une boutique, je restais dans la rue, je vous
regardais par le carreau défaire vos gants et compter la monnaie sur le comptoir. Ensuite vous avez sonné chez madame
25 Tuvache, on vous a ouvert, et je suis resté comme un idiot
devant la grande porte lourde, qui était retombée sur vous.

Madame Bovary, en l'écoutant, s'étonnait d'être si vieille ;
toutes ces choses qui réapparaissaient lui semblaient élargir
son existence ; cela faisait comme des immensités sentimen-
30 tales où elle se reportait ; et leur disait de temps à autre, à
voix basse et les paupières à demi fermées :

— Oui, c'est vrai !… c'est vrai !… c'est vrai… ⟨1⟩

Ils entendirent huit heures sonner aux différentes horloges
du quartier Beauvoisine, qui est plein de pensionnats, d'égli-
35 ses et de grands hôtels abandonnés. Ils ne se parlaient plus ;
mais ils sentaient, en se regardant, un bruissement dans
leurs têtes, comme si quelque chose de sonore se fût réciproquement échappé de leurs prunelles fixes. Ils venaient de
se joindre les mains ; et le passé, l'avenir, les réminiscences
40 et les rêves, tout se trouvait confondu dans la douceur de
cette extase ⟨1⟩. La nuit s'épaississait sur les murs, où brillaient encore, à demi perdues dans l'ombre, les grosses couleurs de quatre estampes représentant quatre scènes de *la*

Les quatre temps de Madame Bovary

l'emploi de l'imparfait s'impose. C'est le plan de la réflexion, des états d'âme, de l'ennui, du social.

*3) **Le temps immobile ou l'éternité plastique :** quand l'action disparaît au profit de la pure extériorité. Le temps est le présent et l'on donnera comme exemple la description de Yonville. Ailleurs il s'agira de tableaux où les personnages sont figés, statiques, l'imparfait équivalant à un présent (par exemple p. 311). C'est le plan de la description, des choses, de la vie muette et statuaire et de la « philosophie » du narrateur qui expose les motifs fatidiques.*

*4) **Le temps imaginaire :** celui des rêves, du travail de l'imagination, des fantasmes, des désirs insatisfaits, temps de la chimère, temps des personnages, car Emma n'est pas la seule à le peupler de créations irréelles. Homais, Léon, eux aussi fabriquent des mythes. Tous les temps grammaticaux conviennent, car le temps verbal est fonction de celui dans lequel est raconté le personnage qui produit ces constructions imaginaires.*

On ne peut que suivre ici les développements de Mario Vargas-Llosa (op. cit., pp. 164-179) que nous résumons. Le temps adopte un cours hétérogène, et l'on peut distinguer quatre plans temporels qui établissent entre les données de l'histoire une division de substance.

*1) **Un temps singulier et spécifique :** celui des faits, comme l'arrivée du nouveau, marqué le plus souvent par l'emploi du passé simple. Il s'agit des événements, des occupations humaines ou des sensations mises en valeur pour leur caractère exceptionnel et/ou instantané.*

*2) **Le temps circulaire ou la répétition :** celui des scènes qui mettent en évidence des activités de série ; des habitudes, comme par exemple les journées ordinaires de Charles à Tostes (p. 112). Nous sommes alors dans l'itératif, où*

Tour de Nesle[1], avec une légende au bas, en espagnol et en français. Par la fenêtre à guillotine, on voyait un coin de ciel noir, entre des toits pointus.

Elle se leva pour allumer deux bougies sur la commode,
5 puis elle vint se rasseoir.

— Eh bien… fit Léon.

— Eh bien ? répondit-elle.

Et il cherchait comment renouer le dialogue interrompu, quand elle lui dit :

10 — D'où vient que personne, jusqu'à présent, ne m'a jamais exprimé des sentiments pareils ?

Le clerc se récria que les natures idéales étaient difficiles à comprendre. Lui, du premier coup d'œil, il l'avait aimée ; et il se désespérait en pensant au bonheur qu'ils auraient eu si,
15 par une grâce du hasard, se rencontrant plus tôt, ils se fussent attachés l'un à l'autre d'une manière indissoluble.

— J'y ai songé quelquefois, reprit-elle.

— Quel rêve ! murmura Léon.

Et, maniant délicatement le liseré bleu de sa longue cein-
20 ture blanche, il ajouta :

— Qui nous empêche donc de recommencer ?

— Non mon ami, répondit-elle. Je suis trop vieille… vous êtes trop jeune…, oubliez-moi ! D'autres vous aimeront.., vous les aimerez.

25 — Pas comme vous ! s'écria-t-il.

— Enfant que vous êtes ! Allons, soyons sage ! je le veux !

Elle lui représenta les impossibilités de leur amour, et qu'ils devaient se tenir, comme autrefois, dans les simples
30 termes d'une amitié fraternelle.

Était-ce sérieusement qu'elle parlait ainsi ? Sans doute qu'Emma n'en savait rien elle-même, tout occupée par le charme de la séduction et la nécessité de s'en défendre ; et, contemplant le jeune homme d'un regard attendri, elle
35 repoussait doucement les timides caresses que ses mains frémissantes essayaient. ⟨1⟩

— Ah ! pardon, dit-il en se reculant.

Et Emma fut prise d'un vague effroi, devant cette timidité, plus dangereuse pour elle que la hardiesse de Rodolphe
40 quand il s'avançait les bras ouverts. Jamais aucun homme ne lui avait paru si beau. Une exquise candeur s'échappait de son maintien. Il baissait ses longs cils fins qui se recourbaient. Sa joue à l'épiderme suave rougissait — pensait-elle

1. *Drame d'Alexandre Dumas (1802-1870) créé en 1832 et qui connut une immense popularité.*

① L'ardeur de Léon : une variante

« Il était parvenu maintenant à cette exaltation où il s'était tout d'abord efforcé d'atteindre. S'enflammant d'imaginations charnelles, il humait, à pleine poitrine, le parfum de sa peau, qui dans la chaleur du soir, sentait les violettes fraîches. Languissante comme en un malaise nerveux, tantôt Emma s'appuyait sur le coude, puis elle se tournait obliquement dans le fauteuil trop large, faisant ainsi par ses inflexions de taille, saillir un peu la rondeur de sa hanche. Il s'était pris pour elle d'une ardeur immodérée, absolue, entière, aspiration de toute son âme, appétit de tout son corps. Il aurait voulu l'accaparer depuis le costume jusqu'au cœur, depuis le talon jusqu'aux cheveux. Et dans l'élancement de son désir, il s'entraînait vers elle par tous ses sens, écoutait avec délices sa voix, se repaissait de sa beauté et il ne pouvait s'empêcher de tenir la ceinture si bien qu'elle lui demanda brusquement ce qu'il en prétendait faire. »

POMMIER-LELEU,
p. 487.

— du désir de sa personne, et Emma sentait une invincible envie d'y porter ses lèvres. Alors se penchant vers la pendule comme pour regarder l'heure :

— Qu'il est tard, mon Dieu ! dit-elle ; que nous
5 bavardons !

Il comprit l'allusion et chercha son chapeau.

— J'en ai même oublié le spectacle ! Ce pauvre Bovary qui m'avait laissée tout exprès ! M. Lormeaux, de la rue Grand-Pont, devait m'y conduire avec sa femme.
10 Et l'occasion était perdue, car elle partait dès le lendemain.

— Vrai ? dit Léon.

— Oui.

— Il faut pourtant que je vous voie encore, reprit-il ;
15 j'avais à vous dire...

— Quoi ?

— Une chose... grave, sérieuse. Eh ! non, d'ailleurs, vous ne partirez pas, c'est impossible ! Si vous saviez... Écoutez-moi... Vous ne m'avez donc pas compris ? Vous
20 n'avez donc pas deviné ?...

— Cependant vous parlez bien, dit Emma.

— Ah ! des plaisanteries ! Assez, assez ! Faites, par pitié, que je vous revoie..., une fois..., une seule.

— Eh bien !...
25 Elle s'arrêta ; puis, comme se ravisant :

— Oh ! pas ici !

— Où vous voudrez.

— Voulez-vous...

Elle parut réfléchir, et, d'un ton bref :
30 — Demain, à onze heures, dans la cathédrale.

— J'y serai ! s'écria-t-il en saisissant ses mains, qu'elle dégagea.

Et, comme ils se trouvaient debout tous les deux, lui placé derrière elle et Emma baissant la tête, il se pencha vers son
35 cou et la baisa longuement à la nuque.

— Mais vous êtes fou ! ah ! vous êtes fou ! disait-elle avec de petits rires sonores, tandis que les baisers se multipliaient.

Alors, avançant la tête par-dessus son épaule, il sembla chercher le consentement de ses yeux. Ils tombèrent sur lui,
40 pleins d'une majesté glaciale.

Léon fit trois pas en arrière, pour sortir. Il resta sur le seuil. Puis il chuchota d'une voix tremblante :

— A demain.

Elle répondit par un signe de tête, et disparut comme un oiseau dans la pièce à côté.

Emma, le soir, écrivit au clerc une interminable lettre où elle se dégageait du rendez-vous : tout maintenant était fini,
5 et ils ne devaient plus, pour leur bonheur, se rencontrer. Mais, quand la lettre fut close, comme elle ne savait pas l'adresse de Léon, elle se trouva fort embarrassée.

— Je la lui donnerai moi-même, se dit-elle ; il viendra.

Léon, le lendemain, fenêtre ouverte et chantonnant sur
10 son balcon, vernit lui-même ses escarpins, et à plusieurs couches. Il passa un pantalon blanc, des chaussettes fines, un habit vert, répandit dans son mouchoir tout ce qu'il possédait de senteurs, puis, s'étant fait friser, se défrisa, pour donner à sa chevelure plus d'élégance naturelle.

15 — Il est encore trop tôt ! pensa-t-il en regardant le coucou du perruquier, qui marquait neuf heures.

Il lut un vieux journal de modes, sortit, fuma un cigare, remonta trois rues, songea qu'il était temps et se dirigea lentement vers le parvis Notre-Dame.
20 C'était par un beau matin d'été. Des argenteries reluisaient aux boutiques des orfèvres, et la lumière qui arrivait obliquement sur la cathédrale posait des miroitements à la cassure des pierres grises ; une compagnie d'oiseaux tourbillonnaient dans le ciel bleu, autour des clochetons à trèfles ;
25 la place, retentissante de cris, sentait des fleurs qui bordaient son pavé, roses, jasmins, œillets, narcisses et tubéreuses, espacés inégalement par des verdures humides, de l'herbe-au-chat et du mouron pour les oiseaux ; la fontaine, au milieu, gargouillait, et sous de larges parapluies, parmi des
30 cantaloups s'étageant en pyramides, des marchandes, nu-tête, tournaient dans du papier des bouquets de violettes. ⟨1⟩

Le jeune homme en prit un. C'était la première fois qu'il achetait des fleurs pour une femme ; et sa poitrine, en les respirant, se gonfla d'orgueil, comme si cet hommage qu'il
35 destinait à une autre se fût retourné vers lui.

Cependant il avait peur d'être aperçu ; il entra résolument dans l'église.

Le Suisse, alors, se tenait sur le seuil, au milieu du portail à gauche, au-dessous de la *Marianne dansant*[1], plumet en
40 tête, rapière au mollet, canne au poing, plus majestueux qu'un cardinal et reluisant comme un saint ciboire.

Il s'avança vers Léon, et, avec ce sourire de bénignité

1. *Il s'agit en fait d'une représentation de Salomé, dont Flaubert s'inspirera dans Hérodias (1877). La description « touristique » de la cathédrale de Rouen est presque parfaitement fidèle, seuls les bénitiers détonnent, car ils se trouvent dans une autre église rouennaise, Saint-Ouen.*

L'écriture de la description

Moins peut-être que chez tout autre romancier du XIXᵉ siècle, la description ne peut, chez Flaubert, accéder à on ne sait quel statut autonome dans le récit. Elle dépend d'une idée, ou d'un sentiment, qui informe les événements, les gestes, les objets et leur confère valeur et signification. L'objet décrit, en retour, devient allusion à l'idée, comme le dit Claudine Gothot-Mersch. Objets décrits et émotion d'Emma sont inséparables, ils témoignent de cette émotion même. La description devient alors une analyse, et l'analyse, à son tour, se substitue au récit, réalisant le projet flaubertien d'une véritable analyse narrative. La description n'est plus alors que le moyen narratif. Flaubert systématiserait ainsi les remarques formulées par les théoriciens modernes de la description :

« La description pourrait se concevoir indépendamment de la narration, mais en fait on ne la trouve pour ainsi dire jamais à l'état libre ; la narration, elle, ne peut exister sans description, mais cette dépendance ne l'empêche pas de jouer constamment le premier rôle. (...) L'étude des rapports entre le narratif et le descriptif se ramène donc, pour l'essentiel, à considérer les *fonctions diégétiques* de la description, c'est-à-dire le rôle joué par les passages ou les aspects descriptifs dans l'économie générale du récit. »

GÉRARD GENETTE,
1966, « Frontières du récit » in *Communications*, n° 8, repris dans *Figures II*, Éd. du Seuil, 1969, pp. 57-58.

« Nous avons (...) défini la description comme une unité qui entraînait la prolifération de thèmes vraisemblabilisants (le regard, l'air transparent, la parole explicative, la fenêtre ouverte, etc.) formant ce que nous avons appelé une thématique *vide*. Nous avons vu ensuite que la description est le lieu où le récit marque une pause tout en s'organisant (présage de la suite, redondance des contenus, redoublement métonymique de la psychologie ou du destin des personnages) : on voit donc que la caractéristique fondamentale du discours réaliste est de nier, de rendre impossible le récit, tout récit. Car plus il se sature de descriptions, plus également il est contraint de multiplier thématique vide et redondances, plus aussi il s'organise et se répète, donc se referme sur soi : de référentiel, il devient purement anaphorique ; au lieu de citer le réel ("choses", "événements") il se cite lui-même perpétuellement. Tout le problème de l'auteur réaliste sera donc de faire de cette thématique *vide* une thématique *pleine*, de faire en sorte que cette prolifération adjacente de regards, de milieux transparents, etc., soit amenée à jouer un *rôle* dans le récit, ne soit plus un simple remplissage, et de faire en sorte que la redondance anaphorique des contenus devienne dialectique de contenus. Cela n'est pas toujours facile. »

PHILIPPE HAMON, 1972, « Qu'est-ce qu'une description ? », *Poétique,* n° 12, p. 485.

La description flaubertienne présente donc les caractères suivants :

« (...) Une description, dans un roman de Flaubert, n'est jamais close sur elle-même mais elle est toujours "en situation". Elle ne provoque pas, comme chez Balzac, une suspension du récit, elle est elle-même récit. Ceci provient de ce que la description correspond toujours à un regard, celui d'un des personnages et jamais à la vision extérieure et objective d'un romancier démiurgique. Le mouvement même de la description suit dans le détail le mouvement du regard qui est en train de la vivre. C'est ce que le cinéma appellera la "caméra subjective" (...). Contrairement à la peinture en effet, où chaque élément se situe dans l'espace (...) les éléments de la description romanesque s'inscrivent dans la durée, ils arrivent nécessairement dans un certain ordre, non seulement fondé sur des nécessités stylistiques, sur le souci d'équilibrer la phrase ou de mettre en valeur telle ou telle indication en la rapprochant d'une autre, mais aussi justifié par l'ordre de perception dans la conscience du personnage, sans d'ailleurs que cette perspective subjective soit jamais explicitement indiquée par Flaubert. Il en advient d'une part un certain choix des éléments de la description qui correspond à la sélection inconsciente du personnage en fonction du moment dans lequel il est engagé, et d'autre part un morcellement de la description qui se fractionne quelquefois en plusieurs étapes et se présente rarement sous forme de rapport exhaustif comme on en rencontre chez Balzac. L'alternance de l'élément sensoriel et de l'action ou de la réflexion suit ce qui se passe dans la conscience même du personnage où tour à tour l'un et l'autre prédominent. Il y a une sorte de contrepoint constant entre description et action et une influence réciproque de l'une sur l'autre.

On pourrait par conséquent considérer les descriptions longues et détaillées non pas comme des peintures mais plutôt comme des "bouffées de sensations" qui saisissent un personnage lorsqu'il est dans un certain état de tension affective. Lorsqu'au paroxysme de l'émotion il se sent l'âme gonflée par des sentiments de tendresse, d'amitié ou d'amour, il se répand alors soudain sur le paysage qui l'entoure par cette "plénitude expansive" dont parle Rousseau dans les *Confessions* qui "étend pour ainsi dire notre être par toutes nos sensations, et embellit à nos yeux la nature entière du charme de notre existence". Ces moments d'épanouissement viennent, de loin en loin, relâcher l'angoisse et l'ennui qui étreignent l'esprit et l'afflux de sensations ne forme pas alors véritablement un tableau mais un accord qui se prolonge un instant en point d'orgue. Par contre, à d'autres moments, cet afflux de sensations correspond à un mouvement inverse : le soir généralement, après la chaleur et l'agitation de la journée, le personnage prend du recul vis-à-vis des choses et de lui-même et la contemplation du monde qui s'apaise lui permet de faire le point sur sa propre vie. »

PIERRE DANGER, 1973, *Sensations et objets dans le roman de Flaubert,* A. Colin, pp. 110-111.

pateline que prennent les ecclésiastiques lorsqu'ils interrogent les enfants :

— Monsieur, sans doute, n'est pas d'ici ? Monsieur désire voir les curiosités de l'église ?

5 — Non, dit l'autre.

Et il fit d'abord le tour des bas-côtés. Puis il vint regarder sur la place. Emma n'arrivait pas. Il remonta jusqu'au chœur.

La nef se mirait dans les bénitiers pleins, avec le commen-
10 cement des ogives et quelques portions de vitrail. Mais le reflet des peintures, se brisant au bord du marbre, continuait plus loin, sur les dalles, comme un tapis bariolé. Le grand jour du dehors s'allongeait dans l'église en trois rayons énormes, par les trois portails ouverts. De temps à autre, au
15 fond, un sacristain passait en faisant devant l'autel l'oblique génuflexion des dévots pressés. Les lustres de cristal pendaient immobiles. Dans le chœur, une lampe d'argent brûlait ; et, des chapelles latérales, des parties sombres de l'église, il s'échappait quelquefois comme des exhalaisons de
20 soupirs, avec le son d'une grille qui retombait, en répercutant son écho sous les hautes voûtes.

Léon, à pas sérieux, marchait auprès des murs ⟨1⟩. Jamais la vie ne lui avait paru si bonne. Elle allait venir tout à l'heure, charmante, agitée, épiant derrière elle les regards
25 qui la suivaient, — et avec sa robe à volants, son lorgnon d'or, ses bottines minces, dans toute sorte d'élégances dont il n'avait pas goûté, et dans l'ineffable séduction de la vertu qui succombe. L'église, comme un boudoir gigantesque, se disposait autour d'elle ; les voûtes s'inclinaient pour recueillir
30 dans l'ombre la confession de son amour ; les vitraux resplendissaient pour illuminer son visage, et les encensoirs allaient brûler pour qu'elle apparût comme un ange, dans la fumée des parfums.

Cependant elle ne venait pas. Il se plaça sur une chaise et
35 ses yeux rencontrèrent un vitrage bleu où l'on voit des bateliers qui portent des corbeilles. Il le regarda longtemps, attentivement, et il comptait les écailles des poissons et les boutonnières des pourpoints, tandis que sa pensée vagabondait à la recherche d'Emma.

40 Le Suisse, à l'écart, s'indignait intérieurement contre cet individu, qui se permettait d'admirer seul la cathédrale. Il lui semblait se conduire d'une façon monstrueuse, le voler en quelque sorte, et presque commettre un sacrilège.

Une comparaison supprimée

« Léon, à pas sérieux, marchait auprès des murs, *dont la fraîcheur calmante lui descendait sur la tête, et il se sentait à l'aise dans son pantalon d'été, dans ses escarpins légers. Jamais la vie ne lui avait paru si bonne, ni si belle, si profonde et si fertile.* Elle allait venir tout à l'heure *et* charmante, agitée, épiant derrière elle les regards qui la suivaient — avec sa robe à volants, son lorgnon d'or *à la ceinture*, ses bottines minces, *un peu retroussées par le bout,* dans toute sorte d'élégances dont il n'avait pas goûté, *avec la poésie de l'adultère,* et de la vertu qui succombe. L'église comme *une solitude faite exprès,* se disposait autour d'elle. *Elle allait comme pour se purifier du mariage, tremper ses doigts dans les lavabos mystiques ;* les voûtes *basses* s'inclinaient pour recueillir dans l'ombre la confession de son amour : les vitraux resplendissaient pour illuminer son visage ; les encensoirs allaient brûler pour qu'elle apparût *plus belle* dans la fumée des parfums *et dans la majesté d'une exaltation. À force de confondre sa passion avec le milieu qui l'avivait, il se croyait, à la fin, presque le Dieu du temple et comme le centre de ce culte dont il*

attendait la prêtresse. Il avait dans les mains des moiteurs lascives et à l'âme des transports mystiques. Quelque chose de suave et de fluide, l'allégeait, le poussait, l'arrachait du sol. Il était tout désir, toute inquiétude et joie, toute vibration et si l'orgue, suspendu sous la rosace, tel qu'une forêt d'argent sous un soleil fantastique, se fût mis à chanter tout à coup, il n'eût pas certainement exhalé vers le ciel des mélodies plus sonores, des alleluias plus joyeux, un hosanna plus triomphant, que le cantique amoureux qui débordait de son espoir. Comme l'immense instrument

plein de musiques assoupies, il sentait en lui-même reposer profondément un infini d'amour et qui n'attendait pour éclater en fanfares et en extases, que le contact d'une haleine, et que la pression d'une main.
Mais elle ne venait pas. Elle ne venait pas ! Las de marcher continuellement, *Léon* se plaça sur une chaise et *il se mit, ne sachant que faire, à examiner les nervures de la voûte.*

POMMIER-LELEU,
p. 491.

Mais un froufrou de soie sur les dalles, la bordure d'un chapeau, un camail[1] noir... C'était elle ! Léon se leva et courut à sa rencontre.

Emma était pâle. Elle marchait vite.

5 — Lisez ! dit-elle en lui tendant un papier... Oh non !

Et brusquement elle retira sa main, pour entrer dans la chapelle de la Vierge, où, s'agenouillant contre une chaise, elle se mit en prière.

Le jeune homme fut irrité de cette fantaisie bigote ; puis il
10 éprouva pourtant un certain charme à la voir, au milieu du rendez-vous, ainsi perdue dans les oraisons comme une marquise andalouse ; puis il ne tarda pas à s'ennuyer, car elle n'en finissait.

Emma priait, ou plutôt s'efforçait de prier, espérant qu'il
15 allait lui descendre du ciel quelque résolution subite ; et, pour attirer le secours divin, elle s'emplissait les yeux des splendeurs du tabernacle, elle aspirait le parfum des juliennes blanches épanouies dans les grands vases, et prêtait l'oreille au silence de l'église, qui ne faisait qu'accroître le
20 tumulte de son cœur.

Elle se relevait, et ils allaient partir, quand le Suisse s'approcha vivement, en disant :

— Madame, sans doute, n'est pas d'ici ? Madame désire voir les curiosités de l'église ?

25 — Eh non ! s'écria le clerc.

— Pourquoi pas ? reprit-elle.

Car elle se raccrochait de sa vertu chancelante à la Vierge, aux sculptures, aux tombeaux, à toutes les occasions.

Alors, afin de procéder *dans l'ordre*, le Suisse les conduisit
30 jusqu'à l'entrée, près de la place, où, leur montrant avec sa canne un grand cercle de pavés noirs, sans inscriptions ni ciselures :

— Voilà, fit-il majestueusement, la circonférence de la belle cloche d'Amboise. Elle pesait quarante mille livres. Il
35 n'y avait pas sa pareille dans toute l'Europe. L'ouvrier qui l'a fondue en est mort de joie...

— Partons, dit Léon.

Le bonhomme se remit en marche ; puis, revenu à la chapelle de la Vierge, il étendit les bras dans un geste synthéti-
40 que de démonstration, et, plus orgueilleux qu'un propriétaire campagnard vous montrant ses espaliers :

— Cette simple dalle recouvre Pierre de Brézé, seigneur de la Varenne et de Brissac, grand maréchal de Poitou et

1. Camail : petit manteau court.

gouverneur de Normandie, mort à la bataille de Montlhéry,
le 16 juillet 1465.

Léon, se mordant les lèvres, trépignait.

— Et, à droite, ce gentilhomme tout bardé de fer, sur un
cheval qui se cabre, est son petit-fils Louis de Brézé, sei- 5
gneur de Breval et de Montchauvet, comte de Maulevrier,
baron de Mauny, chambellan du roi, chevalier de l'Ordre et
pareillement gouverneur de Normandie, mort le 23 juillet
1531, un dimanche, comme l'inscription porte ; et, au-
dessous, cet homme prêt à descendre au tombeau vous 10
figure exactement le même. Il n'est point possible, n'est-ce
pas, de voir une plus parfaite représentation du néant ?

Madame Bovary prit son lorgnon. Léon, immobile, la
regardait, n'essayant même plus de dire un seul mot, de
faire un seul geste, tant il se sentait découragé devant ce 15
double parti pris de bavardage et d'indifférence.

L'éternel guide continuait :

— Près de lui, cette femme à genoux qui pleure est son
épouse, Diane de Poitiers, comtesse de Brézé, duchesse de
Valentinois, née en 1499, morte en 1566 ; et, à gauche, 20
celle qui porte un enfant, la sainte Vierge. Maintenant,
tournez-vous de ce côté : voici les tombeaux d'Amboise. Ils
ont été tous les deux cardinaux et archevêques de Rouen.
Celui-là était ministre du roi Louis XII. Il a fait beaucoup de
bien à la Cathédrale. On a trouvé dans son testament trente 25
mille écus d'or pour les pauvres.

Et, sans s'arrêter, tout en parlant, il les poussa dans une
chapelle encombrée par des balustrades, en dérangea
quelques-unes, et découvrit une sorte de bloc, qui pouvait
bien avoir été une statue mal faite. 30

— Elle décorait autrefois, dit-il avec un long gémissement, la tombe de Richard Cœur de lion, roi d'Angleterre et
duc de Normandie. Ce sont les calvinistes, monsieur, qui
vous l'ont réduite en cet état. Ils l'avaient, par méchanceté,
ensevelie dans de la terre, sous le siège épiscopal de Monsei- 35
gneur. Tenez, voici la porte par où il se rend à son habita-
tion, Monseigneur. Passons voir les vitraux de la Gargouille.

Mais Léon tira vivement une pièce blanche de sa poche et
saisit Emma par le bras. Le Suisse demeura tout stupéfait,
ne comprenant point cette munificence intempestive, 40
lorsqu'il restait encore à l'étranger tant de choses à voir.
Aussi, le rappelant :

— Eh ! monsieur. La flèche ! la flèche !...

— Merci, fit Léon.

— Monsieur a tort ! Elle aura quatre cent quarante pieds[1], neuf de moins que la grande pyramide d'Égypte. Elle est toute en fonte, elle...

5 Léon fuyait ; car il lui semblait que son amour, qui, depuis deux heures bientôt, s'était immobilisé dans l'église comme les pierres, allait maintenant s'évaporer telle qu'une fumée, par cette espèce de tuyau tronqué de cage oblongue, de cheminée à jour, qui se hasarde si grotesquement sur la 10 cathédrale, comme la tentative extravagante de quelque chaudronnier fantaisiste.

— Où allons-nous donc ? dit-elle.

Sans répondre, il continuait à marcher d'un pas rapide, et déjà madame Bovary trempait son doigt dans l'eau bénite, 15 quand ils entendirent derrière eux un grand souffle haletant, entrecoupé régulièrement par le rebondissement d'une canne. Léon se détourna.

— Monsieur !

— Quoi ?

20 Et il reconnut le Suisse, portant sous son bras et maintenant en équilibre contre son ventre une vingtaine environ de forts volumes brochés. C'étaient les ouvrages *qui traitaient de la cathédrale*.

— Imbécile ! grommela Léon s'élançant hors de l'église.

25 Un gamin polissonnait sur le parvis :

— Va me chercher un fiacre !

L'enfant partit comme une balle, par la rue des Quatre-Vents ; alors ils restèrent seuls quelques minutes face à face et un peu embarrassés.

30 — Ah ! Léon !... Vraiment... je ne sais... si je dois !...

Elle minaudait. Puis, d'un air sérieux :

— C'est très inconvenant, savez-vous ?

— En quoi ? répliqua le clerc. Cela se fait à Paris !

Et cette parole, comme un irrésistible argument, la 35 détermina.

Cependant le fiacre n'arrivait pas. Léon avait peur qu'elle ne rentrât dans l'église. Enfin le fiacre parut.

— Sortez du moins par le portail du nord ! leur cria le Suisse, qui était resté sur le seuil, pour voir la *Résurrection*, 40 le *Jugement dernier*, le *Paradis*, le *Roi David*, et les *Réprouvés* dans les flammes d'enfer.

— Où Monsieur va-t-il ? demanda le cocher.

1. La flèche était alors en travaux depuis 1827, la précédente ayant été détruite par la foudre en 1822.

— Où vous voudrez ! dit Léon poussant Emma dans la
voiture.

Et la lourde machine se mit en route.

Elle descendit la rue Grand-Pont, traversa la place des
Arts, le quai Napoléon, le pont Neuf et s'arrêta court devant 5
la statue de Pierre Corneille.

— Continuez ! fit une voix qui sortait de l'intérieur.

La voiture repartit, et, se laissant, dès le carrefour la
Fayette, emporter vers la descente, elle entra au grand galop
dans la gare du chemin de fer.   10

— Non, tout droit ! cria la même voix.

Le fiacre sortit des grilles, et bientôt, arrivé sur le Cours,
trotta doucement, au milieu des grands ormes. Le cocher
s'essuya le front, mit son chapeau de cuir entre ses jambes et
poussa la voiture en dehors des contre-allées, au bord de 15
l'eau, près du gazon.

Elle alla le long de la rivière, sur le chemin de halage pavé
de cailloux secs, et, longtemps, du côté d'Oyssel, au-delà
des îles.

Mais tout à coup, elle s'élança d'un bond à travers Quatre- 20
mares, Sotteville, la Grande-Chaussée, la rue d'Elbeuf, et fit
sa troisième halte devant le Jardin des plantes.

— Marchez donc ! s'écria la voix plus furieusement.

Et aussitôt, reprenant sa course, elle passa par Saint-
Sever, par le quai des Curandiers, par le quai aux Meules, 25
encore une fois par le pont, par la place du Champ-de-Mars
et derrière les jardins de l'hôpital, où des vieillards en veste
noire se promènent au soleil, le long d'une terrasse toute
verdie par des lierres. Elle remonta le boulevard Bouvreuil,
parcourut le boulevard Cauchoise, puis tout le Mont- 30
Riboudet jusqu'à la côte de Deville.

Elle revint ; et alors, sans parti pris ni direction, au hasard,
elle vagabonda. On la vit à Saint-Pol, à Lescure, au mont
Gargan, à la Rouge-Mare, et place du Gaillardbois ; rue
Maladrerie, rue Dinanderie, devant Saint-Romain, Saint- 35
Vivien, Saint-Maclou, Saint-Nicaise, — devant la
Douane —, à la basse Vieille-Tour, aux Trois-Pipes et au
Cimetière Monumental. De temps à autre, le cocher sur son
siège jetait aux cabarets des regards désespérés. Il ne comprenait pas quelle fureur de la locomotion poussait ces indi- 40
vidus à ne vouloir point s'arrêter. Il essayait quelquefois, et
aussitôt il entendait derrière lui partir des exclamations de
colère. Alors il cinglait de plus belle ses deux rosses tout en

sueur, mais sans prendre garde aux cahots, accrochant par-ci par-là, ne s'en souciant, démoralisé, et presque pleurant de soif, de fatigue et de tristesse[1].

Et sur le port, au milieu des camions et des barriques, et
5 dans les rues, au coin des bornes, les bourgeois ouvraient de grands yeux ébahis devant cette chose si extraordinaire en province, une voiture à stores tendus, et qui apparaissait ainsi continuellement, plus close qu'un tombeau et ballottée comme un navire.

10 Une fois, au milieu du jour, en pleine campagne, au moment où le soleil dardait le plus fort contre les vieilles lanternes argentées, une main nue passa sous les petits rideaux de toile jaune et jeta des déchirures de papier, qui se dispersèrent au vent et s'abattirent plus loin, comme des papillons
15 blancs, sur un champ de trèfles rouges tout en fleur.

Puis, vers six heures, la voiture s'arrêta dans une ruelle du quartier Beauvoisine, et une femme en descendit qui marchait le voile baissé, sans détourner la tête. ①②

1. Si tous les lieux cités appartiennent bien à l'espace rouennais, le trajet est fantaisiste. Des critères stylistiques président à l'ordre des noms. De plus, la longueur de l'itinéraire relève de la parodie épique (voir le contexte p. 34).

① La scène du fiacre : moment érotique ou instance de déshumanisation ?

Mainte fois commentée, cette scène de « baisade » s'écrit d'abord en fonction de tout un intertexte. Dans sa plaidoirie, Maître Sénard renvoyait d'ailleurs à La Double méprise de Prosper Mérimée en affirmant « si nous avions écrit la moitié ou le quart de ce qu'a écrit M. Mérimée, j'éprouverais quelque embarras dans la tâche qui m'est donnée, ou plutôt je la modifierais ». En dépit de la censure dont elle avait été l'objet dans la Revue de Paris, elle apparaît en effet bien anodine si on la compare à tel passage d'un roman libertin, genre dans lequel elle ait figure de scène obligée. Voici par exemple une situation semblable dans un des grands textes libertains du XVIIIᵉ siècle :

Nous eûmes bien de la peine trouver une voiture. Celle qui nous échut était peut-être la plus désagréable de toutes celles de cette espèce ; le cocher était ivre, les chevaux se soutenaient à peine. Nous montâmes cependant, je fus fort étonnée d'entendre ordonner qu'on nous conduisît *au Marais*. Alors je commençai à me repentir de mon étourderie. Le Marais m'éloignait trop du bal pour que Sylvina et milord Kinston ne s'aperçussent pas de mon évasion. J'aurais dû revenir, mais j'étais apparemment ensorcelée. Cependant les jurements et le fouet du cocher avaient enfin décidé les chevaux : nous changions de place. Mon ravisseur, à mes genoux, et redoublant ses serments,

s'était enfin démasqué. Mais les planches, qui tenaient lieu de glace à notre sale équipage, étaient haussées, et la crainte de prendre du froid l'emportait sur le désir de voir les traits de mon nouvel amant à la faveur de la lumière des rues. D'ailleurs, je n'étais plus à moi-même. Je laissais dérober mille baisers sur ma bouche : mon sein, des charmes encore plus secrets étaient la proie du téméraire. La part que je prenais à ses transports, mes répliques involontaires à ses caresses passionnées... le dispensaient de toute retenue. J'allais moi-même au-devant de ma défaite... Il profita du désir de l'illusion et du tempérament... nous fûmes heureux. Le moment de la première jouissance ne fut qu'un éclair.

Une seconde, à laquelle nous concourûmes avec une égale vivacité, nous procura de nouveaux plaisirs, moins rapides et mieux savourés.

Cependant, grâce à la faiblesse des chevaux et au verglas, nous étions encore loin d'arriver : notre phaéton, se battant les flancs pour se réchauffer, maudissait en termes énergiques l'heure indue, le mauvais temps et l'amour ; car il paraissait fort au fait de ce qui venait de se passer. Nous avions sans doute négligé, dans notre ivresse, de nous contraindre, et nos exclamations, nos sanglots, avaient affiché nos ébats. Ce grossier personnage se permettant, dans sa mauvaise humeur, des expressions un peu cavalières, mon séducteur s'en offense, fait jour par-devant et menace l'impertinent cocher d'une correction. Celui-ci réplique insolemment, l'autre se précipite hors de la voiture et cingle le dos du maraud d'une douzaine de coups de plat d'épée.

ANDREA DE NERCIAT,
1775,
Félicia ou mes fredaines.

Rappelons que Proust traitera lui aussi une scène d'amour dans une voiture attelée : celle entre Swann et Odette, quand ils « font catleya ».

A vrai dire, l'enjeu de cette scène est tout autre, comme le montre magistralement Jean-Paul Sartre :

« Que fait Flaubert ? Il obéit à ses créatures : elles ont tiré les stores pour n'être vues par personne ? Qu'à cela ne tienne : personne ne les verra, pas même l'auteur. Celui-ci prend du champ, son regard embrasse Rouen, le port, la campagne et repère sur la chaussée, sur une grand-route des environs, la "lourde machine" qui contient les deux amants : il ne la quittera plus durant six heures d'affilée et nous retracera, au fur et à mesure, son itinéraire. Il n'en faut pas davantage : les amours de Léon et d'Emma ne prêtaient, jusque-là, qu'à sourire ; ils deviennent tout à coup obscènes et grotesques. Quel tour leur a-t-il joué, le misérable ? Eh bien il a pris un homme et une femme tout chauds de désir, tout vivants, convaincus de se donner librement l'un à l'autre et il a métamorphosé ce couple enlacé en un seul fiacre. La transition s'opère au moyen d'un lieu commun adroitement choisi : "La lourde machine se mit en marche." Cette phrase — comme "minuit sonnait au clocher de l'église" — est si familière qu'on la lit à peine, elle offre pourtant un sens ambigu : au paragraphe suivant, nous pourrions tout aussi bien nous retrouver *dans* la voiture, en face des amants ; mais le sujet de la proposition suppose que nous sommes restés dehors, que nous avons vu les portières se fermer, les stores se tirer. Il suffira donc de garder ce même sujet dans les phrases qui suivent : "Elle descendit, traversa... s'arrêta. La voiture repartit... Elle alla... elle s'élança d'un bond", etc., pour opérer insensiblement la transsubstantiation : les verbes indiquent discrètement, sans forcer sur l'anthropomorphisme, des actions humaines (elle s'élança) ou, en tout cas, d'animaux de trait (la voiture trotta). De sorte que, finalement, l'objet devient sujet de l'histoire sans perdre ses caractères d'objet : et les anciens sujets deviennent eux-mêmes des objets purs puisque leurs comportements nous sont dévoilés comme les conduites de l'objet. Encore l'auteur prend-il grand soin de mettre hors du coup la partie vivante de l'attelage, le cocher "démoralisé et presque pleurant de soif, de fatigue et de tristesse" et les deux rosses "tout en sueur". Les amants, leur éloquence, leurs caresses, leur baisade, on les a changés en cet objet ensor-celé, une boîte noire, hermétiquement close, sur quatre roues, parfaitement inerte et en même temps, possédée par ce que le cocher appelle sans comprendre, une "fureur de locomotion". De fait, ce ustensile a une voix :
"La (machine) s'arrêta cour devant la statue de Pierre Corneille.
— Continuez, dit une voix qui sortait de l'intérieur.
Elle repartit... entra au galop dans la gare du chemin de fer
— Non, tout droit, cria la même voix.
...Elle fit sa troisième halte devant le jardin des Plantes :
— Marchez donc ! s'écria la voix plus furieusement. »
Le cocher, au cours de l'après-midi, essaie plusieurs fois de s'arrêter, "et aussitôt il entendait derrière son dos des exclamations de colère".
Procédé simple mais efficace : le cocher nous est présenté *comme un homme* : il a des envies simples mais fortes et que nous avons tous ressenties, il voudrait se reposer, il a faim, il aimerait boire un coup au cabaret ; en même temps, nous le voyons dans l'exercice de son métier, acceptant sans protester une épreuve qu'il supporte difficilement, parce qu'il lui faut gagner son pain. Personnage banal, anonyme mais qui nous offre une image raisonnable et sen-

ée de notre espèce : la transcendance et le dépassement, c'est lui, humblement mais totalement, qui les représente. La boîte, par contre, c'est un robot : chaque fois que le fiacre s'arrête, une voix enregistrée en sort, vitupérante, qui lui enjoint de reprendre la marche. La répétition de cet effet, en gag roulant, a pour but de nous en persuader.

Nous savons bien, naturellement, ce qui se passe à l'intérieur de la voiture et que ces injonctions réitérées ne sont pas sans raison. Il n'en est pas moins vrai que la "baisade", vue du dehors, n'est autre que la "fureur de la locomotion" qui s'est emparée d'un objet inerte. Nous connaissons la chanson : Gustave aime se représenter la vie comme une rêve folie de l'inorganique. Il s'est inspiré de ce fantasme pour changer deux organismes en sueur, dont la sexualité c'est autre que la vie pure, en un fragment de matière inanimée dont l'inertie est soudain possédée par la rage de la motricité sans recevoir pour autant les moyens de se mouvoir spontanément : d'où cette voix qui réclame mécaniquement une impulsion de l'extérieur, c'est-à-dire en extériorité ; d'où la "démoralisation" du cocher qui devient esclave de son propre matériau.

[...]

C'est la *transcendance humaine* que l'auteur veut écraser contre terre, c'est le projet humain qu'il veut abolir, ce sont les fins humaines qu'il veut réduire à un ensorcellement de corps inanimés. Pour cela, il faut qu'il prenne du champ, qu'il s'enfle et qu'il s'élève : d'en haut Léon et Emma sont plongés dans l'anonymat de la matière : leurs noms ne sont même plus énoncés : le fiacre et son roulis représentent la copulation en général et l'espèce humaine sans intermédiaire contemplée *du plus loin* par un être ainsi fait qu'il ne peut plus comprendre ses agissements et qui, du coup, se tient hors de l'humanité. Déshumanisé, le lecteur n'a plus avec ce couple — devenu *tous les couples* — qu'un « rapport d'œil » : il le résume en cette boîte dont les cahots figurent les tressautements de la bête à deux dos. Comme si nous prétendions réduire toutes les baisades du monde aux mouvements de tous les sommiers enregistrés simultanément par un sismographe ultra-sensible : ce serait donner à la fornication l'aveugle et stupide non-signifiance d'une force naturelle.

Ou plutôt non : Gustave va plus loin. Une force naturelle, c'est encore trop beau : le coït

n'est ni orage ni séisme ni raz de marée. Flaubert se plaît à le faire voir sous forme d'un ustensile affolé. Le fiacre est un produit du travail et l'instrument d'un autre travail : des hommes s'y sont *objectivés.* Gustave va faire de l'amour une contre-finalité. Non point l'absence de toute fin mais la destruction d'une fin humaine par une fin diabolique et anonyme qui ne se manifeste que par son acharnement à f a u s s e r l ' o u t i l incompréhensiblement.

[...] Cette énorme niaiserie vague, cette longue tribulation d'un véhicule, ce trajet cahotant, cette révolte de l'outil contre son ouvrier, cette abolition de l'ordre pratique au profit d'un non-sens, d'un égarement désordonné, cette voiture funèbre, "plus close qu'un tombeau" brinquebalant au cul de deux rosses épuisées, tout cela n'a qu'un sens : c'est l'amour saisi dans sa matérialité *pratico-inerte* comme une révolte absurde de la matière inanimée contre le sceau que le travail humain lui impose. Et aussi comme un contre-travail, au sens où l'on dit, par exemple, d'une boiserie qu'elle "travaille".

Ainsi les deux amants, transformés en véhicule furieux, sont plus nus que dans un lit puisqu'ils n'ont plus rien pour les protéger. Leur "baisade" est publique : ils sont les gisants d'un tombeau en folie, leurs transports se réduisent à l'unicité d'un transport dont l'essence est d'aller de nulle part à nulle part, l'énergie qu'ils dépensent dans l'acte sexuel équivaut à celle que fournissent deux rosses blasées pour exécuter un travail idiot. Comme le cocher, déboussolé, repasse sans cesse par les mêmes lieux, la copulation, qu'ils voulaient cacher, se transforme en une obscène exhibition : "Sur le port... dans les rues, au coin des bornes les bourgeois ouvraient de grands yeux ébahis devant cette chose si extraordinaire en province et qui apparaissait ainsi continuellement... ballottée comme un navire." Donc tout est *vu* : les bourgeois voient le couple qui baise, ils le voient dans son plus obscène dénuement ; toute la ville peut le regarder passer : cette solitude qui leur était si chère, elle s'évanouit ; ils étaient l'un pour l'autre *presque sujets*, leur lien d'intériorité leur donnait à chacun l'*être absolu* ; métamorphosés en cette chose étrange et sinistre, un char funèbre et "ballotté comme un navire", ils deviennent un objet pur.

[...]

Tout est dit : Gustave peut être content, il a irréalisé, déshumanisé deux êtres humains. »

JEAN-PAUL SARTRE,
1971-1972
L'Idiot de la famille, réédition
Tel, Gallimard, 1983, tome 2,
pp. 1277-1282

C'est d'un autre point de vue que l'examine Gérard Genette :

« (...) Le célèbre épisode du fiacre est un des morceaux de bravoure les moins défendables de toute la littérature réaliste. Par exemple (...) on se doute que ni Emma ni Léon, à cette vitesse, et dans cette circonstance, n'ont le loisir de contempler une terrasse verdie par le lierre, et d'ailleurs les stores sont baissés. Leur malheureux cocher, surmené et mourant de soif, a bien d'autres soucis. Ainsi, du point de vue des règles de la narration réaliste, cette description, si brève soit-elle, mais ici encore indéfiniment prolongée par son verbe au présent, est aussi peu "en situation", aussi mal justifiée, dramatiquement et psychologiquement, qu'il est possible. Ce gros plan immobile au milieu d'une course effrénée, c'est la maladresse même. En réalité, une telle inadvertance ne peut guère signifier que ceci : cette "baisade" ambulatoire n'intéresse pas beaucoup Flaubert, et soudain, passant par les jardins de l'hôpital, il pense à autre chose. Des souvenirs de son enfance lui reviennent en mémoire. Il revoit ces "vieillards en veste noire et tout tremblants sur leurs béquilles, qui se chauffent au soleil, le long d'une terrasse lézardée, bâtie sur les vieux murs de la ville", et il ne peut s'empêcher de leur consacrer une ligne ou deux. Le reste attendra. Pour nous – faut-il le dire ? — cette seconde d'inattention rachète toute la scène, parce que nous y voyons l'auteur oublier la courbe de son récit, et la quitter en *prenant la tangente*. »

GÉRARD GENETTE,
1966
« Silences de Flaubert » in
Figures I, réédition collection
Points, Seuil, 1976,
pp. 239-240

Scène du fiacre, scène primitive

Selon Freud, l'observation dès les premiers mois de la vie de l'acte sexuel — accouplement des parents ou celui d'animaux familiers — laisse des traces psychiques indélébiles, bien qu'à ce moment l'enfant n'ait pas le moyen d'en saisir la signification. La scène primitive est interprétée après coup selon le degré des connaissances acquises par l'enfant en matière de sexualité. Dans les Mémoires d'un fou, *le cauchemar du narrateur — très proche de Flaubert — ressortit à ce traumatisme, et dans* Novembre *il met l'accent sur son voyeurisme. Selon Marthe Robert, la scène du fiacre illustre la persistance de ce voyeurisme infantile :*

« La fameuse scène du fiacre dans *Madame Bovary* aurait vraiment eu de quoi scandaliser les juges s'ils en avaient compris la véritable intention ; car ce qui se passe dans cette boîte noire hermétiquement fermée, agitée de soubresauts grotesques, cahotée en plein jour dans les rues vides de Rouen, c'est bien par excellence la scène interdite, sauf que le grotesque et l'énorme en ont chassé l'horreur. »

MARTHE ROBERT, 1972,
Roman des origines et origines du roman, Grasset,
réédition Gallimard,
collection Tel, 1976,
pp. 310-311.

L'extase de la première étreinte

Voici comment Henry raconte dans sa lettre à son ami Jules sa « première fois » avec sa maîtresse :

« Je ne parlais pas, je la regardais, elle aussi ; quoique nous fussions alors à deux pas l'un de l'autre, nous nous trouvâmes tout à coup rapprochés, et je sentis en effet que sa bouche sentait la rose. Il coulait de ses yeux un fluide lumineux, ils étaient agrandis, immobiles ; ses épaules nues, car elle était sans fichu et sa robe semblait lâche autour d'elle, étaient d'un vermeil pâle, lisses et solides comme du marbre jauni ; des veines bleues couraient dans sa chair ardente, sa gorge battante s'abaissait et montait, pleine d'un souffle étouffé, qui m'emplissait la poitrine.

« Il y avait un siècle que cela durait, toute la terre avait disparu, je ne voyais que sa prunelle qui se dilatait de plus en plus, je n'entendais que sa respiration, qui bruissait seule dans le silence complet où nous étions plongés.

« Et je fis un pas, je l'embrassai sur ses yeux, qui étaient tièdes et doux.

« Elle me regardait tout étonnée :

« — M'aimeras-tu ? disait-elle, m'aimeras-tu bien ?

« Je la laissais parler sans lui répondre et je la tenais dans mes bras, à sentir son cœur battre.

« Elle se dégagea de moi.

« — Ce soir, je reviendrai... laisse-moi... laisse-moi... à ce soir... à ce soir...

« Elle s'enfuit.

« Au dîner, elle garda son pied sur le mien et me touchait quelquefois du coude, en détournant la tête d'un autre côté.

« Le soir, enfin, elle vint dans ma chambre comme elle me l'avait promis. Il était nuit. Je l'attendais déjà, elle avait quitté le salon plus tôt que d'ordinaire, il était à peine huit heures et demie ; elle entra sur la pointe des pieds, douce-

ment, sans bruit ; je la reconnus néanmoins au craquement de ses bottines. C'était elle, un doigt sur la bouche et dans l'attitude du silence ; elle s'avançait timidement le long de la muraille, pour me surprendre ; de l'autre main elle tenait la clef de sa chambre, qu'elle avait prise comme pour y aller.

« Elle était dans son costume de tous les jours, avec sa robe brune, son tablier de soie, nutête, sans gants.

« J'étais assis, elle me passa la main dans les cheveux, et toute ma chair frissonna sous ses doigts ; je lui pris la taille et je l'attirai vers moi. Ses yeux brillaient comme des flambeaux et me brûlaient à les voir, mon âme puisait sur ses lèvres toute la vie de la sienne, et nous nous délections, affamés, de cet intarissable bonheur.

« — Ah ! mon ange, mon ange ! disait-elle, amour... amour !

« Et quelque effort que je fisse pour être plus calme, je sentais comme elle un délire de volupté me rouler dans ses flots.

« Le lit était là, je l'y traînai, elle criait et repoussait ma tête avec ses bras, puis elle me la prenait à deux mains et me la couvrait de baisers furieux ; je vis son bas blanc saillir après la chaussure noire qui lui serrait la cheville, et la forme de sa jambe charnue apparaître ensuite ; à l'endroit où la jarretière la serrait, sa chair commença, avec toutes les séductions de l'enfer, et s'étendit à l'infini, comme la tentation elle-même.

« Je l'ai eue, enfin ! je l'ai possédée, ici, à cette place.

« Ma chambre, depuis ce moment, est pleine de ce bonheur, je retrouve dans l'air quelque chose d'elle. Si je m'assieds sur un meuble, mes membres se posent aux places où elle a posé les siens ; le jour, je marche sur les pavés où elle a marché, et la nuit je m'étale avec joie sur ce lit dont les draps sont tièdes encore, sur cet oreiller qu'elle a parfumé avec ses cheveux. J'avais déchiré sa collerette, elle l'ôta et m'en fit cadeau, je l'ai là, je la garderai. Puis elle prit mon flambeau, et tout en rajustant, devant la glace, ses bandeaux dérangés et les lissant avec la paume des mains :

« — Comment rentrer ? on va s'apercevoir... Regarde comme je suis.

« Mais je ne disais rien, nous étions étourdis l'un et l'autre, comme des gens qui se réveillent. »

GUSTAVE FLAUBERT,
1845,
L'Éducation sentimentale,
première version.

D'Emma à Gervaise ou la réécriture

« (...) *Gervaise (...) est la petite sœur prolétarienne d'Emma Bovary.*

La parenté d'Emma et de Gervaise trouve d'ailleurs une assise très forte dans le fait que *l'Assommoir* constitue, à plusieurs égards, une reprise, une *réécriture de Madame Bovary*. La composition le fait apparaître. Flaubert avait conçu son roman comme ponctué d'une série de temps forts faits de *tableaux* artistement traités et représentant, de façon spectaculaire, des « moments » de la vie sociale (noce, bal, comices, soirée à l'Opéra). Zola retrouve ce mode d'organisation, et si bien que, dans deux cas au moins, il démarque, de façon suggestive, l'œuvre antérieure. Il s'agit de la randonnée au Louvre et de la fête de Gervaise, pendants de la promenade en fiacre et des Comices agricoles.

Au centre de *Madame Bovary*, une composition monumentale, une « pièce montée », comme on l'a dit : les Comices. Le tableau remplit, à l'égard du roman entier, une fonction microcosmique, puisque tout le personnel s'y trouve rassemblé, les divers fils thématiques ramassés, et que l'esprit d'Homais est mis en pendant avec l'esprit d'Emma. En outre, le motif des festivités autorise une mise en scène spectaculaire de l'univers du roman, son exhibition. Au chapitre central de *l'Assommoir*, Zola ne procède pas autrement ; il recourt au même dispositif pour donner le monde de son roman en spectacle, pour en condenser le sens et en manifester la structure. C'est la fête de Gervaise qui, ici, est prétexte à réunion et à totalisation ; c'est à elle que correspond l'apogée de la courbe du récit. Il s'agit, cette fois, d'une fête intime, mais qui va s'amplifier, gonfler, pour finalement « éclater » de bonne humeur, de sottise et de vulgarité, et s'étendre au-delà de ses limites. Ici comme chez Flaubert, le tableau rassemble personnages, objets, thèmes et propos.

Mais le recoupement le plus décisif entre les deux œuvres est constitué par les scènes de la promenade en fiacre et de la visite au Louvre. Ici, la parenté va jusqu'au détail stylistique. Les deux épisodes narrent pareillement une errance qui tourne à la déambulation obsessionnelle et déprimante. Chez Flaubert, c'est le cocher du fiacre qui, commandé par les amants, assume, sous les yeux ébahis des bourgeois rouennais, l'absurdité d'une course sans but ni fin ; chez Zola, le même non-sens est confusément ressenti par le groupe de la noce qui, sous l'œil des gardiens étonnés, erre dans les salles du musée et finit par s'y égarer. Des deux côtés, un même effet du texte : l'énumération fastidieuse et dérisoire des lieux parcourus, rues et quartiers, ou salles et galeries. On peut s'interroger sur le fait que ces morceaux occupent des positions bien différentes dans la courbe des deux romans. Pour Gervaise, c'est l'heure du mariage avec Coupeau, l'heure des espérances et des projets, une entrée dans la vie. Pour Emma Bovary, qui se donne à Léon, c'est le commencement de la fin. Mais la différence ne traduit peut-être rien d'autre qu'un désenchantement plus immédiat dans le propos de *l'Assommoir*, où une certaine dérision et une certaine absurdité ne sont pas produites, chemin faisant, par un mode d'être, mais impriment d'emblée leur marque sur la destinée. »

JACQUES DUBOIS, 1973.
L'Assommoir de Zola, Larousse, collection Thèmes et textes, pp. 21-22.

*Voici l'extrait le plus significatif de ce passage de l'*Assommoir*(1877) :*

« Puis, la noce se lança dans la longue galerie où sont les écoles italiennes et flamandes. Encore des tableaux, toujours des tableaux, des saints, des hommes et des femmes avec des figures qu'on ne comprenait pas, des paysages tout noirs, des bêtes devenues jaunes, une débandade de gens et de choses dont le violent tapage de couleurs commençait à leur causer un gros mal de tête. M. Madinier ne parlait plus, menait lentement le cortège, qui le suivait en ordre, tous les cous tordus et les yeux en l'air. Des siècles d'art passaient devant leur ignorance ahurie, la sécheresse fine des primitifs, les splendeurs des Vénitiens, la vie grasse et belle de lumière des Hollandais. Mais ce qui les intéressait le plus, c'étaient encore les copistes, avec leurs chevalets installés parmi le monde, peignant sans gêne ; une vieille dame, montée sur une grande échelle, promenant un pinceau à badigeon dans le ciel tendre d'une immense toile, les frappa d'une façon particulière. Peu à peu, pourtant, le bruit avait dû se répandre qu'une noce visitait le Louvre ; des peintres accouraient, la bouche fendue d'un rire ; des curieux s'asseyaient à l'avance sur des banquettes, pour assister commodément au défilé ; tandis que les gardiens, les lèvres pincées, retenaient des mots d'esprit. Et la noce, déjà lasse, perdant de son respect, traînait ses souliers à clous, tapait ses talons sur les parquets sonores, avec le piétinement d'un troupeau débandé, lâché au milieu de la propreté nue et recueillie des salles. (...)

Le noce retourna sur ses pas, traversa de nouveau le salon carré et la galerie d'Apollon. Madame Lerat et mademoiselle Remanjou se plaignaient, déclarant que les jambes leur rentraient dans le corps. Mais le cartonnier voulait montrer à Lorilleux les bijoux anciens. Ça se trouvait à côté, au fond d'une petite pièce, où il serait allé les yeux fermés. Pourtant, il se trompa, égara la noce le long de sept ou huit salles, désertes, froides, garnies seulement de vitrines sévères où s'alignaient une quantité innombrable de pots cassés et de bonshommes très laids. La noce frissonnait, s'ennuyait ferme. Puis, comme elle cherchait une porte, elle tomba dans les dessins. Ce fut une nouvelle course immense ; les dessins n'en finissaient pas, les salons succédaient aux salons, sans rien de drôle avec des feuilles de papier gribouillées, sous des vitres, contre les murs. M. Madinier, perdant la tête, ne voulant point avouer qu'il était perdu, enfila un escalier, fit monter un étage à la noce. Cette fois, elle voyageait au milieu du musée de la marine, parmi des modèles d'instruments et de canons, des plans en relief des vaisseaux grands comme des joujoux. Un autre escalier se rencontra, très loin, au bout d'un quart d'heure de marche. Et, l'ayant descendu, elle se retrouva en plein dans les dessins. Alors, le désespoir la prit, elle roula au hasard des salles, les couples toujours à la file, suivant M. Madinier qui s'épongeait le front, hors de lui, furieux contre l'administration, qu'il accusait d'avoir changé les portes de place. Les gardiens et les visiteurs la regardaient passer, pleins d'étonnement. »

Jacques Dubois continue ainsi la comparaison :

« La distribution parallèle des divers rôles n'est pas moins significative dans les deux romans. Ainsi, *l'Assommoir* a son Binet en la personne du sergent de ville Poisson, qui, sur de petites boîtes, se livre « à des découpages et à des enjolivements d'une délicatesse extraordinaire », là où le gendarme retraité de Flaubert travaillait au tour « des ivoireries indescriptibles ». Mais surtout, Gervaise Macquart peut être tenue pour le substitut d'Emma Bovary. Elle partage avec l'héroïne de Flaubert une propension sensuelle à céder à toutes les sollicitations du monde extérieur.

(...) La sensation est pour les deux héroïnes un tremplin, mais qui, de l'une à l'autre, n'engendre pas la même trajectoire. Gervaise y puise l'élan d'une rêverie intime guidée par un mouvement de repli, par une aspiration au refuge. Emma y trouve de quoi transporter son imagination vers quelque ailleurs à même de la sortir de son état présent. Il reste que la déception de Gervaise n'est, au terme de chaque tentative, guère moindre que l'insatisfaction d'Emma. Il reste aussi que les deux attitudes font entendre le même son idéologique, audible encore dans

d'autres romans d'époque, tels que *Madame Gervaisais* des Goncourt, et repérable à des motifs comme la fuite devant la vie, la nervosité maladive de la femme, le caractère impératif des déterminismes physiques.

(...) Certes, nous assistons, avec Zola, à une vulgarisation évidente de la représentation du désir triangulaire et Gervaise affadit et caricature le modèle bovaryste. Mais ce modèle est là, infléchissant le récit, traversant sa morale. Surtout, il trahit un regard tout bourgeois porté sur la classe prolétarienne. Il permet à l'écrivain aux prises avec une image de l'ouvrier d'y élire d'entrée de jeu la part petite-bourgeoise, d'y mettre en relief l'individualisme, les concurrences mesquines, le refus inavoué du statut.

Étendons maintenant la comparaison des rôles aux hommes qui partagent l'existence des héroïnes, trois dans chaque roman, trois figures-objets du désir, comparables terme à terme. Sous les traits du séducteur cynique, oisif et trivial, Rodolphe et Lantier, nés pourtant aux deux bouts de l'échelle sociale, sont frères. Coupeau comme Bovary incarnent le mari médiocre et veule. A l'exemple de Léon, Goujet commence en amoureux timoré, puis il s'en distingue et, repoussoir trop évident de Lantier et de Coupeau, il termine en figure idéalisée, dans la note du mélodrame. Mais ces deux trilogies ont encore ceci en commun qu'à l'intérieur du roman où elles se déploient, elles constituent des dédoublements de l'héroïne, la répétant et la fragmentant à la fois. »

ibid., pp. 22-25.

II

En arrivant à l'auberge, madame Bovary fut étonnée de
ne pas apercevoir la diligence. Hivert, qui l'avait attendue
cinquante-trois minutes, avait fini par s'en aller.

Rien pourtant ne la forçait à partir ; mais elle avait donné
5 sa parole qu'elle reviendrait le soir même. D'ailleurs, Charles
l'attendait ; et déjà elle se sentait au cœur cette lâche docilité
qui est, pour bien des femmes, comme le châtiment tout à la
fois et la rançon de l'adultère.

Vivement elle fit sa malle, paya la note, prit dans la cour
10 un cabriolet, et, pressant le palefrenier, l'encourageant,
s'informant à toute minute de l'heure et des kilomètres parcourus, parvint à rattraper l'*Hirondelle* vers les premières
maisons de Quincampoix.

A peine assise dans son coin, elle ferma les yeux et les
15 rouvrit au bas de la côte, où elle reconnut de loin Félicité,
qui se tenait en vedette devant la maison du maréchal.
Hivert retint ses chevaux, et la cuisinière, se haussant
jusqu'au vasistas, dit mystérieusement :

— Madame, il faut que vous alliez tout de suite chez
20 M. Homais. C'est pour quelque chose de pressé.

Le village était silencieux comme d'habitude. Au coin des
rues, il y avait de petits tas roses qui fumaient à l'air, car
c'était le moment des confitures, et tout le monde, à Yonville, confectionnait sa provision le même jour. Mais on
25 admirait devant la boutique du pharmacien, un tas beaucoup plus large, et qui dépassait les autres de la supériorité
qu'une officine doit avoir sur les fourneaux bourgeois, un
besoin général sur des fantaisies individuelles.

Elle entra. Le grand fauteuil était renversé, et même le
30 *Fanal de Rouen* gisait par terre, étendu entre les deux
pilons. Elle poussa la porte du couloir ; et, au milieu de la
cuisine, parmi les jarres brunes pleines de groseilles égre-
nées, du sucre râpé, du sucre en morceaux, des balances
sur la table, des bassines sur le feu, elle aperçut tous les
35 Homais, grands et petits, avec des tabliers qui leur montaient jusqu'au menton et tenant des fourchettes à la main.
Justin, debout, baissait la tête, et le pharmacien criait :

— Qui t'avait dit de l'aller chercher dans le capharnaüm ?

— Qu'est-ce donc ? qu'y a-t-il ?

— Ce qu'il y a ? répondit l'apothicaire. On fait des confitures : elles cuisent ; mais elles allaient déborder à cause du
5 bouillon trop fort, et je commande une autre bassine. Alors, lui, par mollesse, par paresse, a été prendre, suspendue à son clou, dans mon laboratoire, la clef du capharnaüm[1] !

L'apothicaire appelait ainsi un cabinet, sous les toits, plein des ustensiles et des marchandises de sa profession. Sou-
10 vent il y passait seul de longues heures à étiqueter, à transverser, à reficeler ; et il le considérait non comme un simple magasin, mais comme un véritable sanctuaire, d'où s'échappaient ensuite, élaborés par ses mains, toutes sortes de pilules, bols, tisanes, lotions et potions, qui allaient répandre
15 aux alentours sa célébrité. Personne au monde n'y mettait les pieds ; et il le respectait si fort, qu'il le balayait lui-même. Enfin, si la pharmacie, ouverte à tout venant, était l'endroit où il étalait son orgueil, le capharnaüm était le refuge où, se concentrant égoïstement, Homais se délectait dans l'exer-
20 cice de ses prédilections ; aussi l'étourderie de Justin lui paraissait-elle monstrueuse d'irrévérence ; et plus rubicond que les groseilles, il répétait :

— Oui, du capharnaüm ! La clef qui enferme les acides avec les alcalis caustiques ! Avoir été prendre une bassine de
25 réserve ! une bassine à couvercle ! et dont jamais peut-être je ne me servirai ! Tout a son importance dans les opérations délicates de notre art ! Mais que diable ! il faut établir des distinctions et ne pas employer à des usages presque domestiques ce qui est destiné pour les pharmaceutiques ! C'est
30 comme si on découpait une poularde avec un scalpel, comme si un magistrat...

— Mais calme-toi ! disait madame Homais.

Et Athalie, le tirant par sa redingote :

— Papa ! papa !

35 — Non, laissez-moi ! reprenait l'apothicaire, laissez-moi ! fichtre ! autant s'établir épicier, ma parole d'honneur ! Allons, va ! ne respecte rien ! casse ! brise ! lâche les sangsues ! brûle la guimauve ! marine des cornichons dans les bocaux ! lacère les bandages !

40 — Vous aviez pourtant..., dit Emma.

— Tout à l'heure ! — Sais-tu à quoi tu t'exposais ?... N'as-tu rien vu, dans le coin, à gauche, sur la troisième tablette ? Parle, réponds, articule quelque chose !

1. Capharnaüm : d'après la ville de Galilée où Jésus attira la foule, ce mot désigne un lieu rempli d'objets en désordre.

— Je ne ... sais pas, balbutia le jeune garçon.

— Ah ! tu ne sais pas ! Eh bien, je sais, moi ! Tu as vu une bouteille, en verre bleu, cachetée avec de la cire jaune, qui contient une poudre blanche, sur laquelle même j'avais écrit : *Dangereux !* et sais-tu ce qu'il y avait dedans ? De l'arsenic ! et tu vas toucher à cela ! prendre une bassine qui est à côté !

— A côté ! s'écria madame Homais en joignant les mains. De l'arsenic ? Tu pouvais nous empoisonner tous !

Et les enfants se mirent à pousser des cris, comme s'ils avaient déjà senti dans leurs entrailles d'atroces douleurs.

— Ou bien empoisonner un malade ! continuait l'apothicaire. Tu voulais donc que j'allasse sur le banc des criminels, en cour d'assises ? me voir traîner à l'échafaud ? Ignores-tu le soin que j'observe dans les manutentions, quoique j'en aie cependant une furieuse habitude ? Souvent je m'épouvante moi-même, lorsque je pense à ma responsabilité ! car le gouvernement nous persécute, et l'absurde législation qui nous régit est comme une véritable épée de Damoclès suspendue sur notre tête !

Emma ne songeait plus à demander ce qu'on lui voulait, et le pharmacien poursuivait en phrases haletantes :

— Voilà comme tu reconnais les bontés qu'on a pour toi ! voilà comme tu me récompenses des soins tout paternels que je te prodigue ! Car, sans moi, où serais-tu ? que ferais-tu ? Qui te fournit la nourriture, l'éducation, l'habillement, et tous les moyens de figurer un jour, avec honneur, dans les rangs de la société ! Mais il faut pour cela suer ferme sur l'aviron, et acquérir, comme on dit, du cal aux mains, *Fabricando fit faber, age quod agis* [1].

Il citait du latin, tant il était exaspéré. Il eût cité du chinois et du groënlandais, s'il eût connu ces deux langues ; car il se trouvait dans une de ces crises où l'âme entière montre indistinctement ce qu'elle enferme, comme l'Océan, qui, dans les tempêtes, s'entrouvre depuis les fucus [2] de son rivage jusqu'au sable de ses abîmes.

Et il reprit :

— Je commence à terriblement me repentir de m'être chargé de ta personne ! J'aurais certes mieux fait de te laisser autrefois croupir dans ta misère et dans la crasse où tu es né ! Tu ne seras jamais bon qu'à être un gardeur de bêtes à cornes ! Tu n'as nulle aptitude pour les sciences ! à peine si

1. *Ces maximes latines signifient respectivement :* « C'est en forgeant qu'on devient forgeron » *et* « Sois attentif à ce que tu fais ».
2. *Fucus :* algue brune, également appelée goémon ou varech.

tu sais coller une étiquette ! Et tu vis là, chez moi, comme un chanoine, comme un coq en pâte, à te goberger !

Mais Emma, se tournant vers madame Homais :

— On m'avait fait venir...

5 — Ah ! mon Dieu ! interrompit d'un air triste la bonne dame, comment vous dirais-je bien ?... C'est un malheur !

Elle n'acheva pas. L'apothicaire tonnait :

— Vide-la ! écure-la ! reporte-la ! dépêche-toi donc !

Et, secouant Justin par le collet de son bourgeron, il fit 10 tomber un livre de sa poche.

L'enfant se baissa. Homais fut plus prompt, et, ayant ramassé le volume, il le contemplait, les yeux écarquillés, la mâchoire ouverte.

— *L'amour... conjugal*[1] ! dit-il en séparant lentement ces 15 deux mots. Ah ! très bien ! très bien ! très joli ! Et des gravures !... Ah ! c'est trop fort !

Madame Homais s'avança.

— Non, n'y touche pas !

Les enfants voulurent voir les images.

20 — Sortez ! fit-il impérieusement.

Et ils sortirent.

Il marcha d'abord de long en large, à grands pas, gardant le volume ouvert entre ses doigts, roulant les yeux, suffoqué, tuméfié, apoplectique. Puis il vint droit à son élève, et, 25 se plantant devant lui les bras croisés :

— Mais tu as donc tous les vices, petit malheureux ?... Prends garde, tu es sur une pente !... Tu n'as donc pas réfléchi qu'il pouvait, ce livre infâme, tomber entre les mains de mes enfants, mettre l'étincelle dans leur cerveau, ternir la 30 pureté d'Athalie, corrompre Napoléon ! Il est déjà formé comme un homme. Es-tu bien sûr, au moins, qu'ils ne l'aient pas lu ? peux-tu me certifier... ?

— Mais enfin, monsieur, fit Emma, vous aviez à me dire... ?

35 — C'est vrai, madame... Votre beau-père est mort !

En effet le sieur Bovary père venait de décéder l'avant-veille, tout à coup, d'une attaque d'apoplexie, au sortir de table ; et, par excès de précaution pour la sensibilité d'Emma, Charles avait prié M. Homais de lui apprendre 40 avec ménagement cette horrible nouvelle.

Il avait médité sa phrase, il l'avait arrondie, polie, rythmée ; c'était un chef-d'œuvre de prudence et de transi-

---

1. *Ce livre que Flaubert qualifiait de « production inepte » s'intitule en fait* Tableau de l'amour conjugal *et fut publié en 1688 par Nicolas Venette, docteur en médecine et professeur à La Rochelle. Il fut très souvent réimprimé. Citons ce qu'en dit assez savoureusement le* Dictionnaire universel du XIXᵉ siècle *de Pierre Larousse :*

« Au point de vue scientifique, des notions anatomiques à peu près exactes, mais superficielles, des notions physiologiques et médicales qui pouvaient être celles du XVIIᵉ siècle, mais qui, dans l'état actuel de la science, n'ont rien de sérieux ; au point de vue littéraire, un langage de corps de garde, des histoires indécentes, ramassées de tous côtés ; tel est ce livre, qui n'a dû sa vogue qu'à la nature du sujet qu'il traite, à l'ignorance du public auquel il s'adresse, et à la satisfaction malsaine qu'il donne aux premières curiosités de l'adolescence. Quelle qu'ait été l'intention de l'auteur, on doit condamner ce livre comme immoral, parce que si le respect dû à l'enfance n'interdit pas d'une façon absolue de vulgariser certaines connaissances, le physiologiste ne saurait s'attacher avec trop de soin dans cette vulgarisation, qui peut être une initiation au mal, à conserver la chaste gravité du style scientifique, et ne rien accorder à la curiosité de l'imagination. »

tion, de tournures fines et de délicatesse ; mais la colère
avait emporté la rhétorique.

Emma, renonçant à avoir aucun détail, quitta donc la
pharmacie ; car M. Homais avait repris le cours de ses vitu-
pérations. Il se calmait cependant, et, à présent, il gromme- 5
lait d'un ton paterne, tout en s'éventant avec son bonnet
grec :

— Ce n'est pas que je désapprouve entièrement
l'ouvrage ! L'auteur était médecin. Il y a là-dedans certains
côtés scientifiques qu'il n'est pas mal à un homme de con- 10
naître et, j'oserais dire, qu'il faut qu'un homme connaisse.
Mais plus tard ! Attends du moins que tu sois homme toi-
même et que ton tempérament soit fait.

Au coup de marteau d'Emma, Charles, qui l'attendait,
s'avança les bras ouverts et lui dit avec des larmes dans la 15
voix :

— Ah ! ma chère amie...

Et il s'inclina doucement pour l'embrasser. Mais, au contact de ses lèvres, le souvenir de l'autre la saisit, et elle se
passa la main sur son visage en frissonnant.   20

Cependant elle répondit :

— Oui, je sais..., je sais...

Il lui montra la lettre où sa mère narrait l'événement, sans
aucune hypocrisie sentimentale. Seulement, elle regrettait
que son mari n'eût pas reçu les secours de la religion, étant 25
mort à Doudeville, dans la rue, sur le seuil d'un café, après
un repas patriotique avec d'anciens officiers.

Emma rendit la lettre ; puis, au dîner, par savoir-vivre,
elle affecta quelque répugnance. Mais, comme il la reforçait,
elle se mit résolument à manger, tandis que Charles, en face 30
d'elle, demeurait immobile, dans une posture accablée.

De temps à autre, relevant la tête, il lui envoyait un long
regard tout plein de détresse. Une fois il soupira :

— J'aurais voulu le revoir encore !

Elle se taisait. Enfin, comprenant qu'il fallait parler :   35

— Quel âge avait-il, ton père ?

— Cinquante-huit ans !

— Ah !

Et ce fut tout.

Un quart d'heure après, il ajouta :   40

— Ma pauvre mère ?... que va-t-elle devenir, à présent ?

Elle fit un geste d'ignorance.

A la voir si taciturne, Charles la supposait affligée et il se contraignait à ne rien dire, pour ne pas aviver cette douleur qui l'attendrissait. Cependant, secouant la sienne :

— T'es-tu bien amusée hier ? demanda-t-il.

— Oui.

5 Quand la nappe fut ôtée, Bovary ne se leva pas, Emma non plus ; et, à mesure qu'elle l'envisageait, la monotonie de ce spectacle bannissait peu à peu tout apitoiement de son cœur. Il lui semblait chétif, faible, nul, enfin être un pauvre homme, de toutes les façons. Comment se débarrasser de
10 lui ? Quelle interminable soirée ! Quelque chose de stupéfiant comme une vapeur d'opium l'engourdissait. ⟨1⟩

Ils entendirent dans le vestibule le bruit sec d'un bâton sur les planches. C'était Hippolyte qui apportait les bagages de Madame. Pour les déposer, il décrivit péniblement un quart
15 de cercle avec son pilon.

— Il n'y pense même plus ! se disait-elle en regardant le pauvre diable, dont la grosse chevelure rouge dégouttait de sueur.

Bovary cherchait un patard[1] au fond de sa bourse ; et,
20 sans paraître comprendre tout ce qu'il y avait pour lui d'humiliation dans la seule présence de cet homme qui se tenait là, comme le reproche personnifié de son incurable ineptie :

— Tiens ! tu as un joli bouquet ! dit-il en remarquant sur
25 la cheminée les violettes de Léon.

— Oui, fit-elle avec indifférence ; c'est un bouquet que j'ai acheté tantôt... à une mendiante.

Charles prit les violettes, et, rafraîchissant dessus ses yeux tout rouges de larmes, il les humait délicatement. Elle les
30 retira vite de sa main, et alla les porter dans un verre d'eau.

Le lendemain, madame Bovary mère arriva. Elle et son fils pleurèrent beaucoup. Emma, sous prétexte d'ordres à donner, disparut.

Le jour d'après, il fallut aviser ensemble aux affaires de
35 deuil. On alla s'asseoir, avec les boîtes à ouvrage, au bord de l'eau, sous la tonnelle.

Charles pensait à son père, et il s'étonnait de sentir tant d'affection pour cet homme qu'il avait cru jusqu'alors n'aimer que très médiocrement. Madame Bovary mère pen-
40 sait à son mari. Les pires jours d'autrefois lui réapparaissaient enviables. Tout s'effaçait sous le regret instinctif d'une si longue habitude ; et, de temps à autre, tandis qu'elle poussait son aiguille, une grosse larme descendait le long de

1. *Patard : petite monnaie ancienne, et, par extension, très petite somme.*

① Madame Bovary, roman de la destinée

« Les deux aventures d'Emma suivent deux courbes presque identiques, de la griserie à une lassitude qui quête les ressources du libertinage ; ses deux amants, aux jours du besoin, l'abandonneront. Chacune de ces liaisons traverse une période quasi conjugale, ici plus tendre, là plus chagrine. Voici Rodolphe et Emma : "Au bout de six mois, quand le printemps arriva, ils se trouvaient, l'un vis-à-vis de l'autre, comme deux mariés qui entretiennent tranquillement une flamme domestique." Voilà Emma excédée de Léon : elle "retrouvait dans l'adultère toutes les platitudes du mariage". Une espèce de cercle se referme.

En récapitulant son passé, Emma pourrait comprendre que des mécanismes rigoureusement pareils ont joué dans les deux cas et démenti la fiction de spontanéité romanesque dont l'amour se leurrait. Cela a commencé par une longue torpeur dans l'incolore banalité quotidienne. Survient le dépaysement d'une incursion dans un monde éblouissant, où un inconnu cristallise provisoirement, sans le savoir, toutes sortes d'aspirations à demi conscientes. Puis un galant rencontré par hasard fixe sur lui la disponibilité de la passion. Une commune sécession loin de la plèbe et des rites triviaux rend sensibles à ces cœurs leur parenté foncière et leur entente déjà tout acquise. Ce sera l'acheminement à l'adultère. Cependant les fantaisies dispendieuses livrent bientôt la coupable à l'usurier. Plaçons des noms propres et des titres courants dans ce schéma encore abstrait. Nous les disposons en deux séries parallèles. D'une part : *Tostes insipide - bal à la Vaubyessard - charme du vicomte - apparition de Rodolphe - complicité reconnue au cours des Comices - chute - dettes envers Lheureux.* D'autre part : *Yonville insipide - représentation au théâtre de Rouen - charme du ténor - apparition de Léon - complicité reconnue au cours d'une visite de la cathédrale - chute - dettes envers Lheureux.* Certes, on aurait tort de croire à une pure duplication de l'intrigue. Les différences existent, et elles sont considérables. Pour n'en citer qu'une, marquons que les amours d'Emma et de Rodolphe ne connaissent aucune discontinuité, tandis que celles d'Emma et de Léon se développent en deux

son nez et s'y tenait un moment suspendue. Emma pensait qu'il y avait quarante-huit heures à peine, ils étaient ensemble, loin du monde, tout en ivresse, et n'ayant pas assez d'yeux pour se contempler. Elle tâchait de ressaisir les plus 5 imperceptibles détails de cette journée disparue. Mais la présence de la belle-mère et du mari la gênait. Elle aurait voulu ne rien entendre, ne rien voir, afin de ne pas dépasser le recueillement de son amour qui allait se perdant, quoi qu'elle fît, sous les sensations extérieures.

10 Elle décousait la doublure d'une robe, dont les bribes s'éparpillaient autour d'elle ; la mère Bovary, sans lever les yeux, faisait crier ses ciseaux, et Charles, avec ses pantoufles de lisière et sa vieille redingote brune qui lui servait de robe de chambre, restait les deux mains dans ses poches et ne 15 parlait pas non plus ; près d'eux, Berthe, en petit tablier blanc, raclait avec sa pelle le sable des allées.

Tout à coup, ils virent entrer par la barrière M. Lheureux, le marchand d'étoffes.

Il venait offrir ses services, *eu égard à la fatale circons-* 20 *tance*. Emma répondit qu'elle croyait pouvoir s'en passer.
Le marchand ne se tint pas pour battu.

— Mille excuses, dit-il ; je désirerais avoir un entretien particulier.

Puis, d'une voix basse :
25 — C'est relativement à cette affaire..., vous savez ?
Charles devint cramoisi jusqu'aux oreilles.

— Ah ! oui..., effectivement.

Et, dans son trouble, se tournant vers sa femme :
— Ne pourrais-tu pas..., ma chérie... ?
30 Elle parut le comprendre, car elle se leva, et Charles dit à sa mère :

— Ce n'est rien ! sans doute quelque bagatelle de ménage.

Il ne voulait point qu'elle connût l'histoire du billet, redou- 35 tant ses observations.

Dès qu'ils furent seuls, M. Lheureux se mit, en termes assez nets, à féliciter Emma sur la succession, puis à causer de choses indifférentes, des espaliers, de la récolte et de sa santé à lui, qui allait toujours *couci-couci entre le zist et le* 40 *zest* [1]. En effet, il se donnait un mal de cinq cents diables, bien qu'il ne fît pas, malgré les propos du monde, de quoi avoir seulement du beurre sur son pain.

1. *Couci couci : à peu près ; entre le zist et le zest : « être fort incertain sur le parti qu'on doit prendre » (Littré).*

temps séparés par le séjour du clerc à Paris et par un mutuel oubli. Toutefois, les différences principales concernent sans doute non pas la matière, mais la forme. Répondant aux articles que Sainte-Beuve avait publiés sur *Salammbô*, Flaubert confessait une faute de composition : "Dans le chapitre VI, tout ce qui se rapporte à Giscon est *de même tonalité* que la deuxième partie du chapitre II (Hannon). C'est la même situation, et il n'y a point progression d'effet." Nulle faute de ce genre n'a été commise dans *Madame Bovary*. D'abord parce que les rappels de thèmes ne sauraient y apparaître comme des erreurs, étant consubstantiels au sujet. Ensuite parce que la tonalité a modulé d'un épisode au second ; l'atmosphère s'est viciée : Emma a perdu de sa candeur et de sa sincérité, Léon lutte de moins en moins contre sa mollesse. Comment ne pas le constater ? Leur liaison, à cause d'un léger décalage d'accent, offre la réplique un tant soit peu altérée de l'autre liaison, celle d'Emma et de Rodolphe ; la substitution du ténor au vicomte, du fiacre aux chevaux de maître souligne la dégradation. Quant à la progression des effets, elle est créée, sans rien de théâtral, par le rythme qui s'est accéléré et a pris quelque chose

de saccadé, de fiévreux ; des intervalles qui se comptaient par mois sont ramenés à des jours ou à des heures. Cette dégradation et cette accélération annoncent l'imminence de la catastrophe.

Il y a une harmonie fondamentale entre l'action du livre et le caractère de l'héroïne. Emma Bovary se trompe sur sa nature autant que sur la nature des choses. Elle ne cesse de recevoir du réel des leçons qui ne dissipent pas ses chimères, mais attisent ses rancunes. Sa conduite dresse et la société lui renvoie une image d'elle-même qui l'offense. A qui s'en prendre ? *"Qu'on n'accuse personne..."*, écrit-elle après s'être empoisonnée. Personne, cela veut dire elle seule, ou la destinée. Nous avons l'impression d'une destinée quand un être semble l'artisan de sa propre histoire ou du moins quand il en teinte assez les hasards à la couleur spécifique de son âme pour paraître les avoir suscités plutôt que subis. *Madame Bovary* est un roman de la destinée. »

DANIEL GALLOIS, 1962, « Principe de la composition romanesque dans *Madame Bovary* », L'Information littéraire, n° 4-1962, pp. 144-145.

Emma le laissait parler. Elle s'ennuyait si prodigieusement depuis deux jours !

— Et vous voilà tout à fait rétablie ? continuait-il. Ma foi, j'ai vu votre pauvre mari dans de beaux états ! C'est un
5 brave garçon, quoique nous ayons eu ensemble des difficultés.

Elle demanda lesquelles, car Charles lui avait caché la contestation des fournitures.

— Mais vous le savez bien ! fit Lheureux. C'était pour vos
10 petites fantaisies, les boîtes de voyage.

Il avait baissé son chapeau sur ses yeux, et, les deux mains derrière le dos, souriant et sifflotant, il la regardait en face, d'une manière insupportable. Soupçonnait-il quelque chose ? Elle demeurait perdue dans toutes sortes d'appré-
15 hensions. A la fin pourtant, il reprit :

— Nous nous sommes rapatriés, et je venais encore lui proposer un arrangement.

C'était de renouveler le billet signé par Bovary. Monsieur, du reste, agirait à sa guise ; il ne devait point se tourmenter,
20 maintenant surtout qu'il allait avoir une foule d'embarras.

— Et même il ferait mieux de s'en décharger sur quelqu'un, sur vous, par exemple ; avec une procuration, ce serait commode, et alors nous aurions ensemble de petites affaires…

25 Elle ne comprenait pas. Il se tut. Ensuite, passant à son négoce, Lheureux déclara que Madame ne pouvait se dispenser de lui prendre quelque chose. Il lui enverrait un barège noir, douze mètres, de quoi faire une robe.

— Celle que vous avez là est bonne pour la maison. Il
30 vous en faut une autre pour les visites. J'ai vu ça, moi, du premier coup en entrant. J'ai l'œil américain[1].

Il n'envoya point l'étoffe, il l'apporta. Puis il revint pour l'aunage[2] ; il revint sous d'autres prétextes, tâchant chaque fois, de se rendre aimable, serviable, s'inféodant, comme
35 eût dit Homais, et toujours glissant à Emma quelques conseils sur la procuration. Il ne parlait point du billet. Elle n'y songeait pas ; Charles, au début de sa convalescence, lui en avait bien conté quelque chose ; mais tant d'agitations avaient passé dans sa tête, qu'elle ne s'en souvenait plus.
40 D'ailleurs, elle se garda d'ouvrir aucune discussion d'intérêt ; la mère Bovary en fut surprise, et attribua son changement d'humeur aux sentiments religieux qu'elle avait contractés étant malade.

1. Avoir l'œil américain se disait pour « avoir le coup d'œil perçant, scrutateur ou fascinateur ».
2. Aunage : les mesures, d'après l'aune, ancienne mesure de longueur, supprimée en 1840, d'où aussi le verbe auner.

Mais, dès qu'elle fut partie, Emma ne tarda pas à émerveiller Bovary par son bon sens pratique. Il allait falloir prendre des informations, vérifier les hypothèques, voir s'il y avait lieu à une licitation[1] ou à une liquidation. Elle citait des termes techniques, au hasard, prononçait les grands mots 5 d'ordre, d'avenir, de prévoyance, et continuellement exagérait les embarras de la succession : si bien qu'un jour elle lui montra le modèle d'une autorisation générale pour « gérer et administrer ses affaires, faire tous emprunts, signer et endosser tous billets, payer toutes sommes, etc. ». Elle avait 10 profité des leçons de Lheureux.

Charles, naïvement, lui demanda d'où venait ce papier.

— De M. Guillaumin.

Et, avec le plus grand sang-froid du monde, elle ajouta :

— Je ne m'y fie pas trop. Les notaires ont si mauvaise 15 réputation ! Il faudrait peut-être consulter... Nous ne connaissons que... Oh ! personne.

— A moins que Léon..., répliqua Charles, qui réfléchissait.

Mais il était difficile de s'entendre par correspondance. 20 Alors elle s'offrit à faire ce voyage. Il la remercia. Elle insista. Ce fut un assaut de prévenances. Enfin, elle s'écria d'un ton de mutinerie factice :

— Non, je t'en prie, j'irai.

— Comme tu es bonne ! dit-il en la baisant au front. 25

Dès le lendemain, elle s'embarqua dans l'*Hirondelle* pour aller à Rouen consulter M. Léon ; et elle y resta trois jours.

1. *Licitation : vente aux enchères d'un bien indivis.*

III

Ce furent trois jours pleins, exquis, splendides, une vraie
lune de miel. ①

Ils étaient à l'*hôtel de Boulogne*, sur le port. Et ils vivaient
là, volets fermés, portes closes, avec des fleurs par terre et
5 des sirops à la glace, qu'on leur apportait dès le matin.

Vers le soir, ils prenaient une barque couverte et allaient
dîner dans une île.

C'était l'heure où l'on entend, au bord des chantiers,
retentir le maillet des calfats[1] contre la coque des vaisseaux.
10 La fumée du goudron s'échappait d'entre les arbres, et l'on
voyait sur la rivière de larges gouttes grasses, ondulant inégalement sous la couleur pourpre du soleil, comme des plaques de bronze florentin, qui flottaient.

Ils descendaient au milieu des barques amarrées, dont les
15 longs câbles obliques frôlaient un peu le dessus de la barque.

Les bruits de la ville insensiblement s'éloignaient, le roulement des charrettes, le tumulte des voix, le jappement des
chiens sur le pont des navires. Elle dénouait son chapeau et
ils abordaient à leur île.

20 Ils se plaçaient dans la salle basse d'un cabaret, qui avait à
sa porte des filets noirs suspendus. Ils mangeaient de la fri-
ture d'éperlans, de la crème et des cerises. Ils se couchaient
sur l'herbe ; ils s'embrassaient à l'écart sous les peupliers ; et
ils auraient voulu, comme deux Robinsons, vivre perpétuel-
25 lement dans ce petit endroit, qui leur semblait, en leur béatitude, le plus magnifique de la terre. Ce n'était pas la première fois qu'ils apercevaient des arbres, du ciel bleu, du
gazon, qu'ils entendaient l'eau couler et la brise soufflant
dans le feuillage ; mais ils n'avaient sans doute jamais
30 admiré tout cela, comme si la nature n'existait pas auparavant, ou qu'elle n'eût commencé à être belle que depuis
l'assouvissement de leurs désirs.

A la nuit, ils repartaient. La barque suivait le bord des îles.
Ils restaient au fond, tous les deux cachés par l'ombre, sans
35 parler. Les avirons carrés sonnaient entre les tolets[2] de fer ;
et cela marquait dans le silence comme un battement de

1. *Calfat : celui qui calfate, le calfa-*
tage consistant à garnir les joints et les
interstices de la coque d'une étoupe
goudronnée afin de la rendre étanche.
2. *Tolets : chevilles de fer ou de bois*
enfoncées dans la toilette et qui servent
d'appui aux avirons.

Variation sur le bonheur

« Et tout y passa, serments d'éternel amour, entière confession de l'existence, épanchements des anciens rêves, avec l'accord inespéré de leurs imaginations les plus futiles et les interminables "T'en souviens-tu ?" qui reviennent à temps égaux, comme le rappel mélodique de la symphonie sentimentale. Et ils se disaient continuellement : "Ah ! quel bonheur ! Que nous étions malheureux !" D'ailleurs, les joies éprouvées durant leur séparation disparaissaient maintenant, comme s'ils avaient continuellement vécu dans le désir anxieux de leur félicité présente, Emma, qui se rappelait avoir souffert jadis à cause de lui, confondait ses chagrins ultérieurs avec les mélancolies d'autrefois et elle ne pensait plus à Rodolphe, ou bien elle achevait de l'oublier, en retrouvant Léon. Il n'avait pas, celui-là, d'expérience libertine pour amoindrir sa tendresse. C'était un amour, au contraire, plein de virginité, délicat, timide, et dont l'ardeur se cachait sous des expansions d'émerveillement et de reconnaissance. Il s'extasiait à voir comme elle fermait ses paupières, en se renversant la tête ; il admirait les dentelles de sa jupe, sa démarche, son silence, ses moindres paroles, ses bras nus, ses jarretières roses et l'exaltation de son âme. Personne encore ne l'avait aimée d'une manière si humble, ni si voluptueuse, si naïve. Et elle s'en trouvait comme transportée tout à coup dans une région sublime. Mais elle descendait vers lui et se laissait adorer. »

POMMIER-LELEU,
pp. 513-514.

métronome, tandis qu'à l'arrière la bauce[1] qui traînait ne discontinuait pas son petit clapotement doux dans l'eau.

Une fois, la lune parut ; alors ils ne manquèrent pas à faire des phrases, trouvant l'astre mélancolique et plein de poé-
5 sie ; même elle se mit à chanter :

> Un soir, t'en souvient-il ? nous voguions[2], etc.

Sa voix harmonieuse et faible se perdait sur les flots ; et le vent emportait les roulades que Léon écoutait passer, comme des battements d'ailes, autour de lui.
10 Elle se tenait en face appuyée contre la cloison de la chaloupe, où la lune entrait par un des volets ouverts. Sa robe noire, dont les draperies s'élargissaient en éventail, l'amincissait, la rendait plus grande. Elle avait la tête levée, les mains jointes, et les deux yeux vers le ciel. Parfois l'ombre
15 des saules la cachait en entier, puis elle réapparaissait tout à coup, comme une vision, dans la lumière de la lune. ⟨1⟩

Léon, par terre, à côté d'elle, rencontra sous sa main un ruban de soie ponceau[3].

Le batelier l'examina et finit par dire :
20 — Ah ! c'est peut-être à une compagnie que j'ai promenée l'autre jour. Ils sont venus un tas de farceurs, messieurs et dames, avec des gâteaux, du champagne, des cornets à pistons, tout le tremblement ! Il y en avait un surtout, un grand bel homme, à petites moustaches, qui était joliment
25 amusant ! et ils disaient comme ça : « Allons, conte-nous quelque chose..., Adolphe..., Dodolphe..., je crois. »

Elle frissonna.

— Tu souffres ? fit Léon en se rapprochant d'elle.

— Oh ! ce n'est rien. Sans doute la fraîcheur de la nuit.
30 — Et qui ne doit pas manquer de femmes, non plus, ajouta doucement le vieux matelot, croyant dire une politesse à l'étranger.

Puis, crachant dans ses mains, il reprit ses avirons.

Il fallut pourtant se séparer ! Les adieux furent tristes.
35 C'était chez la mère Rolet qu'il devait envoyer ses lettres ; et elle lui fit des recommandations si précises à propos de la double enveloppe, qu'il admira grandement son astuce amoureuse.

— Ainsi, tu m'affirmes que tout est bien ? dit-elle dans le
40 dernier baiser.

— Oui, certes ! — Mais pourquoi donc, songea-t-il après, en s'en revenant seul par les rues, tient-elle si fort à cette procuration ?

1. Bauce : pour « bosse », cordage ou bout de cordage fixé à l'une des extrémités et servant à saisir une amarre, à amarrer une embarcation.
2. Vers célèbre du Lac, le poème le plus connu des Méditations (1820) de Lamartine (1790-1869). (« Lac. Avoir une femme près de soi, quand on se promène dessus. » – Dictionnaire des idées reçues.)
3. Ponceau : rouge vif.

L'amour en mer

« D'ordinaire, le soir, à la brise, il se trouvait mieux, il montait sur le pont. Émilie le soutenait, elle lui parlait du temps où ils se promenaient dans le jardin, où il lui donnait le bras pour monter de l'escalier au salon, où elle s'appuyait dessus comme elle faisait maintenant.

— Te souviens-tu comme je tremblais ? disait Henry.

— Et moi comme je te regardais ?

— Ah ! je serrais ton coude sur mon cœur, est-ce que tu n'en sentais pas les battements ?

— Comme cela, n'est-ce pas, disait-elle clignant des yeux et se renversant le cou en arrière.

— Oh ! regarde-moi ainsi, disait Henry, de cette manière-là... longtemps... tu me rappelles les premiers jours que je t'ai vue.

Après le dîner, ils se promenaient encore sur le pont, aux étoiles ; elle l'entourait de son manteau et ils marchaient ensemble dessous, car il leur était commode pour cela, comme si on l'eût fait exprès. C'était bien un de ces exquis vêtements qui savent l'histoire de toute existence de femme, vêtements pleins de souvenirs, beaux autrefois, faits alors pour être jetés sur des épaules nues, à la sortie du bal, pour que l'hermine brille sur la peau et que le satin glisse sur les chairs, puis qu'on a mis en visite de temps à autre, les grands jours, qu'on a repris malgré la mode contraire, qu'on aime comme un ami, dont les mères enveloppent leurs enfants quand ils sont petits, dont ensuite elles se couvrent les genoux en voyage, lambeaux de sentiments, d'affection, de passion, de rêverie et de folies qu'on use jusqu'à la corde et qu'on ne donne pas aux pauvres. »

GUSTAVE FLAUBERT,
1845,
L'Éducation sentimentale,
première version.

IV

Léon, bientôt, prit devant ses camarades un air de supériorité, s'abstint de leur compagnie, et négligea complètement les dossiers.

Il attendait ses lettres ; il les relisait. Il lui écrivait. Il l'évo-
5 quait de toute la force de son désir et de ses souvenirs. Au lieu de diminuer par l'absence, cette envie de la revoir s'accrut, si bien qu'un samedi matin il s'échappa de son étude.

Lorsque, du haut de la côte, il aperçut dans la vallée le
10 clocher de l'église avec son drapeau de fer-blanc qui tournait au vent, il sentit cette délectation mêlée de vanité triomphante et d'attendrissement égoïste que doivent avoir les millionnaires, quand ils reviennent visiter leur village.

Il alla rôder autour de sa maison. Une lumière brillait dans
15 la cuisine. Il guetta son ombre derrière les rideaux. Rien ne parut.

La mère Lefrançois, en le voyant, fit de grandes exclamations, et elle le trouva « grandi et minci », tandis qu'Artémise, au contraire, le trouva « forci et bruni ».
20 Il dîna dans la petite salle, comme autrefois, mais seul, sans le percepteur ; car Binet, *fatigué* d'attendre *l'Hirondelle*, avait définitivement avancé son repas d'une heure, et, maintenant, il dînait à cinq heures juste, encore prétendait-il le plus souvent que la *vieille patraque*[1] *retardait*.
25 Léon pourtant se décida ; il alla frapper à la porte du médecin. Madame était dans sa chambre d'où elle ne descendit qu'un quart d'heure après. Monsieur parut enchanté de le revoir ; mais il ne bougea de la soirée, ni de tout le jour suivant.
30 Il la vit seule, le soir, très tard, derrière le jardin, dans la ruelle ; — dans la ruelle, comme avec l'autre ! Il faisait de l'orage, et ils causaient sous un parapluie, à la lueur des éclairs.

Leur séparation devenait intolérable.

1. *Patraque : se dit familièrement d'une machine qui fonctionne mal parce qu'elle a été mal faite ou qu'elle est usée.*

— Plutôt mourir ! disait Emma.

Elle se tordait sur son bras, tout en pleurant.

— Adieu !... adieu !... Quand te reverrai-je ?

Ils revinrent sur leurs pas pour s'embrasser encore ; et ce fut là qu'elle lui fit la promesse de trouver bientôt, par 5 n'importe quel moyen, l'occasion permanente de se voir en liberté, au moins une fois par semaine, Emma n'en doutait pas. Elle était, d'ailleurs, pleine d'espoir. Il allait lui venir de l'argent.

Aussi, elle acheta pour sa chambre une paire de rideaux 10 jaunes à larges raies, dont M. Lheureux lui avait vanté le bon marché ; elle rêva un tapis, et Lheureux, affirmant « que ce n'était pas la mer à boire », s'engagea poliment à lui en fournir un. Elle ne pouvait plus se passer de ses services. Vingt fois dans la journée elle l'envoyait chercher, et aussitôt 15 il plantait là ses affaires, sans se permettre un murmure. On ne comprenait point davantage pourquoi la mère Rolet déjeunait chez elle tous les jours, et même lui faisait des visites en particulier.

Ce fut vers cette époque, c'est-à-dire vers le commence- 20 ment de l'hiver, qu'elle parut prise d'une grande ardeur musicale.

Un soir que Charles l'écoutait, elle recommença quatre fois de suite le même morceau, et toujours en se dépitant, tandis que, sans y remarquer la différence, il s'écriait :   25

— Bravo !..., très bien !... Tu as tort ! va donc !

— Eh non ! c'est exécrable ! j'ai les doigts rouillés.

Le lendemain, il la pria *de lui jouer encore quelque chose* .

— Soit, pour te faire plaisir !

Et Charles avoua qu'elle avait un peu perdu. Elle se trom- 30 pait de portée, barbouillait ; puis s'arrêtant court :

— Ah ! c'est fini ! il faudrait que je prisse des leçons ; mais...

Elle se mordit les lèvres, et ajouta :

— Vingt francs par cachet, c'est trop cher !   35

— Oui, en effet..., un peu..., dit Charles tout en ricanant niaisement. Pourtant, il me semble que l'on pourrait peut-être à moins ; car il y a des artistes sans réputation qui souvent valent mieux que les célébrités.

— Cherche-les, dit Emma.   40

Le lendemain, en rentrant, il la contempla d'un œil finaud, et ne put à la fin retenir cette phrase :

— Quel entêtement tu as quelquefois ! J'ai été à Barfeuchères aujourd'hui. Eh bien ! madame Liégeard m'a certifié que ses trois demoiselles, qui sont à la Miséricorde, prenaient des leçons moyennant cinquante sous la séance, et d'une fameuse maîtresse encore !

5   Elle haussa les épaules, et ne rouvrit plus son instrument.

Mais lorsqu'elle passait auprès (si Bovary se trouvait là), elle soupirait :

— Ah ! mon pauvre piano !

Et quand on venait la voir, elle ne manquait pas de vous
10 apprendre qu'elle avait abandonné la musique et ne pouvait maintenant s'y remettre, pour des raisons majeures. Alors on la plaignait. C'était dommage ! elle qui avait un si beau talent ! On en parla même à Bovary. On lui faisait honte, et surtout le pharmacien :

15   — Vous avez tort ! il ne faut jamais laisser en friche les facultés de la nature. D'ailleurs, songez, mon bon ami, qu'en engageant Madame à étudier, vous économisez pour plus tard sur l'éducation musicale de votre enfant ! Moi, je trouve que les mères doivent instruire elles-mêmes leurs enfants.
20 C'est une idée de Rousseau, peut-être un peu neuve encore, mais qui finira par triompher, j'en suis sûr, comme l'allaitement maternel et la vaccination.

Charles revint donc encore une fois sur cette question du piano. Emma répondit avec aigreur qu'il valait mieux le ven-
25 dre. Ce pauvre piano, qui lui avait causé tant de vaniteuses satisfactions, le voir s'en aller, c'était pour Bovary comme l'indéfinissable suicide d'une partie d'elle-même.

— Si tu voulais..., disait-il, de temps à autre, une leçon, cela ne serait pas, après tout, extrêmement ruineux.

30   — Mais les leçons, répliquait-elle, ne sont profitables que suivies.

Et voilà comme elle s'y prit pour obtenir de son époux la permission d'aller à la ville, une fois la semaine, voir son amant. On trouva même, au bout d'un mois, qu'elle avait
35 fait des progrès considérables.

V

C'était le jeudi ⟨1⟩ . Elle se levait, et elle s'habillait silencieusement pour ne point éveiller Charles, qui lui aurait fait
des observations sur ce qu'elle s'apprêtait de trop bonne
heure. Ensuite elle marchait de long en large ; elle se mettait
5 devant les fenêtres, elle regardait la Place. Le petit jour circulait entre les piliers des halles, et la maison du pharmacien, dont les volets étaient fermés, laissait apercevoir dans
la couleur pâle de l'aurore les majuscules de son enseigne.

Quand la pendule marquait sept heures et un quart, elle
10 s'en allait au *Lion d'or*, dont Artémise, en bâillant, venait lui
ouvrir la porte. Celle-ci déterrait pour Madame les charbons
enfouis sous les cendres. Emma restait seule dans la cuisine.
De temps à autre, elle sortait. Hivert attelait sans se dépê-
cher, et en écoutant d'ailleurs la mère Lefrançois, qui, pas-
15 sant par un guichet sa tête en bonnet de coton, le chargeait
de commissions et lui donnait des explications à troubler un
tout autre homme. Emma battait la semelle de ses bottines
contre les pavés de la cour.

Enfin, lorsqu'il avait mangé sa soupe, endossé sa limou-
20 sine[1], allumé sa pipe et empoigné son fouet, il s'installait
tranquillement sur le siège.

L'Hirondelle partait au petit trot, et, durant trois quarts de
lieue, s'arrêtait de place en place pour prendre des voyageurs, qui la guettaient debout, au bord du chemin, devant
25 la barrière des cours. Ceux qui avaient prévenu la veille se
faisaient attendre ; quelques-uns même étaient encore au lit
dans leur maison ; Hivert appelait, criait, sacrait, puis il descendait de son siège et allait frapper de grands coups contre
les portes. Le vent soufflait par les vasistas fêlés.

30 Cependant les quatre banquettes se garnissaient, la voiture roulait, les pommiers à la file se succédaient ; et la
route, entre ses deux longs fossés pleins d'eau jaune, allait
continuellement se rétrécissant vers l'horizon. ⟨2⟩

Emma la connaissait d'un bout à l'autre ; elle savait
35 qu'après un herbage il y avait un poteau, ensuite un orme,
une grange ou une cahute de cantonnier ; quelquefois

1. Limousine : « Manteau d'étoffe
grossière de laine et fil, à raies blanches
et noires, à l'usage des charretiers, rouliers, paysans. » (Dictionnaire universel
du XIXᵉ siècle.)

La fréquence narrative

Parmi les nombreux outils de description narratologique mis au point dans Figures III *(Seuil, 1972), celui de fréquence narrative — c'est-à-dire les relations de fréquence ou de répétition entre récit et diégèse — est l'un des plus efficaces pour Madame Bovary.*

Gérard Genette distingue :

*— le récit SINGULATIF : raconter une fois ce qui s'est passé une fois. Exemple : l'arrivée du nouveau au début du roman. Se ramène également à ce type le fait de racon-*ter n *fois ce qui s'est passé n fois, véritable anaphorique singulatif ;*

— le récit RÉPÉTITIF : raconter n fois ce qui s'est passé une fois ;

— le récit ITÉRATIF : raconter en une seule fois ce qui s'est passé n fois. C'est ici le cas. Il existe d'autres cas dans le roman comme la vie d'Emma au couvent, ou à Tostes, avant et après le bal à la Vaubyessard, évidemment singulatif. Genette fait remarquer que Flaubert est «le premier romancier qui ait entrepris (d')émanciper (le récit itératif) de cette dépendance fonctionnelle (qui le plaçait), dans le roman traditionnel, *au service* du récit «proprement dit», qui est le récit singulatif» *(op. cit, p. 148).*

On notera comment dans ce passage, le narrateur parvient, dans le cadre de l'itératif — qui dure jusqu'à la question de Charles : « C'est Mlle Lempereur, n'est-ce pas, qui te donne des leçons ? » (p. 622), à rapporter les échanges rituels entre Léon et Emma comme une répétition d'actes de parole singulatifs, et ce grâce à l'imparfait d'habitude.

 # Les voyages en diligence

Le simple rapprochement de plusieurs passages des œuvres de Flaubert permet de mettre en évidence des continuités, des reprises, des leitmotive dans les descriptions d'un même sujet. Geneviève Bollême propose une telle confrontation avec divers voyages en diligence :

« Il fait chaud, le soleil darde ses rayons sur la route pleine de poussière, les pommiers qui la bordent ont leurs feuilles toutes brûlées. C'est par ces vigoureuses chaleurs du mois de juin qu'il est doux de se laisser ballotter par le mouvement de la calèche, de s'abandonner à quelque rêve plein de poésie, tandis que les rideaux bleus des vasistas sont fermés et laissent passer cependant quelque petit nuage de poussière chassé par le vent et qui vient couvrir vos habits. »

Un parfum à sentir

« Chacun, fatigué, s'endormait au doux balancement des soupentes et au bruit des roues qui allaient lentement dans les grandes ornières creusées par la pluie, et les pieds des chevaux enfonçaient en glissant dans la boue ; une glace ouverte derrière Djalioh donnait de l'air dans la voiture, et le vent soufflait sur ses épau-les et dans son cou. » *Quidquid volueris*

« La nuit — il était peut-être deux heures — elle ouvrit ses glaces et regarda dehors. On était dans une plaine et la route était bordée d'arbres, les clartés de la nuit passant à travers leurs branches les faisaient ressembler à des fantômes aux formes gigantesques, qui couraient tous devant Mazza et remuaient au gré du vent, qui sifflait à travers leurs feuilles, leur chevelure en désordre. Une fois la voiture s'arrêta au milieu de la campagne, un trait se trouvait cassé, il faisait nuit, on n'entendait que le bruit des arbres, l'haleine des chevaux haletant de sueur, et les sanglots d'une femme qui pleurait seule. »

Passion et vertu

« Je me rappelle encore mes petites joies à voir les chevaux courir sur la route, à voir la fumée de leur haleine, et la sueur inonder leurs harnais ; j'aimais le trot monotone et cadencé qui fait osciller les soupentes ; et puis, quand on s'arrêtait, tout se taisait dans les champs. On voyait la fumée sortir de leurs naseaux, la voiture ébranlée se raffermissait sur ses ressorts, le vent sifflait sur les vitres ; et c'était tout... »

Mémoires d'un Fou

« ...La voiture roulait au grand galop, il était dans le coupé, il ne dormait pas, mais se sentait traîné avec plaisir vers cette mer qu'il allait encore revoir ; il regardait les guides du postillon, éclairées par la lanterne de l'impériale, se remuer en l'air et sauter sur la croupe fumante des chevaux, le ciel était pur et les étoiles brillaient comme dans les plus belles nuits d'été. »

Novembre

« Nous sommes partis, la diligence a roulé sur le pavé des quais, avec son bruit de pieds

de chevaux, de vitres et de ferrailles. Le temps était sec. Le ciel clair, le vent soufflait... son voyage finissait dans quelques heures et elle pleurait. »

Notes de Voyages

« J'ai souvenir pendant la première nuit, d'une côte que nous avons montée. C'était au milieu du bois. La lune, par places, donnait sur la route. A gauche, il devait y avoir une grande vallée.
La lanterne qui est sous le siège du postillon éclairait la croupe des deux premiers chevaux. Ma voisine, endormie, la bouche ouverte, ronflait sur mon épaule. Nous ne disions rien ; on roulait. »

Id.

(Retour à Tostes après le bal.)
« ...les guides molles battaient sur sa croupe en s'y trempant d'écume, et la boîte ficelée derrière le *boc* donnait contre la caisse de grands coups réguliers. »

Madame Bovary

(Les retours à Yonville le jeudi.)
« ...et le reflet de la lanterne qui se balançait en dehors, sur la croupe des limoniers, pénétrant dans l'intérieur par les rideaux de calicot chocolat, posait des ombres sanguino-

lentes sur tous ces individus immobiles. »

Id.

« La lanterne, suspendue au siège du postillon, éclairait les croupes des limoniers. Il n'apercevait au-delà que les crinières des autres chevaux qui ondulaient comme des vagues blanches ; leurs haleines formaient un brouillard de chaque côté de l'attelage ; les chaînettes de fer sonnaient, les glaces tremblaient dans leurs châssis ; et la lourde voiture, d'un train égal, roulait sur le pavé. Çà et là, on distinguait le mur d'une grange, ou bien une auberge, toute seule. Parfois en passant dans les villages, le four d'un boulanger projetait des lueurs d'incendie, et la silhouette monstrueuse des chevaux courait sur l'autre maison d'en face. »

L'Éducation sentimentale

« Le lendemain, on repartait dès l'aube ; et la route, toujours la même, s'allongeait en montant jusqu'au bord de l'horizon. Les mètres de cailloux se succédaient, les fossés étaient pleins d'eau, la campagne s'étalait par grandes surfaces d'un vert monotone et froid, des nuages couraient dans le ciel, de temps à autre la pluie tombait. Le troisième jour, des bourrasques s'élevèrent. La bâche du chariot, mal attachée, claquait au vent comme la voile d'un navire. »

Bouvard et Pécuchet

« Cependant les quatre banquettes se garnissaient, la voiture roulait, les pommiers à la file se succédaient ; et la route, entre ses deux longs fossés d'eau jaune, allait continuellement se rétrécissant vers l'horizon. »

Madame Bovary

« Les fossés pleins de broussailles filaient sous les yeux, avec un mouvement doux et continu. »

L'Éducation sentimentale

GENEVIÈVE BOLLEME,
1964,
La leçon de Flaubert,
réédition 10/18, pp. 303-307.

même, afin de se faire des surprises, elle fermait les yeux. Mais elle ne perdait jamais le sentiment net de la distance à parcourir.

Enfin, les maisons de briques se rapprochaient, la terre
5 résonnait sous les roues, *l'Hirondelle* glissait entre des jardins, où l'on apercevait, par une claire-voie, des statues, un vignot[1], des ifs taillés et une escarpolette. Puis, d'un seul coup d'œil, la ville apparaissait.

Descendant tout en amphithéâtre ⌐ et noyée dans le
10 brouillard, elle s'élargissait au-delà des ponts, confusément. La pleine campagne remontait ensuite d'un mouvement monotone, jusqu'à toucher au loin la base indécise du ciel pâle. Ainsi vu d'en haut, le paysage tout entier avait l'air immobile comme une peinture ; les navires à l'ancre se tas-
15 saient dans un coin ; le fleuve arrondissait sa courbe au pied des collines vertes, et les îles, de forme oblongue, semblaient sur l'eau de grands poissons noirs arrêtés. Les cheminées des usines poussaient d'immenses panaches bruns qui s'envolaient par le bout. On entendait le ronflement des fon-
20 deries avec le carillon clair des églises qui se dressaient dans la brume. Les arbres des boulevards, sans feuilles, faisaient des broussailles violettes au milieu des maisons, et les toits, tout reluisants de pluie, miroitaient inégalement, selon la hauteur des quartiers. Parfois un coup de vent emportait les
25 nuages vers la côte Sainte-Catherine, comme des flots aériens qui se brisaient en silence contre une falaise. ②

Quelque chose de vertigineux se dégageait pour elle de ces existences amassées, et son cœur s'en gonflait abondamment, comme si les cent vingt mille âmes qui palpitaient
30 là lui eussent envoyé toutes à la fois la vapeur des passions qu'elle leur supposait. Son amour s'agrandissait devant l'espace, et s'emplissait de tumulte aux bourdonnements vagues qui montaient. Elle le reversait au dehors, sur les places, sur les promenades, sur les rues, et la vieille cité nor-
35 mande s'étalait à ses yeux comme une capitale démesurée, comme une Babylone où elle entrait. Elle se penchait des deux mains par le vasistas, en humant la brise ; les trois chevaux galopaient, les pierres grinçaient dans la boue, la diligence se balançait, et Hivert, de loin, hélait les carrioles sur
40 la route, tandis que les bourgeois qui avaient passé la nuit au bois Guillaume descendaient la côte tranquillement, dans leur petite voiture de famille.

On s'arrêtait à la barrière ; Emma débouclait ses socques,

1. Vignot (ou vigneau) : « Sorte de ter-tre avec sentier en hélice et couronné d'une treille qu'on élevait autrefois dans les jardins en Normandie. » (Littré.)

① De Carthage à Rouen : la ville en amphithéâtre

« Carthage était défendue dans toute la largeur de l'isthme : d'abord par un fossé, ensuite par un rempart de gazon, et enfin par un mur, haut de trente coudées, en pierres de taille, et à double étage.
[...]
Cette première ligne de murailles abritait immédiatement Malqua, le quartier des gens de la marine et des teinturiers. On apercevait des mâts où séchaient des voiles de pourpre, et sur les dernières terrasses des fourneaux d'argile pour cuire la saumure.

Par-derrière, la ville étageait en amphithéâtre ses hautes maisons de forme cubique. Elles étaient en pierres, en planches, en galets, en roseaux, en coquillages, en terre battue. Les bois des temples faisaient comme des lacs de verdure dans cette montagne de blocs, diversement coloriés. Les places publiques la nivelaient à des distances inégales ; d'innombrables ruelles s'entrecroisant la coupaient du haut en bas. On distinguait les enceintes des trois vieux quartiers, maintenant confondues ; elles se levaient çà et là comme de grands

écueils, ou allongeaient des pans énormes — à demi couverts de fleurs, noircis, largement rayés par le jet des immondices, et des rues passaient dans leurs ouvertures béantes, comme des fleuves sous des ponts.

La colline de l'Acropole, au centre de Byrsa, disparaissait sous un désordre de monuments. C'étaient des temples à colonnes torses avec des chapiteaux de bronze et des chaînes de métal, des cônes en pierres sèches à bandes d'azur, des coupoles de cuivre, des architraves de marbre, des contreforts babyloniens, des obélisques posant sur leur pointe comme des flambeaux renversés. Les péristyles atteignaient aux frontons ; les volutes se déroulaient entre les colonnades ;

des murailles de granit supportaient des cloisons de tuile ; tout cela montait l'un sur l'autre en se cachant à demi, d'une façon merveilleuse et incompréhensible. On y sentait la succession des âges et comme des souvenirs de patries oubliées.

Derrière l'Acropole, dans des terrains rouges, le chemin des Mappales, bordé de tombeaux, s'allongeait en ligne droite du rivage aux catacombes ; de larges habitations s'espaçaient ensuite dans des jardins, et ce troisième quartier, Mégara, la ville neuve, allait jusqu'au bord de la falaise, où se dressait un phare géant qui flambait toutes les nuits.

Carthage se déployait ainsi devant les soldats établis dans la plaine. »

GUSTAVE FLAUBERT,
1862,
Salammbô.

La ville désacralisée

Si Rouen bénéficie ironiquement d'une mythification opérée par le point de vue d'Emma, le Paris de l'Éducation sentimentale apparaît nettement plus dégradé, plus prosaïque, comme pour mieux souligner le caractère velléitaire de Frédéric qui ne sait même pas assouvir une partie de ses désirs :

« Un bruit sourd de planches le réveilla, on traversait le pont de Charenton, c'était Paris. Alors, ses deux compagnons, ôtant l'un sa casquette, l'autre son foulard, se couvrirent de leur chapeau et causèrent. Le premier, un gros homme rouge, en redingote de velours, était un négociant ; le second venait dans la capitale pour consulter un médecin ; — et, craignant de l'avoir incommodé pendant la nuit, Frédéric lui fit spontanément des excuses, tant il avait l'âme attendrie par le bonheur. Le quai de la gare se trouvant inondé, sans doute, on continua tout droit, et la campagne recommença. Au loin, de hautes cheminées d'usines fumaient. Puis on tourna dans Ivry. On monta une rue ; tout à coup il aperçut le dôme du Panthéon.

La plaine, bouleversée, semblait de vagues ruines. L'enceinte des fortifications y faisait un renflement horizontal ; et, sur les trottoirs en terre qui bordaient la route, de petits arbres sans branches étaient défendus par des lattes hérissées de clous. Des établissements de produits chimiques alternaient avec des chantiers de marchands de bois. De hautes portes, comme il y en a dans les fermes, laissaient voir, par leurs battants entrouverts, l'intérieur d'ignobles cours pleines d'immondices, avec des flaques d'eau sale au milieu. De longs cabarets, couleur sang de bœuf, portaient à leur premier étage, entre les fenêtres, deux queues de billard en sautoir dans une couronne de fleurs peintes ; çà et là, une bicoque de plâtre à moitié construite était abandonnée. Puis, la double ligne de maisons ne discontinua plus ; et, sur la nudité de leurs façades, se détachait, de loin en loin, un gigantesque cigare de ferblanc, pour indiquer un débit de tabac. Des enseignes de sage-femme représentaient une matrone en bonnet, dodelinant un poupon dans une courte-pointe garnie de dentelles. Des affiches couvraient l'angle des murs, et, aux trois quarts déchirées, tremblaient au vent comme des guenilles.

Des ouvriers en blouse passaient, et des haquets de brasseurs, des fourgons de blanchisseuses, des carrioles de bouchers ; une pluie fine tombait, il faisait froid, le ciel était pâle ; mais deux yeux qui valaient pour lui le soleil resplendissaient derrière la brume.

On s'arrêta longtemps à la barrière, car des coquetiers, des rouliers et un troupeau de moutons y faisaient de l'encombrement. Le factionnaire, la capote rabattue, allait et venait devant sa guérite pour se réchauffer. Le commis de l'octroi grimpa sur l'impériale, et une fanfare de cornet à piston éclata. On descendit le boulevard au grand trot, les palonniers battants, les traits flottants. La mèche du long fouet claquait dans l'air humide. Le conducteur lançait son cri sonore : "Allume ! allume ! ohé !'' et les balayeurs se rangeaient, les piétons sautaient en arrière, la boue jaillissait contre les vasistas, on croisait des tombereaux, des cabriolets, des omnibus. Enfin la grille du Jardin des Plantes se déploya. »

GUSTAVE FLAUBERT,
1869,
L'Éducation sentimentale.

2 Rouen : le réalisme en question

« A première vue, le passage se présente bien comme une vue d'ensemble, d'une réalité topographique : Rouen et ses environs immédiats tels que le voyageur pouvait effectivement les voir en arrivant. Tout y est : la rivière, les ponts, les collines, les îles, les usines, les navires, les toits. Ce n'est pas une photo, ni une gravure ; mais il s'agit d'un équivalent verbal.

Pourtant, il s'agit aussi d'autre chose : le panorama est vu et recréé à travers les yeux d'Emma. Elle voit ce qu'elle veut et ce qu'elle peut voir ; ses désirs déterminent les formes, le mouvement, la couleur. Rêves et anticipation transforment la ville de province en une Babylone remplie de promesses et de dangers. L'imagerie spatiale (campagne, ciel, panaches, nuages, navires) joue autour des notions d'élargissement, d'envol, mais aussi de brouillard et de confusion. Le mouvement n'est en fait pas réel et se fige en construction artistique. Comme toujours pour Emma, le point de départ ainsi que l'aboutissement est l'idée d'un *modèle*, d'une forme qui n'est pas la vie mais sa représentation : *...Le paysage tout entier avait l'air immobile comme une peinture...* On

peut même dire que la texture métaphorique du passage se réfère au thème dramatique central : le rapport entre l'illusion et l'échec. Les *flots aériens* des nuages se brisent en effet contre une falaise.

Mais cette vision par personne interposée ne fait que ressortir un troisième plan de ce même passage — le plus personnel, celui où s'opposent les images fondamentales de mouve-

ment et d'immobilité. *Descendant* — le premier mot du paragraphe donne le ton : il s'agit d'une métaphore se référant à une réalité essentiellement statique, la ville. Il en est de même des autres verbes de mouvement *(s'élargissait... remontait... se dressaient..)* servant à décrire le panorama. Cette mobilité du paysage — le plus souvent d'un paysage monotone — est caractéristique de Flaubert.

L'illusion optique projette la double notion d'un élan et d'une immobilisation irrémédiable que viennent ici renforcer les images de l'*ancre*, de la *peinture*, des arbres sans feuilles, ainsi que les mots clefs *se tassaient, arrêtés, se brisaient.*

L'évasion impossible, le rêve futile : c'est le drame d'Emma qui est en cause. Mais à travers ce drame, et au-delà, c'est la sensibilité de Flaubert qui se révèle dans les structures métaphoriques de son roman. Structures qui se confirmeront d'une œuvre à l'autre : staticité épique dans *Salammbô* ; boucle bouclée dans *l'Éducation sentimentale* ; cycles du doute, de l'élan, et de la rechute dans la prière automatique, dans *la Tentation de saint Antoine* ; retour au pupitre et à la routine anesthésiante de la copie dans *Bouvard et Pécuchet*. D'un côté, l'obsession de l'amorphe, du changeant, de tout ce qui se transmue ; de l'autre, la hantise du figé, et le rêve d'un salut par la forme. »

VICTOR BROMBERT,
1971,
Flaubert par lui-même, Seuil,
pp. 62-63.

Peut-être peut-on étendre les significations de cette description à l'ensemble de la fiction :

« Dans cette description, il existe une alternance entre le mouvement et l'immobilité, l'espace et le rétrécissement, le progrès et la stagnation, analogue à l'oscillation existant à l'intérieur du personnage d'Emma. D'autre part, l'opposition entre la "réalité" et l'illusion d'Emma qui s'y manifeste, se trouve revêtue d'une signification qui est liée à la place qu'occupe la description dans le syntagme diégétique (...), l'impossibilité irrémédiable du progrès, et, de ce fait, l'acheminement de l'action vers sa propre désintégration, concrétisée par (...) la disparition des personnages qui complète la désintégration de l'univers romanesque. La description de Rouen contient donc en germe l'histoire entière — avec son dénouement — et elle constitue une mise en abyme concentrante. »

MIEKE BAL, 1977, *Narratologie,* Klincksieck, p. 107.

On peut également la mettre en rapport avec la problématique du réalisme :

Dans *Madame Bovary*, la description de Rouen (référent réel s'il en fut) est soumise aux contraintes tyranniques de ce qu'il faut bien appeler le vraisemblable esthétique, comme en font foi les corrections apportées à ce morceau au cours de six rédactions successives. On y voit d'abord que les corrections ne procèdent nullement d'une considération accrue du modèle : Rouen, perçu par Flaubert, reste toujours le même, ou plus exactement, s'il change quelque peu d'une version à l'autre, c'est uniquement parce qu'il est nécessaire de resserrer une image ou d'éviter une redondance phonique réprouvée par les règles du beau style, ou encore de "caser" un bonheur d'expression tout contingent ; on y voit ensuite que le tissu descriptif, qui semble à première vue accorder une grande importance (par sa dimension, le soin de son détail) à l'objet *Rouen*, n'est en fait qu'une sorte de fond destiné à recevoir les joyaux de quelques métaphores rares, l'excipient neutre, prosaïque, qui enrobe la précieuse substance symbolique, comme si, dans Rouen, importaient seules les figures de rhétorique auxquelles la vue de la ville se prête comme si Rouen n'était notable que par ses substitutions *(les mâts comme une forêt d'aiguilles, les îles comme de grands poissons noirs arrêtés, les nuages comme des flots aériens qui se brisent en silence contre une falaise)* ; on y voit enfin que toute la description est *construite* en vue d'apparenter Rouen à une peinture : c'est une scène peinte que le langage prend en charge *(« Ainsi, vu d'en haut, le paysage tout entier avait l'air immobile comme une peinture »)* ; l'écrivain accomplit ici la définition que Platon donne de l'artiste, qui est un faiseur au troisième degré, puisqu'il imite ce qui est déjà la simulation d'une essence. De la sorte, bien que la description de Rouen soit parfaitement "impertinente" par rapport à la structure narrative de *Madame Bovary* (on ne peut la rattacher à aucune séquence fonctionnelle ni à aucun signifié caractériel, atmosphériel ou sapientiel), elle n'est nullement scandaleuse, elle se trouve justifiée, sinon par la logique de l'œuvre, du moins par les lois de la littérature : son "sens" existe, il dépend de la conformité, non au modèle, mais aux règles culturelles de la représentation.

Toutefois, la fin esthétique de la description flaubertienne est toute mêlée d'impératifs "réalistes", comme si l'exactitude du référent, supérieure ou indifférente à toute autre fonction, commandait et justifiait seule, apparemment, de le décrire, ou — dans le cas des descriptions réduites à un mot — de le dénoter : les contraintes esthétiques se pénètrent ici — du moins à titre d'alibi — de contraintes référentielles : il est probable que, si l'on arrivait à Rouen en diligence, la vue que l'on aurait en descendant la côte qui conduit à la ville ne serait pas "objectivement" différente du panorama que décrit Flaubert. Ce mélange — ce chassé-croisé — de contraintes a un double avantage : d'une part la fonction esthétique, en donnant un sens "au morceau", arrête ce que l'on pourrait appeler le vertige de la notation ; car, dès lors que le discours ne serait plus guidé et limité par les impératifs structuraux de l'anecdote (fonctions et indices), plus rien ne pourrait indiquer pourquoi arrêter les détails de la description ici et non là : si elle n'était pas soumise à un choix esthétique ou rhétorique, toute "vue" serait inépuisable par le discours : il y aurait toujours un coin, un détail, une inflexion d'espace ou de cou-

leur à rapporter ; et d'autre part, en posant le référent pour réel, en feignant de le suivre d'une façon esclave, la description réaliste évite de se laisser entraîner dans une activité fantasmatique (précaution que l'on croyait nécessaire à l'"objectivité" de la relation) ; la rhétorique classique avait en quelque sorte institutionnalisé le fantasme sous le nom d'une figure particulière, l'hypotypose, chargée de "mettre les choses sous les yeux de l'auditeur", non point d'une façon neutre, consta-

tive, mais en laissant à la représentation tout l'éclat du désir (cela faisait partie du discours vivement éclairé, aux cernes colorés : l'*illustris oratio*) ; en renonçant déclarativement aux contraintes du code rhétorique, le réalisme doit chercher une nouvelle raison de décrire. »

ROLAND BARTHES,
1968,
« L'effet de réel »,
Communications, n° 11,
repris in *Littérature et réalité*,
collection Points, Seuil, 1982.

La vue de Rouen : un tableau

1° *C'est un paysage vu de haut.* — Il faut d'abord tailler un volume dans l'espace, donner à l'imagination du lecteur un vaste cadre, de larges limites. Deux verbes imposent à l'esprit le double mouvement que la brusque plongée de la route impose au regard : *descendant, remontait.* On se représente aussitôt une immense cuvette. Au fond de la cuvette se dessine la courbe du fleuve.

Pour stimuler l'imagination, pour l'inciter à concevoir la profondeur et l'étendue, il faut une double série de lignes : des verticales et des horizon-

tales. Flaubert dresse donc les cheminées des usines et les clochers ; il accroît encore la poussée en hauteur, et la suggestion du vide par les "immenses panaches" de fumée et "le carillon clair" qui monte des églises. L'autre dimension est marquée à l'horizon par "la base indécise du ciel pâle", et surtout par la course des nuages. Le site de Rouen se coiffe ainsi d'un plafond mouvant.

Il est aisé de reconnaître le maître de Flaubert, celui qui lui a appris ainsi à susciter l'espace pour y loger une description et à le baliser de quelques traits. C'est le Chateaubriand de l'*Itinéraire*, décrivant "du haut de l'Acropolis" le lever de soleil sur Athènes. Les colonnes de fumée bleue qui montent le long des flancs de l'Hymette, les ailes noires et lustrées des corneilles qui planent à la hauteur même de la citadelle sans jamais franchir son sommet fournissent à l'artiste de fines nuances ; mais elles sont d'abord au service d'une géométrie poétique. Posant la hauteur, la longueur et la largeur, elles créent un théâtre pour les jeux savants de la lumière. Les panaches bruns des usines ont dans la mise en place de Rouen le même rôle que dans l'*Itinéraire* les fumées de l'Hymette ; la fuite des nuages répond chez Flaubert au vol des corneilles chez Chateaubriand.

2° *Vu de haut, le paysage est simplifié.* — Il avait, dit Flaubert, "l'air immobile comme une peinture". C'est évidemment un souvenir de La Bruyère. Sa petite ville (V, 49) lui paraît "peinte sur le penchant de la colline".

a) Qu'un paysage ressemble à un tableau, cela signifie d'abord (si la remarque est antérieure à la révolution des Impressionnistes), *qu'il est aisément déchiffrable à l'esprit*. Un tableau est œuvre de l'esprit, le résultat d'un choix : il met en place des masses nécessaires et bien définies. Le regard de Flaubert compose ou recompose de même la ville, parce qu'il en repère et en identifie aisément les éléments attendus. Flaubert a donc trié et ordonné : pas de prodigalité ni de confusion dans sa description. Il a caractérisé très sobrement chaque partie de l'ensemble : pas de complaisance, une remarquable discrétion.

Le paysage prend ainsi un caractère rassurant et familier : le fleuve, les îles, les usines, les boulevards, etc., tout ce qui compte est présent à point nommé. Tous les morceaux de cette ville jouent le rôle que leur assignent l'esprit et la mémoire : cette ville découverte, c'est une ville reconnue. L'article défini, auquel Flaubert recourt exclusivement pour introduire les parties du tableau, marque à la fois la nécessité de leur présence et une sorte d'intimité ou du moins d'accoutumance. b) Qu'un paysage ressemble à un tableau, cela signifie ensuite qu'il est *immobile*. Le peintre, en fixant sur sa toile l'image d'un jour et d'une heure, l'a arrêtée pour toujours. L'altitude opère, sur cette ville si animée, si agitée, une stylisation analogue. Elle arrête la vie, ou plutôt elle fait semblant de l'arrêter. Mais elle rend perceptibles, derrière l'immobilité apparente des formes de vie plus cachées et plus lentes ; derrière le temps de l'homme, le temps du monde.

Ainsi l'activité humaine, le va-et-vient des voitures, des passants n'est pas perceptible de si haut. L'affairement ne se voit pas ; il se déduit : des fumées, du ronflement, des carillons. Les navires se tassent, le fleuve arrondit sa courbe, les îles ressemblent à de grands poissons noirs arrêtés : autant de formes d'une énergie qui se concentre au lieu de se dépenser. Les choses, sur terre, semblent être en attente et dissimuler leur puissance de mouvement. Mais au-dessus de cette vie élémentaire, amortie, provisoirement suspendue, le vent roule sa charge de nuages comme des flots : c'est un autre rythme, le rythme, capricieux et inexorable, des grandes forces de la nature. Rouen immobile a l'air d'être immergé sous une marée aérienne.

3° *C'est un matin d'hiver.* — La ville est « noyée dans le brouillard » ; les églises se dressent « dans la brume ». Pourquoi Flaubert a-t-il choisi pour loger dans *Madame Bovary* son panorama de Rouen, une telle heure, une telle saison ? Il fera se lever le soleil sur Carthage, parce que cette cité africaine exige, pour être elle-même, pour ressurgir du rêve et du passé, pour tenter Spendius, toute la gloire de la lumière. Une convenance aussi impérieuse, mais de sens contraire, veut que Rouen soit saisi dans sa banalité quotidienne. Il arrive que le ciel de Normandie flamboie, il est plus fréquent qu'il s'éteigne et soit ouaté de brume. Sous un tel ciel, la description sera plus typique, plus vraie, et aussi plus sévère : petite vengeance du Rouennais contre la tristesse du pays natal, qui lui inspire autant d'amour que de mauvaise humeur.

Il faut au peintre beaucoup d'habileté, s'il fait exprès d'appauvrir sa palette. Que l'on considère ici les valeurs fondamentales et les touches complémentaires, on mesurera l'habileté de Flaubert. Ciel *pâle*, collines *vertes*, îles *noires* : voilà les dominantes, les surfaces les plus largement uniformes. On constate que la couleur s'assombrit à mesure que le regard descend et que la surface considérée se rétrécit. Le *vert* des collines absorbe la lumière diffuse qui se dégage du ciel *pâle* ; mais ce vert tourne au *noir* sur la croupe des îles.

Il y a dans le tableau une seconde série de couleurs.

Elles obéissent à une gradation inverse. Les plus claires sont en bas ou s'étagent au flanc des masses sombres : broussailles *violettes*, miroitement des toits *luisants* de pluie. La plus foncée gagne en hauteur, sur le ciel clair : panaches *bruns*. Ainsi le brun assourdit et offusque presque la source de l'éclairage ; mais le violet et le blanc gris des ardoises mouillées adoucissent, aèrent, animent presque les zones d'ombre.

On ne peut qu'admirer tant d'adresse à limiter et à composer ce panorama, à jouer en mineur des ressources de l'ombre et des subtilités d'une lumière pauvre. »

ROGER PONS, 1960,
Étude parue dans *l'Information littéraire*, 1960, n° 1, pp. 33-34.

Une vue de Rouen chez Maupassant

Nous avons déjà dit que l'intertexte flaubertien joue dans les écrits de Maupassant (voir le contexte p. 237). En voici une nouvelle preuve, et l'on comparera utilement les deux traitements de Rouen vu d'en haut :

« Ils venaient de s'arrêter aux deux tiers de la montée, à un endroit renommé pour la vue, où l'on conduit tous les voyageurs.

On dominait l'immense vallée, longue et large, que le fleuve clair parcourait d'un bout à l'autre, avec de grandes ondulations. On le voyait venir de là-bas, taché par des îles nombreuses et décrivant une courbe avant de traverser Rouen. Puis la ville apparaissait sur la rive droite, un peu noyée dans la brume matinale, avec des éclats de soleil sur ses toits, et ses mille clochers légers, pointus ou trapus, frêles et travaillés comme des bijoux géants, ses tours carrées ou rondes coiffées de

mettait d'autres gants, rajustait son châle, et, vingt pas plus loin, elle sortait de l'*Hirondelle*.

La ville alors s'éveillait. Des commis, en bonnet grec, frottaient la devanture des boutiques, et des femmes qui
5 tenaient des paniers sur la hanche poussaient par intervalles un cri sonore, au coin des rues. Elle marchait les yeux à terre, frôlant les murs, et souriant de plaisir sous son voile noir baissé.

Par peur d'être vue, elle ne prenait pas ordinairement le
10 chemin le plus court. Elle s'engouffrait dans les ruelles sombres, et elle arrivait tout en sueur vers le bas de la rue Nationale, près de la fontaine qui est là. C'est le quartier du théâtre, des estaminets et des filles. Souvent une charrette passait près d'elle, portant quelque décor qui tremblait. Des gar-
15 çons en tablier versaient du sable sur des dalles, entre des arbustes verts. On sentait l'absinthe, le cigare et les huîtres. ⟨1⟩

Elle tournait une rue ; elle le reconnaissait à sa chevelure frisée qui s'échappait de son chapeau.
20 Léon, sur le trottoir, continuait à marcher. Elle le suivait jusqu'à l'hôtel ; il montait, il ouvrait la porte, il entrait... Quelle étreinte !

Puis les paroles, après les baisers, se précipitaient. On se racontait les chagrins de la semaine, les pressentiments, les
25 inquiétudes pour les lettres ; mais à présent tout s'oubliait, et ils se regardaient face à face, avec des rires de volupté et des appellations de tendresse.

Le lit était un grand lit d'acajou en forme de nacelle. Les rideaux de levantine¹ rouge, qui descendaient du plafond,
30 se cintraient trop bas près du chevet évasé ; — et rien au monde n'était beau comme sa tête brune et sa peau blanche se détachant sur cette couleur pourpre, quand, par un geste de pudeur, elle fermait ses deux bras nus, en se cachant la figure dans les mains.
35 Le tiède appartement, avec son tapis discret, ses ornements folâtres et sa lumière tranquille, semblait tout commode pour les intimités de la passion. Les bâtons se terminant en flèche, les patères de cuivre et les grosses boules de chenets reluisaient tout à coup, si le soleil entrait. Il y avait
40 sur la cheminée, entre les candélabres, deux de ces grandes coquilles roses où l'on entend le bruit de la mer quand on les applique à son oreille. ⟨2⟩

Comme ils aimaient cette bonne chambre pleine de

---

1. *Levantine : étoffe de soie unie et légère.*

couronnes héraldiques, ses beffrois, ses clochetons, tout le peuple gothique des sommets d'églises que dominait la flèche aiguë de la cathédrale, surprenante aiguille de bronze, laide, étrange et démesurée, la plus haute qui soit au monde.

Mais en face, de l'autre côté du fleuve, s'élevaient, rondes et renflées à leur faîte, les minces cheminées d'usines du vaste faubourg de Saint-Sever. Plus nombreuses que leurs frères les clochers, elles dressaient jusque dans la campagne lointaine leurs longues colonnes de briques et soufflaient dans le ciel bleu leur haleine noire de charbon.

Et la plus élevée de toutes, aussi haute que la pyramide de Chéops, le second des sommets dus au travail humain, presque l'égale de sa fière commère la flèche de la cathédrale, la grande pompe à feu de la *Foudre* semblait la reine du peuple travailleur et fumant des usines, comme sa voisine était la reine de la foule pointue des monuments sacrés.

Là-bas, derrière la ville ouvrière, s'étendait une forêt de sapins ; et la Seine, ayant passé entre les deux cités, continuait sa route, longeait une grande côte onduleuse boisée en haut et montrant par

places ses os de pierre blanche, puis elle disparaissait à l'horizon après avoir encore décrit une longue courbe arrondie. On voyait des navires montant et descendant le fleuve, traînés par des barques à vapeur grosses comme des mouches et qui crachaient une fumée épaisse. Des îles, étalées sur l'eau, s'alignaient toujours l'une au bout de l'autre, ou bien laissant entre elles de grands intervalles,

comme les grains inégaux d'un chapelet verdoyant.
Le cocher du fiacre attendait que les voyageurs eussent fini de s'extasier. Il connaissait par expérience la durée de l'admiration de toutes les races de promeneurs. »

GUY DE MAUPASSANT,
1885,
Bel Ami.

Le petit journal de Madame Bovary

« Je suis en plein Rouen et je viens même de quitter, pour t'écrire, les lupanars à grilles, les arbustes verts, l'odeur de l'absinthe, du cigare et des huîtres, etc. Le mot est lâché :

"Babylone" y est, tant pis ! Tout cela frise bougrement le ridicule. C'est "trop fort".

A Louis Bouilhet, 24/5/1854

2 La mer comme métaphore

« (Voici la) chambre d'hôtel, et bourgeoise, où se miniaturise et se restreint aussi l'idéal de la mer. Le lit en est "en forme de nacelle", et, sur la cheminée, "entre les candélabres", se trouvent "deux de ces grandes coquilles roses où l'on entend le bruit de la mer quand on les applique à son oreille".
Emma ne possédera pas autrement cette mer qu'elle n'a

jamais vue. Le réseau des images qui l'évoquent est, on le sait, l'un des plus continus du roman. Emma jeune "n'aimait la mer qu'à cause de ses tempêtes". Paris est pour elle "plus vague que l'Océan". Malheureuse, elle est "comme des matelots en détresse... cherchant au loin quelque voile blanche dans les brumes de l'horizon" : et la métaphore, longuement développée par Flaubert, n'a point de platitude, parce qu'elle convient exactement aux angoisses d'Emma. Celle-ci sympathise avec Léon dans cet amour pour la mer, et, plus tard, lors de leur liaison, quand elle s'invente un ancien amour, c'est pour un capitaine de vaisseau. Mais la véritable présence de l'eau dans sa vie n'est point celle de la mer : c'est la rivière au bout du jardin d'Yonville, petite et mesquine comme l'Eau de Robec au bord de laquelle a logé son mari étudiant. Parmi les projets caressés par Flaubert en 1850, figure "le roman flamand de la jeune fille qui meurt vierge et mystique entre son père et sa mère, dans une petite ville de province, au fond d'un jardin planté de choux et de quenouilles, au bord d'une rivière grande comme l'eau de Robec". Le schéma du jardin d'Yonville se trouve dans cette lettre.

Mais, loin de se concentrer, l'héroïne finalement choisie par Flaubert s'éparpille, s'exalte hors de la vie. Aussi la rivière, coulant au milieu des prairies, offre-t-elle lors de la promenade avec Léon chez la nourrice des signes mêlés de joie (le soleil dans l'eau, les insectes gracieux) et d'hostilité : froideur, herbes semblables à "des chevelures vertes abandonnées". Il en va de même du petit étang près duquel Emma s'abandonne à Rodolphe, avec ses nénuphars flétris dans le soleil. C'est qu'Emma use pour elle, et mal, de ces espaces qu'elle ne sait pas déchiffrer. Abandon de Léon, flétrissure par Rodolphe qui, juste après l'amour, "le cigare aux dents, raccommodait avec son canif une des deux brides cassées", comment les lirait-elle dans la mélancolie des eaux douces ? Elle ne contemple aucun spectacle sans le ramener à son état d'esprit du moment.

Cela se sent dans les deux paysages qu'elle embrasse d'en haut. Yonville et sa vallée paraissent "un immense lac pâle" ; les lignes des peupliers en figurent les grèves. Grèves, non de l'Océan infini, mais d'une eau resserrée que Flaubert n'aime point ; il compare dans ses lettres à Louise Colet son cœur à un étang malsain quand on le remue, sa vie à "un lac, une mare stagnante". En revanche, Rouen vu de la côte de Neuchâtel, à la fois immobile et animé par les fumées des cheminées, les reflets de la pluie, le vent, montre un ciel qui ressemble à "des flots aériens" se brisant "contre une falaise". Mais du "lac" d'Yonville, de la mer heureuse de Rouen, que fait Emma ? Elle juge l'un petit —

trop petit pour la contenir ; de l'autre, qu'elle pénètre "comme une Babylone", elle nourrit son amour. L'artiste qui décrit le spectacle "comme une peinture", c'est Flaubert, ce n'est pas elle. Nulle part peut-être dans *Madame Bovary* ne se manifeste autant le double point de vue du récit, qui passe de l'auteur au personnage. Flaubert aimait les espaces embrassés de haut : il décrit ainsi, dans sa correspondance, Constantinople, et la mer vue de la route qui conduit de Mégare à Corinthe. Le début de *Saint Julien l'Hospitalier* montre que ces tableaux l'ont toujours séduit. Peintures calmes, dans lesquelles l'artiste s'absorbe, sans chercher d'autre satisfaction que cette absorption même. S'il est vrai que Madame Bovary est un portrait de Flaubert, c'est bien alors un portrait de l'artiste en non-artiste.

L'usage que se permet Emma de tels paysages, rêvés ou réels, la condamne. Elle "fait des phrases" sur la Seine, chante du Lamartine (poète détesté par Flaubert). C'est la solitude avec Léon, c'est *donc* l'admiration pour la nature, "comme si elle n'eût commencé à être belle que depuis l'assouvissement de leurs désirs". Aussitôt, la nature les salit : le ruban de soie pon-

ceau rencontré sous la main de Léon, dans la barque, appartenait à la "compagnie" de Rodolphe. C'est un de ces nombreux objets qui, chez Flaubert, passent de main en main, et signifient l'inconstance des hommes (abricots qui vont de Rodolphe à Charles, bouquet de violettes de Léon respiré par Charles, coffret de l'*Éducation Sentimentale*). Arrachée à sa vocation, l'eau dupe les hommes. Elle se retourne tout à fait contre Emma après sa débauche rouennaise. "Une grande tache de couleur pourpre s'élargissait dans le ciel pâle du côté de Sainte-Catherine.

La rivière livide frissonnait au vent". Puis vient l'Océan perverti des champs dans lesquels trébuche Emma, lors de sa rupture avec Rodolphe : "Le sol sous ses pieds était plus mou qu'une onde, et les sillons lui parurent d'immenses vagues brunes, qui déferlaient." On connaît assez l'ultime allusion à l'espace ouvert et libre rêvé par Emma : c'est la bière contenant son cadavre qui "avançait, écrit Flaubert, par saccades continues, comme une chaloupe qui tangue à chaque flot". Flaubert donne ici une impression personnelle ; quand il décrit à Du Camp le

cortège funèbre de leur ami Le Poittevin, dans une lettre du 3 avril 1848, il précise : "Par-derrière, je voyais le cercueil osciller comme un mouvement de barque qui remue au roulis." Tel est l'enfermement impitoyable où aboutit le songe mal songé. Il était annoncé par la voiture aux stores fermés où Léon devient l'amant d'Emma, voiture "plus close qu'un tombeau et ballottée comme un navire". »

MARIE-CLAIRE BANCQUART, 1973, « L'espace dans *Madame Bovary* », l'Information littéraire, n° 2, pp. 65-66.

gaieté, malgré sa splendeur un peu fanée ! Ils retrouvaient toujours les meubles à leur place, et parfois des épingles à cheveux qu'elle avait oubliées, l'autre jeudi, sous le socle de la pendule. Ils déjeunaient au coin du feu, sur un petit guéri-
5 don incrusté de palissandre. Emma découpait, lui mettait les morceaux dans son assiette en débitant toutes sortes de chatteries ; et elle riait d'un rire sonore et libertin[1] quand la mousse du vin de Champagne débordait du verre léger sur les bagues de ses doigts. Ils étaient si complètement perdus
10 en la possession d'eux-mêmes, qu'ils se croyaient là dans leur maison particulière, et devant y vivre jusqu'à la mort, comme deux éternels jeunes époux. Ils disaient notre chambre, notre tapis, nos fauteuils, même elle disait mes pantoufles, un cadeau de Léon, une fantaisie qu'elle avait eue.
15 C'étaient des pantoufles en satin rose, bordées de cygne. Quand elle s'asseyait sur ses genoux, sa jambe, alors trop courte, pendait en l'air ; et la mignarde chaussure, qui n'avait pas de quartier, tenait seulement par les orteils à son pied nu.
20 Il savourait pour la première fois l'inexprimable délicatesse des élégances féminines. Jamais il n'avait rencontré cette grâce de langage, cette réserve du vêtement, ces poses de colombe assoupie. Il admirait l'exaltation de son âme et les dentelles de sa jupe. D'ailleurs, n'était-ce pas *une femme du*
25 *monde*, et une vraie femme mariée ! une vraie maîtresse enfin ?
Par la diversité de son humeur, tour à tour mystique ou joyeuse, babillarde, taciturne, emportée, nonchalante, elle allait rappelant en lui mille désirs, évoquant des instincts ou des réminiscences. Elle était l'amoureuse de tous les
30 romans, l'héroïne de tous les drames, le vague *elle* de tous les volumes de vers. Il retrouvait sur ses épaules la couleur ambrée de *l'odalisque au bain*[2] : elle avait le corsage long des châtelaines féodales ; elle ressemblait aussi à la *femme pâle de Barcelone*[3], mais elle était par-dessus tout Ange ! ①
35 Souvent, en la regardant, il lui semblait que son âme, s'échappant vers elle, se répandait comme une onde sur le contour de sa tête, et descendait entraînée dans la blancheur de sa poitrine.
Il se mettait par terre, devant elle ; et, les deux coudes sur
40 ses genoux, il la considérait avec un sourire, et le front tendu.
Elle se penchait vers lui et murmurait, comme suffoquée d'enivrement :

1. « *Libertinage*. Ne se voit que dans les grandes villes » (Dictionnaire des idées reçues). A associer à « Champagne. Sous la Régence, on ne faisait pas autre chose que d'en boire » (ibid.).
2. La vogue de l'orientalisme dans les années 1820 avait mis à la mode les représentations d'odalisques, femmes de chambre esclaves au service des femmes d'un harem, et, improprement, ces femmes elles-mêmes. Cette fascination européenne pour ce thème voluptueux des femmes enfermées et évidemment lascives dégénéra assez vite en production de stéréotypes et d'images, gravures, lithographies, estampes, etc. Rappelons la fortune picturale du thème : la Grande Odalisque (1814) et l'Odalisque à l'esclave (1839) d'Ingres (1780-1867), l'Odalisque de Delacroix (1847). (« *Odalisque*. Voy. Bayadère », Dictionnaire des idées reçues.)
3. Le *romantisme* avait privilégié l'Espagne et la beauté espagnole. Là aussi la dégénérescence en stéréotypes multiplia les poncifs, comme celui-ci, ou « la belle Andalouse ».

① La bêtise de l'ange

Françoise Martin-Berthet fait remarquer que la majuscule de « Ange » peut être interprétée comme étant de la responsabilité du personnage, dans la mesure où il prononce lui-même cette conformité d'Emma à un archétype qu'il recherche, archétype qui s'origine dans la médiation littéraire, à la fois romantique et romanesque, du désir de Léon pour Emma. Nous serions alors dans le style indirect libre.

La distanciation du narrateur s'interprète par ce qu'on sait par ailleurs de lui, sur sa pratique ordinaire de l'ironie et par tout le macro-contexte du roman. Mais le point d'exclamation peut tout aussi bien simuler l'exaltation de Léon et exprimer l'ironie du narrateur. Nous sommes alors en pleine ambiguïté et le statut de la majuscule devient incertain.

On peut rapprocher cette occurrence du mot « ange » avec une autre : « Ta colique est-elle passée, mon ange ? » (p. 520). Le mot se situe dans une appellation familière banale, et particulièrement à l'époque. Mais il se trouve commenté par l'adjectif « idéal » qui le qualifie préalablement. C'est un premier effet d'ironie, qui se combine avec un second puisque se trouvent opposés réel et idéal par le contraste entre la spiritualité affichée de l'expression et la sordide matérialité de son contexte référentiel, exemple parmi tant d'autres du très complexe travail de l'ironie dans Madame Bovary.

— Oh ! ne bouge pas ! ne parle pas ! regarde-moi ! Il sort de tes yeux quelque chose de si doux, qui me fait tant de bien !

Elle l'appelait enfant :

5 — Enfant, m'aimes-tu ?

Et elle n'entendait guère sa réponse, dans la précipitation de ses lèvres qui lui montaient à la bouche. ①

Il y avait sur la pendule un petit Cupidon de bronze, qui minaudait en arrondissant les bras sous une guirlande dorée. 10 Ils en rirent bien des fois ; mais, quand il fallait se séparer, tout leur semblait sérieux.

Immobiles l'un devant l'autre, ils se répétaient :

— A jeudi !... à jeudi !

Tout à coup elle lui prenait la tête dans les deux mains, le 15 baisait vite au front en s'écriant : « Adieu ! » et s'élançait dans l'escalier.

Elle allait rue de la Comédie, chez un coiffeur, se faire arranger ses bandeaux. La nuit tombait ; on allumait le gaz dans la boutique.

20 Elle entendait la clochette du théâtre qui appelait les cabotins à la représentation ; et elle voyait, en face, passer des hommes à figure blanche et des femmes en toilette fanée, qui entraient par la porte des coulisses.

Il faisait chaud dans ce petit appartement trop bas, où le 25 poêle bourdonnait au milieu des perruques et des pommades. L'odeur des fers, avec ces mains grasses qui lui maniaient la tête, ne tardait pas à l'étourdir, et elle s'endormait un peu sous son peignoir. Souvent le garçon, en la coiffant, lui proposait des billets pour le bal masqué.

30 Puis elle s'en allait ! Elle remontait les rues ; elle arrivait à la *Croix rouge* ; elle reprenait ses socques, qu'elle avait cachés le matin sous une banquette, et se tassait à sa place, parmi les voyageurs impatientés. Quelques-uns descendaient au bas de la côte. Elle restait seule dans la voiture.

35 A chaque tournant, on apercevait de plus en plus tous les éclairages de la ville qui faisaient une large vapeur lumineuse au-dessus des maisons confondues. Emma se mettait à genoux sur les coussins, et elle égarait ses yeux dans cet éblouissement. Elle sanglotait, appelait Léon, et lui envoyait 40 des paroles tendres, et des baisers qui se perdaient au vent.

Il y avait dans la côte un pauvre diable vagabondant avec son bâton, tout au milieu des diligences. Un amas de guenilles lui recouvrait les épaules, et un vieux castor[1] défoncé,

1. *Castor : chapeau de castor.*

Les raffinements de l'amour

Le couple Emma-Léon retrouve les comportements de celui que forment Henry et Émilie dans la première Éducation sentimentale :

« Henry et sa maîtresse vivaient en plein amour. Les premiers jours, et dans l'enivrement d'eux-mêmes, à peine s'ils pouvaient y croire. Ils se regardaient, avides et stupéfaits, craignant de s'échapper l'un à l'autre et voulant que cela durât toujours. Chaque heure apportait son plaisir différent, ils n'étaient pas heureux le matin comme ils l'étaient le soir, ni la nuit de la même manière que le jour ; les choses les plus communes ou les plus indifférentes avaient pour eux une signification particulière. Ainsi, elle lui promettait qu'à telle heure elle remuerait un meuble, ce serait un signal, elle penserait à lui, et, l'heure approchant, Henry attendait ; il lui promettait, à son tour, qu'il marcherait en frappant des pieds, et elle l'écoutait marcher, se tenant le cœur avec ses deux mains. Henry descendait au jardin pour lire, et il trouvait Mme Émilie qui y était venue par hasard ; ou bien Mme Émilie prenait son ouvrage pour aller coudre sous la tonnelle, et Henry, tout à coup, sortant de derrière un arbre, la faisait tressaillir. Ces petits événements étaient pour eux de grandes aventures.

Pour elle, Henry était toujours fort et beau, elle admirait l'air superbe de sa tête ; pour lui, elle était toujours exquise et belle, il adorait le feu humide de son doux regard. C'était un inépuisable besoin d'eux-mêmes, qui se renouvelait en s'assouvissant, qui renaissait sans cesse, qui n'avait ni fin ni trêve, qui augmentait toujours. Elle lui prodiguait chaque jour mille trésors d'amour toujours nouveaux. Tantôt c'étaient d'adorables langueurs, où tout son cœur se fondait, ou bien d'âcres déchirements, pleins d'une douleur joyeuse qui tourne au délire ; quelquefois elle avait des morsures chaudes où l'émail de ses dents blanches, s'appuyant sur la chair de son amant, claquait avec la férocité de la Vénus antique, tandis que sa main, onctueuse et toujours caressante, lui semait sous la peau d'ardents effluves à réveiller les morts, d'irrésistibles désirs où l'on vendrait son père pour sentir une seconde le contact d'un ongle ; la nuit, étouffant leurs cris de peur d'être entendus, et elle-même se fermant la bouche avec son bras, se tordait en convulsions, éclatait tout à coup en rires et en sanglots, et le couvrait de baisers voraces ; puis, calme tout à coup et l'appelant par des mots égarés, relevant sa tête en sueur, elle le contemplait avec ses yeux fixes, enflammés comme des flambeaux.

Une autre fois, c'était en rentrant de quelque visite, encore toute habillée, avec son grand chapeau à plume blanche qui se remuait toujours, ses gants justes qui lui serraient le poignet, sa chaussure mince et vernie, sa robe qui balayait le sol et soulevait un air tiède autour d'elle ; elle lui livrait tout cela à froisser dans ses bras, à tasser, à déchirer pour son plaisir ; elle se coiffait exprès pour qu'il lui ôtât son peigne et lui défît ses bandeaux ; elle s'habillait longuement, choisissait ses plus fines broderies, sa robe la plus neuve, afin que, dans un emportement, dans un éclat, Henry arrachât ce fichu, cassât ce nœud avec ses dents et foulât toute cette toilette édifiée pour lui, sacrifiée par avance, qu'elle se procurait l'occasion de faire pour en sentir plus tard tout le plaisir. Dans l'escalier, en montant les

s'arrondissant en cuvette, lui cachait la figure ; mais, quand il le retirait, il découvrait, à la place des paupières, deux orbites béantes tout ensanglantées. La chair s'effiloquait par lambeaux rouges ; et il en coulait des liquides qui se
5 figeaient en gales vertes jusqu'au nez, dont les narines noires reniflaient convulsivement. Pour vous parler, il se renversait la tête avec un rire idiot ; — alors ses prunelles bleuâtres, roulant d'un mouvement continu, allaient se cogner, vers les tempes, sur le bord de la plaie vive.
10 Il chantait une petite chanson en suivant les voitures :

> Souvent la chaleur d'un beau jour
> Fait rêver fillette à l'amour[1].

Et il y avait dans tout le reste des oiseaux, du soleil et du feuillage.

Quelquefois, il apparaissait tout à coup derrière Emma, tête nue. Elle se retirait avec un cri. Hivert venait le plaisan-
15 ter. Il l'engageait à prendre une baraque à la foire Saint-Romain, ou bien lui demandait, en riant, comment se portait sa bonne amie.

Souvent, on était en marche, lorsque son chapeau, d'un mouvement brusque entrait dans la diligence par le vasistas,
20 tandis qu'il se cramponnait, de l'autre bras, sur le marche-pied, entre l'éclaboussure des roues. Sa voix, faible d'abord et vagissante, devenait aiguë. Elle se traînait dans la nuit, comme l'indistincte lamentation d'une vague détresse ; et, à travers la sonnerie des grelots, le murmure des arbres et le
25 ronflement de la boîte creuse, elle avait quelque chose de lointain qui bouleversait Emma. Cela lui descendait au fond de l'âme comme un tourbillon dans un abîme, et l'emportait parmi les espaces d'une mélancolie sans bornes. Mais Hivert, qui s'apercevait d'un contrepoids, allongeait à
30 l'aveugle de grands coups avec son fouet. La mèche le cinglait sur ses plaies, et il tombait dans la boue en poussant un hurlement.

Puis les voyageurs de l'Hirondelle finissaient par s'endormir, les uns la bouche ouverte, les autres le menton baissé,
35 s'appuyant sur l'épaule de leur voisin, ou bien le bras passé dans la courroie, tout en oscillant régulièrement au branle de la voiture ; et le reflet de la lanterne qui se balançait en dehors, sur la croupe des limoniers[2], pénétrant dans l'intérieur par les rideaux de calicot chocolat, posait des ombres
40 sanguinolentes sur tous ces individus immobiles. Emma, ivre

1. Chanson de Restif de La Bretonne (1734-1806) extraite de l'Année des dames nationales (1791-1794). C'est l'auteur, entre autres, de Monsieur Nicolas (1796-1797).
2. Limonier : cheval mis aux limons, branche de la limonière, brancard de la voiture.

derniers, ils se pressaient les mains ; entre deux portes ils s'embrassaient ; à table leurs genoux se touchaient. Quand il y avait du monde dans le salon, quand Mme Émilie, décolletée et légèrement vêtue, allait de l'un à l'autre, maîtresse de maison entourée des hommages des vieux et de la convoitise muette des jeunes, combien le cœur d'Henry souriait d'orgueil, en pensant que cette épaule couverte se découvrait pour lui,

que ces seins cachés, dont on rêvait la forme à travers le vêtement, se donnaient à ses lèvres, que ces yeux placides ou baissés s'allumaient pour lui d'un feu inconnu à tous ces gens, et que maintenant, à la face de tous, devant eux, malgré eux, ils s'unissaient encore par le souvenir et par le désir !
Et quand la nuit revenait, quand, à l'heure habituelle du rendez-vous, ils se retrouvaient à eux-mêmes, seuls, et

jouissant de leur joie cachée comme des voleurs qui contemplent leur trésor, Henry lui disait :
— Oh ! comme tu étais fière, tantôt ! à peine si tu me regardais.
— N'est-ce pas ? lui répondait-elle avec un baiser. »

GUSTAVE FLAUBERT,
1845,
L'Éducation sentimentale,
première version.

de tristesse, grelottait sous ses vêtements ; et se sentait de plus en plus froid aux pieds, avec la mort dans l'âme.

Charles, à la maison, l'attendait ; *l'Hirondelle* était toujours en retard le jeudi. Madame arrivait enfin ! à peine si
5 elle embrassait la petite. Le dîner n'était pas prêt, n'importe ! elle excusait la cuisinière. Tout maintenant semblait permis à cette fille.

Souvent son mari, remarquant sa pâleur, lui demandait si elle ne se trouvait point malade.
10 — Non, disait Emma.

— Mais, répliquait-il, tu es toute drôle ce soir ?

— Eh ! ce n'est rien ! ce n'est rien !

Il y avait même des jours où, à peine rentrée, elle montait dans sa chambre ; et Justin, qui se trouvait là, circulait à pas
15 muets, plus ingénieux à la servir qu'une excellente camériste[1]. Il plaçait les allumettes, le bougeoir, un livre, disposait sa camisole, ouvrait les draps.

— Allons, disait-elle, c'est bien, va-t'en !

Car il restait debout, les mains pendantes et les yeux
20 ouverts, comme enlacé dans les fils innombrables d'une rêverie soudaine.

La journée du lendemain était affreuse, et les suivantes étaient plus intolérables encore par l'impatience qu'avait Emma de ressaisir son bonheur, — convoitise âpre, enflam-
25 mée d'images connues, et qui, le septième jour, éclatait tout à l'aise dans les caresses de Léon. Ses ardeurs, à lui, se cachaient sous des expansions d'émerveillement et de reconnaissance. Emma goûtait cet amour d'une façon discrète et absorbée, l'entretenait par tous les artifices de sa ten-
30 dresse, et tremblait un peu qu'il ne se perdît plus tard. ①

Souvent elle lui disait, avec des douceurs de voix mélancolique :

— Ah ! tu me quitteras, toi !..., tu te marieras !... tu seras comme les autres.
35 Il demandait :

— Quels autres ?

— Mais les hommes, enfin, répondait-elle.

Puis, elle ajoutait en le repoussant d'un geste langoureux :
40 — Vous êtes tous des infâmes !

Un jour qu'ils causaient philosophiquement des désillusions terrestres, elle vint à dire (pour expérimenter sa jalousie ou cédant peut-être à un besoin d'épanchement trop fort)

---

1. *Camériste : dame qui servait une princesse, et, familièrement, femme de chambre.*

1 L'amour-passion

« C'était de plus en plus un abandon complet de tout ce qui n'était pas son amant, un oubli profond de Dieu et des hommes, un exclusivisme complet, dans lequel elle vivait comme dans un monde. Ainsi qu'aux heureux, son ciel n'avait qu'une étoile.

Mais dans ses plus doux moments, quoique alors ce fût plutôt un bonheur paisible et

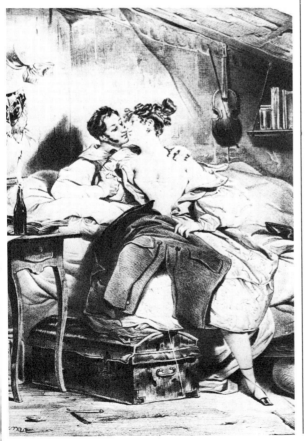

continu, inondant chaque place de l'existence, que de ces expansions soudaines à irruptions bruyantes, comme des cascades au printemps, dans ses heures les plus suaves, dis-je, elle trouvait moins à lui dire et n'avait presque plus de ces gazouillements enfantins dont elle était si prodigue autrefois ; elle ne lui parlait plus des autres pour ajouter qu'elle le préférait à tous, elle n'avait plus de confidence à lui faire ni de récits de son cœur à lui conter ; tout en effet avait été dit, redit, répété cent fois, la parole devenait inutile, tout se traduisait par le regard et par le sourire, un éternel sourire ! Le cercle des sujets extérieurs se rétrécissant de plus en plus, elle semblait moins apte à causer d'une foule de choses sur lesquelles, dans les premiers temps, ils croyaient ne pouvoir tarir. Partout, toujours, à propos de tout et de rien, c'était Henry ou ce qui se rapportait à lui, elle y ramenait la pensée la plus éloignée, y rattachait la cause la plus étrangère. »

GUSTAVE FLAUBERT,
1845,
L'Éducation sentimentale,
première version.

qu'autrefois, avant lui, elle avait aimé quelqu'un, « pas comme toi ! » reprit-elle vite, protestant sur la tête de sa fille *qu'il ne s'était rien passé*.

Le jeune homme la crut, et néanmoins la questionna pour
5 savoir ce qu'*il* faisait.

— Il était capitaine de vaisseau[1], mon ami.

N'était-ce pas prévenir toute recherche, et en même temps se poser très haut, par cette prétendue fascination exercée sur un homme qui devait être de nature belliqueuse
10 et accoutumé à des hommages ?

Le clerc sentit alors l'infimité de sa position ; il envia des épaulettes, des croix, des titres. Tout cela devait lui plaire : il s'en doutait à ses habitudes dispendieuses.

Cependant Emma taisait quantité de ses extravagances,
15 telle que l'envie d'avoir, pour l'amener à Rouen, un tilbury bleu, attelé d'un cheval anglais, et conduit par un groom en bottes à revers. C'était Justin qui lui en avait inspiré le caprice, en la suppliant de le prendre chez elle comme valet de chambre ; et, si cette privation n'atténuait pas à chaque
20 rendez-vous le plaisir de l'arrivée, elle augmentait certainement l'amertume du retour.

Souvent, lorsqu'ils parlaient ensemble de Paris, elle finissait par murmurer :

— Ah ! que nous serions bien là pour vivre !

25 — Ne sommes-nous pas heureux ? reprenait doucement le jeune homme, en lui passant la main sur ses bandeaux.

— Oui, c'est vrai, disait-elle, je suis folle ; embrasse-moi ! ⟨1⟩

Elle était pour son mari plus charmante que jamais, lui fai-
30 sait des crèmes à la pistache et jouait des valses après dîner.

Il se trouvait donc le plus fortuné des mortels, et Emma vivait sans inquiétude, lorsqu'un soir, tout à coup :

— C'est mademoiselle Lempereur, n'est-ce pas, qui te donne des leçons ?

35 — Oui.

— Eh bien, je l'ai vue tantôt, reprit Charles, chez madame Liégeard. Je lui ai parlé de toi ; elle ne te connaît pas.

Ce fut comme un coup de foudre. Cependant elle répli-
40 qua d'un air naturel :

— Ah ! sans doute, elle aura oublié mon nom ?

— Mais il y a peut-être à Rouen, dit le médecin, plusieurs demoiselles Lempereur qui sont maîtresses de piano ?

1. Rodolphe était d'abord appelé « le capitaine » dans le premier scénario. Ce détail vient peut-être de ce que Louise Pradier avait eu pour amant un « capitaine de marine » (voir le contexte p. 299).

Variation sur la volupté

« Un jour qu'ils étaient accoudés ensemble sur le balcon il venait de pleuvoir. C'était au soleil couchant, la marée montait, et en face d'eux, sous la grande vergue d'une goélette, des pigeons voletaient entre les plis des basses voiles, qui séchaient au vent ; Emma tout à coup se tut et, regardant les nuages roses, elle soupira.

Pensait-elle encore à quelque existence bienheureuse, dans un coin de la terre, abritée par des fleurs, sous un soleil plus beau ? Ou n'était-ce pas la seule déception de ce vieux rêve sans doute survenu en sa mémoire, qui avait provoqué ce soupir, si mystérieux et triste que le jeune homme n'osa pas lui en demander la cause ?

D'ailleurs elle souffrait maintenant ou se délectait à des sensations qui autrefois l'eussent à peine touchée. Elle aimait les fortes saumures, la pâte incuite et l'odeur âcre de la corne qu'on brûle.

Elle le fit plusieurs fois se rendre à Yonville, durant la semaine. Il arrivait le soir, passait la nuit à l'auberge, et restait caché tout le lendemain chez la mère Rollet. Emma, pour y venir, longeait d'abord le cimetière, puis se glissait par un trou de la haie, en ram-

pant sous les feuilles. La nourrice était partie avec ses nourrissons se promener dans la campagne.

Elle tenait toujours cependant à son ancienne idée de vouloir qu'il couchât chez elle, dans sa maison, et s'il objectait la présence de Charles, elle affirmait connaître cent moyens fort commodes de le faire déguerpir du lit jusqu'au matin. Mais ce plan offrait des côtés qui déplaisaient au clerc.

Puis, il entrevoyait au loin comme de vagues précipices, et Emma commençait presqu'à l'effrayer, bien qu'elle lui parût, chaque fois, plus irrésistible.

Un jour, en caressant son corsage, il se blessa le doigt à une agrafe. Elle se jeta dessus avec un cri, et se l'enfonça dans la bouche pour sucer le sang. Mal posée sur un genou qui tremblait, pâle et les paupières battantes, elle semblait boire d'une aspiration longue et voluptueuse, tout en renversant sa jolie tête brune, avec des inflexions de taille, comme un serpent tordu qui se régale en silence. »

POMMIER-LELEU, pp. 537-538.

— C'est possible !

Puis, vivement :

— J'ai pourtant ses reçus, tiens ! regarde.

Et elle alla au secrétaire, fouilla tous les tiroirs, confondit
5 les papiers et finit si bien par perdre la tête, que Charles
l'engagea fort à ne point se donner tant de mal pour ces
misérables quittances.

— Oh ! je les trouverai, dit-elle.

En effet, dès le vendredi suivant, Charles en passant une
10 de ses bottes dans le cabinet noir où l'on serrait ses habits,
sentit une feuille de papier entre le cuir et sa chaussette, il la
prit et lut :

« Reçu, pour trois mois de leçons, plus diverses fournitures, la somme de soixante-cinq francs. FÉLICIE LEMPEREUR,
15 professeur de musique. »

— Comment diable est-ce dans mes bottes ?

— Ce sera, sans doute, répondit-elle, tombé du vieux
carton aux factures, qui est sur le bord de la planche.

A partir de ce moment, son existence ne fut plus qu'un
20 assemblage de mensonges, où elle enveloppait son amour
comme dans des voiles, pour le cacher. ①

C'était un besoin, une manie, un plaisir, au point que, si
elle disait avoir passé, hier, par le côté droit d'une rue, il fallait croire qu'elle avait pris par le côté gauche.

25 Un matin qu'elle venait de partir, selon sa coutume, assez
légèrement vêtue, il tomba de la neige tout à coup ; et
comme Charles regardait le temps à la fenêtre, il aperçut
M. Bournisien dans le boc du sieur Tuvache qui le conduisait à Rouen. Alors il descendit confier à l'ecclésiastique un
30 gros châle pour qu'il le remît à Madame, sitôt qu'il arriverait
à la *Croix rouge*. A peine fut-il à l'auberge que Bournisien
demanda où était la femme du médecin d'Yonville. L'hôtelière répondit qu'elle fréquentait fort peu son établissement.

Aussi, le soir, en reconnaissant madame Bovary dans
35 l'*Hirondelle*, le curé lui conta son embarras, sans paraître,
du reste, y attacher de l'importance ; car il entama l'éloge
d'un prédicateur qui pour lors faisait merveilles à la cathédrale, et que toutes les dames couraient entendre.

N'importe, s'il n'avait point demandé d'explications,
40 d'autres plus tard pourraient se montrer moins discrets.

Aussi jugea-t-elle utile de descendre chaque fois à la *Croix
rouge*, de sorte que les bonnes gens de son village qui la
voyaient dans l'escalier ne se doutaient de rien.

La théâtralisation

Un des aspects les plus intéressants de ce chapitre consiste en un rapport subtil entre le cadre et l'action, un rapport de théâtralisation. En effet, la **présentation de Rouen** comme un amphithéâtre la désigne comme lieu où va se jouer le rôle de la passion, avec la référence babylonienne qui connote l'orgie et l'excès. Or c'est au théâtre qu'Emma et Léon se sont retrouvés ; ainsi le théâtre envahit Rouen, s'échappe dans la ville. On pourrait multiplier les remarques et les parallèles : rituel hebdomadaire de l'entrée en ville, qui évoque le lever de rideau et l'entrée en scène, l'ensemble des figurants qui constituent un fond de décor, la charrette « portant quelque décor qui tremblait »...
Emma s'offre avec délectation un spectacle et ici l'itératif désigne aussi cette réitération de la comédie qu'elle (se) donne, c'est rue de la Comédie qu'elle se fait coiffer après l'amour, et cette clochette qui appelle les cabotins à la représentation tinte aussi pour elle. En se représentant comme femme adultère qui vient jouir hebdomadairement, en se prenant à ce jeu qui compense provisoirement son manque à être, Emma se donne facticement une substance ; en incarnant un personnage, elle se fait personne. Enfin la chambre d'hôtel rétrécit la scène et il s'y joue un amour illusoire, entouré d'objets dont la cohérence forme un décor qui démultiplie les signes de la passion, laquelle s'exhibe en se cachant : du tapis discret au Cupidon de la pendule en passant par les coquilles évidemment roses, tout renvoie à la sensualité. Il convient d'y ajouter les instruments du plaisir — les pantoufles en satin rose, bordées de cygne, les images auxquelles l'imaginaire peuplé de stéréotypes de Léon réfère Emma — décor mental et miroir de la représentation, et le symbolisme des bâtons ou des boules qui reluisent. De même, on insistera sur les poses, les attitudes et les pratiques conventionnelles : le geste de pudeur, le déjeuner sur le petit guéridon — ironique rappel du premier **repas de Charles et d'Emma** —, Emma s'asseyant sur les genoux de Léon, Léon à terre devant elle et la contemplant, le dialogue... Bien entendu, ce côté conventionnel, convenu, se trouve renforcé par les références, en particulier celles au XVIIIᵉ siècle, considéré comme ensemble de stéréotypes : le rire libertin, le Cupidon minaudant, les mignardises... le tout abâtardi, rendu bourgeois dans la mesure où il s'agit pour Emma d'enfin réussir sa lune de miel.
Une dernière comédie mérite d'être relevée. S'il est clair qu'Emma se plaît à dominer son jeune amant, d'en être l'initiatrice et la maîtresse dans tous les sens du terme, il apparaît également que cette infantilisation où elle le réduit renvoie à la comédie de la maternité. Sa maternité réelle n'est qu'un vide, ici c'est une maternité fantasmatique, une substitution « scandaleuse » de Léon à l'enfant, cet enfant mâle qu'elle n'a pas eu et qu'elle éduque.
De cette comédie complexe sur fond rouge (les rideaux de levantine), l'aveugle dit la contradiction. Par sa présence itérative, il forme lui aussi couple avec Emma. A ce seul moment du livre où Emma maîtrise le scénario de sa propre vie, l'aveugle vient dire avec quoi et contre quoi ce théâtre joue : il désigne cette fuite épouvantable, il ramène Emma dans le seul camp de l'exclusion, le seul véritable, il thématise et dramatise le mal métaphysique. Sa cécité, c'est aussi celle d'Emma, sa mendicité, c'est aussi celle de la quêteuse d'amour vrai.

Un jour pourtant, M. Lheureux la rencontra qui sortait de l'*hôtel de Boulogne* au bras de Léon ; et elle eut peur, s'imaginant qu'il bavarderait. Il n'était pas si bête.

Mais, trois jours après, il entra dans sa chambre, ferma la
5 porte et dit :

— J'aurais besoin d'argent.

Elle déclara ne pouvoir lui en donner. Lheureux se répandit en gémissements, et rappela toutes les complaisances qu'il avait eues.
10 En effet, des deux billets souscrits par Charles, Emma jusqu'à présent n'en avait payé qu'un seul. Quant au second, le marchand, sur sa prière, avait consenti à le remplacer par deux autres, qui même avaient été renouvelés à une fort longue échéance. Puis il tira de sa poche une liste
15 de fournitures non soldées, à savoir : les rideaux, le tapis, l'étoffe pour les fauteuils, plusieurs robes et divers articles de toilette, dont la valeur se montait à la somme de deux mille francs environ.

Elle baissa la tête ; il reprit :
20 — Mais, si vous n'avez pas d'espèces, vous avez *du bien*.

Et il indiqua une méchante masure sise à Barneville, près d'Aumale, qui ne rapportait pas grand-chose. Cela dépendait autrefois d'une petite ferme vendue par M. Bovary père, car Lheureux savait tout, jusqu'à la contenance d'hec-
25 tares, avec le nom des voisins.

— Moi, à votre place, disait-il, je me libérerais, et j'aurais encore le surplus de l'argent.

Elle objecta la difficulté d'un acquéreur ; il donna l'espoir d'en trouver ; mais elle demanda comment faire pour
30 qu'elle pût vendre.

— N'avez-vous pas la procuration ? répondit-il.

Ce mot lui arriva comme une bouffée d'air frais.

— Laissez-moi la note, dit Emma.

— Oh ! ce n'est pas la peine ! reprit Lheureux.
35 Il revint la semaine suivante, et se vanta d'avoir, après force démarches, fini par découvrir un certain Langlois qui, depuis longtemps, guignait la propriété sans faire connaître son prix.

— N'importe le prix ! s'écria-t-elle.
40 Il fallait attendre, au contraire, tâter ce gaillard-là. La chose valait la peine d'un voyage, et, comme elle ne pouvait faire ce voyage, il offrit de se rendre sur les lieux, pour s'aboucher avec Langlois. Une fois revenu, il annonça que

l'acquéreur proposait quatre mille francs.

Emma s'épanouit à cette nouvelle.

— Franchement, ajouta-t-il, c'est bien payé.

Elle toucha la moitié de la somme immédiatement, et, quand elle fut pour solder son mémoire, le marchand lui 5 dit :

— Cela me fait de la peine, parole d'honneur, de vous voir vous dessaisir tout d'un coup d'une somme aussi *conséquente* que celle-là.

Alors, elle regarda les billets de banque ; et, rêvant au 10 nombre illimité de rendez-vous que ces deux mille francs représentaient :

— Comment ! comment ! balbutia-t-elle.

— Oh ! reprit-il en riant d'un air bonhomme, on met tout ce que l'on veut sur les factures. Est-ce que je ne connais pas 15 les ménages ?

Et il la considérait fixement, tout en tenant à sa main deux longs papiers qu'il faisait glisser entre ses ongles. Enfin, ouvrant son portefeuille, il étala sur la table quatre billets à ordre, de mille francs chacun. 20

— Signez-moi cela, dit-il, et gardez tout.

Elle se récria, scandalisée.

— Mais, si je vous donne le surplus, répondit effrontément M. Lheureux, n'est-ce pas vous rendre service, à vous ? 25

Et, prenant une plume, il écrivit au bas du mémoire :

« Reçu de madame Bovary quatre mille francs. »

— Qui vous inquiète, puisque vous toucherez dans six mois l'arriéré de votre baraque, et que je vous place l'échéance du dernier billet pour après le payement ? 30

Emma s'embarrassait un peu dans ses calculs, et les oreilles lui tintaient comme si des pièces d'or, s'éventrant de leurs sacs, eussent sonné tout autour d'elle sur le parquet. Enfin Lheureux expliqua qu'il avait un sien ami Vinçart, banquier à Rouen, lequel allait escompter ces quatre billets, puis il 35 remettrait lui-même à Madame le surplus de la dette réelle.

Mais, au lieu de deux mille francs, il n'en apporta que dix-huit cents, car l'ami Vinçart (comme *de juste*) en avait prélevé deux cents, pour frais de commission et d'escompte.

Puis il réclama négligemment une quittance. 40

— Vous comprenez..., dans le commerce..., quelquefois... Et avec la date, s'il vous plaît, la date.

Un horizon de fantaisies réalisables s'ouvrit alors devant

Emma. Elle eut assez de prudence pour mettre en réserve mille écus, avec quoi furent payés, lorsqu'ils échurent, les trois premiers billets ; mais le quatrième, par hasard, tomba dans la maison un jeudi, et Charles, bouleversé, attendit
5 patiemment le retour de sa femme pour avoir des explications.

Si elle ne l'avait point instruit de ce billet, c'était afin de lui épargner des tracas domestiques ; elle s'assit sur ses genoux, le caressa, roucoula, fit une longue énumération de
10 toutes les choses indispensables prises à crédit.

— Enfin, tu conviendras que, vu la quantité, ce n'est pas trop cher.

Charles, à bout d'idées, bientôt eut recours à l'éternel Lheureux, qui jura de calmer les choses, si Monsieur lui
15 signait deux billets, dont l'un de sept cents francs, payable dans trois mois. Pour se mettre en mesure, il écrivit à sa mère une lettre pathétique. Au lieu d'envoyer la réponse, elle vint elle-même ; et, quand Emma voulut savoir s'il en avait tiré quelque chose :
20 — Oui, répondit-il. Mais elle demande à connaître la facture.

Le lendemain, au point du jour, Emma courut chez M. Lheureux le prier de refaire une autre note, qui ne dépassât point mille francs ; car pour montrer celle de quatre mille, il
25 eût fallu dire qu'elle en avait payé les deux tiers, avouer conséquemment la vente de l'immeuble, négociation bien conduite par le marchand, et qui ne fut effectivement connue que plus tard.

Malgré le prix très bas de chaque article, madame Bovary
30 mère ne manqua point de trouver la dépense exagérée.

— Ne pouvait-on se passer d'un tapis ? Pourquoi avoir renouvelé l'étoffe des fauteuils ? De mon temps, on avait dans une maison un seul fauteuil, pour les personnes âgées, — du moins, c'était comme cela chez ma mère, qui était une
35 honnête femme, je vous assure. — Tout le monde ne peut être riche ! Aucune fortune ne tient contre le coulage ! Je rougirais de me dorloter comme vous faites ! et pourtant, moi, je suis vieille, j'ai besoin de soins… En voilà ! en voilà, des ajustements ! des flaflas ! Comment ! de la soie pour
40 doublure, à deux francs !… tandis qu'on trouve du jaconas[1] à dix sous, et même à huit sous qui fait parfaitement l'affaire.

Emma, renversée sur la causeuse, répliquait le plus tranquillement possible :

1. Jaconas : étoffe de coton, fine, légère, employée pour les robes et la lingerie, d'après la ville indienne de Jagganath où elle était primitivement fabriquée.

— Eh ! madame, assez ! assez !...

L'autre continuait à la sermonner, prédisant qu'ils fini-
raient à l'hôpital. D'ailleurs, c'était la faute de Bovary. Heureusement qu'il avait promis d'anéantir cette procuration...

— Comment ?   5

— Ah ! il me l'a juré, reprit la bonne femme.

Emma ouvrit la fenêtre, appela Charles, et le pauvre garçon fut contraint d'avouer la parole arrachée par sa mère.

Emma disparut, puis rentra vite en lui tendant majestueusement une grosse feuille de papier.   10

— Je vous remercie, dit la vieille femme.

Et elle jeta dans le feu la procuration.

Emma se mit à rire d'un rire strident, éclatant, continu :
elle avait une attaque de nerfs.

— Ah ! mon Dieu ! s'écria Charles. Eh ! tu as tort aussi 15
toi ! tu viens lui faire des scènes !...

Sa mère, en haussant les épaules, prétendait que *tout cela
c'étaient des gestes*[1].

Mais Charles, pour la première fois se révoltant, prit la
défense de sa femme, si bien que madame Bovary mère 20
voulut s'en aller. Elle partit dès le lendemain, et, sur le seuil,
comme il essayait à la retenir, elle répliqua :

— Non, non ! Tu l'aimes mieux que moi, et tu as raison,
c'est dans l'ordre. Au reste, tant pis ! tu verras !... Bonne
santé !... car je ne suis pas près, comme tu dis, de venir lui 25
faire des scènes.

Charles n'en resta pas moins fort penaud vis-à-vis
d'Emma, celle-ci ne cachant point la rancune qu'elle lui gardait pour avoir manqué de confiance ; il fallut bien des prières avant qu'elle consentît à reprendre sa procuration, et 30
même il l'accompagna chez M. Guillaumin pour lui en faire
faire une seconde, toute pareille.

— Je comprends cela, dit le notaire, un homme de
science ne peut s'embarrasser aux détails pratiques de la vie.

Et Charles se sentit soulagé par cette réflexion pateline, 35
qui donnait à sa faiblesse les apparences flatteuses d'une
préoccupation supérieure.

Quel débordement, le jeudi d'après, à l'hôtel, dans leur
chambre, avec Léon ! Elle rit, pleura, chanta, dansa, fit
monter des sorbets, voulut fumer des cigarettes, lui parut 40
extravagante, mais adorable, superbe.

Il ne savait pas quelle réaction de tout son être la poussait
davantage à se précipiter sur les jouissances de la vie. Elle

1. *Gestes : normandisme pour
« manières affectées ». « Maladies de
nerfs. Toujours des grimaces. »* (Dictionnaire des idées reçues.)

devenait irritable, gourmande, et voluptueuse ; et elle se promenait avec lui dans les rues, tête haute, sans peur, disait-elle, de se compromettre. Parfois, cependant, Emma tressaillit à l'idée soudaine de rencontrer Rodolphe ; car il lui
5 semblait, bien qu'ils fussent séparés pour toujours, qu'elle n'était pas complètement affranchie de sa dépendance.

Un soir, elle ne rentra point à Yonville. Charles en perdait la tête, et la petite Berthe, ne voulant pas se coucher sans sa maman, sanglotait à se rompre la poitrine. Justin était parti
10 au hasard sur la route. M. Homais en avait quitté sa pharmacie.

Enfin, à onze heures, n'y tenant plus, Charles attela son boc, sauta dedans, fouetta sa bête et arriva vers deux heures du matin à la *Croix rouge*. Personne. Il pensa que le clerc
15 peut-être l'avait vue ; mais où demeurait-il ? Charles, heureusement, se rappela l'adresse de son patron. Il y courut.

Le jour commençait à paraître. Il distingua des panonceaux au-dessus d'une porte ; il frappa. Quelqu'un, sans ouvrir, lui cria le renseignement demandé, tout en ajoutant
20 force injures contre ceux qui dérangeaient le monde pendant la nuit.

La maison que le clerc habitait n'avait ni sonnette, ni marteau, ni portier. Charles donna de grands coups de poing contre les auvents. Un agent de police vint à passer ; alors il
25 eut peur et s'en alla.

— Je suis fou, se disait-il ; sans doute on l'aura retenue à dîner chez M. Lormeaux.

La famille Lormeaux n'habitait plus Rouen.

— Elle sera restée à soigner madame Dubreuil. Eh !
30 madame Dubreuil est morte depuis dix mois !... Où est-elle donc ?

Une idée lui vint. Il demanda, dans un café, *l'Annuaire ;* et chercha vite le nom de mademoiselle Lempereur, qui demeurait rue de la Renelle-des-Maroquiniers, n° 74.
35 Comme il entrait dans cette rue, Emma parut elle-même à l'autre bout ; il se jeta sur elle plutôt qu'il ne l'embrassa, en s'écriant :

— Qui t'a retenue, hier ?

— J'ai été malade.
40 — Et de quoi ?... Où ?... Comment ?...

Elle se passa la main sur le front, et répondit :

— Chez mademoiselle Lempereur.

— J'en étais sûr ! J'y allais.

— Oh ! ce n'est pas la peine, dit Emma. Elle vient de sortir tout à l'heure ; mais, à l'avenir, tranquillise-toi. Je ne suis pas libre, tu comprends, si je sais que le moindre retard te bouleverse ainsi.

5 C'était une manière de permission qu'elle se donnait de ne point se gêner dans ses escapades. Aussi en profita-t-elle tout à son aise, largement. Lorsque l'envie la prenait de voir Léon, elle partait sous n'importe quel prétexte, et, comme il ne l'attendait pas ce jour-là, elle allait le chercher à son
10 étude.

Ce fut un grand bonheur les premières fois ; mais bientôt il ne cacha plus la vérité, à savoir : que son patron se plaignait fort de ces dérangements.

— Ah bah ! viens donc, disait-elle.
15 Et il s'esquivait.

Elle voulut qu'il se vêtît tout en noir et se laissât pousser une pointe au menton, pour ressembler aux portraits de Louis XIII[1]. Elle désira connaître son logement, le trouva médiocre ; il en rougit, elle n'y prit garde, puis lui conseilla
20 d'acheter des rideaux pareils aux siens, et comme il objectait la dépense :

— Ah ! ah ! tu tiens à tes petits écus ! dit-elle en riant.

Il fallait que Léon, chaque fois, lui racontât toute sa conduite, depuis le dernier rendez-vous. Elle demanda des vers,
25 des vers pour elle, *une pièce d'amour* en son honneur ; jamais il ne put parvenir à trouver la rime du second vers, et il finit par copier un sonnet dans un keepsake.

Ce fut moins par vanité que dans le seul but de lui complaire. Il ne discutait pas ses idées ; il acceptait tous ses
30 goûts ; il devenait sa maîtresse plutôt qu'elle n'était la sienne ⟨1⟩ . Elle avait des paroles tendres avec des baisers qui lui emportaient l'âme. Où donc avait-elle appris cette corruption, presque immatérielle à force d'être profonde et dissimulée ?

1. *Sans doute faudrait-il lire « aux portraits Louis XIII ».*

① **L'aveugle et Emma : deux monstres, deux victimes ou monstruosité et écriture**

« Cette superposition permet de dégager un attribut, une qualification invariante de la *victime* : la victime, femme ou aveugle, est un être à qui il manque un organe essentiel, d'ailleurs, comme Freud le répète à plusieurs reprises, le même, puisque selon lui, aveuglement = castration. L'échec ultime de la victime est inscrit sur son corps, la monstruosité d'Emma est physique autant que morale. Le redoublement d'Emma par l'aveugle ponctue le texte, en assure la lisibilité : la femme, ce monstre "à la manque", est la figure privilégiée de l'écrivain, et surtout de l'écrivain Flaubert, "fille manquée" selon la thèse de Sartre. Il serait d'ailleurs facile de démontrer que l'apprentissage de l'écriture chez Emma va de pair avec une tentative pour changer de sexe, pour renverser la castration. Le refus de la féminité, la tentation de la virilité ne sont pas donnés une fois pour toutes dès le départ ; avant d'en arriver là, Emma tâchera de suivre la voie de l'intégration, de l'acceptation de la féminité que Freud trace pour la femme "normale" : mariage et maternité. Mais, tout comme le mariage se solde par un échec, Charles étant incapable de réussir à *la place* d'Emma, la maternité se solde par une déception : Georges, le fils-phallus fantasmatique, se révèle n'être que Berthe, digne enfant de Charles. Car ce que Flaubert a très bien compris, bien avant Freud, c'est que pour que la maternité assouvisse pleinement l'envie du pénis, il faut que l'enfant soit mâle (ce qui condamnerait plus de la moitié des femmes à une névrose certaine) (...)

N'ayant pas réussi à obtenir le phallus par "procuration phallique", Emma reporte sur le travesti son désir de changer de sexe ; de partiel au début du roman, le travesti devient total peu avant la mort d'Emma (...)

Mais, comme Sartre le démontre, pour Flaubert la sexualité est du ressort de l'imaginaire ; le travesti ne serait alors qu'un *analogon* du sexe imaginaire d'Emma. C'est donc en fin de compte sur le plan de l'imaginaire, c'est-à-dire du rôle *joué* dans le couple, que s'affirme la virilité croissante d'Emma ; aussi l'ordre de ses liaisons, Rodolphe avant Léon, prend-il tout son sens : alors que dans ses rapports avec Rodolphe Emma joue le rôle féminin, traditionnellement passif, dans ses rapports avec Léon, les rôles sont intervertis : "... il devenait sa maîtresse plutôt qu'elle n'était la sienne". Ce n'est pas par hasard que l'apprentissage de l'écriture et l'apprentissage de la virilité, si j'ose dire, suivent des chemins qui finissent par se rejoindre au moment de la liaison d'Emma avec Léon : car cette liaison marque le triomphe de l'imaginaire sur le réel, condition préalable à toute écriture. Si, en ce qui concerne l'effet *sur* le réel, l'écriture de Homais l'emporte sur celle d'Emma, pour ce qui est de l'effet *de* réel, c'est sans aucun doute l'écriture d'Emma/(Flaubert) qui l'emporte sur celle de Homais, l'effet de réel ne pouvant être que la récompense d'un renoncement total à toute satisfaction réelle, que les gages de la sublimation, voire de la castration. Pour Flaubert l'écriture a donc un sexe, le sexe du manque assumé, le sexe féminin. »

NAOMI SCHOR, 1976, « Pour une thématique restreinte... » in *Littérature* , n° 22, pp. 42-43.

VI

Dans les voyages qu'il faisait pour la voir, Léon souvent avait dîné chez le pharmacien, et s'était cru contraint, par politesse, de l'inviter à son tour.

— Volontiers ! avait répondu M. Homais ; il faut, d'ail-
5 leurs, que je me retrempe un peu, car je m'encroûte ici. Nous irons au spectacle, au restaurant, nous ferons des folies !

— Ah ! bon ami ! murmura tendrement madame Homais, effrayée des périls vagues qu'il se disposait à courir.
10 — Eh bien, quoi ? tu trouves que je ne ruine pas assez ma santé à vivre parmi les émanations continuelles de la pharmacie ! Voilà, du reste, le caractère des femmes : elles sont jalouses de la Science, puis s'opposent à ce que l'on prenne les plus légitimes distractions. N'importe, comptez
15 sur moi ; un de ces jours, je tombe à Rouen et nous ferons sauter ensemble les monacos [1].

L'apothicaire, autrefois, se fût bien gardé d'une telle expression ; mais il donnait maintenant dans un genre folâtre et parisien qu'il trouvait du meilleur goût ; et, comme
20 madame Bovary, sa voisine, il interrogeait le clerc curieusement sur les mœurs de la capitale, même il parlait argot afin d'éblouir... les bourgeois, disant *turne, bazar, chicard, chicandard, Breda-street,* et *Je me la casse,* pour : Je m'en vais [1].

25 Donc, un jeudi, Emma fut surprise de rencontrer, dans la cuisine du *Lion d'or,* M. Homais en costume de voyageur, c'est-à-dire couvert d'un vieux manteau qu'on ne lui connaissait pas, tandis qu'il portait d'une main une valise, et de l'autre, la chancelière [3] de son établissement. Il n'avait confié
30 son projet à personne, dans la crainte d'inquiéter le public par son absence.

L'idée de revoir les lieux où s'était passée sa jeunesse l'exaltait sans doute, car tout le long du chemin il n'arrêta pas de discourir ; puis, à peine arrivé, il sauta vivement de la
35 voiture pour se mettre en quête de Léon ; et le clerc eut beau se débattre, M. Homais l'entraîna vers le grand café de

Normandie, où il entra majestueusement, sans retirer son chapeau, estimant fort provincial de se découvrir dans un endroit public.

Emma attendit Léon trois quarts d'heure. Enfin elle courut à son étude, et, perdue dans toute sorte de conjectures, 5 l'accusant d'indifférence et se reprochant à elle-même sa faiblesse, elle passa l'après-midi le front collé contre les carreaux.

Ils étaient encore, à deux heures, attablés l'un devant l'autre. La grande salle se vidait ; le tuyau du poêle, en 10 forme de palmier, arrondissait au plafond blanc sa gerbe dorée ; et près d'eux, derrière le vitrage, en plein soleil, un petit jet d'eau gargouillait dans un bassin de marbre où, parmi du cresson et des asperges, trois homards engourdis s'allongeaient jusqu'à des cailles, toutes couchées en pile, 15 sur le flanc.

Homais se délectait. Quoiqu'il se grisât de luxe encore plus que de bonne chère, le vin de Pomard, cependant, lui excitait un peu les facultés, et, lorsque apparut l'omelette au rhum, il exposa sur les femmes des théories immorales. Ce 20 qui le séduisait par-dessus tout, c'était le *chic*. Il adorait une toilette élégante dans un appartement bien meublé, et, quant aux qualités corporelles, ne détestait pas le *morceau*.

Léon contemplait la pendule avec désespoir. L'apothicaire buvait, mangeait, parlait. 25

— Vous devez être, dit-il tout à coup, bien privé à Rouen. Du reste, vos amours ne logent pas loin.

Et, comme l'autre rougissait :

— Allons, soyez franc ! Nierez-vous qu'à Yonville... ?

Le jeune homme balbutia. 30

— Chez madame Bovary, vous ne courtisiez point... ?

— Et qui donc ?

— La bonne !

Il ne plaisantait pas ; mais, la vanité l'emportant sur toute prudence, Léon, malgré lui, se récria. D'ailleurs il n'aimait 35 que les femmes brunes.

— Je vous approuve, dit le pharmacien : elles ont plus de tempérament[1].

Et, se penchant à l'oreille de son ami, il indiqua les symptômes auxquels on reconnaissait qu'une femme avait 40 du tempérament. Il se lança même dans une digression ethnographique : l'Allemande était vaporeuse, la Française libertine, l'Italienne passionnée.

FLAUBERT
MADAME BOVARY

1. *« Brunes : plus chaudes que les Blondes. Voy. Blondes. »*
« Blondes : plus chaudes que les Brunes. Voy. Brunes » (Dictionnaire des idées reçues.)

— Et les négresses ? demanda le clerc.

— C'est un goût d'artiste[1], dit Homais. — Garçon ! deux demi-tasses ! ⟨1⟩

— Partons-nous ? reprit à la fin Léon s'impatientant.

5 — *Yes.*

Mais il voulut, avant de s'en aller, voir le maître de l'établissement et lui adressa quelques félicitations.

Alors le jeune homme, pour être seul, allégua qu'il avait affaire.

10 — Ah ! je vous escorte ! dit Homais.

Et, tout en descendant les rues avec lui, il parlait de sa femme, de ses enfants, de leur avenir et de sa pharmacie, racontait en quelle décadence elle était autrefois, et le point de perfection où il l'avait montée.

15 Arrivé devant l'*hôtel de Boulogne*, Léon le quitta brusquement, escalada l'escalier, et trouva sa maîtresse en grand émoi.

Au nom du pharmacien, elle s'emporta. Cependant, il accumulait de bonnes raisons ; ce n'était pas sa faute, ne 20 connaissait-elle pas M. Homais ? Pouvait-elle croire qu'il préférât sa compagnie ? Mais elle se détournait ; il la retint ; et, s'affaissant sur les genoux, il lui entoura la taille de ses deux bras, dans une pose langoureuse toute pleine de concupiscence et de supplication.

25 Elle était debout ; ses grands yeux enflammés le regardaient sérieusement et presque d'une façon terrible. Puis des larmes les obscurcirent, ses paupières roses s'abaissèrent, elle abandonna ses mains, et Léon les portait à sa bouche lorsque parut un domestique, avertissant Monsieur qu'on le 30 demandait.

— Tu vas revenir ? dit-elle.

— Oui.

— Mais quand ?

— Tout à l'heure.

35 — C'est un *truc*, dit le pharmacien en apercevant Léon. J'ai voulu interrompre cette visite qui me paraissait vous contrarier. Allons chez Bridoux prendre un verre de garus[2].

Léon jura qu'il lui fallait retourner à son étude. Alors l'apothicaire fit des plaisanteries sur les paperasses, la 40 procédure.

— Laissez donc un peu Cujas et Barthole[3], que diable ! Qui vous empêche ? Soyez un brave ! Allons chez Bridoux ; vous verrez son chien. C'est très curieux.

---

1. « *Négresses : plus chaudes que les blanches (voy. Brunes et Blondes) »* (Dictionnaire des idées reçues). « *Artistes. Tous farceurs. »* (ibid.)

2. *Garus :* « *Élixir pour certaines maladies de l'estomac »* (Littré), du nom de son inventeur.

3. « *Cujas : inséparable de Barthole »* (Dictionnaire des idées reçues). *Cujas est un jurisconsulte français (1522-1590) qui restitua entre autres le Code de Justinien ; Barthole est un jurisconsulte italien du XIVᵉ siècle.*

Le petit journal de Madame Bovary

« Je suis en train de faire exposer à Homais des théories gaillardes sur les femmes. J'ai peur que ça ne paraisse un peu trop "voulu". »

A Louis Bouilhet, 2/8/1855

L'on retrouve ailleurs ces « théories gaillardes », lieu commun de toute conversation « virile » :

« Alors, la conversation s'engagea sur les femmes. Pellerin n'admettait pas qu'il y eût de belles femmes (il préférait les tigres) ; d'ailleurs, la femelle de l'homme était une créature inférieure dans la hiérarchie esthétique :
— "Ce qui vous séduit est particulièrement ce qui la dégrade comme idée ; je veux dire les seins, les cheveux..."
— "Cependant", objecta Frédéric, "de longs cheveux noirs, avec de grands yeux noirs..."
— "Oh ! connu !" s'écria Hus-

sonnet. "Assez d'Andalouses sur la pelouse ! des choses antiques ? serviteur ! Car enfin, voyons, pas de blagues ! une lorette est plus amusante que la Vénus de Milo ! Soyons Gaulois, nom d'un petit bonhomme ! et Régence si nous pouvons !"
Coulez, bons vins ; femmes, daignez sourire !
Il faut passer de la brune à la blonde ! »

GUSTAVE FLAUBERT,
1869,
L'Éducation sentimentale.

Et comme le clerc s'obstinait toujours :

— J'y vais aussi. Je lirai un journal en vous attendant, ou je feuilletterai un Code.

Léon, étourdi par la colère d'Emma, le bavardage de
5 M. Homais et peut-être les pesanteurs du déjeuner, restait indécis et comme sous la fascination du pharmacien qui répétait :

— Allons chez Bridoux ! c'est à deux pas, rue Malpalu.

Alors, par lâcheté, par bêtise, par cet inqualifiable senti-
10 ment qui nous entraîne aux actions les plus antipathiques, il se laissa conduire chez Bridoux ; et ils le trouvèrent dans sa petite cour, surveillant trois garçons qui haletaient à tourner la grande roue d'une machine pour faire de l'eau de Seltz. Homais leur donna des conseils ; il embrassa Bridoux ; on
15 prit le garus. Vingt fois Léon voulut s'en aller ; mais l'autre l'arrêtait par le bras en lui disant :

— Tout à l'heure ! je sors. Nous irons au *Fanal de Rouen*, voir ces messieurs. Je vous présenterai à Thomassin.

20 Il s'en débarrassa pourtant et courut d'un bond jusqu'à l'hôtel. Emma n'y était plus.

Elle venait de partir, exaspérée. Elle le détestait maintenant. Ce manque de parole au rendez-vous lui semblait un outrage, et elle cherchait encore d'autres raisons pour s'en
25 détacher : il était incapable d'héroïsme, faible, banal, plus mou qu'une femme, avare d'ailleurs et pusillanime.

Puis, se calmant, elle finit par découvrir qu'elle l'avait sans doute calomnié. Mais le dénigrement de ceux que nous aimons toujours nous en détache quelque peu. Il ne faut pas
30 toucher aux idoles : la dorure en reste aux mains.

Ils en vinrent à parler plus souvent de choses indifférentes à leur amour ; et, dans les lettres qu'Emma lui envoyait, il était question de fleurs, de vers, de la lune et des étoiles, ressources naïves d'une passion affaiblie, qui essayait de s'avi-
35 ver à tous les secours extérieurs. Elle se promettait continuellement, pour son prochain voyage, une félicité profonde ; puis elle s'avouait ne rien sentir d'extraordinaire. Cette déception s'effaçait vite sous un espoir nouveau, et Emma revenait à lui plus enflammée, plus avide. Elle se dés-
40 habillait brutalement, arrachant le lacet mince de son corset, qui sifflait autour de ses hanches comme une couleuvre qui glisse ①. Elle allait sur la pointe de ses pieds nus regarder encore une fois si la porte était fermée, puis elle faisait d'un

① Le serpent, un symbole érotique

« Salammbô, avec un balancement de tout son corps, psalmodiait des prières, et ses vêtements, les uns après les autres, tombaient autour d'elle.

La lourde tapisserie trembla, et par-dessus la corde qui la supportait, la tête du python apparut. Il descendit lentement, comme une goutte d'eau qui coule le long d'un mur, rampa entre les étoffes épandues, puis, la queue collée contre le sol, il se leva tout droit ; et ses yeux, plus brillants que des escarboucles, se dardaient sur Salammbô. L'horreur du froid ou une pudeur, peut-être, la fit d'abord hésiter. Mais elle se rappela les ordres de Schahabarim, elle s'avança ; le python se rabattit et lui posant sur la nuque le milieu de son corps, il laissait pendre sa tête et sa queue, comme un collier rompu dont les deux bouts traînent jusqu'à terre. Salammbô l'entoura autour de ses flancs, sous ses bras, entre ses genoux ; puis le prenant à la mâchoire, elle approcha cette petite gueule triangulaire jusqu'au bord de ses dents, et, en fermant à demi les yeux, elle se renversait sous les rayons de la lune. La blanche lumière semblait l'envelopper d'un brouillard d'argent, la forme de ses pas humides brillait sur les dalles, des étoiles palpitaient dans la profondeur de l'eau ; il serrait contre elle ses noirs anneaux tigrés de plaques d'or. Salammbô haletait sous ce poids trop lourd, ses reins pliaient, elle se sentait mourir ; et du bout de sa queue il lui battait la cuisse tout doucement ; puis la musique se taisant, il retomba. »

GUSTAVE FLAUBERT,
1862,
Salammbô.

seul geste tomber ensemble tous ses vêtements ; — et, pâle, sans parler, sérieuse, elle s'abattait contre sa poitrine, avec un long frisson.

Cependant, il y avait sur ce front couvert de gouttes froi-
5 des, sur ces lèvres balbutiantes, dans ces prunelles égarées, dans l'étreinte de ces bras, quelque chose d'extrême, de vague et de lugubre, qui semblait à Léon se glisser entre eux, subtilement, comme pour les séparer. ①

Il n'osait lui faire des questions ; mais, la discernant si
10 expérimentée, elle avait dû passer, se disait-il, par toutes les épreuves de la souffrance et du plaisir. Ce qui le charmait autrefois l'effrayait un peu maintenant. D'ailleurs, il se révoltait contre l'absorption, chaque jour plus grande, de sa personnalité. Il en voulait à Emma de cette victoire permа-
15 nente. Il s'efforçait même à ne pas la chérir ; puis, au craquement de ses bottines, il se sentait lâche, comme les ivrognes à la vue des liqueurs fortes.

Elle ne manquait point, il est vrai, de lui prodiguer toutes sortes d'attentions, depuis les recherches de table jusqu'aux
20 coquetteries du costume et aux langueurs du regard. Elle apportait d'Yonville des roses dans son sein, qu'elle lui jetait à la figure, montrait des inquiétudes pour sa santé, lui donnait des conseils sur sa conduite, et, afin de le retenir davantage, espérant que le ciel peut-être s'en mêlerait, elle lui
25 passa autour du cou une médaille de la Vierge. Elle s'informait, comme une mère vertueuse, de ses camarades. Elle lui disait :

— Ne les vois pas, ne sors pas, ne pense qu'à nous ; aime-moi !

30 Elle aurait voulu pouvoir surveiller sa vie, et l'idée lui vint de le faire suivre dans les rues. Il y avait toujours, près de l'hôtel, une sorte de vagabond qui accostait les voyageurs et qui ne refuserait pas... Mais sa fierté se révolta.

— Eh ! tant pis ! qu'il me trompe, que m'importe ! est-ce
35 que j'y tiens ?

Un jour qu'ils s'étaient quittés de bonne heure, et qu'elle s'en revenait seule par le boulevard, elle aperçut les murs de son couvent ; alors elle s'assit sur un banc, à l'ombre des ormes. Quel calme dans ce temps-là ! Comme elle enviait
40 les ineffables sentiments d'amour qu'elle tâchait, d'après des livres, de se figurer !

Les premiers mois de son mariage, ses promenades à cheval dans la forêt, le Vicomte qui valsait, et Lagardy chan-

Au procès : lascif ? vous avez dit lascif ?

Réquisitoire :

« Je signale ici deux choses, messieurs, une peinture admirable sous le rapport du talent, mais une peinture exécrable au point de vue de la morale. Oui, M. Flaubert sait embellir ses peintures avec toutes les ressources de l'art, mais sans les ménagements de l'art. Chez lui point de gaze, point de voiles, c'est la nature dans toute sa nudité, dans toute sa crudité ! »

Plaidoirie :

« Vous appelez cela de la couleur lascive ; vous dites que cela donnerait le goût de l'adultère ; vous dites que voilà des pages qui peuvent exciter, émouvoir les sens, — des pages lascives ! Mais la mort est dans ces pages. Vous n'y pensez pas, monsieur l'Avocat impérial, vous vous effarouchez de trouver là les mots de *corset, de vêtements qui tombent* ; et vous vous attachez à ces trois ou quatre mots de corset et de vêtements qui tombent ! Voulez-vous que je montre comme quoi un corset peut paraître dans un livre peuvent être émus, excités, — comme à la lecture d'un livre classique, et très classique ? C'est ce que je me donnerai le plaisir de faire tout à l'heure.

"Elle se déshabillait... (ah !

monsieur l'Avocat impérial, que vous avez mal compris ce passage !) elle se déshabillait brutalement (la malheureuse), arrachant le lacet mince de son corset qui sifflait autour de ses hanches, comme une couleuvre qui glisse : et, pâle, sans parler, sérieuse, elle s'abattait contre sa poitrine, avec un long frisson... Il y avait sur ce front couvert de gouttes froides... dans l'étreinte de ces bras, quelque chose de vague et de lugubre..."

C'est ici qu'il faut se demander où est la couleur lascive ?

et où est la couleur sévère ? et si les sens de la jeune fille aux mains de laquelle tomberait ce livre classique entre tous les classiques, que je citerai tout à l'heure, et qui a été réimprimé mille fois, sans que jamais procureur impérial, ou royal, ait songé à le poursuivre. Est-ce qu'il y a quelque chose d'analogue dans ce que je viens de vous lire ? Est-ce que ce n'est pas, au contraire, l'excitation à l'horreur du vice que "ce quelque chose de lugubre qui se glisse entre eux pour les séparer" ? »

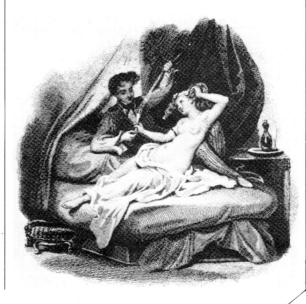

tant, tout repassa devant ses yeux... Et Léon lui parut soudain dans le même éloignement que les autres.
— Je l'aime pourtant ! se disait-elle.
N'importe ! elle n'était pas heureuse, ne l'avait jamais été.
5 D'où venait donc cette insuffisance de la vie, cette pourriture
instantanée des choses où elle s'appuyait ?... Mais, s'il y
avait quelque part un être fort et beau, une nature valeu-
reuse, pleine à la fois d'exaltation et de raffinements, un
cœur de poète sous une forme d'ange, lyre aux cordes
10 d'airain, sonnant vers le ciel des épithalames[1] élégiaques,
pourquoi, par hasard, ne le trouverait-elle pas ? Oh ! quelle
impossibilité ! Rien, d'ailleurs, ne valait la peine d'une
recherche ; tout mentait ! Chaque sourire cachait un bâillement d'ennui, chaque joie une malédiction, tout plaisir son
15 dégoût, et les meilleurs baisers ne vous laissaient sur la lèvre
qu'une irréalisable envie d'une volupté plus haute.

Un râle métallique se traîna dans les airs et quatre coups
se firent entendre à la cloche du couvent. Quatre heures ! et
il lui semblait qu'elle était là, sur ce banc, depuis l'éternité.
20 Mais un infini de passions peut tenir dans une minute,
comme une foule dans un petit espace.

Emma vivait tout occupée des siennes, et ne s'inquiétait
pas plus de l'argent qu'une archiduchesse. ⟨1⟩

Une fois pourtant, un homme d'allure chétive, rubicond et
25 chauve, entra chez elle, se déclarant envoyé par M. Vinçart,
de Rouen. Il retira les épingles qui fermaient la poche laté-
rale de sa longue redingote verte, les piqua sur sa manche et
tendit poliment un papier.

C'était un billet de sept cents francs, souscrit par elle, et
30 que Lheureux, malgré toutes ses protestations, avait passé à
l'ordre de Vinçart.

Elle expédia chez lui sa domestique. Il ne pouvait venir.

Alors, l'inconnu, qui était resté debout, lançant de droite
et de gauche des regards curieux qui dissimulaient ses gros
35 sourcils blonds, demanda d'un air naïf :

— Quelle réponse apporter à M. Vinçart ?

— Eh bien, répondit Emma, dites-lui... que je n'en ai
pas... Ce sera la semaine prochaine... Qu'il attende... oui,
la semaine prochaine.

Et le bonhomme s'en alla sans souffler mot.
40 Mais, le lendemain, à midi, elle reçut un protêt[2] ; et la vue
du papier timbré, où s'étalait à plusieurs reprises et en gros
caractères : « Maître Hareng, huissier à Buchy » l'effraya si

---

1. *Épithalame : poème composé à
l'occasion d'un mariage, en l'honneur
de nouveaux mariés.*
2. *Protêt : acte par lequel le porteur
d'un effet de commerce fait constater
que cet effet n'a pas été accepté par
son tireur, ou qu'il n'a pas été payé à
l'échéance.*

Le principe de plaisir et sa contradiction

« Emma va parcourir un certain trajet romanesque. Au point de départ elle se trouve posséder de l'argent, des illusions et de la vitalité. L'argent, on peut le noter, n'est pas associé à un travail : il provient des profits de la génération précédente. D'autre part la vitalité, qui répond à une nécessité dramatique, s'accompagne chez un protagoniste féminin de conséquences prévisibles dans un univers masculin : dès sa première apparition, Emma arbore un lorgnon "comme un homme" ; pendant sa liaison avec Rodolphe, elle s'affiche avec une cigarette et porte un gilet "à la façon d'un homme" ; lors du bal de la mi-carême où elle se rend avec Léon, elle a revêtu un pantalon et des bas rouges — se déguisant en aritistocrate comme Charles s'était laissé habiller en bourgeois. De même, ses ongles, brillants et taillés en amande, sont certes un signe de classe ; mais il n'est pas indifférent que Charles soit censé les remarquer dès le début de la première description, ni que les dents d'Emma soient ensuite mentionnées dans le paragraphe où figurent les seuls loups du roman. Mère phallique malgré elle, Emma va passer son temps à offrir aux hommes qu'elle rencontre, outre ses illusions à partager, des cravaches, des jambes de bois ou des porte-cigares. Mais autour d'elle les pères se cassent la jambe, meurent ou finissent paralysés, les maris et les amants se complaisent dans une douteuse interversion des sexes. Dès la première page, Bovary (bœuf) manque au comportement viril qu'exige le "genre", au collège ; sa "procuration" à Emma pour les questions d'argent sera une véritable passation des pouvoirs. Rodolphe, qui vient aux rendez-vous sans ses pistolets, se dérobe devant l'affrontement et fuit en laissant une lettre. Léon, d'abord tourmenté par l'angoisse d'impuissance, ne trouve de certitudes que dans une position humiliée et soumise : "il devenait sa maîtresse plutôt qu'elle n'était la sienne". Jusqu'à Justin, qui rêve d'être le valet d'Emma. Il est possible qu'une structuration psychologique épouse et redouble l'ambiguïté idéologique de Flaubert : toujours est-il que, dans le cadre du roman, le sado-masochisme, image d'un rapport de forces, n'est pas plus gratuit que le fétichisme. Réversible, du reste, puisque Emma subit la bêtise de Charles ou la mufle-rie de Rodolphe avec un "stoïcisme voluptueux", "une volupté dépravée", il illustre plus crûment encore la déshumanisation des rapports humains.

Allons plus loin : les simulacres phalliques, on l'a peut-être remarqué, sont tous des objets de classe. La jambe artificielle d'Hippolyte elle-même s'achève par une botte vernie. Mais il ne s'en servira jamais. Quant au porte-cigare(s) sur lequel rêve Emma, il symbolise sa frustration : référé au Vicomte, pur fantasme nobiliaire, ou à Rodolphe *Boulanger*, faux aristocrate, il est un phallus en creux. Cadeaux "princiers", ces objets matérialisent en la ridiculisant la conception bourgeoise d'une valeur aristocratique. Les dépenses d'Emma apparaissent donc avant tout comme signe extérieur et bien entendu fallacieux d'appartenance à la noblesse. Elle aime prendre des "airs de marquise", surtout lorsqu'elle souhaite en imposer à la rustique mère Bovary ou au naïf Léon Dupuis : l'argent lui procure aisément l'illusion d'être une "duchesse", en la distinguant de la foule par le prix des places de théâtre, ou, pis, d'être même une "archiduchesse", lorsqu'elle refuse

fort, qu'elle courut en toute hâte chez le marchand d'étoffes.
Elle le trouva dans sa boutique, en train de ficeler un
paquet.

— Serviteur ! dit-il, je suis à vous.

5 Lheureux n'en continua pas moins sa besogne, aidé par
une jeune fille de treize ans environ, un peu bossue, et qui
lui servait à la fois de commis et de cuisinière.

Puis, faisant claquer ses sabots sur les planches de la boutique, il monta devant Madame au premier étage et l'intro-
10 duisit dans un étroit cabinet, où un gros bureau en bois de
sape[1] supportait quelques registres, défendus transversale-
ment par une barre de fer cadenassée. Contre le mur, sous
des coupons d'indienne, on entrevoyait un coffre-fort, mais
d'une telle dimension, qu'il devait contenir autre chose que
15 des billets et de l'argent. M. Lheureux, en effet, prêtait sur
gages, et c'est là qu'il avait mis la chaîne en or de madame
Bovary, avec les boucles d'oreilles du pauvre père Tellier,
qui enfin contraint de vendre, avait acheté à Quincampoix
un maigre fonds d'épicerie, où il se mourait de son catar-
20 rhe[2], au milieu de ses chandelles moins jaunes que sa figure.

Lheureux s'assit dans son large fauteuil de paille, en
disant :

— Quoi de neuf ?

— Tenez.

25 Et elle lui montra le papier.

— Eh bien, qu'y puis-je ?

Alors, elle s'emporta, rappelant la parole qu'il avait donnée de ne pas faire circuler ses billets ; il en convenait.

30 — Mais j'ai été forcé moi-même, j'avais le couteau sur la
gorge.

— Et que va-t-il arriver, maintenant ? reprit-elle.

— Oh ! c'est bien simple : un jugement du tribunal, et
puis la saisie... ; bernique[3] !

35 Emma se retenait pour ne pas le battre. Elle lui demanda
doucement s'il n'y avait pas moyen de calmer M. Vinçart.

— Ah bien, oui ! calmer vinçart ; vous ne le connaissez
guère ; il est plus féroce qu'un Arabe.

Pourtant il fallait que M. Lheureux s'en mêlât.

40 — Écoutez donc ! il me semble que, jusqu'à présent, j'ai
été assez bon pour vous.

Et déployant un de ses registres :

— Tenez !

Puis remontant la page avec son doigt :

tout simplement d'y penser. Aussi donne-t-elle par exemple cinq francs à l'Aveugle au moment de sa ruine : "C'était toute sa fortune. Il lui semblait beau de la jeter ainsi." Ce geste sacrificiel peut rappeler une scène de la Vaubyessard : "Un domestique monta sur une chaise et cassa deux vitres ; au bruit des éclats de verre, Madame Bovary tourna la tête et aperçut dans le jardin, contre les carreaux, des faces de paysans qui regardaient. Alors le souvenir des Bertaux lui arriva." Le caractère nostalgique de ce souvenir semble indiquer qu'au goût enivrant de l'apparente réussite se mêle l'amère conscience de son caractère illusoire et d'une trahison de classe bien réelle.

La prodigalité et les aventures amoureuses d'Emma, profondément liées, procèdent donc d'une même mystification ; ses aventures pourraient se répéter indéfiniment, puisque, à l'instar de Don Quichotte, elle n'apprend rien : sa fortune, en revanche, qui n'est pas d'ailleurs celle d'un capitaliste, va s'épuiser rapidement. Comme chez Balzac, où le moteur dramatique semble être l'accumulation ou la conservation de l'argent et où les Raphaël et les Goriot font pendant aux Gobseck, aux Grandet, aux Gaudissart, l'amour

coûte cher et reste un privilège d'oisifs. Mais, à la différence d'un héros balzacien, Emma ne serait nullement *obligée* de dépenser tant d'argent ; la motivation est en effet d'ordre idéologique plutôt que psychologique ou social. Aussi le caractère dénonciateur de cette dépense en est-il rendu patent. Faux témoignage d'aristocratie, elle n'en est pas moins antibourgeoise.

La mesquinerie des rêves bourgeois va de pair avec la fausse virilité : avoir n'est pas être (mais en avoir non plus). Charles joue les Perrette en rêvant économies et investissements : "Il pensait à louer une petite ferme aux environs, et qu'il surveillerait lui-même, tous les matins, en allant voir ses malades. Il en économiserait le revenu, il le placerait à la caisse d'épargne ; ensuite il achèterait des actions, quelque part, n'importe où..." Léon, malgré la barbiche destinée à le faire ressembler aux portraits de Louis XIII, paraît tenir à ses "petits écus" : "il était incapable d'héroïsme, faible, banal, plus mou qu'une femme, avare d'ailleurs, et pusillanime". Pourtant Léon se rangera alors que Charles se mettra à son tour à dépenser somptuairement, s'opposant à Homais ou à sa mère et offrant à Emma un enterrement *inuti-*

lement luxueux. Les Bovary vivent et meurent "au-dessus de leurs moyens". Toutefois les valeurs prétendument aristocratiques, simples valeurs bourgeoises inversées ici, sont incompatibles avec la réalité du système économique et social bourgeois. La plupart des personnages se retrouvent ruinés à la fin du périple d'Emma : le père Rouault déjà, le père Bovary n'avaient pas su équilibrer recettes et dépenses. Comme entraînés par les lois "naturelles" de la pesanteur, les entassements s'effondrent, se fondent, retournent à la terre, les tas roses et mous des résidus de confitures répondent, dans la dernière partie, à l'édifice absurde de la pièce montée. Résultat possible d'une auto-

— Voyons..., voyons... Le 3 août, deux cents francs...
Au 17 juin, cent cinquante... 23 mars, quarante-six... En
avril...

Il s'arrêta, comme craignant de faire quelque sottise.

5 — Et je ne dis rien des billets souscrits par Monsieur, un
de sept cents francs, un autre de trois cents ! Quant à vos
petits acomptes, aux intérêts, ça n'en finit pas, on s'y
embrouille. Je ne m'en mêle plus !

Elle pleurait, elle l'appela même « son bon monsieur
10 Lheureux ». Mais il se rejetait toujours sur ce « mâtin de Vinçart ». D'ailleurs, il n'avait pas un centime, personne à présent ne le payait, on lui mangeait la laine sur le dos, un pauvre boutiquier comme lui ne pouvait faire d'avances.

Emma se taisait ; et M. Lheureux, qui mordillonnait les
15 barbes d'une plume, sans doute s'inquiéta de son silence,
car il reprit :

— Au moins si un de ces jours j'avais quelques ren-
trées... je pourrais...

— Du reste, dit-elle, dès que l'arriéré de Barneville...
20 — Comment ?...

Et, en apprenant que Langlois n'avait pas encore payé, il
parut fort surpris. Puis, d'une voix mielleuse :

— Et nous convenons, dites-vous ?...

— Oh ! de ce que vous voudrez !
25 Alors, il ferma les yeux pour réfléchir, écrivit quelques
chiffres, et, déclarant qu'il aurait grand mal, que la chose
était scabreuse et qu'il se *saignait*, il dicta quatre billets de
deux cent cinquante francs, chacun, espacés les uns des
autres à un mois d'échéance.
30 — Pourvu que Vinçart veuille m'entendre ! Du reste,
c'est convenu, je ne lanterne pas, je suis rond comme une
pomme. ⟨1⟩

Ensuite il lui montra négligemment plusieurs marchandises nouvelles, mais dont pas une, dans son opinion, n'était
35 digne de Madame.

— Quand je pense que voilà une robe à sept sous le
mètre, et certifiée bon teint ! Ils gobent cela pourtant ! on ne
leur conte pas ce qui en est, vous pensez bien, voulant par
cet aveu de coquinerie envers les autres la convaincre tout à
40 fait de sa probité.

Puis il la rappela, pour lui montrer trois aunes de guipure
qu'il avait trouvées dernièrement « dans une *vendue*[1] ».

1. *Vendue : normandisme souligné par
l'italique pour une vente après saisie.*

punition, due à la mauvaise conscience d'avoir trahi sa classe, ou d'une sanction venue d'un Surmoi social réprouvant à la fois l'hubris et l'adultère, dénonciation ambiguë de l'aliénation moderne de Sancho comme de celle de Don Quichotte, la ruine d'Emma accompagne en tout cas certainement l'épuisement de ses illusions : "Il n'en restait plus maintenant ! Elle en avait dépensé à toutes les aventures de son âme, par tou-

tes les conditions successives, dans la virginité, dans le mariage et dans l'amour ; — les perdant ainsi continuellement le long de sa vie, comme un voyageur qui laisse quelque chose de sa richesse à toutes les auberges de la route."

Derrière les contrastes superficiels et les antagonismes secondaires apparaît donc la véritable contradiction, celle du principe de plaisir, aliéné

en des formes idéologiques dont la prodigalité amoureuse et financière n'est que la conséquence la plus spectaculaire (lisible), et du principe de réalité, représenté par la puissance de l'argent en régime capitaliste. »

MICHEL PICARD, 1973,
op. cit., pp. 91-93.

 ## Le petit journal de Madame Bovary

« Quand je serai quitte de ce passage financier de procédures, c'est-à-dire dans une quinzaine, j'arriverai vite à la catastrophe. »

A Louis Bouilhet, 31/8/1855

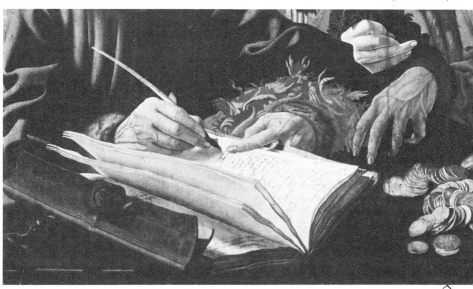

— Est-ce beau ! disait Lheureux ; on s'en sert beaucoup maintenant, comme têtes de fauteuils, c'est le genre.

Et, plus prompt qu'un escamoteur, il enveloppa la guipure de papier bleu et la mit dans les mains d'Emma.

5 — Au moins, que je sache... ?

— Ah ! plus tard, reprit-il en lui tournant les talons.

Dès le soir, elle pressa Bovary d'écrire à sa mère pour qu'elle leur envoyât bien vite tout l'arriéré de l'héritage. La belle-mère répondit n'avoir plus rien ; la liquidation était

10 close, et il leur restait, outre Barneville, six cents livres de rente, qu'elle leur servirait exactement.

Alors Madame expédia des factures chez deux ou trois clients, et bientôt usa largement de ce moyen, qui lui réussissait. Elle avait toujours soin d'ajouter en post-scriptum :

15 « N'en parlez pas à mon mari, vous savez comme il est fier... Excusez-moi... Votre servante... » Il y eut quelques réclamations ; elle les intercepta.

Pour se faire de l'argent, elle se mit à vendre ses vieux gants, ses vieux chapeaux, la vieille ferraille ; et elle mar-

20 chandait avec rapacité, — son sang de paysanne la poussant au gain. Puis, dans ses voyages à la ville, elle brocanterait des babioles, que M. Lheureux, à défaut d'autres, lui prendrait certainement. Elle s'acheta des plumes d'autruche, de la porcelaine chinoise et des bahuts ; elle empruntait à Féli-

25 cité, à madame Lefrançois, à l'hôtelière de la *Croix rouge*, à tout le monde, n'importe où. Avec l'argent qu'elle reçut enfin de Barneville, elle paya deux billets, les quinze cents autres francs s'écoulèrent. Elle s'engagea de nouveau, et toujours ainsi !

30 Parfois, il est vrai, elle tâchait de faire des calculs ; mais elle découvrait des choses si exorbitantes, qu'elle n'y pouvait croire. Alors elle recommençait, s'embrouillait vite, plantait tout là et n'y pensait plus.

La maison était bien triste, maintenant ! On en voyait sor-

35 tir les fournisseurs avec des figures furieuses. Il y avait des mouchoirs traînant sur les fourneaux ; et la petite Berthe, au grand scandale de madame Homais, portait des bas percés. Si Charles, timidement, hasardait une observation, elle répondait avec brutalité que ce n'était point sa faute !

40 Pourquoi ces emportements ? Il expliquait tout par son ancienne maladie nerveuse ; et se reprochant d'avoir pris pour des défauts ses infirmités, il s'accusait d'égoïsme, avait envie de courir l'embrasser.

— Oh ! non, se disait-il, je l'ennuierais !
Et il restait.

Après le dîner, il se promenait seul dans le jardin ; il prenait la petite Berthe sur ses genoux, et, déployant son jour-
5 nal de médecine, essayait de lui apprendre à lire. L'enfant,
qui n'étudiait jamais, ne tardait pas à ouvrir de grands yeux
tristes et se mettait à pleurer. Alors il la consolait ; il allait lui
chercher de l'eau dans l'arrosoir pour faire des rivières sur le
sable, on cassait les branches des troènes pour planter des
10 arbres dans les plates-bandes, ce qui gâtait peu le jardin, tout
encombré de longues herbes ; on devait tant de journées à
Lestiboudois ! Puis l'enfant avait froid et demandait sa mère.

— Appelle ta bonne, disait Charles. Tu sais bien, ma
petite, que ta maman ne veut pas qu'on la dérange.

15 L'automne commençait et déjà les feuilles tombaient, —
comme il y a deux ans, lorsqu'elle était malade ! — Quand
donc tout cela finira-t-il !... Et il continuait à marcher, les
deux mains derrière le dos.

Madame était dans sa chambre. On n'y montait pas. Elle
20 restait là tout le long du jour, engourdie, à peine vêtue, et,
de temps à autre, faisant fumer des pastilles du sérail qu'elle
avait achetées à Rouen, dans la boutique d'un Algérien.
Pour ne pas avoir la nuit auprès d'elle, cet homme étendu
qui dormait, elle finit, à force de grimaces, par le reléguer au
25 second étage ; et elle lisait jusqu'au matin des livres extrava-
gants où il y avait des tableaux orgiaques avec des situations
sanglantes. Souvent une terreur la prenait, elle poussait un
cri, Charles accourait.

— Ah ! va-t'en ! disait-elle.

30 Ou, d'autres fois, brûlée plus fort par cette flamme intime
que l'adultère avivait, haletante, émue, tout en désir, elle
ouvrait sa fenêtre, aspirait l'air froid, éparpillait au vent sa
chevelure trop lourde, et, regardant les étoiles, souhaitait
des amours de prince ①. Elle pensait à lui, à Léon. Elle eût
35 alors tout donné pour un seul de ces rendez-vous, qui la
rassasiaient.

C'était ses jours de gala. Elle les voulait splendides ! et,
lorsqu'il ne pouvait payer seul la dépense, elle complétait le
surplus libéralement, ce qui arrivait à peu près toutes les fois.
40 Il essaya de lui faire comprendre qu'ils seraient aussi bien ailleurs, dans quelque hôtel plus modeste ; mais elle trouva
des objections.

Un jour, elle tira de son sac six petites cuillers en vermeil

« Madame Bovary, c'est moi »

« Mutatis mutandis, l'aventure tragique d'Emma reproduit le cheminement de défaite au bout duquel, débouté de toutes les prétentions nées de ce qui lui apparaît, rétrospectivement, comme l'ascendant tenace d'une illusion, Flaubert accueille enfin la vérité de dénuement qu'il a si longtemps déniée. Les étapes majeures, celles dont chaque écrit marquait le gisement et que l'écrit consécutif situait après coup, jalonnent le destin de l'héroïne entre le moment où, "jeune femme en robe de mérinos bleu", elle reçoit Charles sur le seuil des Berteaux et cet autre moment où, dans un "rire atroce, frénétique, désespéré", elle cessera d'exister.

Ce qu'elle tient de Flaubert, d'abord, et selon l'ordre des raisons, c'est son indéfectible croyance en une autre satisfaction que celles que peut lui ménager le monde, c'est l'espoir que se réalise l'ultime désir qu'elle a du désir de l'autre. Le chapitre VI de la première partie, qui fait immédiatement suite au mariage de Charles et d'Emma, i.e. à l'établissement de celle-ci dans le texte, ouvre une rétrospective sur les années qu'elle a passées au couvent. Ses lectures, ses rêveries y furent celles que Flaubert a faites au collège, et dans leur imagerie, on reconnaît les plans de signifiance auxquels il a confié l'impossible accomplissement de sa visée, les figures actorielles de ses écrits passés, les variantes de l'imago.

[...]

Les paysages que traverse le désir d'Emma sont ceux où Flaubert a cherché, jadis, à s'établir, et leur glissement n'est que le souvenir des écrits où il s'est évertué à dénier la vérité. *La mort du Duc de Guise, Dernière scène de la mort de Marguerite de Bourgogne, Portrait de Lord Byron, Loys XI...*

Loin que ces images se dissipent avec le départ du couvent, c'est leur rayonnement lointain qui commande les rapports du personnage à son destin et confère à celui-ci, sur toute son étendue, le sens d'une mystification et l'amertume d'une déception, par des cycles successifs où l'espoir renaissant s'éteint invariablement dans une désillusion toujours plus profonde. Trois fois — et peut-être quatre si l'on songe que par deux fois, elle a cru aimer Charles, i.e. trouver en lui cet objet conforme à l'image d'elle-même qui la fuit —, Emma cherchera dans la relation amoureuse la satisfaction élémentaire qui lui est refusée avec une obstination dont l'aveuglement n'est rien lorsqu'on songe aux quarante tentatives avortées auxquelles Flaubert s'est livré avant *Madame Bovary.*

[...]

Enfin, au moment où il est devenu certain qu'aucun de ceux qu'elle a cru aimer ne répondait à l'image de son désir, i.e. ne présentait les traits électifs où elle aurait trouvé à s'assurer, à se suffire d'elle-même, Emma en appelle encore à cette figure impossible avant de se rendre à la mortelle vérité où Flaubert l'a précédée, en 1845, et depuis laquelle il écrit maintenant.

[...]

Au moment où il travaille à *Madame Bovary*, Flaubert perçoit distinctement dans sa propre histoire l'action irrépressible de la vérité qui l'en a, finalement, délivré. C'est à la claire conscience qu'il en a, à l'idée exacte qu'il se fait du déterminisme contradictoire qu'il a vécu dans le déchirement qu'il doit d'en pouvoir doter le personnage de l'héroïne. Aussi n'y a-t-il rien d'étonnant à ce que la filière actantielle d'Emma reproduise rigoureusement — mais

(c'était le cadeau de noces du père Rouault), en le priant d'aller immédiatement porter cela, pour elle, au Mont-de-piété ; et Léon obéit, bien que cette démarche lui déplût. Il avait peur de se compromettre.

5 Puis, en y réfléchissant, il trouva que sa maîtresse prenait des allures étranges, et qu'on n'avait peut-être pas tort de vouloir l'en détacher.

En effet, quelqu'un avait envoyé à sa mère une longue lettre anonyme, pour la prévenir qu'il *se perdait avec une*
10 *femme mariée* ; et aussitôt la bonne dame, entrevoyant l'éternel épouvantail des familles, c'est-à-dire la vague créature pernicieuse, la sirène, le monstre, qui habite fantastiquement les profondeurs de l'amour, écrivit à maître Dubocage son patron, lequel fut parfait dans cette affaire. Il le tint
15 durant trois quarts d'heure, voulant lui dessiller les yeux, l'avertir du gouffre. Une telle intrigue nuirait plus tard à son établissement. Il le supplia de rompre, et, s'il ne faisait ce sacrifice dans son propre intérêt, qu'il le fît au moins pour lui, Dubocage !

20 Léon enfin avait juré de ne plus revoir Emma ; et il se reprochait de n'avoir pas tenu sa parole, considérant tout ce que cette femme pourrait encore lui attirer d'embarras et de discours, sans compter les plaisanteries de ses camarades, qui se débitaient le matin, autour du poêle. D'ailleurs, il allait
25 devenir premier clerc : c'était le moment d'être sérieux. Aussi renonçait-il à la flûte, aux sentiments exaltés, à l'imagination[1] ; — car tout bourgeois, dans l'échauffement de sa jeunesse, ne fût-ce qu'un jour, une minute, s'est cru capable d'immenses passions, de hautes entreprises. Le plus médio-
30 cre libertin a rêvé des sultanes ; chaque notaire porte en soi les débris d'un poète.

Il s'ennuyait maintenant lorsque Emma, tout à coup, sanglotait sur sa poitrine ; et son cœur, comme les gens qui ne peuvent endurer qu'une certaine dose de musique, s'assou-
35 pissait d'indifférence au vacarme d'un amour dont il ne distinguait plus les délicatesses.

Ils se connaissaient trop pour avoir ces ébahissements de la possession qui en centuplent la joie. Elle était aussi dégoûtée de lui qu'il était fatigué d'elle. Emma retrouvait dans
40 l'adultère toutes les platitudes du mariage. ①

Mais comment pouvoir s'en débarrasser ? Puis, elle avait beau se sentir humiliée de la bassesse d'un tel bonheur, elle y tenait par habitude ou par corruption ; et, chaque jour,

---

1. « *Imagination. Toujours vive. - S'en défier. - Et la dénigrer chez les autres* » (Dictionnaire des idées reçues).

à travers le triple écran de l'objectivation, du déplacement et de la condensation — l'histoire fatale à la fin de laquelle Flaubert a cessé, lui aussi, d'exister.

Car il ne s'est pas contenté de reporter sur elle l'épaisseur de sa croyance primitive, l'illusion durable qu'il a nourri d'être reconnu à l'image de son désir sans en avoir au préalable assumé l'implication.

Disposées sur la ligne tendue que la recherche tenace d'un objet adéquat à son imago prescrit à Emma, on rencontre une série de notations flottantes dont la raison n'est pas celle, immanente, et d'ailleurs

toujours précaire du récit, mais celle, exogène, du destin que le récit prend en charge. Flaubert a ainsi reporté sur le personnage ce que lui-même a éprouvé comme perversion après que l'inanité manifeste de ses premiers écrits l'eut amené, par une radicalisation de la visée polémique, à attenter aux valeurs les plus fortes de l'axiologie de sa classe. »

PIERRE BERGOUNIOUX, 1979, *Flaubert et A'autre*, thèse de troisième cycle inédite, École des Hautes Études en Sciences Sociales, avec l'aimable autorisation de l'auteur, pp. 414-419.

① Au procès : ne touchez pas au mariage !

Réquisitoire :

« Platitudes du mariage ! Poésie de l'adultère ! Tantôt c'est la souillure du mariage, tantôt ses platitudes, mais c'est toujours la poésie de l'adultère. Voilà, messieurs, les situations que M. Flaubert aime à peindre, et malheureusement il ne les peint que trop bien. »

Plaidoirie :

« Voilà messieurs, ce que M. Flaubert a dit, ce qu'il a peint, ce qui est à chaque ligne de son livre ; voilà ce qui distingue son œuvre de toutes les œuvres du même genre. C'est que chez lui les grands travers de la société figurent à chaque page ; c'est que chez lui l'adultère marche plein de dégoût et de honte. Il a pris dans les relations habituelles de la vie l'enseignement le plus saisissant qui puisse être donné à une jeune femme. Oh ! mon Dieu, celles de nos jeunes femmes qui ne trouvent pas dans les principes honnêtes, élevés, dans une religion sévère de quoi se tenir fermes dans l'accomplissement de leurs devoirs de mères, qui ne le trouvent pas surtout dans cette résignation, cette science pratique de la vie qui nous dit qu'il faut s'accommoder de ce que nous avons, mais qui portent leurs rêveries au-dehors, ces jeunes femmes les plus honnêtes, les plus pures, qui, dans le prosaïsme de leur ménage, sont quelquefois tourmentées par ce qui se passe autour d'elles, un livre comme celui-là, soyez-en sûrs, en fait réfléchir plus d'une. Voilà ce que M. Flaubert a fait. »

elle s'y acharnait davantage, tarissant toute félicité à la vouloir trop grande. Elle accusait Léon de ses espoirs déçus, comme s'il l'avait trahie ; et même elle souhaitait une catastrophe qui amenât leur séparation, puisqu'elle n'avait pas le
5 courage de s'y décider.

Elle n'en continuait pas moins à lui écrire des lettres amoureuses, en vertu de cette idée, qu'une femme doit toujours écrire à son amant.

Mais, en écrivant, elle percevait un autre homme, un fan-
10 tôme fait de ses plus ardents souvenirs, de ses lectures les plus belles, de ses convoitises les plus fortes ; et il devenait à la fin si véritable, et accessible, qu'elle en palpitait émerveillée, sans pouvoir néanmoins le nettement imaginer, tant il se perdait, comme un dieu, sous l'abondance de ses attributs. Il
15 habitait la contrée bleuâtre où les échelles de soie se balancent à des balcons, sous le souffle des fleurs, dans la clarté de la lune. Elle le sentait près d'elle, il allait venir et l'enlèverait tout entière dans un baiser. Ensuite elle retombait à plat, brisée ; car ces élans d'amour vague la fatiguaient plus que
20 de grandes débauches. ⟨1⟩

Elle éprouvait maintenant une courbature incessante et universelle. Souvent même, Emma recevait des assignations, du papier timbré qu'elle regardait à peine. Elle aurait voulu ne plus vivre, ou continuellement dormir. ⟨2⟩ ⟨3⟩

25 Le jour de la mi-carême, elle ne rentra pas à Yonville ; elle alla le soir au bal masqué. Elle mit un pantalon de velours et des bas rouges, avec une perruque à catogan[1] et un lampion sur l'oreille. Elle sauta toute la nuit, au son furieux des trombones ; on faisait cercle autour d'elle ; et
30 elle se trouva le matin sur le péristyle du théâtre parmi cinq ou six masques, débardeuses et matelots, des camarades de Léon, qui parlaient d'aller souper.

Les cafés d'alentour étaient pleins. Ils avisèrent sur le port un restaurant des plus médiocres, dont le maître leur ouvrit,
35 au quatrième étage, une petite chambre.

Les hommes chuchotèrent dans un coin, sans doute se consultant sur la dépense. Il y avait un clerc, deux carabins et un commis : quelle société pour elle ! Quant aux femmes, Emma s'aperçut vite, au timbre de leurs voix, qu'elles
40 devaient être, presque toutes, du dernier rang. Elle eut peur alors, recula sa chaise et baissa les yeux.

Les autres se mirent à manger. Elle ne mangea pas ; elle avait le front en feu, des picotements aux paupières et un

1. Catogan : nœud qui retrousse les cheveux et les attache près de la tête.

Portrait de l'artiste en femme romanesque

C'est à Jacques Neefs que nous empruntons ce titre qui introduit l'analyse suivante :

« Dans *Madame Bovary*, Emma connaît la difficulté d'écrire. Bien sûr, par le scénario où le détail arrive, il ne s'agit que de lettres d'amour, et le moment est discret, fugitif, disposé en stéréotype de l'Amoureuse éloignée de son amant.

[...]

Le texte déploie alors, dans l'unité d'un long paragraphe, la rêverie qui double l'acte d'écrire. Dans cet exercice de l'imaginaire, écrire est d'abord reconstituer le personnage du destinataire, le rapprocher, l'évoquer : "Mais, en écrivant, elle percevait un autre homme, un fantôme fait de ses plus ardents souvenirs, de ses lectures les plus belles, de ses convoitises les plus fortes ; et il devenait à la fin si véritable, si accessible, qu'elle en palpitait émerveillée, sans pouvoir néanmoins le nettement imaginer, tant il se perdait, comme un dieu, sous l'abondance de ses attributs." Cette proximité de l'évocation peut se condenser en représentation stéréotypée identifiée et reconnaissable, imagerie qui envahit tout l'espace imaginaire : "Il habitait la contrée bleuâtre où les échelles de soie se balancent à des balcons, sous le souffle des fleurs, dans la clarté de la lune." Représentation si forte, qu'elle devient l'imminence d'une présence : "Elle le sentait près d'elle, il allait venir et l'enlèverait tout entière dans un baiser." L'emportement est cependant résolu par une chute qui le dissipe, qui le renvoie à son statut de délire : "Ensuite elle retombait à plat, brisée ; car ces élans d'amour vague la fatiguaient plus que de grandes débauches."

Ce texte s'offre donc comme l'itinéraire d'une activité imaginaire qui affolerait le simple geste d'écrire ; et, comme tel, nous pouvons le recevoir comme une caractérisation supplémentaire de l'exaltation du personnage. Mais, dans le détail, le texte effectue pour ainsi dire cette distraction, il l'actualise dans la lecture qu'il impose. Ce n'est pas seulement une caractéristique psychologique qui se trouve ainsi signifiée, c'est aussi une conduite rêveuse qui se trouve imposée.

Cela est particulièrement sensible si l'on envisage le silence sur lequel le paragraphe se construit quant au contenu des lettres. Le paragraphe déploie tout ce qui semble être latéral à ce qu'Emma écrit, non pas antérieur comme s'il s'agissait de décrire une pensée précédant les mots, non pas suspendu dans des intervalles, comme en des attentes d'inspiration ; il déploie le travail de l'imagination qui s'impose dans l'oubli même de ce qui le suscite ou de ce qu'il anime. Le texte des lettres est effacé, il n'importe pas, "écrire" devient essentiellement intransitif si l'on s'attache à la seule distorsion imaginaire qui réside dans l'acte d'écriture : "[...] en écrivant, elle percevait un autre homme [...]."

On peut rapprocher cette représentation de la rêverie envahissante de ce que Flaubert dit de sa pratique d'écrivain. Les analogies sont nombreuses. Flaubert multiplie en effet les descriptions d'un semblable investissement imaginaire dans l'acte d'écrire ; qu'il soit de suspension rêveuse : "A propos d'un mot, ou d'une idée, je fais des recherches, je me livre à des divagations, j'entre dans des rêveries infinies." (*Correspon-*

dance, à Schlésinger, déc. 1859, éd. Rencontre, t. IX, p. 245) ; ou qu'il soit d'identification fébrile à ce qui advient dans l'écriture : "[...] au moment où j'écrivais le mot attaque de nerfs, j'étais si emporté, je gueulais si fort et sentais si profondément ce que ma petite femme éprouvait, que j'ai eu peur pour moi-même d'en avoir une." (*Corr.* à L.C., 23 déc. 1853, t. VII, p. 324). Flaubert éprouve l'écriture comme une diffusion dans les représentations qu'elle permet, comme une jouissance des dépossessions multiples : "Aujourd'hui par exemple, homme et femme tout ensemble, amant et maîtresse à la fois, je me suis promené à cheval dans une forêt, par un après-midi d'automne, sous des feuilles jaunes, et j'étais les chevaux, les feuilles, le vent, les paroles qu'ils se disaient et le soleil rouge qui faisait s'entrefermer leurs paupières noyées d'amour." *(Ibidem)*

On ne peut cependant pas s'arrêter à de telles ressemblances ou différences pour définir ce qui serait la vérité d'une représentation de l'écriture chez Flaubert, représentation affirmative dans la correspondance, représentation plus ou moins critique dans le texte de *Madame Bovary.* Cela pour plusieurs raisons.

La correspondance n'est pas un lieu où s'exprimerait sans distance la vérité des attitudes de Flaubert. Elle est une scène où il s'expose comme personnage de l'écrivain, entre autres postures. Quand il exhibe sa jouissance à écrire, il faut y voir davantage la volonté d'affirmer la présence au travail, la coïncidence à l'imaginaire, volonté qui engage une conception singulière de l'imagination et de la représentation romanesque, qu'une vérité de ce qu'est l'écriture.

Et, dans l'espace romanesque, une telle représentation se trouve soudain troublée par sa mise en fiction. Il serait paradoxal de chercher en un moment où le texte romanesque s'immobilise sur une ambiguïté qui désigne l'activité imaginaire dans l'écriture, une univocité que ce texte n'a pas par ailleurs, de chercher là un discours sans détour sur l'écriture, même si c'est en considérant que ce discours est la dénonciation d'une séduction.

Aussi, plutôt qu'une représentation même critique de ce que serait écrire, nous devons voir dans ce moment de distraction un effort par lequel le texte se rapporte à ce qui lui fait problème. C'est-à-dire que sous la figure de la "femme romanesque écrivant", le texte littéraire éprouve son propre travail d'illusion.

Le vertige est d'abord dans la situation du personnage : Emma, héroïne romanesque de roman, devient "écrivain", mais ne peut, dans cette activité, que se laisser emporter par les stéréotypes où elle s'imagine personnage des romans qu'elles a lus.

Mais le vertige est aussi dans l'ordre de la représentation : le texte ne se pose comme représentation d'une pratique de l'écriture qu'en s'imposant dans une sorte d'oubli de lui-même, qu'en s'instituant dans l'oubli de sa lettre originale pour devenir représentation des représentations du personnage, pour se laisser lui-même envahir, par une immédiateté de l'imagerie. Cela va jusqu'à la survenue d'une présence irrécusable : "la contrée bleuâtre [...] *se balancent*". Le contenu des stéréotypes romanesques est déployé ici, maintenant, à l'avant du texte ; la "contrée bleuâtre" n'a son lieu que dans le lieu de l'énonciation et de la lecture. Le fantasme romanesque ne peut être représenté qu'en faisant retour dans le moment de sa représentation.

Quelques fils s'offrent cependant pour délimiter les tensions et les tentations qui se jouent dans ce texte, et qui sont de la représentation romanesque elle-même.

Deux sujets, d'abord, semblent s'instituer ; le texte les tisse vigoureusement par l'alternance syntaxiquement rythmée des pronoms personnels : Elle ⇒ il ⇒ elle ⇒ il // Il // Elle ⇒ il // Elle. Mais, les positions semblent s'échanger. Le sujet instituant : "Elle percevait" se modifie sous l'effet du sujet institué : "il devenait [...] si véritable [...] qu'elle en palpitait" ; le sujet imaginant est limité par l'illimitation du sujet imaginé : "sans pouvoir [...] le nettement imaginer, tant il se perdait [...] sous l'abondance de ses attributs". Les positions semblent enfin s'équivaloir dans un parallélisme d'affirmations : "Il habitait [...]. Elle le sentait [...] il allait venir [...]. Elle retombait à plat [...]."

Les textes de Flaubert offrent souvent de telles mises en équivalence entre le contenu imaginaire et le sujet ou le contexte où se produit cet imaginaire. Dans *Madame Bovary*, la continuité est célèbre, qui met dans le même espace, qui affecte de la même présence les rêveries éveillées d'Emma et la chambre de Yonville : "Les jours, tous magnifiques, se ressemblaient comme des flots ; et

cela se balançait à l'horizon, infini, harmonieux, bleuâtre et couvert de soleil. Mais l'enfant se mettait à tousser dans son berceau, ou bien Bovary ronflait plus fort." Aucune marque de changement de registre : pour que la dissonance ait

lieu, il faut qu'il y ait continuité. »

JACQUES NEEFS, 1976, « Le théâtre des représentations », *Revue des Sciences humaines*, n° 164, pp. 536-539.

② Au procès : le vice et la vertu

Réquisitoire :

« Il ne faut pas que l'homme se drape trop dans sa force et sa vertu, l'homme porte les instincts d'en bas et les idées d'en haut, et, chez tous, la vertu n'est que la conséquence d'un effort, bien souvent pénible. Les peintures lascives ont généralement

plus d'influence que les froids raisonnements. »

Plaidoirie :

« J'appelle cela une excitation à la vertu, par l'horreur du vice, ce que l'auteur annonce lui-même, et ce que le lecteur le plus distrait ne peut pas ne pas voir, sans un peu de mauvaise volonté. »

③ Les contradictions de l'amour

« Où serait-il sans elle ? s'il ne l'eût pas rencontrée un jour, qu'aurait-il fait ? quelles péripéties différentes se seraient déroulées pour lui ? pourquoi l'avait-il tant aimée ? d'où venait cet ensorcellement de tous ses jours ? était-ce faiblesse de sa part ou force de l'autre côté ? Cependant il l'aimait encore, se disait-il, il le sentait comme on sent qu'on respire ; mais, s'il continuait à

l'aimer, pourquoi donc en doutait-il parfois et éprouvait-il toutes ces angoisses ? Alors il tâchait de les bannir et de se remettre à l'adorer avec toutes ses anciennes émotions, ses pudeurs d'autrefois, tous les tressaillements de la première floraison.

Puis il avait des retours d'ardeur comme en ont les vieillards, âcres, violents, dernière gorgée de la coupe que

froid de glace à la peau. Elle sentait dans sa tête le plancher du bal, rebondissant encore sous la pulsation rythmique des mille pieds qui dansaient. Puis, l'odeur du punch avec la fumée des cigares l'étourdit. Elle s'évanouissait ; on la porta
5 devant la fenêtre.

Le jour commençait à se lever, et une grande tache de couleur pourpre s'élargissait dans le ciel pâle du côté de Sainte-Catherine. La rivière livide frissonnait au vent ; il n'y avait personne sur les ponts ; les réverbères s'éteignaient.

10 Elle se ranima cependant, et vint à penser à Berthe, qui dormait là-bas, dans la chambre de sa bonne. Mais une charrette pleine de longs rubans de fer passa, en jetant contre le mur des maisons une vibration métallique assourdissante.

15 Elle s'esquiva brusquement, se débarrassa de son costume, dit à Léon qu'il lui fallait s'en retourner, et enfin resta seule à l'*hôtel de Boulogne*. Tout et elle-même lui étaient insupportables. Elle aurait voulu, s'échappant comme un oiseau, aller se rajeunir quelque part, bien loin, dans les
20 espaces immaculés.

Elle sortit, elle traversa le boulevard, la place Cauchoise et le faubourg, jusqu'à une rue découverte qui dominait des jardins. Elle marchait vite, le grand air la calmait : et peu à peu les figures de la foule, les masques, les quadrilles, les
25 lustres, le souper, ces femmes, tout disparaissait comme des brumes emportées. Puis, revenue à la *Croix rouge*, elle se jeta sur son lit, dans la petite chambre du second, où il y avait des images de *la Tour de Nesle*. A quatre heures du soir, Hivert la réveilla.

30 En rentrant chez elle, Félicité lui montra derrière la pendule un papier gris. Elle lut :

« En vertu de la grosse[1], en forme exécutoire d'un jugement... »

Quel jugement ? La veille, en effet, on avait apporté un
35 autre papier qu'elle ne connaissait pas ; aussi fut-elle stupéfaite de ces mots :

« Commandement de par le roi, la loi et justice, à madame Bovary... »

Alors, sautant plusieurs lignes, elle aperçut :
40 « Dans vingt-quatre heures pour tout délai. » — Quoi donc ? « Payer la somme totale de huit mille francs. » Et même, il y avait plus bas : « Elle y sera contrainte par toute

1. *Grosse : expédition d'un acte, délivrée en forme exécutoire et dont l'écriture utilise de plus gros caractères que la minute.*

l'on avale en désespéré, dernière flamme de l'orgie du cœur qui couronne son dernier excès ; il s'y livrait tout entier et s'excitait à l'ivresse, puisant même dans ses sujets de dégoût ou d'ennui des irritations nouvelles ; ce qui l'avait désolé le charmait, ce qui l'avait refroidi l'embrasait, plus elle lui avait semblé banale, connue, plus son amour l'avait fatigué la veille, et plus, en se plongeant dans ce passé rajeuni, il voulait en tirer des joies inconnues et des délires non éprouvés. Tout en étreignant sur lui ce corps de femme, espérant chaque fois qu'une volupté d'une autre nature en surgirait peut-être, ou bien se précipitant dans la même pour la trouver plus profonde, des désirs monstrueux envahissaient son âme, il eût voulu que des formes d'un autre monde arrivassent aussitôt pour satisfaire ses appétits nouveaux, voir ses prunelles fixes le brûler comme des charbons, ses bras, s'allongeant tout à coup, l'étouffer dans des étreintes surhumaines, ses cuisses réunies l'enlacer comme un serpent, ses dents de marbre le mordre jusqu'au cœur, toute sa beauté lui faire peur. Il appelait à son aide la frénésie de la chair, elle venait, l'emportait dans son vertige et l'étourdissait de ses clameurs,

et, quand la fatigue l'avait endormi et que ses sens épuisés ne parlaient plus, il prenait cette lassitude pour une volupté douce, cette débauche pour de l'amour.

Je ne sais quelle tristesse lui arrivait le lendemain, mais il n'avait pas la sérénité qui suit l'accomplissement des joies normales, et il retombait dans ses ennuis. C'était cependant la même femme, il était cependant le même homme, rien en eux n'avait changé, et tout était changé. D'où venait cet étonnement sans nom, qui s'élevait entre eux deux comme pour les écarter l'un de l'autre ? Jamais la mélancolie que laisse le souvenir des belles journées, ni l'hébétement morose qui résulte des excès, ne lui avaient causé ces refroidissements soudains qui l'arrêtaient tout surpris ; il s'étonnait en même temps de la différence survenue entre son amour d'autrefois et son amour d'alors, comme de la distance infinie qu'une seule nuit avait mise entre la journée d'hier et le matin d'aujourd'hui, entre ses transports de la veille et l'horrible calme de l'heure présente, si bien qu'une cause inexplicable lui semblait en devoir être la raison, qu'il croyait à une métamorphose impalpable, et qu'il s'étonnait presque de se

retrouver avec le même visage.

Voilà comme il passait tour à tour de l'angoisse à la certitude, de la conviction d'être heureux au doute de lui-même, de l'ivresse au dégoût, du plaisir à l'ennui, et ces phases diverses se succédant assez vite pour qu'il en eût la conscience simultanée, il en résulta dans son cœur un chaos écrasant, sous lequel il était perdu lui-même. En lui, hors de lui, tout était peine, trouble et confusion ; l'avenir, ce refuge du malheur, était le plus grand de tous ses tourments ; le présent était triste aussi, avec les mille soucis de la vie et ses douleurs poignantes, et, pour compléter son infortune, souvent le passé lui apparaissait tout à coup, beau, splendide, comme le fantôme d'un roi, éclatant de poésie, plein de ses séductions attirantes et criant : je ne reviendrai plus jamais ! jamais ! »

GUSTAVE FLAUBERT,
1845,
L'Éducation sentimentale,
première version.

voie de droit, et notamment par la saisie exécutoire de ses meubles et effets. »

Que faire ?... C'était dans vingt-quatre heures ; demain ! Lheureux, pensa-t-elle, voulait sans doute l'effrayer
5 encore ; car elle devina du coup toutes ses manœuvres, le but de ses complaisances. Ce qui la rassurait, c'était l'exagération même de la somme.

Cependant, à force d'acheter, de ne pas payer, d'emprunter, de souscrire des billets, puis de renouveler ces
10 billets, qui s'enflaient à chaque échéance nouvelle, elle avait fini par préparer au sieur Lheureux un capital, qu'il attendait impatiemment pour ses spéculations.

Elle se présenta chez lui d'un air dégagé.

— Vous savez ce qui m'arrive ? C'est une plaisanterie
15 sans doute !

— Non.

— Comment cela ?

Il se détourna lentement, et lui dit en se croisant les bras :

— Pensiez-vous, ma petite dame, que j'allais, jusqu'à la
20 consommation des siècles, être votre fournisseur et banquier pour l'amour de Dieu ? Il faut bien que je rentre dans mes déboursés, soyons justes !

Elle se récria sur la dette.

— Ah ! tant pis ! le tribunal l'a reconnue ! il y a jugement !
25 on vous l'a signifié ! D'ailleurs, ce n'est pas moi, c'est Vinçart.

— Est-ce que vous ne pourriez... ?

— Oh ! rien du tout.

— Mais..., cependant..., raisonnons.
30 Et elle battit la campagne ; elle n'avait rien su... c'était une surprise...

— A qui la faute ? dit Lheureux en la saluant ironiquement. Tandis que je suis, moi, à bûcher comme un nègre, vous vous repassez du bon temps.
35 — Ah ! pas de morale !

— Ça ne nuit jamais, répliqua-t-il.

Elle fut lâche, elle le supplia ; et même elle appuya sa jolie main blanche et longue, sur les genoux du marchand.

— Laissez-moi donc ! On dirait que vous voulez me
40 séduire !

— Vous êtes un misérable ! s'écria-t-elle.

— Oh ! oh ! comme vous y allez ! reprit-il en riant.

— Je ferai savoir qui vous êtes. Je dirai à mon mari...

— Eh bien, moi, je lui montrerai quelque chose, à votre mari !

Et Lheureux tira de son coffre-fort le reçu de dix-huit cents francs, qu'elle lui avait donné lors de l'escompte Vinçart.

— Croyez-vous, ajouta-t-il, qu'il ne comprenne pas votre 5 petit vol, ce pauvre cher homme ?

Elle s'affaissa, plus assommée qu'elle n'eût été par un coup de massue. Il se promenait depuis la fenêtre jusqu'au bureau, tout en répétant :

— Ah ! je lui montrerai bien... je lui montrerai bien... 10

Ensuite il se rapprocha d'elle, et, d'une voix douce :

— Ce n'est pas amusant, je le sais ; personne, après tout n'en est mort, et, puisque c'est le seul moyen qui vous reste de me rendre mon argent...

— Mais où en trouverai-je ? dit Emma en se tordant les 15 bras.

— Ah bah ! quand on a comme vous des amis !

Et il la regardait d'une façon si perspicace et si terrible, qu'elle en frissonna jusqu'aux entrailles.

— Je vous promets, dit-elle, je signerai... 20

— J'en ai assez, de vos signatures !

— Je vendrai encore...

— Allons donc ! fit-il en haussant les épaules, vous n'avez plus rien.

Et il cria dans le judas qui s'ouvrait sur la boutique : 25

— Annette ! n'oublie pas les trois coupons du n° 14.

La servante parut ; Emma comprit, et demanda « ce qu'il faudrait d'argent pour arrêter toutes les poursuites ».

— Il est trop tard !

— Mais, si je vous apportais plusieurs mille francs, le 30 quart de la somme, le tiers, presque tout ?

— Eh ! non, c'est inutile !

Il la poussait doucement vers l'escalier.

— Je vous en conjure, monsieur Lheureux, quelques jours encore ! 35

Elle sanglotait.

— Allons, bon ! des larmes !

— Vous me désespérez !

— Je m'en moque pas mal ! dit-il en refermant la porte.

VII

Elle fut stoïque, le lendemain, lorsque maître Hareng, l'huissier, avec deux témoins, se présenta chez elle pour faire le procès-verbal de la saisie.

Ils commencèrent par le cabinet de Bovary et n'inscrivi-
5 rent point la tête phrénologique, qui fut considérée comme *instrument de sa profession* ; mais ils comptèrent dans la cuisine les plats, les marmites, les chaises, les flambeaux, et, dans sa chambre à coucher, toutes les babioles de l'étagère. Ils examinèrent ses robes, le linge, le cabinet de toilette ; et
10 son existence, jusque dans ses recoins les plus intimes, fut, comme un cadavre que l'on autopsie, étalée tout du long aux regards de ces trois hommes.

Maître Hareng, boutonné dans un mince habit noir, en cravate blanche, et portant des sous-pieds fort tendus, répé-
15 tait de temps à autre :

— Vous permettez, madame ? vous permettez ?

Souvent, il faisait des exclamations :

— Charmant !... fort joli !

Puis il se remettait à écrire, trempant sa plume dans
20 l'encrier de corne qu'il tenait de la main gauche.

Quand ils en eurent fini avec les appartements, ils montèrent au grenier.

Elle y gardait un pupitre où étaient enfermées les lettres de Rodolphe. Il fallut l'ouvrir.

25 — Ah ! une correspondance ! dit maître Hareng avec un sourire discret. Mais permettez ! car je dois m'assurer si la boîte ne contient pas autre chose.

Et il inclina les papiers, légèrement, comme pour en faire tomber les napoléons. Alors l'indignation la prit, à voir cette
30 grosse main, aux doigts rouges et mous comme des limaces, qui se posait sur ces pages où son cœur avait battu.

Ils partirent enfin ! Félicité rentra. Elle l'avait envoyée aux aguets pour détourner Bovary ; et elles installèrent vivement sous les toits le gardien de la saisie, qui jura de s'y tenir.

35 Charles, pendant la soirée, lui parut soucieux. Emma l'épiait d'un regard plein d'angoisse, croyant apercevoir dans

les rides de son visage des accusations. Puis, quand ses yeux se reportaient sur la cheminée garnie d'écrans chinois, sur les larges rideaux, sur les fauteuils, sur toutes ces choses enfin qui avaient adouci l'amertume de sa vie, un remords la prenait, ou plutôt un regret immense et qui irritait la passion, 5 loin de l'anéantir. Charles tisonnait avec placidité, les deux pieds sur les chenets.

Il y eut un moment où le gardien, sans doute s'ennuyant dans sa cachette, fit un peu de bruit.

— On marche là-haut ? dit Charles. 10

— Non ! reprit-elle, c'est une lucarne restée ouverte que le vent remue.

Elle partit pour Rouen, le lendemain dimanche, afin d'aller chez tous les banquiers dont elle connaissait le nom. Ils étaient à la campagne ou en voyage. Elle ne se rebuta 15 pas ; et ceux qu'elle put rencontrer, elle leur demandait de l'argent, protestant qu'il lui en fallait, qu'elle le rendrait. Quelques-uns lui rirent au nez ; tous refusèrent.

A deux heures, elle courut chez Léon, frappa contre sa porte. On n'ouvrit pas. Enfin il parut. 20

— Qui t'amène ?

— Cela te dérange !

— Non..., mais...

Et il avoua que le propriétaire n'aimait point que l'on reçût « des femmes ». 25

— J'ai à te parler, reprit-elle.

Alors il atteignit sa clef. Elle l'arrêta.

— Oh ! non, là-bas, chez nous.

Et ils allèrent dans leur chambre, à l'*hôtel de Boulogne*.

Elle but en arrivant un grand verre d'eau. Elle était très 30 pâle. Elle lui dit :

— Léon, tu vas me rendre un service.

Et, le secouant par ses deux mains, qu'elle serrait étroitement, elle ajouta :

— Écoute, j'ai besoin de huit mille francs ! 35

— Mais tu es folle !

— Pas encore !

Et, aussitôt, racontant l'histoire de la saisie, elle lui exposa sa détresse ; car Charles ignorait tout, sa belle-mère la détestait, le père Rouault ne pouvait rien ; mais lui, Léon, il allait 40 se mettre en course pour trouver cette indispensable somme...

— Comment veux-tu... ?

— Quel lâche tu fais ! s'écria-t-elle.

Alors il dit bêtement :

— Tu t'exagères le mal. Peut-être qu'avec un millier d'écus ton bonhomme se calmerait.

5 Raison de plus pour tenter quelque démarche ; il n'était pas possible que l'on ne découvrît point trois mille francs. D'ailleurs, Léon pouvait s'engager à sa place.

— Va ! essaye ! il le faut ! cours !... Oh ! tâche ! tâche ! je t'aimerai bien !

10 Il sortit, revint au bout d'une heure, et dit avec une figure solennelle :

— J'ai été chez trois personnes... inutilement !

Puis ils restèrent assis l'un en face de l'autre, aux deux coins de la cheminée, immobiles, sans parler. Emma haus-
15 sait les épaules, tout en trépignant. Il l'entendit qui murmurait :

— Si j'étais à ta place, moi, j'en trouverais bien !

— Où donc ?

— A ton étude !

20 Et elle le regarda.

Une hardiesse infernale s'échappait de ces prunelles enflammées, et les paupières se rapprochaient d'une façon lascive et encourageante ; — si bien que le jeune homme se sentit faiblir sous la muette volonté de cette femme qui lui
25 conseillait un crime. Alors il eut peur, et pour éviter tout éclaircissement, il se frappa le front en s'écriant :

— Morel doit revenir cette nuit ! il ne me refusera pas, j'espère (c'était un de ses amis, le fils d'un négociant fort riche), et je t'apporterai cela demain, ajouta-t-il.

30 Emma n'eut point l'air d'accueillir cet espoir avec autant de joie qu'il l'avait imaginé. Soupçonnait-elle le mensonge ? Il reprit en rougissant :

— Pourtant, si tu ne me voyais pas à trois heures, ne m'attends plus, ma chérie. Il faut que je m'en aille, excuse-
35 moi. Adieu !

Il serra sa main, mais il la sentit tout inerte. Emma n'avait plus la force d'aucun sentiment.

Quatre heures sonnèrent ; et elle se leva pour s'en retourner à Yonville, obéissant comme un automate à l'impulsion
40 des habitudes.

Il faisait beau ; c'était un de ces jours du mois de mars clairs et âpres, où le soleil reluit dans un ciel tout blanc. Des Rouennais endimanchés se promenaient d'un air heureux.

Elle arriva sur la place du Parvis. On sortait des vêpres ; la foule s'écoulait par les trois portails, comme un fleuve par les trois arches d'un pont, et, au milieu, plus immobile qu'un roc, se tenait le suisse.

5 Alors elle se rappela ce jour où, tout anxieuse et pleine d'espérances, elle était entrée sous cette grande nef qui s'étendait devant elle moins profonde que son amour ; et elle continua de marcher, en pleurant sous son voile, étourdie, chancelante, près de défaillir.

10 — Gare ! cria une voix sortant d'une porte cochère qui s'ouvrait.

Elle s'arrêta pour laisser passer un cheval noir, piaffant dans les brancards d'un tilbury que conduisait un gentleman en fourrure de zibeline. Qui était-ce donc ? Elle le connais-
15 sait... La voiture s'élança et disparut.

Mais c'était lui, le Vicomte ! Elle se détourna ; la rue était déserte. Et elle fut si accablée, si triste, qu'elle s'appuya contre un mur pour ne pas tomber.

Puis elle pensa qu'elle s'était trompée. Au reste, elle n'en
20 savait rien. Tout, en elle-même et au-dehors, l'abandonnait. Elle se sentait perdue, roulant au hasard dans des abîmes indéfinissables ; et ce fut presque avec joie qu'elle aperçut, en arrivant à la *Croix rouge*, ce bon Homais qui regardait charger sur *l'Hirondelle* une grande boîte pleine de provi-
25 sions pharmaceutiques. Il tenait à sa main, dans un foulard, six *cheminots* pour son épouse.

Madame Homais aimait beaucoup ces petits pains lourds, en forme de turban, que l'on mange dans le carême avec du beurre salé : dernier échantillon des nourritures gothiques,
30 qui remonte peut-être au siècle des croisades, et dont les robustes Normands s'emplissaient autrefois, croyant voir sur la table, à la lueur des torches jaunes, entre les brocs d'hypocras[1] et les gigantesques charcuteries, des têtes de Sarrasins à dévorer. La femme de l'apothicaire les croquait comme
35 eux, héroïquement, malgré sa détestable dentition ; aussi, toutes les fois que M. Homais faisait un voyage à la ville, il ne manquait pas de lui en rapporter, qu'il prenait toujours chez le grand faiseur, rue Massacre.

— Charmé de vous voir ! dit-il en offrant la main à Emma
40 pour l'aider à monter dans *l'Hirondelle*.

Puis il suspendit les *cheminots* aux lanières du filet, et resta nu-tête et les bras croisés, dans une attitude pensive et napoléonienne.

1. *Hypocras : infusion de cannelle, d'amandes douces, de musc et d'ambre, dans du vin édulcoré avec du sucre.*

① Le petit journal de Madame Bovary

« Il faut à toute force que les cheminots trouvent leur place dans la *Bovary*. Mon livre serait incomplet sans lesdits turbans alimentaires, puisque j'ai la prétention de peindre Rouen (...). Je m'arrangerai pour qu'Homais raffole de cheminots. Ce sera un des motifs secrets de son voyage à Rouen et d'ailleurs sa seule faiblesse humaine. Il s'en donnera une bosse, chez un ami de la rue Saint-Gervais. N'aie pas peur ! ils seront de la rue Massacre et on les fera cuire dans un poêle dont on ouvrira la porte avec une règle ! »

A Louis Bouilhet, 24/5/1855.

Mais, quand l'Aveugle, comme d'habitude, apparut au bas de la côte, il s'écria :

— Je ne comprends pas que l'autorité tolère encore de si coupables industries[1] ! On devrait enfermer ces malheureux, 5 que l'on forcerait à quelque travail ! Le Progrès, ma parole d'honneur, marche à pas de tortue ! nous pataugeons en pleine barbarie !

L'Aveugle tendait son chapeau, qui ballottait au bord de la portière, comme une poche de la tapisserie déclouée.

10 — Voilà, dit le pharmacien, une affection scrofuleuse !

Et, bien qu'il connût ce pauvre diable, il feignit de le voir pour la première fois, murmura les mots de *cornée, cornée opaque, sclérotique, facies*, puis lui demanda d'un ton paterne :

15 — Y a-t-il longtemps, mon ami, que tu as cette épouvantable infirmité ? Au lieu de t'enivrer au cabaret, tu ferais mieux de suivre un régime.

Il l'engageait à prendre de bon vin, de bonne bière, de bons rôtis. L'Aveugle continuait sa chanson ; il paraissait, 20 d'ailleurs, presque idiot. Enfin, M. Homais ouvrit sa bourse.

— Tiens, voilà un sou, rends-moi deux liards[2] : et n'oublie pas mes recommandations, tu t'en trouveras bien.

Hivert se permit tout haut quelque doute sur leur efficacité. Mais l'apothicaire certifia qu'il le guérirait lui-même, 25 avec une pommade antiphlogistique[3] de sa composition, et il donna son adresse :

— M. Homais, près des halles, suffisamment connu.

— Eh bien, pour la peine, dit Hivert, tu vas nous *montrer la comédie.*

30 L'Aveugle s'affaissa sur ses jarrets, et, la tête renversée, tout en roulant ses yeux verdâtres et tirant la langue, il se frottait l'estomac à deux mains, tandis qu'il poussait une sorte de hurlement sourd, comme un chien affamé. Emma, prise de dégoût, lui envoya, par-dessus l'épaule, une pièce 35 de cinq francs. C'était toute sa fortune. Il lui semblait beau de la jeter ainsi.

La voiture était repartie, quand soudain M. Homais se pencha en dehors du vasistas et cria :

— Pas de farineux ni de laitage ! Porter de la laine sur la 40 peau et exposer les parties malades à la fumée de baies de genièvre ! ①

Le spectacle des objets connus qui défilaient devant ses yeux peu à peu détournait Emma de sa douleur présente.

1. *« Mendicité, devrait être interdite et ne l'est jamais »* (Dictionnaire des idées reçues).
2. *Liard : le quart d'un sou.*
3. *Antiphlogistique : anti-inflammatoire.*

① Le petit journal de Madame Bovary

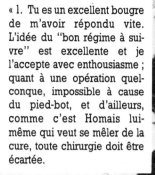

« 1. Tu es un excellent bougre de m'avoir répondu vite. L'idée du "bon régime à suivre" est excellente et je l'accepte avec enthousiasme ; quant à une opération quelconque, impossible à cause du pied-bot, et d'ailleurs, comme c'est Homais luimême qui veut se mêler de la cure, toute chirurgie doit être écartée.

2. J'aurais besoin des mots scientifiques désignant les différentes parties de l'œil (ou des paupières) endommagé. Tout est endommagé et c'est une compote où l'on ne distingue plus rien. N'importe. Homais emploie de beaux mots et discerne quelque chose pour éblouir la galerie.

3. Enfin il faudrait qu'il parlât d'une pommade (de son invention ?) bonne pour les affections scrofuleuses et dont il veut user sur le mendiant. Je le fais inviter le pauvre à la mort d'Emma ? Voilà vieux. Réfléchis un peu à tout cela et envoie-moi quelque chose pour dimanche. »

A Louis Bouilhet, 20/9/1855.

Une intolérable fatigue l'accablait, et elle arriva chez elle
hébétée, découragée, presque endormie.

— Advienne que pourra ! se disait-elle.

Et puis, qui sait ? pourquoi d'un moment à l'autre, ne
5 surgirait-il pas un événement extraordinaire ? L'heureux
même pouvait mourir.

Elle fut, à neuf heures du matin, réveillée par un bruit de
voix sur la place. Il y avait un attroupement autour des halles
pour lire une grande affiche collée contre un des poteaux, et
10 elle vit Justin qui montait sur une borne et qui déchirait l'affiche. Mais, à ce moment, le garde champêtre lui posa la
main sur le collet. M. Homais sortit de la pharmacie, et la
mère Lefrançois, au milieu de la foule, avait l'air de pérorer.

— Madame ! madame ! s'écria Félicité en entrant, c'est
15 une abomination !

Et la pauvre fille, émue, lui tendit un papier jaune qu'elle
venait d'arracher à la porte. Emma lut d'un clin d'œil que
tout son mobilier était à vendre.

Alors elles se considérèrent silencieusement. Elles
20 n'avaient, la servante et la maîtresse, aucun secret l'une
pour l'autre. Enfin Félicité soupira :

— Si j'étais de vous, madame, j'irais chez M. Guillaumin.

— Tu crois ?...

Et cette interrogation voulait dire :
25 — Toi qui connais la maison par le domestique, est-ce
que le maître quelquefois aurait parlé de moi ?

— Oui, allez-y, vous ferez bien.

Elle s'habilla, mit sa robe noire avec sa capote à grains de
jais ; et, pour qu'on ne la vît pas (il y avait toujours beau-
30 coup de monde sur la place), elle prit en dehors du village,
par le sentier au bord de l'eau.

Elle arriva tout essoufflée devant la grille du notaire ; le
ciel était sombre et un peu de neige tombait.

Au bruit de la sonnette, Théodore, en gilet rouge, parut
35 sur le perron ; il vint lui ouvrir presque familièrement,
comme à une connaissance, et l'introduisit dans la salle à
manger.

Un large poêle de porcelaine bourdonnait sous un cactus
qui emplissait la niche, et, dans des cadres de bois noir, con-
40 tre la tenture de papier de chêne, il y avait la *Esméralda* de
Steuben, avec la *Putiphar* de Schopin[1]. La table servie,
deux réchauds d'argent, le bouton des portes en cristal, le
parquet et les meubles, tout reluisait d'une propreté méticu-

1. *Steuben (1788-1856) : peintre
allemand de l'école française, dont
l'Esmeralda et Quasimodo (d'après
Notre-Dame de Paris) date de 1839 et
l'Esmeralda donnant une leçon de
danse à sa chèvre Djali de 1841.
Schopin (1804-1880) est le frère du
musicien, qui francisa son nom. Nous
n'avons pas retrouvé de mention d'une
Putiphar avant 1866 (la Femme de Putiphar méditant sa vengeance), alors que
Steuben peignit un Joseph et la femme
de Putiphar en 1843. Sur le manuscrit,
Flaubert avait d'abord pensé à une
Judith.*

leuse, anglaise ; les carreaux étaient décorés, à chaque
angle, par des verres de couleur.

— Voilà une salle à manger, pensait Emma, comme il
m'en faudrait une.

Le notaire entra, serrant du bras gauche contre son corps 5
sa robe de chambre à palmes, tandis qu'il ôtait et remettait
vite de l'autre main sa toque de velours marron, prétentieu-
sement posée sur le côté droit, où retombaient les bouts de
trois mèches blondes qui, prises à l'occiput, contournaient
son crâne chauve.   10
Après qu'il eut offert un siège, il s'assit pour déjeuner, tout
en s'excusant beaucoup de l'impolitesse.

— Monsieur, dit-elle, je vous prierais...
— De quoi, madame ? J'écoute.
Elle se mit à lui exposer sa situation.   15
Maître Guillaumin la connaissait, étant lié secrètement
avec le marchand d'étoffes, chez lequel il trouvait toujours
des capitaux pour les prêts hypothécaires qu'on lui demandait à contracter.

Donc, il savait (et mieux qu'elle) la longue histoire de ces 20
billets, minimes d'abord, portant comme endosseurs des
noms divers, espacés à de longues échéances et renouvelés
continuellement, jusqu'au jour où, ramassant tous les pro-
têts, le marchand avait chargé son ami Vinçart de faire en
son nom propre les poursuites qu'il fallait, ne voulant point 25
passer pour un tigre parmi ses concitoyens.

Elle entremêla son récit de récriminations contre Lheureux, récriminations auxquelles le notaire répondait de
temps à autre par une parole insignifiante. Mangeant sa
côtelette et buvant son thé, il baissait le menton dans sa cra- 30
vate bleu de ciel, piquée par deux épingles de diamants que
rattachait une chaînette d'or, et il souriait d'un singulier sourire, d'une façon douceâtre et ambiguë. Mais, s'apercevant
qu'elle avait les pieds humides :

— Approchez-vous donc du poêle... plus haut..., contre 35
la porcelaine.

Elle avait peur de la salir. Le notaire reprit d'un ton
galant :

— Les belles choses ne gâtent rien.
Alors elle tâcha de l'émouvoir, et, s'émotionnant elle- 40
même, elle vint à lui conter l'étroitesse de son ménage, ses
tiraillements, ses besoins. Il comprenait cela : une femme
élégante ! et, sans s'interrompre de manger, il s'était tourné

vers elle complètement, si bien qu'il frôlait du genou sa bottine, dont la semelle se recourbait tout en fumant contre le poêle.

Mais, lorsqu'elle lui demanda mille écus, il serra les lèvres,
5 puis se déclara très peiné de n'avoir pas eu autrefois la direction de sa fortune, car il y avait cent moyens fort commodes, même pour une dame, de faire valoir son argent. On aurait pu, soit dans les tourbières de Grumesnil ou les terrains du Havre, hasarder presque à coup sûr d'excellentes spécula-
10 tions ; et il la laissa se dévorer de rage à l'idée des sommes fantastiques qu'elle aurait certainement gagnées.

— D'où vient, reprit-il, que vous n'êtes pas venue chez moi ?

— Je ne sais trop, dit-elle.
15 — Pourquoi, hein ?... Je vous faisais donc bien peur ? C'est moi, au contraire, qui devrais me plaindre ! A peine si nous nous connaissons ! Je vous suis pourtant très dévoué ; vous n'en doutez plus, j'espère ?

Il tendit sa main, prit la sienne, la couvrit d'un baiser
20 vorace, puis la garda sur son genou ; et il jouait avec ses doigts délicatement, tout en lui contant mille douceurs.

Sa voix fade susurrait, comme un ruisseau qui coule ; une étincelle jaillissait de sa pupille à travers le miroitement de ses lunettes,· et ses mains s'avançaient dans la manche
25 d'Emma, pour lui palper le bras. Elle sentait contre sa joue le souffle d'une respiration haletante. Ce homme la gênait horriblement.

Elle se leva d'un bond et lui dit :

— Monsieur, j'attends !
30 — Quoi donc ! fit le notaire, qui devint tout à coup extrêmement pâle.

— Cet argent.

— Mais...

Puis, cédant à l'irruption d'un désir trop fort :
35 — Eh bien, oui !...

Il se traînait à genoux vers elle, sans égard pour sa robe de chambre.

— De grâce, restez ! je vous aime !

Il la saisit par la taille.
40 Un flot de pourpre monta vite au visage de madame Bovary. Elle se recula d'un air terrible, en s'écriant :

— Vous profitez impudemment de ma détresse, monsieur ! Je suis à plaindre, mais pas à vendre !

① **Emma ou la dérive obligée vers la prostitution**

« Sa conduite se rapproche (...) de plus en plus de celle de la prostituée, définie comme l'être féminin qui, renonçant à sa féminité, devient le sujet au lieu d'être l'objet passif du désir. Le thème apparaît lors de la liaison avec Rodolphe : elle dispose « son appartement et sa personne comme une *courtisane* qui attend un prince ». Sa toilette est de plus en plus savamment apprêtée. Le quartier où vit Léon à Rouen est celui « du théâtre, des estaminets et des *filles* ». Comme les courtisanes de Balzac, elle devient « irritable, gourmande et voluptueuse ». A Yonville, elle reste des journées entières « engourdie, à peine vêtue et, de temps à autre, faisant fumer des pastilles de *sérail* ». A la fin du bal de la mi-carême, à Rouen, elle se retrouve en pitoyable compagnie : « Quant aux femmes, Emma s'aperçut vite, au timbre de leurs voix, qu'elles devaient être, presque toutes, du dernier rang. » Le notaire Guillaumin tire sans tarder la conclusion de cette métamorphose, ce qui lui vaut cette cinglante mais tardive réplique : « Je suis à plaindre, mais pas à *vendre* ! » ; Mme Tuvache voudrait faire « fouetter *ces femmes-là* ». Le mot prostitution est d'ailleurs prononcé à propos d'Emma et répété à propos d'Homais : « Il se vendit enfin, il se *prostitua* » : la prostitution générale des hommes et des femmes est la conséquence inévitable de la subversion des rapports entre sexes, du malaise social dont l'aventure d'Emma n'offre qu'un des aspects.

Si l'analyse qui précède est exacte, il semble possible de lire — et surtout de penser qu'un grand nombre de lecteurs ont lu et lisent encore — le roman dans son ensemble comme la démonstration que l'assouvissement du désir est impossible dans la société du milieu du XIX⁰ siècle, au moins la société provinciale, et que l'abandon à la passion de l'absolu (puisque c'est cela qui est à l'origine des entraînements d'Emma et non un quelconque caprice) est sanctionné par la déchéance morale, sociale et même physique de celle qui s'en rend coupable. (...)

Quant à l'écriture, contradictoirement en rupture avec l'écriture romanesque des romanciers de l'époque par le refus *passionné* du lyrisme, et à la recherche d'une passivité dont les minutes de notaire et les rapports de chefs de bureau offrent le modèle achevé, elle présente au lecteur bourgeois une intéressante justification de sa propre pratique, également contradictoire de recherche *passionnée* et mouvementée de l'impassibilité. La passion, la femme, l'écriture, trois puissances dangereuses que le romantisme avait inconsidérément débridées et que les écrivains de la génération de Flaubert vont s'efforcer de mettre à la raison, par une méthode aussi subtile qu'efficace : l'exhibition de la passion, de la femme et de l'écriture, sauvages, violentes, dont les ravages ne peuvent manquer de ramener la foule ignorante et vulgaire au juste sentiment de ses modestes capacités. L'anormal de la passion, l'extravagance de l'héroïne, la gageure d'une écriture réaliste du romanesque, ne servent pas de faire-valoir à une norme : ils contribuent tout au contraire à faire accepter une société du compromis de la demi-mesure, de la médiocrité. »

EDGARD PICH, 1976, op. cit., pp. 176-177.

Et elle sortit.

Le notaire resta fort stupéfait, les yeux fixés sur ses belles pantoufles en tapisserie. C'était un présent de l'amour. Cette vue à la fin le consola. D'ailleurs, il songeait qu'une aventure
5 pareille l'aurait entraîné trop loin.

— Quel misérable ! quel goujat !... quelle infamie ! se disait-elle, en fuyant d'un pied nerveux sous les trembles de la route. Le désappointement de l'insuccès renforçait l'indignation de sa pudeur outragée ; il lui semblait que la Provi-
10 dence s'acharnait à la poursuivre, et, s'en rehaussant d'orgueil, jamais elle n'avait eu tant d'estime pour elle-même ni tant de mépris pour les autres. Quelque chose de belliqueux la transportait. Elle aurait voulu battre les hommes, leur cracher au visage, les broyer tous ; et elle continuait à
15 marcher rapidement devant elle, pâle, frémissante, enragée, furetant d'un œil en pleurs l'horizon vide, et comme se délectant à la haine qui l'étouffait. ①

Quand elle aperçut sa maison, un engourdissement la saisit. Elle ne pouvait avancer ; il le fallait cependant ; d'ail-
20 leurs, où fuir ?

Félicité l'attendait sur la porte.

— Eh bien ?

— Non ! dit Emma.

Et, pendant un quart d'heure, toutes les deux, elles avisè-
25 rent les différentes personnes d'Yonville disposées peut-être à la secourir. Mais, chaque fois que Félicité nommait quelqu'un, Emma répliquait :

— Est-ce possible ! Ils ne voudront pas !

— Et monsieur qui va rentrer !
30 — Je le sais bien... Laisse-moi seule.

Elle avait tout tenté. Il n'y avait plus rien à faire maintenant ; et, quand Charles paraîtrait, elle allait donc lui dire :

— Retire-toi. Ce tapis où tu marches n'est plus à nous. De ta maison, tu n'as pas un meuble, une épingle, une
35 paille, et c'est moi qui t'ai ruiné, pauvre homme !

Alors ce serait un grand sanglot, puis il pleurerait abondamment, et enfin, la surprise passée, il pardonnerait.

— Oui, murmurait-elle en grinçant des dents, il me pardonnera, lui qui n'aurait pas assez d'un million à m'offrir
40 pour que je l'excuse de m'avoir connue... Jamais ! jamais !

Cette idée de la supériorité de Bovary sur elle l'exaspérait. Puis, qu'elle avouât ou n'avouât pas, tout à l'heure, tantôt, demain, il n'en saurait pas moins la catastrophe ; donc, il fal-

① # Madame Bovary, un roman de la féminité

« Le roman de 1857 donne à lire la situation socio-économique des femmes sous la Monarchie de Juillet et le Second Empire, idéologiquement, imaginairement aliénées par leur éducation, exclues de la vie publique, de la production économique et des pouvoirs de décision, réduites au rôle traditionnel d'épouses et de mères, confinées dans leur foyer, condamnées par "destin" à la monotonie répétitive d'une existence calquée sur le rythme cyclique des saisons, dénuée de projet dénotant une prise quelconque, une possibilité d'action sur le monde, figée dans l'attente d'un impossible "événement". Le roman révèle le dysfonctionnement de l'institution du mariage, marché de dupes, prison pour les femmes, le pouvoir prépondérant de l'argent, de l'avoir ; le démontage critique est favorisé par le choix d'une classe sociale, mieux d'une frange de classe sociale plus vulnérable à l'emprise de l'idéologie dominante, petite bourgeoisie paysanne qui mime la bourgeoisie sans en avoir la fortune et la culture. Dans cet univers de la "possession", l'incommunicabilité est la règle ; le rapport entre les sexes synonyme de guerre ; l'amour, valeur vitale, fondatrice de l'être, signe de reconnaissance de l'Autre, absent ou perdu dans le monde des objets possédés ou à posséder ; les mères, gardiennes des mœurs, du patrimoine familial et de l'ordre social, conditionnées elles-mêmes par l'idéologie dominante et conditionnant leurs enfants à leur tour ; société du mal être, voire du non-être, ce que signifie de façon privilégiée le personnage, femme, condamnée au rêve de voyage, de pays sans retour et aux conduites d'illusion, irréversiblement influencé par la mythologie mystificatrice du paraître social (...) Emma est ce qu'on l'a faite (...).

Ce personnage *féminin*, toutefois, ne constitue qu'une image*dégradée* de ce que fut Flaubert (qui) fait en sorte qu'Emma absorbe les rêves qu'il a partagés et dont il se libère par le ridicule (...) satisfaisant à la fois les besoins de sa création et ceux de sa misogynie (...). (De plus), le texte signifie que l'érotisme féminin, incompatible avec le mariage, s'épanouit dans l'adultère mais il condamne l'héroïne en insistant sur les interdits qu'elle transgresse (...). L'adultère figure pour Emma une nouvelle naissance, mais une naissance à une vie exclusivement sensuelle, à une vie seconde d'objet (...) Emma *est*, mais elle n'est que son corps, elle n'aime n'être que son corps, elle s'objectivise elle-même en corps ; à travers ses personnages masculins, Flaubert traite son héroïne en objet, non en sujet. Aux prestiges du corps d'Emma (...) s'oppose la peur victorienne provoquée par le pouvoir de séduction qu'exerce ce corps infernal, pouvoir dévorant qui menace l'intégrité du sujet masculin en le ruinant dans tous les sens du terme (...) *Madame Bovary* donne à lire l'importance du regard tiers, la figure triangulaire du désir ; voyeurisme sado-masochiste de Charles fasciné par son rival, puissance érotique du fantasme de l'adultère féminin (...) tel que le diffusent la littérature, le feuilleton, le théâtre et parfois la peinture du Second Empire ; la volupté (...) est connotée par la mort : moyen de rendre tragique l'aventure (...) de faciliter l'illusion du vrai grâce à la sanction de la mort

(...) (Mais) en (ayant réuni) dans un personnage féminin unique tant d'éléments complexes et contradictoires, en (ayant fait) de ce personnage le lieu d'ambiguïtés (...) *Madame Bovary* constitue la performance ultime de la modernité du romancier. »

LUCE CZYBA, 1983, *Mythes et idéologie de la femme dans les romans de Flaubert,* Presses Universitaires de Lyon, pp. 111-115.

[...]
Être femme — surtout si l'on a de l'imagination et des inquiétudes — devient une véritable malédiction dans la réalité fictive : il n'est pas étonnant qu'en apprenant qu'elle a mis au monde une fillette, Emma, frustrée, perde connaissance. Mais Emma est trop rebelle et active pour se contenter de rêver à une *revanche* de compensation, à travers un possible enfant mâle, aux impuissances auxquelles la condamne son sexe. De façon instinctive, à tâtons, elle combat cette infériorité féminine d'une façon prémonitoire, qui ne se différencie pas beaucoup de certaines formes choisies un siècle plus tard par certaines lutteuses de l'émancipation de la femme : en assumant des attitudes et des toilettes traditionnellement considérées comme masculines. Féministe tragique — parce que sa lutte est individuelle, plus intuitive que logique, contradictoire parce qu'elle recherche ce qu'elle repousse, et condamnée à l'échec —, chez Emma palpite intimement le désir d'être homme.
[...]

Sa biographie est pleine de détails qui font de cette attitude une constante depuis son adolescence jusqu'à sa mort. L'un d'eux est l'habillement.

Emma, une féministe ?

« La tragédie d'Emma est de n'être pas libre. L'esclavage ne lui apparaît pas seulement comme un produit de sa classe sociale — petite bourgeoisie médiatisée par des moyens de vie déterminés et des préjugés — et de sa condition de provinciale — monde infime où les possibilités de faire quelque chose sont rares —, mais aussi, et peut-être surtout, comme la conséquence de son appartenance au sexe féminin. Dans la réalité fictive, être femme contraint, ferme des portes, condamne à des options plus médiocres que celles de l'homme.
[...]

Dans la réalité fictive non seulement l'aventure est défendue à la femme, mais le rêve aussi semble un privilège masculin, puisque celles qui recherchent l'évasion par l'imaginaire, par exemple à travers les romans, comme Madame Bovary, sont mal vues, on les considère comme des "évaporées". Emma a clairement conscience de la situation d'infériorité dans laquelle se trouve la femme dans la société fictive — une "société chauviniste phallique" caractéristique, comme la désignerait le vocabulaire féministe actuel —, et cela devient manifeste quand elle est enceinte.

[...]
Cette tendance d'Emma à briser les limites de son sexe et à envahir le sexe opposé se traduit, naturellement, dans des domaines moins évidents que l'habillement. Elle est implicite dans son caractère dominateur, dans la rapidité avec laquelle, dès qu'elle note un symptôme de faiblesse chez l'homme, elle assume des fonctions viriles et impose à celui-ci des attitudes féminines.
[...]
Emma est toujours condamnée à être frustrée ; femme, parce que la femme est, dans la réalité fictive, un être soumis à qui sont interdits le rêve et la passion ; homme, parce qu'elle ne peut y parvenir qu'en faisant de son amant un être nul, incapable d'éveiller en elle l'admiration et le respect pour ses vertus soi-disant *viriles* qu'elle ne trouve pas chez son mari et qu'elle cherche vainement dans l'adultère. C'est une des contradictions insolubles qui font d'Emma un personnage pathétique. L'"héroïsme, l'audace, la prodigalité, la liberté sont, apparemment, des prérogatives masculines ; cependant, Emma découvre que les hommes qui l'entourent — Charles, Léon, Rodolphe — deviennent mous, lâches, médiocres et soumis dès qu'elle assume une attitude "masculine" (la seule qui lui permette de rompre l'esclavage auquel sont condamnées les personnes de son sexe dans la réalité fictive). Aussi n'y a-t-il pas de solution. Son horreur d'avoir une fille, si critiquée par les bien-pensants, est l'horreur de faire venir un être féminin dans un monde où la vie pour une femme (comme elle, du moins) est tout bonnement impossible.
[...]
Du reste, dans la réalité fictive, le cas d'Emma n'est pas unique ; il y a d'autres femmes qui assument des rôles virils et sans se sentir pour cela aussi frustrées que Madame Bovary. Dans l'un et l'autre cas, il s'agit de "matriarches" qui se transforment en hommes dans le ménage du fait de la faiblesse des maris. La mère de Charles Bovary devient le chef de famille dès que le ménage se ruine, et de même la première femme de Charles, celle qui, dès qu'ils sont mariés, ainsi que le précise le narrateur, "fut le maître". Il y a une différence, bien entendu. Ces "matriarches" ne sont pas proprement féministes, il n'y a pas en elles la moindre révolte implicite dans l'inversion des rôles, mais, plutôt, de la résignation. Elles assument le rôle de l'homme parce qu'elles n'ont pas d'autre solution, étant donné que leurs maris y ont renoncé et que quelqu'un doit prendre les décisions au foyer. Chez Emma, la virilité n'est pas seulement une fonction qu'elle assume pour remplir un vide, mais aussi une ambition de liberté, une façon de lutter contre les misères de la condition féminine. »

MARIO VARGAS LLOSA, 1975,
L'Orgie perpétuelle,
traduction française 1978,
Gallimard, pp. 137-142.

lait attendre cette horrible scène et subir le poids de sa
magnanimité. L'envie lui vint de retourner chez Lheureux :
à quoi bon ? d'écrire à son père ; il était trop tard ; et peut-
être qu'elle se repentait maintenant de n'avoir pas cédé à
5 l'autre, lorsqu'elle entendit le trot d'un cheval dans l'allée.
C'était lui, il ouvrait la barrière, il était plus blême que le mur
de plâtre. Bondissant dans l'escalier, elle s'échappa vivement par la place ; et la femme du maire, qui causait devant
l'église avec Lestiboudois, la vit entrer chez le percepteur.
10　Elle courut le dire à madame Caron. Ces deux dames
montèrent dans le grenier ; et, cachées par du linge étendu
sur des perches, se postèrent commodément pour apercevoir tout l'intérieur de Binet.

Il était seul, dans sa mansarde, en train d'imiter, avec du
15 bois, une de ces ivoireries indescriptibles, composées de
croissants, de sphères creusées les unes dans les autres, le
tout droit comme un obélisque et ne servant à rien ; et il
entamait la dernière pièce, il touchait au but ! Dans le clair-
obscur de l'atelier, la poussière blonde s'envolait de son
20 outil, comme une aigrette d'étincelles sous les fers d'un cheval au galop ; les deux roues tournaient, ronflaient ; Binet
souriait, le menton baissé, les narines ouvertes et semblait
enfin perdu dans un de ces bonheurs complets, n'appartenant sans doute qu'aux occupations médiocres, qui amusent
25 l'intelligence par des difficultés faciles, et l'assouvissent en
une réalisation au-delà de laquelle il n'y a pas à rêver.

— Ah ! la voici ! fit madame Tuvache.

Mais il n'était guère possible, à cause du tour, d'entendre
ce qu'elle disait.

30　Enfin, ces dames crurent distinguer le mot *francs*, et la
mère Tuvache souffla tout bas :

— Elle le prie, pour obtenir un retard à ses contributions.

— D'apparence ! reprit l'autre.

Elles la virent qui marchait de long en large, examinant
35 contre les murs les ronds de serviette, les chandeliers, les
pommes de rampe, tandis que Binet se caressait la barbe
avec satisfaction.

— Viendrait-elle lui commander quelque chose ? dit
madame Tuvache.

40　— Mais il ne vend rien ! objecta sa voisine.

Le percepteur avait l'air d'écouter, tout en écarquillant les
yeux, comme s'il ne comprenait pas. Elle continuait d'une

Edgard Pich, de son côté, souligne l'ambiguïté d'Emma dans la perspective du féminisme :

« Du point de vue du féminisme, le personnage d'Emma présente une ambiguïté remarquable mais que le dénouement permet de lever. Par ses actes qui lui donnent parfois l'apparence du mâle, par son activité opposée à la démission de Charles, elle manifeste certains aspects de la volonté d'émancipation féminine de son époque. Mais contradictoirement, la norme-fantasme à laquelle elle adhère et qui a été exposée plus haut, n'est autre que la thèse la plus antiféministe qui se puisse imaginer, puisqu'elle implique une répartition rigoureuse des diverses tâches sociales. Il faut donc distinguer à l'époque et dans le roman trois attitudes à l'égard du problème et non deux :

1) Celle qui consiste à prôner l'égalité absolue des hommes et des femmes, tous les emplois étant répartis sans distinction de sexe et avec une rémunération égale : c'est ce qu'implique la conduite d'Emma.

2) Celle qui consiste à prôner une répartition rigide et définitive des tâches entre les hommes et les femmes ; à accepter que la promotion métaphysique et sentimentale de la femme compense son infériorité sociale et l'inégalité des salaires : c'est le rêve d'Emma, sa norme-fantasme (le mariage à minuit, etc.), dont l'application, possible dans le monde épique, assure la parfaite coïncidence entre le social et l'individuel, le désir et son objet.

3) Celle qui consiste à s'accommoder de la situation du moment, où la femme, malgré son exploitation, accroît son pouvoir, en somme à fluctuer au gré du vent public (Homais) ou à exploiter intelligemment la nouveauté du problème (Lheureux). C'est la contre-norme, loi immanente du monde bourgeois et provincial où vit Emma, qui s'impose malgré eux aux individus et à laquelle on ne peut adhérer qu'au prix d'une véritable perversion ; son accomplissement conduit à une forme dévoyée mais sublime en son genre de sainteté et d'héroïsme : la bêtise.

On pourra dire d'une autre façon que la conduite d'Emma est féministe dans sa forme (la praxis) et antiféministe dans son contenu (l'idéologie) : le seul aspect non contradictoire de l'aventure, c'est l'échec, expliqué tantôt par référence à la première attitude : c'est la faute d'Emma, de son anarchisme ; tantôt par référence à la seconde : c'est la faute du monde, de l'histoire, qui a fait naître Emma en province et à une époque critique au lieu de la faire naître par exemple en Grèce à l'époque d'Homère. La morale de la fable, c'est qu'il ne faut ni rêver, ni faire la révolution : vivre, ici, maintenant, et c'est tout et, s'il le faut, comme un cloporte (Charles) ou un requin (Lheureux). »

EDGARD PICH, 1976,
op. cit., pp. 177-178.

manière tendre, suppliante. Elle se rapprocha ; son sein
haletait ; ils ne parlaient plus.

— Est-ce qu'elle lui fait des avances ? dit madame
Tuvache.

5 Binet était rouge jusqu'aux oreilles ①. Elle lui prit les
mains.

— Ah ! c'est trop fort !

Et sans doute qu'elle lui proposait une abomination ; car
le percepteur, — il était brave pourtant, il avait combattu à
10 Bautzen et à Lutzen[1], fait la campagne de France[2], et même
été porté pour la croix ; — tout à coup, comme à la vue d'un
serpent, se recula bien loin en s'écriant :

— Madame ! y pensez-vous ?...

— On devrait fouetter ces femmes-là ! dit madame
15 Tuvache.

— Où est-elle donc ? reprit madame Caron.

Car elle avait disparu durant ces mots ; puis, l'apercevant
qui enfilait la Grande-Rue et tournait à droite comme pour
gagner le cimetière, elles se perdirent en conjectures.

20 — Mère Rolet, dit-elle en arrivant chez la nourrice,
j'étouffe !... délacez-moi.

Elle tomba sur le lit ; elle sanglotait. La mère Rolet la couvrit d'un jupon et resta debout près d'elle. Puis, comme elle
ne répondait pas, la bonne femme s'éloigna, prit son rouet
25 et se mit à filer du lin.

— Oh ! finissez ! murmura-t-elle, croyant entendre le
tour de Binet.

— Qui la gêne ? se demandait la nourrice. Pourquoi
vient-elle ici ?

30 Elle y était accourue, poussée par une sorte d'épouvante
qui la chassait de sa maison.

Couchée sur le dos, immobile et les yeux fixes, elle discer-
nait vaguement les objets, bien qu'elle y appliquât son attention avec une persistance idiote. Elle contemplait les écaillu-
35 res de la muraille, deux tisons fumant bout à bout, et une
longue araignée qui marchait au-dessus de sa tête, dans la
fente de la poutrelle. Enfin, elle rassembla ses idées. Elle se
souvenait... Un jour, avec Léon... Oh ! comme c'était
loin... Le soleil brillait sur la rivière et les clématites embau-
40 maient... Alors, emportée dans ses souvenirs comme dans
un torrent qui bouillonne, elle arriva bientôt à se rappeler la
journée de la veille.

— Quelle heure est-il ? demanda-t-elle.

La mère Rolet sortit, leva les doigts de sa main droite du

1. *Victoires napoléoniennes sur les*
Russes et les Prussiens en 1813.
2. *La campagne de France se déroula*
en 1814.

Binet et la conscience collective

« Comme habitant d'Yonville, le percepteur participe de façon continue à la vie de la ville, bien qu'il soit le plus souvent à l'arrière-plan du roman. Néanmoins, ainsi que l'Aveugle, il est mis en relief à trois moments importants des aventures amoureuses d'Emma : 1) Sa rencontre avec Emma au retour de la Huchette. 2) Le ronflement de son tour qui accompagne la tentative de suicide d'Emma. 3) La visite d'Emma chez lui. Qu'est-ce qui relie ces trois événements ? Dans le premier cas, il est évident que Binet représente la mauvaise conscience d'Emma, d'autant plus qu'elle n'est pas encore endurcie dans l'adultère. Au "ronflement à modulations stridentes" du tour, elle réagit "avec des ricanements de colère", mais plus tard elle se laisse entraîner vers l'abîme, pendant que ce même ronflement ne s'interrompt pas, "comme une voix furieuse qui l'appelle". L'idée de mauvaise conscience est aussi liée aux réactions d'Emma, mais d'une manière différente. Le son strident du tour est inconsciemment associé, nous semble-t-il, au dégoût engendré par des règles de conduite d'une société qui sanctionne l'hypocrisie d'un de ses membres les plus respectés. Dans la troisième scène, Binet, courageux défenseur de l'ordre établi, devient subitement celui de la moralité bourgeoise yonvillaise et de sa conscience collective. Cette signification nous semble confirmée par le fait que la scène est vue par le lecteur selon l'optique de Mesdames Tuvache et Caron. Ces bonnes femmes, qui jusqu'alors n'ont jamais joué de rôle actif dans le roman, se dressent tout à coup comme les représentantes indignées de l'opinion publique en prononçant le jugement sommaire, digne du *Dictionnaire des idées reçues.* "On devrait fouetter ces femmes-là !" »

MAX APRILE, 1976, « L'aveugle et sa signification dans *Madame Bovary* », *Revue d'histoire littéraire de la France,* n° 3, 1976, pp. 389-390.

côté que le ciel était le plus clair, et rentra lentement en disant :

— Trois heures, bientôt.

— Ah ! merci ! merci !

5 Car il allait venir. C'était sûr ! Il aurait trouvé de l'argent. Mais il irait peut-être là-bas, sans se douter qu'elle fût là ; et elle commanda à la nourrice de courir chez elle pour l'amener.

— Dépêchez-vous !

10 — Mais, ma chère dame, j'y vais ! j'y vais !

Elle s'étonnait, à présent, de n'avoir pas songé à lui tout d'abord ; hier, il avait donné sa parole, il n'y manquerait pas ; et elle se voyait déjà chez Lheureux, étalant sur son bureau les trois billets de banque. Puis il faudrait inventer 15 une histoire qui expliquât les choses à Bovary. Laquelle ?

Cependant la nourrice était bien longue à revenir. Mais, comme il n'y avait point d'horloge dans la chaumière, Emma craignait de s'exagérer peut-être la longueur du temps. Elle se mit à faire des tours de promenade dans le jar-20 din, pas à pas ; elle alla dans le sentier le long de la haie, et s'en retourna vivement, espérant que la bonne femme serait rentrée par une autre route. Enfin, lasse d'attendre, assaillie de soupçons qu'elle repoussait, ne sachant plus si elle était là depuis un siècle ou une minute, elle s'assit dans un coin et 25 ferma les yeux, se boucha les oreilles. La barrière grinça : elle fit un bond ; avant qu'elle eût parlé, la mère Rolet lui avait dit :

— Il n'y a personne chez vous !

— Comment ?

30 — Oh ! personne ! Et monsieur pleure. Il vous appelle. On vous cherche.

Emma ne répondit rien. Elle haletait, tout en roulant les yeux autour d'elle, tandis que la paysanne, effrayée de son visage, se reculait instinctivement, la croyant folle. Tout à 35 coup elle se frappa le front, poussa un cri, car le souvenir de Rodolphe, comme un grand éclair dans une nuit sombre, lui avait passé dans l'âme. Il était si bon, si délicat, si généreux ! Et, d'ailleurs, s'il hésitait à lui rendre ce service, elle saurait bien l'y contraindre en rappelant d'un seul clin d'œil leur 40 amour perdu. Elle partit donc vers la Huchette, sans s'apercevoir qu'elle courait s'offrir à ce qui l'avait tantôt si fort exaspérée, ni se douter le moins du monde de cette prostitution.

VIII

Elle se demandait tout en marchant : « Que vais-je dire ?
Par où commencerai-je ? » Et à mesure qu'elle avançait, elle
reconnaissait les buissons, les arbres, les joncs marins sur la
colline, le château là-bas. Elle se retrouvait dans les sensa-
5 tions de sa première tendresse, et son pauvre cœur comprimé s'y dilatait amoureusement. Un vent tiède lui soufflait
au visage ; la neige, se fondant, tombait goutte à goutte des
bourgeons sur l'herbe. ①

Elle entra, comme autrefois, par la petite porte du parc,
10 puis arriva à la cour d'honneur, que bordait un double rang
de tilleuls touffus. Ils balançaient, en sifflant, leurs longues
branches. Les chiens au chenil aboyèrent tous, et l'éclat de
leurs voix retentissait sans qu'il parût personne.

Elle monta le large escalier droit, à balustres de bois, qui
15 conduisait au corridor pavé de dalles poudreuses où
s'ouvraient plusieurs chambres à la file, comme dans les
monastères ou les auberges. La sienne était au bout, tout au
fond, à gauche. Quand elle vint à poser les doigts sur la serrure, ses forces subitement l'abandonnèrent. Elle avait peur
20 qu'il ne fût pas là, le souhaitait presque, et c'était pourtant
son seul espoir, la dernière chance du salut. Elle se recueillit
une minute, et, retrempant son courage au sentiment de la
nécessité présente, elle entra.

Il était devant le feu, les deux pieds sur le chambranle, en
25 train de fumer une pipe.

— Tiens ! c'est vous ! dit-il en se levant brusquement.

— Oui, c'est moi !... je voudrais, Rodolphe, vous
demander un conseil.

Et, malgré tous ses efforts, il lui était impossible de desser-
30 rer la bouche.

— Vous n'avez pas changé, vous êtes toujours
charmante !

— Oh ! reprit-elle amèrement, ce sont de tristes charmes,
mon ami, puisque vous les avez dédaignés.

35　Alors il entama une explication de sa conduite, s'excusant
en termes vagues, faute de pouvoir inventer mieux.

① Le roman comme système

« S'il se dégage de ce roman une si forte impression de solidité et de vie autonome, c'est surtout à cause de son unité sémantique tout exceptionnelle, chaque épisode, chaque paragraphe, et, à regarder les choses de près, on voudrait dire chaque mot étant liés au thème central par un réseau de signifiants d'une étonnante complexité. Sur cette cohérence (qualité que Flaubert considérait comme la plus importante dans une œuvre d'art), tout a été dit, ou assez en tout cas pour qu'il ne soit plus nécessaire d'y revenir, à moins que ce soit pour rappeler qu'elle est à l'origine de la plupart des effets polysémiques. (...) Ainsi, la célèbre description de Rouen, quand Emma va rejoindre Léon à l'hôtel de Bourgogne, qui a été surtout admirée comme équivalent littéraire de cet art impressionniste qui, à la même époque, était en train de naître sous une autre forme, et, en même temps, comme la traduction métonymique de la joie de l'héroïne, est aussi, et surtout, peut-être une *variation* (en l'occurrence la quatrième) sur le thème de l'arrivée, thème fondamental du livre. Car, qu'il s'agisse de Charles pénétrant pour la première fois dans la cour des Berteaux, où chaque détail — les râteliers neufs, les paons (luxe des basses-cours cauchoises), la bergerie "longue", la grange "haute" et jusqu'au bruit "gai" d'un troupeau d'oies semble offrir la promesse d'un bonheur nouveau, de la première soirée, si déprimante, à Tostes, ou du pas-de-quatre comique par lequel s'ouvre la deuxième partie, ces arrivées se présentent toujours comme des départs, lourds de possibilités de renouveau.

Chef-d'œuvre d'unité, *Madame Bovary* est aussi un roman de la continuité, où les incidents se succèdent et s'interrompent, sans effacer le souvenir de ceux qui les précèdent. Ainsi, en chassant momentanément la monotonie de la vie d'Emma, le bal de la Vaubyessard la confirme, la complète (par contraste), mais ne la dissout pas. »

GRAHAM FALCONER,
1974,
« Création et conservation du sens dans *Madame Bovary* »
in *La production du sens chez Flaubert*, colloque de Cerisy, 10/18, 1975, pp. 409-410.

Elle se laissa prendre à ses paroles, plus encore à sa voix et par le spectacle de sa personne ; si bien qu'elle fit semblant de croire, ou crut-elle peut-être, au prétexte de leur rupture ; c'était un secret d'où dépendaient l'honneur et
5 même la vie d'une troisième personne.

— N'importe ! fit-elle en le regardant tristement, j'ai bien souffert !

Il répondit d'un ton philosophique :

— L'existence est ainsi !

10 — A-t-elle du moins, reprit Emma, été bonne pour vous depuis notre séparation ?

— Oh ! ni bonne... ni mauvaise.

— Il aurait peut-être mieux valu ne jamais nous quitter.

— Oui..., peut-être !

15 — Tu crois ? dit-elle en se rapprochant.

Et elle soupira.

— Ô Rodolphe ! si tu savais !... je t'ai bien aimé !

Ce fut alors qu'elle prit sa main, et ils restèrent quelque temps les doigts entrelacés, — comme le premier jour, aux
20 Comices ! Par un geste d'orgueil, il se débattait sous l'attendrissement. Mais, s'affaissant contre sa poitrine, elle lui dit :

— Comment voulais-tu que je vécusse sans toi ? On ne peut pas se déshabituer du bonheur ! J'étais désespérée ! j'ai cru mourir ! Je te conterai tout cela, tu verras. Et toi... tu
25 m'as fuie !...

Car, depuis trois ans, il l'avait soigneusement évitée, par suite de cette lâcheté naturelle qui caractérise le sexe fort ; et Emma continuait avec des gestes mignons de tête, plus câline qu'une chatte amoureuse :

30 — Tu en aimes d'autres, avoue-le. Oh ! je les comprends, va ! je les excuse ; tu les auras séduites ; comme tu m'avais séduite. Tu es un homme, toi ! tu as tout ce qu'il faut pour te faire chérir. Mais nous recommencerons, n'est-ce pas ? nous nous aimerons ! Tiens, je ris, je suis heureuse !...
35 parle donc !

Et elle était ravissante à voir, avec son regard où tremblait une larme, comme l'eau d'un orage dans un calice bleu.

Il l'attira sur ses genoux, et il caressait du revers de la main ses bandeaux lisses, où, dans la clarté du crépuscule, miroi-
40 tait comme une flèche d'or un dernier rayon du soleil. Elle penchait le front ; il finit par la baiser sur les paupières, tout doucement, du bout de ses lèvres.

— Mais tu as pleuré ! dit-il. Pourquoi ?

Elle éclata en sanglots. Rodolphe crut que c'était l'explosion de son amour ; comme elle se taisait, il prit ce silence pour une dernière pudeur, et alors il s'écria :

— Ah ! pardonne-moi ! tu es la seule qui me plaise. J'ai été imbécile et méchant ! Je t'aime, je t'aimerai toujours !... 5 Qu'as-tu ? dis-le donc !

Il s'agenouillait.

— Eh bien !... je suis ruinée, Rodolphe ! Tu vas me prêter trois mille francs !

— Mais..., mais..., dit-il en se relevant peu à peu, tandis 10 que sa physionomie prenait une expression grave.

— Tu sais, continuait-elle vite, que mon mari avait placé toute sa fortune chez un notaire ; il s'est enfui. Nous avons emprunté ; les clients ne payaient pas. Du reste la liquidation n'est pas finie ; nous en aurons plus tard. Mais, 15 aujourd'hui, faute de trois mille francs, on va nous saisir ; c'est à présent, à l'instant même ; et, comptant sur ton amitié, je suis venue.

— Ah ! pensa Rodolphe, qui devint très pâle tout à coup, c'est pour cela qu'elle est venue !   20

Enfin il dit d'un air calme :

— Je ne les ai pas, chère madame.

Il ne mentait point. Il les eût eus qu'il les aurait donnés, sans doute, bien qu'il soit généralement désagréable de faire de si belles actions : une demande pécuniaire, de toutes les 25 bourrasques qui tombent sur l'amour, étant la plus froide et la plus déracinante.

Elle resta d'abord quelques minutes à le regarder.

— Tu ne les as pas !

Elle répéta plusieurs fois :   30

— Tu ne les as pas !... J'aurais dû m'épargner cette dernière honte. Tu ne m'as jamais aimée ! tu ne vaux pas mieux que les autres !

Elle se trahissait, elle se perdait.

Rodolphe l'interrompit, affirmant qu'il se trouvait « gêné » 35 lui-même.

— Ah ! je te plains ! dit Emma. Oui, considérablement !...

Et, arrêtant ses yeux sur une carabine damasquinée[1] qui brillait dans la panoplie :   40

— Mais, lorsqu'on est si pauvre, on ne met pas d'argent à la crosse de son fusil ! On n'achète pas une pendule avec des incrustations d'écailles ! continuait-elle en montrant

FLAUBERT
MADAME BOVARY

1. Damasquinée : se dit d'une surface métallique incrustée de filets d'or, d'argent, de cuivre, formant dessin.

l'horloge de Boulle[1] ; ni des sifflets de vermeil pour ses
fouets — elle les touchait ! — ni des breloques pour sa montre ! Oh ! rien ne lui manque ! jusqu'à un porte-liqueurs dans
sa chambre ; car tu t'aimes, tu vis bien, tu as un château, des
5 fermes, des bois ; tu chasses à courre, tu voyages à Paris...
Eh ! quand ce ne serait que cela, s'écria-t-elle en prenant sur
la cheminée ses boutons de manchettes, que la moindre de
ces niaiseries ! on en peut faire de l'argent !... Oh ! je n'en
veux pas ! garde-les. ①
10   Et elle lança bien loin les deux boutons, dont la chaîne
d'or se rompit en cognant contre la muraille.
— Mais, moi, je t'aurais tout donné, j'aurais tout vendu,
j'aurais travaillé de mes mains, j'aurais mendié sur les routes,
pour un sourire, pour un regard, pour t'entendre dire :
15 « Merci ! » Et tu restes là tranquillement dans ton fauteuil,
comme si déjà tu ne m'avais pas fait assez souffrir ? Sans toi,
sais-tu bien, j'aurais pu vivre heureuse ! Qui t'y forçait ?
Était-ce une gageure ? Tu m'aimais cependant, tu le disais...
Et tout à l'heure encore... Ah ! il eût mieux valu me chasser !
20 J'ai les mains chaudes de tes baisers, et voilà la place, sur le
tapis, où tu jurais à mes genoux une éternité d'amour. Tu
m'y as fait croire : tu m'as pendant deux ans, traînée dans le
rêve le plus magnifique et le plus suave !... Hein ! nos projets de voyage, tu te rappelles ? Oh ! ta lettre, ta lettre ! elle
25 m'a déchiré le cœur !... Et puis, quand je reviens vers lui,
vers lui, qui est riche, heureux, libre ! pour implorer un
secours que le premier venu rendrait, suppliante et lui rapportant toute ma tendresse, il me repousse, parce que ça lui
coûterait trois mille francs !
30   — Je ne les ai pas ! répondit Rodolphe avec ce calme
parfait dont se recouvrent, comme d'un bouclier, les colères
résignées.
Elle sortit. Les murs tremblaient, le plafond l'écrasait ; et
elle repassa par la longue allée, en trébuchant contre les tas
35 de feuilles mortes que le vent dispersait. Enfin elle arriva au
saut-de-loup devant la grille ; elle se cassa les ongles contre
la serrure, tant elle se dépêchait pour l'ouvrir. Puis, cent pas
plus loin, essoufflée, près de tomber, elle s'arrêta. Et alors,
se détournant, elle aperçut encore une fois l'impassible châ-
40 teau, avec le parc, les jardins, les trois cours, et toutes les
fenêtres de la façade.
Elle resta perdue de stupeur ②, et n'ayant plus conscience d'elle-même que par le battement de ses artères,

1. *Boulle : célèbre ébéniste français*
(1642-1732).

① Un roman des objets

« Flaubert est le premier à prendre l'objet vraiment au sérieux. Avec lui, plus nettement qu'avec Balzac, le roman entre dans l'âge industriel, tandis que les produits de celui-ci entrent dans le roman. Toute une idéologie de l'objet — et même une philosophie de la matière — s'élabore chez Flaubert à partir de ce qu'il vit : l'essor parallèle de l'industrie et de la bourgeoisie, l'avènement de l'objet manufacturé, multiple et mobile, lié aux prodromes de la société de consommation. L'œuvre entière en porte trace et témoignage, jusqu'à Bouvard et Pécuchet où les ouvrages de l'effort humain échappent au contrôle des deux néophytes de la technique. Et la correspondance en développe le discours :
"La médiocrité s'infiltre partout, les pierres mêmes deviennent bêtes, et les grandes routes sont stupides. Dussions-nous y périr (et nous y périrons, n'importe), il faut par tous les moyens possibles faire barre au flot de merde qui nous envahit. Élançons-nous dans l'idéal, puisque nous n'avons pas le moyen de loger dans le marbre et dans la pourpre, d'avoir des divans en plumes de colibris, des tapis en peau de cygne, des fauteuils d'ébène, des parquets d'écaille, des candélabres en or massif, ou bien des lampes creusées dans l'émeraude. Gueulons donc contre les gants de bourre de soie, contre les fauteuils de bureau, contre le mackintosh, contre les caléfacteurs économiques [Homais connaissait « toutes les inventions nouvelles de caléfacteurs économiques »], contre les fausses étoffes, contre le faux orgueil ! L'industrialisme a développé le laid dans des proportions gigantesques ! Combien de braves gens qui, il y a un siècle, eussent parfaitement vécu sans Beaux-Arts, et à qui il faut maintenant de petites statuettes, de petite musique et de petite littérature".

Texte très riche dans ses implications, la part faite de l'outrance, ici *ad feminam*, et de l'entraînement verbal :

l'Art désaliène, il est refuge et recours contre l'objet qui devient "bête", autrement dit (petit-) bourgeois, et contre une réification généralisée.

Dans *Salammbô* Flaubert se donnera le luxe barbare des objets que la civilisation lui refuse. Dans *Madame Bovary*, il constate et conteste, dresse un bilan symbolique et prend la mesure d'un réel qui pervertit les rêves ; palissandre au lieu d'ébène. C'est l'époque où la petite et moyenne bourgeoisie crée peu à peu son décor et son style de vie propres, son économie domestique, et relaie la France paysanne, caractérisée par un petit nombre d'objets fonctionnels stables et peu différenciés. Cependant la haute bourgeoisie continue d'imiter la noblesse (ou l'image qu'elle s'en fait), et sa "consommation démonstrative". Pour un temps : les Dambreuse auront leur luxe propre, assez suspect : l'ostentation y devient étalage, "le buffet ressemblait à un maître-autel de cathédrale ou à une exposition d'orfèvrerie", et les "bagatelles dispendieuses" du boudoir, "fréquemment renouvelées", ne viennent pas du patrimoine, mais du commerce. *Madame Bovary* est au carrefour de plusieurs mondes et de plusieurs temps. Emma est très occupée de rideaux pour ses fenêtres. À la Vaubyessard on casse deux vitres pour donner un peu d'air dans la salle de bal (beau geste de *consumation*). Chez la mère Rollet la vitre est "raccommodée avec un soleil de papier bleu". Madame Bovary est le roman d'une transition, que les objets signifient à leur manière par leurs contrastes ou leurs avatars, et particulièrement ceux qui entourent Emma, paysanne d'origine, aristocrate en désir, petite bourgeoise dans sa vie.

Quelques années plus tard, avec l'*Éducation sentimentale*, on entre vraiment dans l'âge du *Kitsch* — pacotille, anti-art, poncif, tape-à-l'œil même si le Kitsch est rehaussé par un cadre opulent, dans le boudoir dont je parlais — aussi encombré que le grenier des Goncourt —, racheté par l'exotisme chez Rosanette, ou peut-être dans l'un et l'autre cas sauvé par le regard de Frédéric-Flaubert. Faut-il rappeler les métiers d'Arnoux, directeur de *l'Art industriel*, puis fabricant de faïences (et ce qui le ruine est de ne pas choisir entre Art et anti-Art, et de nourrir, hors temps, des rêves d'artisan), pour finir, sous l'enseigne "Aux Arts gothiques" dans le commerce d'objets de piété, d'un pur style sulpicien symbole et sublimation du Kitsch, et l'une des dernières tocades de Bouvard et Pécuchet ? »

CLAUDE DUCHET, 1969, « Roman et objets : l'exemple de *Madame Bovary* », *Europe*, n° 485-487, pp. 175-177.

② Sommeils, somnolences, hébétudes

« La fréquence de ces sommeils, de somnolences, d'hébétudes, a (...) de quoi surprendre. Il semble que leur fonction soit double : marquer, soit le passage d'un univers réel à un univers fantasmatique, soit le retour au réel et son refus. Dans les deux cas, la complaisance idéologique. D'un côté, Emma, dès la première page du fameux chapitre 6, "s'assoupit doucement à la langueur mystique qui s'exhale des parfums de l'autel, etc." ; à la Vaubyessard, elle se sent prise de torpeur en s'abandonnant au vertige de ses rêves de valse ; Rodolphe, dont le parfum lui rappelle celui du Vicomte, détermine aux comices un

étourdissement du même type ; Charles lui-même s'endort lorsqu'il va, sans le savoir, au-devant d'Emma (de même que le Grand Meaulnes allant vers la "fête étrange" du "domaine mystérieux"). De l'autre un assoupissement comparable résulte de l'effacement du songe, par exemple après les enivrements (plus ou moins joués) de l'amour : Emma sommeille chez le coiffeur ou dans la diligence ; "quand elle aperçut sa maison, un engourdissement la saisit" ; en face de Charles, "quelque chose de stupéfiant comme une vapeur d'opium l'engourdissait" déjà, et, après le refus que Rodolphe opposera à ses demandes de prêt, elle restera "perdue de stupeur". Il faudrait toutefois faire un sort particulier à la torpeur qui absorbe le personnage dans un univers de choses, chose lui-même : "La cheminée était éteinte, la pendule battait toujours, et Emma vaguement s'ébahissait à ce calme des choses..." Aucun personnage n'y échappe. Le héros de *La Spirale* aurait été atteint de "somnambulisme permanent". La "bêtise", abrutissement par l'idéologie, est bien une sorte de sommeil. Dans *La Belle au Bois dormant*, la fée oubliée au sommet de la tour ne reçoit pas comme les sept autres d'étui en or massif pour ses couverts (et pour conjurer son pouvoir, gainer sn couteau) ; elle prédit alors à la princesse qu'elle mourra en se perçant la main avec un fuseau — destin qu'atténue une de ses consœurs à l'étui en transformant la mort en sommeil. Malgré toutes les précautions, lorsque la princesse rencontre, à l'âge du couvent, une bonne vieille filant au sommet d'une (autre) tour, elle se perce donc la main avec le fuseau de cette parque, et la baguette magique (couteau-fuseau moucheté) de la bonne fée assure à tout le château le sommeil promis. Ainsi des lectures d'Emma : "Il y avait au couvent une vieille fille... [...]. Elle contait des histoires [...] et prêtait aux grandes, en cachette, quelque roman qu'elle avait toujours dans les poches de son tablier..." Mais la bonne et la mauvaise fée (le bon et le mauvais sein) ne font qu'un ; la fin du conte est dominée par leur présence conjointe sous la forme de la mère phallique et terrible, ogresse dont seule une happy end plaquée et une seconde arrivée opportune du prince charmant débarrassent l'héroïne. La catalepsie procurée par l'emprise idéologique est bien proche de la véritable mort. Et, pour Emma, il n'y aura pas de prince charmant. »

MICHEL PICARD, 1973, « La prodigalité d'Emma Bovary », op. cit., pp. 83-84.

qu'elle croyait entendre s'échapper comme une assourdissante musique qui emplissait la campagne. Le sol sous ses pieds était plus mou qu'une onde, et les sillons lui parurent d'immenses vagues brunes, qui déferlaient. Tout ce qu'il y
5 avait dans sa tête de réminiscences, d'idées, s'échappait à la fois, d'un seul bond, comme les mille pièces d'un feu d'artifice ①. Elle vit son père, le cabinet de Lheureux, leur chambre là-bas, un autre paysage. La folie la prenait, elle eut peur, et parvint à se ressaisir, d'une manière confuse, il est
10 vrai ; car elle ne se rappelait point la cause de son horrible état, c'est-à-dire la question d'argent. Elle ne souffrait que de son amour, et sentait son âme l'abandonner par ce souvenir, comme les blessés, en agonisant, sentent l'existence qui s'en va par leur plaie qui saigne.
15 La nuit tombait, des corneilles volaient.

Il lui sembla tout à coup que des globules couleur de feu éclataient dans l'air comme des balles fulminantes[1] en s'aplatissant, et tournaient, tournaient, pour aller se fondre sur la neige, entre les branches des arbres. Au milieu de chacun
20 d'eux, la figure de Rodolphe apparaissait. Ils se multiplièrent, et ils se rapprochaient, la pénétraient ; tout disparut. Elle reconnut les lumières des maisons, qui rayonnaient de loin dans le brouillard.

Alors sa situation, telle qu'un abîme, se représenta. Elle
25 haletait à se rompre la poitrine. Puis, dans un transport d'héroïsme qui la rendait presque joyeuse, elle descendit la côte en courant, traversa la planche aux vaches, le sentier, l'allée, les halles, et arriva devant la boutique du pharmacien.
30 Il n'y avait personne. Elle allait entrer ; mais, au bruit de la sonnette, on pouvait venir ; et, se glissant par la barrière, retenant son haleine, tâtant les murs, elle s'avança jusqu'au seuil de la cuisine, où brûlait une chandelle posée sur le fourneau. Justin, en manches de chemise, emportait un plat.
35 — Ah ! ils dînent. Attendons.

Il revint. Elle frappa contre la vitre. Il sortit.

— La clef ! celle d'en haut, où sont les...

— Comment ?

Et il la regardait, tout étonné par la pâleur de son visage,
40 qui tranchait en blanc sur le fond noir de la nuit. Elle lui apparut extraordinairement belle, et majestueuse comme un fantôme ; sans comprendre ce qu'elle voulait, il pressentait quelque chose de terrible.

1. *Fulminante : qui produit une détonation.*

Flaubert, romancier du déterminé

« Le premier mouvement de la reconstruction flaubertienne va [...] être le mouvement ascendant par lequel la pensée gravit en une série d'inférences l'escalier des causes, et s'éloigne ainsi progressivement du domaine de la sensation ou des images actuelles, pour passer dans celui de l'ordre des choses, dans le domaine de la loi. Méthode strictement opposée à celle d'un Balzac qui, partant d'un *a priori* créateur, décrète d'emblée l'existence d'une loi-force dont il ne reste plus qu'à exprimer ensuite, en termes de plus en plus concrets, la courbe descendante dans la vie réelle. Balzac, romancier du *déterminant* ; Flaubert, romancier du *déterminé*.

Mais précisément en raison du fait que chez Flaubert la donnée première est ce *déterminé* actuel, objet indubitable et résistant sur lequel peut s'appuyer de tout son poids la faculté représentative, la construction flaubertienne, si haut qu'elle remonte, ne risque pas de devenir abstraite. La loi n'est point un intemporel. Elle n'existe point en soi mais dans l'action par laquelle elle s'exerce. A mesure qu'on remonte jusqu'à elle, on recueille, à chaque pas, de la matière sensible avec laquelle se reforme l'être en chacun des moments antécédents de sa durée. De sorte que celui-ci se trouve exister en quelque sorte de deux façons : par ses sensations, soit immédiates, soit remémorées, qui forment son être variable, accidentel, mais en contact intime avec la réalité des choses ; et d'autre part, par l'ordre synthétique que la série concaténante des causes impose à son existence.

Double synthèse, ou plutôt reprise, en le cadre d'une synthèse objective, de ce qui s'était toujours — mais de façon subjective, fragmentaire et fugitive — synthétiquement exprimé chez Flaubert, dès les œuvres de jeunesse.

C'est ce que lui-même semble marquer dans une note de 1859 :

"L'artiste non seulement porte en soi l'humanité, mais il en reproduit l'histoire dans la création de son œuvre : d'abord du trouble, une vue générale, les aspirations, l'éblouissement, tout est mêlé (époque barbare) ; puis l'analyse, le doute, la méthode, la disposition des parties (l'ère scientifique) ; enfin, il revient à la synthèse première, plus élargie dans l'exécution."

Arrivée à ce sommet de synthèse, la pensée en effet se retourne pour commencer son mouvement descendant. Si elle s'était élevée dans la région des causes et des antécédents, c'était pour se mettre en mesure de comprendre et de montrer comment, à partir de cette région et de ce passé, s'organise l'actuel. Le mouvement descendant de la pensée de Flaubert prend alors l'aspect d'une représentation prospective de la vie qui, du passé, se ramène par une série d'états jusqu'au présent et y aboutit, en lui donnant pour signification d'être un effet conséquent à tout un vaste travail génétique perceptible en l'espace et la durée, perspective semblable à celle que l'on a, quand, du rivage, l'on reporte lentement les yeux jusqu'à la pleine mer, pour suivre de là une vague qui se rapproche et qu'on voit finalement mourir à ses pieds ; — expérience que l'on a encore toutes les fois qu'en écrivant une phrase périodique — une phrase à la Flaubert — on trouve que de la protase à l'apodose les différents éléments se composent en une synthèse montante et descendante qui, en s'achevant, permet de découvrir en la phrase une unité indissoluble où tout *devient* présent. Dès lors le problème du temps n'est plus qu'un problème de style. »

GEORGES POULET, 1950, « Flaubert » in *Études sur le temps humain*, Plon, pp. 324-326.

Mais elle reprit vivement, à voix basse, d'une voix douce, dissolvante :

— Je la veux ! donne-la-moi.

Comme la cloison était mince, on entendait le cliquetis
5 des fourchettes sur les assiettes dans la salle à manger.

Elle prétendit avoir besoin de tuer les rats qui l'empê-chaient de dormir.

— Il faudrait que j'avertisse monsieur.

— Non ! reste !
10 Puis d'un air indifférent :

— Eh ! ce n'est pas la peine, je lui dirai tantôt. Allons, éclaire-moi !

Elle entra dans le corridor où s'ouvrait la porte du labora-toire. Il y avait contre la muraille une clef étiquetée
15 *capharnaüm*.

— Justin ! cria l'apothicaire, qui s'impatientait.

— Montons !

Et il la suivit.

La clef tourna dans la serrure, et elle alla droit vers la troi-
20 sième tablette, tant son souvenir la guidait bien, saisit le bocal bleu, en arracha le bouchon, y fourra sa main, et, la retirant pleine d'une poudre blanche, elle se mit à manger à même. ①

— Arrêtez ! s'écria-t-il en se jetant sur elle.
25 — Tais-toi ! on viendrait...

Il se désespérait, voulait appeler. ②

— N'en dis rien, tout retomberait sur ton maître !

Puis elle s'en retourna subitement apaisée, et presque dans la sérénité d'un devoir accompli.

30 Quand Charles, bouleversé par la nouvelle de la saisie, était rentré à la maison, Emma venait d'en sortir. Il cria, pleura, s'évanouit, mais elle ne revint pas. Où pouvait-elle être ? Il envoya Félicité chez Homais, chez M. Tuvache, chez Lheureux, au *Lion d'or*, partout ; et, dans les intermit-
35 tences de son angoisse, il voyait sa considération anéantie, leur fortune perdue, l'avenir de Berthe brisé ! Par quelle cause ?... pas un mot ! Il attendit jusqu'à six heures du soir. Enfin, n'y pouvant plus tenir, et imaginant qu'elle était partie
40 pour Rouen, il alla sur la grande route, fit une demi-lieue, ne rencontra personne, attendit encore et s'en revint.

Elle était rentrée.

— Qu'y avait-il ?... Pourquoi ?... Explique-moi !...

Le petit journal de Madame Bovary

« J'espère que dans un mois la *Bovary* aura son arsenic dans le ventre. Te l'apporterai-je enterrée ? J'en doute. »

A Louis Bouilhet, 17/9/1855 (éd. Conard, 3ᵉ série, 1910, p. 44)

 ## Justin, personnage tragique

« Voici Justin, l'élève en pharmacie de Homais, un arrière-cousin pris par charité et qui sert en même temps de domestique. C'est l'ancêtre à la fois du Petit Chose de Dau-

det et de Poil de Carotte de Renard. Emma n'a pas un regard pour cet adolescent timide et humilié. Mais lui, il l'aime, il la boit des yeux. Ses déshabillés, dans lesquels elle se montre à lui sans retenue, le brûlent et le désespèrent. Dans le drame de la fin, il va jouer un rôle terrible et symbolique, le petit Justin. C'est à lui qu'il incombe d'ouvrir à Emma le "capharnaüm" de la pharmacie où se trouve l'arsenic. Il la voit manger la poudre blanche à pleine poignée, et il ne peut rien, il reste le complice-témoin de l'acte de mort. Sa dernière apparition nous le montre sanglotant seul, la nuit, sur la tombe d'Emma. Médiocre, froid, gris ce personnage d'adolescent ? Ardent au contraire, tragique, bouleversant ! »

MICHEL TOURNIER,
1981,
« Une mystique étouffée :
Madame Bovary » in *Le Vol
du vampire*, Mercure de
France, p. 152.

Elle s'assit à son secrétaire, et écrivit une lettre qu'elle cacheta lentement, ajoutant la date du jour et l'heure. Puis elle dit d'un ton solennel :

— Tu la liras demain ; d'ici là, je t'en prie, ne m'adresse

5 pas une seule question !... Non, pas une !

— Mais...

— Oh ! laisse-moi !

Et elle se coucha tout du long sur son lit.

Une saveur âcre qu'elle sentait dans sa bouche la réveilla.

10 Elle entrevit Charles et referma les yeux.

Elle s'épiait curieusement, pour discerner si elle ne souffrait pas. Mais non ! rien encore. Elle entendait le battement de la pendule, le bruit du feu, et Charles, debout près de sa couche, qui respirait.

15 — Ah ! c'est bien peu de chose, la mort ! pensait-elle ; je vais m'endormir, et tout sera fini !

Elle but une gorgée d'eau et se tourna vers la muraille.

Cet affreux goût d'encre continuait...

— J'ai soif !... oh ! j'ai bien soif ! soupira-t-elle.

20 — Qu'as-tu donc ? dit Charles, qui lui tendait un verre.

— Ce n'est rien !... Ouvre la fenêtre... j'étouffe !

Et elle fut prise d'une nausée si soudaine, qu'elle eut à peine le temps de saisir son mouchoir sous l'oreiller.

— Enlève-le ! dit-elle vivement ; jette-le !

25 Il la questionna ; elle ne répondit pas. Elle se tenait immobile, de peur que la moindre émotion ne la fît vomir. Cependant, elle sentait un froid de glace qui lui montait des pieds jusqu'au cœur.

— Ah ! voilà que ça commence ! murmura-t-elle.

30 — Que dis-tu ?

Elle roulait sa tête avec un geste doux plein d'angoisse, et tout en ouvrant continuellement les mâchoires, comme si elle eût porté sur sa langue quelque chose de très lourd. A huit heures, les vomissements reparurent.

35 Charles observa qu'il y avait au fond de la cuvette une sorte de gravier blanc, attaché aux parois de la porcelaine.

— C'est extraordinaire ! c'est singulier ! répéta-t-il.

Mais elle dit d'une voix forte :

— Non, tu te trompes !

40 Alors, délicatement et presque en la caressant, il lui passa la main sur l'estomac. Elle jeta un cri aigu. Il se recula tout effrayé.

Puis elle se mit à geindre, faiblement d'abord. Un grand

frisson lui secouait les épaules, et elle devenait plus pâle que
le drap où s'enfonçaient ses doigts crispés. Son pouls inégal
était presque insensible maintenant.
Des gouttes suintaient sur sa figure bleuâtre, qui semblait
comme figée dans l'exhalaison d'une vapeur métallique. Ses 5
dents claquaient, ses yeux agrandis regardaient vaguement
autour d'elle, et à toutes les questions, elle ne répondait
qu'en hochant la tête ; même elle sourit deux ou trois fois.
Peu à peu, ses gémissements furent plus forts. Un hurlement
sourd lui échappa ; elle prétendit qu'elle allait mieux et 10
qu'elle se lèverait tout à l'heure. Mais les convulsions la saisi-
rent ; elle s'écria :
— Ah ! c'est atroce, mon Dieu !
Il se jeta à genoux contre son lit.
— Parle ! qu'as-tu mangé ? Réponds, au nom du ciel ! 15
Et il la regardait avec des yeux d'une tendresse comme
elle n'en avait jamais vu.
— Eh bien, là..., là !... dit-elle d'une voix défaillante.
Il bondit au secrétaire, brisa le cachet et lut tout haut :
Qu'on n'accuse personne... Il s'arrêta, se passa la main sur 20
les yeux, et relut encore.
— Comment !... Au secours ! à moi !
Et il ne pouvait que répéter ce mot : « Empoisonnée !
empoisonnée ! » Félicité courut chez Homais, qui l'exclama
sur la place ; madame Lefrançois l'entendit au *Lion d'or* ; 25
quelques-uns se levèrent pour l'apprendre à leurs voisins, et
toute la nuit le village fut en éveil.
Éperdu, balbutiant, près de tomber, Charles tournait dans
la chambre. Il se heurtait aux meubles, s'arrachait les cheveux, et jamais le pharmacien n'avait cru qu'il pût y avoir de 30
si épouvantable spectacle.
Il revint chez lui pour écrire à M. Canivet et au docteur
Larivière. Il perdait la tête ; il fit plus de quinze brouillons.
Hippolyte partit à Neufchâtel, et Justin talonna si fort le che-
val de Bovary, qu'il le laissa dans la côte du bois Guillaume, 35
fourbu et aux trois quarts crevé.
Charles voulut feuilleter son dictionnaire de médecine ; il
n'y voyait pas, les lignes dansaient.
— Du calme ! dit l'apothicaire. Il s'agit seulement d'admi-
nistrer quelque puissant antidote. Quel est le poison ? 40
Charles montra la lettre. C'était de l'arsenic.
— Eh bien, reprit Homais, il faudrait en faire l'analyse.
Car il savait qu'il faut, dans tous les empoisonnements,

faire une analyse ; et l'autre, qui ne comprenait pas, répondit :

— Ah ! faites ! faites ! sauvez-la...

Puis, revenu près d'elle, il s'affaissa par terre sur le tapis,
5 et il restait la tête appuyée contre le bord de sa couche, à sangloter.

— Ne pleure pas ! lui dit-elle. Bientôt je ne te tourmenterai plus !

— Pourquoi ? Qui t'a forcée ?

10 Elle répliqua :

— Il le fallait, mon ami.

— N'étais-tu pas heureuse ? Est-ce ma faute ? J'ai fait tout ce que j'ai pu pourtant !

— Oui..., c'est vrai..., tu es bon, toi !

15 Et elle lui passait la main dans les cheveux, lentement. La douceur de cette sensation surchargeait sa tristesse ; il sentait tout son être s'écrouler de désespoir à l'idée qu'il fallait la perdre, quand, au contraire, elle avouait pour lui plus d'amour que jamais ; et il ne trouvait rien ; il ne savait pas, il
20 n'osait, l'urgence d'une résolution immédiate achevant de le bouleverser.

Elle en avait fini, songeait-elle, avec toutes les trahisons, les bassesses et les innombrables convoitises qui la torturaient. Elle ne haïssait personne, maintenant ; une confu-
25 sion de crépuscule s'abattait en sa pensée, et de tous les bruits de la terre Emma n'entendait plus que l'intermittente lamentation de ce pauvre cœur, douce et indistincte, comme le dernier écho d'une symphonie qui s'éloigne.

— Amenez-moi la petite, dit-elle en se soulevant du
30 coude.

— Tu n'es pas plus mal, n'est-ce pas ? demanda Charles.

— Non ! non !

L'enfant arriva sur le bras de sa bonne, dans sa longue chemise de nuit, d'où sortaient ses pieds nus, sérieuse et
35 presque rêvant encore. Elle considérait avec étonnement la chambre tout en désordre, et clignait des yeux, éblouie par les flambeaux qui brûlaient sur les meubles. Ils lui rappelaient sans doute les matins du jour de l'an ou de la mi-carême, quand, ainsi réveillée de bonne heure à la clarté des
40 bougies, elle venait dans le lit de sa mère pour y recevoir ses étrennes, car elle se mit à dire :

— Où est-ce donc, maman ?

Et comme tout le monde se taisait :

— Mais je ne vois pas mon petit soulier !

Félicité la penchait vers le lit, tandis qu'elle regardait toujours du côté de la cheminée.

— Est-ce nourrice qui l'aurait pris ? demanda-t-elle.

Et, à ce nom, qui la reportait dans le souvenir de ses adul-   5
tères et de ses calamités, madame Bovary détourna sa tête,
comme au dégoût d'un autre poison plus fort qui lui remontait à la bouche. Berthe, cependant, restait posée sur le lit.

— Oh ! comme tu as de grands yeux, maman ! comme
tu es pâle ! comme tu sues !...   10

Sa mère la regardait.

— J'ai peur ! dit la petite en se reculant.

Emma prit sa main pour la baiser ; elle se débattait.

— Assez ! qu'on l'emmène ! s'écria Charles, qui sanglotait dans l'alcôve.   15

Puis les symptômes s'arrêtèrent un moment ; elle paraissait moins agitée ; et, à chaque parole insignifiante, à chaque souffle de sa poitrine un peu plus calme, il reprenait
espoir. Enfin, lorsque Canivet entra, il se jeta dans ses bras
en pleurant :   20

— Ah ! c'est vous ! merci ! vous êtes bon ! Mais tout va
mieux. Tenez, regardez-la...

Le confrère ne fut nullement de cette opinion, et, n'y
allant pas, comme il le disait lui-même, *par quatre chemins,*
il prescrivit de l'émétique afin de dégager complètement   25
l'estomac.

Elle ne tarda pas à vomir du sang. Ses lèvres se serrèrent
davantage. Elle avait les membres crispés, le corps couvert
de taches brunes, et son pouls glissait sous les doigts comme
un fil tendu, comme une corde de harpe près de se rompre.   30

Puis elle se mettait à crier, horriblement. Elle maudissait le
poison, l'invectivait, le suppliait de se hâter, et repoussait de
ses bras raidis tout ce que Charles, plus agonisant qu'elle,
s'efforçait de lui faire boire. Il était debout, son mouchoir sur
les lèvres, râlant, pleurant, et suffoqué par des sanglots qui   35
le secouaient jusqu'aux talons ; Félicité courait çà et là dans
la chambre ; Homais, immobile, poussait de gros soupirs, et
M. Canivet, gardant toujours son aplomb, commençait
néanmoins à se sentir troublé.

— Diable !... cependant... elle est purgée, et, du   40
moment que la cause cesse...

— L'effet doit cesser, dit Homais ; c'est évident.

— Mais sauvez-la ! exclamait Bovary.

Aussi sans écouter le pharmacien qui hasardait encore cette hypothèse : « C'est peut-être un paroxysme salutaire », Canivet allait administrer de la thériaque[1], lorsqu'on entendit le claquement d'un fouet ; toutes les vitres frémi-
5 rent, et, une berline de poste qu'enlevaient à plein poitrail trois chevaux crottés jusqu'aux oreilles, débusqua d'un bond au coin des halles. C'était le docteur Larivière.

L'apparition d'un dieu n'eût pas causé plus d'émoi. Bovary leva les mains, Canivet s'arrêta court, et Homais
10 retira son bonnet grec bien avant que le docteur fût entré.

Il appartenait à la grande école chirurgicale sortie du tablier de Bichat[2], à cette génération, maintenant disparue, de praticiens philosophes qui, chérissant leur art, d'un amour fanatique, l'exerçaient avec exaltation et sagacité !
15 Tout tremblait dans son hôpital quand il se mettait en colère, et ses élèves le vénéraient si bien, qu'ils s'efforçaient, à peine établis, de l'imiter le plus possible ; de sorte que l'on retrouvait sur eux, par les villes d'alentour, sa longue douillette[3] de mérinos et son large habit noir, dont les parements débou-
20 tonnés couvraient un peu ses mains charnues, de fort belles mains, et qui n'avaient jamais eu de gants, comme pour être plus promptes à plonger dans les misères ①. Dédaigneux des croix, des titres et des académies, hospitalier, libéral, paternel avec les pauvres et pratiquant la vertu sans y croire,
25 il eût presque passé pour un saint si la finesse de son esprit ne l'eût fait craindre comme un démon. Son regard, plus tranchant que ses bistouris, vous descendait droit dans l'âme et désarticulait tout mensonge à travers les allégations et les pudeurs. Et il allait ainsi, plein de cette majesté débonnaire
30 que donnent la conscience d'un grand talent, de la fortune, et quarante ans d'une existence laborieuse et irréprochable. ② ③

Il fronça les sourcils dès la porte, en apercevant la face cadavéreuse d'Emma, étendue sur le dos, la bouche
35 ouverte. Puis, tout en ayant l'air d'écouter Canivet, il se passait l'index sous les narines et répétait :

— C'est bien, c'est bien.

Mais il fit un geste lent des épaules. Bovary l'observa : ils se regardèrent ; et cet homme, si habitué pourtant à l'aspect
40 des douleurs, ne put retenir une larme qui tomba sur son jabot.

Il voulut emmener Canivet dans la pièce voisine. Charles le suivit.

— Elle est bien mal, n'est-ce pas ? Si l'on posait des sina-

Le sens des mains

« Les mains sont (...) un support privilégié des marques socio-hiérarchiques qui gouvernent avec efficacité et économie la tradition romanesque. Dans le roman de Flaubert, qui est aussi roman de la lecture, elles parlent donc doublement la société, au niveau de la pratique sociale effective et de la représentation des rapports sociaux. Décrites, elles renvoient moins à des particularités individuelles qu'elles ne traduisent l'être social du personnage : doigts pointus des ladies "retroussés comme des souliers à la poulaine", longues mains de Catherine Leroux, "à articulations noueuses" ; mains de Léon, juste évoquées par ses ongles "plus longs qu'on ne les portait à Yonville", entretenues au canif, marquant donc une différence cultivée, issue du discours social par le truchement d'une lointaine physiologie du commis, en filigrane dans le texte : "L'employé a de longs ongles et c'est un de ses plus doux passe-temps que de les gratter avec son grattoir." *Acquises* dans son enfance paysanne, les "fortes mains" de Charles serviront à sa disgrâce professionnelle en désignant le seuil d'ambition à ne pas franchir (larges saignées,

extractions de dents) cependant que ses doigts carrés signifient à la fois "esprit lourd" et "façons communes", et le relèguent dans la roture. Ainsi quelques traits descriptifs suffisent pour profiler une sociologie de la main romanesque. Les variants de caractérisation sont en rapport avec des catégories sociales, groupes ou classes, de l'aristocratie (anglaise) à la plèbe en passant par les différentes couches de la bourgeoisie, y compris les "capacités". Ces variants portent sur la forme (longueur, contour général, aspect des doigts), la couleur (blancheur, pâleur, rougeur de la peau), la substance (mollesse, sécheresse, grosseur), le soin (entretien des mains et/ou des ongles qui sont "portés" sales ou taillés en

amande, jeu des gants) et définissent des qualités et des oppositions à partir desquelles on peut lire ou reconstituer un idéal de la main, plus ou moins explicite : pour l'homme des mains soignées mais sans affectation, des doigts plutôt arrondis, de la chair mais pas d'épaisseur ni de musculature trop apparentes, une force d'esprit plus que de charpente ; on a reconnu les mains du Dr Larivière, "fort belles", charnues sans être grosses, qui échappent au rituel du gant, et qui n'ont d'autre fonction que de se montrer, potentiellement utiles et généreuses. Quant à la main féminine, elle serait pâle et fine, allongée plutôt que longue, douce en ses contours... elle se désigne à travers la main d'Emma, qui évoque le modèle idéal mais, souffrant de ses origines, paraît garder, comme son âme, "quelque chose de la callosité des mains paternelles", et affecte son corps d'une frustration irréductible ».

CLAUDE DUCHET, 1972, « Corps et société : le réseau des mains dans *Madame Bovary* » in *La lecture sociocritique du texte romanesque*, Samuel Stevens, Hakkert and company, Toronto, 1975, pp. 224-225.

② La part autobiographique

« Certaines variations de points de vue (...) paraissent liées à la nature du fonds où Flaubert a puisé ses matériaux. Les passages où le ton est le plus personnel sont souvent ceux dont le caractère autobiographique est le plus évident : la scène du bal, par exemple. Ou, mieux encore, le portrait du docteur Larivière. A part l'ironie, on y retrouve à peu près tous les types d'intervention d'auteur que nous avons relevés : longue description qui ne se justifie guère dans l'économie du récit, réflexions générales ("cette majesté débonnaire que donnent la conscience d'un grand talent, de la fortune, et quarante ans d'une existence laborieuse et irréprochable"), jugement du narrateur ("de fort belles mains"), nombreux *shifters* ("*cette* génération, *maintenant* disparue*", "son regard [...[*vous* descendait droit dans l'âme"), comparaison, phrase exclamative. Autant d'indices qui confirment, mais qui suffiraient sans doute à démontrer, que Flaubert traite ici un sujet qui l'émeut : le portrait de son propre père.
Le fameux "nous" de la première scène trouverait peut-être là une explication.

Entraîné par la force de l'habitude, Flaubert aurait commencé *Madame Bovary* dans le style autobiographique de ses œuvres de jeunesse. C'est ce que confirme un passage supprimé, qui comparait la vie de Charles à celle des autres collégiens, et s'achevait sur cette exclamation : "Mélancolie des dortoirs de mon collège, il ne t'a pas connue !" Ici, le *je* s'étale franchement, Charles n'est plus qu'un prétexte à l'évocation de souvenirs trop évidemment personnels.
On pourrait continuer dans ce sens, souligner par exemple la différence entre deux descriptions, l'une fictive (le panorama d'Yonville), l'autre concernant la ville de Flaubert (celui de Rouen)... »

CLAUDINE GOTHOT-MERSCH, 1970,
« Le point de vue dans *Madame Bovary* », *Cahiers de l'Association Internationale des Études Françaises,* n° 23, 1971, pp. 258-259.

③ L'arrivée du grand médecin : son traitement proustien

On comparera cette manifestation du dieu de la médecine, qui échappe à l'ironisation, à cette page de Marcel Proust, où la causticité effectue son travail de corrosion : le docteur Dieulafoy est appelé au chevet de la grand-mère du narrateur :

« A ce moment, mon père se précipita, je crus qu'il y avait du mieux ou du pire. C'était seulement le docteur Dieulafoy qui venait d'arriver. Mon père alla le recevoir dans le salon voisin, comme l'acteur qui doit venir jouer. On l'avait fait demander non pour soigner, mais pour constater, en espèce de notaire. Le docteur Dieulafoy a pu en effet être un grand médecin, un merveilleux professeur ; à ces rôles divers où il excella, il joignait un autre dans lequel il fut pendant quarante ans sans rival, un rôle aussi original que le raisonneur, le scaramouche ou le père noble, et qui était de venir constater l'agonie ou la mort. Son nom déjà présageait la dignité avec laquelle il tiendrait l'emploi, et quand la servante disait : "M. Dieulafoy", on se croyait chez Molière. A la dignité de l'attitude concourait sans se laisser voir la souplesse d'une taille charmante. Un visage en soi-même trop beau était amorti par la convenance à des circonstances douloureuses.

Dans sa noble redingote noire, le professeur entrait, triste sans affectation, ne donnait pas une seule condoléance qu'on eût pu croire feinte et ne commettait pas non plus la plus légère infraction au tact. Aux pieds d'un lit de mort, c'était lui et non le duc de Guermantes qui était le grand seigneur. Après avoir regardé ma grand-mère sans la fatiguer, et avec un excès de réserve qui était une politesse au médecin traitant, il dit à voix basse quelques mots à mon père, s'inclina respectueusement devant ma mère, à qui je sentis que mon père se retenait pour ne pas dire : "Le professeur Dieulafoy". Mais déjà celui-ci avait détourné la tête, ne voulant pas importuner, et sortit de la plus belle façon du monde, en prenant simplement le cachet qu'on lui remit. Il n'avait pas eu l'air de le voir, et nous-mêmes nous demandâmes un moment si nous le lui avions remis tant il avait mis de la souplesse d'un prestidigitateur à le faire disparaître, sans pour cela perdre rien de sa gravité plutôt accrue de grand consultant à la longue redingote à revers de soie, à la belle tête pleine d'une noble commisération. Sa lenteur et sa vivacité montraient que, si cent visites l'attendaient encore, il ne voulait pas avoir l'air pressé. Car il était le tact, l'intelligence et la bonté mêmes. Cet homme éminent n'est plus. D'autres médecins, d'autres professeurs ont pu l'égaler, le dépasser peut-être. Mais l'"emploi" où son savoir, ses dons physiques, sa haute éducation le faisaient triompher, n'existe plus, faute de successeurs qui aient su le tenir. »

MARCEL PROUST, 1920,
Le Côté de Guermantes.

pismes ? je ne sais quoi ! Trouvez donc quelque chose, vous qui en avez tant sauvé !

Charles lui entourait le corps de ses deux bras, et il le contemplait d'une manière effarée, suppliante, à demi pâmé
5 contre sa poitrine.

— Allons, mon pauvre garçon, du courage ! Il n'y a plus rien à faire.

Et le docteur Larivière se détourna.

— Vous partez ?
10 — Je vais revenir.

Il sortit comme pour donner un ordre au postillon, avec le sieur Canivet, qui ne se souciait pas non plus de voir Emma mourir entre ses mains.

Le pharmacien les rejoignit sur la place. Il ne pouvait, par
15 tempérament, se séparer des gens célèbres. Aussi conjura-t-il M. Larivière de lui faire cet insigne honneur d'accepter à déjeuner.

On envoya bien vite prendre des pigeons au *Lion d'or*, tout ce qu'il y avait de côtelettes à la boucherie, de la crème
20 chez Tuvache, des œufs chez Lestiboudois, et l'apothicaire aidait lui-même aux préparatifs, tandis que madame Homais disait, en tirant les cordons de sa camisole :

— Vous ferez excuse, monsieur ; car dans notre malheureux pays, du moment qu'on n'est pas prévenu la veille...
25 — Les verres à patte ! ! ! souffla Homais.

— Au moins, si nous étions à la ville, nous aurions la ressource des pieds farcis.

— Tais-toi !... A table, docteur !

Il jugea bon, après les premiers morceaux, de fournir
30 quelques détails sur la catastrophe :

— Nous avons eu d'abord un sentiment de siccité[1] au pharynx, puis des douleurs intolérables à l'épigastre, superpurgation[2], coma.

— Comment s'est-elle donc empoisonnée ?
35 — Je l'ignore, docteur, et même je ne sais pas trop où elle a pu se procurer cet acide arsénieux.

Justin, qui apportait alors une pile d'assiettes, fut saisi d'un tremblement.

— Qu'as-tu ? dit le pharmacien.
40 Le jeune homme, à cette question, laissa tout tomber par terre, avec un grand fracas.

— Imbécile ! s'écria Homais, maladroit ! lourdaud ! fichu âne !

1. *Siccité : qualité de ce qui est sec.*
2. *Superpurgation : purgation exagérée, vomissements.*

Mais, soudain, se maîtrisant :

— J'ai voulu, docteur, tenter une analyse, et *primo*, j'ai délicatement introduit dans un tube...

— Il aurait mieux valu, dit le chirurgien, lui introduire vos doigts dans la gorge. 5

Son confrère se taisait, ayant tout à l'heure reçu confidentiellement une forte semonce à propos de son émétique, de sorte que ce bon Canivet, si arrogant et verbeux lors du pied-bot, était très modeste aujourd'hui ; il souriait sans discontinuer, d'une manière approbative. 10

Homais s'épanouissait dans son orgueil d'amphitryon[1], et l'affligeante idée de Bovary contribuait vaguement à son plaisir, par un retour égoïste qu'il faisait sur lui-même. Puis la présence du Docteur le transportait. Il étalait son érudition, il citait pêle-mêle les cantharides[2], l'upas[3], le mancenillier, la 15 vipère.

— Et même j'ai lu que différentes personnes s'étaient trouvées intoxiquées, docteur, et comme foudroyées par des boudins qui avaient subi une trop véhémente fumigation ! Du moins, c'était dans un fort beau rapport, composé 20 par une de nos sommités pharmaceutiques, un de nos maîtres, l'illustre Cadet de Gassicourt[4] !

Madame Homais réapparut, portant une de ces vacillantes machines que l'on chauffe avec de l'esprit-de-vin ; car Homais tenait à faire son café sur la table, l'ayant d'ailleurs 25 torréfié lui-même, porphyrisé[5] lui-même, mixtionné lui-même.

— *Saccharum*, docteur, dit-il en offrant du sucre.

Puis il fit descendre tous ses enfants, curieux d'avoir l'avis du chirurgien sur leur constitution.

Enfin, M. Larivière allait partir, quand madame Homais 30 lui demanda une consultation pour son mari. Il s'épaississait le sang à s'endormir chaque soir après le dîner.

— Oh ! ce n'est pas le *sens* qui le gêne.

Et, souriant un peu de ce calembour inaperçu[6], le docteur 35 ouvrit la porte. Mais la pharmacie regorgeait de monde ; et il eut grand-peine à pouvoir se débarrasser du sieur Tuvache, qui redoutait pour son épouse une fluxion de poitrine, parce qu'elle avait coutume de cracher dans les cendres ; puis de M. Binet, qui éprouvait parfois des fringales, et de madame 40 Caron, qui avait des picotements ; de Lheureux, qui avait des vertiges ; de Lestiboudois, qui avait un rhumatisme ; de madame Lefrançois, qui avait des aigreurs. Enfin les trois

1. *Amphitryon : hôte qui offre à dîner.*
2. *Cantharide : mouche dont la poudre sert de vésicatoire et d'aphrodisiaque.*
3. *Upas : substance vénéneuse dont les habitants des îles de la Sonde enduisaient leurs flèches. Pour le mancenillier, voir la note p. 500.*
4. *Cadet de Gassicourt : il y eut toute une dynastie de pharmaciens et chimistes portant ce nom : Louis-Claude (1731-1799), Charles-Louis, son fils (1769-1821), premier pharmacien de Napoléon en 1809 et oppositionnel sous la Restauration, et Charles-Louis Félix, son petit-fils (1789-1861), libéral notoire.*
5. *Porphyriser : réduire en poudre très fine.*
6. *Citons ici Michel Butor : « Aujourd'hui nous prononçons toujours ce mot en faisant sonner l's final, justement pour éviter des ambiguïtés de ce genre ; mais dans la France ancienne, sang et sens allaient forcément ensemble » (Improvisations sur Flaubert, Éditions de la Différence, 1984, p. 82).*

chevaux détalèrent, et l'on trouva généralement qu'il n'avait
point montré de complaisance.

L'attention publique fut distraite par l'apparition de M.
Bournisien, qui passait sous les halles avec les saintes huiles.

5 Homais, comme il le devait à ses principes, compara les
prêtres à des corbeaux qu'attire l'odeur des morts ; la vue
d'un ecclésiastique lui était personnellement désagréable,
car la soutane le faisait rêver au linceul, et il exécrait l'une un
peu par épouvante de l'autre.

10 Néanmoins, ne reculant pas devant ce qu'il appelait *sa
mission*, il retourna chez Bovary en compagnie de Canivet,
que M. Larivière, avant de partir, avait engagé fortement à
cette démarche ; et même, sans les représentations de sa
femme, il eût emmené avec lui ses deux fils, afin de les
15 accoutumer aux fortes circonstances, pour que ce fût une
leçon, un exemple, un tableau solennel qui leur restât plus
tard dans la tête.

La chambre, quand ils entrèrent, était toute pleine d'une
solennité lugubre. Il y avait sur la table à ouvrage recouverte
20 d'une serviette blanche, cinq ou six petites boules de coton[1]
dans un plat d'argent, près d'un gros crucifix, entre deux
chandeliers qui brûlaient. Emma, le menton contre sa poitrine, ouvrait démesurément les paupières : et ses pauvres
mains se traînaient sur les draps, avec ce geste hideux et
25 doux des agonisants qui semblent vouloir déjà se recouvrir
du suaire. Pâle comme une statue, et les yeux rouges
comme des charbons, Charles, sans pleurer, se tenait en
face d'elle, au pied du lit, tandis que le prêtre, appuyé sur un
genou, marmottait des paroles basses.

30 Elle tourna sa figure lentement, et parut saisie de joie à
voir tout à coup l'étole violette, sans doute retrouvant au
milieu d'un apaisement extraordinaire la volupté perdue de
ses premiers élancements mystiques, avec des visions de
béatitude éternelle qui commençaient.

35 Le prêtre se releva pour prendre le crucifix ; alors elle
allongea le cou comme quelqu'un qui a soif, et, collant ses
lèvres sur le corps de l'Homme-Dieu, elle y déposa de toute
sa force expirante le plus grand baiser d'amour qu'elle eût
40 jamais donné. Ensuite il récita le *Misereatur* et l'*Indulgentiam*[2] ①, trempa son pouce droit dans l'huile et commença
les onctions : d'abord sur les yeux, qui avaient tant convoité
toutes les somptuosités terrestres ; puis sur les narines, friandes de brises tièdes et de senteurs amoureuses ; puis sur la

1. *Elles serviront à administrer les huiles lors de l'extrême-onction.*
2. *Prières qui suivent le Confiteor dans
le rite catholique de l'extrême-onction.*

Variation sur l'extrême-onction

« Le prêtre se releva pour prendre le crucifix ; alors elle allongea le cou comme quelqu'un qui a soif, et, collant ses lèvres sur le corps de l'Homme-Dieu, elle y déposa, de toute sa force expirante, le plus grand baiser d'amour qu'elle eût jamais donné. Ensuite il récita le *Misereatur* et l'*Indulgentiam*, *prononça quelques paroles d'absolution et trempant* son pouce dans l'huile *sainte, il* commença les onctions : d'abord sur les yeux, qui avaient tant convoité toutes les somptuosités terrestres ; puis sur les narines, *autrefois* friandes de brises tièdes et de senteurs amoureuses ; puis sur la bouche, qui s'était ouverte pour le mensonge, qui avait gémi d'orgueil et crié dans la luxure ; puis sur les mains, qui se délectaient aux contacts suaves *et que les vers du tombeau, tout à l'heure, ne pourraient même pas chatouiller.*
Et chaque fois, il lui essuyait la peau doucement avec un des brins de coton qu'il remettait ensuite dans le plat. Elle se laissait faire immobile et souriait toujours.
Mais il n'en avait pas fini, il s'avança vers le fond de l'alcôve, retira la couverture qui bordait le matelas et lui

découvrit les pieds. Ils étaient blancs comme de l'albâtre avec les ongles bleus et un peu fléchis du bout. Et Charles quelque temps suivit d'un regard idiot tous les mouvements du prêtre qui les préparait pour le dernier voyage où l'on ne marche pas. La première fois qu'il les avait aperçus, c'était un soir, quand il venait de dénouer, à genoux, les rubans minces de ses souliers blancs. Et la maison autour de lui chantait d'allégresse, comme son cœur enivré. Il frémissait dans les éblouissements de la possession prochaine et se sentait alors comme suffoqué sous le débordement d'un espoir infini, plus doux même que le parfum de ses bandeaux, plus profond que ses yeux, plus abondant que sa robe, qui lui craquait entre les bras, avec un bruit d'étincelles. Et au milieu de leur silence, ils entendaient s'éloigner, l'une après l'autre, toutes les charrettes de la noce qui glissaient sur l'herbe.
Le curé tranquillement se lava les mains, jeta dans le feu les bribes de coton trempée s d'huile. *Elles crépitèrent quelque temps sur les charbons et disparurent.*
Puis il revint s'asseoir près de

la moribonde pour *la prêcher.*
Elle devait *remercier le Seigneur de ce sacrement*, joindre ses souffrances à celles de Jésus-Christ et s'abandonner maintenant à la *volonté* divine. *Il parlait vite d'une manière monotone, indistincte, entremêlant son discours de citations, et comme absorbé dans un recueillement qui sans doute venait plutôt des efforts de sa mémoire que d'une émotion quelconque. Car il semblait dire [une] leçon apprise, mais consciencieusement, bien qu'il se dépêchât, et sans passer un seul mot.*
Puis, quand il fut à la fin, il essaya de lui mettre entre les doigts un cierge bénit, symbole des gloires *paradisiaques*, *qu'*elle allait *contempler. Mais elle* ne put *le tenir. Il tomba par terre et s'*éteignit. *Pendant qu'il parlait* cependant, elle *avait fait de temps à autre des signes, comme si elle eût compris, et elle parut aller mieux, comme si le* sacrement l'eût *soulagée.* »

POMMIER-LELEU, pp. 611-612.

bouche, qui s'était ouverte pour le mensonge, qui avait gémi d'orgueil et crié dans la luxure ; puis sur les mains, qui se délectaient aux contacts suaves, et enfin sur la plante des pieds, si rapides autrefois quand elle courait à l'assouvis-
5 sance de ses désirs, et qui maintenant ne marcheraient plus.

Le curé s'essuya les doigts, jeta dans le feu les brins de coton trempés d'huile, et revint s'asseoir près de la moribonde pour lui dire qu'elle devait à présent joindre ses souffrances à celles de Jésus-Christ et s'abandonner à la miséri-
10 corde divine.

En finissant ses exhortations, il essaya de lui mettre dans la main un cierge bénit[1], symbole des gloires célestes dont elle allait tout à l'heure être environnée. Emma, trop faible, ne put fermer les doigts, et le cierge, sans M. Bournisien,
15 serait tombé à terre.

Cependant elle n'était pas aussi pâle, et son visage avait une expression de sérénité, comme si le sacrement l'eût guérie.

Le prêtre ne manqua point d'en faire l'observation ; il
20 expliqua même à Bovary que le Seigneur, quelquefois, prolongeait l'existence des personnes lorsqu'il le jugeait convenable pour le salut ; et Charles se rappela un jour où, ainsi près de mourir, elle avait reçu la communion.

— Il ne fallait peut-être pas se désespérer, pensa-t-il.
25 En effet, elle regarda tout autour d'elle, lentement, comme quelqu'un qui se réveille d'un songe ; puis, d'une voix distincte, elle demanda son miroir, et elle resta penchée dessus quelque temps, jusqu'au moment où de grosses larmes lui découlèrent des yeux. Alors elle se renversa la tête
30 en poussant un soupir et retomba sur l'oreiller.

Sa poitrine aussitôt se mit à haleter rapidement. La langue tout entière lui sortit hors de la bouche : ses yeux, en roulant, pâlissaient comme deux globes de lampe qui s'éteignent, à la croire déjà morte, sans l'effrayante accélération
35 de ses côtes, secouées par un souffle furieux, comme si l'âme eût fait des bonds pour se détacher. Félicité s'agenouilla devant le crucifix, et le pharmacien lui-même fléchit un peu les jarrets, tandis que M. Canivet regardait vaguement sur la place. Bournisien s'était remis en prière, la figure
40 inclinée contre le bord de la couche, avec sa longue soutane noire qui traînait derrière lui dans l'appartement. Charles était de l'autre côté, à genoux, les bras étendus vers Emma. Il avait pris ses mains et il les serrait, tressaillant à chaque bat-

1. *Bénit : à l'entrée « Bénit, ite et Béni, ie », Littré écrit : « De ces deux participes, bénit s'emploie lorsqu'il s'agit de la bénédiction des prêtres ; béni, lorsqu'il s'agit de la bénédiction de Dieu ou des hommes. »*

tement de son cœur, comme au contrecoup d'une ruine qui tombe. A mesure que le râle devenait plus fort, l'ecclésiastique précipitait ses oraisons : elles se mêlaient aux sanglots étouffés de Bovary, et quelquefois tout semblait disparaître
5 dans le sourd murmure des syllabes latines, qui tintaient comme un glas de cloche.

Tout à coup, on entendit sur le trottoir un bruit de gros sabots, avec le frôlement d'un bâton ; et une voix s'éleva, une voix rauque, qui chantait :

10   Souvent la chaleur d'un beau jour
             Fait rêver fillette à l'amour.

Emma se releva comme un cadavre que l'on galvanise, les cheveux dénoués, la prunelle fixe, béante.

             Pour amasser diligemment
15   Les épis que la faux moissonne,
             Ma Nanette va s'inclinant
             Vers le sillon qui nous les donne.

— L'Aveugle ! s'écria-t-elle.

Et Emma se mit à rire, d'un rire atroce, frénétique, déses-
20 péré, croyant voir la face hideuse du misérable, qui se dressait dans les ténèbres éternelles comme un épouvantement.

             Il souffla bien fort ce jour-là,   ⟨1⟩
             Et le jupon court s'envola !

Une convulsion la rabattit sur le matelas. Tous s'appro-
25 chèrent. Elle n'existait plus. ⟨2⟩ ⟨3⟩

Plusieurs vues sur l'aveugle

« L'Aveugle, plusieurs critiques l'ont dit, arrive trop à propos, c'est-à-dire juste à temps pour la mort d'Emma. Peut-être faudrait-il dire le contraire. C'est Emma mourante, c'est son état d'âme qui fait appel à la présence, en cet instant précis, de ce que l'Aveugle représente pour elle, depuis le moment où elle a reconnu grâce à lui la fausseté de sa propre position. Lorsqu'elle l'entend, avec le bruit des gros sabots et le frôlement du bâton et enfin la chanson qui résume une partie de sa vie à elle — Flaubert a attendu jusqu'à cette scène pour nous en donner un plus long extrait —, c'est sa réaction, son rire "atroce, frénétique, désespéré" qui hâte sa dernière convulsion. On a voulu voir dans l'Aveugle un symbole de la mort, de la fatalité, de la damnation. Il y a du vrai dans ces interprétations, mais si l'Aveugle signifie damnation, c'est surtout parce qu'Emma se sent condamnée. Comme les âmes de l'enfer dantesque elle est en constante révolte. Elle se damne elle-même et pour toujours. La conscience, la conscience humaine a fait son travail. [...] Les apparitions du mendiant ne devraient pas être alors considérées comme des incidents accessoires et encore moins les vestiges d'un romantisme que Flaubert ne réussirait pas à éliminer. Selon nous, il a su créer, dans *Madame Bovary*, un personnage où il a pu incorporer sa propre morale, sans contrevenir au principe selon lequel "l'auteur, dans son œuvre, doit être comme Dieu dans l'univers, présent partout, et visible nulle part". Dans l'infirmité et la laideur de l'Aveugle, Emma reconnaît sa culpabilité et Homais, peut-être, son insuffisance. Les autres habitants de Yonville auraient pu, eux aussi, reconnaître dans ce "miroir de la conscience" leurs propres fautes, mais, insensibles et endurcis, ils aiment mieux rire devant "la comédie" qu'Hivert fait "montrer" avec son fouet. L'Aveugle représente donc, nous semble-t-il, un des cas où Flaubert tout en restant invisible fait sentir sa présence éthique. Les scènes où le "pauvre bougre" paraît permettent à l'écrivain de critiquer les hommes et la société, sans s'arroger "le droit de conclure". »

MAX APRILE, 1976,
Op. cit., pp. 391-392.

Cette interprétation s'ajoute à toutes celles que le personnage de l'aveugle a suscitées, tant son rôle, et ses modalités d'apparition, semblent appeler, voire provoquer, le discours interprétatif ou herméneutique. Ne serait-ce pas aussi une suprême ironie de Flaubert que de faire circuler dans son roman une figure si éminemment symbolique qu'elle dénonce du même coup la lourde fonction du symbole dans toute fiction ? En tout état de cause, Max Aprile dresse dans son article une liste des principaux résultats de cette quête infinie du sens :

« — Albert Thibaudet, *Gustave Flaubert,* Gallimard, 1935 (première version 1922) : "Le roman de Flaubert est aussi janséniste que la *Phèdre* de Racine, et il a donné à la mort d'Emma une figure de Damnation. Il a voulu que le démon y fût présent, sous la figure de l'aveugle, du monstre grimaçant..." (p. 102).
— Don-Louis Demorest, *L'Expression figurée et symbolique dans l'œuvre de Gustave Flaubert,* Les Presses Modernes, 1931 : "... pour Emma l'incarnation de Némésis" (p. 466).
— Léon Bopp, *Commentaire sur "Madame Bovary* »*,* Neuchâtel, 1951 : « La damnation

qui la menace peut-être..." (p. 506).

— A.G. Engstrom, "Flaubert's *Correspondance* and the Ironic and Symbolic Structure of *Madame Bovary*", *Studies in Philology*, juillet 1949 : "... Blind Fate or Death or one of the Three Fates that include death in their gifts to men" (p. 494).

— Benjamin Bart, "Aesthetic Distance in *Madame Bovary*", *PMLA*, LXXIX, 1954 : For Emma, no more suns could rise: she faced man's eternal meaning and found there eternal darkness, *malédiction*" (p. 1125).

— Margaret Tillet, *On Reading Flaubert*, Londres, 1961 : "... the embodiment of Emma's degradation" (p. 33).

— Alison Fairlie, "Flaubert : *Madame Bovary* ", *Studies in French Literature*, n° 8, 1962 : "... conveys the menace of the grotesque behind all humain pretentions" (p. 265).

— Harry Levin, *The Gates of Horn*, New York, 1963 : "... the dog-like Blind Man, is linked by a grotesque affinity with Emma herself. Envisaging him as a "monster", a *memento mori*, and incarnation of fleshly frailty..." (p. 265).

— Enid Starkie, *Flaubert : The Making of the Master*, Londres, 1967 : "... a symbolic retribution" (p. 348).

— Victor Brombert, *The Novels of Flaubert. A Study of Themes and Techniques*, Princeton, 1966 : "... like the embodiment of corruption and meaningless death [...] a hopeless impass in the face of the Absolute" (pp. 74-75).

— Murray Sachs, "The Role of the Blind Beggar in *Madame Bovary*", *Symposium*, Printemps 1968 : "... he stands quite simply for reality" (p. 74). »

Op. cit., p. 385.

A cette liste établie dans l'ordre chronologique, on ajoutera Jacques-Louis Douchin, Le Sentiment de l'absurde chez Gustave Flaubert, Archives des lettres modernes, n° 110, Minard, 1970 : "(comme le chien de la première Éducation sentimentale) l'aveugle s'efforce de signifier à Emma (...) la tragique réalité d'une existence absurde » (p. 61).

② Au procès : l'extrême-onction, prétexte à jouissance ou scène pathétique ?

« Paroles saintes et sacrées pour tous » selon le procureur Pinard, le rituel de l'extrême-onction semble détourné de sa fonction sacramentelle au profit d'une "image voluptueuse sur la vie passée ». Cette thèse de l'accusation, pour qui le Quidquid per pedes, per aures, per pectus,., est amputé ici du misericordia qui les suit toujours, "péché d'un côté, miséricorde de l'autre », prend place dans une mise en cause générale de la mort d'Emma :

Réquisitoire :

« Voilà la scène de la mort. Je l'ai abrégée, je l'ai groupée en quelque sorte. C'est à vous de juger et d'apprécier si c'est là le mélange du sacré au profane, ou si ce ne serait pas plutôt le mélange du sacré au voluptueux. »

Plaidoirie :

« La dernière scène du roman de *Madame Bovary* a été faite comme toute l'étude de ce type, avec les documents religieux. M. Flaubert a fait la scène de l'extrême-onction avec un livre que lui avait prêté un vénérable ecclésiastique de ses amis, qui a lu cette scène, qui en a été touché jusqu'aux larmes, et qui n'a pas imaginé que la majesté de la Religion pût en être offensée. Ce livre est intitulé : *Explication historique, dogmatique, morale, liturgique et* canonique du catéchisme, avec la réponse aux objections tirées des sciences contre la religion, par M. l'Abbé Ambroise Guillois, curé de Notre-Dame-du-Pré, au Mans, 6e édition, etc., ouvrage approuvé par Son Éminence le cardinal Gousset, N.N.S.S. les Évêques et Archevêques du Mans, de Tours, de Bordeaux, de Cologne, etc., tome 3e, imprimé au Mans par Charles Monnoyer, 1851. »

Maître Sénard fait également référence à Sainte-Beuve qui utilise lui aussi une extrême-onction dans son roman Volupté, *comme bien d'autres écrivains du XIXe siècle pour qui il s'agit bien souvent d'un grand moment pathétique dans la fiction :*

« Ayant revêtu l'étole violette et assisté du recteur, je m'approchai de madame de Couaën. Après l'avoir prévenue de quelques endroits où elle aurait à répondre *oui, monsieur*, à mes questions, j'entrai dans l'application du sacrement, et j'opérai bientôt les onctions en signe de croix aux sept lieux désignés. Ce qui se passait en moi tandis que je parcourais et réparais ainsi avec le sacré pinceau les paupières, les oreilles, les narines, la bouche, le cou, les mains et les pieds de cette mourante, en commençant par les yeux, comme le sens le plus vif, le plus prompt, le plus vulnérable, et dans les organes doubles, en commençant par celui de droite, comme étant le plus vif encore et le plus accessible ; ce qu'enfermait à mon esprit d'idées infinies à la fois et appropriées chaque brève formule que j'articulais ; ce qui, pour mieux dire, s'échappant de mes mains en pluie bénie, roulait en saint orage au-dedans de moi, cela n'a pas de nom dans les langues, mon ami, et ne se pourrait égaler que sur l'orgue éternel. Mais il vous est aisé d'ébaucher une ombre, de vous écrier, si vous le voulez, dans un écho tout brisé et affaibli d'une pensée incommunicable :

"Oh ! oui donc, à ces yeux d'abord, comme au plus noble et au plus vif des sens ; à ces yeux, pour ce qu'ils ont vu, regardé de trop tendre, de trop perfide en d'autres yeux, de trop mortel ; pour ce qu'ils ont lu et relu d'attachant et de trop chéri ; pour ce qu'ils ont versé de vaines larmes sur les biens fragiles et sur les créatures infidèles, pour le sommeil qu'ils ont tant de fois oublié, le soir, en y songeant !

A l'ouïe aussi, pour ce qu'elle a entendu et s'est laissé dire de trop doux, de trop flatteur et enivrant ; pour ce suc que l'oreille dérobe lentement aux paroles trompeuses, pour ce qu'elle y boit de miel caché !

A cet odorat ensuite, pour les trop subtils et voluptueux parfums des soirs de printemps au fond des bois, pour les fleurs reçues le matin et, tout le jour, respirées avec tant de complaisance !

Aux lèvres, pour ce qu'elles ont prononcé de trop confus ou de trop avoué ; pour ce

qu'elles n'ont pas répliqué en certains moments ou ce qu'elles n'ont pas révélé à certaines personnes ; pour ce qu'elles ont chanté dans la solitude de trop mélodieux et de trop plein de larmes ; pour leur murmure inarticulé, pour leur silence !

Au cou au lieu de la poitrine, pour l'ardeur du désir, selon l'expression consacrée *(propter ardorem libidinis)* ; oui, pour la douleur des affections, des rivalités, pour le trop d'angoisse des humaines tendresses, pour les larmes qui suffoquent un gosier sans voix, pour tout ce qui fait battre un cœur ou ce qui le ronge !

Aux mains aussi, pour avoir serré une main qui n'était pas saintement liée ; pour avoir reçu des pleurs trop brûlants ; pour avoir peut-être commencé d'écrire, sans l'achever, quelque réponse non permise !

Aux pieds pour n'avoir pas fui, pour avoir suffi aux longues promenades solitaires, pour ne s'être pas lassés assez tôt au milieu des entretiens qui s a n s c e s s e r e - commençaient !'' »

SAINTE-BEUVE, 1834, *Volupté.*

 ## Quelques propositions pour un commentaire de la mort d'Emma

Nous examinerons le chapitre 8 de la dernière partie à partir de l'empoisonnement, en nous limitant, pour des raisons de place et pour imposer une limite à la prolifération du commentaire, éternelle tentation et éternel danger, rendu encore plus menaçant par la spécificité du texte flaubertien, à quelques considérations parcellaires.

Nous étudierons successivement le problème de la représentation, puisque Flaubert travaille sur une scène obligée, le statut de la mort et l'accumulation exhibée des formes conclusives, étant bien entendu qu'il ne s'agit pas de la fin du livre mais de celle d'un personnage.

1) La question de la représentation

On peut distinguer trois phases dans ce passage : la découverte de l'empoisonnement, les tentatives pour y remédier, la dérive mystique que conclut la mort elle-même.

Se met donc en place un système d'attentes qui vise à suivre le lent et terrible travail de l'arsenic, auquel Emma prêtait à tort des vertus foudroyantes et douces à la fois (« Ah ! c'est bien peu de chose, la mort ! pensait-elle ; je vais m'endormir, et tout sera fini ! »), et à retarder la nécessaire conclusion d'un moment pathétique.

Une ironie du texte joue ici : Emma avait quitté la représentation de l'opéra avant le troisième acte pleinement tragique, elle avait abandonné la visite de la cathédrale avant de voir le portail des damnés. La mort la rattrape et se venge : au lieu d'une mort béate, céleste, elle aura une effroyable agonie. L'intimité de l'empoisonnement en la seule présence de Justin, agent involontaire, le constitue en personnage tragique.

C'est donc la tragédie qui se trouve ici convoquée avec toutes les ressources du pathétique : progression de la souffrance, douleur de Charles, réunion avec l'enfant, impuissance de toute intervention humaine, rire atroce... La tragédie retrouve son caractère terrifiant, la dramatisation est admirablement agencée.

L'aveugle participe de cette esthétique. Certes, il symbolise le destin, mais surtout la chanson dit dérisoirement la vérité du désir féminin. Sa présence vaut alors comme contrepoint : instance du contre-sublime, il commente la mort d'Emma. Son irruption la précipite en parodiant le surnaturel. De plus, cet avatar de Tirésias représente allégoriquement la décomposition puisqu'il en porte les stigmates sur son repoussant faciès. C'est donc bien une figure de rassemblement dont le grotesque horrible renforce et nie en même temps le sublime de la scène. Enfin, l'ultime hallucination d'Emma qui croit « voir la face hideuse du misérable, qui se dressait dans les ténèbres éternelles comme un épouvantement » le tire du côté des figures infernales.

Nous y reviendrons.

Mais avant cette confrontation, il a fallu en passer par le désarroi de Charles, dont l'affolement procède de l'amour, ici revivifié, et des limites professionnelles, et par son doublet grotesque en la personne d'Homais qui confine à sa propre caricature. Tout son savoir se révèle pure application imbécile de recettes dérisoirement inefficaces, concaténation d'axiomes vides, conformité à un code et une pose : « Du calme ! », « c'est évident », « c'est peut-être un paroxysme salutaire », etc. La compétence de Canivet, si triomphant lors de l'épisode du pied-bot, trouve aussi sa limite, il sera le Bovary de Larivière. Homais, lui, triomphe, déjà...

Ainsi, toute la scène construit sa dramatisation selon un diptyque pathétique sublime/grotesque. Mais le grotesque n'annule pas le sublime, et l'analyse du statut de la mort va nous permettre de préciser ce point.

2) L'amère mort

Le titre de l'opéra, *Lucia de Lammermoor,* trouve ici tout son sens. Comme disait Charles : « Elle a les cheveux dénoués : cela promet d'être tragique » (p. 542). De même que la mort lyrique a rapport au sacré, la mort d'Emma va se sacraliser.

D'abord, la disparition d'Emma prend la forme d'une punition du corps, ce corps qui a joui, et que le rite de l'extrême-onction décompose en autant de parties désirantes. L'insistance sur les phases successives de l'agonie procède autant du souci de vérité clinique (l'on sait que Flaubert s'est abondamment documenté sur les empoisonnements à l'arsenic) que de la convocation de tout ce qui a précédé dans la fiction concernant l'Emma charnelle. Ensuite, Emma entend assouvir un désir de destin, enfin maîtriser sa vie en maîtrisant sa mort. Son « Il le fallait, mon ami », dans sa sobriété s'abolit comme cliché pour retrouver un sens profond. Tout conduisait à cette mort, tout pourrait prendre sens par cette mort. De fait, Emma, pour la première et la dernière fois de sa vie, renonce aux clichés. Ses paroles ne renvoient qu'au réel de la situation : « Ah ! c'est atroce, mon Dieu ! », « Oui..., c'est vrai..., tu es bon, toi ! », « Amenez-moi la petite », « L'Aveugle ! ». Par là, elle accède au mystère. En effet, de décodable qu'elle était pour le lecteur, elle devient pur signe de la souffrance, incompréhensible selon les critères adoptés jusque-là. Le spectacle qu'elle donne l'établit dans sa nouvelle vérité, celle de la damnée.

Flaubert joue sur la culpabilité, déplaçant l'ironie d'Emma vers l'inscription sociale du préjugé. Emma meurt tragiquement à cause du mode de fonctionnement et des tabous d'une société hypocrite. D'où le tableau comique de la micro-société yonvillaise et le comportement d'Homais. L'ironie de Flaubert porte également sur le statut du crucifix. Il devrait permettre le rachat, absoudre *in articulo mortis* la coupable. Or, loin de légaliser et de récupérer Emma, il lui autorise une dérive de ses désirs d'amour. Elle parachève son rituel amoureux. Dans cette joie dont elle est saisie, ces retrouvailles avec la volupté mystique et ce baiser éperdu, toute sa vie se rassemble et se confirme. Le potentiel romanesque se maintient en s'achevant.

A cette synthèse des désirs d'Emma, un moment réunis avant la plongée dans le néant, répond le comique de comédie qui parcourt toute la scène, et plus précisément Molière : le latin médical, le vocabulaire technique, l'impuissance du médecin, la suffisance du pharmacien, et jusqu'au défilé des malades imaginaires devant Larivière. Ce comique redouble, amplifie et fait durer l'agonie, la fait voir dans sa matérialité, en permet, comme dirait Homais, l'analyse. Même organisation en diptyque donc, dont Emma sort comme victime irrécupérable. C'est bien la conclusion indépassable.

3) La mort comme fin

Emma meurt en femme. Qu'est-ce à dire ? On relève une intéressante similitude entre les gestes de la mort, ceux de l'amour et ceux de l'hystérie, délire féminin s'il en est. La mort apparaît comme un paroxysme de la féminité, comme le point d'orgue d'un roman de la femelle (étant bien entendu que nous ne reprenons pas à notre compte ce que nous attribuons à la vision flaubertienne de la femme). Convulsionnaire, Emma se donne à voir dans l'appareil d'une beauté défaite qui s'arrache à la vie ; tétanisée, elle se statufie comme idéal inversé de la femme ; haletante, elle atteint la limite d'un corps travaillé par les désirs.

Emma se purge, oui, mais de quoi ? Ce goût d'encre, affreux, qu'elle a dans la bouche, n'est-ce pas celui des livres qu'elle a ingurgités ? Elle vomit ses lectures, subit une superpurgation de ses clichés. Mais son dernier acte aura été une lettre, celle qui met fin à toutes les autres, qui l'achève comme écrivain. Le rapport au signe se dérègle chez les autres : Charles feuillette fébrilement un dictionnaire de médecine et ne peut le lire, Homais doit faire quinze brouillons pour écrire à Larivière. C'est un texte chanté qui galvanise Emma. Lecture et écriture sont donc convoquées à sa mort, comme elles ont façonné sa vie.

Un détail important participe de cette accumulation de formes conclusives : le miroir qu'elle demande après l'extrême-onction. Il s'agit pour elle de s'identifier enfin, de se regarder telle qu'en elle-même, mais, loin de la rasséréner, ce stade du miroir provoque larmes et soupirs. Emma s'échappe une dernière fois. C'est l'image terrifiante d'une exclue que le miroir lui renvoie. Nulle intégration, nul reclassement ne sont possibles.

Enfin, et c'est pour cette fin que nous l'avions réservé, il faut parler de Larivière. Dieu flaubertien, le docteur n'est en rien ironisé. Certes, son arrivée, commentée par le narrateur (« L'apparition d'un dieu n'eût pas causé plus d'émoi »), sa participation à la scène de comédie du banquet d'Amphitryon relèvent du comique, mais il lui échappe en tant que personnage. Surhumain («saint» ou «démon»), puits de science, sondeur des reins et des cœurs, il représente le Savoir et le Pouvoir. Maître de la médecine et du langage (le calembour passé inaperçu), il ne guérit pas, se contentant de constater l'inéluctable et de poser une question sur l'origine de l'empoisonnement, tout en condamnant l'incompétence des autres. Son commentaire (« C'est bien, c'est bien ») est lourd de signification : il renvoie la mort d'Emma à son statut de fin nécessaire. Si l'aveugle était un contre-dieu, il est le dieu, mais ils assurent la même fonction.

De plus, il serait possible d'y voir une figure auctoriale, non seulement parce qu'il a rapport au père de Flaubert, mais aussi et surtout parce qu'il confirme la logique de la fiction. Son impuissance signifie l'impossibilité d'intervention de la seule part valide de la société. Par sa seule présence, puisqu'au fond il se réduit à cela, il dénonce les illusions, en posant, sans y répondre, la question du sens.

D'Emma il ne reste qu'un cadavre, qui sera décrit au chapitre suivant. Le projet de Flaubert trouve ici son aboutissement, ce qui n'implique pas que la fiction le trouve, elle. Il reste à dire dans l'économie du roman : il faut tuer Charles, exiler Berthe à l'usine et faire triompher Homais. Mais si l'on admet que l'écriture de *Madame Bovary* est en dernière instance écriture de la mort et du néant, c'est en ce chapitre, éventuellement complété par le portrait d'Emma en cadavre, qu'elle s'accomplit et justifie sa motivation. Cette poursuite de la mort en son lieu d'élection rejoint une préoccupation essentielle de Flaubert, aux implications métaphysiques

certaines, déjà exprimées dans une lettre de jeunesse : « *Comme si ce n'était pas assez de toutes les pourritures et de toutes les infections qui ont précédé notre naissance* et qui nous reprendront à notre mort, nous ne sommes pendant notre vie que corruptions et putréfactions successives, alternatives, envahissantes l'une sur l'autre. »

IX

Il y a toujours, après la mort de quelqu'un, comme une stupéfaction qui se dégage, tant il est difficile de comprendre cette survenue du néant et de se résigner à y croire ①. Mais, quand il s'aperçut pourtant de son immobilité, Charles se
5 jeta sur elle en criant :

— Adieu ! adieu !

Homais et Canivet l'entraînèrent hors de la chambre.

— Modérez-vous !

— Oui, disait-il en se débattant, je serai raisonnable, je ne
10 ferai pas de mal. Mais laissez-moi ! je veux la voir ! c'est ma femme !

Et il pleurait.

— Pleurez, reprit le pharmacien, donnez cours à la nature, cela vous soulagera !

15 Devenu plus faible qu'un enfant, Charles se laissa conduire en bas, dans la salle, et M. Homais bientôt s'en retourna chez lui.

Il fut, sur la Place, accosté par l'Aveugle, qui, s'étant traîné jusqu'à Yonville dans l'espoir de la pommade antiph-
20 logistique, demandait à chaque passant où demeurait l'apothicaire.

— Allons, bon ! comme si je n'avais pas d'autres chiens à fouetter ! Ah ! tant pis, reviens plus tard !

Et il entra précipitamment dans la pharmacie.

25 Il avait à écrire deux lettres, à faire une potion calmante pour Bovary, à trouver un mensonge qui pût cacher l'empoisonnement et à le rédiger en article pour le *Fanal* — sans compter les personnes qui l'attendaient, afin d'avoir des informations ; et, quand les Yonvillais eurent tous entendu
30 son histoire d'arsenic qu'elle avait pris pour du sucre, en faisant une crème à la vanille, Homais, encore une fois, retourna chez Bovary.

Il le trouva seul (M. Canivet venait de partir), assis dans le fauteuil, près de la fenêtre, et contemplant d'un regard idiot
35 les pavés de la salle.

Au procès : où est la morale ?

Réquisitoire :

« Ma tâche remplie, il faut attendre les objections ou les prévenir. On nous dira comme objection générale : mais, après tout, le roman est moral au fond, puisque l'adultère est puni ? A cette objection, deux réponses : je suppose l'œuvre morale, par hypothèse, une conclusion morale ne pourrait pas amnistier les détails lascifs qui peuvent s'y trouver. Et puis je dis : l'œuvre au fond n'est pas morale.

Je dis, messieurs, que des détails lascifs ne peuvent pas être couverts par une conclusion morale, sinon on pourrait raconter toutes les orgies imaginables, décrire toutes les turpitudes d'une femme publique, en la faisant mourir sur un grabat à l'hôpital. Il serait permis d'étudier et de montrer toutes ses poses lascives ! Ce serait aller contre toutes les règles du bon sens. Ce serait placer le poison à la portée de tous et le remède à la portée d'un bien petit nombre, s'il y avait un remède. Qui est-ce qui lit le roman de M. Flaubert ? Sont-ce des hommes qui s'occupent d'économie politique ou sociale ? Non ! Les pages légères de *Madame Bovary* tombent en des mains plus légères, dans des mains de jeunes filles, quelquefois de femmes mariées. Eh bien, lorsque l'imagination aura été séduite, lorsque cette séduction sera descendue jusqu'au cœur, lorsque le cœur aura parlé aux sens, est-ce que vous croyez qu'un raisonnement bien froid sera bien fort contre cette séduction des sens et du sentiment ? Et puis, il ne faut pas que l'homme se drape trop dans sa force et dans sa vertu, l'homme porte les instincts d'en bas et les idées d'en haut, et, chez tous, la vertu n'est que la conséquence d'un effort, bien souvent pénible. Les peintures lascives ont généralement plus d'influence que les froids raisonnements. Voilà ce que je réponds à cette théorie, voilà ma première réponse, mais j'en ai une seconde.

Je soutiens que le roman de *Madame Bovary*, envisagé au point de vue philosophique, n'est point moral. Sans doute Mme Bovary meurt empoisonnée ; elle a beaucoup souffert, c'est vrai ; mais elle meurt à son heure et à son jour, mais elle meurt, non parce qu'elle est adultère, mais parce qu'elle l'a voulu ; elle meurt dans tout le prestige de sa jeunesse et de sa beauté ; elle meurt après avoir eu deux amants, laissant un mari qui l'aime, qui l'adore, qui trouvera le portrait de Rodolphe, qui trouvera ses lettres et celles de Léon, qui lira les lettres d'une femme deux fois adultère, et qui, après cela, l'aimera encore davantage au-delà du tombeau. Qui peut condamner cette femme dans le livre ? Personne. Telle est la conclusion. Il n'y a pas dans le livre un personnage qui puisse la condamner. Si vous y trouvez un personnage sage, si vous y trouvez un seul principe en vertu duquel l'adultère soit stigmatisé, j'ai tort. Donc si, dans tout le livre, il n'y a pas un personnage qui puisse lui faire courber la tête, s'il n'y a pas une idée, une ligne en vertu de laquelle l'adultère soit flétri, c'est moi qui ai raison, le livre est immoral !

[...]

Et moi je dis que si la mort est la survenue du néant, que si le mari béat sent croître son amour en apprenant les adultères de sa femme, que si l'opinion est représentée par des êtres grotesques, que si le sentiment religieux est représenté par un prêtre ridicule, une seule personne a raison, règne, domine : c'est Emma

Bovary. Messaline a raison contre Juvénal.

Voilà la conclusion philosophique du livre, tirée non par l'auteur, mais par un homme qui réfléchit et approfondit les choses, par un homme qui a cherché dans le livre un personnage qui pût dominer cette femme. Il n'y en a pas. Le seul personnage qui y domine, c'est Mme Bovary. Il faut donc chercher ailleurs que dans le livre, il faut chercher dans cette morale chrétienne qui est le fond des civilisations modernes. Pour cette morale, tout s'explique et s'éclaircit. En son nom l'adultère est stigmatisé, condamné, non pas parce que c'est une imprudence qui expose à des désillusions et à des regrets, mais parce que c'est un crime pour la famille. Vous stigmatisez et vous condamnez le suicide, non pas parce que c'est une folie, le fou n'est pas responsable ; non pas parce que c'est une lâcheté, il demande quelquefois un certain courage physique, mais parce qu'il est le mépris du devoir dans la vie qui s'achève, et le cri de l'incrédulité dans la vie qui commence.

Cette morale stigmatise la littérature réaliste, non pas parce qu'elle peint les passions : la haine, la vengeance, l'amour ; le monde ne vit que là-dessus, et l'art doit les peindre ; mais quand elle les peint sans frein, sans mesure. L'art sans règle n'est plus l'art ; c'est comme une femme qui quitterait tout vêtement. Imposer à l'art l'unique règle de la décence publique, ce n'est pas l'asservir, mais l'honorer. On ne grandit qu'avec une règle. Voilà, messieurs, les principes que nous professons, voilà une doctrine que nous défendons avec conscience. »

Plaidoirie :

« Qu'est-ce que M. Gustave Flaubert a voulu peindre ? D'abord une éducation donnée à une femme au-dessus de la condition dans laquelle elle est née, comme il arrive, il faut bien le dire, trop souvent chez nous ; ensuite, le mélange d'éléments disparates qui se produit ainsi dans l'intelligence de la femme, et puis, quand vient le mariage, comme le mariage ne se proportionne pas à l'éducation, mais aux conditions dans lesquelles la femme est née, l'auteur a expliqué tous les faits qui se passent dans la position qui lui est faite.

Que montre-t-il encore ? Il montre une femme allant au vice par la mésalliance, et du vice au dernier degré de la dégradation et du malheur.

[...]

Mais je puis dire, au contraire, que c'est là un hommage à la morale publique, qu'il n'y a rien de plus moral que cela ; je puis dire que, dans ce livre, le vice de l'éducation est animé, qu'il est pris dans le vrai, dans la chair vivante de notre société, qu'à chaque trait l'auteur nous pose cette question : "As-tu fait ce que tu devais pour l'éducation de tes filles ? La religion que tu leur as donnée, est-elle celle qui peut les soutenir dans les orages de la vie, ou n'est-elle qu'un amas de superstitions charnelles, qui laissent sans appui quand la tempête gronde ? Leur as-tu enseigné que la vie n'est pas la réalisation de rêves chimériques, que c'est quelque chose de prosaïque dont il faut s'accommoder ? Leur as-tu enseigné cela, toi ? As-tu fait ce que tu devais pour leur bonheur ? Leur as-tu dit : Pauvres enfants, hors de la route que je vous indique, dans les plaisirs que vous poursuivez, vous n'avez que le dégoût qui vous attend, l'abandon de la maison, le trouble, le désordre, la dilapidation, les convulsions, la saisie..." Et vous voyez si quelque chose manque au tableau, l'huissier est là, là aussi est le juif qui a vendu pour satisfaire les caprices de cette femme, les meubles sont saisis, la vente va avoir lieu ; et le mari ignore tout encore. Il ne reste plus à la malheureuse qu'à mourir !

Mais, dit le ministère public, sa mort est volontaire, cette femme meurt à son heure. Est-ce qu'elle pouvait vivre ? Est-ce qu'elle n'était pas condamnée ? Est-ce qu'elle n'avait pas épuisé le dernier degré de la honte et de la bassesse ?

Oui, sur nos scènes, on montre les femmes qui ont dévié, gracieuses, souriantes, heureuses, et je ne veux pas dire ce qu'elles ont fait. *Questum corpore fecerant.* Je me borne à dire ceci. Quand on nous les montre heureuses, charmantes, enveloppées de mousse-line, présentant une main gracieuse à des comtes, à des marquis, à des ducs, que souvent elles répondent elles-mêmes au nom de marquise ou de duchesse : voilà ce que vous appelez respecter la morale publique. Et celui qui vous présente la femme adultère mourant honteusement, celui-là commet un outrage à la morale publique ! »

Le rapprochement de l'accusation et de la défense ne peut que justifier ces lignes :

« Le débat s'est engagé sur un malentendu ; il est lui-même, par essence, malentendu. (...) (Si E. Pinard) relève des signes qui n'attentent que légèrement à la morale et à la religion, i.e. à cet ordre de réalité proprement sociologique qui définit le sacré, c'est faute de trouver, dans le texte, ceux qui prendraient en charge l'effet de sens qu'il éprouve comme nous l'éprouvons. (...) La péroraison cerne beaucoup plus étroitement la nature exacte de l'effet inter-subjectif, donc objectif, imputé à Flaubert. Tandis que le commentaire des passages incriminés peinait à déchiffrer, dans le plan de la manifestation, un sens justiciable de la condamnation demandée, la conclusion du réquisitoire — par un détachement anagogique — accuse le des-sein de Flaubert dans sa visée dévastatrice (...).

Comme la plaidoirie ne pouvait épargner à Flaubert le préjudice d'une condamnation matérielle qu'à s'inscrire dans l'espace symbolique, c'est-à-dire dans le système d'opposition, adopté ou préservé par l'accusation, il était inévitable qu'elle contribue à épaissir le malentendu qui obvie à la satisfaction sans mélange, à la paix que *Madame Bovary* devait procurer à son auteur.

Au rebours du réquisitoire, Maître Sénard a donc plaidé la moralité du texte, sa conformité du second degré au système des représentations sociales de cette fraction libérale de la grande bourgeoisie à laquelle il appartient. (...) On voit quelle collusion objective recouvre l'opposition entre le système de l'accusation et celui de la défense. »

PIERRE BERGOUNIOUX, 1979, *Flaubert et l'Autre,* thèse de troisième cycle inédite, École des Hautes Études en Sciences Sociales, avec l'aimable autorisation de l'auteur.

Chacun son métier les vaches sont bien gardées

— Il faudrait à présent, dit le pharmacien, fixer vous-même l'heure de la cérémonie.

— Pourquoi ? quelle cérémonie ?

Puis d'une voix balbutiante et effrayée :

5   — Oh ! non, n'est-ce pas ? non, je veux la garder.

Homais, par contenance, prit une carafe sur l'étagère pour arroser les géraniums.

— Ah ! merci, dit Charles, vous êtes bon !

Et il n'acheva pas, suffoquant sous une abondance de
10 souvenirs que ce geste du pharmacien lui rappelait.

Alors, pour le distraire, Homais jugea convenable de causer un peu horticulture ; les plantes avaient besoin d'humidité. Charles baissa la tête en signe d'approbation.

— Du reste, les beaux jours maintenant vont revenir.

15   — Ah ! fit Bovary.

L'apothicaire, à bout d'idées, se mit à écarter doucement les petits rideaux du vitrage.

— Tiens, voilà M. Tuvache qui passe.

Charles répéta comme une machine :

20   — M. Tuvache qui passe.

Homais n'osa lui reparler des dispositions funèbres ; ce fut l'ecclésiastique qui parvint à l'y résoudre.

Il s'enferma dans son cabinet, prit une plume, et, après avoir sangloté quelque temps, il écrivit :

25   *« Je veux qu'on l'enterre dans sa robe de noces, avec des souliers blancs, une couronne. On lui étalera ses cheveux sur les épaules ; trois cercueils, un de chêne, un d'acajou, un de plomb. Qu'on ne me dise rien, j'aurai de la force. On lui mettra par-dessus tout une grande pièce de velours vert.*
30 *Je le veux. Faites-le.* ① »

Ces messieurs s'étonnèrent beaucoup des idées romanesques de Bovary, et aussitôt le pharmacien alla lui dire :

— Ce velours me paraît une superfétation. La dépense, d'ailleurs...

35   — Est-ce que cela vous regarde ? s'écria Charles. Laissez-moi ! vous ne l'aimiez pas ! Allez-vous-en !

L'ecclésiastique le prit par-dessous le bras pour lui faire faire un tour de promenade dans le jardin. Il discourait sur la vanité des choses terrestres. Dieu était bien grand, bien
40 bon ; on devait sans murmure se soumettre à ses décrets, même le remercier.

Charles éclata en blasphèmes.

— Je l'exècre, votre Dieu !

Charles le masochiste

« Cliniquement, cet épisode se présente comme le moment de la victoire masochiste, mais aussi comme un acte maniaque par lequel il arrête les larmes. Tout ce qu'il vient d'écrire et surtout son moment culminant, la fin, est "Je le veux. Faites-le", sont l'ordre d'un prince. Pour une fois dans sa vie, Charles, afin d'endiguer la douleur du deuil, devient, entre une mort et l'autre, à la fois roi de Thèbes et prince de Mycène. La relation sadomasochiste ressemble à la guerre qui, comme le fait remarquer Fornari, en ce qui concerne le sentiment de culpabilité, revendique une étrange réciprocité, dans le sens que, pendant son action, elle fait penser à une ordalie en suspens. Dans la relation sadomasochiste, l'élaboration paranoïaque de la culpabilité fait en sorte que chaque partenaire puisse accuser l'autre de son propre malheur, consciemment comme le fait Emma, ou inconsciemment comme le fait Charles. Avec la mort de Emma qui, en se tuant, se venge, se rompt aussi le pacte sadomasochiste. A la vieille tendance caractérielle de Charles de nier la réalité, s'ajoute maintenant la tentative d'élaborer dans la manie la dépression qu'il devrait affronter s'il admettait pour lui-même qu'il a détruit la femme aimée. Dans l'ordre péremptoire de l'officier sanitaire il y a tous les thèmes de la tragédie : la vierge candide qu'il avait épousée en blanc, la reine couronnée, les innombrables reines qui ont obsédé Gustave-Charles, depuis Isabelle de Bavière, la parjure, jusqu'à Marguerite de Bourgogne, l'incestueuse reine des abeilles, "aux orgies sanglantes à la Tour de Nesles" ; "qu'on lui étale les cheveux" pour qu'elle apparaisse comme la Madeleine repentie, que l'on mette ensuite trois cercueils. Pourquoi donc ? Pour la première fois il se révolte aussi contre Dieu en blasphémant : "Je l'exècre votre Dieu."

Tout son amour et toute sa haine pèsent maintenant sur le corps sans vie de Emma, "il semblait à Charles que des masses infinies, qu'un poids énorme pesait sur elle". Le poids infini c'est celui de la culpabilité qui l'écrase. Emma lui apparaît pour ce qu'elle a vraiment été pour lui, une petite mouche prise dans une toile mince, "comme si des araignées avaient filé dessus". Mais Charles n'est pas capable, ne veut pas, élaborer le deuil, et combat la dépression avec un fantasme d'omnipotence : "Il se disait qu'en le voulant extrêmement il parviendrait peut-être à la ressusciter."

Il ne peut se permettre de prendre conscience du fait, que s'il a beaucoup aimé Emma, il l'a aussi haïe et crainte, il faut donc nier, nier... C'est dans trois cercueils qu'est enfermée la morte pour que le fantôme ne revienne pas le persécuter. Mais Emma reviendra : elle "le corrompait par-delà le tombeau", en l'obligeant à adopter ses goûts, ses idées ; il s'achète des chaussures en verni, porte des cravates blanches, met du cosmétique à ses moustaches et signe des traites, exactement comme elle le faisait. Pour se défendre de ses persécutions, il choisit un mécanisme primitif que les psychanalystes appellent identification à l'agresseur.

Même quand il a en main la première preuve, la lettre d'adieu de Rodolphe ("... un petit R au bas de la seconde page. Qu'était-ce ? Il se rappela les assiduités de Rodolphe, sa disparition soudaine et l'air contraint qu'il avait eu en le rencontrant depuis, deux ou trois fois..."). Il saura tout de suite trouver la réponse

— L'esprit de révolte est encore en vous, soupira l'ecclésiastique.

Bovary était loin. Il marchait à grands pas, le long du mur, près de l'espalier, et il grinçait des dents, il levait au ciel des
5 regards de malédiction ; mais pas une feuille seulement n'en bougea.

Une petite pluie tombait. Charles, qui avait la poitrine nue, finit par grelotter ; il rentra s'asseoir dans la cuisine.

A six heures, on entendit un bruit de ferraille sur la Place :
10 c'était l'Hirondelle qui arrivait ; et il resta le front contre les carreaux, à voir descendre les uns après les autres tous les voyageurs. Félicité lui étendit un matelas dans le salon ; il se jeta dessus et s'endormit.

Bien que philosophe, M. Homais respectait les morts.
15 Aussi, sans garder rancune au pauvre Charles, il revint le soir pour faire la veillée du cadavre, apportant avec lui trois volumes, et un portefeuille, afin de prendre des notes.

M. Bournisien s'y trouvait, et deux grands cierges brûlaient au chevet du lit, que l'on avait tiré hors de l'alcôve.
20 L'apothicaire, à qui le silence pesait, ne tarda pas à formuler quelques plaintes sur cette « infortunée jeune femme » ; et le prêtre répondit qu'il ne restait plus maintenant qu'à prier pour elle.

— Cependant, reprit Homais, de deux choses l'une : ou
25 elle est morte en état de grâce (comme s'exprime l'Église), et alors elle n'a nul besoin de nos prières ; ou bien elle est décédée impénitente (c'est, je crois, l'expression ecclésiastique), et alors...

Bournisien l'interrompit, répliquant d'un ton bourru qu'il
30 n'en fallait pas moins prier.

— Mais, objecta le pharmacien, puisque Dieu connaît tous nos besoins, à quoi peut servir la prière ?

— Comment ! fit l'ecclésiastique, la prière ! Vous n'êtes donc pas chrétien ?
35 — Pardonnez ! dit Homais. J'admire le christianisme. Il a d'abord affranchi les esclaves[1], introduit dans le monde une morale...

— Il ne s'agit pas de cela ! Tous les textes...

— Oh ! oh ! quant aux textes, ouvrez l'histoire ; on sait
40 qu'ils ont été falsifiés par les Jésuites.

Charles entra et, s'avançant vers le lit, il tira lentement les rideaux.

Emma avait la tête penchée sur l'épaule droite. Le coin de

1. « Christianisme. A affranchi les esclaves » (Dictionnaire des idées reçues).

pour nier : "Ils se sont peut-être aimés platoniquement."
A l'époque, il avait donc perçu tous les détails, mais les avait chassés de sa conscience, maintenant devant l'évidence des faits il continue à s'illusionner. Cela suffirait à prouver que Charles n'est pas un imbécile : l'imbécile n'a pas besoin de déplacer ou de nier avec autant d'intensité, l'imbécile, simplement ne comprend pas.

D'autre part, Flaubert joue tout l'itinéraire de la lettre de Rodolphe avec une extraordinaire maestria, en orchestrant les réactions des personnages en une partition parfaite, en entraînant le lecteur de façon à le convaincre que Bovary l'a déjà lue. Sa réaction finale (c'était seulement un amour platonique) a pour but de provoquer en nous une déception de plus. Pour Charles personne n'est coupable, de la même façon que personne n'était responsable de l'amputation de la jambe d'Hippolyte. Ce qui, en parlant avec le père Rouault, n'était encore qu'une "malédiction", avec Rodolphe devient pure "fatalité" ; Charles refuse même d'être impliqué en tant qu'individu persécuté. La faute en est à la fatalité ! Personne n'a de pouvoir sur son omnipotence. L'omnipotence, nous le verrons, peut être une

défense contre les fantasmes persécuteurs. La fatalité, le *fatum*, "la sombre puissance du destin", Freud l'a démontré, sont "la dernière représentation d'une chaîne qui commence avec les figures parentales...", la punition qui en découle est imputée au père, à la mère, ou à tous les deux.

"Une chose étrange, c'est que Bovary, tout en pensant à Emma continuellement, l'oubliait ; et il se désespérait à sentir cette image lui échapper de la mémoire au milieu des efforts qu'il faisait pour la retenir. "Charles veut retenir le souvenir de la femme qu'il aime et en même temps il veut se défaire du fantasme qui le persécute. Un rêve toujours identique lui revient chaque nuit : il s'approche de Emma mais quand il est sur le point de la prendre dans ses bras, elle tombe en putréfaction. Mais est-ce vraiment Emma la femme du rêve ? Charles le croit.

Son impossibilité, à la fois de l'oublier et de la reconstituer en lui-même, le déchire intérieurement au point de faire exploser toutes ses défenses : "Par respect, ou par une sorte de sensualité qui lui faisait mettre de la lenteur dans ses investigations, Charles n'avait pas encore ouvert le compartiment secret d'un bureau de

palissandre dont Emma se servait habituellement. Un jour, enfin, il s'assit devant, tourna la clef et poussa le ressort. Toutes les lettres de Léon s'y trouvaient. Plus de doute cette fois ! Il dévora jusqu'à la dernière, fouilla dans tous les coins, tous les meubles, tous les tiroirs, derrière les murs, sanglotant, hurlant, éperdu, fou. Il découvrit une boîte, la défonça d'un coup de pied. Le portrait de Rodolphe lui sauta en plein visage, au milieu des billets doux bouleversés."

"Il arrive un moment, écrit Gustave à Louise Collet dans une lettre de 1852, où l'on a besoin de se faire souffrir, haïr sa chair, de lui jeter de la boue au visage, tant elle vous semble hideuse."

Pour la première et la dernière fois de sa vie, Bovary ôte sa casquette de dessus ses yeux, poussé par le remords et par une sorte de sensualité désacralisante ; il renonce à la "cécité" et à ses défenses caractérielles. Il abandonne le *respect* qui lui avait permis de continuer à voir Emma comme une femme supérieure. L'idéalisation lui sert dans sa tentative de mettre de l'ordre dans ses sentiments et dans ses émotions. Souvent on idéalise une personne pour la protéger de ses propres attaques destructrices.

sa bouche, qui se tenait ouverte, faisait comme un trou noir
au bas de son visage ; les deux pouces restaient infléchis
dans la paume des mains ; une sorte de poussière blanche
lui parsemait les cils, et ses yeux commençaient à disparaître
5 dans une pâleur visqueuse qui ressemblait à une toile mince,
comme si des araignées avaient filé dessus. Le drap se creusait depuis ses seins jusqu'à ses genoux, se relevant ensuite à
la pointe des orteils ; et il semblait à Charles que des masses
infinies, qu'un poids énorme pesait sur elle.
10   L'horloge de l'église sonna deux heures. On entendait le
gros murmure de la rivière qui coulait dans les ténèbres, au
pied de la terrasse. M. Bournisien, de temps à autre, se
mouchait bruyamment, et Homais faisait grincer sa plume
sur le papier.
15   — Allons, mon bon ami, dit-il, retirez-vous, ce spectacle
vous déchire !

Charles une fois parti, le pharmacien et le curé recommencèrent leurs discussions.

— Lisez Voltaire ! disait l'un ; lisez d'Holbach[1], lisez
20 l'Encyclopédie[2] !

— Lisez les Lettres de quelques juifs portugais ! disait
l'autre ; lisez la Raison du christianisme, par Nicolas, ancien
magistrat !

Ils s'échauffaient, ils étaient rouges, ils parlaient à la fois,
25 sans s'écouter ; Bournisien se scandalisait d'une telle
audace ; Homais s'émerveillait d'une telle bêtise ; et ils
n'étaient pas loin de s'adresser des injures, quand Charles,
tout à coup, reparut. Une fascination l'attirait, il remontait
continuellement l'escalier.
30   Il se posait en face d'elle pour la mieux voir, et il se perdait
en cette contemplation, qui n'était plus douloureuse à force
d'être profonde.

Il se rappelait des histoires de catalepsie, les miracles du
magnétisme ; et il se disait qu'en le voulant extrêmement, il
35 parviendrait peut-être à la ressusciter. Une fois même il se
pencha vers elle, et il cria tout bas : « Emma ! Emma ! » Son
haleine, fortement poussée, fit trembler la flamme des cierges contre le mur.

Au petit jour, madame Bovary mère arriva ; Charles, en
40 l'embrassant, eut un nouveau débordement de pleurs. Elle
essaya, comme avait tenté le pharmacien, de lui faire quelques observations sur les dépenses de l'enterrement. Il
s'emporta si fort qu'elle se tut, et même il la chargea de se

1. D'Holbach : philosophe français des
Lumières (1723-1789) qui exposa
dans le Système de la nature (1770) un
matérialisme mécaniste et athée. Il col-
labora à l'Encyclopédie.
2. Immense ouvrage de vulgarisation
scientifique et philosophique publié de
1751 à 1772 sous la direction de Diderot et d'Alembert.

Flaubert fait habilement affleurer la "sensualité" et la "lenteur" qui colorent la recherche de preuves par Charles pendant la période où il hésite encore à prendre conscience de ce que profondément il connaît déjà ; mais ce plaisir, savouré lentement avec volupté (il consomme ici la composante érotique de son masochisme), se prolonge dans les lignes qui suivent : "... Un jour, enfin, il s'assit devant, tourna la clef et poussa le ressort..." Il y a ici toute la fièvre du joueur qui savoure la main qu'il a en découvrant lentement ses atouts, toute l'émotion du délinquant qui provoque le sort en profanant une chose interdite, de l'enfant devant la chambre des parents. La mise en suspens, qui était la tendance à retarder la fin du jeu, retenu comme une des caractéristiques fondamentales du masochisme, ne manque pas non plus dans la recherche ultime de Bovary. En réalité il a ouvert le petit meuble en palissandre quand il l'a voulu et il a choisi son moment pour s'avouer qu'il a vécu dans une continuelle relation à trois.

Charles prend un aspect pathétique : "Il ne sortait plus, ne recevait personne, refusait même d'aller voir ses malades. Alors on prétendait qu'il s'enfermait pour boire."

Quelquefois pourtant, un curieux se haussait par-dessus la haie du jardin, et apercevait avec ébahissement cet homme à barbe longue, couvert d'habits sordides, farouche et qui pleurait tout haut en marchant."
L'idée qu'un curieux puisse passer devant sa fenêtre et le voir dans cet état exprime un autre de ses désirs cachés. Flaubert nous le confirme tout de suite après : "... La volupté de sa douleur était incomplète, car il n'avait autour de lui personne qui la partageât."
La défaite du masochiste est destinée à être exhibée. Le spectateur que Charles se choisit pour pouvoir s'épancher c'est l'aubergiste, "la mère Lefrançois". Mais qui est le vrai destinataire et que dissimule cette exhibition ?
La profonde dépendance de Charles envers sa mère et toute l'oralité dont le roman est imprégné ne laissent aucun doute sur le fait que, soit Emma qui se décompose dans le rêve, soit la mère Lefrançois à qui Charles exhibe son piteux état, cachent une unique imago : la mère de Charles.

Le rêve qui obsède Bovary représente tout le drame de son ambivalence ; la haine pour sa mère, qui avait été déplacée et transformée en dévouement total, revient

pour dissoudre les forces désespérées de son amour. Les épanchements de Charles auprès de l'aubergiste, vus sous l'optique du transfert, acquièrent la signification d'une accusation : "Regarde à quoi je suis réduit par ta faute."
Quand Charles et Rodolphe Boulanger se rencontrent pour la dernière fois, ils pâlissent en s'apercevant, puis ils vont boire une bière ensemble. Rodolphe parle en mâchonnant son cigare, mais Charles ne l'écoute pas et se perd en rêveries devant ce visage que Emma avait aimé : "Il aurait voulu être cet homme." La scène met en relief certains signes de l'homosexualité latente de Bovary : le désir pour le cigare-phallus de

rendre immédiatement à la ville pour acheter ce qu'il fallait.

Charles resta seul toute l'après-midi ; on avait conduit Berthe chez madame Homais ; Félicité se tenait en haut, dans la chambre, avec la mère Lefrançois.

5 Le soir, il reçut des visites. Il se levait, vous serrait les mains sans pouvoir parler, puis on s'asseyait auprès des autres, qui faisaient devant la cheminée un grand demi-cercle. La figure basse et le jarret sur le genou, ils dandinaient leur jambe, tout en poussant par intervalles un gros
10 soupir ; et chacun s'ennuyait d'une façon démesurée ; c'était pourtant à qui ne partirait pas.

Homais, quand il revint à neuf heures (on ne voyait que lui sur la Place, depuis deux jours), était chargé d'une provision de camphre, de benjoin[1] et d'herbes aromatiques. Il
15 portait aussi un vase plein de chlore, pour bannir les miasmes. A ce moment, la domestique, madame Lefrançois et la mère Bovary tournaient autour d'Emma, en achevant de l'habiller ; et elles abaissèrent le long voile raide, qui la recouvrit jusqu'à ses souliers de satin.
20 Félicité sanglotait :

— Ah ! ma pauvre maîtresse ! ma pauvre maîtresse !

— Regardez-la, disait en soupirant l'aubergiste, comme elle est mignonne encore ! Si l'on ne jurerait pas qu'elle va se lever tout à l'heure.
25 Puis elles se penchèrent, pour lui mettre sa couronne.

Il fallut soulever un peu la tête, et alors un flot de liquides noirs sortit, comme un vomissement, de sa bouche.

— Ah ! mon Dieu ! la robe, prenez garde ! s'écria madame Lefrançois. Aidez-nous donc ! disait-elle au phar
30 macien. Est-ce que vous avez peur, par hasard ?

— Moi, peur ? répliqua-t-il en haussant les épaules. Ah bien, oui ! J'en ai vu d'autres à l'Hôtel-Dieu, quand j'étudiais la pharmacie ! Nous faisions du punch dans l'amphithéâtre aux dissections[2] ! Le néant n'épouvante pas un philosophe ;
35 et même, je le dis souvent, j'ai l'intention de léguer mon corps aux hôpitaux, afin de servir plus tard à la Science.

En arrivant, le curé demanda comment se portait Monsieur ; et, sur la réponse de l'apothicaire, il reprit :

— Le coup, vous comprenez, est encore trop récent !
40 Alors Homais le félicita de n'être pas exposé, comme tout le monde, à perdre une compagne chérie ; d'où s'ensuivit une discussion sur le célibat des prêtres.

— Car, disait le pharmacien, il n'est pas naturel qu'un

1. *Benjoin : beaume tiré du styrax benzoin, arbre tropical, utilisé en parfumerie et en pharmacie.*
2. *« Carabins. Dorment près des cadavres » (Dictionnaire des idées reçues).*

l'homme plus puissant que lui, qu'il voudrait s'approprier pour pouvoir affronter la femme qu'à la fois il aime et craint (il s'était déjà prosterné devant les cigares du vicomte, pour s'en emparer), l'attraction sensuelle pour ce visage qu'il a en face de lui, qui "s'empourprait peu à peu, les narines battaient vite, les lèvres frémissaient...", enfin la haine qui, telle une tornade, creuse ses yeux. Parce que l'homosexualité est aussi haine pour le père idéalisé : "Il y eut même un instant où Charles, plein d'une fureur sombre, fixa ses yeux contre Rodolphe, qui, dans une sorte d'effroi, s'interrompit."

Mais, masochisme, dépression, vengeance reprennent le dessus : "Je ne vous en veux pas", dit-il. Et tout de suite après : "C'est la faute de la fatalité." Rodolphe qui croyait avoir guidé à lui seul cette fatalité le trouve comique et un peu lâche !

Quand Charles meurt on lui fait une autopsie, mais "il... ne trouva rien". Flaubert veut nous apporter un démenti : dans *Charbovary* il y a seulement le vide de l'imbécillité.

Nous avons tout imaginé : "D'ailleurs c'est mon but (secret) : ahurir tellement le lecteur qu'il en devienne fou." »

ROBERTO SPEZIALE-BAGLIACCA, 1974, « Monsieur Bovary c'est moi. Portrait psychanalytique de Charles Bovary, masochiste moral », traduction de Éloïsa Perrot-Pellandini et de Th. Neyraut-Sutterman, *Revue Française de Psychanalyse,* n° 4, 1974, pp. 689-693.

homme se passe de femmes ! On a vu des crimes...

— Mais, sabre de bois ! s'écria l'ecclésiastique, comment voulez-vous qu'un individu pris dans le mariage puisse garder, par exemple, le secret de sa confession ?

5 Homais attaqua la confession. Bournisien la défendit ; il s'étendit sur les restitutions qu'elle faisait opérer. Il cita différentes anecdotes de voleurs devenus honnêtes tout à coup. Des militaires, s'étant approchés du tribunal de la pénitence, avaient senti les écailles leur tomber des yeux. Il y avait à Fri-
10 bourg un ministre[1]...

Son compagnon dormait. Puis, comme il étouffait un peu dans l'atmosphère trop lourde de la chambre, il ouvrit la fenêtre, ce qui réveilla le pharmacien.

— Allons, une prise ! lui dit-il. Acceptez, cela dissipe.

15 Des aboiements continus se traînaient au loin, quelque part.

— Entendez-vous un chien qui hurle ? dit le pharmacien.

— On prétend qu'ils sentent les morts, répondit l'ecclésiastique. C'est comme les abeilles ; elles s'envolent de la
20 ruche au décès des personnes. Homais ne releva pas ces préjugés, car il s'était rendormi.

M. Bournisien, plus robuste, continua quelque temps à remuer tout bas les lèvres ; puis, insensiblement, il baissa le menton, lâcha son gros livre noir et se mit à ronfler.

25 Ils étaient en face l'un de l'autre, le ventre en avant, la figure bouffie, l'air renfrogné, après tant de désaccord se rencontrant enfin dans la même faiblesse humaine ; et ils ne bougeaient pas plus que le cadavre à côté d'eux qui avait l'air de dormir. ⟨1⟩

30 Charles, en entrant, ne les réveilla point. C'était la dernière fois. Il venait lui faire ses adieux.

Les herbes aromatiques fumaient encore, et des tourbillons de vapeur bleuâtre se confondaient au bord de la croisée avec le brouillard qui entrait. Il y avait quelques étoiles,
35 et la nuit était douce.

La cire des cierges tombait par grosses larmes sur les draps du lit. Charles les regardait brûler, fatiguant ses yeux contre le rayonnement de leur flamme jaune.

Des moires frissonnaient sur la robe de satin, blanche
40 comme un clair de lune. Emma disparaissait dessous ; et il lui semblait que, s'épandant au dehors d'elle-même, elle se perdait confusément dans l'entourage des choses, dans le

1. Ministre : au sens de pasteur protestant.

Le désir selon l'Autre

René Girard montre bien comment dans Don Quichotte, *le héros éponyme a renoncé, en faveur d'Amadis, « à la prérogative fondamentale de l'individu : il ne choisit plus les objets de son désir, c'est Amadis qui doit choisir pour lui. Le disciple se précipite vers les objets que lui désigne, ou semble lui désigner, le modèle de toute chevalerie ». Il propose d'appeler ce modèle le médiateur du désir. Ce médiateur, qui rayonne à la fois vers le sujet et vers l'objet, permet la construction d'une figure triangulaire. Ainsi « on retrouve le désir selon l'Autre et la fonction "séminale" de la littérature dans les romans de Flaubert. Emma Bovary désire à travers les héroïnes romantiques dont elle a l'imagination remplie. Les œuvres médiocres qu'elle a dévorées pendant son adolescence ont détruit en elle toute spontanéité (...). Les personnages de Cervantès et de Flaubert imitent, ou croient imiter, les désirs des modèles qu'ils se sont librement donnés ». Des variations peuvent naturellement faire fonctionner différemment ce triangle, et en particulier la modification de la distance qui sépare le médiateur du sujet désirant : « Emma Bovary est (...) moins* éloignée (que Don Quichotte) de son modèle. (...) Les récits des voyageurs, les livres et la presse propagent jusqu'à Yonville les dernières modes de la capitale. Emma se rapproche encore du médiateur lors du bal chez les Vaubyessard ; elle pénètre dans le saint des saints et contemple l'idole face à face. Jamais Emma ne pourra désirer ce que désirent les incarnations de son "idéal" ; jamais elle ne pourra rivaliser avec celles-ci ; jamais elle ne partira pour Paris. » *Ajoutons que, très significativement, Flaubert a supprimé un voyage d'Emma à Paris qu'il avait prévu dans ses scénarios. Dès lors,* Madame Bovary *relève d'une catégorie fondamentale du roman selon Girard : ceux de la médiation externe, lorsque la distance est suffisante pour que les deux sphères de possibles dont le médiateur et le sujet occupent chacun le centre ne soient pas en contact. Par opposition, on parlera de médiation interne lorsque cette même distance est suffisamment réduite pour que les deux sphères pénètrent plus ou moins profondément l'une dans l'autre.* « Le héros de la médiation externe proclame bien haut la vraie nature de son désir. Il vénère ouvertement son modèle et s'en déclare le disciple (...) Mme Bovary et Léon confessent (...) la vérité de leurs désirs dans leurs confidences lyriques. » *De fait* « le prestige du médiateur se communique à l'objet désiré et confère à ce dernier une valeur illusoire. Le désir triangulaire est le désir qui transfigure son objet (...) Emma ne prendrait pas Rodolphe pour un prince charmant si elle n'imitait pas les héroïnes romantiques. » *La passion des personnages signe le triomphe du médiateur, le dieu à face humaine comme dit Girard :* « A mesure que le ciel se dépeuple le sacré reflue sur la terre ; il isole l'individu de tous les biens terrestres ; il creuse, entre lui et l'ici-bas, un gouffre plus profond que l'ancien au-delà. La surface de la terre où habitent les *Autres* devient un inaccessible paradis (...) le besoin de transcendance est "satisfait" dans la médiation. (...) Emma adolescente fait une crise de pseudo-mystique avant de glisser vers le bovarysme proprement dit. (...) La médiocrité objective des héros flaubertiens, jointe à leurs ridicules prétentions, (ne doit pas empêcher) de percevoir que ce sont les héros eux-mêmes — ou tout au moins les plus métaphysiques d'entre eux,

silence, dans la nuit, dans le vent qui passait, dans les senteurs humides qui montaient.

Puis, tout à coup, il la voyait dans le jardin de Tostes sur le
banc, contre la haie d'épines, ou bien à Rouen, dans les
5 rues, sur le seuil de leur maison, dans la cour des Bertaux. Il
entendait encore le rire des garçons en gaieté qui dansaient
sous les pommiers ; la chambre était pleine du parfum de sa
chevelure, et sa robe lui frissonnait dans les bras avec un
bruit d'étincelles. C'était la même, celle-là !

10 Il fut longtemps à se rappeler ainsi toutes les félicités ①
disparues, ses attitudes, ses gestes, le timbre de sa voix.
Après un désespoir, il en venait un autre et toujours, intaris-
sablement, comme les flots d'une marée qui déborde.

Il eut une curiosité terrible : lentement, du bout des
15 doigts, en palpitant, il releva son voile. Mais il poussa un cri
d'horreur qui réveilla les deux autres. Ils l'entraînèrent en
bas, dans la salle.

Puis Félicité vint dire qu'il demandait des cheveux.

— Coupez-en ! répliqua l'apothicaire.

20 Et, comme elle n'osait, il s'avança lui-même, les ciseaux à
la main. Il tremblait si fort, qu'il piqua la peau des tempes en
plusieurs places. Enfin, se raidissant contre l'émotion,
Homais donna deux ou trois grands coups au hasard, ce qui
fit des marques blanches dans cette belle chevelure noire.

25 Le pharmacien et le curé se replongèrent dans leurs occupations, non sans dormir de temps à autre, ce dont ils
s'accusaient réciproquement à chaque réveil nouveau. Alors
M. Bournisien aspergeait la chambre d'eau bénite et Homais
jetait un peu de chlore par terre.

30 Félicité avait soin de mettre pour eux, sur la commode,
une bouteille d'eau-de-vie, un fromage et une grosse brioche. Aussi l'apothicaire, qui n'en pouvait plus, soupira, vers
quatre heures du matin :

— Ma foi, je me sustenterais avec plaisir !

35 L'ecclésiastique ne se fit point prier ; il sortit pour aller dire
sa messe, revint ; puis ils mangèrent et trinquèrent, tout en
ricanant un peu, sans savoir pourquoi, excités par cette
gaieté vague qui nous prend après des séances de tristesse ;
et, au dernier petit verre, le prêtre dit au pharmacien, tout
40 en lui frappant sur l'épaule :

— Nous finirons par nous entendre !

Ils rencontrèrent en bas, dans le vestibule, les ouvriers qui
arrivaient. Alors Charles, pendant deux heures, eut à subir

comme Mme Bovary — qui se reconnaissent insuffisants et qui se lancent dans le "bovarysme" pour échapper à une condamnation qu'ils sont les premiers, et peut-être les seuls, à proférer, au plus secret de leur conscience. A l'origine du bovarysme (...) il y a donc l'échec d'un projet d'auto-divinisation plus ou moins conscient. »

« (...) Le désir selon l'*Autre* est toujours le désir d'être un *Autre*. Il n'y a qu'un seul désir métaphysique mais les désirs particuliers qui concrétisent ce désir primordial varient à l'infini. L'intensité de ce désir est elle-même variable. Elle dépend du degré de "vertu métaphysique" possédé par l'objet. Et cette vertu dépend elle-même de la distance qui sépare l'objet du médiateur. (...) Les objets qui feraient d'Emma la femme qu'elle veut être ne se trouvent pas en province. Rodolphe et Léon ne sont encore que des pis-aller métaphysiques. Ils sont plus ou moins interchangeables. Ils ne reçoivent du médiateur qu'une lumière affaiblie. (...) Emma Bovary est (...) angoissée. Le médiateur est toujours inaccessible mais il ne l'est plus assez pour qu'on puisse se résigner à ne jamais l'atteindre, pour qu'on se contente du reflet qui se joue sur le réel. C'est ce qui donne au

bovarysme sa tonalité particulière. Il est essentiellement contemplatif. »

Enfin se donnent à lire chez Flaubert « les progrès de la maladie ontologique (...) les choses n'ont presque plus ou plus du tout de sens. Les femmes ne sont ni plus ni moins authentiques que les hommes, les Parisiens ne sont ni plus ni moins vaniteux que les provinciaux, les bourgeois ne sont ni plus ni moins énergiques que les aristocrates (...). (Seuls) la paysanne des comices échappe au désir bourgeois par la misère et le grand médecin (y) échappe par le savoir. (...) L'exception ne fleurit plus que dans les régions tout à fait excentriques de l'univers romanesque. (Se révèle alors) le néant des

oppositions (...), la juxtaposition impassible (...) révèle l'absurdité. L'inventaire s'allonge mais la somme est toujours égale à zéro. (...) Homais et Bournisien symbolisent les deux moitiés opposées et solidaires de la France petite-bourgeoise. Les couples flaubertiens ne "pensent" que dans leur grotesque accouplement (...) Homais et Bournisien se fécondent mutuellement et ils finissent par s'endormir, côte à côte, demi-tasse en main, devant le cadavre d'Emma Bovary. »

RENÉ GIRARD, 1961, *Mensonge romantique et vérité romanesque*, Grasset, réédition Livre de Poche, collection Pluriel, 1978, passim, pp. 15-177.

 # Le mot félicité

« On sait que ce paradigme de "l'euphorie extrême", auquel s'oppose, en "usage de narrateur", celui de la "dysphorie moyenne" (*médiocrité de* l'existence et autres*platitudes* du mariage), revient par ailleurs en *leitmotiv*, en « usage de personnage » (style indirect libre ou récit et discours).

Il y a (...) deux possibilités, selon que le personnage utilise ailleurs ou non le mot qu'il mentionne en un endroit.

Tout ce qui l'entourait immédiatement, campagne ennuyeuse, petits bourgeois imbéciles, médiocrité de l'existence, *lui semblait* une exception dans le monde, un hasard particulier où elle se trouvait prise,

le supplice du marteau qui résonnait sur les planches. Puis on la descendit dans son cercueil de chêne, que l'on emboîta dans les deux autres ; mais, comme la bière était trop large, il fallut boucher les interstices avec la laine d'un matelas.

5 Enfin, quand les trois couvercles furent rabotés, cloués, soudés, on l'exposa devant la porte ; on ouvrit toute grande la maison, et les gens d'Yonville commencèrent à affluer.

Le père Rouault arriva. Il s'évanouit sur la place en apercevant le drap noir.

tandis qu'au-delà s'étendait à perte de vue l'immense pays des félicités et des passions.

Au fond de son âme, cependant, elle attendait un événement (...). *Elle ne savait pas quel serait ce hasard, le vent qui le pousserait jusqu'à elle, vers quel rivage il la mènerait, s'il était chaloupe ou vaisseau à trois ponts, chargé d'angoisse ou plein de félicités jusqu'aux sabords.* Elle se répétait : « J'ai un amant ! un amant ! » Se délectant à cette idée comme à celle d'une autre puberté qui lui serait survenue. Elle allait donc enfin posséder ces joies de l'amour, cette fièvre de bonheur dont elle avait désespéré. Elle entrait dans quelque chose de merveilleux où tout serait passion, extase, délire.

La variation synonymique apparemment indifférente, sinon pour d'éventuelles considérations de rythme *(félicité(s), passion, ivresse, extase, délire...)*, semble montrer qu'on a, dans le passage où les trois premiers sont autonymes, des noms de signifié plutôt que de véritables noms de signes, qui excluent la synonymie. Elle se

demande ce que signifient non précisément ceux-là, mais ce paradigme. *Félicité* cependant prédomine avec plusieurs autres occurrences dans les rêves d'Emma. Mais il est aussi (de même d'ailleurs que *passion* et *extase*) dans l'usage du narrateur :

Elle avait beau se sentir humiliée de la bassesse d'un tel bonheur, elle y tenait par habitude ou par corruption ; et, chaque jour, elle s'y acharnait davantage, tarissant toute félicité à la vouloir trop grande.

Et il est remarquable que la première et la dernière occurrence, dans le roman, de ce mot apparemment par excellence romanesque, soient assumées par le narrateur parlant de Charles (et non d'Emma), et la première, de plus, comme euphémisme d'un plaisir amoureux assez peu idéalisé, c'est le moins qu'on puisse dire :

(Au début de leur mariage). Et alors, sur la grande route qui étendait sans en finir son long ruban de poussière (...), le cœur plein des félicités de la nuit, l'esprit tranquille, la chair contente, il s'en allait ruminant son bonheur, comme ceux qui mâchent encore après dîner, le goût des truffes qu'ils digèrent).

(...)

Il est utile de savoir, pour éclairer cette ambivalence de *félicité(s)*, que, comme l'a indiqué E. Brunet, ce mot est dans le corpus du *T.L.F.* régulièrement décroissant de la décennie 1800 à la décennie 1955 (passant d'un écart réduit + 15,1 à — 6,7), et que le début de la décrue se situe à la décennie 1855, qui est celle de *Madame Bovary* ; la même observation peut être faite, à peu de choses près, sur *passion*. Autrement dit, le roman paraît à un moment où ils sont encore quasi inévitables dans un contexte thématique donné, mais où l'inflation précédente a pu les dévaluer, et où leur reflux commence à les dater, donc à les opacifier comme signes. »

FRANÇOISE MARTIN-BERTHET, 1985, « Sur le vocabulaire autonyme dans Madame Bovary : félicité, passion, ivresse et quelques autres », in *Mélanges de langue et de littérature françaises offerts à P. Larthomas*, collection de l'ENSJF, n° 26, pp. 321-323.

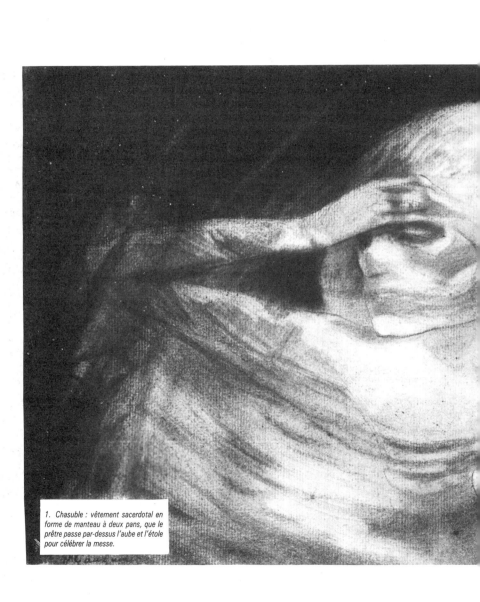

1. Chasuble : vêtement sacerdotal en forme de manteau à deux pans, que le prêtre passe par-dessus l'aube et l'étole pour célébrer la messe.

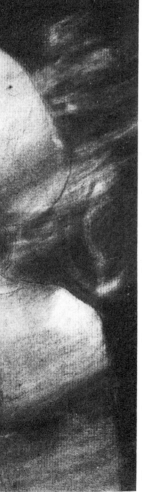

Il n'avait reçu la lettre du pharmacien que trente-six heures après l'événement ; et, par égard pour sa sensibilité, M. Homais l'avait rédigée de telle façon qu'il était impossible de savoir à quoi s'en tenir.

5 Le bonhomme tomba d'abord comme frappé d'apoplexie. Ensuite il comprit qu'elle n'était pas morte. Mais elle pouvait l'être… Enfin il avait passé sa blouse, pris son chapeau, accroché un éperon à son soulier et était parti ventre à terre ; et, tout le long de la route, le père Rouault, haletant, 10 se dévora d'angoisses. Une fois même, il fut obligé de descendre. Il n'y voyait plus, il entendait des voix autour de lui, il se sentait devenir fou.

Le jour se leva. Il aperçut trois poules noires qui dormaient dans un arbre ; il tressaillit, épouvanté de ce présage. 15 Alors il promit à la sainte Vierge trois chasubles[1] pour l'église, et qu'il irait pieds nus depuis le cimetière des Bertaux jusqu'à la chapelle de Vassonville.

Il entra dans Maromme en hélant les gens de l'auberge, enfonça la porte d'un coup d'épaule, bondit au sac d'avoine, 20 versa dans la mangeoire une bouteille de cidre doux, et renfourcha son bidet, qui faisait feu des quatre fers.

Il se disait qu'on la sauverait sans doute ; les médecins découvriraient un remède, c'était sûr. Il se rappela toutes les guérisons miraculeuses qu'on lui avait contées.

25 Puis elle lui apparaissait morte. Elle était là, devant lui, étendue sur le dos, au milieu de la route. Il tirait la bride et l'hallucination disparaissait.

A Quincampoix, pour se donner du cœur, il but trois cafés l'un sur l'autre.

30 Il songea qu'on s'était trompé de nom en écrivant. Il chercha la lettre dans sa poche, l'y sentit, mais il n'osa pas l'ouvrir.

Il en vint à supposer que c'était peut-être une *farce*, une vengeance de quelqu'un, une fantaisie d'homme en 35 goguette ; et, d'ailleurs, si elle était morte, on le saurait ? Mais non ! la campagne n'avait rien d'extraordinaire : le ciel était bleu, les arbres se balançaient ; un troupeau de moutons passa. Il aperçut le village ; on le vit accourant tout penché sur son cheval, qu'il bâtonnait à grands coups, et dont les sangles dégouttelaient de sang. ⟨1⟩

5 Quand il eut repris connaissance, il tomba tout en pleurs dans les bras de Bovary :
— Ma fille ! Emma ! mon enfant ! expliquez-moi... ?
Et l'autre répondait avec des sanglots :
— Je ne sais pas, je ne sais pas ! c'est une malédiction !
10 L'apothicaire les sépara.
— Ces horribles détails sont inutiles. J'en instruirai monsieur. Voici le monde qui vient. De la dignité, fichtre ! de la philosophie !
Le pauvre garçon voulut paraître fort, et il répéta plusieurs
15 fois :
— Oui..., du courage !
— Eh bien ! s'écria le bonhomme, j'en aurai, nom d'un tonnerre de Dieu ! Je m'en vas la conduire jusqu'au bout.
La cloche tintait. Tout était prêt. Il fallut se mettre en
20 marche.

Et, assis dans une stalle du chœur, l'un près de l'autre, ils virent passer devant eux et repasser continuellement les trois chantres qui psalmodiaient. Le serpent[1] soufflait à pleine poitrine. M. Bournisien, en grand appareil, chantait d'une
25 voix aiguë ; il saluait le tabernacle, élevait les mains, étendait les bras. Lestiboudois circulait dans l'église avec sa latte de baleine ; près du lutrin, la bière reposait entre quatre rangs de cierges. Charles avait envie de se lever pour les éteindre.
Il tâchait cependant de s'exciter à la dévotion, de s'élancer
30 dans l'espoir d'une vie future où il la reverrait. Il imaginait qu'elle était partie en voyage, bien loin, depuis longtemps. Mais, quand il pensait qu'elle se trouvait là-dessous, et que tout était fini, qu'on l'emportait dans la terre, il se prenait d'une rage farouche, noire, désespérée. Parfois, il croyait ne
35 plus rien sentir ; et il savourait cet adoucissement de sa douleur, tout en se reprochant d'être un misérable.
On entendit sur les dalles comme le bruit sec d'un bâton ferré qui les frappait à temps égaux. Cela venait du fond, et s'arrêta court dans les bas-côtés de l'église. Un homme en
40 grosse veste brune s'agenouilla péniblement. C'était Hippolyte, le garçon du *Lion d'or*. Il avait mis sa jambe neuve.
L'un des chantres vint faire le tour de la nef pour quêter,

1. Serpent : instrument à vent replié en forme de serpent et utilisé dans les églises.

Madame Bovary et la tragédie

Si le rapprochement des genres est toujours hasardeux, il apparaît que la tragédie informe le roman dans Madame Bovary, *à commencer par les références explicites : Athalie, la fille d'Homais, la peinture de l'âme d'Homais qui évoque les descriptions de l'âme des personnages raciniens par Sainte-Beuve (théorie de l'action-crise), la phrase « Que vais-je dire ? Par où commencerai-je ? » (p. 00) qui rappelle facétieusement celle de Phèdre : « Ciel ! que lui vais-je dire, et par où commencer ? »*
Si une tragédie « se construit autour de trois thèmes : la tentation, la faute, le châtiment, la Fatalité (jouant) au niveau des deux premiers », *force est de constater que c'est bien là le triptyque de* Madame Bovary. *Quant à la morale même du roman, elle s'inscrit dans le débat sur la catharsis. Il n'est pas jusqu'au rôle dramaturgique du père Rouault qui ne puisse relever de ce caractère tragique du roman : il revoit brièvement sa fille après son mariage et ne la retrouve plus que morte, sans jamais pouvoir connaître sa petite-fille, Berthe Bovary. Quant au « nous » initial, il associe le public au déroulement de l'action, ce qui se retrouve avec les « vous » qui parsèment le cours de la fiction. Un délégué de public, symbole de l'opinion, assume la fonction dramaturgique du chœur antique.*
On peut conclure avec Roger Bismut, à qui nous avons emprunté les remarques précédentes :

« Un autre rapprochement permet de mieux souligner le caractère tragique du roman, en rapprochant le thème de *Madame Bovary* et celui de *Dom Juan*. Flaubert avait songé à faire un *Don Juan* : quelque chose de ses lectures préparatoires est passé dans la rédaction (l'épisode de la lettre de rupture de Rodolphe est inspiré, et fortement inspiré, des *Ames du purgatoire* de Mérimée, longue nouvelle à dimension de court roman, ayant pour sujet la légende de *Don Juan*).

Certes, c'est Rodolphe, et plus tard, Léon, qui sont les Don Juan indigènes, mais il y a dans le personnage d'Emma, dans cet automatisme de l'amour, de la dette, des lettres (en vertu de cette idée qu'une femme doit écrire à son amant), jusque dans la banalité et la conventionnalité de son comportement et de ses propos, une sorte de dérobade devant le destin. Semblable au libertin selon Pascal, qui s'étourdit pour ne pas penser à la vieillesse, à la mort et à la damnation, Emma pourrait être considérée comme l'illustration d'une doctrine janséniste. Flaubert souligne à tout instant ce qu'il y a de douloureux dans la manière dont elle accomplit les gestes de l'amour. »

ROGER BISMUT, 1973, « Madame Bovary et la tragédie » in Journée de travail sur Madame Bovary, 3 février 1973, Société des études romantiques (ronéotypée).

et les gros sous, les uns après les autres, sonnaient dans le plat d'argent.

— Dépêchez-vous donc ! je souffre, moi ! s'écria Bovary, tout en lui jetant avec colère une pièce de cinq francs.

5 L'homme d'église le remercia par une longue révérence.

On chantait, on s'agenouillait, on se relevait, cela n'en finissait pas ! Il se rappela qu'une fois, dans les premiers temps, ils avaient ensemble assisté à la messe, et ils s'étaient mis de l'autre côté, à droite, contre le mur. La cloche recom-

10 mença. Il y eut un grand mouvement de chaises. Les porteurs glissèrent leurs trois bâtons sous la bière, et l'on sortit de l'église.

Justin alors parut sur le seuil de la pharmacie. Il y rentra tout à coup, pâle, chancelant.

15 On se tenait aux fenêtres pour voir passer le cortège. Charles, en avant, se cambrait la taille. Il affectait un air brave et saluait d'un signe ceux qui, débouchant des ruelles ou des portes, se rangeaient dans la foule.

Les six hommes, trois de chaque côté, marchaient au petit

20 pas et en haletant un peu. Les prêtres, les chantres et les deux enfants de chœur récitaient le *De profundis*[1] ; et leurs voix s'en allaient sur la campagne, montant et s'abaissant avec des ondulations. Parfois ils disparaissaient aux détours du sentier ; mais la grande croix d'argent se dressait toujours

25 entre les arbres.

Les femmes suivaient, couvertes de mantes noires à capuchon rabattu ; elles portaient à la main un gros cierge qui brûlait, et Charles se sentait défaillir à cette continuelle répétition de prières et de flambeaux, sous ces odeurs affadissan-

30 tes de cire et de soutane. Une brise fraîche soufflait, les seigles et les colzas verdoyaient, des gouttelettes de rosée tremblaient au bord du chemin, sur les haies d'épines. Toutes sortes de bruits joyeux emplissaient l'horizon : le claquement d'une charrette roulant au loin dans les ornières, le cri d'un

35 coq qui se répétait ou la galopade d'un poulain que l'on voyait s'enfuir sous les pommiers. Le ciel pur était tacheté de nuages roses ; des fumignons[2] bleuâtres se rabattaient sur les chaumières couvertes d'iris ; Charles, en passant, reconnaissait les cours. Il se souvenait de matins comme celui-ci,

40 où, après avoir visité quelque malade, il en sortait, et retournait vers elle.

Le drap noir, semé de larmes blanches, se levait de temps à autre en découvrant la bière. Les porteurs fatigués se

1. De profundis : *sixième des sept psaumes de la Pénitence, commençant par ces mots, qui signifient « des profondeurs ».*
2. Fumignon : *légère volute de fumée. Normandisme à l'origine, ce mot est passé dans la langue, probablement grâce à ses occurrences flaubertiennes.*

ralentissaient, et elle avançait par saccades continues, comme une chaloupe qui tangue à chaque flot.

On arriva.

Les hommes continuèrent jusqu'en bas, à une place dans le gazon où la fosse était creusée. 5

On se rangea tout autour ; et, tandis que le prêtre parlait, la terre rouge, rejetée sur les bords, coulait par les coins, sans bruit, continuellement.

Puis, quand les quatre cordes furent disposées, on poussa la bière dessus. Il la regarda descendre. Elle descendait 10 toujours.

Enfin on entendit un choc ; les cordes en grinçant remontèrent. Alors Bournisien prit la bêche que lui tendait Lestiboudois ; de sa main gauche, tout en aspergeant de la droite, il poussa vigoureusement une large pelletée ; et le 15 bois du cercueil, heurté par les cailloux, fit ce bruit formidable qui nous semble être le retentissement de l'éternité.

L'ecclésiastique passa le goupillon à son voisin. C'était M. Homais. Il le secoua gravement, puis le tendit à Charles, qui s'affaissa jusqu'aux genoux dans la terre, et il en jetait à 20 pleines mains tout en criant : « Adieu ! » Il lui envoyait des baisers ; il se traînait vers la fosse pour s'y engloutir avec elle.

On l'emmena ; et il ne tarda pas à s'apaiser, éprouvant peut-être, comme tous les autres, la vague satisfaction d'en avoir fini. 25

Le père Rouault, en revenant, se mit tranquillement à fumer une pipe ; ce que Homais, dans son for intérieur, jugea peu convenable. Il remarqua de même que M. Binet s'était abstenu de paraître, que Tuvache « avait filé » après la messe, et que Théodore, le domestique du notaire, por- 30 tait un habit bleu, « comme si l'on ne pouvait pas trouver un habit noir, puisque c'est l'usage, que diable ! ». Et pour communiquer ses observations, il allait d'un groupe à l'autre. On y déplorait la mort d'Emma, et surtout Lheureux, qui n'avait point manqué de venir à l'enterrement. 35

— Cette pauvre petite dame ! quelle douleur pour son mari !

L'apothicaire reprenait :

— Sans moi, savez-vous bien, il se serait porté sur lui-même à quelque attentat funeste ! 40

— Une si bonne personne ! Dire pourtant que je l'ai encore vue samedi dernier dans ma boutique ![1]

1. « Enterrement » : « Et dire que nous avons dîné ensemble il y a huit jours », — mots à prononcer « derrière le corbillard » (Dictionnaire des idées reçues).

— Je n'ai pas eu le loisir, dit Homais, de préparer quelques paroles que j'aurais jetées sur sa tombe.

En rentrant, Charles se déshabilla, et le père Rouault repassa sa blouse bleue. Elle était neuve et, comme il s'était,
5 pendant la route, souvent essuyé les yeux avec les manches, elle avait déteint sur sa figure ; et la trace des pleurs y faisait des lignes dans la couche de poussière qui la salissait.

Madame Bovary mère était avec eux. Ils se taisaient tous les trois. Enfin le bonhomme soupira :
10 — Vous rappelez-vous, mon ami, que je suis venu à Tostes une fois, quand vous veniez de perdre votre première défunte. Je vous consolais dans ce temps-là ! Je trouvais quoi dire ; mais à présent...

Puis, avec un long gémissement qui souleva toute sa
15 poitrine :

— Ah ! c'est la fin pour moi, voyez-vous ! J'ai vu partir ma femme..., mon fils après..., et voilà ma fille, aujourd'hui !

Il voulut s'en retourner tout de suite aux Bertaux, disant
20 qu'il ne pourrait pas dormir dans cette maison-là. Il refusa même de voir sa petite-fille.

— Non ! non ! ça me ferait trop de deuil. Seulement, vous l'embrasserez bien ! Adieu !... vous êtes un bon garçon ! Et puis, jamais je n'oublierai ça, dit-il en se frappant la
25 cuisse, n'ayez peur ! vous recevrez toujours votre dinde.

Mais, quand il fut au haut de la côte, il se détourna, comme autrefois il s'était détourné sur le chemin de Saint-Victor, en se séparant d'elle. Les fenêtres du village étaient tout en feu sous les rayons obliques du soleil, qui se couchait
30 dans la prairie. Il mit sa main devant ses yeux ; et il aperçut à l'horizon un enclos de murs où des arbres, çà et là, faisaient des bouquets noirs entre des pierres blanches, puis il continua sa route, au petit trot, car son bidet boitait.

Charles et sa mère restèrent le soir, malgré leur fatigue,
35 fort longtemps à causer ensemble. Ils parlèrent des jours d'autrefois et de l'avenir. Elle viendrait habiter Yonville, elle tiendrait son ménage, ils ne se quitteraient plus. Elle fut ingénieuse et caressante, se réjouissant intérieurement à ressaisir une affection qui depuis tant d'années lui échappait. Minuit
40 sonna. Le village, comme d'habitude, était silencieux, et Charles, éveillé, pensait toujours à elle.

Rodolphe, qui, pour se distraire, avait battu le bois toute

la journée, dormait tranquillement dans son château ; et
Léon, là-bas, dormait aussi.

Il y en avait un autre qui, à cette heure-là, ne dormait pas.

Sur la fosse, entre les sapins, un enfant pleurait age-
nouillé, et sa poitrine, brisée par les sanglots, haletait dans 5
l'ombre, sous la pression d'un regret immense, plus doux
que la lune et plus insondable que la nuit. La grille tout à
coup craqua. C'était Lestiboudois ; il venait chercher sa
bêche qu'il avait oubliée tantôt. Il reconnut Justin escaladant
le mur, et sut alors à quoi s'en tenir sur le malfaiteur qui lui 10
dérobait ses pommes de terre.

XI

Charles, le lendemain, fit revenir la petite. Elle demanda
sa maman. On lui répondit qu'elle était absente, qu'elle lui
rapporterait des joujoux. Berthe en reparla plusieurs fois ;
puis, à la longue, elle n'y pensa plus. La gaieté de cette
5 enfant navrait Bovary, et il avait à subir les intolérables consolations du pharmacien.

Les affaires d'argent bientôt recommencèrent, M. Lheureux excitant de nouveau son ami Vinçart, et Charles
s'engagea pour des sommes exorbitantes ; car jamais il ne
10 voulut consentir à laisser vendre le moindre des meubles qui
lui avaient appartenu. Sa mère en fut exaspérée. Il s'indigna
plus fort qu'elle. Il avait changé tout à fait. Elle abandonna la
maison.

Alors chacun se mit à *profiter*. Mademoiselle Lempereur
15 réclama six mois de leçons, bien qu'Emma n'en eût jamais
pris une seule (malgré cette facture acquittée qu'elle avait fait
voir à Bovary) : c'était une convention entre elles deux ; le
loueur de livres réclama trois ans d'abonnement ; la mère
Rolet réclama le port d'une vingtaine de lettres ; et, comme
20 Charles demandait des explications, elle eut la délicatesse de
répondre :

— Ah ! je ne sais rien ! c'était pour ses affaires.

A chaque dette qu'il payait, Charles croyait en avoir fini. Il
en survenait d'autres, continuellement.

25 Il exigea l'arriéré d'anciennes visites. On lui montra les lettres que sa femme avait envoyées. Alors il fallut faire des
excuses.

Félicité portait maintenant les robes de Madame ; non pas
toutes, car il en avait gardé quelques-unes, et il les allait voir
30 dans son cabinet de toilette, où il s'enfermait ; elle était à
peu près de sa taille, souvent Charles, en l'apercevant par-
derrière, était saisi d'une illusion, et s'écriait :

— Oh ! reste ! reste !

Mais, à la Pentecôte, elle décampa d'Yonville, enlevée
35 par Théodore, et en volant tout ce qui restait de la garde-
robe.

Ce fut vers cette époque que madame veuve Dupuis eut l'honneur de lui faire part du « mariage de M. Léon Dupuis, son fils, notaire à Yvetot, avec mademoiselle Léocadie Lebœuf, de Bondeville ». Charles, parmi les félicitations qu'il lui adressa, écrivit cette phrase :   5
« Comme ma pauvre femme aurait été heureuse ! »
Un jour qu'errant sans but dans la maison, il était monté jusqu'au grenier, il sentit sous sa pantoufle une boulette de papier fin. Il l'ouvrit et il lut : « Du courage, Emma ! du courage ! Je ne veux pas faire le malheur de votre existence. » 10
C'était la lettre de Rodolphe, tombée à terre entre des caisses, qui était restée là, et que le vent de la lucarne venait de pousser vers la porte. Et Charles demeura tout immobile et béant à cette même place où jadis, encore plus pâle que lui, Emma désespérée avait voulu mourir. Enfin, il découvrit un 15 petit R au bas de la seconde page. Qu'était-ce ? il se rappela les assiduités de Rodolphe, sa disparition soudaine et l'air contraint qu'il avait eu en la rencontrant depuis, deux ou trois fois. Mais le ton respectueux de la lettre l'illusionna.
— Ils se sont peut-être aimés platoniquement, se dit-il. 20
D'ailleurs, Charles n'était pas de ceux qui descendent au fond des choses ; il recula devant les preuves, et sa jalousie incertaine se perdit dans l'immensité de son chagrin.
On avait dû, pensait-il, l'adorer. Tous les hommes, à coup sûr, l'avaient convoitée. Elle lui en parut plus belle ; et il en 25 conçut un désir permanent, furieux, qui enflammait son désespoir et qui n'avait pas de limites, parce qu'il était maintenant irréalisable.
Pour lui plaire, comme si elle vivait encore, il adopta ses prédilections, ses idées ; il s'acheta des bottes vernies, il prit 30 l'usage des cravates blanches. Il mettait du cosmétique à ses moustaches, il souscrivit comme elle des billets à ordre. Elle le corrompait par-delà le tombeau.
Il fut obligé de vendre l'argenterie pièce à pièce, ensuite il vendit les meubles du salon. Tous les appartements se 35 dégarnirent ; mais la chambre, sa chambre à elle, était restée comme autrefois. Après son dîner, Charles montait là. Il poussait devant le feu la table ronde, et il approchait son fauteuil. Il s'asseyait en face. Une chandelle brûlait dans un des flambeaux dorés. Berthe, près de lui, enluminait des 40 estampes.
Il souffrait, le pauvre homme, à la voir si mal vêtue, avec ses brodequins sans lacet et l'emmanchure de ses blouses

déchirée jusqu'aux hanches, car la femme de ménage n'en prenait guère de souci. Mais elle était si douce, si gentille, et sa petite tête se penchait si gracieusement en laissant retomber sur ses joues roses sa bonne chevelure blonde, qu'une
5 délectation infinie l'envahissait, plaisir tout mêlé d'amertume comme ces vins mal faits qui sentent la résine. Il raccommodait ses joujoux, lui fabriquait des pantins avec du carton, ou recousait le ventre déchiré de ses poupées. Puis, s'il rencontrait des yeux la boîte à ouvrage, un ruban qui traînait ou
10 même une épingle restée dans une fente de la table, il se prenait à rêver, et il avait l'air si triste, qu'elle devenait triste comme lui.

Personne à présent ne venait les voir ; car Justin s'était enfui à Rouen, où il est devenu garçon épicier, et les enfants
15 de l'apothicaire fréquentaient de moins en moins la petite, M. Homais ne se souciant pas, vu la différence de leurs conditions sociales, que l'intimité se prolongeât.

L'Aveugle, qu'il n'avait pu guérir avec sa pommade, était retourné dans la côte du Bois-Guillaume, où il narrait aux
20 voyageurs la vaine tentative du pharmacien, à tel point que Homais, lorsqu'il allait à la ville, se dissimulait derrière les rideaux de *l'Hirondelle*, afin d'éviter sa rencontre. Il l'exécrait ; et, dans l'intérêt de sa propre réputation, voulant s'en débarrasser à toute force, il dressa contre lui une batterie[1]
25 cachée, qui décelait la profondeur de son intelligence et la scélératesse de sa vanité. Durant six mois consécutifs, on put donc lire dans *le Fanal de Rouen* des entrefilets ainsi conçus :

« Toutes les personnes qui se dirigent vers les fertiles con-
30 trées de la Picardie auront remarqué sans doute, dans la côte du Bois-Guillaume, un misérable atteint d'une horrible plaie faciale. Il vous importune, vous persécute et prélève un véritable impôt sur les voyageurs. Sommes-nous encore à ces temps monstrueux du Moyen Age, où il était permis aux
35 vagabonds d'étaler par nos places publiques la lèpre et les scrofules qu'ils avaient rapportées de la croisade ? »

Ou bien :

« Malgré les lois contre le vagabondage, les abords de nos grandes villes continuent à être infestés par des bandes de
40 pauvres. On en voit qui circulent isolément, et qui, peut-être, ne sont pas les moins dangereux. A quoi songent nos édiles[2] ? »

Puis Homais inventait des anecdotes :

« Hier, dans la côte du Bois-Guillaume, un cheval ombra-

1. *Batterie : au sens vieilli de « moyens qu'on emploie pour réussir à quelque chose ou faire échouer une tentative ».*
2. *« Édiles : à quoi songent nos édiles ? » (Dictionnaire des idées reçues).*

geux... » Et suivait le récit d'un accident occasionné par la présence de l'Aveugle.

Il fit si bien qu'on l'incarcéra. Mais on le relâcha. Il recommença, et Homais aussi recommença. C'était une lutte. Il
5 eut la victoire ; car son ennemi fut condamné à une réclusion perpétuelle dans un hospice.

Ce succès l'enhardit ; et dès lors il n'y eut plus dans l'arrondissement un chien écrasé, une grange incendiée, une femme battue, dont aussitôt il ne fît part au public, tou-
10 jours guidé par l'amour du progrès et la haine des prêtres. Il établissait des comparaisons entre les écoles primaires et les frères ignorantins[1], au détriment de ces derniers, rappelait la Saint-Barthélemy à propos d'une allocation de cent francs faite à l'église, et dénonçait des abus, lançait des boutades.
15 C'était son mot. Homais sapait ; il devenait dangereux.

Cependant il étouffait dans les limites étroites du journalisme, et bientôt il lui fallut le livre, l'ouvrage ! Alors il composa une *Statistique générale du canton d'Yonville, suivie d'observations climatologiques*, et la statistique le poussa
20 vers la philosophie. Il se préoccupa des grandes questions ; problème social, moralisation des classes pauvres, pisciculture, caoutchouc, chemins de fer, etc. Il en vint à rougir d'être un bourgeois. Il affectait *le genre artiste*, il fumait ! Il s'acheta deux statuettes *chic* Pompadour, pour décorer son
25 salon.

Il n'abandonnait point la pharmacie ; au contraire ! il se tenait au courant des découvertes. Il suivait le grand mouvement des chocolats. C'est le premier qui ait fait venir dans la Seine-Inférieure du *cho-ca* et de la *revalentia*[2]. Il s'éprit
30 d'enthousiasme pour les chaînes hydro-électriques Pulvermacher ; il en portait une lui-même ; et, le soir, quand il retirait son gilet de flanelle, madame Homais restait tout éblouie devant la spirale d'or sous laquelle il disparaissait, et sentait redoubler ses ardeurs pour cet homme plus garrotté qu'un
35 Scythe[3] et splendide comme un mage. ①

Il eut de belles idées à propos du tombeau d'Emma. Il proposa d'abord un tronçon de colonne avec une draperie, ensuite une pyramide, puis un temple de Vesta, manière de rotonde... ou bien « un amas de ruines ». Et,
40 dans tous les plans, Homais ne démordait point du saule pleureur, qu'il considérait comme le symbole obligé de la tristesse.

Charles et lui firent ensemble un voyage à Rouen pour

1. *Frères ignorantins : frères des Écoles chrétiennes, appelés ainsi par dérision.*
2. *Ces produits ont réellement existé, et un prospectus figure dans le manuscrit.*
3. *Scythe : peuple de l'Antiquité, qui habitait le sud de la Russie actuelle.*

Hallucinant Homais

« Flaubert exècre la banalité, la bêtise, le bourgeois. Mais il passe la plus grande partie de son temps à collectionner les stupidités, les citations idiotes et à les grouper en un dictionnaire qui fut peut-être son œuvre préférée. C'est que, tout comme le sentiment romanesque, l'idée reçue le garantissait contre la fluctuation personnelle. Le *Dictionnaire des Idées Reçues*, écrit-il, servira "à rattacher le public à la tradition, à l'ordre, à la convention générale. La bêtise consiste à vouloir conclure". Mais quel repos aussi que d'enfermer en des conclusions, même stupides, tous les flottements d'une pensée éternellement inquiète ! Le lieu commun est une idée emprisonnée, la bêtise une pensée pétrifiée ; mais quel bonheur que de devenir granitique, de s'attacher par exemple à une pyramide :

"La bêtise est quelque chose d'inébranlable ; rien ne l'attaque sans se briser contre elle. Elle est de la nature du granit, dure et résistante. A Alexandrie, un certain Thompson, de Sunderland, a, sur la colonne de Pompée, écrit son nom en lettres de six pieds de haut... Il n'y a pas moyen de voir la colonne sans voir le nom de Thompson, et par conséquent sans penser à Thompson. Le crétin s'est incorporé au monument et se perpétue avec lui."

Sauvé le crétin, passé à l'éternel grâce au pouvoir pétrifiant de sa bêtise. Telle est la tentation du chemin tout tracé, du psittacisme à la manière d'Homais, ou plus simplement encore de la copie dans laquelle s'absorbent finalement Bouvard et Pécuchet. Ils copient pour se moquer, dira-t-on : mais plus encore pour s'accrocher à ce dont ils se moquent. Car la parodie est bien une forme d'adhésion, une façon détournée de vouloir la bêtise, c'est-à-dire la paix dans l'immobilité.

"Le bourgeois est pour moi quelque chose d'*infini...*" "Un néant fluide", disait aussi Gautier. Telle fut sans doute la signification du « Garçon », figuration mythique du bourgeois, projection illimitée d'une réalité bornée, qui finit par prendre pour le jeune Flaubert et ses amis une existence presque personnelle. Personnelle, mais beaucoup plus qu'individuelle : "il possédait véritablement les amis de Flaubert, les affolait même..." Car le Garçon contient tout, il est *hénaurme*, inépuisable ; il est le dieu de la bêtise, infini comme tous les dieux. Énormité sacrée : la supériorité d'Homais sur M.

Prudhomme tient aussi à ce que son personnage se situe dans une banalité non point superlative, mais véritablement transcendante. Au-dessus de lui flotte quelque chose d'oraculaire, de delphique ; il est le porte-parole. Et c'est pourquoi il finit par donner le vertige, pourquoi Flaubert se laisse halluciner par sa bêtise, par toutes les bêtises : non seulement le préjugé n'a pas empêché le jugement, mais il a créé une tentation supplémentaire dans laquelle tous les jugements finissent par sombrer. »

JEAN-PIERRE RICHARD, 1954, « La création de la forme chez Flaubert » in *Poésie et profondeur*, Seuil, pp. 201-204.

voir des tombeaux, chez un entrepreneur de sépultures, —
accompagnés d'un artiste peintre, un nommé Vaufrylard[1],
ami de Bridoux, et qui, tout le temps, débita des calembours. Enfin, après avoir examiné une centaine de dessins,
5 s'être commandé un devis et avoir fait un second voyage à
Rouen, Charles se décida pour un mausolée qui devait porter sur ses deux faces principales « un génie tenant une torche éteinte ».

Quant à l'inscription, Homais ne trouvait rien de beau
10 comme : *Sta viator*[2], et il en restait là ; il se creusait l'imagination ; il répétait continuellement : *Sta viator...* Enfin, il
découvrit : *amabilem conjugem calcas*[3] ! qui fut adopté.

Une chose étrange, c'est que Bovary, tout en pensant à
Emma continuellement, l'oubliait ; et il se désespérait à sen-
15 tir cette image lui échapper de la mémoire au milieu des
efforts qu'il faisait pour la retenir. Chaque nuit pourtant, il la
rêvait ; c'était toujours le même rêve : il s'approchait d'elle ;
mais, quand il venait à l'étreindre, elle tombait en pourriture
dans ses bras.

20 On le vit pendant une semaine entrer le soir à l'église.
M. Bournisien lui fit même deux ou trois visites, puis l'abandonna. D'ailleurs, le bonhomme tournait à l'intolérance, au
fanatisme, disait Homais ; il fulminait[4] contre l'esprit du siècle, et ne manquait pas, tous les quinze jours, au sermon, de
25 raconter l'agonie de Voltaire, lequel mourut en dévorant ses
excréments, comme chacun sait.

Malgré l'épargne où vivait Bovary, il était loin de pouvoir
amortir ses anciennes dettes. Lheureux refusa de renouveler
aucun billet. La saisie devint imminente. Alors il eut recours
30 à sa mère, qui consentit à lui laisser prendre une hypothè-
que sur ses biens, mais en lui envoyant force récriminations
contre Emma ; et elle demandait, en retour de son sacrifice,
un châle échappé aux ravages de Félicité. Charles le lui
refusa. Ils se brouillèrent.

35 Elle fit les premières ouvertures de raccommodement en
lui proposant de prendre chez elle la petite, qui la soulagerait
dans sa maison. Charles y consentit. Mais, au moment du
départ, tout courage l'abandonna. Alors, ce fut une rupture
définitive, complète.

40 A mesure que ses affections disparaissaient, il se resserrait
plus étroitement à l'amour de son enfant. Elle l'inquiétait
cependant ; car elle toussait quelquefois, et avait des plaques rouges aux pommettes.

1. *Flaubert était appelé « le sire de Vaufrylard » dans les salons de Madame Sabatier.*
2. *Sta viator : « Arrête-toi, voyageur » en latin. « Viator » figure souvent dans les inscriptions qu'on lit sur les parois d'un tombeau. Par exemple : Rogo te viator monumento huic nil male feceris : « Je te demande, voyageur, de ne causer aucun dommage à ce monument », ou Heus tu viator lasse qui me praetereis : « Hélas, voyageur fatigué, qui passes devant moi (sans t'arrêter) », etc.*
3. *Amabilem conjugem calcas : dans la continuité de « Arrête-toi, voyageur », cette phrase signifie : « Tu marches sur une épouse digne d'être aimée (ou adorable). »*
4. *« Fulminer. Joli verbe » (Dictionnaire des idées reçues).*

En face de lui s'étalait, florissante et hilare, la famille du pharmacien, que tout au monde contribuait à satisfaire. Napoléon l'aidait au laboratoire, Athalie lui brodait un bonnet grec, Irma découpait des rondelles de papier pour cou-
5 vrir les confitures, et Franklin récitait tout d'une haleine la table de Pythagore. Il était le plus heureux des pères, le plus fortuné des hommes.

Erreur ! une ambition sourde le rongeait : Homais désirait la croix. Les titres ne lui manquaient point :
10 1) S'être, lors du choléra, signalé par un dévouement sans bornes ; 2) avoir publié, et à mes frais, différents ouvrages d'utilité publique, tels que... (et il rappelait son Mémoire intitulé : *Du cidre, de sa fabrication et de ses effets ;* plus, des observations sur le puceron laniger[1],
15 envoyées à l'Académie ; son volume de statistique, et jusqu'à sa thèse de pharmacien) ; sans compter que je suis membre de plusieurs sociétés savantes (il l'était d'une seule).

— Enfin, s'écriait-il, en faisant une pirouette, quand ce ne serait que de me signaler aux incendies ! ①
20 Alors Homais inclinait vers le Pouvoir. Il rendit secrètement à M. le préfet de grands services dans les élections. Il se vendit enfin, il se prostitua. Il adressa même au souverain une pétition où il le suppliait *de lui faire justice* ; il l'appelait *notre bon roi* et le comparait à Henri IV.
25 Et, chaque matin, l'apothicaire se précipitait sur le journal pour y découvrir sa nomination ; elle ne venait pas. Enfin, n'y tenant plus, il fit dessiner dans son jardin un gazon figurant l'étoile de l'honneur, avec deux petits tordillons d'herbe qui partaient du sommet pour imiter le ruban. Il se prome-
30 nait autour, les bras croisés, en méditant sur l'ineptie du gouvernement et l'ingratitude des hommes.

Par respect, ou par une sorte de sensualité qui lui faisait mettre de la lenteur dans ses investigations, Charles n'avait pas encore ouvert le compartiment secret d'un bureau de
35 palissandre dont Emma se servait habituellement. Un jour, enfin, il s'assit devant, tourna la clef et poussa le ressort. Toutes les lettres de Léon s'y trouvaient. Plus de doute, cette fois ! Il dévora jusqu'à la dernière, fouilla dans tous les coins, tous les meubles, tous les tiroirs, derrière les murs,
40 sanglotant, hurlant, éperdu, fou. Il découvrit une boîte, la défonça d'un coup de pied. Le portrait de Rodolphe lui sauta en plein visage, au milieu des billets doux bouleversés.

On s'étonna de son découragement. Il ne sortait plus, ne

1. *Laniger (ou lanigère) : puceron des pommiers, qui produit une sorte de laine blanche.*

① Faire feu de tous les styles ou la maestria flaubertienne

En quelques lignes, Flaubert déploie toutes les ressources de son art pour faire de cette saynète un véritable morceau de bravoure. Nous nous intéresserons ici au mélange des styles direct, indirect et indirect libre et aux interventions du narrateur.

— « Les titres ne lui manquaient point » : *phrase attribuable au narrateur, avec une fausse objectivité dont l'ironie confine à l'antiphrase, et aussi à Homais au style indirect libre :* « les titres ne me manquent point » ;
— « 1) S'être, lors du choléra, signalé par un dévouement sans bornes » : *phrase qui se présente comme le début de la lecture d'une supplique ou d'une demande officielle, Homais parlant de lui à la troisième personne. L'emploi de l'infinitif suppose une introduction préalable, comme* « M. Homais sollicite la légion d'honneur pour les raisons suivantes ». *Signalons l'ironie du narrateur : quel mérite y a-t-il à remplir ce qui n'est après tout que les charges de sa profession ?*
— « 2) Avoir publié, et à mes frais, différents ouvrages d'utilité publique, tels que... » : *à remarquer ici la rupture, puisqu'après un début identique à celui de la phrase précédente, on passe à la pre-*

mière personne : « à mes frais ». *La cohérence stylistique aurait exigé* « à ses frais ». *Il s'agit donc à la fois d'un changement dans la lecture de la lettre supposée et dans le rapport avec le ou les interlocuteurs possibles (à moins qu'il ne se (re)lise ce texte à lui-même, et ce de façon itérative), et d'une manipulation ironique du narrateur qui fait varier la voix ;*
— « (et il rappelait son Mémoire intitulé : Du cidre, de sa fabrication et de ses effets ; plus, des observations sur le puceron laniger,

envoyées à l'Académie ; son volume de statistique, et jusqu'à sa thèse de pharmacien) » : *retour au narrateur qui résume par le style indirect) et commente l'énumération, avec une ironie explicite dans le* « jusqu'à », *puisque la thèse, nécessaire pour devenir pharmacien, ne saurait constituer un titre aux honneurs. Mais on note une rupture dans cette énumération rapportée, car le* « plus, des observations, etc. » *est attribuable au texte, ou au discours homaisien, sinon l'on aurait eu :* « ses observations ». *Enfin l'ironie porte aussi sur* « l'Académie » : *l'article défini en fait un absolu, ce qui évite de préciser laquelle ;* « sans compter que je suis membre de plusieurs sociétés savantes » : *retour à la voix d'Homais. Le style est ici direct et fonctionne soit comme un ajout oral à la liste écrite de ses mérites, soit comme une version orale de ce qui est écrit ;*
— « (il l'était d'une seule) » : *intervention directe du narrateur dont l'ironie s'exerce pleinement ;*
— « Enfin, s'écriait-il, en faisant une pirouette, quand ce ne serait que de me signaler

recevait personne, refusait même d'aller voir ses malades. Alors on prétendit qu'il *s'enfermait pour boire*.

Quelquefois pourtant, un curieux se haussait par-dessus la haie du jardin, et apercevait avec ébahissement ce
5 homme à barbe longue, couvert d'habits sordides, farouche, et qui pleurait tout haut en marchant. ⟨1⟩

Le soir, dans l'été, il prenait avec lui sa petite fille et la conduisait au cimetière. Ils s'en revenaient à la nuit close, quand il n'y avait plus d'éclairé sur la place que la lucarne de Binet.

10 Cependant la volupté de sa douleur était incomplète, car il n'avait autour de lui personne qui la partageât ; et il faisait des visites à la mère Lefrançois afin de pouvoir parler d'*elle*. Mais l'aubergiste ne l'écoutait que d'une oreille, ayant comme lui des chagrins, car M. Lheureux venait enfin d'éta-
15 blir les *Favorites du commerce*, et Hivert, qui jouissait d'une grande réputation pour les commissions, exigeait un surcroît d'appointements et menaçait de s'engager « à la Concurrence ».

Un jour qu'il était allé au marché d'Argueil pour y vendre
20 son cheval, — dernière ressource, — il rencontra Rodolphe.

Ils pâlirent en s'apercevant. Rodolphe, qui avait seulement envoyé sa carte, balbutia d'abord quelques excuses, puis s'enhardit et même poussa l'aplomb (il faisait très chaud, on était au mois d'août), jusqu'à l'inviter à prendre
25 une bouteille de bière au cabaret.

Accoudé en face de lui, il mâchait son cigare tout en causant, et Charles se perdait en rêveries devant cette figure qu'elle avait aimée. Il lui semblait revoir quelque chose d'elle. C'était un émerveillement. Il aurait voulu être cet
30 homme.

L'autre continuait à parler culture, bestiaux, engrais, bouchant avec des phrases banales tous les interstices où pouvait se glisser une allusion. Charles ne l'écoutait pas ; Rodolphe s'en apercevait ; et il suivait sur la mobilité de sa figure le
35 passage des souvenirs. Elle s'empourprait peu à peu, les narines battaient vite, les lèvres frémissaient ; il y eut même un instant où Charles, plein d'une fureur sombre, fixa ses yeux contre Rodolphe qui, dans une sorte d'effroi, s'interrompit. Mais bientôt la même lassitude funèbre réapparut
40 sur son visage.

— Je ne vous en veux pas, dit-il.

Rodolphe était resté muet. Et Charles, la tête dans ses

aux incendies ! » : *style direct avec toutes ses marques, guillemets, incise, indication du ton avec le point d'exclamation. Mais aussi didascalie — « en faisant une pirouette » — qui constitue ce passage en saynète, probablement itérative d'après l'imparfait. Forte ironie du narrateur qui rend comiquement mécanique (par la répétition suggérée et le jeu de scène) cette tirade du plus pur Homais, et qui joue sur l'intratextualité, puisque nous n'avons vu le pharmacien « se* distinguer aux incendies » qu'à la fin des Comices quand, tout gonflé d'importance, il s'assurait qu'il n'y avait aucun risque.

La maîtrise de Flaubert est ici éclatante, non seulement dans l'art des variations, mais aussi parce que le statut du passage reste en fin de compte indécidable : lecture et/ou discours d'Homais face à un public imaginaire ? à un public réel ? mélange des deux ? La théâtralisation d'Homais l'élève jusqu'au mythe.

⟨1⟩ Charles ou la mort d'amour

L'ensemble du dernier chapitre consacre la promotion de Charles au statut de héros et celle d'Homais sur le plan historique. Il s'agit donc d'une double transformation, que souligne la rupture entre le médecin et le pharmacien. Lorsqu'il découvre les lettres, Charles a été exploité puis abandonné à son sort, comme Emma. Seul Homais continue à le voir, tout en coupant les ponts entre les enfants. C'est que Homais est veuf, lui aussi, mais de la croix. Cependant, leur rupture sociale est consommée, symbolisant la radicalisation du sens historique, ce qui explique également l'accélération narrative et temporelle.

La rencontre avec Rodolphe, qui clôt la revue finale des personnages, donne à Charles l'occasion de dire la loi du texte : « C'est la faute de la fatalité ! » Rodolphe reste insensible à la grandeur de Charles, comme d'ailleurs l'ensemble de la société, dont le silence pèse aussi lourd que le mépris amusé du séducteur.

Récit d'une déchéance — Charles ne rejoint-il pas le clan des miséreux ? —, le dernier chapitre fait en même temps accéder l'époux au sublime d'Emma : celui de la mort.

Scandaleuse, cette mort l'est dans la mesure où elle renvoie la société à sa cruauté, et dans celle où elle sanctifie ce que le roman s'est acharné à détruire : l'amour. Charles se conforme enfin au monde idéal qu'Emma poursuivait. Il la rejoint dans le tombeau, ce tombeau dont l'édification et l'inscription occupent significativement une si grande place.

Chapitre final, chapitre des fins dernières : des êtres scandaleux, il ne reste rien, même quand on les ouvre ; de leur fille, demeure un pauvre destin d'ouvrière, l'exclue sociale et littéraire par excellence, de la société yonvillaise émerge la terrible figure du triomphe bourgeois. Madame Bovary ou le livre sur rien, sur le néant, sur la mort.

deux mains, reprit d'une voix éteinte et avec l'accent résigné des douleurs infinies :
— Non, je ne vous en veux plus !
Il ajouta même un grand mot, le seul qu'il ait jamais dit :
5 — C'est la faute de la fatalité !
Rodolphe, qui avait conduit cette fatalité, le trouva bien débonnaire pour un homme dans sa situation, comique même, et un peu vil.
Le lendemain, Charles alla s'asseoir sur le banc, dans la
10 tonnelle. Des jours passaient par le treillis ; les feuilles de vigne dessinaient leurs ombres sur le sable, le jasmin embaumait, le ciel était bleu, des cantharides[1] bourdonnaient autour des lis en fleur, et Charles suffoquait comme un adolescent sous les vagues effluves amoureuses qui gonflaient
15 son cœur chagrin. ‹1›
A sept heures, la petite Berthe, qui ne l'avait pas vu de toute l'après-midi, vint le chercher pour dîner.
Il avait la tête renversée contre le mur, les yeux clos, la bouche ouverte, et tenait dans ses mains une longue mèche
20 de cheveux noirs.
— Papa, viens donc ! dit-elle.
Et, croyant qu'il voulait jouer, elle le poussa doucement. Il tomba par terre. Il était mort.
Trente-six heures après, sur la demande de l'apothicaire,
25 M. Canivet accourut. Il l'ouvrit et ne trouva rien.
Quand tout fut vendu, il resta douze francs soixante et quinze centimes qui servirent à payer le voyage de mademoiselle Bovary chez sa grand-mère. La bonne femme mourut dans l'année même ; le père Rouault étant paralysé, ce fut une tante qui s'en chargea. Elle est pauvre et l'envoie, pour gagner sa vie, dans une filature de coton.
Depuis la mort de Bovary, trois médecins se sont succédé à Yonville sans pouvoir y réussir, tant M. Homais les a tout de suite battus en brèche. Il fait une clientèle d'enfer ; l'auto-
35 rité le ménage et l'opinion publique le protège.
Il vient de recevoir la croix d'honneur. ‹2› ‹3› ‹4›

1. Cantharide : coléoptère de couleur vert doré, appelé également mouche d'Espagne. Voir note 2 p. 705.

L'espace comme obsession

L'opposition entre Charles et Emma se manifeste même dans leur appréhension de l'espace. En effet, Shiguéhiko Hasumi a pu montrer que Charles éprouve une véritable phobie de l'espace clos alors qu'Emma refuse l'univers ouvert.

Chez Charles, le contact avec un monde inconnu est lié à la clôture, à l'enfermement, la contraction : l'arrivée au collège, l'embarras à la Vaubyessard, les bousculades au théâtre de Rouen, etc., alors que le bonheur est associé à la traversée d'un espace défini comme étendue : la campagne lors des visites aux Bertaux, et, après le mariage, lors des visites médicales.

Si Emma « aime à changer de place » et rêve à des pays inconnus, on constate que sa vie ne sera qu'une tentative perpétuelle d'intégration à des espaces fermés, chauds, sensuels : le couvent, la Vaubyessard, la chambre à coucher de Rodolphe, la chambre d'hôtel de Rouen. Dans ses rêveries même, on peut relever les salons, les cabinets de restaurant. Certes, la scène d'amour avec Rodolphe se situe dans un cadre naturel, ouvert, mais c'est dans sa chambre qu'elle l'éprouve avec encore plus de jouissance, et sur la Seine, avec Léon, c'est l'enveloppement par l'ombre qui importe. Et que dire du fiacre ?

La mort des deux personnages confirme, en les compliquant, ces remarques :

« L'analyse que nous venons de faire a donc amené à constater que Charles et Emma, traversant tour à tour une série d'aventures relativement analogues, réagissent d'une manière totalement inverse suivant la sensibilité spatiale qui leur est particulière. On retrouve cette structure vers la fin du roman, lorsque la vie de débauche de la jeune femme a pris une véritable figure de dégradation. Ils éprouvent, chacun, en effet, un besoin identique d'évasion sans pourtant en trouver le moyen : "Quand donc tout cela finira-t-il ?" se demande le mari dans son jardin, et son épouse dans sa chambre : "Mais comment pouvoir s'en débarrasser ?" Il reste à voir par quels processus leur sensibilité spatiale les entraînera jusqu'à l'anéantissement de leur existence.

Il est intéressant de signaler que pour trouver la mort, ils passent chacun alternativement, mais dans un ordre inverse par les deux figures différentes de l'espace : Emma va de l'univers ouvert à l'univers clos, Charles du clos à l'ouvert.

Cette alternance correspond chez l'héroïne au mouvement précipité d'aller et retour de sa dernière visite à la Huchette. D'abord, la campagne semble lui sourire : "Elle se retrouvait dans les sensations de sa première tendresse, et son cœur comprimé, s'y dilatait amoureusement". Mais ce présage n'est que trompeur ; la chambre de Rodolphe qui la protège dans la "clarté du crépuscule" et où elle passe un bref moment sensuel la repousse bientôt violemment : "Elle sortit. Les murs tremblaient, le plafond l'écrasait." C'est dans cet espace ouvert que la démence la saisit : "Le sol sous ses pieds était plus mou qu'une onde, et les sillons lui parurent d'immenses vagues brunes." Alors commence chez elle la dissolution de l'être sous la forme de fuite de son âme vers l'immensité du paysage. "Comme les blessés, en agonisant, sentent l'existence qui *s'en va* par leur plaie qui saigne", elle n'a plus "conscience d'elle-même que par le battement de ses artères, qu'elle croyait entendre *s'échapper comme une assourdissante musique qui emplissait la campagne*". L'existence d'Emma, ainsi exposée à la menace d'élargissement démesuré, se décompose pour se dissiper dans l'ouverture du monde. Le seul moyen d'échapper à cette dispersion vertigineuse de l'être sera, pour elle, de s'enfermer dans son propre univers limité en se donnant une immobilité définitive. La scène de son agonie est la dernière phase de ce mouvement alterné de l'ouvert et du clos, la conclusion naturelle de sa recherche constante de l'espace fermé.

Quand on se penche sur le cas de Charles, on voit que la première phase de cette alternance débute, après la mort de sa femme, dans l'église où il "se sentait défaillir à cette continuelle répétition de prières et de flambeaux, sous ces odeurs affadissantes de cire et de soutane". Mais une fois le cortège mis en marche, Charles se retrouve au milieu de la nature ouverte : "Une brise fraîche soufflait... Le ciel pur était tacheté de nuages roses... Toutes sortes de bruits joyeux emplissaient l'horizon". Pourtant, il est encore loin de la délivrance, car ce tableau champêtre le fait se

souvenir du début de son mariage. Plus tard, il s'enfermera dans la maison où il aura découvert les lettres adultères : "Il ne sortait plus, ne recevait personne, refusait même d'aller voir ses malades". Se laissant pousser la barbe, "couvert d'habits sordides", Charles ne quitte son univers fermé qu'"à la nuit close".

Comme Emma, sortant de chez Rodolphe et entourée de grands espaces vides, est quasiment morte, Charles, qui ne vit plus qu'enfermé, se sent dépérir. Ainsi donc, après avoir traversé deux aspects contradictoires de l'espace, ils se laissent entraîner par le mouvement naturel de leur sensibilité, elle de l'extérieur vers l'intérieur, lui de l'intérieur vers l'extérieur, et tous les deux pour retrouver les paysages qui protégeaient leur jeunesse.

Certes, la longue scène d'agonie d'Emma nous fait assister à un véritable drame de la damnation, avec l'apparition funeste de l'aveugle. Au premier abord, tout lui semble interdit comme par punition : la lumière s'assombrit dans la chambre, l'air frais ne lui arrive plus, les murs se rapprochent autour d'elle immobilisée sur son lit. Mais, en réalité, ce qu'elle retrouve à l'heure de la mort, c'est

l'ambiance du couvent où son âme de jeune fille jouissait d'un assoupissement sensuel : "Elle retourna sa figure lentement, et parut saisie de joie à voir tout à coup l'étole violette, sans doute retrouvant au milieu d'un apaisement extraordinaire la volupté perdue de ses premiers élancements mystiques..." Cette phrase pourrait nous renvoyer à la crise mystique qui l'avait saisie après le départ de Rodolphe, mais nous y remarquons plutôt l'exaltation provoquée par la redécouverte d'un contact immédiat et heureux avec les êtres et les choses.

Comment se réalise chez Charles ce retour vers le monde ? Pour le voir, citons une phrase qui annonce l'anéantissement final de son existence. Dans l'hallucination du cerveau fatigué de son mari, Emma se dégage de son cadavre immobile, s'identifie aux objets environnants par un lent mouvement de dispersion : "Des moires frissonnaient sur la robe de satin, blanche comme un clair de lune. Emma disparaissait dessous ; et il lui semblait que, *s'épandant au dehors d'elle-même*, elle se perdait confusément dans l'entourage des choses, dans le silence, dans le vent qui passait, dans les senteurs humides qui montaient". Faut-il parler du panthéisme flaubertien comme l'appelle Jean Bruneau ? Probablement. Mais, en fait, ce n'est qu'à la toute dernière image que nous verrons un personnage flaubertien s'identifier totalement à la nature : "Charles alla s'asseoir sur le banc, dans la tonnelle. Des jours paraissaient par la treille ; les feuilles de vignes dessinaient leurs ombres sur le sable ; le jasmin embaumait, le ciel était bleu, des cantharides bourdonnaient autour des lis en fleurs, et Charles suffoquait, comme un *adolescent* sous les vagues effluves qui *gonflaient* son cœur chagrin". Il se trouve enfin ici au centre même de tout ce à quoi il aspirait à la fenêtre de la pension rouennaise. Son âme, éprouvant une sensation de délivrance, s'intègre à tout ce qui l'entoure suivant un mouvement d'expansion vers l'immensité de l'horizon : il devient verdure, odeur, bruit, mouvement, lumière.

On voit ainsi que la mort s'est présentée pour lui, comme pour Emma, non pas comme l'anéantissement total de leur existence, mais, bien au contraire, comme l'accomplissement d'une démarche constante de leur vie, plénitude même d'un besoin essentiel de retrouver leur jeunesse. »

SHIGUEHIKO HASUMI,
1970,
« Ambivalence flaubertienne de l'ouvert et du clos »,
Cahiers de l'Association Internationale des Études françaises, n° 23, pp. 270-273.

 ## 2 L'apothéose d'Homais

« S'il y a deux figures centrales dans *Madame Bovary*, comme dans *Don Quichotte*, Emma et Homais, le roman est à deux versants : la défaite d'Emma, l'épanouissement et le triomphe d'Homais.
[...]
Si Flaubert s'est proposé de peindre dans Homais un imbécile, encore faut-il s'entendre. Ce n'est nullement un négatif comme Charles ou Léon, c'est un positif comme Emma, c'est-à-dire un être qui fait saillie et qui s'impose par quelque qualité exceptionnelle et admirable. Cette qualité était chez Emma la sensualité. C'est chez Homais le sens pratique. Tout chez lui se tourne en réalité, en adaptation. Il est l'*homo faber* qui doit nécessairement réussir.
[...]
La défaite des Bovary, la victoire d'Homais ont lieu sur tous les registres. L'un fait sa fortune, comme Lheureux, sur la ruine des autres.
[...]
Tel est bien le trait qui le carre solidement, un robuste aplomb. C'est par là qu'il tient une place énorme, devient immense, figure vivante de la prospérité. Il s'occupe de tout, s'ingère dans tout, marchant par la voie royale de son intérêt, comme le jour du Comice il descend la grand-rue d'Yonville.
[...]
C'est d'ailleurs, comme son voisin le roi d'Yvetot, un monarque débonnaire. Il ne voit couler sans émoi que le sang des autres. Chez lui, pour éviter les accidents, les couteaux ne sont pas affilés, les parquets pas cirés, les fenêtres sont grillées. Lors du feu d'artifice, il pense à l'incendie, lors de la promenade d'Emma aux accidents, et, quand Justin va au capharnaüm, à l'arsenic.

Ce pharmacien s'érige comme l'intellectuel d'Yonville ; c'est en cela qu'il nous semble atteindre le sommet de la bêtise, et cependant, ici encore, ce n'est pas un neutre, un répertoire de clichés comme Léon ou Charles. Ou plutôt le cliché, l'idée reçue, qui sortent de ceux-ci comme une exsudation molle, se découpent chez Homais en profils massifs et puissants. On ne saurait nier qu'il possède un style parlé et un style écrit. Le style parlé est ample, étoffé, charnu et gras, il a l'*os rotundum* d'un homme qui s'écoute. Le style écrit est un peu différent. Les articles du *Fanal* ne manquant pas de saveur. M. Homais a, comme Bossuet, un esprit de généralisation et d'idéalisation oratoires, et la chronique d'Yonville est convertie immédiatement en quelque chose d'éternel et de stylisé comme les incidents de la vie d'Henriette d'Angleterre dans l'oraison funèbre.

Ce génie oratoire met sur la figure d'Yonville une sorte de santé et un reflet de bonne conscience, comme les périodes rondes de M. de Meaux sur la solide carrure et les certitudes intérieures du dix-septième siècle. Nous ne sommes pas étonnés de voir en Homais un admirateur d'*Athalie*, dont une de ses filles porte le nom.

La puissance d'Homais consiste surtout à représenter la bourgeoisie dans sa pleine force d'ascension, lorsque, non contente de conquérir la fortune et le pouvoir, elle cherche à se frotter d'art. Son dernier trait est "de donner dans un genre folâtre et parisien", de parler argot. A l'époque de *Madame Bovary*, il y a une tendance du bourgeois vers le genre artiste. En 1853, au moment même où Flaubert écrit Homais, le père Buloz publie dans sa revue *les Buveurs d'eau, scènes de la vie d'artiste*, par Mürger. Le toupet à la Louis-Philippe que porte Homais, il s'oriente déjà vers celui de Rochefort. On le verra, dans le *Fanal*, quand il se croira méconnu par le pouvoir, saper, devenir dangereux.

[...]
Bournisien reste au-dessous du curé moyen : c'est un magot. Au contraire, Homais dépasse le pharmacien. Intellectuel d'Yonville, il figure le Voltaire local. Sa campagne de presse pour se débarrasser de l'Aveugle est aussi forte, sur son théâtre restreint, que celle d'un journaliste parisien contre le ministre qui lui a fait tort, et Flaubert se départit en sa faveur de son impassibilité habituelle, appelle cette campagne "une batterie cachée

qui décelait la profondeur de son intelligence et la scélératesse de sa vanité". La profondeur de son intelligence ? Parfaitement ! Et ce n'est pas une ironie. Homais est intelligent.

De Flaubert et de lui le plus anticlérical ce serait Flaubert, lorsqu'il fait de Bournisien la profondeur même ou l'abîme de l'imbécillité. Il est vrai que dans le *Juif Errant* il y a aussi la profondeur de l'intelligence de Rodin.

L'apothéose sur laquelle finit le roman, nous la voyons en effet d'accord avec l'évolution politique et sociale de la France. Homais est le triomphateur. Et d'abord triomphateur chez lui : il apparaît ceinturé d'or à son épouse éblouie et respectueuse, et son Napoléon sait par cœur toute la table de Pythagore. Et triomphateur dans son pays. Le succès de sa campagne contre l'Aveugle lui a ouvert des perspectives illimitées, et il s'y avance de toutes les forces de son "aplomb robuste". "Il fait une clientèle d'enfer, l'autorité le ménage et l'opinion publique le protège. Il vient de recevoir la croix d'honneur."

La croix d'honneur d'Homais pose le point final de *Madame Bovary*. Cette aventure humaine laisse un produit net, a pour moralité la survivance des plus aptes.

ALBERT THIBAUDET,
1935,
Gustave Flaubert, Gallimard,
pp. 109-113.

 ## Le petit journal de Madame Bovary

« J'ai enfin expédié hier à Du Camp le manuscrit de la *Bovary*, allégé de trente pages environ, sans compter par-ci par-là beaucoup de lignes enlevées. J'ai supprimé trois grandes tartines de Homais, un paysage en entier, les conversations des bourgeois dans le bal, un article d'Homais, etc., etc. Tu vois, vieux, si j'ai été héroïque. Le livre y a-t-il gagné ? Ce qu'il y a de sûr, c'est que l'ensemble maintenant a plus de mouvement. »

A Louis Bouilhet, 1/6/1856

 ## Le jugement : sus au réalisme !

« Attendu que les passages incriminés, envisagés abstractivement et isolément, présentent effectivement soit des expressions, soit des images, soit des tableaux que le bon goût réprouve et qui sont de nature à porter atteinte à des légitimes et honorables susceptibilités ;

« Attendu que les mêmes observations peuvent s'appliquer justement à d'autres passages non définis par l'ordonnance de renvoi et qui, au premier abord, semblent présenter l'exposition de théories qui ne seraient pas moins contraires aux bonnes mœurs, aux institutions, qui sont la base de la société, qu'au respect dû aux cérémonies les plus augustes du culte ;

« Attendu qu'à ces divers titres l'ouvrage déféré au tribunal mérite un blâme sévère, car la mission de la littérature doit être d'orner et de récréer l'esprit en élevant l'intelligence et en épurant les mœurs plus encore que d'imprimer le dégoût du vice en offrant le tableau des désordres qui peuvent exister dans la société ;

« Attendu que les prévenus, et en particulier Gustave Flaubert, repoussent énergiquement l'inculpation dirigée contre eux, en articulant que le roman soumis au jugement du tribunal a un but éminemment moral ; que l'auteur a eu principalement en vue d'exposer les dangers qui résultent d'une éducation non appropriée au milieu dans lequel on doit vivre, et que, poursuivant cette idée, il a montré la femme, personnage principal de son roman, aspirant vers un monde et une société pour lesquels elle n'était pas faite, malheureuse de la condition modeste dans laquelle le sort l'aurait placée, oubliant d'abord ses devoirs de mère, manquant ensuite à ses devoirs d'épouse, introduisant successivement dans sa maison l'adultère et la ruine, et finissant misérablement par le suicide, après avoir passé par tous les degrés de la dégradation la plus complète et être descendue jusqu'au vol ;

« Attendu qu'il n'est pas permis, sous prétexte de peinture de caractère ou de couleur locale, de reproduire dans leurs écarts les faits, dits et gestes des personnages qu'un écrivain s'est donné mission de peindre ; qu'un pareil système appliqué aux œuvres de l'esprit aussi bien qu'aux productions des beaux-arts, conduirait à un réalisme qui serait la négation du beau et du bon et qui, enfantant des œuvres également offensantes pour les regards et pour l'esprit, commettrait de continuels outrages à la morale publique et aux bonnes mœurs :

« Attendu qu'il y a des limites que la littérature, même la plus légère, ne doit pas dépasser, et dont Gustave Flaubert et co-inculpés paraissent ne s'être pas suffisamment rendu compte ;

« Mais attendu que l'ouvrage dont Flaubert est l'auteur est une œuvre qui paraît avoir été longuement et sérieusement travaillée, au point de vue littéraire et de l'étude des caractères ; que les passages relevés par l'ordonnance de renvoi, quelque répréhensibles qu'ils soient, sont peu nombreux si on les compare à l'étendue de l'ouvrage ; que ces passages, soit dans les idées qu'ils expo-

sent, soit dans les situations qu'ils représentent, rentrent dans l'ensemble des caractères que l'auteur a voulu peindre, tout en les exagérant et en les imprégnant d'un réalisme vulgaire et souvent choquant ;

« Attendu que Gustave Flaubert proteste de son respect pour les bonnes mœurs et tout ce qui se rattache à la morale religieuse ; qu'il n'apparaît pas que son livre ait été, comme certaines œuvres, écrit dans le but unique de donner une satisfaction aux passions sensuelles, à l'esprit de licence et de débauche, ou de ridiculiser des choses qui doivent être entourées du respect de tous ;

« Qu'il a eu le tort seulement de perdre parfois de vue les règles que tout écrivain qui se respecte ne doit jamais franchir, et d'oublier que la littérature, comme l'art, pour accomplir le bien qu'elle est appelée à produire, ne doit pas seulement être chaste et pure dans sa forme et dans son expression ;

« Dans ces circonstances, attendu qu'il n'est pas suffisamment établi que Pichat, Gustave Flaubert et Pillet se soient rendus coupables des délits qui leur sont imputés ;

« Le tribunal les acquitte de la prévention portée contre eux et les renvoie sans dépens. »

« La Bovary m'embête. On me scie avec ce livre-là.
Car tout ce que j'ai fait depuis n'existe pas.
Je vous assure que, si je n'étais besogneux,
je m'arrangerais pour qu'on n'en fît plus de tirage. »

Lettre à Georges Charpentier,
éditeur, 16/2/1879.

Index thématique

Index des auteurs

Table des illustrations

Les illustrations des pages suivantes sont tirées du « Petit Journal pour rire » : pp. 76 - 77 - 84 - 118 - 133 - 202 - 203 - 215 - 226 - 233 - 280 - 309 - 327 - 347 - 377 - 387 - 391 - 418 - 420 - 423 - 447 - 449 - 456 - 476 - 493 - 494 - 495 - 505 - 511 - 517 - 525 - 527 - 528 - 529 - 549 - 576 - 577 - 579 - 585 - 587 - 619 - 637 - 649 - 665 - 675 - 677 - 679 - 681 - 703 - 753 - 755 - 761 - 763.

REMERCIEMENTS

*Que soit ici exprimée ma gratitude à tous ceux
qui ont rendu ce livre possible :
le studio 115, Françoise Prin, documentaliste,
Dominique Régnier, relecteur, l'ensemble des équipes
techniques...
ainsi qu'à Pierre Barbéris, Jean Delabroy,
Jean Goldzink,
Danielle Pasquine, Paul Viallaneix, dont la
documentation,
si généreusement prêtée, a enrichi les contextes.*

UNE PRODUCTION LOUIS MAGNARD
MISE EN SCENE ET REALISEE PAR LE STUDIO 115
AVEC
POUR LA CONCEPTION GRAPHIQUE ET LA COUVERTURE DE L'OUVRAGE LE STUDIO 115
A LA PHOTOCOMPOSITION, AU LABORATOIRE ET AU MONTAGE PARIS PHOTOCOMPO
ET TOUT PARTICULIEREMENT ANAÏK BROUSSINE
AVEC
FRANÇOISE PRIN ET LE STUDIO 115 POUR LA RECHERCHE ICONOGRAPHIQUE
AVEC
DOMINIQUE REGNIER RELECTEUR
ET
I.M.E. A L'IMPRESSION

Impression I.M.E. - 25110 Baume-les-Dames - Dépôt légal : Juin 1992 - n° éditeur : 9087